LETRAS MEXICANAS

Diccionario crítico
de la literatura mexicana
(1955-2011)

CHRISTOPHER DOMÍNGUEZ MICHAEL

Diccionario crítico de la literatura mexicana

(1955-2011)

FONDO DE CULTURA ECONÓMICA

Primera edición,   2007
Segunda edición,
    corregida y aumentada, 2012

Domínguez Michael, Christopher
    Diccionario crítico de la literatura mexicana (1955-2011) / Christopher Domín-
guez Michael. — 2ª ed. — México : FCE, 2012
    756 p. ; 23 × 17 cm – (Colec. Letras Mexicanas. Ser. Mayor)
    ISBN 978-607-16-1127-7

    1. Literatura mexicana — Diccionarios I. Ser. II. t.

LC PQ7106   Dewey M803 D439d

El FCE agradece a Emiliano Gironella su autorización para reproducir en la portada
la obra *Retrato de Octavio Paz* (1983), creación de su padre, Alberto Gironella

Distribución mundial

Diseño de portada: Teresa Guzmán Romero

D. R. © 2007, FONDO DE CULTURA ECONÓMICA
Carretera Picacho-Ajusco, 227; 14738 México, D. F.
Empresa certificada ISO 9001:2008

Comentarios: editorial@fondodeculturaeconomica.com
www.fondodeculturaeconomica.com
Tel. (55)5227-4672; fax (55)5227-4694

ISBN 978-607-16-1127-7

Impreso en México • *Printed in Mexico*

Prólogo a la segunda edición

Este *Diccionario crítico de la literatura mexicana* alcanza su segunda edición. Cumpliendo con mi propósito original de actualizar el libro en cada edición, en esta oportunidad el periodo abarcado por el libro se extiende hasta 2011. Se cumple así la idea de que el lector encuentre, en el diccionario, la gran mayoría de mis textos sobre la literatura mexicana contemporánea.

He agregado a varias de las entradas material nuevo, ya sea porque he vuelto a escribir sobre ciertos autores o debido a que decidí recuperar páginas no consideradas en la primera edición. Con la intención de hacer más manejable al libro y orientar mejor al lector, en aquellas entradas donde hay más de un texto sobre un autor, he subtitulado, para esta segunda edición, cada ensayo o fragmento. Se actualizaron y se precisaron las fichas bibliográficas, en el entendido de que nunca han pretendido ser exhaustivas. Son, solamente, mis sugerencias de lectura. Algunas de las modificaciones se hicieron obedeciendo al gran interés que la aparición del *Diccionario* suscitó y recogiendo varias de las sugerencias de mis lectores. El libro provocó, además, una encendida polémica en la que intervine defendiendo mi posición como crítico y como escritor. Mis conclusiones al respecto aparecieron en *Letras Libres* en abril de 2008, artículo al cual remito a los interesados en conocer o en recordar aquella discusión.*

He agregado, a esta segunda edición, 21 nuevas entradas sobre igual

* Christopher Domínguez Michael, "Libertad y responsabilidad", *Letras Libres,* núm. 112, México, abril de 2008.

número de autores, la mayor parte publicadas durante los últimos cinco años en *El Ángel* de *Reforma* y *Letras Libres* pero escritas con la intención de incluirlas, una vez releídas y corregidas, en el diccionario. Los autores recién incluidos, como se podrá corroborar en la lista siguiente, son historiadores y filósofos que han escrito obras decisivas para nuestra prosa lo mismo que narradores y poetas por diversos motivos no incluidos en la primera edición.

Finalmente, figuran por primera vez en este *Diccionario crítico de la literatura mexicana (1955-2011)*, varios de los nuevos escritores que en el último lustro han ratificado su presencia entre nosotros. Buena parte de estas inclusiones han quedado registradas en la primera edición al inglés del libro: *Critical Dictionary of Mexican Literature [1955-2010]* (Dalkey Archive Press, Champaign/Londres/Dublín, 2012).

A continuación se enlistan las modificaciones arriba mencionadas.

Entradas a las cuales se les agregó material nuevo o se sustituyó el anterior: Inés Arredondo, Carmen Boullosa, Fabienne Bradu, Elsa Cross, Amparo Dávila, Álvaro Enrigue, Luis Ignacio Helguera, Francisco Hinojosa, Enrique Krauze, Vicente Leñero, Fabio Morábito, Eduardo Antonio Parra, Fernando del Paso, Octavio Paz, Alejandro Rossi, Daniel Sada, Álvaro Uribe y Juan Villoro.

Autores agregados en la segunda edición (2011): Daniel Cosío Villegas (1898-1976), Jorge Esquinca (1957), Luis Felipe Fabre (1974), José Gaos (1900-1969), Luis González y González (1925-2003), Yuri Herrera (1970), Bárbara Jacobs (1947), Miguel León-Portilla (1926), Fabrizio Mejía Madrid (1968), Jean Meyer (1942), Mauricio Montiel Figueiras (1968), Guadalupe Nettel (1973), Edmundo O'Gorman (1906-1995), Elena Poniatowska (1932), Jorge Portilla (1919-1963), Susana Quintanilla (1956), Cristina Rivera Garza (1964), José Eugenio Sánchez (1965), Javier Sicilia (1956), Paco Ignacio Taibo II (1949), Emilio Uranga (1921-1988) y Heriberto Yépez (1974).

C. D. M.
Coyoacán, invierno de 2011

Prólogo a la primera edición

Este libro reúne dos trabajos distintos: una antología personal y un diccionario de autor. En el primer sentido, seleccioné fragmentos, ensayos o artículos completos previamente publicados en los prólogos de la *Antología de la narrativa mexicana del siglo XX* (1989, 1991 y 1996) y en *Servidumbre y grandeza de la vida literaria* (1998). En menor medida se recogen textos de *La utopía de la hospitalidad* (1993), de *Tiros en el concierto. Literatura mexicana del siglo V* (1997) y de *La sabiduría sin promesa. Vida y letras del siglo XX* (2001 y 2009).*

Al releerme decidí fiarme de mis antiguas opiniones, lo mismo que tolerar mis negligencias estilísticas, pues de lo contrario me hubiera visto obligado a reescribirlo casi todo. Esa tarea habría tomado una eternidad y, dicho sea de paso, no me parece del todo correcto reescribir sin releer. No pudiendo releer a tantos autores, decidí reproducir numerosos textos, sin hacer otra cosa que mínimas correcciones para presentarlos como entradas de diccionario.

Sobre la base de esa antología personal, escribí, por primera vez y ya

---

* *Antología de la narrativa mexicana del siglo XX,* tomo I, FCE, México, 1989; *Antología de la narrativa mexicana del siglo XX,* tomo II, FCE, México, 1991; *Antología de la narrativa mexicana del siglo XX,* tomos I y II, segunda edición corregida y aumentada, FCE, México, 1996; *La utopía de la hospitalidad,* Vuelta, México, 1993; *Tiros en el concierto. Literatura mexicana del siglo V,* Era, México, 1997; *Servidumbre y grandeza de la vida literaria,* Joaquín Mortiz, México, 1998; *La sabiduría sin promesa. Vida y letras del siglo XX,* Joaquín Mortiz, México, 2001; *La sabiduría sin promesa. Vida y letras del siglo XX,* segunda edición aumentada, Lumen, México, 2009.

pensando en este diccionario, la mayoría de las voces, dedicadas a escritores de los que nunca había hablado o de quienes no me había expresado con propiedad y extensión. Ese proceso transcurrió entre 2003 y 2007 y la gran mayoría de las entradas aparecieron, en forma de artículos y en calidad de versiones preliminares, en la revista *Letras Libres* y en el suplemento *El Ángel* del periódico *Reforma*. En algunos casos me incliné por una combinación: se reproduce un pasaje ya publicado en libro pero se complementa con una nota más reciente o escrita especialmente para esta oportunidad.

Este *Diccionario crítico de la literatura mexicana,* como se indica en el subtítulo, recorre el periodo que va desde 1955 a 2005, completando un medio siglo que se inicia con ese momento decisivo que es la publicación de *Pedro Páramo*, de Juan Rulfo, en 1955. Elegir esa fecha —como hubiese ocurrido con cualquier otra— planteaba algunos problemas que hubo que asumir pagando el costo de excluir autores importantes. Al final me decidí por incluir en este diccionario a autores nacidos después de 1955 y a aquellos, de cualquier edad, que murieron después de ese año o que publicaron libros entre esa fecha y 2005. Sólo me permití una excepción, la de Jorge Cuesta, que murió en 1942 pero que se mantuvo inédito, en libro, hasta la publicación de sus primeras *Obras* en 1964.

La elección de ese criterio dio como resultado que los escritores más longevos, como en los casos de varios de los ateneístas y de los Contemporáneos (José Vasconcelos, Martín Luis Guzmán, Alfonso Reyes, Carlos Pellicer, Salvador Novo, José Gorostiza, Jaime Torres Bodet, etc.) aparecieran en el diccionario mientras que otros, fallecidos precozmente, como Pedro Henríquez Ureña, Gilberto Owen o Xavier Villaurrutia, muertos antes de 1955, ya no figurasen, pese a la enorme influencia de sus obras en la segunda mitad del siglo xx.

Como diccionario de autor, este libro le apuesta a la libertad de elección, al juego interpretativo y al capricho que resultan de construir un orden guiándose por la rutina y por las sorpresas del alfabeto. En ese camino reconozco (y agradezco) el precedente (y el ejemplo) de Adolfo Castañón, sin cuyo *Arbitrario de literatura mexicana* (1992, 1994 y 2000) este trabajo hubiese sido muy distinto.

Ante esta clase de libros es tentador conformarse con decir que no están todos los que son ni son todos los que están. Pero la verdad es que me ocupé de que aparecieran todos los novelistas, los poetas y los ensayistas mexicanos (o que llevan décadas escribiendo en México) cuya lectura me ha impresionado a lo largo de veinticinco años como crítico literario. A la gran mayoría de los autores escogidos los admiro y son muy pocos los que me son indiferentes. En algunos casos mi aprecio aparece, naturalmente, junto a la discrepancia o al disgusto. Y entre los ausentes habrá varios que no tuve tiempo de leer y otros tantos cuya importancia no supe aquilatar.

Al final de cada entrada se ha dispuesto una bibliografía que no es exhaustiva y que sólo aspira a ser una herramienta para el lector, destacando tan sólo las ediciones más frecuentes o más amplias de cada escritor. En cada entrada un asterisco señala, sólo cuando aparece citado por primera vez, el apellido de los autores que tienen una entrada propia en otros sitios del diccionario. Como antología personal y como diccionario de autor, este *Diccionario crítico de la literatura mexicana (1955-2005)* me ha permitido organizar, al menos en el orden alfabético, mis escritos sobre nuestras letras. Espero que sea una obra de referencia susceptible de enriquecerse con el tiempo.

C. D. M.

Coyoacán, México, agosto de 2007

P. D. Durante los años en que preparé este *Diccionario crítico de la literatura mexicana (1955-2005)* disfruté del respaldo de una beca de creador artístico del Sistema Nacional de Creadores (SNCA) del Fondo Nacional para la Cultura y las Artes (Fonca), distinción que espero haber honrado.

A Judith y Gonzalo

Reseñar novelas es la tumba del periodismo; es el equivalente, en el mundo de las letras, a construir puentes en algún clima tropical imposible. Es un trabajo duro, poco saludable y mal pagado, y por cada palmo de espesa vegetación que se logra desbrozar en arduo trabajo, la selva avanza el doble durante la noche. Un crítico de novelas a los treinta años ya es demasiado viejo y la jubilación temprana resulta inevitable, "les femmes soignent ces infirmes féroces au retour des pays chauds", y todos sus escritos posteriores exhiben una amarga y malhumorada brillantez, cuyo secreto sólo se puede aprender por medio de los estragos hepáticos que causa esa terrible escuela. ¡Qué carácter, qué aire congoleño trasmite su agriado romanticismo!

CYRIL CONNOLLY,
"Noventa años reseñando novelas" (1929)

Hay siempre algo penoso, algo cómico, en toda alma; las almas, como las otras cosas, son sólo definibles por sus limitaciones. Instintivamente sentimos que sería insultante hablar de un hombre en su presencia de la misma manera que lo haríamos en su ausencia, incluso si lo que decimos es elogioso: porque si está ausente es un personaje comprendido, pero si está presente es una fuerza respetada.

GEORGE SANTAYANA,
Interpretaciones de poesía y religión (1899)

Murió el Sainte-Beuve de nuestra aldea.
Los herederos remataron los libros del *Gran Crítico*.
Fui por curiosidad a la subasta.
Encontré mis obras dedicadas e intonsas.
Su vejamen de mi poesía se ha vuelto clásico.
Por su opinión me han excluido eternamente
de panoramas, antologías, historias, revisiones.
Abro la puerta, adiós, y me despido:
¡Descansa en paz, *Lector Infatigable*!

JULIÁN HERNÁNDEZ,
Legítima defensa (1952)

A

ABREU GÓMEZ, ERMILO
(Mérida, Yucatán, 1894-ciudad de México, 1971)

Escritores como Abreu Gómez son artesanos cuya tarea se vuelve necesaria al intentar un diseño detallado de una historia literaria. En el relato colonialista, el nacionalismo militante, en la narrativa indigenista o el redescubrimiento de sor Juana Inés de la Cruz, Abreu Gómez aparece como un hombre de letras cuya constancia impuso gratas variaciones en la cultura mexicana de la primera mitad del siglo xx. El centenario de Abreu Gómez se cumplió en el año de 1994, cuando un pequeño grupo armado, el Ejército Zapatista de Liberación Nacional (EZLN), se rebeló en Chiapas, dando fin, más que simbólico, a la paz social del Priato. Reivindicando una tradición indígena rebelde, los neozapatistas convierten *Canek,* el más famoso de los relatos de Abreu Gómez, en un texto de aparente actualidad.

Nacido en Mérida, Abreu Gómez ya había recorrido un camino intrincado antes de llegar a la narrativa indigenista. Se inició en la "broma" colonialista, aquella literatura que pretendió "evadirse" de la tormenta revolucionaria presentando libros churriguerescos y castizos que idealizaban una Nueva España espadachina, aderazada con pedos de monja y chocolate caliente. En ese tenor, Abreu Gómez publicó *El corcovado* (1924) y *La vida milagrosa del venerable siervo de Dios, Gregorio López* (1925). Todos los colonialistas, excepción hecha del imperturbable Artemio de Valle-Arizpe*, abandonaron pronto una literatura cuya auténtica excentricidad acabó por convertirse en una broma de vanguardia, como lo prueba *Pero Galín* (1926), de Genaro Estrada. Tras la diáspora colonialista, a Abreu Gómez lo vemos rondando la órbita de la revista *Contemporáneos,* donde publica unas veinticinco notas, las más dedicadas a sor Juana, Sigüenza y Góngora y Juan Ruiz de Alarcón; las menos, a autores románticos y modernistas, como Justo Sierra O'Reilly, Manuel Puga y Acal o José Peón y Contreras.

La presencia de Abreu Gómez en *Contemporáneos* fue marginal, indiferente al espíritu cosmopolita de los poetas rectores de la publicación. Interesado en las letras virreinales, Abreu Gómez pertenecía, por edad, a una promoción habitante de una tierra yerma entre los ateneístas y los jóvenes Contemporáneos. En esa circunstancia, cuando la revista deja de publicarse en 1931 y Jorge Cuesta* decide continuar en solitario con *Examen,* encuentra en Abreu Gómez a uno de sus adversarios.

Al lanzar la xenofobia nacionalista contra Cuesta, Abreu Gómez se llevó uno de los soplamocos más estruendosos de la historia secular de nuestras letras. Desde entonces, cada vez que se pretende pedir "nacionalismo" en la literatura mexicana resuena, terminante, la réplica de Cuesta al artículo publicado por Abreu Gómez en *El Universal* el aciago 28 de abril de 1932. Poco después Cuesta escribía: "No les interesa el hombre sino el mexicano; ni la naturaleza, sino México; ni la historia sino su anécdota local [...] Pero mexicanos como el señor Ermilo Abreu Gómez sólo se confundirán al descubrir que, en cuanto al conocimiento de lo mexicano, es más rico un texto de Dostoievski o de Conrad que el de cualquier novelista mexicano característico [...] por lo que a mí respecta, ningún Abreu Gómez logrará que cumpla el deber patriótico de embrutecerme con las obras representativas de la literatura mexicana. Que duerman a quien no pierde nada con ella; yo pierdo *La cartuja de Parma,* y mucho más".

Abreu Gómez quedó estigmatizado por ser el remitente de una derrota que hoy nos parece histórica pero que en su momento convenció a pocos. Cabe decir, en su descargo, que no fue el único de los mexicanistas, ni el más acerbo ni el más obtuso, y que como víctima de Cuesta, a quien la posteridad crítica declaró vencedor, Abreu Gómez se limitó a ofrecer la opinión representativa del nacionalismo beligerante. No olvidemos que durante esa polémica hasta un José Gorostiza* dudó.

En 1934 Abreu Gómez publicó su iconografía sobre sor Juana Inés de la Cruz y su *Sor Juana Inés de la Cruz. Bibliografía y biblioteca,* investigaciones esenciales en el redescubrimiento de la poetisa jerónima que había iniciado Amado Nervo con *Juana de Asbaje* en 1910. Octavio Paz* dice que la labor de Abreu Gómez fue ferviente, aunque su erudición incierta. Pero en esas fechas el padre Alfonso Méndez Plancarte se escandalizó ante la "profanación" de sor Juana, que pasaba a ser, gracias a escritores como Abreu Gómez, patrimonio de la aldea literaria y no propiedad del claustro eclesiástico.

Las incursiones narrativas del joven Abreu Gómez en el colonialismo no resultaron vanas. El culto a la Nueva España, que cambió por la devoción a la Rusia soviética, le permitió esa indagación sobre sor Juana que contribuyó a la construcción de nuestra tradición crítica. Pero más allá de ello, Abreu Gómez fue un típico intelectual de izquierda del medio siglo, un hombre con un pie en el Partido Comunista y otro en el nacionalismo de la Revolución. La vida que compartió con Ninfa Santos es un referente indispensable para comprender el entorno sentimental y la existencia mundana de la izquierda latinoamericana en México.

A principios de los años cuarenta, Abreu Gómez remata su itinerario indigenista. De sus *Héroes mayas* (1942), que incluye tres relatos, uno de ellos es el dedicado a Canek, que narra la insurrección maya de 1761. Pero el más célebre de los textos no es el más intenso, como corroborará quien lea las recopilaciones posteriores, como *Leyendas y consejas del antiguo Yucatán* (1985) o *La conjura de Xinum* (1958 y 1987), donde queda clara la consistencia del indigenismo de Abreu Gómez, quien influyó en la popularización de ese libro legendario y mitológico de polémica atribución que conocemos como el *Popol Vuh*.

El indigenismo de Abreu Gómez, como el de su paisano Antonio Mediz Bolio (1884-1957) o el de Ramón Rubín (1912-2000), resiste con nobleza sus propias pretensiones didácticas e ideológicas. Abreu Gómez va en busca de la leyenda para explicar la historia; se permite la alegoría pedagógica con *Quetzalcóatl* (1947) y no teme idealizar esos levantamientos mayas que aparecían registrados por la literatura nacional [...] Pero Abreu Gómez nunca superó el bosquejo constumbrista y vindicatorio que afea sus narraciones. Será un guatemalteco, Miguel Ángel Asturias —contemporáneo y admirador de Ermilo—, quien convierta esa materia del Mayab en una verdadera proeza lingüística, tomando riesgos que los indigenistas mexicanos —consentidos por el régimen— no tenían necesidad de tomarse. José Luis Martínez*, en su momento, quedó admirado de la llaneza de *Canek* y escribió que "hay en este breve libro una emoción indígena, una delgadez de viento, una levedad de ciervo, una reflexiva melancolía, una conciencia esencial y generosa, filtrada quizá a través de la cultura occidental más aún con un sabor que sentimos autóctono" (Martínez, *Literatura mexicana siglo XX, 1910-1949,* 1990).

Hay, en efecto, una pulcritud de estilo en Abreu Gómez que recuerda, si se nos permite la fácil evocación geográfica, tanto la blancura colonial de Mérida como la topografía planísima de la península yucateca. Como elogio y como reproche, Abreu Gómez es un narrador que responde a esas condiciones naturales: es limpio pero traslúcido. Lo abandonamos en un paraje sin ríos ni montañas. Su indigenismo es caritativo en el sentido franciscano del término, es un don que elude tanto la conmiseración racista como la revancha sangrienta contra fray Diego de Landa. Tras la lección de *Canek,* el indigenismo se convirtió en literatura de evaluación etnográfica con narradores como Francisco Rojas González (1904-1951) y Ricardo Pozas (1919-1994), no en balde científicos sociales los dos. La degradación no terminó hasta la publicación de *Balún Canán* (1957) y *Oficio de tinieblas* (1962), las novelas de Rosario Castellanos* que son la superación dramática, la problematización novelesca y el canto de cisne de aquel indigenismo mexicano [...]

La obra de Abreu Gómez cubre varias décadas de periodismo político y cultural, empresa que evade pocos de los tópicos y obsesiones del nacionalismo mexicano. Tras *Héroes mayas,* Abreu Gómez quiso tocar la cuerda de la picaresca provinciana y escribió *Tata Lobo* en 1952, uno de sus libros lamentables; sus memorias de infancia y juventud (*La del alba sería...,* 1954, y *Duelos y quebrantos,* 1959) poco agregan a la consideración de su obra, cuya parte más gentil está en esa *Sala de retratos* (1946), donde dibuja con un cariño no exento de ironía a un centenar de sus contemporáneos.

El último libro publicado por Abreu Gómez fue *Martín Luis Guzmán* (1968), monografía plena en páginas sensibles sobre el novelista revolucionario. Hombre ansioso por la institución de un canon nacionalista, Abreu Gómez sale de escena con una llamada al orden, dejando claro que Martín Luis Guzmán* es el gran clásico a quien la literatura secular mexicana debe rendir homenaje. De sor Juana Inés a las rebeliones mayas, Abreu Gómez cruza nuestras letras como el escritor que se compromete con las equivocaciones colectivas sin cejar en su papel de amanuense que copia documentos y fija mitologías. Abreu Gómez, como dijo Ninfa Santos, su mujer, era un hombre "con antenas", que atraía sobre su cabeza taciturna todas las vibraciones, fastas o nefastas, de su tiempo (*Servidumbre y grandeza de la vida literaria*, 1998).

Bibliografía sugerida
Leyendas y consejas del antiguo Yucatán, FCE, México, 1985.

AGUILAR MORA, JORGE
(Ciudad de México, 1946)

Semblanza y crítica de un tanatógrafo. Figura excéntrica, fue quien se tomó con las vanguardias de los años sesenta del siglo XX las libertades más fecundas y quien renunció a ellas con mayor provecho. Discípulo de Roland Barthes, autor de dos novelas que hicieron época (*Cadáver lleno de mundo*, 1971, y *Si muero lejos de ti*, 1979) y poeta ignorado por el canon crítico (*No hay otro cuerpo*, 1978; *Esta tierra sin razón y poderosa*, 1985, y *Stabat Mater*, 1996), Aguilar Mora es también uno de los pocos intelectuales mexicanos que han razonado, con fortuna o sin ella, contra la obra de Octavio Paz* (*La divina pareja. Historia y mito en Octavio Paz*, 1978). Profesor residente en Maryland desde hace varios años, Aguilar Mora es una ausencia presente en nuestra vida literaria, un intelectual militante —de su propia y extraña causa— que tiene más lectores, devotos e irritados de los que su personalidad, entre hosca y mustia, haría sospechar. Yo le profeso una admiración plagada de dudas y querellas; admiración honrada pues no exige ni recibe correspondencia alguna.

Con *Un día en la vida del general Obregón* (1983), Aguilar Mora comenzó una búsqueda en la historia mexicana que no ha concluido. Aquel libro, estando impreso, escandalizó a sus editores (la Secretaría de Educación Pública) por ser una desmistificación del torvo manco de Celaya, cuya decrepitud quedó retratada sin complacencia. Las autoridades educativas impidieron la circulación del libro; luego, tras retirar el sello del Estado, la toleraron. Pasado ese incidente, comenzó a murmurarse que Aguilar Mora preparaba una "historia militar de la Revolución mexicana", ese proyecto que Martín Luis Guzmán* abandonó para escribir sus inconclusas y fallidas *Memorias de Pancho Villa*. Como adelanto, Aguilar Mora prologó y recopiló las andanzas de un aventurero irlandés en la Revolución —Ivor Thor-Gray— y las de un soldado villista, Juan Bautista Vargas Arreola.

Una muerte sencilla, justa, eterna (1990) es la obra de un historiador de la guerra como continuación de la política. Chaung Tzu, Maquiavelo, Guicciardini, Mazarino, Bonaparte y Clausewitz, sin olvidar a Tolstoi y Malraux, son presencias que gravitan como sombras en el ensayo de Aguilar Mora, crítico de la cultura a quien le apasiona la guerra de movimientos. Sigue la obra de Paz, como a los muertos de la Revolución mexicana, desde la óptica del estratega. Su plan bélico puede ser una costosa equivocación; pero no tiene desperdicio la intención estilística, la minuciosidad formal, la pasión íntima de quien planea una guerra para ganarla. Y como no es un hombre que admita la derrota, queda sobre la mesa el mapa de una obsesiva tentativa de destrucción. Pero no nos adelantemos con los movimientos. Pertrechémonos, momentáneamente, en las posiciones.

Esta "historia militar de la Revolución mexicana" es una tanatografía, narración de vidas conocidas y anónimas desde la muerte, un inventario de cuerpos supliciados bajo la metralla histórica. Es una profesión de fe, no por refinada menos evidente, en el romanticismo popular. En *Una muerte sencilla, justa, eterna*, por ejemplo, se condena a Julio Torri* por *De fusilamientos* (1940), en nombre de la moral del pueblo, anteponiendo a "la medida ideológica de la burguesía" (*sic*) la pureza descamisada de los escritores populares. Utiliza a la infortunada Nellie Campobello (1909-1986) para

construir una falange de narradores primitivos (no utilizo peyorativamente el término) que sí entendió la Revolución. Del falansterio académico de
Barthes, nuestro literato radical del 68 regresó para pedir, como en 1925,
"virilidad" a nuestras letras. Decir que Aguilar Mora es un "literato radical"
no es una burla. Representante de El Colegio de México en el Consejo
Nacional de Huelga, Aguilar Mora estuvo en Tlatelolco el 2 de octubre, y
como otros estudiantes vejados por la represión, viajó al extranjero para
seguir sus estudios en aquellos días de ebullición del radicalismo político
y cultural. Mal que bien, Aguilar Mora ha seguido fiel a ese modelo de
intelectual comprometido. Su sistema retórico ha cambiado. Su trasfondo
íntimo y moral, no.

Y me extraña que un retórico como él olvide que sus deslumbrantes
escenas de fusilamiento son una estetización de la guerra, tan funcional (o
no) como las "bellas letras" de las que se sirvió, en su opinión, Torri. Tanatógrafo enamorado del *memento mori*, Aguilar Mora rinde culto romántico
a la Muerte, con mayúsculas. Otra vez, la biografía es útil: su primera
novela "narra" el periplo en busca del cadáver de su hermano, desaparecido por razones políticas en la Guatemala pretoriana. *Cadáver lleno de mundo:* aquel hermoso título resume la obra entera de Aguilar Mora. De la
intimidad a la historia, desde la familia hasta la patria, su escritura alcanza
el clímax ante los campesinos rebeldes (o víctimas de la leva) que perecieron en los paredones de la guerra de 1910.

Aguilar Mora vive la historia desde el club de la rue Saint-Honoré y
venera a la soberanía popular como encarnación de la Virtud. Pedirle caridad a un jacobino del Terror es perder el tiempo y arriesgar la cabeza. Si
Aguilar Mora no respeta a sus contemporáneos, escritores que piden becas
al Estado mexicano, es difícil esperar de él una memoria solidaria para
jóvenes como Alfonso Reyes*, Torri, Antonio Caso o Mariano Silva y Aceves, quienes lo perdieron casi todo durante la guerra civil y escribieron
una obra magnífica, en el destierro o en el exilio interior, helándose sin
sus bibliotecas subastadas. Tardío historiador jacobino de la Revolución
mexicana, Aguilar Mora es un Saint-Just que ordena la guillotina ética;
parece un maoísta de la espeluznante revolución cultural proletaria al
prescribir el trabajo manual para aristócratas y pequeñoburgueses, con la

virtuosa intención de que paguen con su honra los pecados históricos de su clase. El fusilamiento de Torri en el pelotón de Aguilar Mora es sólo un símbolo. Es más impactante aún la estetizante exaltación de las charreteras y las cananas, de la bendita sangre del pueblo, agua caliente que alivia el parto de la violencia revolucionaria.

En contradicción con los dogmas jacobinos de Aguilar Mora, aparece, mediante saludables paradojas, su talento crítico. Comprueba, como pocos historiadores de oficio lo han hecho, que la llamada Revolución mexicana fue un caos bárbaro, fenómeno centrífugo donde la frontera entre campesinos y caudillos, víctimas y verdugos, es difusa y sombría. La minuciosa reconstrucción en *Una muerte sencilla, justa, eterna* del Plan de San Diego, mediante el cual una heteróclita coalición recuperaría, con presunto apoyo alemán, el sur de los Estados Unidos para México… no explica nada. Es decir, la propia historia contradice a su cronista, demostrándonos que nuestra guerra civil fue una revuelta agraria ajena al determinismo de la virtud o del proletariado militante. Este libro es una refutación, quizá involuntaria pero contundente, de la historiosofía marxista de la Revolución mexicana. Obra que invoca a Suetonio, la de Aguilar Mora es una lección de clasicismo frente a manifestaciones panfletarias de la mentira romántica, como *La revolución interrumpida* (1971), de Adolfo Gilly.

Aguilar Mora utiliza, por hábito mental, alguna terminología de origen marxista, pero está más cerca de los historiadores jacobinos, girondinos o sansimonianos de la Revolución francesa, que de Marx. En las buenas páginas del libro, que son muchas, Aguilar Mora recuerda a Michelet y a Louis Blanc; ante Lucio Blanco o Ramón Puente el retratista fija gestos y componendas inolvidables, convirtiendo su Revolución mexicana en una novedad plagada de gran literatura. El Villa de Aguilar Mora —que vuelve a aparecer como un inexplicable Bandido de la Providencia— y sus Dorados —dibujados piadosamente como una orden tan severa como los templarios— se transfiguran en verdad novelesca. La acepto como tal. "La gran novela de la pasión villista", empero, no se escribirá.

Una muerte sencilla, justa, eterna plantea y resuelve problemas literarios antes que históricos. La aparición de la pólvora sin humo explica, verbigracia, la visión de campo de un Guzmán como mariscal de la novela.

Frente a Mariano Azuela, Aguilar Mora cuenta la historia, poco conocida, de los dos finales de *Los de abajo*. En 1915, cuando la novela apareció formalmente, Azuela creía en la Revolución. Una década más tarde —cuando el libro se vuelve canónico— modifica el desenlace y coloca a su héroe en la nada. Tras el millón de muertos que sólo había elevado al poder a una camarilla de mílites cleptócratas y sanguinarios, era lógico que Azuela se decepcionase. Pero nuestro virtuoso Saint-Just le da un reglazo a don Mariano por nihilista.

Escritor que ama la pintura, Aguilar Mora se detiene, reverente, ante el fusilado. A partir de su Pasión, quiere saberlo todo sobre la Resurrección del Pueblo. Un Torri, que vivió la Revolución, poco quiso averiguar. Para el ateneísta, el fusilamiento es una fantasía mecánica; en *Una muerte sencilla, justa, eterna*, es un drama cósmico que cae sobre la salvación de cada campesino. ¿Cómo puede escandalizarse Aguilar Mora de que Torri ejercite el estilo con la tragedia popular cuando él mismo se convierte, con este libro, en el escritor contemporáneo que más y mejor "literatura" ha hecho de la Revolución de 1910?

Si se trata, siguiendo a Cyril Connolly, de elegir entre el realismo prosaico y la escritura artística, dudo que pueda probarse retóricamente que Aguilar Mora no escribe como mandarín para alabar a los Tipos Duros. Extremista por formación y temperamento, jamás aceptaría la lección de *Enemigos de la promesa* (1938) sobre la tolerancia que el crítico debe a las escuelas estéticas combatientes. No le pidamos liberalismo a quien ha dedicado parte de su obra a la condena de esa tradición, precisamente, en la obra de Paz. Ignorar *Una muerte sencilla, justa, eterna* sería una grave injusticia. No premiemos su soberbia solitaria con el desdén. Paguemos al crítico con la crítica. Hermoso, patético y desquiciante elogio de la violencia revolucionaria, el libro de Aguilar Mora permanecerá como la obra de un gran mitógrafo, el testimonio de un escritor que es, mal que nos pese, el último jacobino del Año I de la Revolución mexicana (*Servidumbre y grandeza de la vida literaria*, 1998).

Novela y filosofía de la historia. Minucioso y extraño libro que se propone la invención total de un universo novelesco, eso es *Los secretos de la aurora*

(2002), de Aguilar Mora. Ése debería ser el propósito de la mayoría de los novelistas pero, al menos entre los actuales autores de lengua española, escasea esa voluntad de estilo, ese compromiso proteico. Aguilar Mora cree, con José Lezama Lima, que sólo lo difícil es estimulante. Esa creencia —originada en otro barroquismo, el de su maestro Sergio Fernández*— provoca que las novelas de Aguilar Mora no ofrezcan al lector ninguna de las facilidades didácticas y prosísticas que el género ofrece actualmente. Por ello, Aguilar Mora decidió, antes que narrar, escribir de principio a fin la historia de una familia, de una ciudad y de una revuelta, elementos conjugados en un tiempo metahistórico que sólo a él le pertenece. Aguilar Mora, como lo hicieron Onetti, Carpentier, Mujica Lainez o García Márquez*, decidió hacer de un libro el mapa de una ciudad, entendida como una *polis* educada en el pensamiento y como una arquitectura cuyas ruinas están llamadas a habitar nuestra memoria. *Los secretos de la aurora* está dividida en cuatro partes, cada una de las cuales da comienzo con el motivo de Telémaco, el hijo que parte a la búsqueda de un padre extraviado en las contiendas civiles. Aunque en este caso sabemos que el padre ha muerto, esa muerte es el mecanismo elegido para llenar su ausencia y hacer de la memoria la reconstrucción de la *polis*. A través de ese padre, Aguilar Mora va presentando la ciudad de San Andrés y la Rebelión de los Mil que la cimbró.

Saga familiar, catálogo de encuentros eróticos, exasperante descripción de ambientes, *Los secretos de la aurora* parece una novela tradicional hasta que empezamos a quebrarnos la cabeza pensando a qué tradición pertenece. En ese punto asumí, no sin azoro, que a pesar de sostener relaciones oblicuas con la gran narrativa latinoamericana del siglo pasado, *Los secretos de la aurora* pertenece a la política en el antiguo sentido que Jenofonte le hubiese dado a la palabra: descripción de una guerra donde una ciudad-Estado se pregunta por su misión sobre la tierra, crónica de una guerra que sucedió en un no-lugar que es la ciudad misma, tragedia representada por un puñado de hombres y mujeres tan hastiados de ser héroes como resignados a no ser dioses.

Muchos novelistas, como el padre-que-muere en la propia novela de Aguilar Mora, son competentes diseñadores de maquetas; pocos son capaces, como él, de presentar la miniatura arqueológica de una civilización, recordándonos que el novelista debe evocar lo imaginario como si fuese real. Pero mientras me paseo por las plazas, puentes, callejones y cuarteles que componen la ciudad donde ocurre *Los secretos de la aurora*, no renuncio a indagar en los sustratos sobre los cuales Aguilar Mora incurrió en una paradoja propia sólo de los novelistas: construir ruinas. Y creo que es cierta historia mexicana la que el novelista ha interpretado en su libro, llamado por la amarga urgencia de escribir esa ilusoria novela posclásica e intimista de la Revolución mexicana que Martín Luis Guzmán, Nellie Campobello o José Vasconcelos* hubieran debido escribir en un mundo ideal.

Aguilar Mora se ha cuidado de poner las cartas sobre la mesa. Aunque *Los secretos de la aurora* está configurada por numerosas resonancias de la historia y la literatura de América Latina, en ella juega un papel preponderante un personaje histórico, el sabio decimonónico mexicano Juan Nepomuceno Adorno (1807-1880), inventor curioso de un fusil que podría disparar sesenta tiros por minuto, de una máquina de grabación de documentos y de un ferrocarril rapidinámico. Nuestro Adorno, a su vez, publicó en 1862 un tratado titulado *La armonía del universo. Ensayo filosófico en busca de la verdad, la unidad y la felicidad*, que al parecer se había publicado primero en Londres. Sería jactancioso aventurarme sobre un personaje del que poco sé, pero creo ver en esta nota de pie de página la gruta que nos conduce al centro vulcánico de *Los secretos de la aurora*. Gracias a este utopista realizamos una *anábasis* que nos aleja de la reflexión fenoménica tan propia de la novela contemporánea.

"Las palabras [escribe Aguilar Mora] tenían que ser orgánicas, con vida propia, y tan antiguas como el primer resplandor, y tan idénticas como el primer rostro." Con esa convicción, estas ruinas, vistas desde arriba, no pueden sino equilibrar al principio masculino de la arquitectura —el padre conspirador y diseñador de ciudadelas imaginarias— con el principio femenino, la madre pianista, mediante la cual habla la música, y muy especialmente el piano, suerte de demiurgo creador cuyas notas llevarán a la destrucción de la ciudad. También ello proviene del verdadero Juan Nepomuceno Adorno, inventor de un piano melógrafo que fue presentado en la Exposición Universal de París y para cuya correcta utilización escribió *Melographie oú nouvelle notation musical*.

La Rebelión de los Mil ocurre fuera del foco narrativo de Aguilar Mora. Poco importa cuándo ocurrió pues, como la guerra de Troya, es un episodio cuya inexacta ubicación en el tiempo contribuye a fijarla en el horizonte. A través de esa dilatada historiografía novelesca, tan propia para la evocación psicológica, *Los secretos de la aurora* desarrolla un segundo motivo, la conspiración, que incluye lo mismo la escritura de tratadillos que los encuentros eróticos y culmina en el tema de la elección de un traidor que legitimará el fracaso mismo de la rebelión. Se desdobla así una historia paralela que, alimentada por un sabio perdido y acaso prescindible, convierte a la *polis* mexicana en un sinsentido y la traslada a un reino imaginario. Me sorprende mucho, y me entusiasma, que Aguilar Mora haya llegado, mediante el arte de la novela, a escribir una crítica conservadora de la historia como liberación. La Rebelión de los Mil está condenada tanto a repetirse sin cesar como a fracasar una y otra vez. Novela del pensamiento, una de las pocas que se han escrito entre nosotros, *Los secretos de la aurora* es un tributo al pesimismo trágico.

Bibliografía sugerida

Cadáver lleno de mundo, Joaquín Mortiz, México, 1971.
La divina pareja. Historia y mito en Octavio Paz, Era, México, 1978.
No hay otro cuerpo, Joaquín Mortiz, México, 1978.
Si muero lejos de ti, Joaquín Mortiz, México, 1979.
Un día en la vida del general Obregón, SEP, México, 1983.
Esta tierra sin razón y poderosa, FCE, México, 1985.
Una muerte sencilla, justa, eterna, Era, México, 1990.
Stabat Mater, Era, México, 1996.
Los secretos de la aurora, Era, México, 2002.
La sombra del tiempo, Siglo XXI Editores, México, 2010.
El silencio de la Revolución y otros ensayos, Era, México, 2011.

AGUINAGA, LUIS VICENTE DE
(Guadalajara, Jalisco, 1971)

En *El agua circular, el fuego* (1995), un poema narrativo, Aguinaga nos ofrece una poesía, a ratos inspirada, frecuentemente intensa, que parece derivar de las lecciones de Gaston Bachelard. En los mejores poemas de Aguinaga, aun cuando exista un sujeto relator o un puñado de personajes, es notoria la ausencia del hombre, ausencia que deja ver una topografía sometida al imperio de los cuatro elementos, de sus catástrofes y de sus murmullos. En este mundo despoblado, planeta de paisajes casi inmóviles cuyo tiempo puede estar antes o después de la historia, la experiencia del poeta ya tuvo lugar y los poemas sólo testifican la necia permanencia de las cosas, árboles petrificados o paredes fantasmales cuya presencia se asume como simbólica: "La puerta, el eco, el huésped. Sombra interior de un útero/preñado, cargado el tiempo entero de vaticinios, cargado el tiempo entero de postergaciones".

Bibliografía sugerida
El agua circular, el fuego, UNAM, México, 1995.
La lámpara de mano. Sobre poesía y poetas, Arlequín, Guadalajara, 2004.
Reducido a polvo, Joaquín Mortiz, México, 2004.
La migración interior. Abecedario de Juan Goytisolo, Tierra Adentro/Conaculta, México, 2005.

ALATORRE, ANTONIO
(Autlán, Jalisco, 1922-ciudad de México, 2010)

El primero entre los filólogos mexicanos, practica su amor por las palabras como un amateur en la mejor de las acepciones del término. Alatorre, director de la *Nueva Revista de Filología Hispánica* desde 1960, es una eminencia académica que prefiere la conversación a las jerigonzas teóricas y es en la plaza de los lectores, antes que en los claustros universitarios, donde ejerce una conversación que va desde la más alta erudición sobre el Siglo de Oro a las desventuras del lenguaje cotidiano, de las investigaciones sobre sor Juana Inés de la Cruz y san Juan de la Cruz hasta la memoria viva de una literatura mexicana que tiene en él a uno de sus lujos, junto a Juan Rulfo* y a Juan José Arreola*, con quienes de manera nada casual hizo sus primeras armas.

Traductor de Marcel Bataillon, Albert Béguin, Ernst Robert Curtius, de Antonello Gerbi, de Joaquim Maria Machado de Assis; antologador y exégeta del soneto petrarquista (*Fiori de sonetti / Flores de sonetos,* 2001), y microhistoriador de su tierra que viaja de los archivos inquisitoriales a la vida popular (*El brujo de Autlán,* 2001), a Alatorre sólo cabría reprocharle los pocos libros que ha publicado, falta que se le perdona por ser el autor de *Los 1001 años de la lengua española* (1989). Esta obra es, al mismo tiempo, el testimonio de una travesía filológica y la brújula para emprender casi cualquier comercio con nuestras letras, y, por qué no decirlo, uno de los libros más hermosos (y útiles) de la literatura mexicana.

En *El sueño erótico en la poesía española de los Siglos de Oro* (2003) tenemos un ejemplo espléndido de cómo Alatorre piensa, razona y expone. Tras prevenirnos de no buscar demasiada filosofía en los poetas (recordatorio útil cuando vemos excesos como los de Harold Bloom al colocar a Shakespeare por encima de Kant y de Hegel), Alatorre toma un tema —el sueño erótico— y una época —los Siglos de Oro— para internarse en el corazón de la lírica castellana y hacer una historia portátil donde el seguimiento, verso a verso, de un motivo se convierte en una lección de anatomía crítica. Poetas oscuros u oscurecidos por la hermenéutica filológica, como Garcilaso, Boscán, Cetina, Góngora o Argensola *encarnan* ante el lector ignorante (como yo lo soy), y gracias a esa paradójica encarnación verificada en el sueño, se convierten en lectura deliciosa.

Alatorre tiene el doble mérito de haberse distanciado, en su juventud, de la hueca solemnidad de la vieja academia tan amiga de los protocolos curialescos como de los adocenados casticismos. La faena la repitió en su madurez, al rechazar las tinieblas de la crítica neoacadémica, cuya neblina ataranta a tantos profesores y estudiantes. Sin haber ejercido la crítica literaria de manera regular, a Alatorre le debemos gratitud por su defensa de la universalidad del crítico y por su activo desdén de las comisarías y aduanas lingüísticas que el nacionalismo estatal ha pretendido imponer, sin mayor éxito, contra las mutaciones de nuestra lengua. Parafraseando al propio Alatorre en su definición del crítico genial (*Ensayos sobre crítica literaria,* 1993), se puede decir que él mismo ha sido un gran filólogo al captar y comunicar el mayor número posible de las dimensiones que hay en toda lengua, por ser el personaje que más se acerca a la intuición creadora del poeta en toda su riqueza y complejidad, agotándola en tantos de sus sentidos.

Bibliografía sugerida

Los 1001 años de la lengua española, FCE, México, 1989.
Ensayos sobre crítica literaria, Conaculta, México, 1993.
El brujo de Autlán, Aldus, México, 2001.
El sueño erótico en la poesía española de los Siglos de Oro, FCE, México, 2003.
El heliocentrismo en el mundo de habla hispana, FCE, México, 2011.
La migraña, FCE, México, 2012.

AMARA, LUIGI
(Ciudad de México, 1971)

No me parece casual que el poeta Amara, como lo confiesa en uno de los ensayos de *El peatón inmóvil,* dedique sus insomnios a la meticulosa revisión del *Manual de urbanidad y buenas maneras,* de Manuel Antonio Carreño. Los poemas y los ensayos de Amara son, a su manera, un manual de buenas costumbres escritos por un individualista a la inglesa que medita con brillo sobre el promiscuo tráfico de los encendedores, sobre la cama como corazón de la noche o sobre la nariz, cuyo aspecto y dimensión le parecen un asunto de la voluntad antes que de la naturaleza. En otra época, estimo que Amara hubiera sido un rebelde o, peor aún, un anarquista dinamitero, capaz de llegar a la acción directa contra una sociedad contemporánea que le produce una "genuina náusea moral" y en cuyos hábitos y costumbres, como la tiranía del automovilista sobre el peatón o en la adicción al trabajo incesante, encuentra sobrados motivos para el desaliento.

Pero a Amara le tocó educarse entre personas prudentes y a él, como a Edmund Burke, uno de sus penates, le molestan las grandes palabras y las empresas de Hércules y por ello ha dedicado su poesía (y algunos de sus ensayos) a la estricta parcela de lo mínimo, de lo minúsculo, y para usar de manera incorrecta una palabra de moda, a la nanotología. Lo cotidiano, inclusive, debe parecerle a Amara un continente inmenso y sospechoso, pues no ignora que la generación de sus padres se propuso, entre tantas otras gravosas futilidades, hacer una revolución de la vida cotidiana. Con esos antecedentes, Amara es un ensayista puro que rehúsa asomarse a los abismos nihilistas, prefiere seguir las buenas costumbres del ocioso observador, poetizando sólo aquello que está al alcance de los cinco sentidos, permitiéndose acaso exacerbar paradisiaca y artificialmente alguno de ellos, en la escuela de Thomas de Quincey, otro de los autores que ha leído con una delectación que no puede ser sino morosa.

De un tiempo para acá se nos ha vuelto una mala costumbre la de calificar a todo autor inteligente como moralista, en el sentido que le dieron a la palabra los sentenciosos franceses del Gran Siglo, el de un misántropo preocupado por el devenir ético del prójimo semejante. A diferencia del moralista, a Amara no le interesa la soledad del creyente frente a los espacios inconmensurables ni el comercio mundano de las vanidades. Es más bien un moralizador preocupado por la postulación de un cuerpo limitado y estricto de reglas en dimensiones acotadas de la existencia, como el elevador, los monosílabos o la pequeña biblioteca. Por ello, de todos los ensayos de *El peatón inmóvil* (2003), el que mejor lo dibuja es "Para una arqueología de los desperdicios". Hace un cuarto de siglo, a un Georges Perec le hubiese bastado con practicar ese ceñido inventario del contenido cotidiano de la bolsa de basura. Pero a Amara, tal como lo confiesa, ese diario le parece insuficiente como literatura, arriesgándose a fabular el heroísmo del moralizador que desea poner orden en el caos primordial de los desperdicios. A riesgo de imitar los modos de Bachelard, me atrevería yo a pensar que el escritor que se plantea un dominio absoluto sobre los objetos y las cosas más nimias realiza una fantasía infantil de asombrosa omnipotencia.

Leí un par de poemarios de Amara (*Envés* y *Pasmo,* ambos publicados en 2003) antes de disfrutar de *El peatón inmóvil,* y mal lector de poesía como soy, asumí con alivio que en sus ensayos estaba explicada su poética con suficiencia e incluso me pregunté si no sería más bien un ensayista que recurre a la poesía para anotar o resumir sus reflexiones. Amara, filósofo de profesión, tiene por norma la aplicación sistemática de esa máxima que dice que toda cosa es interesante si se la observa con cariño y detenimiento. Como resultado de esa manera de ver, algunos de sus poemas se cuentan entre los más naturalmente resueltos de su generación y en sus ensayos se expresa una inteligencia astuta. Se podrá decir que el mundo de Amara es muy reducido —e inclusive puede ser calificado de banal— pero no podrá negarse que es interesante: a través de sus poemas, vemos la mesa del comedor desde abajo, escuchamos el caracol que se forma con la mano en la oreja o seguimos a un avión de papel en sus breves evoluciones. Es sintomático que sólo en contadas ocasiones Amara salga "a la intemperie" y lo haga para titular así un homenaje a la ciudad en miniatura que el surrealista Edward James construyó en un jardín en Xilitla, en la Huasteca potosina.

De la defensa de lo usado en Salvador Novo* y la juguetería en Mariano Silva y Aceves a las herramientas de Fabio Morábito* y Luis Ignacio Helguera*, pasando por los ensayos cosméticos de Margo Glantz* y por la metodología de la observación paradójica en Hugo Hiriart*, esta poética microscópica ya tiene una historia, no tan mínima, en una literatura mexicana que ha sabido militar en el partido de las cosas de Francis Ponge. El mundo no es tan joven como le parece a Amara y veo en sus miniaturas la consumación de un arte de vestir pulgas en el que faltan pocos milímetros para que nos graduemos de académicos.

Bibliografía sugerida

El peatón inmóvil, Universidad de Guadalajara, Guadalajara, México, 2003.
Envés, Filodecaballos Editores/Conaculta, México, 2003.
Pasmo, Trilce Ediciones/Conaculta, México, 2003.
Sombras sueltas, DGE/UNAM, México, 2006.
A pie, Almadía, Oaxaca, México, 2010.
La escuela del aburrimiento, Sexto Piso, México, 2012.

ARIDJIS, HOMERO
(Contepec, Michoacán, 1940)

Durante los años decisivos que siguieron a *Poesía en movimiento* (1965), la antología central para entender la poesía mexicana de la segunda mitad del siglo XX, Aridjis fue, casi por antonomasia, el poeta joven. Ese honor, esa distinción, se convirtió a la larga en una suerte de condena ejemplar cuando el poeta francés André Pieyre de Mandiargues le preguntó a Aridjis por qué no volvía a escribir *Perséfone* (1967), ese impactante y hermoso poema en prosa. Aridjis le respondió juiciosamente a Mandiargues que nadie podía regresar a sus veinticinco años. Y no tan juiciosamente, el poeta michoacano desterró *Perséfone,* junto con *Mirándola dormir* (1964), de sus grandes recopilaciones. De esa pequeña anécdota puede desprenderse toda una *cause célèbre,* la del poeta niño que deja de ser niño, la del artista adolescente que irremediablemente se muere en el gran poeta o, al menos, en el escritor maduro.

El problema no estaba en que Aridjis se alejara de sus primeros libros, a su manera maravillosos, como *Ajedrez navegaciones* (1968), *Los espacios azules* (1969) y *El poeta niño* (1971), sino en que él mismo haya sido el antipático enemigo de su propia obra, impelido a despilfarrar sus dones en un tiradero apocalíptico que incluye sermones ecologistas y novelones más comerciales que históricos. En *Los poemas solares* (2005), empero, tras las mitologías y figuraciones prehispánicas propuestas una y otra vez al enésimo modo neoazteca, aparecen poemas sorprendentes y magnéticos, como aquellos dedicados a los perros y a los fantasmas, a la devoción doméstica y a los miedos más queridos. Aridjis es un maestro en la invención, más que de imágenes, de situaciones poéticas, como le ocurre a la "abeja atrapada en una botella" a la cual "La muerte no la acaba;/escapa su imagen por el vidrio".

Como ciudadano, Aridjis ha tomado iniciativas valerosas al promover el ecologismo entre los artistas y los intelectuales. Pero ni la mejor de las causas tolera a la poesía piadosa y a la literatura de propaganda: el mancillado destino del planeta acaba por hartar como cansan, en cualquier novelucha, las desventuras de una muchacha virtuosa. Pero Aridjis, pese

a todo, conserva el don de los verdaderos poetas, la videncia que el crítico venezolano Guillermo Sucre encontró en la fidelidad al mundo como
"una armonía —una perfección— que se opone a la opacidad de la historia" (*La máscara, la transparencia: ensayos sobre poesía hispanoamericana,*
1985). Si en José Emilio Pacheco*, tan cercano a él en su inspiración
original, la poesía ha de ser testimonio del sangriento paso de la historia,
a Aridjis le obsesiona la devastación ecológica y sus plagas bíblicas. Pero
no encuentro en él, contra lo que supone Sucre, ningún misticismo. Es
lógico que se haya vuelto ecologista: le interesa la naturaleza como orden
moral.

En *Los poemas solares,* Aridjis dedica algunas baladas a los amigos
idos, recordando en ellos al México de los años sesenta como a la tierra
cuyo último guardián, en los confines del tiempo, era María Sabina, la
señora de los hongos alucinógenos. En aquel paraíso infernal quedó
varada una multitud de europeos y estadunidenses, sanfranciscanos y
beatniks, ascetas y endemoniados, mitad turistas y mitad peregrinos,
quienes encontraron, como querría Malcolm Lowry, una oscura tumba.
El tema de la peregrinación y de los comedores de hongos es epocal y lo
encontramos en varios escritores mexicanos, lo mismo en el docto García Terrés* que en Elsa Cross*, que casi levita. En Aridjis me conmueve
especialmente, quizá por aquella línea que dice: "Mira, María, las man-
zanas cayendo del manzano/a las manos del hombre que las está esperando".

Hijo de un inmigrante griego, Aridjis se expresa lo mismo a la manera
dionisiaca que a la manera apolínea, las dos caras vulgarmente atribuidas
a la moneda griega. Esa oscilación ya la habían notado lo mismo Sucre que
Octavio Paz*, quien en el prólogo a *Poesía en movimiento,* agregó que a
Aridjis lo define el fuego erótico, las "huellas rojas y negras" que deja la
mujer como horizonte y espejismo. *Perséfone* es un fresco en el cual observamos minuciosamente la vida en un burdel, un sitio viejísimo y extrañamente no muy visitado por la literatura. Pero el tono elegido para *Perséfone* no es ni báquico ni romántico: las prostitutas y sus amantes desfilan
como si fuesen náyades, dispuestas bajo la mirada de un demonio preocupado por la armonía y el discernimiento.

Bibliografía sugerida
Mirándola dormir. Perséfone, FCE, México, 1993.
Ojos de otro mirar. Poesía 1960-2001, FCE, México, 2002.
Antología poética, FCE, México, 2010.
Diario de sueños, FCE, México, 2011.

ARREDONDO, INÉS
(Culiacán, Sinaloa, 1928-ciudad de México, 1989)

Sueño. A diferencia de la mayoría de mis amigos nunca conocí a Inés Arredondo. Ni siquiera la vi en público. Pero en 1999 soñé con ella. Fue un sueño meramente argumental. Ella se me aparecía y se quejaba de que nadie se había acordado del décimo aniversario de su muerte. Desperté creyéndome obligado a escribir un largo texto sobre ella, la autora de *La señal* (1965), la cuentista mejor dotada de su tiempo, la autora de algunos de los cuentos más sugerentes, memorables y terribles del siglo mexicano, los únicos en parecer comentarios que le hacían falta a la Biblia. No lo hice. Pero a la hora de los fantasmas espero poder repetir como sortilegio esa frase de "La sunamita" que apela a "la llama implacable que nos envuelve a todos los que, como hormigas, habitamos este verano cruel que no termina nunca".

Verdad. Con los años, contra los que auguraron que Inés Arredondo sólo pertenecía a la mitología familiar de la *Revista Mexicana de Literatura* y de la generación de la Casa del Lago y que se extinguiría su recuerdo con esa mitología, su obra se convirtió en un clásico moderno frecuentado por los entendidos y por los iniciados, que siempre suman lo suficiente como para componer una grey. En esa comunidad destacan las escritoras, las viejas y las jóvenes, quienes releen *La señal* (1965), *Río subterráneo* (1979) y *Los espejos* (1988) como quien recurre a una especie de memoria originaria. No es necesario apostarle gran cosa a la literatura de género para reconocer que, en Arredondo, el problema central ya no era ser mujer sino de qué manera invocar el demonio femenino. El niño recién nacido muerto en los brazos de su madre, el asco de la violación y el asco del consentimiento, el gusto de la castidad, el sedante de la lujuria, son cosas que antes de ella no las había fabulado la literatura mexicana, como nos eran extrañas esas mujeres de Arredondo, a la vez domésticas y fantásticas, esclavizadas y semidivinas.

El espíritu de la negación le fue transmitido a Arredondo por las lecturas, románticas y modernas, que compartió con su generación, la de Thomas Mann, sobre todo. Pero ella se perfeccionó en la tradición de la herejía con el estudio de Jorge Cuesta*, tal cual aparece en *Acercamiento a Jorge Cuesta* (1982), ensayo crítico al cual le dio respuesta, a la vez familiar y generacional, Francisco Segovia*, su hijo, en *Jorge Cuesta: la cicatriz en el espejo* (2004).

Ese espiritú encarnó, paradójico, en sus cuentos, algunos perfectos y tan celebrados como "La Sunamita", ese trozo bíblico, y otros más extensos y menos dramáticos, como "Las mariposas negras" o "Sombra entre sombras", un par de soberbias y teatrales mascaradas decadentes. Arredondo escribió pocas páginas menos por celo de perfección que por la batalla que le dio una vida a largos ratos invivible, plagada de enfermedades reales y de males imaginarios, de una depresión profunda y del erial dejado por los falsos remedios.

La privacidad de un escritor son sus lecturas y del mundo íntimo de Arredondo sabemos apenas lo que puede saberse. Existe, por fortuna, un libro sensato sobre ella, *Luna menguante. Vida y obra de Inés Arredondo* (2000), de Claudia Albarrán. Arredondo misma, en ese fragmento de autobiografía que fue su conferencia dentro del ciclo de "De nuevos narradores mexicanos presentados por sí mismos" de 1966, fue precozmente concluyente (o al menos nos impuso esa ilusión) y ofreció las pruebas mediante las cuales deseaba ser absuelta o condenada: El dorado, el ingenio y la hacienda, el paraíso familiar en el que vivió su infancia y del que fatal, canónicamente, fue expulsada, la literatura memorizada, en principio, a través de padre que recita el *Romancero del Cid,* la postulación de Kierkegaard como maestro de verdad casi exclusivo, la exhibición de una excentricidad flemática.

Me es imposible, por ejemplo, saber cómo leyó a Carson McCullers y a Flannery O'Connor. Yo no puedo leer a las maestras narradoras del sur de los Estados Unidos sin pensar en Arredondo y no puede ser al revés porque conocí primero, como lector, ese gótico sinaloense que es su jardín infernal poblado de árboles del Oriente, de chinos resguardados celosamente de la persecusión por protectores magnánimos, de episodios de la Revolución mexicana que hasta allí llegaron como remotas noticias de ultramar. Ella, a su vez, escogió ponerse bajo la égida de Cesare Pavese o de Katherine Mansfield.

No me extraña, tampoco, que sus cuentos le hayan llamado la atención a Juan Carlos Onetti, cuando Arredondo y su esposo de aquellos años, Tomás Segovia*, lo visitaron en Montevideo en 1963. La expansión en el tiempo narrativo le hubiese dado, al universo de Arredondo, carta de fundación como una ciudad hermanada con la Santa María onettiana. Y a ese mundo estático, regido por el demonio del mediodía y su atuendo solar, enceguecedor dominio del polvo y del tedio sólo interrumpido por las señales, Arredondo se empeñó en distinguirlo con la intermitencia de lo sagrado.

Lo sagrado, en Arredondo, como lo escribió Fabienne Bradu* en *Señas particulares: escritora* (1987), se manifiesta en el encuentro entre dos miradas y del pacto que resulta, como ocurre en la fugaz complicidad entre el negro y la mujer llorosa en "Año nuevo" o en el entendimiento fáustico entre la Sunamita y don Apolonio, su viejo, imprevisto marido. Más que lo sagrado, ya lo han apuntado otros críticos, en Arredondo impera lo numinoso, aquello que al imantar al mundo se anuncia y se dispersa. Propiciar y captar las señales de la numinosidad (sí así puede decirse) fue lo que Arredondo se propuso, como lo interpretó desde un principio Huberto Batis, uno de sus lectores más fieles y, hoy lo sabemos, el autor anónimo de las penetrantes solapas de *La señal* y *Río subterráneo*.

Como su paisano Gilberto Owen, el poeta sobre el que hubiera querido terminar un libro pospuesto sin remedio, Arredondo fue una católica desengañada. Como a otros escritores de su generación, no le interesó ir más lejos en la experiencia de lo religioso (como a Salvador Elizondo* y sobre todo, a Juan García Ponce*, tan próximo a Arredondo) y lo sagrado, en ella, es sólo una señal que confirma la gracia del poeta para interpretar el universo.

El desalmado micromundo, gobernado sin esperanza por el demonio del mediodía, que sólo a Arredondo le pertenece, se convirtió, por la gravedad de las creaturas que lo habitan, en un lugar de culto donde unos cuantos lectores se han sentido tentados a esperar una señal. Yo, por ejemplo, no recuerdo que haya caído la noche en ninguno de los cuentos de Inés Arredondo. Mi memoria debe de estar falseada. Sólo lo digo para subrayar que no hay en la literatura mexicana, escritor menos nocturno y a la vez más melancólico (2009).

Bibliografía sugerida

Obras completas, Siglo XXI Editores, México, 1988. Incluyen *La señal, Río subterráneo, Los espejos* y *Acercamiento a Jorge Cuesta*.

Cuentos completos, prólogo de Beatriz Espejo y bibliografía de Claudia Albarrán, FCE, México, 2011.

Ensayos, selección y prólogo de Claudia Albarrán, FCE, México, 2012.

Albarrán, Claudia, *Luna menguante. Vida y obra de Inés Arredondo*, Juan Pablos Editor, México, 2000.

ARREOLA, JUAN JOSÉ

(Zapotlán El Grande, hoy Ciudad Guzmán, Jalisco, 1918-Guadalajara, Jalisco, 2001)

Novedad y genealogía. En 1946, al reseñar con anticipación y fervor las obras de Borges y Bioy Casares, Xavier Villaurrutia se lamenta de "que mientras otras literaturas hispanoamericanas, sin descontar la nuestra, fatigan sus pasos en el desierto de un realismo y de un naturalismo áridos y secos, monótonos e interminables, la literatura argentina presenta ante nuestros ojos, no un espejismo sino un verdadero oasis para nuestra sed de literatura de invención. En esos libros de Jorge Luis Borges y Adolfo Bioy Casares, como en otros libros argentinos actuales, la literatura de ficción recobra sus derechos que, al menos aquí, en México, le niegan. Porque lo cierto es que, entre nosotros, al autor que no aborda temas realistas y que no se ocupa de la realidad nuestra de cada día, se le acusa de deshumanizado, de purista y aun de cosas peores" (Villaurrutia, *Obras,* 1965).

Villaurrutia estaba pidiendo una aparición que estaba por producirse, la de Arreola. En 1949 se publica *Varia invención,* de Arreola, que potenciaba las herencias de Julio Torri* y de Efrén Hernández*. Esa "literatura de invención" que pedía el poeta de Contemporáneos alcanzaría con Arreola una de sus cimas hispanoamericanas.

Los primeros cuentos de Arreola aparecieron en las revistas *Eos* y *Pan,* de Guadalajara, mismas en las que debutó Juan Rulfo*. Arreola había desempeñado muchos oficios —incluido el de actor en la Comedia Francesa en París— y su aparición en la prosa mexicana fue, según Emmanuel Carballo*, la de la "ingenuidad que deviene en sapiencia; la alusión que se convierte en elusión; el plano vertical que se trueca oblicuo". Pues Arreola no tuvo prehistoria como escritor. Desde su primer libro —en realidad uno solo que se va completando a lo largo de los años cincuenta— se dejaba leer a un singular retórico autor de máquinas textuales sobre la vida provinciana, el destino o los juegos de imaginación; que practicaba, en original estilo, la biografía imaginaria, el bestiario fabulado o el cuento fantástico [...] Arreola, a mitad de camino entre Kafka y Borges, devoto de Marcel Schwob y de Giovanni Papini, realizaba una selección magistral de todos esos temas literarios que nuestra prosa había olvidado o desperdiciado. En textos tan limpios como poéticos, Arreola recurre lo mismo al humor que a la erudición, a la comedia de enredos que a la broma metafísica. Sin ser ajeno al clima intelectual del medio siglo, Arreola convierte la ausencia de Dios en una farsa que divierte al hombre y desordena los objetos. No en balde Borges dijo que él podía haber nacido en cualquier época y cualquier sitio, pues Arreola pertenece a esa corte de espíritus que juegan a la ruleta con palabras (*Antología de la narrativa mexicana del siglo XX,* I, 1989).

Anécdota y destino. En una escena narrada por Antonio Alatorre* con cariñosa malicia, aparece un imberbe Arreola recibiendo, con un ramo de rosas, al actor y director francés Louis Jouvet en el andén de la estación de trenes de Guadalajara. El episodio pudo haberse perdido en el álbum de las provincianas ilusiones perdidas de no ser porque, gracias a Jouvet, Arreola pudo llegar, poco tiempo después, a París. Entre 1945 y 1946, Arreola debutó como comparsa en la Comédie Française, codeándose con Jean-

Louis Barrault; se introdujo en el mundo de Paul Claudel, de Pierre Emmanuel y de Roger Caillois, y sufrió la tensión formativa que implicaban los magisterios, contradictorios y complementarios, de Octavio Paz* y Rodolfo Usigli*. Regresará a México convertido en un *comédien* —actor, juglar, mimo— que desplegará su talento antes en la escritura que en las tablas, publicando *Varia invención* (1949) y *Confabulario* (1952). Al retomar el camino de Julio Torri, Arreola despojó a nuestra prosa de todo aquello que fuera ostentación, vulgaridad y didacticismo. Su narrativa, por llamarla de alguna manera, fue como un amanecer límpido tras la noche de las revoluciones y las guerras civiles.

A través de la "varia invención" su obra corrió paralela a las "ficciones" de Borges, su hermano mayor, quien le ofrendó aquel reconocimiento cuya repetición no puede evitarse: "Lo he visto pocas veces; recuerdo que una tarde comentamos las últimas aventuras de Arthur Gordon Pym". En el terreno de la prosa, la brevedad arreoliana nutrió imaginaciones como la de Julio Cortázar —él se lo dijo a Arreola en una carta de 1954— y de muchos otros escritores hispanoamericanos. Ni Martín Luis Guzmán* ni Alfonso Reyes* alcanzaron a tener la influencia de Arreola sobre la ecúmene de la lengua, por la facilidad con que hilaba lo fantástico con lo cotidiano logrando piezas perfectas que serán leídas como cuentos lo mismo que como poemas en prosa. Curiosa especie de escritor fantástico rodeado de hadas y no de endriagos, Arreola semeja a un relojero que descompuso el horario de la luz.

Mientras que hay escritores cuyo ejemplo espanta y paraliza, como Rulfo, otros, a la manera de Arreola, se prodigan haciendo escuela. Mucha tinta ha corrido sobre la amistad, la rivalidad y la complicidad entre ambos escritores jaliscienses. Si es dudoso que Arreola haya puesto "orden" en el manuscrito de *Pedro Páramo,* en cambio es evidente que *La feria* (1963), la novela coral, el último de los libros formales de Arreola, es una respuesta solar al inframundo rulfiano. Mundo abierto, el de *La feria,* no puede competir en densidad y dramatismo con la oscura trascendencia dimanada de *Pedro Páramo,* pero de alguna forma lo complementa con esa otra dimensión, ciudadana en tanto que pueblerina y realista en su medida festiva, que resulta encantadoramente poética. "Eres tan cursi y tan genial como

López Velarde", dice Arreola que le dijo Paz en el París de la posguerra, y de ser cierto no le faltó razón.

En Arreola conviven armoniosamente el trovador provinciano y el fabulador cosmopolita. El primer cuento de Arreola, "Gunther Stapenhorst" (1946), es la olvidada piedra de fundación del celebrado y polémico exotismo germanófilo de algunos narradores mexicanos. En ese texto, auténticamente liminar, Arreola dispone un guión de lo que se escribirá medio siglo después: un arquitecto alemán de vanguardia se apasiona por la música total wagneriana y, tras recibir los elogios de Le Corbusier por un proyecto inaplicable para el pabellón germano en la feria universal, abandona la arquitectura por el teatro y el cine expresionista. Rompe Gunther Stapenhorst con el nazismo, hace la guerra submarina, cae prisionero en un campo de concentración y, al final, es devorado por la historia. Ni Pablo Soler Frost*, ni Jorge Volpi*, ni Ignacio Padilla leyeron ese cuento antes de escribir sus novelas, pero deberían reencontrarse con "Gunther Stapenhorst", oportunamente reeditado en 2002, para identificar la marca genética que los precede y que acaso los justifica.

Saúl Yurkiévich, en su introducción a las *Obras* (1995) de Arreola, identifica las zonas primordiales en la aventura del maestro de Zapotlán: la humanidad que se trasluce de sus bestiarios, el culto hipersexuado que se manifiesta entre la misoginia y el eterno femenino, y, finalmente, la fe. Dice Yurkiévich: "Más que una propensión metafísica —como la de sus modelos: Kafka y Borges—, Arreola suele infundir a sus escritos cierta dimensión teológica. Arreola está moral e imaginariamente penetrado por sus orígenes católicos, está modelado por su educación doctrinal".

Arreola es un tipo sutil de escritor católico que, a la manera del converso y mártir Max Jacob, hace de cada texto una oración en alabanza del mundo e incurre en travesuras angélicas que antes que heterodoxas, como equívocamente supone Yurkiévich, representan una ortodoxia un tanto chestertoniana, pero ortodoxia al fin y al cabo. Del cristianismo churrigueresco en cuya devoción se educó Arreola han sido los ángeles y los apóstoles —a cuya leyenda dorada dedicó unos hermosos poemas en 1970—, las figuras predominantes.

En esa pequeña teología, los ángeles son "concesionarios y distribuidores exclusivos de las contingencias humanas", contingencias que Arreola sustenta en la noción de que sólo el arrepentimiento puede modificar el pasado y llevarnos a la reconquista del tiempo perdido. En *Inventario* (1976) sugiere que nadie es culpable de la crucifixión en la medida en que cada hombre es capaz de arrepentirse del pecado. Esta opinión es contraria de la culpa pascaliana que José Revueltas* adjudicaba, por la comisión de los crímenes de la historia, a la totalidad del género humano. Dice mucho sobre la marginalidad intelectual de la Iglesia en el México posterior a la guerra cristera (1926-1929) del siglo xx que hayan sido dos escritores laicos —Arreola y Revueltas— quienes ocuparon, aunque fuese de manera literaria y en forma figurada, las antípodas de la controversia agustiniana que dividió hace varios siglos a los jesuitas y a los jansenistas.

Si como dice Adolfo Castañón*, Arreola inventó su propia tradición para enseñarse a leer, deberán leerse como un lugar privilegiado de su invención las confesiones grabadas que le dictó, sucesivamente, a Jorge Arturo Ojeda (*La palabra educación,* 1974 y *Ahora la mujer,* 1975), a Fernando del Paso* (*Memoria y olvido,* 1994) y a su hijo Orso Arreola (*El último juglar. Memorias de Juan José Arreola,* 1998). En estas conversaciones aparece con frecuencia el mejor Arreola, peregrino feliz entre las Escrituras, lo mismo que caballero andante en honor de sus clásicos, más de bolsillo que de cabecera (Marcel Schwob, Giovanni Papini, Alphonse Allais) o como profeta de escritores que sólo las siguientes generaciones comenzaron a apreciar, como el gandhiano Lanza del Vasto o el crítico soviético Viatcheslav Ivanov. Arreola es siempre una lectura mucho más rica de lo que uno recuerda.

Cristiano y pecador, juglar y farsante, enemigo de toda forma de vida solitaria, hombre en búsqueda de la comunión con sus semejantes hasta el extravío, Arreola tuvo, también, sus caídas, al prestarse a aquellas presentaciones televisivas en las que devino en patiño de zafios cronistas deportivos. Poca cosa, sin duda, junto a los errores morales e intelectuales que solemos cometer los escritores. El crítico Felipe Vázquez ha explorado inmejorablemente esa oscilación casi trágica que sufrió el último Arreola: "Desde principios de los 70 (fecha en que publicó su último libro), el autor de *La feria* vuelve al prototipo del escritor inmerso en la farándula literaria, es un actor en el escenario (y a veces sólo en el decorado) de la literatura. Su escritura, sin embargo, se sustrae del carnaval mediático y va más allá: actúa en el escenario donde la escritura asume su propia ausencia. Protagonista y agonista están unidos por una desgarradura que, al paso del tiempo, se ha vuelto irreductible: por un lado, el escritor se volverá un parlante puro; por otro, la escritura encarnará en el silencio. Dicha desgarradura se ahonda si consideramos que el hombre público, el juglar, estaba minado por angustias metafísicas y no pocas veces *expió* en público la contradicción que lo devastaba. Quizá porque la gente prefiere al juglar que al trágico, o porque su literatura concebida como una expresión manierista conducía al equívoco de juzgar a su autor como frívolo o porque el pudor lo obligó a mostrar su faz juglaresca, el temperamento trágico ha sido soslayado e incluso no se ha querido ver como uno de los mecanismos de su creación. Al escribir, Arreola tradujo su desgarradura; al hablar, expió la literatura".

Conocí a Juan José en la niñez, pues mi padre, el doctor José Luis Domínguez Camacho, fue su médico psiquiatra, a quien el escritor de Zapotlán le guardó generosa gratitud, como lo transcribe Orso Arreola en *El último juglar.* Arreola y mi padre compartieron el vino, el ajedrez y la lectura de Viktor Frankl. Vi a Arreola por última vez en Guadalajara en diciembre de 1996 para acompañarlo en su presentación de *Antiguas primicias,* un puñado de versos de juventud, lo cual sirvió de pretexto para que Juan José convocase, desatado, a Jean Paul, Schopenhauer, Léauteaud, santa Teresa, Papini, san Pablo, cuyos espíritus convirtieron aquel salón en la caldera del diablo.

Recuerdo a mi padre y a Arreola jugando ajedrez durante largas horas, y en alguna ocasión, practicando el tenis, con una indumentaria que en Juan José lo hacía parecer una combinación entre elfo y dandi. Cada visita de Arreola a casa traía consigo la posibilidad de que la caja de Pandora se abriese, y de ella salieran, no las desgracias que Prometeo había capturado, sino un borbotón de citas, poemas y libros. Un día Arreola llegó muy asustado, pues se había quedado dormido leyendo *Monsieur Proust,* la obra que Céleste Albaret, su ama de llaves, dedicó a Proust. Al despertar, sueño dentro de un sueño o aparición fantasmal, el propio Proust se le apareció a Arreola y le reclamó, según la angustiada narración de Juan José, el descuido de sus obligaciones literarias. Nunca supe, dada la confidencialidad médica, cómo se las ingenió mi padre para tranquilizarlo.

Bibliografía sugerida

Obras, antología y prólogo de Saúl Yurkiévich, FCE, México, 1995. Incluyen *Confabulario, Palindroma, Varia invención, Bestiario, La feria* y *Otros escritos.*

Arreola, Orso, *El último juglar. Memorias de Juan José Arreola,* Diana, México, 1998.

Vázquez, Felipe, *Juan José Arreola. La tragedia de lo imposible*, Conaculta/Verdehalago, México, 2003.

ASIAIN, AURELIO
(Ciudad de México, 1960)

Poeta, diplomático, traductor, profesor, ensayista y asiduo del Facebook y del Twitter, Asiain fue secretario de la redacción de la revista *Vuelta,* en dos periodos, entre 1984 y 1998. Cuando se escriba la historia de Octavio Paz* y de su último grupo literario, podrá valorarse el lugar de Asiain como uno de los mejores editores culturales de América Latina. No por escasa (apenas ha publicado *República de viento* en 1990 y algunas ediciones de autor) es desdeñable la poesía de Asiain, una de las más pulcras de su generación, dueña de esa "voluntad de perfección" que Paz encontró en ella. "Esa rama que llevas en la mano [dice un poema de Asiain titulado 'Amor'] tiene el mismo color de hace mil años." Es casi un destino manifiesto (o una elección estética) que este perfeccionista haya encontrado en la poesía japonesa lo mismo su cielo que su tierra, como puede verse en *Veintitantos poemas japoneses* (Tokio, 2005), que recientemente ha traducido y anotado.

    Caracteres de imprenta (1996) es, a su vez, el libro que reúne la labor crítica de Asiain, un profundo conocedor de la poesía en lengua española a la que trata con confianza y desparpajo, lo mismo cuando se acerca a sus mayores (de Josep Pla y Gerardo Diego a Alejandro Rossi* y a Gabriel Zaid*) que en la lectura y en la criba de sus contemporáneos más estrictos, como David Huerta*, Orlando González Esteva o Carmen Boullosa*.

Tras fundar y dirigir la revista *Paréntesis* (1999-2001), Asiain viajó al Japón, donde, siguiendo los pasos de José Juan Tablada, de Lafcadio Hearn y de Efrén Rebolledo, reside desde entonces, como diplomático y profesor. Se sabe mucho de él gracias a la red, de la que se ha servido con gula dieciochesca y en sus correos electrónicos pueden leerse lo mismo delicadas *japoneseries* que epitafios que nadie osaría publicar.

Bibliografía sugerida
República de viento, Visor, Madrid, 1990.
Caracteres de imprenta, Conaculta/El Equilibrista, México, 1996.
Veintitantos poemas japoneses, Tokio, 2005.

AUB, MAX
(París, Francia, 1903-ciudad de México, 1972)

Mucho antes de los festejos del centenario y de su reconocimiento en España, aparecía Aub en nuestros diccionarios como un autor mexicano, no sólo gracias a su pasaporte, sino por la fecunda entrega con que nos acompañó durante treinta años. A la familia Aub, germano-francesa, la primera Guerra Mundial la sorprendió en Valencia, donde al joven Max le tocaría transitar por la llamada Edad de Plata de la cultura española, emblematizada en el año de 1929 y por su destrucción durante la Guerra Civil de 1936-1939. Tras tres años de internamiento en campos de concentración, Aub, socialista de origen judío que había sido colaborador de Malraux en la filmación de *L'espoir,* llegó a México en 1942. En nuestro país hizo vida universitaria y, sobre todo, una obra que abarca desde la poesía hasta la novela, pasando por su vocación (acaso mal correspondida) por la dramaturgia.

Los *Diarios* (1939-1972), publicados de manera póstuma en México y en España, han enriquecido considerablemente el perfil de Aub. En ellos leemos no sólo el drama de la derrota republicana y la firmeza de su antiestalinismo, sino una visión descarnada y paródica del exilio español. A ello se suma una inusual voluntad de integración a la cultura mexicana que más allá de sus agrios y humorísticos comentarios sobre el medio literario, se reflejó en cuentos y antologías. En sus *Diarios*, Aub supo medir la rivalidad entre Rulfo* y Arreola*, encontró en Paz* a un poeta cuyas alas de ángel le pesaban sobre las espaldas y dijo que a Reyes*, cuya intimidad merodeó, lo mató la misma afición enciclopédica que cimentó su grandeza.

Sus *Ensayos mexicanos* (1974) denotan, en cambio, la reserva crítica con la que el exiliado se veía obligado a tratar a la literatura mexicana, limitándose a ofrecer fichas de los autores de la Revolución y alguna página de interés sobre Reyes, Xavier Villaurrutia, Rodolfo Usigli*, José Emilio Pacheco* o José Carlos Becerra*. Prudente, Aub confió a su *Diario* la indignación que le producía la rutinaria adhesión de los intelectuales mexicanos a los ritos autocráticos del presidencialismo. En fin, que un autor de obra tan vasta como Aub, recuerda su amigo Jaime García Terrés*, "se quejaba de que no lo leíamos. La verdad es que era imposible no leerlo. Inundaba los periódicos".

Autor de *Vida y obra de Luis Álvarez Petreña* (1934), de *La verdadera historia de la muerte de Francisco Franco* (1960), de *La gallina ciega* (1971) y del *Laberinto mágico* (1943-1965), uno de los grandes ciclos novelísticos sobre la Guerra Civil española, de Aub se ha dicho con alguna ligereza que habiendo sido un escritor de talento nunca destacó especialmente en ningún género. Se olvida de esa forma la inquietante singularidad de *Jusep Torres Campalans* (1958), biografía imaginaria de un pintor catalán que abandona Europa en 1914 y cuyo rastro se pierde en Chiapas. Lanzado internacionalmente junto con exposiciones apócrifas de las obras de Campalans, de un pintor que habría sido amigo de Picasso, *Jusep Torres Campalans* es una regocijante, desesperanzada y lúcida reflexión sobre las vanguardias, el interrumpido destino europeo de España (y de Cataluña), una meditación sobre la búsqueda del paraíso perdido entre los indígenas mexicanos y, al fin, una memorable puesta en duda (y en escena) de la noción de autor.

Jusep Torres Campalans completa y de alguna manera supera a *La novela de un literato,* de Rafael Cansinos-Assens, esa epopeya que recorre la vida literaria española entre el 98 y las vísperas de la Guerra Civil. Al imaginar a Campalans y a Picasso, de Barcelona a París y de Montmartre a Montparnasse, de la Barcelona regeneracionista al París del cubismo, de los círculos anarquistas a los *ateliers-fortifiés,* Aub retrata el fin de la bohemia y su transfiguración en el mercado del arte. Campalans es un héroe a la vez antiguo y moderno. Se retira del siglo sufriendo la decepción de Montaigne y Molière ante las grandes guerras y la vanidad de las cortes; pero lo desalienta un arte moderno que no puede ser sino vanguardista. No en balde Aub se enorgullecía de haber nacido el mismo año de Cyril Connolly, pues *Jusep Torres Campalans,* como *La tumba sin sosiego,* es un fragmento de vida imaginaria cuya razón de ser es la zozobra y la incredulidad del artista secular.

El crítico de arte Jean Cassou, uno de los cómplices de Aub en el montaje de *Jusep Torres Campalans,* dijo en el prólogo a la edición francesa de la novela: "todo se esclarece para nosotros en el momento en que admitimos que Campalans es tan posible como Picasso y Picasso tan hipotético como Campalans".

Jusep Torres Campalans es una de las grandes novelas escritas en México. Obra desbordante en sabiduría aforística y libro surgido del español de México, la novela hace plena justicia a la figura de Aub, a quien Octavio Paz definió en 1967 como "un ejemplo de español hispanoamericano y por la misma razón es uno de los pocos escritores verdaderamente europeos de España. Por eso también es un escritor mexicano. La variedad de géneros, formas y estilos de Max Aub deben verse como un diálogo plural en el interior de su vasta obra. No sólo no rompe su unidad sino que esa diversidad es lo que la constituye. Los dialectos de Max Aub se resuelven en un tejido: un texto único. No es la recuperación de España —aunque éste sea uno de sus temas— ni la preservación de la lengua española sino su reinserción en el lenguaje moderno. Casi una simpleza —pero una simpleza olvidada con frecuencia en España—: el español es un idioma europeo y, por tanto, americano" (Octavio Paz, *Obras completas,* IV. *Fundación y disidencia,* 1994).

Bibliografía sugerida

Ensayos mexicanos, UNAM, México, 1974.
Jusep Torres Campalans, Alianza Editorial, Madrid, 1975.
Diarios, 1939-1952, Conaculta, México, 1999.
Diarios, 1953-1966, Conaculta, México, 2003.
Diarios, 1967-1972, Conaculta, México, 2003.

B

BARANDA, MARÍA
(Ciudad de México, 1962)

A los poemas narrativos que Baranda escribe, en un arco que va de *El jardín de los encantamientos* (1989) a *Dylan y las ballenas* (2003), no les ha sido fácil librar los escollos de un género que, como dijo Octavio Paz*, está obligado a reunir el desarrollo con la concentración. Pero no arredra a Baranda la probable sensación o la ocasional muina de saberse escribiendo siempre el mismo texto, pues ella entiende que el poema extenso es el continente preciso para una imaginación celebratoria como la suya. En *Fábula de los perdidos* (1990) y *Los memoriosos* (1995), ese tono, entre genésico y cosmogónico, nutrido de la potestad femenina de la imaginación, no alcanza a oírse con originalidad, pues es notoria la interferencia de dos de sus maestros: Álvaro Mutis* y José Luis Rivas*. En un segundo tono, acaso anecdótico o circunstancial, Baranda escribió uno de sus libros más convincentes (*Nadie, los ojos*, 1999) donde quedan grabados en piedra algunos epitafios ceñidos y estrictos sobre las costumbres funerarias de nuestra época: el hospital, la enfermedad y la muerte, reconsiderados de manera sabia y amarga.

El canto del mundo, entre los modernos, está condenado a dejar de ser una celebración de la naturaleza para transformarse en interrogación sobre la aventura del hombre en el tiempo. En *Dylan y las ballenas*, Baranda se asume solidaria del azoro ante los horrores de nuestra época, de esa brutal recaída teológica del hombre en la historia que significó la centuria pasada. Antes que con otros poetas, Baranda se acerca, en esa urgencia ética, a los novelistas de su generación que se han sentido obligados a levantar el acta de defunción del siglo XX. En poesía esa tentación moral es tan peligrosa como irreprimible: pone al poeta en situación de declamar y lo arroja a un escenario donde la Sibila se desdobla en Casandra.

Baranda enfrenta esa tendencia a declamar en *Dylan y las ballenas* y la castiga al buscar y encontrar, en el poeta galés Dylan Thomas, un cómplice que descargue a su voz poética de la enorme responsabilidad contraída ante las matanzas seculares y frente al desastrado norte del progreso. El poema narrativo, y más aún si tiene por materia la historia, requiere de la presencia, así sea fantasmal, de un argumento filosófico. Gracias a esta invención de Dylan Thomas, a los ecos que su influencia reproduce en el libro que ha sabido convocarlo, Baranda no sólo alcanza los momentos más afortunados de su travesía sino que acaba por inscribir su poema en una vieja tradición romántica y humanitaria, la de Shelley, que culpa a Dios por la creación de la historia y exculpa a los hombres del pecado original: "Es la hora de declinar por los vencidos / de voltear a ver a Dios para pedirle / que tire su basura en otro sitio". Esa convicción le permite a Baranda concluir *Dylan y las ballenas*, uno de los poemas característicos del cambio de siglo en México, con una escena solar de reconciliación que la devuelve al canto del mundo, su principal convicción literaria.

Bibliografía sugerida

El jardín de los encantamientos, UAM, México, 1989.
Fábula de los perdidos, El Equilibrista, México, 1990.
Nadie, los ojos, Conaculta, México, 1999.
Atlántica y el rústico, FCE, México, 2002.
Dylan y las ballenas, Joaquín Mortiz, México, 2003.
Ávido mundo, Ediciones Sin Nombre, México, 2005.

BARTRA, ROGER
(Ciudad de México, 1942)

Antropólogo de las ideas o historiador de los mitos, Bartra es una personalidad de la literatura mexicana. No debe extrañar su presencia entre narradores, poetas o críticos estrictamente literarios, pues Bartra ejerce la literatura como esa variada e impertinente curiosidad del civilizado por toda cosa designada en los textos y las texturas. Hijo del poeta Agustí Bartra y de la escritora Ana Muriá, intelectuales catalanes refugiados en México tras la Guerra Civil española, Bartra lee a la manera ilustrada y enciclopédica, componiendo un *vademécum* de las costumbres, fobias y ritos que alimentan al espíritu, gracias a las cuales construyen y destruyen su identidad esos civilizados que él ve, antropólogo en principio y escritor al fin, como salvajes en el espejo. Bartra es un crítico literario —en el sentido en que lo son ensayistas contemporáneos como René Girard, Haydn White o Nicola Chiaramonte— para quien las llamadas ciencias sociales se contraprueban en Rousseau, Lope de Vega, Michelet, Calderón, Daniel Defoe o Mary Shelley.

Con *La jaula de la melancolía* (1987) Bartra comenzó a cerrar la discusión central de la cultura mexicana, que desde su prehistoria virreinal e independentista sufre el problema, tan grave como vulgar, de la melancólicamente llamada "identidad nacional". Bartra fue a buscar, fuera de la mitología, las metáforas científicas para desmontarla. Utilizando al axolote nativo, estado larvario de la salamandra cuya neotenia atormentó a los sabios decimonónicos, Bartra presenta al "mexicano" como un ser enjaulado que no se desarrolla, o lo hace reteniendo su facultad primitiva de crecimiento. Jugando con el *bricollage* antropológico, *La jaula de la melancolía* describe nuestras mutaciones míticas, desde Xólotl —deidad prehispánica de la deformidad: Dios que no quiere morir— hasta el fugaz "hombre nuevo" de la Revolución, sin olvidar las figuras del indio, el lépero o el pelado. El expediente clínico de la mexicanidad, concluye Bartra, es una constelación urdida por las formas de dominación política y a la vez espejo ustorio donde se reflejan las fantasías políticas de una cultura. Entrando al siglo XXI, el nombre de Bartra puede encontrarse entre quienes —parafraséandolo— recorrieron *El laberinto de la soledad,* de Octavio Paz*, retaron a su minotauro y hoy día, sepultada esa ciudad mítica, traducen sus amenazantes susurros, su actividad sísmica.

Bartra se convirtió —con *El Salvaje en el espejo* (1992) y *El Salvaje artificial* (1997)— en uno de los ensayistas culturales más penetrantes de su generación, obsesionado por explicar la vida en las zonas espectrales de la conciencia occidental. Pero también, con ese dístico, dio a las letras mexicanas un aliento ensayístico, tanto más saludable por un origen que sorprende por el equilibrio entre el rigor académico y la imaginación prosística. Presentando al salvajismo como una figura nativa del acervo europeo, logra Bartra, como viajero del marxismo a la posmodernidad, el cumplimiento cabal de una ausencia. Más de una vez lo he imaginado como ese ilustrado del siglo XVIII que no tuvimos, repeliendo las argucias del eurocentrismo, sin concederle nada al patriotismo criollo y a sus herederos.

Observador perspicaz y valiente de la vida política contemporánea, Bartra, desde *Las redes imaginarias del poder político* (1981) hasta *La sangre y la tinta* (1999) no ha dejado de preguntarse sobre la decadencia del intelectual en la sociedad moderna y su compromiso como crítico de las mutantes formas despóticas. Caído el muro de Berlín en 1989 y derrotado el Partido Revolucionario Institucional (PRI) en 2000, Bartra se presenta como un etnógrafo del presente cuyo optimismo metodológico identifica, asocia y separa las dos esencias turbias de nuestra época: la cultura de la sangre y la cultura de la tinta.

Conocí a Bartra en julio de 1979. Era yo ayudante de oficina en el centro de cómputo electoral del Partido Comunista Mexicano (PCM); Bartra, uno de los principales intelectuales comunistas ocupados en contabilizar los votos que le dieron registro legal al partido. Pero, a diferencia de muchos, Bartra consideró que la democratización del país exigía un verdadero *aggiornamiento* de la izquierda mexicana. Fundó *El Machete,* una revista de cultura crítica que, durante 1980-1981, iluminó con humor, desparpajo y profundidad las catacumbas, apenas abiertas, de nuestra izquierda. La revista escandalizó a los comisarios, y éstos, tan pronto pudieron, cerraron *El Machete,* para complacer a los grupúsculos estalinistas con los que el PCM decidió poner fin a su heroica y triste vida. Debuté como periodista cultural y hasta analista político en *El Machete*. Se abrió para mí no sólo la vivencia de los últimos espasmos de las herejías marxistas, sino el magisterio de Bartra, amistoso, distante y, a su cortés manera, implacable. Más tarde fui su ayudante de investigación en el Instituto de Investigaciones Sociales de la Universidad Nacional Autónoma de México (UNAM). Con él aprendí a investigar, es decir, a seguir la huella de los ríos entremezclados de la tinta y de la sangre bajo la dirección de un navegante fluvial que detiene la embarcación tantas veces como es necesario para recolectar las muestras en apariencia más nimias. La cultura, naturaleza sublimada, sólo es comprensible reuniendo arquelógicamente el oro y el plástico, la piedra y el papel, la técnica y el ocio.

En esos días yo ignoraba que lo que Bartra me estaba enseñando era cómo distinguir a la sangre de la tinta, tras asumir que viajan, dramáticamente, mezcladas. Mi evolución hacia la crítica de la cultura y de la literatura se debió, en buena medida, a Bartra. Para él, la política era una forma de la crítica de la cultura, y ésta, más allá del marxismo, significaba un estar en la civilización. El cosmopolitismo de Bartra, desde sus estudios agrarios en el México profundo hasta los arcanos del tarot que simbolizan la torre estatal y el rayo de la revolución, se expresaba desde entonces en la superficie, sabrosa y áspera, de la literatura, entendida como prosa abierta a todos los signos del conocimiento. Que mi primer maestro, al cual he conservado como amigo a través de la metamorfosis, haya sido un antropólogo, fue una bendición. Que la antropología sea "la ciencia del hombre" no significa que ésta devenga en humanismo, salvo en casos como el de Bartra. Quizá el autor de *El Salvaje artificial* descrea de la ciencia; pero sus libros están dedicados a las máscaras, las ilusiones y los avatares del hombre, dividido entre la imaginación mitológica y la historia.

Como editor, en *El Machete* y en *La Jornada Semanal* (1989-1994), Bartra estimuló la cultura de la tinta, provocando la discusión intelectual y reafirmando el pluralismo político. Esa consecuencia democrática nunca implicó el abandono de la incertidumbre metodológica del antropólogo ante las mitologías cotidianas. Como escritor y como crítico, Bartra ha mirado, de manera sistemática, más allá de la llamada "cultura nacional", convencido de que la unidad del hombre sólo se entiende a través de la carnavalesca diversidad de sus disfraces, rituales, obsesiones: el salvaje se convierte, ya se ha dicho, en una invención de las tribus europeas, y el indígena mexicano —para hablar de las polémicas bartrianas contra el neo-zapatismo y sus antrópologos— en una fantasía universitaria.

En *El duelo de los ángeles. Locura sublime, tedio y melancolía en el pensamiento moderno* (2004), Bartra prosigue ese tránsito feliz que emprende un científico social hacia las formas más refinadas del ensayo literario. La clave de Bartra está en la insistencia en que se concibe como un antrópologo agazapado en su posición de observador participante, deudor tanto del rigor metodológico como de la búsqueda de causalidades. Gracias al lente utilizado por Bartra, asistimos al espectáculo alegórico que permite observar a Kant, Weber y Benjamin como si fuesen ejemplares de una olvidada tribu australiana o amazónica, devastada por el progreso y desesperadamente ligada a un desacreditado sistema de usos y costumbres. Y en la impecable manufactura de estos cuentos filosóficos armados con la paciencia de un orfebre, descubrimos que en Kant, en Weber y en Benjamin estamos representados de manera fragmentaria todos aquellos que nos identificamos con la conciencia de una modernidad que, al no haber concluido sus tareas civilizatorias, carece de la economía dramática y del mecanismo escénico para darse por bien servida, bajar el telón y apagar la luz. Este sentimiento, propiamente melancólico, es el que preside la obra de Bartra.

En *El siglo de oro de la melancolía* (1999) y en *Cultura y melancolía. Las enfermedades del alma en la España del Siglo de Oro* (2001), Bartra dio comienzo a una exploración clínica y antropológica que en *El duelo de los ángeles* alcanza su culminación. A Kant, a Weber y a Benjamin los unen las diferentes gradaciones del temperamento melancólico, que Bartra ha querido ver como una enfermedad que evoluciona históricamente, distante de la fijeza de las estructuras. Maestro en la "ponderación misteriosa", el agudo artificio ideado por Gracián para introducir un misterio entre dos contingencias, Bartra hace de *El duelo de los ángeles* una velada autobiografía espiritual, la de un intelectual que, tras el naufragio del marxismo, decidió tomar una embarcación solitaria en búsqueda de sí mismo, lejano de las rutas comerciales donde se vislumbran las ruinosas armadas invencibles. En la familia de Kant, Weber y Benjamin, Bartra ha encontrado a esos ángeles dispuestos a reconocer en lo invisible un grado superior de realidad. Toda la obra de Bartra es un esfuerzo desesperado y lúcido por resolver el Problema xxx, 1, atribuido a Aristóteles: "¿Por qué razón todos los hombres que han sido excepcionales en la filosofía, la ciencia del Estado, la poesía o las artes son manifiestamente melancólicos, a tal punto que algunos se ven afectados por los males que provoca la bilis negra, como se cuenta de Hércules en los relatos que se refieren a los héroes?"

Si Bartra fuera solamente un antropólogo, le bastaría con la desmistificación erudita. Pero como crítico de la sociedad a través de sus mitos culturales —y de sus sublimaciones artísticas— nos recuerda que las ruinas son un lugar en el presente, incompletud en la que nosotros, bárbaros o civilizados, somos inquilinos a disgusto. Asumiendo la responsabilidad que los intelectuales nacidos en el siglo xx tuvimos con la cultura de la sangre, y vigilando su persistencia en México, Roger Bartra apuesta por la cultura de la tinta. En su voz, las figuras del clérigo y del ideólogo van desapareciendo para presentar al letrado ilustrado, quien construye un pensamiento donde la literatura es historia narrativa, paridad entre los reinos de la naturaleza, despliegue de vidas paralelas y máximas escritas con una tinta penetrante en las obras sapienciales del claustro y legible en los muros de la plaza pública.

Bibliografía sugerida

La jaula de la melancolía, Grijalbo, México, 1996.

Cultura y melancolía. Las enfermedades del alma en la España del Siglo de Oro, Anagrama, Barcelona, 2001.

El duelo de los ángeles. Locura sublime, tedio y melancolía en el pensamiento moderno, Pre-Textos, Valencia, 2004.

Antropología del cerebro, FCE, México, 2007.

El mito del Salvaje, FCE, México, 2011. Reúne esta obra los dos libros publicados sobre el tema: *El Salvaje en el espejo* y *El Salvaje artificial*.

BECERRA, JOSÉ CARLOS
(Villahermosa, Tabasco, 1937-Brindisi, Italia, 1970)

Petrificada por la muerte precoz, la poesía de Becerra semeja una cerámica antiquísima, a la urna griega de Keats, que ha sobrevivido milagrosamente al paso del tiempo y cuyas fallas, manchas y fisuras son una parte indeleble de su belleza. Escrita entre Paul Claudel y José Lezama Lima, su obra completa recopilada de manera póstuma (*El otoño recorre las islas*, 1973) es uno de los clásicos de la poesía mexicana del siglo pasado. En "Relación de los hechos", Becerra, al elegir la forma versicular, prefiguró retóricamente la naturaleza de su posteridad, hablándonos en versículos como los profetas y hablando de lo que nos hablan los profetas: del paso del tiempo y de la sucesión de la historia, de la contradicción entre las ciudades y los campos, del infinito cantar de los cantares, de la "carne que se hizo piedra para que la piedra tuviera un espejo de/carne".

Becerra, elegido que tuvo en Octavio Paz* y en Lezama Lima a sus lectores, nos dejó una obra madura cuya influencia sobre la poesía mexicana contemporánea ha sido decisiva, al grado de que negar esa progenitura se ha convertido en una reposición previsible en cada temporada poética. Causa asombro ver a poetas actualmente cincuentones matando a un padre que murió a los treinta y tres años. Becerra, en su día, evadió con talento el peso asfixiante de sus maestros más directos, como Efraín Huerta* y Carlos Pellicer*, encontrando su propia voz más allá de la arqueología y del prosaísmo, borrando de su paleta los tonos tropicales.

No está entre sus mejores poemas y hasta de ampuloso puede ser tachado, pero me parece que "Retorno de Ulises" es un texto que dibuja a la persona poética de Becerra. Atento al susurro de los mitos y arrojado por las veleidades de los dioses, Ulises regresa disfrazado de ese don nadie que para recuperar el hogar ha de batirse con los pretendientes: casi todos hemos sido ese mendigo que regresa por las llaves del reino. La leyenda del joven muerto es tan vieja como las pinturas rupestres, y toda generación enaltece a ese vate cuya repentina desaparición aparece como una elección sobrenatural. Lo que en su momento significó Ramón López Velarde, en los años setenta del siglo pasado lo representó Becerra, a cuya poesía me acerqué saliendo de la infancia, fascinado por el paradójico milagro de su muerte, ocurrida en un remoto lugar donde también murió, como después lo supe, Virgilio. Desde entonces el silencio de Becerra es esa "música antigua que se oye de lejos" y que "enciende el fuego de la vejez en el brasero de / nuestras casas".

Bibliografía sugerida

El otoño recorre las islas (Obra poética, 1961-1970), prólogo de Octavio Paz y edición preparada por José Emilio Pacheco y Gabriel Zaid, Era, México, 1973 y 2002.

BELLATIN, MARIO
(Ciudad de México, 1960)

No se sabe bien a bien cómo fue que Bellatin, que creció en el Perú, apareció en la literatura mexicana. Pero llegó para quedarse una prosa cortada por la atonía, inconfundible por su sinuosa precisión. De sus novelas, siempre breves, *Salón de belleza* (1994), *Poeta ciego* (1998) y *Flores* (2001), la primera puede referirse a la epidemia del sida, la segunda al movimiento terrorista peruano Sendero Luminoso y la tercera a la manipulación genética.

El jardín de la señora Murakami (2000) es un delicado homenaje a "lo bello y lo triste", a la tradición fundada por Murasaki Shikibu, la mujer que hace mil años escribió *El cuento de Genji,* la primera novela de la historia. Todo escritor dueño del oficio tiene el derecho y hasta el deber de renovar sus devociones. Pero cuando *El jardín de la señora Murakami* cayó en mis manos leía yo *The tale of Genji,* y por ello no pude confiar del todo en ese juego de claroscuros donde una joven crítica de arte se lía con un equívoco coleccionista en el Japón de la última mitad del siglo XX. Bellatin apenas dibujó su anécdota, confundiendo la caligrafía con la mecanografía, a la palabra con el acento. El resultado es poca cosa, apenas un bocado, para lo que Bellatin pudo haber creado como exégeta de la señora Murasaki. Y así como Javier Marías considera que sólo él lee en inglés en todo el orbe hispanoamericano, Bellatin cree que sus lecturas de Murasaki, Tanizaki o Kawabata lo autorizan al balbuceo. Lamentaría decir que *El jardín de la señora Murakami* es una invitación para leer a los maestros japoneses de Bellatin.

En *Shiki Nagoaka: una nariz de ficción* (2001), Bellatin lleva más lejos aún el juego propuesto en *El jardín de la señora Murakami*, pasando del homenaje a la señora Murasaki, letrada japónesa del siglo XI, a la recreación incidental de Tanikaki y Akutagawa. Leyendo *Shiki Nagoaka: una nariz de ficción*, comprendí mejor las *japoneseries* bellatinianas. Estamos ante un cuento sobre un escritor de nariz cyranesca que, como tal, es injertado en la literatura japonesa del siglo XX. El texto es un tanto torpe. Por un lado, es indigno de Bellatin imaginar que un personaje de tan singular aspecto pensara en hacerse pasar por su hermano gemelo; por el otro, desde que Borges pasó por aquí, los autores imaginarios y las atribuciones de incunables requieren de más galleta para alimentarnos. Dudo, en fin, que Bellatin hubiese publicado su relato sin el apoyo de las sugerentes fotografías de Ximena Berecochea, quien dota al libro de un atractivo soporte iconográfico. Así, estamos ante una precaria instalación literaria, sustentada por las ambiciones transgenéricas de la vanguardia. Y como instalación, este libro corre el riesgo de ser efímero; y para novelas con fotografías, prefiero las que el escritor alemán W. G. Sebald publicó con genio, y ante las cuales nadie ha permanecido indiferente.

Fue en *Shiki Nagoaka: una nariz de ficción*, empero, donde encontré las líneas maestras del arte de Bellatin, las cuales me complacen en la medida en que no aspiro a ofrecerlas como preceptiva. En un libro atribuido a este personaje, *Tratado de la lengua vigilada*, el narizón "afirma que únicamente por medio de la lectura de textos traducidos puede hacerse evidente la real esencia de lo literario que, de ninguna manera, como algunos estudiosos afirman, está en el lenguaje".

Esta superioridad de la traducción sobre la originalidad, que Bellatin pone en boca de su personaje, es mi clave para entender su obra entera. Así, *Salón de belleza* y *Poeta ciego* traducen, desenfocando su objeto con premeditación, tanto las enfermedades terminales como las sociedades secretas. Cuando la traducción dispone la infidelidad a la versión original, me gusta Bellatin; mientras que al pretenderse fiel a *El cuento de Genji* o a Akutagawa, encuentro aburrido el asunto.

A los personajes de *Flores* (2001) los une su condición de seres nacidos con severas malformaciones genéticas, debido a la prescripción de fármacos altamente tóxicos a mujeres embarazadas. Esa corte de mutantes se desplaza por el mundo buscando una manera propia de traducir su religión o sexualidad ante la evidencia de la deformidad. El científico Olaf Zumfelde, inventor de las pócimas, y su secretaria Henriette Wolf forman una pareja, entre luciferina y burocrática, que está a cargo de cerrar o entreabrir las puertas de los enfermos que buscan ser indemnizados. *Flores,* con sus treinta y cinco breves capítulos, es un álbum botánico de una floresta basada en la mutilación o el exceso. En ese desfile —que naturalmente no necesita de fotografías para afincar su helada eficacia— sobresalen los adoptados gemelos Kuhn, Alba la poeta y el Amante otoñal, todos ellos delineados con esa capacidad retórica de Bellatin para esbozar, con unas cuantas pinceladas, inquietantes caracteres.

Más allá de mi preferencia por una forma de traducción contra la otra, algunos de los libros de Bellatin nunca dejan de sorprenderme, bellos y tristes, monomaniacos o innovadores, obra consciente, como se dice en *Flores,* de "que hay que esperar unos años para que, a través del tiempo, el cuerpo trasmita de forma natural la verdad de sus defectos". Las novelas de Bellatin muestran cómo la traducción, entendida como esencia de toda operación literaria, vacía de contenido moral a las enfermedades, a la amputación y a las formas esotéricas de conspiración. Le fascina la sintomatología de nuestra época, afanosa como tantas otras en ejercer el monopolio de las desgracias, y en ella encuentra, como es obvio, ese diagnóstico de la condición humana. Observa Bellatin con el morbo aséptico del enfermero capaz de limpiar purulencias sin caridad y sin amor pero con laboriosa eficacia.

Pero Bellatin, en libros más recientes como *Jacob el mutante* (2002) y *Perros héroes* (2004), da la impresión de contarse entre aquellos escritores a quienes la literatura les parece poca cosa como continente de su talento, y aspiran a trascenderla mediante la canasta básica de la multimedia. A través de *happenings,* instalaciones y las ocurrencias que se acumulen en lo sucesivo, tal pareciese que Bellatin aspirase a dejarnos calvos de tanto tomarnos el pelo. Es lástima en un autor que sabe encarnar en aquella sentencia de Buffon: el estilo es el hombre.

Bibliografía sugerida

Lecciones para una liebre muerta, Anagrama, Barcelona, 2005.
Obra reunida, Alfaguara, México, 2005.
La jornada de la mona y el paciente, Almadía, Oaxaca, 2006.
El gran vidrio, Anagrama, Barcelona, 2009.
Disecado, Sexto Piso, México, 2011.
El libro uruguayo de los muertos, Sexto Piso, México, 2012.

BENÍTEZ, FERNANDO
(Ciudad de México, 1910-2000)

Fue Benítez una figura nueva en la tradición intelectual mexicana, la del periodista que resiste las tentaciones decimonónicas de la burocracia, de la poesía o de la bohemia y se convierte en un vigoroso e intuitivo organizador de la cultura. A través de un formato que él volvería clásico —el suplemento cultural encartado en un diario o en una revista de circulación nacional—, Benítez libró memorables batallas contra la inercia mercantil y la servidumbre política de la prensa mexicana. Su victoria fue legitimar a la alta cultura como parte de la oferta periodística y, a la vez, reivindicar el derecho de los escritores a la disidencia política. Formado en *El Nacional,* la tribuna del nacionalismo cultural de los años treinta, Benítez hubo de esperar a la posguerra para emprender sus proyectos fundacionales: *México en la Cultura,* suplemento cultural de *Novedades* (1949-1961) y, sobre todo, *La Cultura en México,* suplemento de la revista *Siempre!* (1961-1970).

Benítez revolucionó el diseño gráfico (con el auxilio invaluable del pintor Vicente Rojo) e hizo de sus suplementos uno de los centros de irradiación de la nueva literatura hispanoamericana. Ocupando un espacio en apariencia minúsculo de la opinión pública, Benítez —en el suplemento de *Siempre!*— apostó por el protagonismo de una nueva élite intelectual llamada a convertirse en conciencia crítica de la decadente Revolución mexicana. En aquellos años sesenta, mientras las viejas figuras intelectuales del régimen desfilaban como sombras rumbo al Hades, Benítez ayudó a los jóvenes escritores ansiosos de trascender la marginalidad política y la semiclandestinidad moral y les permitió empezar a ejercer (o a soñarse) como actores de la vida nacional. Mucho deben a Benítez, como ellos lo han reconocido innumerables veces, lo mismo Carlos Fuentes* que Carlos Monsiváis*, quienes sin ese amigo y padrino no hubiesen asumido, en el lapso que va de la insurgencia sindical de fines de los años cincuenta al movimiento estudiantil de 1968, el valor de la disidencia y el crédito político que ésta acarrearía en una sociedad democrática. Entre la protesta por el asesinato del jefe agrarista Rubén Jaramillo en 1961 y su confianza, diez años después, en la apertura democrática del presidente Luis Echeverría, Benítez fue un liberal pragmático que nunca tuvo como intención la ruptura con el régimen de la Revolución mexicana, de cuyas estrecheces represivas fue víctima y ante cuyas magnanimidades estuvo lejos de ser indiferente.

Tuvo Benítez una larga y dulce vejez como patriarca de una élite intelectual que siguió sus pasos y lo recompensó con nuevos proyectos, en los cuales dilapidó gloriosamente su capacidad de convocatoria, como *Sábado* de *unomásuno* (1977-1983) y *La Jornada Semanal* (1984-1989), suplementos donde formó a una nueva generación de escritores y periodistas, quienes lo veneraron como reliquia viva del nacionalismo cultural y del cosmopolitismo latinoamericano, surtidor infatigable de anécdotas y, muy a la mexicana manera, faro de la izquierda institucional. Junto a su envergadura como organizador de la cultura, sus novelas (*El rey viejo*, 1959, y *El agua envenenada*, 1961) son modestas. Benítez será recordado esencialmente por ese gran reportaje que son *Los indios de México* (1967-1981), obra de un etnógrafo aficionado cuyas certezas y mistificaciones forjaron la imagen que los intelectuales tuvieron, por lo menos hasta 1994, de la vida indígena. Farsante y solidario, esnob e indigenista, elitista y popular, el maestro Benítez fue, qué duda cabe, eminente entre los mexicanos del siglo XX.

Bibliografía sugerida

Los indios de México. Antología, prólogo de Carlos Fuentes y edición de
Héctor Manjarrez, Era, México, 1989.

BERMÚDEZ, MARÍA ELVIRA
(Durango, Durango, 1912-ciudad de México, 1988)

En una ciudad sin maestros, María Elvira se alimentaba de la conversación con los aspirantes a escritores. Su hospitalidad era garantía de humor,
cortesía y franqueza. Mujer-literatura, escuchaba con atención las perora-
tas experimentalistas y vanguardistas de quienes predicaban unas letras
—las de nuestro siglo— cuya retórica le era ajena. Precaución que nada tenía
de ignorancia. Crítica profesional durante décadas, María Elvira devoraba
las novedades editoriales, particularmente las mexicanas, y no se arredra-
ba ante Jorge Aguilar Mora* o Humberto Guzmán. Antologó el cuento poli-
cial y fantástico de México [...] *Diferentes razones tiene la muerte* (1953)
fue la única novela que publicó María Elvira. Sus mejores cuentos, en
cambio, fueron editados durante sus últimos años en colecciones como
Detente sombra (1984), *Cuentos herejes* (1984), *Muerte a la zaga* (1985) y
Encono de hormigas (1987). Tres o cuatro de sus relatos resultan encantadores por la fidelidad que rinden al género que su autora defendió. Y la
febril actividad literaria de su vejez coincidió con una nueva literatura
policiaca que reconoció en ella, con Antonio Helú y Rafael Bernal, a un
pionero. A la distancia, cuando recuerdo sus debates con Rafael Ramírez
Heredia y Paco Ignacio Taibo II, practicantes de una literatura punitiva
atenta a la putrefacción social o a los sueños revolucionarios, me quedo
con la inocencia de María Elvira [...] Nuestra hada madrina se apartó del
siglo y de sus estéticas tan irritantes. Recluida felizmente, impuso en su
casa la conversación romántica, junto al fuego, como lo habría querido
Charles Nodier, a esa hora en que las ancianas narran al nieterío las historias de tesoros y aparecidos. El humor de Chesterton y los acertijos de Sir
Arthur Conan Doyle fueron el sustento de María Elvira. Seguramente fue

Juan José Reyes, su nieto, quien le dio *La infancia recuperada,* de Fernando Savater. Sonrió con picardía: un joven moderno, el ensayista español, le daba la razón a ella, la anciana mexicana que cultivaba la *story* anglosajona con ferviente anacronismo, la mujer que prologó a Salgari en la inmortal colección de "Sepan Cuantos..." Los gustos novelescos de Bermúdez fueron los de Reyes*, Bioy Casares y Borges: el relato como combinación de disección matemática y ensoñación fantástica. María Elvira fue la chispa que salta del calor del hogar, ese fuego que alimenta el eterno principio del relato (*Servidumbre y grandeza de la vida literaria,* 1998).

Bibliografía sugerida
Detente, sombra, UAM, México, 1984.
Muerte a la zaga, segunda edición, SEP, México, 1986.
Encono de hormigas, Universidad Veracruzana, Xalapa, 1987.

BLANCO, ALBERTO
(Ciudad de México, 1951)

La poesía de Blanco, editada casi completa en *El corazón del instante* (1998) y en *La hora y la neblina* (2005), es más valiosa por su timbre que por su volumen, un timbre que remite a un mestizaje de los misticismos, particularmente aquellos legitimados desde California por los viejos *beatniks:* lecturas de poesía china y japonesa, zen a la Suzuki y mucho Carlos Castaneda, la sabiduría de los indios norteamericanos. Blanco da la impresión de ser un poeta muy variado que llama, más que a la celebración de la naturaleza, al elogio del paisaje y a la pintura como expresión de la vida interior. *Antes de nacer* (1983) es su libro más ambicioso, pretensión más gráfica que poética de ilustrar el ADN, proyecto fallido más por su monotonía que por su radicalidad.

Blanco forma parte de una escuela de eclécticos que ya en 1919 motivaron una malhumorada reprimenda de Max Weber, quien en *La ciencia como vocación* los acusaba de haber dado respuesta al retroceso de la religiosidad tradicional con una "especie de capillita doméstica de juguete, amueblada con santitos de todos los países del mundo, o la sustituyen por una combinación de todas las posibles experiencias vitales, a las que atribuyen la dignidad de la santidad mística para llevarla cuanto antes al mercado literario".

A este misticismo *new age,* más una ideología sustentada en una máxima panteísta *(todos somos parte del cosmos)* que una religiosidad compleja, debe Blanco, también, su mejor libro, *Cuenta de los guías* (1992). En este viaje en prosa poética, Blanco dialoga con *On the Road,* de Kerouac, y domina su propio asombro con una seguridad excepcional. Al recorrer el largo camino hacia Tijuana, en *Cuenta de los guías,* esta ciudad es el eje de una experiencia amorosa y el vórtice desde donde se despliegan intercambios culturales y traducciones semánticas que ilustran la riqueza de esa extrema frontera occidental de México que tiene en Blanco a su poeta elegiaco. "Al creador no se le puede ver en el orgullo", enfatiza Blanco y, sin embargo, no hay poeta mexicano más pagado de sí mismo, bardo desdoblado en "vidente consejero" que suelta *netas* de las cuales, no tan paradójicamente, brotan poemas a veces inspiradísimos. Obsesionado por atinar en la diferencia "entre dar fruto y dejar huella", de Blanco, que tantos discípulos tuvo, no sabría yo decir si ha dejado una semilla o tan sólo una huella erosionada por un tiempo peregrino que fue tan intenso, que fue muy breve.

Bibliografía sugerida
El corazón del instante, FCE, México, 1998.
La hora y la neblina, FCE, México, 2005.

BLANCO, JOSÉ JOAQUÍN
(Ciudad de México, 1951)

Durante una década, entre los años setenta y ochenta del siglo pasado, José Joaquín Blanco fue el más visible y fecundo de los críticos literarios de México. Tanto en *La Cultura en México* como en *Nexos,* escribió brillantes e inusuales reseñas y con sus crónicas contribuyó de manera decisiva, utilizando la valerosa primera persona, a la aceptación democrática de la condición homosexual. Como ensayista jugaron a su favor la soltura periodística de su estilo y sus ganas de batallar. En ninguno de mis libros he dejado de reconocer la deuda que con él contraje, como su lector precoz, de la misma manera en que creo que el espíritu de secta fue convirtiendo a Blanco en un personaje marginal, sordo ante casi cualquier sonido que no provenga de las conversaciones o habladurías de su capilla.

De la bibliografía de Blanco, que también incluye poesía, novela y crónica, destaco sus ensayos, que, generosos y liberales, renovaron nuestra crítica literaria, como es notorio en *Retratos con paisaje* (1979) y *La paja en el ojo* (1981). En *Se llamaba Vasconcelos* (1977), además, Blanco cambió la percepción que del legado cultural de la Revolución mexicana teníamos quienes apenas reconocíamos a nuestros maestros fundadores por los nombres de las calles. Y *Crónica de la poesía mexicana* (1977), pese a sus simplificaciones ideológicas y a sus esquemas escolares, ofreció, por primera vez en años, la visión abierta del nuevo horizonte poético. Me entusiasma menos su labor como historiador de las letras coloniales (*Esplendores y miserias de los criollos. La literatura de la Nueva España,* I y II, 1989), donde la probada sensibilidad de Blanco se topa con el desaseo de sus maneras académicas.

He visto a Blanco dos o tres veces en mi vida y nunca hemos conversado. Pero el desparpajo y el tino de sus retratos de Gide, de Pellicer* o de Stendhal están íntimamente ligados a mi formación como crítico. En *Pastor y ninfa. Ensayos de literatura moderna* (1998) y en *Crónica literaria. Un siglo de escritores mexicanos* (1996), sus principales recopilaciones ensayísticas, se aprecia que Blanco es uno de los pocos críticos literarios mexicanos a quienes debemos gratitud por ser autores no de un puñado de opiniones sino de una obra.

Bibliografía sugerida
Crónica de la poesía mexicana, Katún, México, 1981.
Crónica literaria. Un siglo de escritores mexicanos, Cal y Arena, México, 1996.
Se llamaba Vasconcelos. Una evocación crítica, FCE, México, 1996.

Pastor y ninfa. Ensayos de literatura moderna, Cal y Arena, México, 1998.

Poemas y elegías, Cal y Arena, México, 2000.

Álbum de pesadillas mexicanas. Crónicas reales e imaginarias, Era, México, 2003.

La soledad de los optimistas. Ensayos de literatura, Cal y Arena, México, 2004.

Veinte aventuras de la literatura mexicana, Conaculta, México, 2006.

BOLAÑO, ROBERTO
(Santiago de Chile, 1953-Barcelona, España, 2003)

Muerte temprana. La más persuasiva de las novelas mexicanas de los últimos años la escribió un chileno: Bolaño. *Los detectives salvajes* (1998) es esa odisea latinoamericana que esperábamos, y como tal no puede ser sino una reflexión sobre la literatura. Me interesa comenzar diciendo que Juan García Madero, el joven aficionado cuyo diario abre *Los detectives salvajes* y cuyo testimonio cierra magistralmente la trama, representa a ese Ser Inmaduro —para usar las mayúsculas caras a Witold Gombrowicz— que es todo joven aficionado a las letras, criatura que enfrenta velozmente tanto el aprendizaje sexual como la admiración vicaria por una comunidad literaria. Al narrar las insensatas aventuras de los fantasmales y trashumantes jefes del realvisceralismo —caricatura de todas las vanguardias—, Bolaño presenta una hipóstasis de la condición del escritor contemporáneo.

Los detectives salvajes es una novela de la literatura, un relato detectivesco, un cadáver exquisito, una novela en clave y una clave para descifrar. Entre el radicalismo político y la ansiedad erótica, a través del viaje interior y de la fuga geográfica, muchísimos escritores latinoamericanos han sido Ulises Lima y Arturo Belano, es decir, sicofantes de Rimbaud y de Marx, editores marginales, desaparecidos poéticos, traficantes ocasionales, detectives a la búsqueda de un Grial que, oculto en la tradición literaria, otorgue sentido a las variadas formas de fracaso inherentes a la literatura.

Bolaño vivió en México en los años setenta del siglo XX, y cuando me enteré de su muerte, le escuché decir a un amigo: "Mira, un escritor mexicano que nunca regresó a México". *Los detectives salvajes* es, también, un libro sobre México y acaso la novela más importante que un extranjero ha escrito sobre este país desde *Bajo el volcán* (1949), de Malcolm Lowry. La certeza irónica de su mirada, la prodigiosa memoria con la que reconstruye el habla chilanga y la forma en que destaca a la ciudad de México como una de las capitales culturales del planeta, me llevan a hacer semejante afirmación. O quizá mi confianza en sus poderes se deba tan sólo a que Bolaño ha sido el único autor que yo conozco que ha sido capaz de reparar en que la "noche patialba del DF es una noche que se anuncia hasta el cansancio, que vengo que vengo pero que tarda en llegar, como si también ella, la méndiga, se quedara a contemplar el atardecer, los atardeceres privilegiados de México […]"

Una edición anotada de *Los detectives salvajes* sería, qué duda cabe, un suculento paseo por la historiografía literaria de hace treinta años. Pero la esencia está en las extrañas maneras mexicanas de Bolaño, resultado de una vida del espíritu que duró entre nosotros el tiempo exacto para evadir tanto el enamoramiento como el odio, o peor aún, la rutina. Durante los años setenta la historia quiso que cierto México y cierto Chile desarrollaran lazos profundos. En literatura, Bolaño fue el fruto más inesperado e imperecedero de ese accidente (2003).

Obra póstuma. Bolaño fue, en la más antigua y legendaria acepción del término, un poeta. No todos los grandes novelistas devienen poetas en ese sentido, transformándose, como a Bolaño le ocurrió, en ese hombre que reúne a la tribu dispersa y al convocarla le manifiesta una nueva relación de los hechos, un relato entero que modifica el origen y el sentido, si lo hay, de esa aventura humana a la que se confía una comunidad de escuchas, de lectores. En una década, que habría de ser la última de su vida, Bolaño creó toda una literatura, donde sus modestos versos, sus cuentos conjeturales y sus a menudo perfectas novelas cortas sólo son los hospitalarios refugios dispuestos en la ruta de ascensión hacia esa doble cima donde están *Los detectives salvajes* y *2666*, libro póstumo dispuesto de cinco novelas en un solo tomo. Una vez en las cumbres, como el profesor Lidenbrock y sus socios ante el cráter del volcán Sneffels de Islandia, el lector deberá descender hacia el centro de la tierra.

No es un dato menor que Bolaño haya muerto, en 2003, a los cincuenta años de edad: estamos ante una obra cerrada. Joseph Brodsky, otro gran escritor precozmente fallecido y que al contrario que Bolaño desconfiaba de la capacidad de la prosa para contener a la poesía, dejó unas líneas que no puedo sino citar: "Por alguna razón, la expresión *la muerte de un poeta* suena siempre de manera más concreta que *vida de poeta,* quizá porque *vida* y *poeta,* como palabras, son casi sinónimas en su positiva vaguedad, en tanto que *muerte* —incluso como palabra— es aproximadamente tan definida como la propia producción de un poeta, es decir, un poema, el rasgo principal del cual es su último verso. Sea lo que fuere una obra de arte, propende a su final, que contribuye a su forma y niega la resurrección. Después del último verso de un poema no hay nada, salvo la crítica literaria. Así pues, cuando leemos a un poeta participamos en su muerte o en la muerte de sus obras".

En ese punto podemos introducirnos al primer círculo descendente de *2666, La parte de los críticos:* cuatro profesores emprenden la búsqueda de Benno von Archimboldi, novelista alemán cuyo prestigio internacional se ve acrecentado por una desaparición de varias décadas, ausencia física que priva a su obra del respaldo mediático, político o moral que su figura pública debería otorgarle. *La parte de los críticos* es una burla elegante, mediante una narración sin pausa, de la rutina comercial y académica de la República Mundial de las Letras, de sus ritos y coloquios, de sus extenuantes traslados aéreos, del mercado editorial y de quienes viven para alimentarlo o derruirlo. Esa cacería llevará al cuarteto de críticos —a su vez entreverados erótica y profesionalmente entre sí— a Santa Teresa, trasunto de Ciudad Juárez, en México, sitio que Bolaño ha colocado como punto ciego del universo.

Quien haya leído a Bolaño se reencontrará con una versión, sofisticada y cosmopolita, de la materia que da vida a *Los detectives salvajes:* la confianza casi mágica depositada por el narrador chileno en el grupo, la camarilla juvenil, esa comunidad literaria *on the road* que hace del viaje sentimental su primera educación, la decisiva. Los profesores, empero, no están solos. En tanto que administradores de la vanidad literaria deberán confrontarse, noche a noche y de hotel en hotel, con la rutinaria presencia de lo onírico, de esa otra voz que a través de los sueños los previene de la futilidad de su empresa. Y el mismo Benno von Archimboldi, un *barbarus germanicus* del que en ese momento poco sabemos, es (y así lo corroboraremos en la quinta novela), más que la presa que los críticos quisieran levantar como trofeo, un detective salvaje elevado a la *n* potencia. Si los infrarrealistas mexicanos que inspiraron al primer Bolaño no eran simpáticos (ni buenos escritores) como tampoco fueron una u otra cosa los licántropos o los hidrófobos del romanticismo francés de los que Mario Praz se burlaba, poco importa, pues lo que de ellos queda es la majestad del grupo literario concebido como banda de forajidos y escuela de iniciación. De igual forma, Benno von Archimboldi representa a un personaje que la literatura del siglo xx había intuido (pienso en Jean Cocteau, en Roger Vailland, en René Daumal) pero sólo en Bolaño ha alcanzado a presentarse de cuerpo entero: el vanguardista como héroe clásico.

La parte de Amalfitano, segunda novela, deja atrás el elogio de la comunidad para hacer el retrato de un solitario, un profesor chileno abandonado en Santa Teresa no tanto a la mano de Dios sino a las voces nocturnas de Schopenhauer y a los salvajes crímenes contra las mujeres cometidos en la frontera mexicana con los Estados Unidos. Amalfitano, en una de las numerosas imágenes memorables que pueblan *2666*, cuelga al viento, en el tendedero de la ropa, mojado, un ejemplar de *El testamento geométrico* de Rafael Dieste. Ese gesto —en la más propiamente chilena de las cinco novelas— me dice mucho. El culto a la velocidad cinemática y al cine negro en Huidobro, los antipoemas de Nicanor Parra, las fábulas pánicas de ese otro chileno-mexicano que es Alexandro Jodorowsky, el poema instantáneo en Enrique Lihn y otros precedentes menos prestigiosos permitieron que Bolaño proyectase, como ningún otro escritor latinoamericano contemporáneo, a la vanguardia como clasicismo y a los vanguardistas como relevos de Ulises, de Jasón y de los argonautas, de Eneas.

Pero esta segunda novela está dispuesta esencialmente para que Amalfitano y su hija nos introduzcan en la atmósfera de irrealidad y sevicia de Santa Teresa que se irá volviendo de casi intolerable lectura en *La parte de los crímenes*. Antes, *La parte de Fate* es el homenaje que Bolaño rinde a la decisiva influencia de la cultura estadunidense en su formación, a través de las figuras fronterizas del periodista negro, del predicador, del imposible militante del Partido Comunista en Brooklin y del hervidero, tan profundamente norteamericano, de las teorías de la conspiración. Otra vez Bolaño es excepcional: ningún otro escritor latinoamericano (y quizá sólo Corman McCarthy entre los estadunidenses) ha entendido la densidad simbólica de la frontera como él. El dibujo numinoso y sangriento que Bolaño hace de Santa Teresa condena el trabajo de tantos narradores mexicanos (y hasta españoles) sobre la frontera a ser, en el mejor de los casos, periodismo y, en el peor, folclorismo de la miseria. Lo mismo ocurre, como veremos, con todos aquellos que intentaron parodiar la literatura alemana y vienesa de entreguerras. La aparición de un gran escritor impone que otros renunciemos a la palabra. De esa implacable selección natural está hecha la literatura.

Artaud creyó que México era el pulmón místico del planeta, Bolaño cree que en la caverna del feminicidio mexicano se esconde el pavoroso secreto del mundo. Apoyado en el precedente moral de *Huesos en el desierto* (2002), de Sergio González Rodríguez*, Bolaño dedica *La parte de los crímenes* a una monomaniaca decodificación de los crímenes de Santa Teresa. Yo no creía posible que se pudiese hacer literatura de tanto horror y, al hacerlo, conservar al mismo tiempo el honor de las víctimas y el honor de la literatura, encarando uno de los problemas morales menos transitables de la creación artística. Si los crímenes se deben a la difuminación del asesinato serial o a la multiplicación del rito satánico eso ya es otra cosa, que en *2666* depende de las estrategias novelescas que Bolaño utiliza.

A Santa Teresa fue a dar Benno von Archimboldi, y en su búsqueda, el cuarteto de críticos. Llegados a la cuarta novela, tras haber escuchado los testimonios del solitario Amalfitano y del gregario periodista Oscar Fate, tenemos en *La parte de los crímenes* algo más que una apocalíptica novela negra: un retrato brutal de México, que deja de ser ese jardín de Paul Valéry en el que Bolaño observa perdidos a los escritores chilangos, para convertirse, en Santa Teresa/Ciudad Juárez, en la última frontera de muchos mundos, como si en ese sitio terminasen la sociedad industrial, la religión de los cristianos, la Ilustración y su aura, y un largo y abusivo etcétera que apenas ilustra la fuerza escatológica de Bolaño, escritor a veces difícil de leer porque no es común encontrar en un solo libro, juntas, a la literatura y a la verdad, como soñó Goethe.

La parte de Archimboldi, última de las novelas que componen *2666,* comienza semejando una parodia de Robert Walser, que parece transformarse en la novela que uno supondría fue a escribir Benno von Archimboldi en Santa Teresa y que termina por solucionar —sin descalificar las intuiciones del lector— el enigma de la identidad del novelista. En *La parte de Archimboldi* Bolaño nos lleva de la mano —como si fuera necesario, como si otros grandes escritores no lo hubiesen hecho ya— por los mataderos del siglo XX. Bolaño tiene en cuenta, empero, que su lector sabe mucho (tanto como él) sobre los crímenes del bolchevismo o la ocupación nazi de la Unión Soviética, y sobre todo conoce (ese lector ideal) la manera en que los artistas europeos han pintado los horrores de la guerra. Pero sirviéndose del expresionismo, a través del cuaderno de Ansky (otra novela dentro de la novela), dibujando a lo Grosz e interpelándonos demoniacamente como si el alma de Gogol lo tomase por instantes, el genio de Bolaño se impone gracias a que nuestro conocimiento de la materia manipulada siempre será sorpresivamente inferior al que *2666* ofrece, como si esta novela total aspirase a ser el libro bisagra entre dos siglos. Yo creo que lo es. Y formaba parte de cierta lógica histórica occidental que su autor fuese un latinoamericano.

Los teóricos de la posmodernidad detestan las grandes narrativas literarias y les será difícil clasificar *2666,* una novela póstuma y probablemente no del todo conclusa. Si acaso en las últimas páginas, cuando sabemos quién es verdaderamente Benno von Archimboldi y por qué ha viajado a Santa Teresa, son perceptibles varios párrafos inseguros o algún salto temporal un tanto brusco, como cuando se nos informa que el héroe navega en la red desde una computadora portátil y páginas después leemos que dado que el escritor no leía periódicos ni escuchaba la radio, se enteró de la caída del muro de Berlín gracias a la viuda de su editor, la provocativa señora Bubis. Pero de no ser por minucias de ese tipo incluso saldría sobrando la nota editorial de Ignacio Echevarría sobre el estado de los textos a la muerte de Bolaño.

"Toda poesía en cualquiera de sus múltiples disciplinas [dice Bolaño en 2666] estaba contenida o podía estar contenida en una novela."

Sólo mediante la poesía, tal cual la concebía el bajo romanticismo alemán, pudo Bolaño escribir 2666, una novela cuyo escenario es el universo entero, es decir, el tiempo de la literatura tal cual la concibió el siglo xx. Y si el escenario es el mundo como universo concentracionario, el tema es, otra vez, las relaciones entre la literatura y el mal, ese tráfago infernal abundante en treguas, rendiciones, intercambio de prisioneros. Y siendo el motivo de 2666 la literatura y el mal, Benno von Archimboldi, su protagonista, encarna el mito del escritor como ese antihéroe, nihilista sólo en apariencia, actor que puede devolverle al mundo el orden de la pansofía, esa secreta oxigenación subterránea que anhelaba Novalis.

Bibliografía sugerida

Los detectives salvajes, Anagrama, Barcelona, 1998.
2666, Anagrama, Barcelona, 2004. Obra compuesta de cinco novelas: La parte de los críticos, La parte de Amalfitano, La parte de Fate, La parte de los crímenes y La parte de Archimboldi.
Entre paréntesis (ensayos, artículos, discursos y entrevistas), Anagrama, Barcelona, 2004.
La Universidad Desconocida (poesía), Anagrama, Barcelona, 2007.
El secreto del mal, Anagrama, Barcelona, 2007.
El Tercer Reich, Anagrama, Barcelona, 2010.
Los sinsabores del verdadero policía, Anagrama, Barcelona, 2011.

BONIFAZ NUÑO, RUBÉN
(Córdoba, Veracruz, 1923)

En Fuego de pobres (1961), su libro más importante, Bonifaz Nuño creyó materializar un viejo sueño de la literatura novohispana, la creación de un poema que sintetizase la perdida grandeza del mundo náhuatl con el horizonte grecolatino. Pese a sus frecuentes (y generalmente afortunadas) incursiones en la atmósfera popular, no es Bonifaz Nuño un poeta fácil. Todos sus comentaristas destacan su maestría métrica, acaso la más exigente en la poesía mexicana moderna, pero esa sabiduría a menudo ata y contiene a la expresión, convirtiéndolo en un poeta pesado y aburrido, reo de las características menos atractivas del barroquismo. En su primera época, de *La muerte del ángel* (1945) hasta *El manto y la corona* (1958), fue Bonifaz Nuño un poeta gemebundo, practicante de un sentimentalismo cuya trama es el descenso del literato académico a los infiernos de la sensualidad y el desamor. Ese mismo movimiento, tras *Fuego de pobres*, logró una serie de libros excepcionales que, como *Siete de espadas* (1966), *El ala del tigre* (1969) y *La flama en el espejo* (1971), ofrecen al lector extraordinarias estelas verbales en cuyas inscripciones leemos un fragmento amoroso que pudo estar en un muro de Pompeya, los lamentos premonitorios de un poeta de la escuela de Netzahualtcóyotl o una balada sentimental contemporánea escuchada al azar en un taxi. Con la vejez, Bonifaz Nuño ha abandonado la tramoya barroca en favor de la claridad y la musicalidad, en libros que, como *Albur de amor* (1987) y *Del templo de su cuerpo* (1992), son hermosas cantatas sobre la rabia sorda de los amores perdidos. Aunque nacido en la montañosa Córdoba veracruzana, este poeta del buen decir ha sabido registrar como pocos la pobretería, el silencio compasivo y la reserva emocional del mexicano del altiplano, heredero de esos antiguos clasicismos que Bonifaz Nuño conjuga con tanto fervor. Una obra como la de Bonifaz Nuño, poeta de oído tan extraño, demuestra, aun en sus quebrantos y dificultades, la riqueza de matices que la poesía mexicana alcanzó a lo largo del siglo xx.

Bibliografía sugerida

De otro modo lo mismo. Poesía, 1945-1971, FCE, México, 1978.
Albur de amor, FCE, México, 1987.
Del templo de su cuerpo, FCE, México, 1992.
Versos (1978-1994), FCE, México, 1996.

BOULLOSA, CARMEN
(Ciudad de México, 1954)

El conflicto, a veces fecundo y en otras ocasiones frustrante, entre dos naturalezas es la impresión que me queda al recorrer, otra vez, la obra ya considerable, de Boullosa. Desde el par de novelas fantásticas, íntimas, chocarreras, con las que se presentó a fines de los años ochenta (*Mejor desaparece,* 1987, y *Antes,* 1989) hasta *La otra mano de Lepanto* (2005), su libro más ambicioso, pasando por otras doce novelas, algunas piezas de teatro y un par de volúmenes de cuentos, así como por una obra poética personalísima, Boullosa no es un escritora que deje indiferentes a sus lectores. Fascina y fastidia: en una mismo libro, en prosa y en verso, yo he sentido, a lo largo de muchos años de leerla, ese entusiasmo y esa contrariedad.

Por un lado, está la poeta poseída por un yo lírico poderosísimo —ya lo quisieran muchos de los que entre nosotros pasan oficialmente por poetas— que ejerce su dominio de una manera hiperactiva y teatral como la creadora de una verdadera compañía de personajes que en realidad son, con mil máscaras, uno solo, la heroína adicta a la confesión erótica. En ese registro, a veces lúcido y otras veces tan sólo exhibicionista, Boullosa no tiene temor de Dios ni de los hombres, consecuente al hacer pasar a la confesión por mal gusto, puerilidad o cálculo errático. Me es difícil no encontrarme, en sus poemas, con líneas fascinantes: en *La salvaja* (1988), en *La Delirios* (1998), en *La bebida* (2002), *Salto de mantarraya (y otros dos)* (2005) y en algunas de sus novelas, como ocurre en esa perturbadora impostación personal de la leyenda de Cleopatra que es *De un salto descabalga la reina* (2002), donde el yo lírico se adueña, triunfante, de la prosa.

Al dominio o a la represión de esa naturaleza ha dedicado Boullosa la energía preservadora de la otra parte de su obra, escrita de manera simultánea a la primera y que muestra a una autora de novelas "académicas". Por novelas académicas, en su caso, entiendo aquellas —muy distintas entre sí— en que se propone, con desigual fortuna, el cumplimiento de una tarea, la realización de un tipo de novela asociada a la ciencia-ficción

(*Cielos en la tierra,* 1997), a la transmigración del cuerpo femenino a través de la historia (*Duerme,* 1994), al ajuste de cuentas con el realismo sentimental (*Treinta años,* 1999), a la reconstrucción de las aventuras y miserias de los piratas (*Son vacas, somos puercos,* 1991 y *El médico de los piratas,* 1992) o a la imaginación mexicanista (*La milagrosa,* 1993, y *Llanto. Novelas imposibles,* 1992). Hace Boullosa la curaduría de una novela sobre una pintora del Renacimiento (*La virgen y el violín,* 2008) o se ejercita con una ocurrencia, a la vez metatextual y vernácula, en el caso de *La novela perfecta* (2006). En su obra de mayor aliento, la más trabajada (trabajada con verdadero denuedo y barroquismo), que es *La otra mano de Lepanto* pueden verse las consecuencias de su disciplina (o de su tosudez): la fidelidad al modelo cervantino torna farragosa a la más trabajada de nuestras novelas de aventuras.

A la poeta salvaje, como vemos, la acompaña una novelista con un dominio profesional de la historia y su novelización, mirando, con un ojo, al gato de la vulgata universitaria (el feminismo y los estudios de género, la mexicanidad, el Nuevo Mundo y sus tesoros hermenéuticos) y otro ojo al garabato de su escena lírica. Pero la variedad de sus temas novelísticos es, por fortuna, un tanto ilusoria y al final se adueña de todos sus libros una misma y proteica personaja, ya sea bajo el aspecto de María La Bailaora en la Batalla de Lepanto o de Claire, su trasunto del Orlando woolfesco, de sus heroínas que han amado a Moctezuma II (una de sus pasiones) o a través de la ventriloquia que la une a su inquietante Cleopatra.

Un crítico que ha seguido una obra contemporánea desde el principio, como es mi caso ante Boullosa, también está poseído por la ilusión monista de hallar, en aquello que por naturaleza se duplica, una síntesis. Es, debo insistir, una fantasía de orden, acaso un deseo didáctico. Encuentro, para decirlo de una vez, que *El complot de los Románticos* (2009) es el concentrado del talento de Boullosa, el libro donde confluyen con mayor armonía sus dos naturalezas. Esa madurez, se anunciaba en las primeras cincuenta páginas de una novela anterior, *El Velázquez de París* (2007), donde Boullosa roba la conversación de un viejo verde en un bistrot y con ello hace lo que quiere hasta que no se siente forzada a pintar otro cuadro edificante, esta vez, sobre la expulsión de los moriscos que Velázquez habría pintado.

Novela cómica cuya prosa tiene el ritmo de sus mejores poemas sin arriesgarse en su mal patetismo, *El complot de los Románticos* es divertido, musical, ocurrente, ágil, plena en riqueza vernácula sin ser grosera, culta y a su manera conceptuosa, sorprendente: todo es, una vez más, nuevo, como en sus primeras narraciones. El asunto, en *El complot de los Románticos,* es combinar el *Viaje del Parnaso* con la *Divina Comedia* (y un poco de Michael Ende), con otro descenso, uno más, al infierno mexicano. Con ese propósito de desmesura cómica, Boullosa se inventa un Dante sensacional que no entiende, a lomo de rata, ni a Britney Spears ni a la gramática entera de nuestro mundo, pero se deja guiar por la eterna mujer salvaje boullosiana.

Reposición de *La danza de los vampiros,* de Polanski, por un lado y relectura de la historia de México en la cual Boullosa regresa la cinta del siglo XXI al XVI, *El complot de los Románticos* pasa revista al ciclorama del muralismo (al pictórico y al narrativo, a Carlos Fuentes*). No se abstiene Boullosa, tampoco, de dar sus opiniones políticas con crudeza, haciendo de la novela, a ratos, panfleto. Cada rincón del libro es suyo.

Cuando sus románticos se amotinan, en el Teatro de la Zarzuela de Madrid y dan al traste con la reunión de grandes resucitados en un congreso literario, Boullosa abandona la trama de este nuevo *Viaje del Parnaso,* dejo que le ha valido algunos reproches de la crítica. Creo que no podía haberlo hecho mejor, dirigiendo sus armas contra su propia literatura, parodiando la intertextualidad y sus cajas chinas. Importarán, más que las aventuras desopilantes, la parodia de la novela-dentro-de-la-novela, que resulta ser obra de Dolores Veintimilla, una romántica quiteña decimónica, a su vez glosada por Rosario Castellanos*, la estoica matriarca de las escritoras mexicanas, lo cual nos lleva, invariablemente, hasta sor Juana y de allí, de nuevo, a Boullosa. Divertimento y parodia de la literatura femenina, de sus mitologías, sus prestigios y sus bochornos, *El complot de los Románticos* es también una autocrítica que renueva el sentido de la obra entera de Carmen Boullosa.

Bibliografía sugerida

Mejor desaparece, Océano, México, 1987.
La salvaja, FCE, México, 1988.

Antes, Vuelta, México, 1989.
Son vacas, somos puercos, Era, México, 1991.
De un salto descabalga la reina, Lumen, Barcelona, 2002.
La bebida, FCE, México, 2002.
La otra mano de Lepanto, Siruela/FCE, México, 2005.
Salto de mantarraya (y otros dos), México, FCE, 2005.
El Velázquez de París, Siruela, Madrid, 2007.
El complot de los Románticos, Siruela, Madrid, 2009.
Las paredes hablan, Siruela, Madrid, 2010.

BRACHO, CORAL
(Ciudad de México, 1951)

A riesgo de incurrir en el equívoco procedimiento que consiste en usar una imagen poética para hablar de poesía, la obra de Bracho me parece una casa de cristal a través de cuyas ventanas miramos un invernadero. Separados por un vidrio mohoso, observamos las rutinas y las maravillas de un peculiar reino animal y vegetal. Pero ese jardín, encantador y encantado, es impenetrable; no ha sido diseñado para pasearse o leer bajo un árbol. Las plantas que allí crecen son venenosas y las criaturas que lo custodian parecen amables sin serlo, pues allí rige la despiadada cadena del ser. Materia para la mirada, la poesía de Bracho se protege del deseo intruso que sueña con violar su intimidad y desordenar un lenguaje a veces demasiado consciente de su ejemplaridad.

Los primeros libros de Coral Bracho, *El ser que va a morir* y *Peces de piel fugaz* (reunidos en *Bajo el destello líquido*), más allá de la extrema sensibilidad de la persona poética que los escribió, derivaban de un microclima intelectual bien preciso. Como sus amigos Jorge Aguilar Mora* y David Huerta*, Bracho escribía con la extrema conciencia de hacerlo al margen de los tratados de Foucault, Barthes y (casi didácticamente) de Gilles Deleuze y Felix Guattari. Esta aclimatación ensayística y filosofante de cierta poesía mexicana de los años ochenta del siglo pasado corría el riesgo, como lo detectó el profesor Evodio Escalante en su momento, de envejecer junto con la influencia de aquellos *maîtres à penser.* Al releer *Bajo el destello líquido,* en algo me molestaron ciertas palabras-amuleto como *borde, sedimento, núcleo, linde* y, desde luego, *rizoma.* Pero Bracho, constructora y habitante de una peculiar arquitectura verbal, se adelanta a sus primeras señales de identidad, y aquellas palabras, leídas veinte años después de su escritura, adquieren un sabor añejo, en tanto que talismanes que permitieron que un poeta abriese sus propias puertas de la percepción.

Tras algunos años de silencio, Bracho publicó *La voluntad del ámbar* (1998) y *Ese espacio, ese jardín* (2003). Si el primer libro expresa una poesía más depurada y estricta (y a veces insípida a fuerza de economía verbal), el segundo es un reencuentro con sus primeros poemas, vuelta al viejo jardín, un jardín desbrozado de ontologías, espacio donde la vegetación cede su lugar a la transparencia, pequeño mundo aislado de aquel "hipotético observador" enunciado en *La voluntad del ámbar.*

Ese espacio, ese jardín es un solo poema que invoca la infancia, el único reino milenario y al que Bracho se acerca acicateada por la presencia de la muerte. El poema es dramático; discretamente dramático como pueden serlo unas escenas de pantomima o el *Pierrot lunaire,* de Schöenberg. En esta pieza de cámara con voz humana, Bracho convoca personajes, algunos animales (la zorra, el jaguar) y un bufón que conversa con los niños en ese invernadero donde crece una familia a la par numinosa y cotidiana, consciente de que "su universo es la sal/que refulge un instante, y en otro instante/se disuelve".

Festejada por la eufónica morfología que en ella cobran los vocablos, la poesía de Bracho celebra el origen de las especies, el drama de los tres reinos condenados a cumplir fatalmente la cadena del ser.

Bibliografía sugerida

La voluntad del ámbar, Era, México, 1998.
Ese espacio, ese jardín, Era, México, 2003.
Huellas de luz. Poesía, 1977-1992, Era/Conaculta, México, 2006.
Si ríe el emperador, Era, México, 2010.
Cuarto de hotel, Era, México, 2010.

BRADU, FABIENNE
(Athis-Mons, Francia, 1954)

Retratos de mujeres. No me parece anecdótico que Bradu, siendo francesa, sea uno de los críticos literarios esenciales de México. Desde su primer libro (*Señas particulares: escritora,* 1987) hasta *Damas de corazón* (1994), pasando por su *Antonieta* (1991), Bradu viene escribiendo los fragmentos de una historia literaria de nuestras mujeres que deja ver, al fondo, un moralismo del más riguroso y encantador estilo francés. Esa combinación de geometría y dulzura es la que rige los retratos femeninos de Bradu, género que han honrado no pocos hombres, como Choderlos de Laclos, Sainte-Beuve o Marcel Jouhandeau. Quien lea *Damas de corazón* encontrará los camafeos de cinco mujeres que fueron el ajo y el jenjibre de la cultura mexicana del siglo XX: Consuelo Sunsín, María Asúnsolo, Machila Armida, Ninfa Santos y Lupe Marín. Que estas *Damas de corazón* sean "personajes secundarios" no me parece un argumento en demérito de Bradu... ¿Quién de nosotros está seguro de alcanzar, siquiera, la condición de personaje secundario? La historia de una cultura se construye sobre las ruinas de un multitudinario reparto de héroes menores o anónimos cuya existencia, empero, posibilita la proyección de esos dos o tres verdaderos protagonistas que cada época apenas se permite tener. Las cinco mujeres que Bradu eligió para escribir *Damas de corazón* montan esos entarimados cuya disposición escénica es determinante en el transcurso de un siglo. Desde Sunsín, la aventurera salvadoreña que amaron José Vasconcelos*, Enrique Gómez Carrillo y el conde de Saint-Exupéry, hasta Ninfa Santos, uno de los polos magnéticos en la vida cotidiana de la izquierda mexicana, Bradu teje varios capítulos, sin olvidar las peripecias del muralismo, que hubieran sido muy distintas sin las presencias terribles y dominantes de Asúnsolo o Marín, ángeles y demonios de Siqueiros y Rivera.

Octavio Paz* protestó —en 1983— contra una exposición en el Museo Nacional de Arte que mostraba un paralelo engañoso entre Frida Kahlo y Tina Modotti, cuyo lugar en el arte mexicano no puede ser comparado. Paz remataba aquella nota afirmando que los paralelos entre Frida y Tina estaban en otra historia, no escrita, la de las pasiones. *Damas de corazón* es una de las respuestas a esa ausencia. Como en *Antonieta*, Bradu ilumina la zona de los sentimientos, esa frontera imprecisa entre vida pública y la soledad emocional que estas cinco mujeres transitaron con una libertad tan envidiable como indiscreta.

Supongo que Bradu, como otras mujeres y hombres de su generación, fue feminista. Antecedente que la honra, precisamente porque conservó del feminismo esa devoción por la igualdad de los sexos que fue la de madame Roland, Stendhal o George Sand, y se deshizo tanto del lloriqueo sentimental como del hembrismo. Bradu está muy lejos de exaltar, como lo hacen algunas publicistas culturales, a la Mujer como valor en sí mismo, principio de partición cuya supuesta otredad todo lo decide. *Damas de corazón* no es una epopeya de la mujer intelectualmente oprimida, sino un retrato de caracteres fuertes que vivieron el matrimonio o el adulterio, la vida privada o el comercio público, las veleidades artísticas o la militancia política con idéntica pasión que los hombres que las maltrataron, las idolatraron o a quien ellas martirizaron. Las mujeres de Bradu componen una historia de seres poderosos. Su poder proviene, sin duda, de sus propias vidas; pero también de la prosa con la que su biógrafa las retrató. Admiro la soltura, la contundencia y el encanto con que Bradu maneja esta lengua española que ella eligió como su patria de escritora. La de Bradu es una ilustración de la vida mexicana con los colores ocres y precisos de ese moralismo francés del que heredó el amor por las sentencias y el culto por la incisiva brevedad. [...] Los retratos femeninos de Bradu, de nuestras escritoras contemporáneas, de Antonieta Rivas Mercado o de las *Damas de corazón*, ya forman parte entrañable de una memoria mexicana cuya literatura tiene en ella a una de sus inteligencias críticas más sonrientes y agudas (*Servidumbre y grandeza de la vida literaria*, 1998).

Retrato de la retratista. Si pudiera resumirse en un par de palabras lo que el retrato literario ha significado para la literatura francesa, podría decirse, con Bradu, que es "la voz del espejo", una imagen que al aparecer en lugar de nuestro rostro, no nos dice quiénes somos sino quién no somos, obligándonos a leer en otros nuestra identidad perdida, añorada o supuesta. Esos otros —o esa otredad, para usar la vieja y desgastada palabreja— es el mundo de la literatura: rostros, voces en el espejo. A la memoria nutricia que Bradu recibió de la literatura francesa se ha agregado su elección, tomada hace muchos años, de ser una escritora mexicana, escribiendo (previsible y afortunadamente) en un español elegante, cerebral, enfático. Bradu ha cumplido con la obligación que ese cruce de caminos le imponía y ha publicado *Breton en México* (1995), *Benjamin Péret y México* (1998) y *Artaud, todavía* (2008), expedientes sobre la pasión mexicana de tres de los grandes surrealistas. En *La voz del espejo* (2008), su nueva colección de ensayos, Bradu agrega una cuarta vida, quizá "minúscula", la de Émilie Noulet, la crítica literaria y traductora belga que vino a México con el exilio republicano y que osó, sin ver coronado su propósito, publicar en francés la poesía de Alfonso Reyes*.

Desde su primer libro (*Señas particulares: escritora*) hasta *La voz del espejo*, Bradu ha pintado y dibujado, escribiendo, un número notable de retratos. Imagino (y habito, también, en mi medida de cómplice suyo desde hace veinte años) la obra de Bradu como un espacio desdoblado: el estudio-taller, privado, casi íntimo y la galería, abierta al mundo, sensible a la moda y a la vez tradicional, alcurniosa. En el primero de los espacios, Bradu, haciendo crítica literaria y psicología biográfica, nos ha mostrado cómo funcionó fatalmente la mente de Antonieta Rivas Mercado antes de matarse en Notre-Dame (en *Antonieta*, 1991), ha desgranado, sílaba tras sílaba, la poesía de Gonzalo Rojas (*Otras sílabas sobre Gonzalo Rojas*, 2002) o ha dejado testimonio de la manera en que un investigador literario fracasa al querer abrir el último sello de una vida ya cerrada a nuestra curiosidad, tal como ocurre en *Artaud, todavía*.

Eso en cuanto al taller. Ante la galería festejo la disposición mundana de Bradu. Ha visto mundo: Chile en varios tiempos, como lo prueba su ya legendaria amistad con el poeta Rojas (*Las vergüenzas vitalicias. Diario de Chile*, 1999) y el Oriente en dos novelas de viaje, a la Morand, *El amante japonés* (2002) y *El esmalte del mundo* (2006), sobre la India. Pero la mundanidad de Bradu va más allá de la avidez del turista (una característica que el moderno no comparte con nadie) y expresa su pasión retratística, la de capturar la imagen en el mundo de otras mujeres, como Consuelo Sunsín de Saint-Exupéry, Ninfa Santos, Machila Armida en *Damas de corazón* (1994) o pinchar el alma femenina de Vasconcelos, como lo hace en uno de los retratos más sensibles de *La voz del espejo*.

Bradu ha ejercido el arte del retrato con heterodoxia. En aquel primer libro de 1987, dedicado a siete escritoras mexicanas ni tan estudiadas ni tan celebradas en ese entonces, Bradu desbordaba la asignatura académica y dejó atisbos curiosos sobre Josefina Vicens*, Elena Garro* o Inés Arredondo*. A Rosario Castellanos*, a quien admira en su incesante y a veces pavorosa autocrítica, Bradu la sorprende, en *La voz en el espejo*, en flagrante incongruencia: admirar los amores contingentes publicitados por Simone de Beauvoir y ser víctima, ella misma, la poeta chiapaneca, de sus rutinarios estragos. A esos retratos se suman otros, el de la fotógrafa Graciela Iturbide en el ejercicio de su extraña memoria, el del poeta Manuel Ulacia en el camino de Galta o el de Rafael Cadenas en su lectura del misticismo que a Bradu, buena bretoniana, le parece consecuente con la idea de que lo sobrenatural, ya sea que lleguemos a través de la magia o de lo esotérico, es sólo la manera más difícil de hacer uso de la razón.

En los ensayos de Bradu, como en las novelas de Balzac, los personajes reaparecen, rebeldes ante la posibilidad de que su destino quede clausurado. Reaparece Julieta Campos, retratada en persona y en obra, en vida y tras su muerte en 2007. En *La voz del espejo*, también, reaparecen Antonieta a la cual, al fin, ha podido ver Bradu fantasmalmente aparecida en los pocos minutos en que fue filmada. Reaparecen Octavio Paz y Julio Cortázar defendiéndose desde ultratumba de los argentinos que lo niegan tres veces y, quién lo dijera, Marguerite Duras convertida en el genio del lugar. A esta última Bradu la retrata con una maldad que, como es propio en el buen retratismo, es el camino hacia la reconciliación y el reconocimiento.

Recordando cómo el éxito mundial de la Duras sacó de quicio a buena parte de sus viejos lectores, dice Fabienne Bradu, en una cita que le dejo al lector como introducción al nervio y al trazo de *La voz del espejo*: "Poco después de la publicación de *El amante japonés*, cuando las prensas de las ediciones de Minuit trabajaban día y noche para abastecer la demanda de los libreros, un Rolls-Royce negro fue robado en la Riviera francesa. En un lapso breve el dueño recobró el automóvil, cosa que suele suceder con semejantes marcas, pero se quejó amargamente de que su ejemplar de *El amante japonés* había desaparecido de la guantera. También recuerdo el deleite de Marguerite Duras al narrar el incidente como si la realidad acabara de vengar todos los sinsabores de una vida: una novela suya resultaba más codiciada que un Rolls-Royce. Fuera cierto o no [el episodio] le daba pie para explayarse en sus extravíos estalinizantes y su ciega devoción hacia el gobierno de François Mitterand. Pertrechada tras sus gruesos anteojos, tan arrugada como una iguana camboyana, hinchada por el alcohol y los chalecos encimados como desvencijadas corazas, atrincherada en sus altivos silencios, Marguerite Duras, por fin o *hélas*, se coronaba reina de las letras francesas".

Bibliografía sugerida

Señas particulares: escritora, FCE, México, 1987.
Ecos de páramo, FCE, México, 1989.
Antonieta, FCE, México, 1991.
Damas de corazón, FCE, México, 1994.
Breton en México, Vuelta, México, 1995.
Benjamin Péret y México, Aldus, México, 1998.
Las vergüenzas vitalicias. Diario de Chile, Vid, México, 1999.
La voz del espejo, DGE Equilibrista/UNAM, México, 2008.
Los escritores salvajes, Conaculta, México, 2011.

C

CARBALLIDO, EMILIO
(Córdoba, Veracruz, 1925-Xalapa, Veracruz, 2008)

Quizá Carballido, reconocido como uno de los grandes en la breve lista de los dramaturgos mexicanos del siglo XX, esté condenado a permanecer fuera de los cánones narrativos, aunque su obra en ese renglón sea tan original como extraña. Me sorprendió la juventud que conserva su primer relato (*La veleta oxidada,* 1954), con esas conversaciones sobre música atonal que climatizan un desenlace trágico y pudoroso, y encontré en *Flor de abismo* (1994) que Carballido todavía tiene mucho que contar. Pero mi relectura de *Las visitaciones del diablo* me ha dejado perplejo. Es una de las novelas más hermosas de la literatura mexicana moderna. Apareció en ese año axial para nuestra narrativa que fue 1965, alcanzó tres ediciones, pero fue olvidada en contraste con otros tres libros esenciales que aparecieron en esa fecha: *Farabeuf,* de Salvador Elizondo*, *Gazapo,* de Gustavo Sainz, y *La señal,* de Inés Arredondo*.

Las visitaciones del diablo quiso ser un pastiche del folletín romántico decimonónico. Y al finalizar el siglo XX mexicano, caprichos del talento retórico, es una novela única e irrepetible, plena en sensualidad y encanto. Es un libro que se convirtió en clásico ante la inadvertencia de la actualidad, pues registra mitos perdurables de las letras modernas: el extraño que irrumpe en la aldea y la perturba con el ruido que proviene de la corte, la somnolencia devastada por el vértigo del amor que humilla a las convenciones, la locura mal resguardada en los armarios, la fuga final y feliz de los amantes en un tren impulsado por una canción de Lorenzo de Médicis.

Esta novela de Carballido comparte la intensidad del soplo de la tradición con los cuentos de Arredondo y acepta, plenamente, como *Farabeuf,* de Elizondo, que la materia novelesca es tan variable e infinita como el propio tiempo que viven los hombres. Pero más allá de su relación con los libros que nacieron con ella, *Las visitaciones del diablo* tiene la gracia secreta, quizá hija legítima de un hombre de escena, de permanecer como verdad dramática por encima de su aparente intención como divertimento.

Las visitaciones del diablo forma parte de una literatura regional en el más noble de los sentidos de un término a menudo devaluado. Creo que dentro de la narrativa mexicana de la segunda mitad del siglo, sólo hay una literatura propiamente regional, en el sentido que otorgamos esa calificación a las letras del sur de los Estados Unidos o a la poesía provenzal. Esa literatura es la veracruzana, un país entero dentro de nuestra nación novelesca. Los nombres de Sergio Galindo*, Jorge López Páez*, Juan Vicente Melo* y Sergio Pitol* constituyen, junto con Carballido, una estirpe totalmente discernible. En ese cuadro, *Las visitaciones del diablo* deberá ocupar un lugar de honor, junto a *Otilia Rauda, El solitario Atlántico, Fin de semana* y *Juegos florales.* El regionalismo de Carballido es un universalismo, como lo es la Normandía flaubertiana al mundo (*Servidumbre y grandeza de la vida literaria,* 1998).

Bibliografía sugerida
Las visitaciones del diablo, Joaquín Mortiz, México, 1965.
DF. 52 obras en un acto, FCE, México, 2006.

CARBALLO, EMMANUEL
(Guadalajara, Jalisco, 1929)

Tras la promoción que Carballo hizo de los nuevos escritores en los años sesenta, una vez republicadas sus bibliografías de literatos decimonónicos y reconocida la importancia de las entrevistas reunidas en *Protagonistas de la literatura mexicana* (1965 y 1986), la aparición del *Diario público 1966-1968* (2005) permitió, al fin, apreciar cabalmente la herencia de Carballo.

Si como periodista literario contribuyó decisivamente al reconocimiento de los ateneístas y de los Contemporáneos como nuestros clásicos modernos, en *Diario público 1966-1968* pueden leerse, entreveradas en la crónica de la vida literaria, sus reseñas más importantes. En muchas de ellas, no cabe duda, Carballo hizo comentarios acertadísimos, entre los que destaca su desconfianza ante *José Trigo* (1966), de Fernando del Paso*, en su opinión una novela concebida a lo grande y realizada a lo pobre. Quizá se dejó impresionar en demasía por la aparición de José Agustín* y juzgó severamente (con cierta razón) las primeras novelas de Juan García Ponce*. También se ocupó de los poetas y llamó la atención sobre las promesas en falso empeñadas por Marco Antonio Montes de Oca* o por el malogrado Raúl Navarrete (1942-1981). Sus relaciones con Carlos Fuentes*, con quien hizo la *Revista Mexicana de Literatura* entre 1955 y 1958, terminaron más o menos mal, una vez que el uno acabó de abusar del otro. Se equivocó, en diversas formas, al apreciar a Juan Rulfo*, a Juan José Arreola* y a Jorge Ibargüengoitia*: pero no hay crítico que se respete, y Carballo se dio a respetar, que no incurra en opiniones que el paso del tiempo le recriminará sin piedad. Ése es el precio que se paga por ser testigo.

Carballo fue justo y generoso con los escritores cuyas autobiografías precoces editó y prologó (en la serie "Nuevos escritores mexicanos del siglo XX presentados por sí mismos"), autores como Salvador Elizondo*, Gustavo Sainz, José Emilio Pacheco*, Homero Aridjis*, Tomás Mojarro, Sergio Pitol*, Juan Vicente Melo*, Carlos Monsiváis* y un no muy largo etcétera que ratifica su lugar como el crítico literario de guardia en un momento brillante de la narrativa mexicana, esplendor que apadrinó.

Tras el episodio en que el novelista cubano Reinaldo Arenas acusó a Carballo, su editor mexicano, de haberlo denunciado como disidente y de birlarle sus regalías por *El mundo alucinante* (1968), la estrella del crítico se fue apagando. En ese declive, interrumpido por los berrinches ocasionales en que reaparecía quejándose de que otros investigadores le plagiaban sus fichas bibliográficas, tuvo mucho que ver su aventura en las filas del guevarismo y del castrismo, experiencia de la que, como tantos otros intelectuales latinoamericanos, salió tocado. Cuando Carballo se deslindó de la Revolución cubana y de la tramoya ideológica que la sostenía, ya era demasiado tarde y el crítico había perdido, también, la oportunidad de ser uno de los intérpretes protagónicos de ese *boom* latinoamericano que vio nacer. Esas ilusiones perdidas son notorias en otros libros de Carballo, como *Protagonistas de la literatura hispanoamericana del siglo xx* (1986) y *Ya nada es igual. Memorias, 1929-1953* (2002).

Recorrer las páginas del *Diario público 1966-1968,* que apareció originalmente en *Excélsior* y que Carballo fue anotando a lo largo de los años, es un tanto triste. Carballo tenía el olfato del crítico, ese sentido de la situación del que hablaba Kierkegaard, pero le faltaron por completo las virtudes del ensayista. Al postularse para una jefatura que nunca se ganó con una verdadera obra literaria, Carballo, más allá de la valentía y de la generosidad con las que actuó en su mejor momento, dejó pasar los años administrando su reputación.

Bibliografía sugerida
Protagonistas de la literatura mexicana, Ediciones del Ermitaño/SEP, México, 1986.
Ya nada es igual. Memorias, 1929-1953, FCE, México, 2004.
Diario público 1966-1968, Conaculta, México, 2005.

CARDOZA Y ARAGÓN, LUIS
(Antigua, Guatemala, 1904-ciudad de México, 1992)

En marzo de 1983 se celebró, en el Palacio de Bellas Artes y ante un aforo desquiciante, el centenario de la muerte de Marx. Desde un palco que parecía desplomarse, vi al legendario Cardoza y Aragón por primera vez en mi vida, un anciano diminuto cuya voz semejaba la de un resurrecto profeta de Israel, predicando la naturaleza prometeica del pensamiento de Marx, convencido de que aquella escatología materialista —como la llamaba Cardoza al hablar en nombre de los desterrados latinoamericanos— seguiría imantando el presente y el porvenir. Algunos de quienes asistíamos a esa multitudinaria velada creíamos que la crisis del marxismo, tras la represión de la revuelta obrera en Polonia, abriría un largo y sombrío tiempo de frustrante espera. A Cardoza y Aragón, lector teleológico de Marx, acaso le parecía natural que el marxismo, concebido como pensamiento crítico, estuviese en crisis. El poeta guatemalteco, desde los años treinta, había elegido habitar el peligroso universo marxista, que creyéndose regido por leyes, en realidad era un caos donde el azar, el terror, la esperanza y la necesidad jugaban con los hombres. Pero nadie, absolutamente nadie, entre los presentes en el teatro del Palacio de Bellas Artes, podía imaginar que, al finalizar esa década, el imperio soviético —que un Cardoza y Aragón defendía, pese a todo, como una forma superior de civilización— se derrumbaría por su propio peso, arrumbando al marxismo (en su polimorfa variedad) en el purgatorio.

David Huerta*, en el prólogo a la *Iconografía de Luis Cardoza y Aragón* (2004), sugiere que un hombre de izquierda del siglo xx, como don Luis, no podía sino vivir en el mundo de la tragedia, dividido entre las expectativas libertarias del pensamiento de Marx y la miserable realidad que impusieron en su nombre los comunistas. Padre de nuestra vanguardia y surrealista heterodoxo (como sólo lo puede ser un gran poeta latinoamericano), Cardoza estuvo entre quienes osaron defender al marxismo del estalinismo, el hijo saturnino que devora a su padre. Fue en la estética donde decidió Cardoza librar una batalla desigual, polemizando en los años treinta con la Liga de Escritores y Artistas Revolucionarios (LEAR) y su victoriosa dictadura puritana, ese realismo socialista que anulaba esa libertad de creación a la que se debía el autor de la *Pequeña sinfonía del Nuevo Mundo* (1948).

El joven André Breton pretendió, en una célebre fórmula, transformar el mundo y cambiar la vida, uniendo a Marx y a Rimbaud. El jefe del surrealismo, como otros pocos intelectuales de la siniestra entreguerra, renunció a una ilusión que deshonró a tantos artistas. Cardoza, como Louis Aragon y Paul Éluard, se empeñó en la imposible tarea de mantener unidas, bajo la égida de la Revolución rusa transformada en un reino totalitario, a la vanguardia estética y a la revolución mundial. En *André Breton: atisbado sin la mesa parlante* (1982) Cardoza cierra, en mi opinión derrotado, una discusión de medio siglo. Alega que Éluard o Tristan Tzara (no Louis Aragon) murieron ignorantes de los horrores del estalinismo y considera que Breton, en tanto que intelectual pequeñoburgués, no podía sino transigir con el mundo capitalista, incapaz de inmolarse. Pero Cardoza (inteligencia extraviada) sabe que argumenta tanto contra Breton como contra sí mismo y, al final, deja ver que prefiere ser santo que hereje, admitiendo que "el materialismo es una metafísica dispensadora de un poco de certidumbre". A Cardoza lo sedujo la santidad y la emuló como perseguido de una iglesia una y mil veces incendiada y saqueada, la Guatemala a la que sirvió como diputado y diplomático durante la década democrática (1944-1955) y a la que le consagró *Guatemala: las líneas de su mano* (1955).

Cardoza y Aragón, el crítico que expresó la originalidad radical del muralismo mexicano, nunca censuró, que yo sepa, obra de arte alguna en nombre del dogma. Pero tampoco quiso domeñar al comisario interior que lo atormentaba, ese otro yo que interrumpe al poeta con las razonadas defensas de la URSS y que invita al sacrificio de la libertad en nombre de la fe. Una vez pasado el llamado al orden, el comisario se va a vigilar la disciplina política de otros militantes, y el poeta queda en libertad, ejerciendo ese funambulismo que sus lectores (de un siglo a otro: del vate José D. Frías a David Huerta) le admiran, cincelando en el aire lo que Ramón Gómez de la Serna, el gran cirquero, le enseñó: la greguería, el tiro al blanco, la poesía en la prosa y la prosa en la poesía. A veces, Cardoza cede al pleonasmo, a la anfibología, al silogismo y a la tautología, o, si se prefiere, al disparate, entendido en la honrosa acepción que le dio José Bergamín, otro de los condenados. Pero el comisario vuelve, ay, el comisario vuelve.

Fue Cardoza y Aragón un panteísta espinoziano deslumbrado ante la materialidad del mundo. En *Lázaro* (1994), su poema testamentario, acude al resurrecto para fijar su confianza en el poder regenerador de la materia, a través de la cual el poeta y Lya Kostakowsky, su mujer, se encontrarán, antes que en el paraíso, juzgado tedioso, en el infinito, que todos conocemos y todos olvidamos. El surrealismo es en Cardoza, como el barroco en Eugenio d'Ors, un estado de ánimo intrahistórico, imposible de someter al imperio de una época. Se nota en *Lázaro,* como en toda su poesía, esa tentación de eternidad, escasamente histórica, poco dialéctica.

Si me tocase ofrecer un regalo de iniciación a un joven escritor hispanoamericano, escogería *El río. Novelas de caballería* (1986), la copiosa autobiografía de Cardoza y Aragón, brújula que orienta nuestro mundo ya no tan nuevo en el mapa del siglo xx. Desplegando la carta cardoziana, tenemos, al norte, París y Nueva York: del modernismo a la vanguardia (Enrique Gómez Carrillo se transforma en Vicente Huidobro) y del viaje del poeta recién casado a la eterna estancia de García Lorca. En Levante, a la Generación del 27 y a la Guerra Civil española, la torre de marfil mirando al mar y la canción de gesta. Al sur, el Chile de Pablo Neruda, cuyo centro está en todas partes. Y en el eje del mapa, la antigua Nueva España, revelada por Bernal Díaz y recorrida por Antonin Artaud en una mula, rumbo a la Sierra Tarahumara, visita que termina en la agónica conversación de Jorge Cuesta*. *El río* nos transforma en eternos espectadores y asombrados críticos de Diego Rivera en los andamios, lo mismo que en vecinos de Coyoacán, el único barrio trotskista del planeta, donde murió Cardoza.

Cardoza y Aragón vivió en México la mayor parte de su vida, una primera estancia entre 1932 y 1944 —cuando sembró entre nosotros la vanguardia— e ininterrumpidamente de 1953 hasta su muerte. Sin embargo, nunca se sintió mexicano; sentimiento difícil de entender para los mexicanos que lo quisimos, actitud comprensible en un guatemalteco, habitante de una de esas pequeñas literaturas que Kafka definió. Es curioso que Cardoza, el amigo íntimo de García Lorca, de Neruda, de Artaud, sólo haya alcanzado la más alta privanza literaria con su paisano Asturias, que en casi todo era su negación y a quien le dedicó un libro, *Miguel Ángel Asturias. Casi novela* (1991). Cardoza, en esta obra, se carea con el Premio Nobel guatemalteco, a quien cada éxito le agriaba el carácter y teniéndolos tantos, concluye don Luis, se volvió una botella de vinagre. En esta "casi novela", Cardoza trata, en un admirable ejercicio de honradez, de explicarse una personalidad que le era por completo ajena y frecuentemente repulsiva, la de su amigo de medio siglo, servidor ocasional de las tiranías guatemaltecas, uno de esos inconsecuentes monstruos latinoamericanos. Y en las novelas de Asturias, Cardoza encuentra fascinante la invención de una lengua guatemalteca, de la misma manera en que repudia el didacticismo y el folclor invertido de la novela indigenista.

Envidio a los amigos míos que visitaban con frecuencia a Cardoza en el Callejón de las Flores. Yo sólo lo volví a ver una vez más. Fue en el año de 1986, en el Museo Rufino Tamayo, en la presentación de *El río. Novelas de caballería*. En ese acto leí a su lado, nerviosísimo, unas cuartillas donde manifestaba mi asombro ante el abuelo vivo, espectral, omnisciente. En el principio del mundo, Cardoza fue marxista, como muchos lo alcanzamos a ser (con toda la grandeza metódica y la ciega sevicia que ello implicó) en el fin de ese mundo. Se cumplió su falso centenario (pues hoy sabemos que nació en 1901 y no en 1904) y sigo viendo en Cardoza y Aragón (como ya lo hicieron antes que yo Villaurrutia, Cuesta, Paz*, Pacheco*) al inventor de la cosmología literaria en la que vivo y sueño.

Bibliografía sugerida
Poesías completas y algunas prosas, FCE, México, 1977.
El río. Novelas de caballería, FCE, México, 1986.
Guatemala: las líneas de su mano, FCE, México, 1986.
Miguel Ángel Asturias. Casi novela, Era, México, 1991.
André Breton: atisbado sin la mesa parlante. Malevich: apuntes sobre su aventura icárica, FCE, México, 1992.
Pequeña sinfonía del Nuevo Mundo, FCE, México, 1992.
Lázaro, Era, México, 1994.

CASTAÑÓN, ADOLFO
(Ciudad de México, 1952)

El crítico, el traductor, el poeta y el editor forman en Castañón una sola figura, la del escritor-bibliotecario, para quien la conservación y el catálogo del bosque de los libros es la garantía que salvaguarda el dominio de la literatura. La obra de Castañón puede ser ordenada de maneras distintas, siempre y cuando se respeten las coordenadas dispuestas por los dioses penates que guían su tarea, Michel de Montaigne y Alfonso Reyes*. "La crítica es acaso el único modo congruente de alta cultura", ha escrito Castañón, y a las letras mexicanas, hispanoamericanas y europeas ha dedicado al menos tres colecciones de ensayos y reseñas: *Arbitrario de literatura mexicana* (1993), *América sintaxis* (2000) y *La gruta tiene dos entradas* (1994). De Reyes (*El caballero de la voz errante,* 1988 y 1997), Octavio Paz* y Jorge Cuesta*, las lecturas de Castañón se desplazan hasta Jean Paulhan, Ramon Fernandez y Roger Caillois, tres maestros franceses sin los cuales es imposible entender el continente más atractivo de su obra, el examen de esa ecúmene hispanoamericana que ha recorrido con alegría y tesón, sabiéndose permanente peregrino en la patria grande. *América sintaxis* contiene páginas esenciales sobre José Bianco y Silvina Ocampo de la Argentina; Nélida Piñón y José Sarney del Brasil; Nicolás Gómez Dávila, Álvaro Mutis* y Fernando Charry Lara de Colombia; José Kozer y Eliseo Diego de Cuba; Nicanor Parra y Gonzalo Rojas de Chile; Fernando Savater de España; Ernesto Mejía Sánchez de Nicaragua; Luis Loayza y Julio Ramón Ribeyro del Perú; Pedro Henríquez Ureña de República Dominicana y José Antonio Ramos Sucre, Mariano Picón Salas, Alejandro Rossi* y José Balza de Venezuela.

La nómina es fertilísima, por su variedad, y rara en esa América que Castañón ha recorrido no sólo como lector. No debe extrañar así que sea en el libro de viajes donde su personalidad se manifiesta de manera más grata, como ocurre en su periplo por la tierra nativa (*Por el país de Montaigne,* 2000) y en *Lugares que pasan* (1998), donde encontramos a un viajero literario para quien la literatura es sinónimo de civilización, de todas las formas de oralidad. Así, Castañón examina a Céline en el Delta del Orinoco, estudia la tendencia de los latinoamericanos a escapar hacia los cerros y repudiar los centros históricos, vuelve a desordenar esa trastienda matritense de la que habló Ramón Gómez de la Serna, hace de las Canarias tierra firme y de Lisboa una isla, escudriña la etiqueta nobiliaria mientras Octavio Paz recibe su Premio Nobel en 1990 y, como no ocurría desde José Vasconcelos*, deja constancia de su viaje a Tierra Santa.

Junto al viajero está en Castañón el hombre de la edición, cuyas décadas en el Fondo de Cultura Económica le permiten reflexionar sobre el oficio en *El mito del editor y otros ensayos sobre libros y libreros* (1993) y en

El jardín de los eunucos (1998). En el espíritu de Daniel Cosío Villegas*, José Luis Martínez* y Jaime García Terrés*, Castañón ha defendido la tradición ilustrada del Estado mexicano, que basada en la autonomía de las instituciones culturales, entiende el fortalecimiento del canon como la forma más perdurable de la educación pública. Honradez y sacrificio han sido las divisas de Castañón como editor estatal, prendas que, sumadas a su erudición y buen gusto, hicieron de él un joven patriarca.

Castañón ha conciliado el oficio del editor con la vida del redactor literario, como lo fue en *La Gaceta del Fondo de Cultura Económica,* que animó en su mejor época, en los años ochenta. Si la mayoría de sus textos críticos pasaron por las revistas literarias, Castañón también se ha dado tiempo para escribir poesía (*La campana y el tiempo. Poemas 1973-2003,* 2003) y prosa de imaginación (*A veces prosa,* 2003), géneros cuya práctica me parece lo menos interesante en una obra esencialmente exegética y celebratoria. Entre *Cheque y carnaval* (1983) y *El reyezuelo* (1984) —una punzante colección de sátiras— y *Lectura y catarsis* (2000), su folleto sobre George Steiner, la obra crítica de Castañón se ha ido perfilando hacia la conversación y el clasicismo, dejando atrás la amarga y filosóficamente cínica sonrisa de sus primeros libros. "Un crítico [dice Castañón en su más reciente colección de aforismos (*La belleza es lo esencial,* 2005)] es como un perro: si tiene dueño es muy raro que muerda a los de casa. Cuando no lo tiene, anda demasiado ocupado para pensar en peleas. Luego, ya es demasiado viejo para morder."

Castañón ha sido mi maestro y mi hermano mayor. En 1987 tuve la suerte, la inmensa suerte, de formalizar mi educación literaria al entrar a trabajar con él al FCE y, años más tarde, compartimos con Aurelio Asiain*, Fabienne Bradu*, Eduardo Milán* y Guillermo Sheridan* la mesa de redacción de la revista *Vuelta.* Bloques enteros de mi biblioteca se deben al deseo de emular la suya; si he logrado ser poseedor de algunos de los libros que me ha recomendado, nunca llegaré, en cambio, a leerlos tan bien como él lo ha hecho.

Guardián de una biblioteca (y desde 2004 académico de la lengua), Castañón también puede ser visto como el vigía trepado en el faro, alerta, durante el día, de la evolución de las multitudes laboriosas que acuden al puerto de la literatura mexicana. En esas funciones, Castañón garantiza la libre circulación de las novedades literarias, coteja manuscritos y pesa pergaminos, obstinado en brindar trato generoso a los forasteros y en otorgarles pasaporte para internarse, por su cuenta y riesgo, tierra adentro en nuestra imaginación. Por la noche, este lector duerme con un ojo abierto, hojeando las instrucciones de sus clásicos y oteando el horizonte para ofrecer a las naves que se acercan una acogida en tierra al amanecer.

Bibliografía sugerida

Arbitrario de literatura mexicana. Paseos I, Lectorum, México, 2000.
La gruta tiene dos entradas. Paseos II, Vuelta, México, 1994.
La gruta tiene dos entradas. Paseos II, Aldus, México, 2002.
Viaje a México. Ensayos, crónicas y retratos, Panamericana, Madrid, 2008.
Algunas letras de Francia, prólogo de José de la Colina, Veintisiete Letras, Madrid, 2009.
América sintaxis. Paseos III, Siglo XXI Editores, México, 2009.
Alfonso Reyes. El caballero de la voz errante, UANL/Juan Pablos/Academia Mexicana de la Lengua, México, 2012.

CASTELLANOS, ROSARIO
(Ciudad de México, 1925-Herzelia Pitua, Israel, 1974)

Si Castellanos encontró la muerte de manera calamitosa y en plena madurez, no menos trunca y accidentada es la crónica de su vida intelectual y de su posteridad literaria. Fue Castellanos la primera escritora decididamente profesional de México, antídoto aún eficaz contra las mercenarias que han hecho de las nuevas formas de "literatura femenina" un buen negocio y una prostitución espiritual. A diferencia de tantas contemporáneas nuestras, Castellanos ejerció la poesía, la narrativa y la crítica como protagonista de un amor por la literatura misma, respaldada por la tenacidad y autorizada por la autocrítica.

José Joaquín Blanco* dijo, en su *Crónica de la poesía mexicana* (1977), que "Rosario Castellanos es una historia de soledad y ambición literaria fiel y generosa que, desgraciadamente, exigía mucho mayor vigor y talento de los que ella pudo dedicarle en un medio que, además, le fue hostil. Escribió mucho y sus textos son acaso más valiosos por los obstáculos a los que se atreven que por sus resultados. Sus retos narrativos y poéticos fueron grandes y los realizó con una actitud admirable, tanto en la crítica a la vida en Chiapas como a la situación opresiva de la mujer mexicana —que ella padeció, ninguneada en los medios culturales por gente que generalmente era harto inferior a ella—. Resentida contra la *intelligentsia* mexicana, en sus últimos años buscó en otros espacios el respeto y el reconocimiento que el medio cultural le negaba, y cayó en trampas como la de representar, desmesuradamente, el papel de la Simone de Beauvoir mexicana, adulada y condecorada por las revistas femeninas, y fingirse antiintelectual —cosa que fue gravísima para su obra, pues ella era esencialmente una mujer de libros y una escritora restringida que necesitaba el apoyo de la retórica".

A treinta años de su muerte la relectura de su obra confirma —y lo digo con tristeza— la usual parábola de quien anuncia la tierra prometida y muere antes de pisarla. Como escritora sufrió tensiones que habrían de resolverse, más que en su propia obra, en la de sus herederas. *Poesía no eres tú* (1972), que reúne su poesía casi completa, es un libro de lectura agridulce: la tendencia moral a la declamación (y a la queja) se ve contenida por una inteligencia rigurosa, capaz de acertar en puntos finos de una meditación poética habitualmente reservada a cierta filosofía. Más que "Lamentación de Dido", una pieza retórica tan bien resuelta como anticuada, los mejores poemas de Castellanos son aquellos en los que, como en *De la vigilia estéril* (1950) o *En la tierra de en medio* (1972), se autorretrata con un humor sardónico y donde ella —que murió electrocutada en un accidente doméstico siendo embajadora de México en Israel— se describe enjaulada en las convenciones de la domesticidad. Tendría que pasar una generación para que sus intuiciones rindieran una cosecha generosa en escritoras que acaso la leyeron de muchachas y olvidaron su influjo a merced de presencias más prestigiosas. No me sorprende que el uso que Castellanos hizo de figuras retóricas femeninas o feminizadas resuene, como un caudal subterráneo pero no interrumpido, en poetas como Carmen

Boullosa* o María Baranda*. En ellas, la mujer ha dejado de ser "la madre" o "la soltera" para tomar máscaras más audaces, pero la función que de Casandra o de Pitonisa dio Castellanos, en su neoclásica Dido, a la voz femenina, mantiene una vigencia ya académica.

Menos influencia tiene en la literatura contemporánea la narrativa de Castellanos, esencialmente las novelas *Balún Canán* (1957) y *Oficio de tinieblas* (1962), este último un relato histórico de primer orden (transposición de una revuelta chiapaneca del siglo XIX que concluye con la crucifixión de su jefe indio) que resulta maltratado por una estructura deficiente y por una dramatización más teatral que novelesca: Castellanos anheló escribir grandes poemas dramáticos, y cuando lo intentó (*Salomé y Judith,* 1959), también fracasó. Debe agradecérsele a Castellanos la postulación del indígena como problema novelesco sujeto a todas las contradicciones de lo humano y su ubicación en la historia concreta de México. Castellanos, junto a los peruanos José María Arguedas y Manuel Scorza, formó parte de una generación de escritores latinoamericanos decididos a abandonar el horizonte primitivo y precario en que se encontraba la literatura indigenista, apelando a su riqueza idiomática y a sus libros sapienciales. Pero la objetividad piadosa con la que Castellanos dibujó a los indios de Chiapas no se ha reproducido con la felicidad deseada: medio siglo después, el indigenismo literario sigue atrapado en el didacticismo y en el folclor, aunque actualmente reivindica la tradición oral como fuente, a los propios indígenas como autores y el racismo invertido como tentación ideológica.

Todo lo que pueda decirse sobre (y contra) la literatura de Castellanos conlleva un decisivo atenuante moral: quizá ningún otro escritor mexicano ha ejercido la autocrítica de manera tan inmediata y rotunda como ella. En confesiones y entrevistas, Castellanos fue la primera en reconocer sus malas influencias, sus pretensiones hueras y sus derrotas estéticas, desde su ineludible postración juvenil ante la figura de Gabriela Mistral hasta su impericia en el drama y en el cuento, pasando por una injusta descalificación de casi toda su poesía. ¿Inseguridad, modestia, cierta audacia? No lo sé. Pero ese talante autocrítico permite leer de otra manera lo que acaso sea su herencia literaria más perdurable: la crítica literaria. En *Juicios sumarios* (1966) y, sobre todo, en *Mujer que sabe latín...* (1973) fue donde su querella como escritora encontró, en otras épocas y en otras lenguas, las interlocutoras deseadas y precisas: Simone Weil, Violette Leduc, Lillian Hellman, Isak Dinesen, Flannery O'Connor o Mary McCarthy. Con ellas —algunas de las cuales eran autoras desconocidas en lengua española cuando las reseñó— fue con quienes Castellanos pudo al fin hablar con confianza y establecer una verdadera complicidad sobre los temas que la obsedían, desde las marcas de hierro de la fe católica en el alma de una jovencita hasta el insoluble sabor ceniciento de la misoginia. Una vida más larga habría dado a Castellanos la posibilidad de examinar el problema filosófico que encontró en Simone Weil y que resultó ser la esencia inmanente de su obra: la forma en que las víctimas del poder se convierten en cómplices de su servidumbre.

Bibliografía sugerida
Obras reunidas, I. Novelas, FCE, México, 2005.
Obras reunidas, II. Cuentos, FCE, México, 2006.
Poesía no eres tú. Obra poética, 1948-1971, FCE, México, 2006.

CASTRO LEAL, ANTONIO
(San Luis Potosí, San Luis Potosí, 1896-ciudad de México, 1981)

El caso más hiriente, por representativo, del crítico como fracasado lo escenificó Castro Leal, que por su edad vivió entre el Ateneo de la Juventud y los Contemporáneos. Editor inteligente, fue "el crítico" durante décadas, pero dejó una herencia mediocre. No hay una idea digna de ese nombre en los *Repasos y defensas* (1987), que Salvador Elizondo* le prologó piadosamente. Con el decoro de Alfonso Reyes*, pero sin su elegancia y muñeca; con la timidez de los Contemporáneos, pero sin su valentía, a Castro Leal sólo le quedó canonizar *La novela de la Revolución Mexicana* (1960), única tarea a su altura. [...] Y no es que a Castro Leal le haya faltado amor por las letras. Si tantos poetas y novelistas triunfan aun careciendo absolutamente de talento, no veo por qué la crítica ha de ser una cena de genios. Ocurrió que entre 1930 y 1960 la inteligencia mexicana tenía como misión primordial la legitimación de un despotismo que requería de la Ilustración insuficiente, que comienza en las bellas artes y se extiende hacia toda la vida pública. Por eso echaron a Vasconcelos*. La biografía de Castro Leal se reprodujo en otros críticos literarios como Antonio Acevedo Escobedo, Francisco Zendejas, José Luis Martínez* o Emmanuel Carballo*. Todos ellos abandonaron la crítica para hacer carrera en el *welfare state* cultural, la diplomacia, la política o el periodismo. O buscaron formas más seguras de legitimidad, como la fundación de premios literarios (*Servidumbre y grandeza de la vida literaria*, 1998).

Bibliografía sugerida
Repasos y defensas. Antología, prólogo de Salvador Elizondo y notas preliminares de Víctor Díaz Arciniega, FCE, México, 1987.

CERNUDA, LUIS
(Sevilla, España, 1902-ciudad de México, 1963)

En el texto autobiográfico que acompañó la edición mexicana de *La realidad y el deseo* (1958) y que ha devenido célebre, Cernuda narró cómo llegó, enamorado, a México. Una vez que decidió abandonar su cátedra en los Estados Unidos y fijar definitivamente su residencia en el país en el que habría de morir, Cernuda acaso tuvo motivos para decepcionarse del México que había homenajeado, con tan lúcida reticencia, en *Variaciones sobre tema mexicano* (1952). Pero si Cernuda acabó por ser infeliz en México, la literatura mexicana, en un intercambio desigual, se fue apropiando de él hasta consagrarle un túmulo en su panteón, reconociendo en él al muerto que germina en tierra extraña.

Al tributo rendido, inmediatamente después de su muerte, por Octavio Paz*, Tomás Segovia*, Juan García Ponce* y José Emilio Pacheco*, se han ido sumando otros muchos, como lo consigna James Valender en *Cernuda y México* (2003). Pero de todas las imágenes que del hipersensible Cernuda en México he podido leer, la que mejor lo retrata, por su brevedad y su ternura, es la instantánea tomada por José de la Colina*: "Delgado, moreno, chato, de frente abombada, de bigotito lineal, de pequeños ojos duros, bien empacado en una discreta elegancia a la inglesa, salía Luis Cernuda, con su soledad insobornable, a la calle en la ciudad de México, y nosotros, hijos de refugiados españoles, lo teníamos por lo que de él nos habían dicho: un señorito, y por eso habíamos tramado aquella broma que repetimos quién sabe cuántas veces: él caminaba por la calle, tal vez fumando su pipa, y de repente se oía aquel grito, imperativo, a su espalda: ¡Ey, Cernuda!, alevosamente lanzado como una pedrada desde cualquier parte o ninguna, y él se volvía vivamente, miraba en torno suyo, buscaba al este y al oeste y al sur y al norte, escudriñaba la calle como un páramo de chacal, fruncía el entrecejo, se le veía desconcertado, descentrado, perdiendo su eje, repentinamente inmerso en su amenazador vacío... Él no podía saber que éramos los chicos de la morería del exilio los que le gritábamos y luego nos escondíamos en un portal, en un zaguán o detrás de un árbol o de un automóvil, como nosotros no sabíamos entonces a qué gran poeta le estábamos poco menos que quitando el suelo bajo los pies".

Cernuda fue, redundante, un exiliado en el destierro que no escatimó a México páginas esenciales. En *Variaciones sobre tema mexicano* (1952), como lo ha señalado José María Espinasa*, priva un tono azoriniano que a través de observaciones a primera vista deleznables revelan una poderosa intuición del país en que el poeta creyó renacer y donde coronó su obra con *Ocnos* y *Desolación de la quimera,* aparecidos el año de su muerte. México, para Cernuda, era una extraña y entrañable nación, tan vieja como Castilla o Andalucía y dueña de una variante de civilización que estaba lejos de ser una negación de España, sino su complemento y, a su manera, su explicación.

En México hizo Cernuda, también, su recapitulación crítica como poeta de la Generación del 27 y viajero de la poesía inglesa con los *Estudios de poesía española contemporánea* (1957) y *Pensamiento poético de la lírica inglesa* (1958). A Gabriel Zaid*, en *Leer poesía,* le parece que a Cernuda "la exposición sistemática no le sienta" y que lo que vale en su crítica son las observaciones del poeta en cuanto compañero de oficio de los poetas muertos. Yo agregaría que Cernuda, a contracorriente de su tradición, prefirió ser un anglófilo antes que el penúltimo de los afrancesados, habitando la misma heterodoxia que José María Blanco White un siglo atrás.

Aunque se ha vuelto de mal tono criticar a Cernuda, debe recordarse que no han faltado aquellos, como Tomás Segovia, que admiran al poeta pero a quienes fastidia un tanto su personaje, ese héroe moral romántico y eterno adolescente en rebeldía, pontífice de una libertad enfática y espejo de virtudes redentoras, todo desgarraduras y heroísmos.

Hay una página en la que ya me he detenido en alguna otra ocasión, fragmento que muestra al admirable crítico que Cernuda fue, apasionado y frío a la vez. Es aquella en que se cuenta que Alfred Tennyson fue amigo de T. A. Edison, quien le regaló un fonógrafo con algunos discos, entre ellos uno en el cual se escuchan grabados, recitados por él mismo algunos, varios versos suyos. En ese entonces, advierte Cernuda, el sonido fonográfico era escuchado por cada oyente a través de unos tubos de goma, sin los cuales lo único que se oía eran ruidos demasiado agudos como para ser claramente percibidos. Tennyson fue así el primer poeta que escuchó su voz grabada y dijo, recapitulando su experiencia, que la estática insufrible del fonógrafo era la posteridad de las palabras, mientras que lo audible gracias a los tubos de goma tan sólo era la efímera gloria contemporánea. En esa sufriente ambigüedad entre la certeza de la vocación y la destemplada música del tiempo puede resumirse el destino de Cernuda, quien quizá acabe por ser recordado como el más perdurable de los poetas españoles del siglo XX.

Bibliografía sugerida

La realidad y el deseo, 1924-1962, FCE, México, 1996.
Variaciones sobre tema mexicano, nota preliminar de José María Espinasa a la edición facsimilar, FCE, Madrid, 2002.
James Valender, *Cernuda y México,* FCE, México, 2003.

CERVANTES, FRANCISCO
(Querétaro, Querétaro, 1938-2004)

Como Luis de Camões y Rosalía de Castro, Cervantes ha escrito lo mismo en castellano que en galaico-portugués, y aunque sus versos en ese último dominio lingüístico puedan considerarse como una coquetería de amante, *Heridas que se alternan* (1985) es una ínsula extraña en la lírica hispano-americana. Fue a mediados de los años sesenta cuando Cervantes tomó una ruta entonces insólita que lo conduciría al descubrimiento casi solitario de la literatura portuguesa: "La cólera, el silencio [se lee en *Cantado para nadie*]. Su alta arboladura/Te dieron este invierno./Mas óyete en tu lengua:/Acaso el castellano,/No es seguro". Entre el castellano y el portugués cambiar de lengua es redundante: lo que Cervantes hizo fue habitar con sus fantasmas una última frontera. Gabriel Zaid* aventura que "el gallego y el portugués pueden ser vividos como una forma melancólica y sensual de hablar en español. Y es ahí, precisamente, en ese espejo curvo del habla familiar que permite acariciar cada palabra, explorarla y reconocerla como si no fuera familiar, donde Cervantes hace poesía de una manera inusitada" (Zaid, "Ensayos sobre poesía", en *Obras 2*, El Colegio Nacional, México, 1993).

El delirio lusitano de Cervantes, como lo llamó Álvaro Mutis*, se escucha a través de la cantiga y de los fragmentos de la canción de gesta; ocurre entre la Edad Media y el Renacimiento y está poblado de lanzas y trofeos, damas y baronías, armas enterradas y circunvalaciones marítimas. Creador de un heterónimo, el poeta iniciático Leopoldo Stahl, compilador de una *Odisea de la poesía portuguesa moderna* (1985) y traductor no sólo de Pessoa, sino de João Gaspar Simões, su insigne biógrafo, Cervantes reunió la primera parte de su obra en *Heridas que se alternan* —ese libro de oro— y después publicó *Los huesos peregrinos* (1986), *El canto del abismo* (1987), *El libro de Nicole* (1992) y dos autoantologías, *Materia de distintos lais* (1993) y *Ni oído ni hablado* (2001).

"Alguna vez [dice el poeta en *Heridas que se alternan*] en los primeros días que la lengua portuguesa me fue indispensable para sobrevivir, escuché una palabra, cuya ortografía no podría asegurar pero que es algo semejante a *Estalinhas*. Servía para designar el ruido que se hace al tronarse los dedos, o, mejor, para nombrar ese acto. Parecía pues perfecta para indicar las voces que susurran mis poemas. Pero esas mismas voces me insinuaron que nacían, en el sueño o la vigilia, de la garganta de ese ser proteico que sufre dentro de nosotros, y que sólo con la muerte se podrá realizar [...] Ruidos vanos, maldad: dolor inútil. Obsesiones de seres que existieron antes y se niegan a apartarse de la faz de la tierra. Todo esto reunido en mi pecho, obsediéndome; que no tenía otra posibilidad sino la de cederles mi voz y sentimientos como campos de sus batallas, no por ello triunfales."

Al elegir la causa de Portugal, "el niño-Dios de las naciones" como materia de tributo, Cervantes fue más allá de la literatura sobre la literatura. Ida Vitale lo dijo: la figura central en la poesía de Cervantes es el extremo desarraigo y ese desarraigo absoluto sólo podía expresarse gracias a ese pueblo *cuyo tiempo,* como escribió Jorge de Sena (uno de los poetas traducidos por Cervantes), "se disolvió en el espacio y cuyo espacio no tuvo tiempo para disolverse en tiempo". El más antiguo de nuestros poetas contemporáneos resultó ser el más moderno, pues fue Cervantes (junto al Octavio Paz* de *Cuadrivio* en 1965) quien se enfrentó por primera vez entre nosotros a Fernando Pessoa.

Hubo un tiempo, que hoy se antoja remotísimo, en que el Fondo de Cultura Económica, cuando lo dirigieron José Luis Martínez* y Jaime García Terrés*, fue una editorial de escritores, quienes en horarios insólitos conjugábamos la confección del catálogo de la casa con la hechura de la obra personal. Aquel edificio de la Avenida de la Universidad, que envejeció tan rápido como el siglo y fue demolido sin piedad por la estulticia gerencial, contaba con un pasillo central tras cuya mampostería de madera estaban nuestros cubículos. Esa disposición arquitectónica reflejaba una moral de la privacidad basada en el respeto monástico al oficio silencioso de leer, de corregir, de traducir, de editar. Con frecuencia sueño con aquellos pasillos, el laberinto donde acabé de encontrar el hilo de mi vocación literaria y por donde transitábamos diferentes fantasmas, algunos de los cuales todavía nos encarnamos mientras que otros ya se han ido para siempre. Todavía me tocó ver a Wenceslao Roces dictando sus traducciones de Marx, a la bondadosa Alba Rojo, a los sabios nahuatlatos encaramados sobre sus tratados como fray Bernardino de Sahagún en su día y a aquellos correctores de galeras que, habiendo sobrevivido a varias guerras, eran capaces de detectar una errata en la pezuña del diablo. Entre los redactores de *La Gaceta del* FCE que hacia el año de 1988 pasaban por ese pasillo propedéutico, recuerdo a Adolfo Castañón* con una edición distinta de Chamfort en cada bolsillo del saco, al espinoziano Francisco Hinojosa*, a la eliotiana Tedi López Mills*, a Daniel Goldin buscando las fuentes en hebreo para una prediciblemente infinita traducción de Scholem, al telqueliano Jaime Moreno Villarreal*, a César Arístides casi niño buscando la simpatía con el diablo, o a Rafael Vargas, tan amigo de César Moro y de Martín Adán que al Perú se fue a buscarlos, o a José Luis Rivas*, fresco de risa, redactando sus evangelios paganos a golpe de carcajada.

Pero de aquel batallón fantasmal acaso la figura que mejor representaba al genio y al mal genio de la casa fuese Cervantes, a quien apodábamos *el Vampiro* y que atacaba su Remington, pues todavía usábamos esos antediluvianos artilugios, en busca de la manera más feliz de traducir a Machado de Assis. El gran poeta Cervantes, huésped del Hotel Cosmos en la antigua avenida de San Juan de Letrán, parecía advertirnos desde entonces que "el hombre fue, el hombre ha sido / el que pasó, el que vino, el que se va / el hombre hombre fue, que ha sido, / oh tiempo que duele de sus horas; / el costado del tiempo, tocado por el fuego / arde con igual velocidad; / las llamas lo envuelven transparente / y el hombre no sabe de sí mismo, / tiene una boca a la moda y sentimientos adecuados a los tiempos".

Bibliografía sugerida

Cantado para nadie. Poesía completa, FCE, México, 1997.

CHUMACERO, ALÍ
(Acaponeta, Nayarit, 1918-ciudad de México, 2010)

El crítico. La ansiedad por la recopilación es una de las características de esta década de cultura mexicana. Resurrecciones bibliográficas, ediciones anotadas, rescate de materiales perdidos son cosa frecuente, como si el tiempo estuviera acelerando su labor corrosiva y tuviéramos la necesidad de fijar estrictamente los cimientos. Si la presencia de Chumacero en la poesía contemporánea de habla española es ya un dato firme, la aparición de su obra crítica permite ampliar y profundizar los problemas de la poco conocida historia de la crítica literaria en México.

Los momentos críticos (1987), de Chumacero, reúne una serie de notas y ensayos diseminados en la prensa nacional desde poco antes de la fundación de la revista *Tierra Nueva* (1940) hasta, desafortunadamente, principios de los años sesenta. Miguel Ángel Flores preparó una edición limpia y manejable de un cuerpo crítico cuya existencia ignorábamos, presencia que no sólo enriquece la imagen de uno de nuestros más altos poetas, sino toma el camino de un viaje por las certezas y las mutaciones del gusto literario.

El universo efímero de las notas bibliográficas toma consistencia histórica con el tiempo. Las breves reflexiones de Chumacero sobre los poetas del modernismo, por ejemplo, ilustran cómo una generación de poetas hasta cierto punto populares empezó a ser reivindicada críticamente por las nuevas promociones. Es preciso recordar que sólo Salvador Díaz Mirón, entre los modernistas, gozó de la difícil aceptación de los Contemporáneos, que como Jorge Cuesta* y Xavier Villaurrutia llegaron a él tras muchas reticencias. Cuando Chumacero desempolva a Manuel Gutiérrez Nájera, a Luis G. Urbina, a Amado Nervo, leemos una operación reorganizadora del pasado literario, obra de la curiosidad y la sensibilidad de un poeta.

La lección de un libro hechizo como *Los momentos críticos* es que la acumulación de materiales dispersos cobra forma histórica e inteligibilidad crítica; las áreas que Flores distribuye a lo largo de la obra tienen la gracia de donar lectura comprensiva y la distancia nos permite seguir un intinerario de veinte años de literatura mexicana. Los más brillantes entre los ensayos de Chumacero son los que dedica a Villaurrutia y a Ramón López Velarde, este último examinado con rigor poco antes de que su reputación universal rebasara su fama provinciana. En este caso, como en otros, Chumacero emite opiniones que después se volvieron generales. De Villaurrutia nos dice, recogiendo velos oníricos: "Los nocturnos, que señalan el clímax de esta aguda sensibilidad en que se movió, representan en la poesía mexicana contemporánea la decisión de penetrar con verdadera furia en el alma de las cosas, al fondo siempre, al meollo de un mundo que no se ha hecho para nosotros, pero que se aureola con un misterioso resplandor que sólo al poeta es dable captar".

La crítica de la poesía aparece en Chumacero como un comentario al margen de la propia labor generacional. Sin decirlo, Chumacero dialoga —frente a Urbina, a López Velarde, a Villaurrutia— con las obras contemporáneas de Octavio Paz*, Efraín Huerta*, Rubén Bonifaz Nuño* y la suya propia y va tocando matices y cuerdas que resuenan en el pasado y (ahora que nosotros podemos leerlo) en el futuro.

En *Los momentos críticos* aparece la muy comentada y poco leída nota en que Chumacero reprocha a Juan Rulfo* su uso del tiempo en *Pedro Páramo* y advierte que es en el cuento donde el escritor se manifiesta mejor. Estamos en 1955. Falta por lo menos un lustro para la consagración mundial de Rulfo. La objeción de Chumacero, rebatida por la opinión, vale más que muchas reivindicaciones, pues en ella vemos que la literatura también tiene una suerte de presente eterno, ese momento capital en que la obra se enfrenta con el tiempo y la tradición se paraliza ante el surgimiento de lo nuevo. Leer la nota de Chumacero sobre Rulfo, treinta años más tarde, es una invitación para someterse al misterio —compás de azar y gusto— que determina la pervivencia clásica. ¿Realmente podemos explicar los mecanismos secretos que hicieron equivocarse a Chumacero? ¿Cuál es la alquimia del reconocimiento y del fracaso en la literatura?

Los momentos críticos es un trabajo que hace honor a su título; el de Chumacero es un libro configurado por una diversidad de presentes, de "momentos críticos" donde la lectura personal se enfrenta con la tradición literaria, obteniendo resultados divergentes: admiración, precisión, desacierto. Bitácora de poeta viviendo la crítica, la de Chumacero es también una galería de actitudes ante la cultura nacional: fijación de López Velarde y de los Contemporáneos en el corazón de la tradición poética, discusión del compromiso moral del escritor, búsqueda ontológica de la mexicanidad.

No sólo la prosa y la poesía de México tienen su lugar en *Los momentos críticos.* También transitamos el camino de una recepción muy temprana de Borges y de la hospitalidad crítica para los trasterrados españoles (Enrique Díez-Canedo, Pedro Garfias, Emilio Prados), pues para Chumacero "el fin de la labor artística no reside en procurarse estatuas póstumas; tampoco en pretender un prestigio sobrepuesto a la validez de la obra que se construye. La voluptuosidad del porvenir y la fama en vida no cuentan, o no deberían contar, en el efecto que supone toda poesía".

La prosa de Chumacero —seca, precisa y elegante— es en sí una reivindicación de la lectura como crítica. Es lamentable que Chumacero haya dejado de ejercer la crítica, aunque comprensible que esto suceda en cierto momento de una carrera literaria; extrañamos o realizamos una lectura imaginaria de los muchos escritores contemporáneos que hubiéramos querido ver examinados por Chumacero. Ahora que la crítica no acaba de revelarse más allá del negocio de las vanidades y que la gente sospecha cuando un reseñista reprueba un libro, conviene cerrar citando al poeta que, entrevistado por Marco Antonio Campos, dijo: "El crítico conduce no sólo a la lectura de los libros que están apareciendo sino que contribuye a que el caos de la imaginación, o peor aún, de las imaginaciones, se perfile como una continuidad que al fin y al cabo creará lo que llamamos tradición de la literatura. La tradición, se entiende, no como lo muerto de una actividad. El crítico debe ser el ordenador y el orientador, y mientras más críticos haya, mejor" (1987; *Servidumbre y grandeza de la vida literaria,* 1998).

El poeta. Desde *Páramo de sueños* (1940), *Imágenes desterradas* (1948) y *Palabras en reposo* (1956), el silencio de Chumacero se ha escuchado con más fuerza que muchísimos de los versos que se han publicado a lo largo de esos años. Y pese al prestigio ya casi proverbial del gran escritor que no escribe, pocas personas como Chumacero han estado tan presentes en la historia editorial y en la vida íntima de la literatura nacional. Sus discípulos, sus protegidos y sus amigos son una variopinta legión; serán escasos los escritores mexicanos que no han escuchado, en el agridulce fuego de una cantina o frente a un puñado de pruebas tipográficas, esa risa tan suya que, como una cascada, parece anegar la desértica belleza de su poesía. Chumacero empezó escribiendo poemas al margen de los tratados de Heidegger que en los años cuarenta traducían en México los desterrados españoles y terminó por reunir, en poemas como "Monólogo del viudo" o "La noche del suicida", la forma refinada con las turbulencias de un bardo a ratos contemplativo, con frecuencia endemoniado.

Este alumno aventajado logró que las estatuas retóricas esculpidas por los Contemporáneos bajasen de sus pedestales y se entregasen al apasionado diálogo con la mujer, la alta liturgia o la borrachera. Paz vio en Chumacero a un moderno obsesionado con la encarnación cristiana de las imágenes, y Ramón Xirau* lo califica como un sensualista, poeta del goce y del gozo del instante. Recientemente, Eduardo Hurtado se pregunta: "¿Y si el tiempo editara, en alianza con el azar, como en el caso de los antiguos líricos griegos, la poesía de Chumacero? ¿Y si dentro de dos milenios un lector hallara, vertidos a un lenguaje diferente pero con aptitudes rítmicas, estos fragmentos?" (*Este decir y no decir,* 2003). Esta última especulación nos confronta ante una obra breve asociada a una posteridad más vasta, la del autor de fragmentos líricos donde la incompletud musita la totalidad. "Yo pecador, a orillas de tus ojos / miro nacer la tempestad", dice Chumacero, y ante sus versos lapidarios, grabados hace medio siglo en la piedra de la tradición, sospecho que este poeta es uno de esos extraños hombres que callan por alegría.

Bibliografía sugerida

Los momentos críticos, edición de Miguel Ángel Flores, FCE, México, 1996.
Poesía, prólogo de José Emilio Pacheco, FCE, México, 2008.

COLINA, JOSÉ DE LA
(Santander, España, 1934)

Hace algún tiempo escribí que a De la Colina no puedo brindarle una alabanza superflua pues no es un escritor que tolere las caravanas porque las desconoce por instinto, de tal forma que trataré de argumentar mi entusiasmo. Leyendo *Libertades imaginarias* (2001), por ejemplo, nos encontramos con un artista de la lectura que examina no sólo la novela, el poema o el ensayo, sino los reinos fronterizos de los íncipit, las adivinanzas, las canciones populares, las greguerías, los tartamudeos, los anagramas y el palíndromo, que tienen nombre de mujer. Tras cumplir su derrotero, De la Colina regresa a Platón, al nombre como atributo de la cosa y se pregunta por qué los escritores se llaman como se llaman, si Quevedo es aquel *que-ve-doble,* o por qué a Poe le falta la *t* que lo distinguiría como *poet.*

Sin la intención de proponer una taxonomía, del arte de De la Colina se deduce cierta preceptiva, que no por juguetona y descreída deja de ser rotunda: leer bien no sólo es releer, sino saber que un mal verso o una expresión inepta atenta contra toda la literatura. A *Libertades imaginarias,* que sería algo así como la gramática colinaniana, se suman sus retóricas: el hermoso *ZigZag* (2005) y el aún más conmovedor *Personerío (del siglo XX mexicano)* (2005), un par de títulos que vienen a ratificarlo como uno de los contados escritores mexicanos a quienes la edad, la vejez, les ha afilado la buena prosa. Hubo un tiempo, hace veinticinco años, en que parecía que De la Colina, apenas autor de un par de buenos libros de cuentos (*Ven, caballo gris,* 1959, y *La lucha con la pantera,* 1962) estaría condenado a ser otro *oiseau triste,* como su amigo Carlos Valdés, un escritor de aquellos que parecen tenerlo todo y a quienes el imperio de las circunstancias va liquidando. Pero al acercarse a sus setenta años, De la Colina dejó de castigar a su obra con ese remordimiento de mendicante que pasaba por autocrítica, como lo prueba *Traer a cuento. Narrativa completa, 1959-2003* (2004), la reunión de sus cuentos, algunos de los cuales nos sobrevivirán en las antologías. Pienso en "La tumba india" o en "Muertes ejemplares", que narran el final de Hemingway, de Pedro Garfias y de Poe ("¡tekelili, tekelili!") y releo "La última música del Titanic", esa prosa perfecta.

Hijo de un cajista de imprenta que fue militante anarcosindicalista y capitán de la infantería republicana, De la Colina llegó a México, exiliado con su familia, en 1941. Desde entonces, según la precisa expresión de Alejandro Rossi*, ha vivido el contraste entre ser "un escritor tan español" y tener "una biografía tan íntimamente mexicana". La muina y la honra son los sentimientos que tiranizan a De la Colina, ogro tierno capaz de cometer injusticias palmarias y maestro informal de una o dos generaciones de escritores en los trabajos forzados del periodismo literario, de la *Revista Mexicana de Literatura* a *Vuelta,* pasando por *Plural, La Letra y la Imagen, Sábado* y *El Semanario Cultural de Novedades:* cuarenta años de literatura han pasado bajo su mirada.

"Liberal ateo para quien existe lo sagrado", heterodoxo que hubiera sido felizmente clasificado por Menéndez Pelayo entre sus bestias negras, De la Colina, desengañado de la Revolución cubana en 1964, se convirtió en un incansable polemista contra la *izclesia,* como él llama a la religión de la izquierda. Pero una vez caído el muro de Berlín, a De la Colina le volvió a picar la pimienta ácrata en las venas y hace algunos meses no tuvo empacho en interrumpir la farisea lectura pública que del *Quijote* realizaba un envejecido señorito de horca y cuchillo y senador de la república.

Los artículos reunidos en *ZigZag* —chispeante título tan expresivo de su contenido— componen una suerte de autorretrato que va desde el homenaje a Polvorilla, la gata de la familia, hasta la memoria de aquel "ir al cine" que convirtió a De la Colina no sólo en íntimo de Luis Buñuel sino en uno de los críticos cinematográficos más agudos de la lengua. No falta en *ZigZag,* a su vez, la nostalgia y el juicio de aquellas tertulias que formaron (y deformaron: el destierro es canalla) a los escritores republicanos encabezados por Simón Otaola. Y junto al homenaje a la XELA, la estación metropolitana de música clásica desaparecida con el siglo XX y en cuyo recuerdo, tarareando el poema sinfónico para violín de Chausson, De la Colina se encuentra cotidianamente con Gerardo Deniz*, su hermano en el espíritu. *ZigZag* concluye con una condena de esa "pachanga sangrienta", el toreo, execración que no puedo sino compartir con fervor, en su medida, como dice De la Colina, de "comedia de la vacuidad y de la cursilería del hombre frente a la verdad concreta y la aristocracia verdadera de la bestia que va a ser sacrificada".

"La cátedra sin estrado, más propia del café y de la caminata", dice Rossi, es lo que define a De la Colina. *Personerío* es quizá el libro que mejor justifica esas palabras y también es una sorpresa, pues si bien ya conocíamos la mayoría de los retratos, previamente publicados en la prensa, era difícil imaginar que de personajes ya predecibles resultasen, hermanados en un tomo, nuevas fantasmagorías: la seducción pizpireta en

Reyes*, otro aguafuerte de Revueltas* o el dibujo de Arreola* en el taller de su encuadernador. De la Colina conoce a la perfección las reglas del retrato, igualmente alejado de la caricatura que de la mascarilla funeraria, pues no en balde es lector sapientísimo de Ramón Gómez de la Serna, como lo evidencia ese casi monólogo casi realista que le arranca a Juan Rulfo* o el tierno retrato de Juan Vicente Melo*, a quien los dioses no sólo bendijeron con la literatura, la fiesta y la música sino con amigos ejemplares que lo han rescatado, una y otra vez, en la vida y en la muerte. *Personerío* incluye, entre sus textos, una página sobre ese caballero que fue Sergio Galindo*, lo mismo que una rememoración de la patética Guadalupe Amor, valorada con una justicia ajena a la pertinaz cursilería de su parentela. *Personerío* es la foto de familia de una literatura mexicana de la segunda mitad del siglo xx que tiene en De la Colina a su retratista.

La obra colinaniana, en la medida en que se va presentando como bibliografía, me provoca un alborozo similar al sentido, al finalizar la adolescencia, con *La experiencia literaria,* de Reyes. Se impone, en uno y otro caso, la sensación de hallarse con toda la lujosa mercadería de la que está hecha la literatura y estar en libertad de armar no uno, sino varios rompecabezas que componen, entre burlas y veras, la vocación, anhelada o vagamente cumplida, de ser escritor.

No son menores, en mi estima de De la Colina, sus incursiones en la tierra, casi yerma debido a la cosecha inmoderada, de la literatura popular, tal cual ocurre en *Libertades imaginarias,* al hablar del *Pinocchio* (1873), de Carlo Collodi, y de las canciones infantiles de Cri-Crí. De la Colina eleva, a uno y a otro, a las alturas del arte, emparejándolos con R. L. Stevenson y Blaise Cendrars, sus predilectos. Toda epopeya, se nos recuerda, es una sucesión didáctica de ritos de pasaje: pasar una prueba, rendir un examen. Pero lo que me importa decir es que nacido treinta y dos años después que De la Colina, en *Libertades imaginarias* me enteré de que los niños españoles, durante la Guerra Civil de 1936-1939, también creían, como yo, en "la dinastía piniana", considerando que la grafía española de Pinocchio era enumerativa: pinuno, pindós, pintrés... pinocho. En *Pinocho* encuentra De la Colina, como ya lo había señalado Elena Croce, un ejemplo de transición, único en su género, de lo fabuloso puro a la novela pedagógica. De la fabulación a la pedagogía, veo que pertenecí a la última generación educada por Francisco Gabilondo Soler (Cri-Crí)... y por De la Colina.

Bibliografía sugerida

Libertades imaginarias, prólogo de Alejandro Rossi, Aldus, México, 2003.
Traer a cuento. Narrativa (1959-2001), introducción de Adolfo Castañón, FCE, México, 2004.
Personerío, Universidad Veracruzana, Xalapa, 2005.
ZigZag, Aldus, México, 2005.

COSÍO VILLEGAS, DANIEL
(Ciudad de México, 1898-1976)

La historia de nuestro siglo es, en devastadora proporción, la historia de sus ideólogos. Siendo así, Cosío Villegas es un espíritu que se escapa con facilidad de las manías y de las obsesiones de la tipología intelectual. En la edad de la conversión ideológica y del desencanto escéptico, Cosío Villegas no sufrió ni lo uno ni lo otro. Fue un constructor al mismo tiempo que un crítico, optimista en relación con las posibilidades creadoras del Progreso y pesimista frente a la difícil combinación entre el individuo y los valores.

El joven que soñaba heredar la hipotética presidencia de un José Vasconcelos*, fue una de las personalidades más extrañas que dio a luz el así llamado Renacimiento Mexicano. No se afilió a ninguna causa de vanguardia y no quiso estar de acuerdo más que consigo mismo; pasó varias décadas merodeando entre los estudios técnicos y las empresas culturales, siempre inconforme, en apariencia desarraigado, hasta que se encontró como historiador, recreando la edad en la que hubiera deseado vivir, en el liberalismo de la República Restaurada, cuya existencia, como materia histórica ejemplar se la debemos, hoy día, a Cosío Villegas.

Mi primera sorpresa ante la *Historia moderna de México* (1955) es la de hallarme ante una insólita combinación de frío empirista e historiador romántico, un sagaz y escrupuloso hombre de archivos acompañado de un narrador del pasado atento a los sueños y a las esperanzas. Carente de cohesión orgánica, la suya no es una prosa autorreferencial. Sorprende la sinceridad con que omite las dudas y las investigaciones del pensamiento contemporáneo, ajeno a la conceptos en crisis de la teoría política y de la teoría de la historia. Como empirista, Cosío Villegas es primitivo, farragoso, obsolescente: su *Historia* es —y no soy yo quien lo afirma por primera vez— un cuidadoso pero no muy fértil seguimiento de actos de gobierno y noticias recortadas de la prensa, anécdotas glosadas por el sentido común. Pero esa libre voluntad de investigación, esa ignorancia del mundanal ruido ideológico y de las enfermedades profesionales de la Historia con mayúsculas, lo convirtieron, y no sé si en ello haya paradoja, en un destructor firme y decidido de mitos y patrañas históricas, en sobrio cronista del pasado.

Me imagino que a Cosío Villegas le hubiera disgustado la calificación de "historiador romántico". Su empresa partió de la historia como mentira hazañosa que el poder se cuenta a sí mismo y al lograrlo dejó un testimonio de la exactitud, al desmantelar uno de los centros míticos de la historia tal cual la leía la ideología de la Revolución Mexicana. Demostró que el mundo anterior a 1910 no es un caos reptante o primigenio que precede a la instauración de la luz; utilizó otra cronología, distinta a la de la historia oficial. Haciendo la narración de la República Restaurada y del Porfiriato, identificó un episodio nacional que restaba brillo y eficacia a la imagen que de sí mismos tenían, en el siglo XX, primero los caudillos y luego los licenciados.

Cosío Villegas escribió su propia *Historia* y organizó el trabajo de un par de generaciones de historiadores a contra corriente del romanticismo estatólatra, nacionalista. Siguiendo ese esfuerzo libró a los políticos y a los intelectuales de la República Restaurada (1867-1876) de la imagen caricaturesca y ciertamente *kitsch* a que los había condenado la historia oficial en los discursos, los libros de texto y las estampillas escolares. Así, los retratos de Sebastián Lerdo de Tejada o de José María Iglesias, cobraron un espesor trágico y literario del que carecían como figuras de cartón. La República Restaurada, que Cosío Villegas terminó de restaurar, es ya un mito moral necesario. En honor de Cosío Villegas, nuevos historiadores habrán de someterla a la indagación crítica.

La historia del liberalismo en México no ha alcanzado aun una temperatura propicia para la historia intelectual. Por ello, la naturaleza política de Cosío Villegas se escapa, dando la impresión de una obsolescencia difícil de catalogar. La ambivalencia de Cosío Villegas frente al Estado mexicano, sus dudas permanentes (y tan fructíferas) entre permanecer en la burocracia, construir desde la sociedad o hacer la crítica de los actos de gobierno, en poco contribuyeron al análisis de su figura histórica. Solitario ante el Estado devorador y su izquierda vicara, enemigo de la vieja derecha, Cosío Villegas aparecía desempleado o subempleado en su tiempo.

Algunas de las claves para explicar a Cosío Villegas están en José Vasconcelos*, quien a principios de los años veinte intuyó que una nación sólo podía constituirse mediante una cruzada capaz de sumar, en el Estado, a la cultura y a la política. Cuando la frustración mesiánica pretendió borrar a la historia con las letanías del origen y de la misión, Cosío Villegas decidió viajar hacia ese pasado, para comprenderlo. Y en 1929, cuando Vasconcelos le presentó a la sociedad mexicana un programa democrático-liberal para rescatarla de la confiscación pretoriana y fracasó, quizá Cosío Villegas decidió volcarse, no a la acción política militante, sino a construir cultura estatal de utilidad civil, a través de instituciones como el Fondo de Cultura Económica en 1935 y El Colegio de México en 1940.

La actualidad de Cosío Villegas es mayor ahora que cuando murió en 1976. Entonces, hace diez años, la vida nacional estaba mimetizada con el desarrollo estatal y las empresas civiles carecían de futuro; un nacionalismo alimentado de marxismos pedagógicos consideraba a la sociedad como mera materia prima para moldear las corporaciones del Estado que llegaría, como en cierto mapa referido por Borges, a tomar las dimensiones exactas de la nación misma. En medio de la crisis del autoritarismo estatal y entre los saldos de su voracidad cleptocrática, la emergencia de lo civil nos remite a Cosío Villegas, que fue nacional sin ser estatista. Para él, la nación debería ser expresión de la sociedad y no del gobierno. Apostó el historiador por la soberanía, no por la hegemonía. Como articulista, persiguió casi literalmente a un presidente errático y megalómano (*El estilo per-*

sonal de gobernar, del presidente Luis Echeverría, en 1974). Ya Enrique Krauze* (en *Daniel Cosío Villegas. Una biografía intelectual,* 1980) ha llamado la atención sobre la metamorfosis sufrida por Cosío Villegas, quien de tanto averiguar en la República Restaurada, él mismo encarnó en un personaje como aquellos héroes, un periodista crítico, independiente y combativo que no temía hacer la disección del Señor del Estado. No siempre fue brillante ni incisivo y sus libros sobre el sistema político mexicano, publicados entre 1974 y 1976 han envejecido. A veces es demasiado superficial como para perdurar como historiador político: le importan demasiado los gestos en el rostro del poderoso al cual acusa. Es un fiscal a veces enamorado del gobernante a quien ha puesto en el banquillo de los acusados.

Alimentado por los mitos nacientes de la Revolución Mexicana, Cosío Villegas rechazó la identificación acrítica entre la cultura y el Estado. Hizo de su viaje al liberalismo decimonónico la mayor de sus pruebas de independencia: en él no aparece el resentimiento de Vasconcelos ni la pasión ciega de José C. Valadés ni el tono más melodramático que épico de Alfonso Taracena. Fue, más de lo que se le recuerda, un moralista y quizá su gran obra sea un breve opúsculo y una hermosa diatriba liberal, ajena a la dictadura de la dialéctica: *La Constitución de 1857 y sus críticos* (1957).

Cosío Villegas entendió que la democracia era la acción de los ciudadanos. Soñó, sí, con ser llamado, como liberal, al gobierno. Su alegato de 1946, *La crisis de México,* es dolorosamente actual pues asume que la democracia política efectiva, real y profunda, es la gran ausencia en esta nación en ominosa decadencia. Cosío Villegas fue, como el vagabundo de algunas sagas, aquel que una vez terminada su labor como constructor de una ciudad, le da la espalda a la comunidad agradecida o envidiosa y vuelve por el camino que lo trajo, en busca de nuevos quehaceres. Algunos de los muros más firmes de la ciudad de nuestra cultura llevan su firma (1986).

Bibliografía sugerida

Imprenta y vida pública, compilación de Gabriel Zaid, FCE, 1985.
Memorias, FCE, México, 1986.

La crisis de México, Clío, México, 1997.
Extremos de América, FCE, México, 2005.
La Constitución de 1857 y sus críticos, introducción de Luis González y González, prólogo de Andrés Lira, FCE, México, 2007.

CROSS, ELSA
(Ciudad de México, 1946)

Viaje a Oriente. Desde sus primeros versos, inspirados en Cavalcanti y en la poesía provenzal, la personalidad de Cross, sometida a la tensión entre la profundidad y la delicadeza, empezó a establecerse. Pero fue en la India, cuyos retiros espirituales ha frecuentado desde hace décadas, donde Cross se convirtió en uno de los pocos poetas genuinamente religiosos de nuestra literatura. En *Canto malabar* (1986), un notable poema teológico narrativo, late una verdadera religiosidad, es decir, la intuición numinosa de lo sobrenatural. Cross forma parte de una generación abundante en peregrinos tan empeñados en encontrar, en Oriente o en Occidente, el Santo Grial como prestos al desencanto y a la queja. Saliendo de ese coro la voz de Cross logró singularizarse hasta escucharse de manera diáfana como la de una sobreviviente, mujer en cuya poesía queda claro que el viaje continúa: "Defiendo mi huida./Finco de madrugada mi destierro./Historia borrosa, vista de través". Frente a los amores de Krishna con la pastora Radha y leyendo a los santos poetas de la Edad Media hindú, Cross va más allá del turismo iniciático: desde el punto de vista profano y acaso en contra de sus intenciones, también puede ser leída como se lee a los grandes viajeros. Ese itinerario va más allá de la India y los ditirambos de *El vino de las cosas* (2004), Cross explora Grecia (la de ayer y la de siempre), destino ya cumplido por otros poetas mexicanos, como Jaime García Terrés* y Hugo Gutiérrez Vega.

En *Los dos jardines. Mística y erotismo en algunos poetas mexicanos* (2003), Cross ha dejado testimonio crítico tanto de su poética como de su genealogía espiritual. En la zona donde se encuentran el éxtasis religioso y los arrebatos sensuales, Cross se reconoce en los católicos López Velarde, Alfredo R. Plascencia y Concha Urquiza, en el espectáculo sensual que dejó Guadalupe Amor en sus sonetos y, desde luego, en la estación india de Octavio Paz*. Quizá sea Concha Urquiza (1910-1945), la poeta en la que Cross encuentre las alarmantes y paradójicas fuentes de su identidad. La búsqueda de Cross en la India puede retratarse usando las palabras con las que ella define la poesía de Urquiza, en donde una "devastadora imagen de Dios es quizá lo que enfrenta alguien que emprende una vía mística extrema que separa todo lo demás, que destruye las cosas que antes constituían el mundo acostumbrado y seguro, que aísla en la oscuridad de la noche espiritual o en el desierto".

En literatura la fe no garantiza nada; la religiosidad ha de ser verosímil, como en los poemas de Cross, donde susurran los miles de dioses de la India, y sobre todo, es en sus avatares budistas donde lo numinoso se le presenta como una convicción de los sentidos. "Dioses [escribe Cross en *El diván de Antar* (1990)] habitaron esta carne/y sus huellas ardieron./Los ojos estallaban./Por dentro, un fuego lo devoraba todo./El mundo era una grieta,/una rajadura en la noche/tan vasta/como la conciencia abierta/hacia sí misma./Y de allí detenida,/la carne frágil". A Cross se le ha reprochado (lo ha hecho Alberto Paredes en buena lid) que su poesía nunca alcance las cumbres. Es que no puede hacerlo quien practica la vía media: en ella encuentro el asombro implicado por una comunión frecuente que, paradójicamente, rechaza todo sacramento, lo cual sólo es una paradoja en Occidente.

Viaje a Occidente. "Tuve la desazonante impresión de que regresaba a casa, después de años, acaso siglos", dijo Manuel Mujica Lainez cuando visitó por primera vez el Parque de los Monstruos de Bomarzo, en Viterbo. Talladas en enormes dimensiones, las piedras de Bomarzo, terminadas por Pirro Ligorio en 1552, son una representación delirante de los dioses romanos que encargó, como venganza contra el infortunio, el conde Pier Francesco Orsini, desolado por la muerte de Julia Farnese, su esposa. Ese sitio se posesionó del novelista argentino Mujica Lainez (1910-1984), quien le dedicó *Bomarzo* (1962), una de las más resueltas y convincentes novelas históricas que se han escrito en español. Más tarde, en 1967, Alberto Ginas-terra transformó el libro, primero en cantata y luego en ópera, motivando que *Bomarzo*, que se iba a estrenar en el Teatro Colón de Buenos Aires, fue-se censurada, aduciendo inmoralidad y pornografía, por el gobierno argen-tino. La censura —que para algunos críticos fue un síntoma enigmático de la represión militar de la siguiente década— sólo trajo nuevos lectores para Mujica Lainez y mayor fama para el compositor Ginasterra.

Elsa Cross también ha regresado a casa en Bomarzo, esa boca del lobo, y su más reciente libro, se llama *Bomarzo* (2009) como el de Mujica Lai-nez, y es un notable poema largo. Es tentador ejemplificar con un *Bomarzo* de 699 páginas en una mano y otro de 66 en la otra, sobre el irreductible antagonismo entre las novelas y los poemas. Más fácil, quizá, sea asom-brarse ante ese mismo *déjà vu* que comparten Mujica Lainez y Cross ante el horror traumático y seductor de Bomarzo. Y por contraste, nada, salvo la ruina perfecta de Bomarzo, parece unir a la poeta mexicana con el nove-lista argentino: nadie menos asceta —concediendo lo ascética que es la poesía de Cross— que Mujica Lainez, uno de los espíritus más góticos de la literatura hispanoamericana. En *Bomarzo* pintó el novelista (quizá el más pintor de nuestros novelistas) el rostro despavorido de una ciudad maldita del Renacimiento, una olla podrida de civilización.

Cross, en cambio, encontró en el jardín monstruoso de Bomarzo un fragmento prehistórico que para ella no puede sino representar el verda-dero mundo filosófico. Si Nietzsche —que tiene en Cross, aquí, a uno de sus verdaderos lectores— decía que la filosofía se había arruinado con Sócrates, *Bomarzo* muestra la consecuencia con la que Cross decidió escri-bir un poema heracliteano, presocrático y hallar en éste una suerte de vestigio. El poema tiene el carácter de una conversación entre personas cuya identidad nos es extraña pero cuya sobrevivencia nos resulta esen-cial: "Tanto de nosotros quedó también atrás./Cosas olvidadas antes que ocurrieran. Y aquello que causaba insomnios y furores, por lo que hubié-ramos vendido el alma,/aparece ahora como un drama vulgar,/y todo se reduce/a una pulsera con el broche roto— o a un pedazo de vasija:/hile-ras de hoplitas desnudos con sus lanzas, el pene curvo como réplica de la barba".

Al leer *Bomarzo* me sorprende el cambio, anticlimático, sufrido por la poesía de Cross, desde la publicación de los ditirambos de *El vino de las cosas*, que fue lo último que le leí. Al contrario de la norma vital (o de la convención biográfica que pasa por tal), la poesía de Cross va abandonando la transparencia, el don simplificador y vehicular de ese budismo que imanta buena parte de sus libros, los escritos bajo el imperio de la India, imperio donde a veces nada es misterioso ni oculto: por la manía de explicación, decía Octavio Paz, aquello es indigerible, harta. Para decirlo con simpleza: fue Cross primero clásica y luego, con *Bomarzo*, parece romántica. Es y ha sido siempre, estrictamente hablando, una poeta mística. No en balde, en una entrevista concedida a Daniel Saldaña París (*Ingrima*, agosto, 2008), admite Cross, no sin la dosis conveniente de falsa modestia, que en el misticismo se disuelven, según las necesidades su formación intelectual, los dogmas de la religión y los problemas de la filosofía.

Escrito a mediados de 2005, *Bomarzo* tiene algo, como todos los poemas asociados al trance, de premonitorio. No es que Cross no le haya visto antes el rostro al nietzscheano Dios terrible y danzarín: la novedad, en *Bomarzo*, es la fijeza con que mira, a través de los monstruos mandados a esculpir por el jorobado Orsini, los rituales griegos del sacrificio del chivo expiatorio. Regresa Cross a Bomarzo —concediendo, con Mujica Lainez que a ese lugar sólo se puede volver— como al "depósito" de los seres vivos que se pudren frente a "la brutalidad de la visión", un mundo de tiempo donde "la vida nuestra se prolongaba como una impunidad".

Son dioses no tan magnánimos, "ebrios, locos, posesos" los que Cross convoca en *Bomarzo*, un libro dionisiaco si se le quiere definir siendo fiel a la taxonomía filológica. Las alegorías en piedra de Bomarzo, tal cual las presentaba Mujica Lainez en su novela, le daban la espalda al paganismo ilustrado del Renacimiento: en esa misma dirección Cross ahonda en la fuente catártica, preguntándose, al final, si no vale, más que la curación, "una herida que no cerrara/una punzada constante". Yo no sé si es vigilia o es sueño lo que padecen quienes dialogan en *Bomarzo*, ignoro si Cross está despierta o dormida. Tampoco sé qué respondería ella ante la pregunta académica de que si su primera Grecia es la del logos unitario o la del mundo de los sueños, lo cual importa poco ante *Bomarzo*, a la vez su poema más narrativo y dramático, el más impactante, aquel en que Heráclito se presenta convertido, siguiendo cierta tradición, en el primer romántico.

Bibliografía sugerida

Espirales. Poesía reunida, 1966-1999, UNAM, México, 2002.

Los dos jardines. Mística y erotismo en algunos poetas mexicanos, Ediciones Sin Nombre / Conaculta, México, 2003.

El vino de las cosas. Ditirambos, Era, México, 2004.

Cuaderno de Amorgós, Aldus, México, 2007.

Bomarzo, Era, México, 2009.

Visible y no visible / Seen and Unseen, edición bilingüe con traducción de John Olivier-Simon, Ediciones Sin Nombre, México, 2009.

Alberto Paredes, *Una temporada de poesía. Nueve poetas mexicanos recientes (1966-2000),* Conaculta, México, 2004.

CUESTA, JORGE
(Córdoba, Veracruz, 1903-ciudad de México, 1942)

El consenso crítico. Fue el primer intelectual moderno de México. A fines del siglo XX su reputación es firme y pasará algún tiempo antes de que otra generación la ponga en duda. La obra de Cuesta suscita un consenso esencialmente político. Discutimos sus facultades como poeta pero se admite la gravedad de su intención. Se aceptan las limitaciones del pensador pero se le conceden circunstancias atenuantes. La certidumbre que rodea a Cuesta estableció con fijeza su punto de partida como escritor. Sus cofrades y sus enemigos, la inmediata posteridad y el propio Cuesta acordaron que era el desarraigo la figura dramática más exacta para definir su vida y obra.

Nuestro primer crítico está arraigado en la cultura contemporánea de México como si con los años sus textos hubieran proliferado tupidamente el jardín del porvenir. Sería hipócrita negar por razones retóricas el triunfo de Cuesta. Es una de las pocas victorias morales que la posteridad ha concedido a un escritor mexicano. Y afirmar que su obra goza de un consenso político es decir que su lugar en la *polis* de la cultura es determinante. Cuesta es una referencia central porque tuvo la razón o porque consideramos sus razones como nuestras. Esa razón de Cuesta fue el ejercicio de la crítica moderna en las condiciones de una cultura que no la aceptaba como tal. Parece lógico que el escritor no haya sido comprendido en los años treinta del siglo xx y sería aberrante que el presente no intentara pagar deuda tan magnífica. Cuesta fue esencialmente un crítico de literatura. Su celebrada inteligencia le permitió extenderse al resto de las artes y a la esfera moral de la política hasta dejar implícita una crítica más general de la cultura mexicana. Es obvio que no atendió fenómenos éticos y estéticos capitales; pero una de sus cualidades fue la de fijar los límites de su percepción. Entendió la crítica como método intelectual y como actitud moral. La unidad de sus escritos nace del logrado equilibrio que mantuvo entre ambas certezas.

La modernidad de Cuesta requería de una actitud ante la tradición como selección. A diferencia de T. S. Eliot, el poeta mexicano no contaba con una memoria crítica organizada de la cual deslindarse. Entendió al crítico como el creador de su propia tradición y diseñó una cartografía adecuada para conocerla. La literatura mexicana no tenía, ni siquiera, una historia académica consagrada que combatir. Tras la Revolución de 1910 se mantenían certidumbres académicas —neoclasicismo, modernismo—, admiraciones parciales —sor Juana—, atribuciones dudosas —Ruiz de Alarcón— o leyendas públicas como la del romanticismo político. Ninguna de esas sospechas lograban constituir una tradición crítica como la que Cuesta necesitaba para trabajar. Hubo de inventar fragmentos enteros de historia literaria para encontrar su sitio como crítico […]

Cuesta es el Fausto de la cultura mexicana del siglo xx. Fausto que crea Faustos, crítico creador de magos, nos dejó al morir los contratos que firmó con Mefistófeles, papeles en herencia que configuran una crítica del demonio en sus manifestaciones pictóricas y políticas. Tres afluentes examinadas que logran una síntesis fáustica, la civilización occidental en México.

Genealogía que nace cuando Cuesta crea su propia figura y encarna un sitio nuevo y arbitrario, autónomo en sus funciones y generador de autonomía por sus resultados. Al desprenderse como actor de la tradición mexicana, Cuesta reúne las condiciones para reinventar un canon. Ése es el sentido de la batalla antirromántica que emprende, del liberalismo constitucional que pregona y de la elevación de José Clemente Orozco al árido Olimpo de su clasicismo. En cada una de estas maniobras, Cuesta aparece como un negociador exhausto, que sólo firma las capitulaciones cuando sabe que ha vendido su alma al diablo al precio justo.

Las condiciones pactadas por Cuesta redituaron en nuestro beneficio. Inversiones a largo plazo, los pactos cuestianos rigen desde la Torre de Marfil hasta la plaza pública. Ello no impide que el papel moneda que acuñó no esté libre de falsificación o, peor aún, de ser retirado de la circulación. Fausto es también un empresario, el arquitecto imprudente que sueña con guiar el caudal de la Naturaleza a través de canales humanos.

Cuesta levantó en sus ensayos un acta cuidadosa y sonora de las relaciones entre la creación artística y sus poderes secretos. Moralista y garante de la ética de la responsabilidad, emprendió la crítica del demonio, ética que alerta contra los íncubos de la ideología, eternos pretendientes al trono, ávidos por trasvestirse y utilizar el "espíritu nacional" como ventrílocuo de sus profecías. Hoy, cuando el siglo se va como empezó, entre las persecuciones nacionalistas, espíritus como el de Cuesta nos llaman y nos vigilan. La traición de los clérigos es una constante histórica y la cláusula política redactada por Cuesta, que limita severamente al Estado en su comercio con la conciencia civil, debe ser celosamente vindicada.

Cuesta rubricó cada una de estas salvaguardas en calidad de albacea crítico. El mito trágico de Cuesta —no debemos olvidarlo— empieza por cuenta del propio poeta, cuando, entusiasmado por sus victorias contra la parte del diablo, quiso llevar sus poderes fáusticos ante la delicada audiencia del cuerpo y ésta, unánime, agotó los plazos y dictó su muerte (*Tiros en el concierto. Literatura mexicana del siglo v*, 1997).

Coda en el centenario. Ningún escritor mexicano tuvo una muerte tan atroz (autocastración y suicidio) y ninguno recibió de la posteridad una reparación tan cumplida. Veinte años después de su muerte, acaecida un 13 de agosto en el manicomio del doctor Lavista en Tlalpan, comenzó la recuperación de los papeles de un poeta y crítico que nunca publicó un libro en vida. Es 1964 una fecha capital para la literatura mexicana, la de la aparición en la Universidad Nacional Autónoma de México (UNAM) de los primeros cuatro tomos de los *Poemas y ensayos,* de Cuesta. A esa primera edición, obra de Miguel Capistrán y Luis Mario Schneider, han seguido otras tres, renovando la presencia de Cuesta, el príncipe póstumo de nuestra crítica. Desde que lo hicieron Juan García Ponce* y Octavio Paz*, pocos de los escritores mexicanos hemos rehuido la cita con Cuesta. Escribir sobre Cuesta ha sido, para tres generaciones, el rito de pasaje indispensable para entrar en la tradición crítica: de autor secreto a conciencia de una literatura, ése ha sido el destino de un hombre que, habiendo vivido en las sombras, alcanza su centenario en el mediodía (2004).

Bibliografía sugerida

Obras reunidas, I. Poesía, prólogo de Francisco Segovia y edición de Jesús R. Martínez Malo y Víctor Peláez Cuesta, FCE, México, 2003.

Obras reunidas, II. Ensayos y prosas varias, prólogo de Christopher Domínguez Michael y edición de Jesús R. Martínez Malo y Víctor Peláez Cuesta, FCE, México, 2004.

Obras reunidas, III. Primeros escritos. Miscelánea. Iconografía. Epistolario, edición de Jesús R. Martínez Malo y Víctor Peláez Cuesta, FCE, México, 2007.

D

D'AQUINO, ALFONSO
(Ciudad de México, 1959)

El libro de los raros es un libro mágico cuyas páginas van mutando con el tiempo: los autores que fascinan (o repelen) por su rareza suelen ser hipersensibles y no es extraño que una vez expuesta a la luz, su excentricidad se convierta en otra convención. Ignoro qué destino le espere al poeta D'Aquino pero constato que desde *Prosfisia* (1981), su primer libro, ha escrito una pequeña obra insobornable y agresiva. Los editores de *Piedra no piedra* (1992), *Tanagra* (1996) o *Naranja verde* (1996) suelen decir que la poesía de D'Aquino es "rigurosa e insidiosa hasta la obsesión" y "transparente hasta la incandencia", lo cual no es decir mucho cuando lo que se destaca como virtud —la radical experimentación formal— hace tiempo que amarillea en las academias. Concentrado en friccionar las palabras contra las palabras hasta sacarles chispa —efectos del lenguaje no por minúsculos menos sorprendentes—, D'Aquino pasa de lo trivial a lo fantástico. El suyo es el mundo feraz que deja la lluvia, una parcela infinita habitada por insectos, piedras, frutos lujuriosos, perros mojados, en fin, por bestezuelas repugnantes de aquellas que se sueñan, ante la magnífica ausencia del hombre, en los estados febriles y en los delirios de la toxemia.

"Durante la Antigüedad y la Edad Media [escribía el abate José María González de Mendoza*, un crítico olvidado que en su tiempo estudió a los raros y a los rarísimos] fue creencia corriente la de que existía un monstruo llamado basilisco, que con sólo mirar mataba. Otros decían que bastaba su silbido para causar la muerte. Mas su poder era nulo si el hombre lo veía antes que él al hombre, y la lógica incipiente descubrió el medio facilísimo para exterminarlo: si se le presentaba un espejo recibía reflejada su imagen y perecía."

Los basiliscos, en fin, aparecen por todas partes, desde Isaías ("y en la caverna del basilisco meterá la mano el niño apenas destetado", xi, 8) hasta sor Juana Inés de la Cruz, y era previsible que D'Aquino, poeta de la animalidad, dedicase *Basilisco* (2001) a esas criaturas fabulosas. En este capítulo de un serpentario poético se investiga a la culebrilla de Plinio *el Viejo,* que el Medievo imaginó producto de una extraña hibridación, como un huevo que pone un gallo y fecunda una serpiente. Quizá D'Aquino quiere decirnos que su poesía, al mirarse frente al espejo, se concibe monstruosa y, pereciendo, paga su parte al eslabón de las metamorfosis.

Bibliografía sugerida

Piedra no piedra, UAM, México, 1992.
Naranja verde, Vuelta, México, 1996.
Tanagra, Conaculta, México, 1996.
Basilisco, Ediciones Sin Nombre, México, 2001.

DÁVILA, AMPARO
(Los Pinos, Zacatecas, 1928)

La crítica de los maestros modernos lleva un sentido separado por dos movimientos subsecuentes. Primero, rebasa las barreras fenoménicas. En Elena Garro*, Rosario Castellanos*, Eraclio Zepeda, Sergio Galindo y Jorge López Páez*, si se lee con cuidado, hay numerosos ritos de pasaje, transvaloraciones de lo estático hacia el flujo interior de lo real. La población que habla de sí misma, los chamulas que no pueden tomar

la ciudad enemiga, los indios que descubren otra realidad en un incidente en el camino, la modificación literaria de la percepción en la mirada de un niño: estamos ante descubrimientos narrativos cuya intención
última es dotar de tercera dimensión al espacio, al personaje, a la visión.
El realismo deja de ser imitación o sublimación de lo real para ser una
interpretación. De ser una técnica no elegida, un mediador indispensable, se transforma en investigación que acaba por agotarse, escogiendo
libremente su desaparición. Al dar el segundo paso, este grupo de maestros modernos disuelven la separación tradicional entre prosa y civilización.

El caso de Dávila puede explicar lo anterior. La primera disolución
hace real al realismo. La segunda, al extremarse, lo niega. Los cuentos de
Dávila pasan de la crítica del estanco provinciano a la ruptura fantástica
sin detenerse en la elaboración de lo real maravilloso. Los suyos son textos
primitivos, pues pasan de la vida cotidiana al incidente mágico sin detenerse en el espacio de la sociedad. Este proceder deviene en literatura fantástica pero su origen es más remoto que la letra escrita y está en las leyendas y la juglarería. Cuentos fantásticos ya los había habido entre nosotros,
como "La cena" (1910) de Alfonso Reyes*, una "invención", trama intelectual que elabora un artefacto textual y lo desmonta. Truco de alta magia,
crea una ilusión y goza en verla esfumarse. Mientras, libros de Dávila
como *Tiempo destrozado* y *Música concreta* (ambos aparecidos en 1959) no
se explican sin la existencia previa del realismo y la apuesta por su disolución. Guardando las proporciones, Dávila procede como Arthur Machen.
Se parte de una fachada de realismo y la cadencia generalmente atmósferi-
ca de la narración va anulando poco a poco los preceptos de lo real hasta
preparar el brote de lo fantástico. Los cuentos de Dávila son ilegibles sin la
progenitura realista; sus personajes son una distorsión un tanto fácil de
la realidad convencional (rentistas, burócratas, niños, viudas) y ese otro
inclasificable, invisible e indecible que habita los textos parece, sin duda,
débil y anticuado frente a elaboraciones más radicales. Pero si el mundo
de Dávila es poco original, sí lo es en cambio su elección y los días en que
se produce. Dávila rechaza la utopía natural penetrándola, la suya es una
salida numinosa del realismo hacia un terror pánico que sus cuentos

muestran con discreción, casi tímidamente, pero con encanto (*Antología de la narrativa mexicana del siglo XX*, I, 1989).

Bibliografía sugerida
Cuentos reunidos, FCE, México, 2009.

DELTORO, ANTONIO
(Ciudad de México, 1947)

"La luz [dijo Deltoro en una entrevista] es mi magdalena: cuando era niño y entraba al baño y mi padre se estaba duchando, me fascinaba su piel y su cuerpo y soñaba, con los ojos abiertos, que, a imagen y semejanza, el tiempo me daría una piel similar y un cuerpo velludo. Ahora, cuando en las mañanas me baño, bajo la misma entonación de la luz y en la misma altiplanicie, a veces no veo en mí mi cuerpo, sino su cuerpo. Esta visión es resultado del cariño, del asombro y del tiempo."

Las declaraciones de los poetas hay que tomarlas con tiento: entre la poética y la poesía media el abismo de la vanidad. Pero el padre atraviesa la obra de Deltoro (*Hasta donde es aquí*, 1984; *Los días descalzos*, 1984; *Balanza de sombras*, 1997) como una presencia tutelar. No es el suyo un padre tronante ni mayúsculo; es el buen progenitor liberado a tiempo de la guillotina del parricidio, libre de culpas, penate ante cuya piel y frente a su biblioteca, los ojos del poeta saben detenerse, una, dos veces. Todas las criaturas y las cosas que pueblan la poesía de Deltoro, desde un retrato de Melville hasta las almohadas y los escarabajos, se escriben, como el padre, con letras minúsculas, y todas ellas viven en un eterno jueves, el día que este poeta, como Pedro Salinas, considera el más enigmático de los días, tan pleno en auspicios y amenazas. Mientras otros poetas buscan la otredad y sus enigmas, Deltoro prefiere todo aquello que pasa inadvertido en las regiones del mundo visible.

Bibliografía sugerida
Poesía reunida (1979-1997), UNAM, México, 1999.
El quieto, Biblioteca Sibila, Sevilla, 2008.

DENIZ, GERARDO
(Madrid, España, 1934)

La poesía de Deniz es el conjunto de mundos más extrañamente poblado de toda la lírica de la lengua. Hace tiempo que se reconoció que su escritura es hermética sin ser ininteligible, una aventura colmada de escollos y acertijos que nos convierte en adictos habitantes de un universo, como lo dijo Aurelio Asiain*, espectralmente novelesco, falsamente ensayístico y dudosamente poético, si por poesía se entienden las convenciones manidas que el siglo XX, precisamente, se encargó de minar. Pero dudo que Deniz califique como *antipoeta* o *contrapoeta,* y si lo es, también convendría etiquetar a T. S. Eliot de esa forma. Y si la poesía de Deniz no es poesía, como se dijo alguna vez, cabe recordar una frase de Ezra Pound: "el primer autor que resuelve que determinadas cosas son poesía, lleva una ventaja considerable sobre todos cuantos le siguen y que comparten su opinión".

La pasión formal de Deniz, según Asiain, está "regida por el gozo de una sensualidad que apela, antes que nada, a la inteligencia de los sentidos. No es extraño que en un poeta como éste, para el cual las palabras tienen la materialidad de las cosas, aparezcan las voces más inusitadas; que, con toda naturalidad, en su poesía se den cita el léxico de la geometría, la anatomía, la química, la filología, la música y las diversas lenguas de los hombres. Tampoco lo es que, junto a las aliteraciones, las alteraciones de la sintaxis y los neologismos, aparezcan en cada página de Deniz citas de otros poetas y de otros textos lo mismo que alusiones secretas y muchas otras cosas, todas ellas ganancia del poema" (Asiain, *Caracteres de imprenta,* 1996).

Octavio Paz*, cuando apareció *Adrede* (1970), modeló su entusiasmo y su reticencia ante una obra de la que fue el primer valedor. En cada página de Deniz, decía Paz, "las palabras saltan como mujeres un poco (mucho) obesas cargadas de talismanes" y como "sirtes del mucho haber leído". Paz destacaba, en esos primeros poemas de Deniz, un gesto de soledad frente a la ya entonces visible tendencia a confundir la literatura (y hasta cierta poesía) con el negocio editorial. Décadas después, Deniz se había convertido, para mi generación, en el poeta más admirado y estudiado. Poetas, críticos y traductores como Asiain, José María Espinasa*, Fernando Fernández, Josué Ramírez, Mónica de la Torre o Luis Ignacio Helguera* encontraron en Deniz una ruptura radical (aunque de ella difícilmente se desprendiese una escuela) con la rutina lírica imperante.

"¿Cómo explicar [se preguntaba Asiain al presentar *Amor y oxidente* (1991)] la recepción entusiasta de que ha gozado en los últimos años la poesía de Gerardo Deniz? Todo parecería depararle a esta obra difícil y aun hermética un destino más solitario [...] Sospecho que la buena fortuna pública de la obra de Deniz obedece a causas menos prestigiosas y, a la vez, más tradicionales: la felicidad de sus frases, la justeza del tono, la maestría rítmica, la seguridad de la prosodia con que se despliega una imaginación fecunda y con frecuencia extravagante."

Fue el propio Deniz quien decidió abrir su obra a la interpretación, gracias a *Mansalva* (1986), una antología de sus tres primeros libros —*Adrede, Gatuperio* (1978) y *Enroque* (1986)— donde se suceden, alternándose, poemas de cada uno de los volúmenes. La exposición del mecanismo al aire libre, como lo señaló Espinasa, facilitó la lectura de quien, además, en un gesto poco frecuente en un poeta con fama de hermético, ofrecía explicaciones puntuales de algunos de sus misterios. César Aira, observador inteligente de nuestra literatura, examina en su *Diccionario de autores latinoamericanos* (2001) las didascalias denizianas: "Con cuentagotas, ha publicado exégesis de algunos de sus poemas. Estos textos son del mayor interés pues iluminan de modo exhaustivo las alusiones históricas o enciclopédicas en general recónditas a las que el autor es proclive, y lo que parecía una máquina de puro efecto verbal se revela como un relato perfectamente razonable; de más está decir que sin la colaboración del autor, el lector jamás podría hacerlo. Que estas publicaciones existan, y se hayan publicado, así sea en cantidades mínimas, carga de promesas el resto de la obra y la vuelve más intrigante todavía. De hecho, sugieren un método de composición, con el que se podrían reconstruir mecánicamente todos los poemas [...] verdaderas novelitas filosóficas pobladas de aventuras, que pueden releerse indefinidamente (porque nunca se las termina de entender), siempre con placer".

Deniz aparecerá cada vez con mayor frecuencia, a partir de *Enroque* y de *Grosso modo* (1988), como un poeta sensual y antirromántico, poseedor de una paradójica vocación moral y narrativa. "Muchos de sus poemas [dice Asiain] son versiones de una temporada en el infierno (que recuerdan no a Rimbaud sino a Quevedo, lo mismo por la habilidad verbal que por el peculiar temperamento): la presunción vana de los poetas, la estupidez erudita, los delirios del pensamiento doctrinario, la mala fe de las buenas conciencias, el desamor [...] Basta la mera enunciación de esos infiernos para mostrar que los laberintos de este poeta son los de todos nosotros y que su poesía merece como pocas el calificativo de ciudadana. Su escenario es con mucha menor frecuencia un escritorio que una calle de la ciudad, y la suya es una ciudad muy concreta [...] Tan pronto prueba Deniz el epigrama como una canción, tan pronto relata una historia fantástica como escucha la música de las esferas, y ya se interna por los túneles del metro o se aventura por los márgenes de la ciudad como se pierde por las recámaras de su alma. Nuestra poesía sale ganando con un personaje como el de Deniz, no porque sea uno más sino precisamente porque no lo es. Su densidad interior y la íntima intemperie de su espíritu aventurero, que lo llevan a internarse por territorios inexplorados de la experiencia moral, lo vuelven insustituible" *(idem).*

El ánimo quevedesco transformaba a un condenado al limbo de la poesía pura en el autor de poemas a su manera políticos donde agonistas y protagonistas de la *polis* resultan venenosamente escarnecidos. Sor Juana y José Vasconcelos*, el doctor Freud y los cenáculos marxistas, José Emilio Pacheco* y la leyenda piadosa del exilio republicano, son las víctimas habituales de un poeta que no ha dudado en rematarlas en artículos como los reunidos en *Anticuerpos* (1998).

Junto a la crítica moral en Deniz, está el erotismo, esa apelación irónica a la felicidad de los escarceos y a las cenizas de la carne, que ha dicho decir a Espinasa, hablando de *Enroque,* que "algunos de los poemas de amor más extraños de nuestra tradición se encuentran en este libro. No hay ni la retórica disfrazada de franqueza de Jaime Sabines* ni el lirismo casi aéreo de Tomás Segovia*, ni el amor a golpes de acento de Bonifaz Nuño*. Su intensidad es —precisamente— no poética" (Espinasa, *Hacia el otro,* 1990).

Ambas vertientes denizianas, la alcoba y la plaza pública (o su extravagante mundo exterior), se encontrarán en un par de poemas narrativos donde el arte de Deniz llega a su culminación y establece las fronteras de su dominio: *Picos pardos* (1987) y *Amor y oxidente* (1991), libros a los que seguirán *Mundonuevos* (1991), *Op. cit.* (1992), *Alebrijes* (narrativa, 1992), *Ton y son* (1996), *Letritus* (1996), *Cubiertos de una piel* (2002) y una amplia traducción de su obra al inglés: *Poemas / Poems* (2000). Toda la obra de Deniz ha sido recopilada, finalmente, en *Erdera* (2005).

Picos pardos escenifica un episodio flaubertiano: en las inquietudes ciudadanas de una noche política, un visir y un príncipe batallan hasta que se impone un desenlace de amor protagonizado por Rúnika, la dama que oficia como el cómplice criminal en esta poesía. *Amor y oxidente,* a su vez, puede ser leído como una sátira sobre la búsqueda del saber. Puede ser. Y este poema —como *Gatuperio*— proviene del magma novelesco que para Deniz significan las novelas de Julio Verne *(Veinte mil leguas de viaje submarino* y *Cinco semanas en globo)* y del astrónomo Camille Flammarion *(La pluralité de mondes habités).*

Como a los sabios decimonónicos que lo inspiran, a Deniz, que quiso ser químico, lo visitó en la juventud el "hada madrina de la ciencia" y alejado por disciplina intelectual del positivismo, decidió escribir una saga periódica y elemental protagonizada por personajes que, como el capitán Nemo, Aronnax y Jorge Spero, se aventuran a especular a través de los extraordinarios viajes denizianos. El espíritu de especulación, ya sea en la ciencia, ya sea en la poesía, rige el espíritu de Deniz, como el de Verne, y así, el siguiente párrafo del poeta mexicano, suscitado por una ilustración del interior del *Nautilus,* funciona como un paisaje del alma: "Todo el submarino aparece de inmensos infolios abiertos, cerrados o entornados. Hay libros gigantescos en las mesas, en los sillones, por los suelos. Hay cortinajes, borlas, armaduras, panoplias que rebasan aun la prolijidad descriptiva de Verne".

No son irrelevantes algunos detalles de la autobiografía (no sólo intelectual) de Gerardo Deniz, nombre de pluma tomado por Juan Almela, para entender a un personaje que se ha empeñado, sin éxito, en hacer pasar a la literatura sólo como la cuarta o la quinta de sus vocaciones. Hijo de exiliados españoles republicanos llegados a México desde Ginebra, en 1942, Deniz acaba por presentarse en *Paños menores* (2002), su fragmentalia autobiográfica, como uno de los seres más endiabladamente literarios (y letrados) de una escena cultural que tiene en él a uno de sus vigilantes secretos. Deniz no sólo es, como lo ha llamado David Huerta* a la manera quevediana, "un hombre doctísimo que sabe con eminencia la música" sino un gramático de numerosas lenguas, y al gramático toca, pese a su necesaria misantropía, ejercer con mal humor, crueldad y soberbia derengatoria, la censura en la ciudad.

En "Exilio y literatura", el texto central de *Paños menores,* encontramos el nudo de la experiencia deniziana. Llamado a hablar de un tema que ha conmovido (y hartado) al siglo XX, surtidero sin fin de heroísmo y de charlatanería, depósito de tanta mala prosa, Deniz se sale por la tangente. Una hermosa y despótica tangente sólo concebible en un escritor como él, no tan ajeno, como puede verse en *Picos pardos,* a la pesadilla de la historia. Ni siquiera los gnósticos, sintiéndose exiliados de la luz en el mundo terrenal, alcanzan a conmover a Deniz, para quien es posible "sentirse exiliado de lugares que, sabidamente, sí existen, pero donde uno jamás estuvo".

Ese sufrimiento creador implicado en habitar la pluralidad de los mundos, ese exilio cuya relatividad se multiplica a través de los poemas y de su arte combinatoria, prueba que Deniz no es, como llegó a suponerse, ese enésimo escoliasta joyceano excretando fatigosamente el cardumen del inconsciente para dejarlo flotando sobre la superficie tipográfica. "Posible", el poema más didáctico de *Gatuperio,* a su vez su libro menos abierto, motivó una glosa de la cual se desprende una interpretación de Deniz como un poeta materialista, de lejana raíz lucreciana, para quien la ceniza es el quinto elemento, ruina y destino final de tantas filosofías que han servido de combustión a la trascendencia.

Según su propia confesión, Deniz se compromete, en algunos poemas, con las metamorfosis del mundo material contra el fraudulento imperio de los absolutos. Lo que resta es el registro de las relaciones paradójicas entre la ciencia y la poesía tal como ocurren en el interior del alma de Deniz, pues "harto de poetas y de pluralidad de los mundos, el ilustre/Leverrier ensartó un gato en el sable y cesó al ujier de modo/fulminante/según consta en la historia", como dice en las primeras líneas de *Amor y oxidente*.

La música, y de manera más precisa la melomanía, esa libertad de escucha casi infinita que el siglo XX ofreció a los ciudadanos, es una de las pasiones de Deniz. Él sabe que han sido poetas con oído de artillero quienes han sostenido la discutible asociación entre la música y la poesía. Para Deniz, "la poesía fabrica, a lo sumo, mundúsculos discutibles. A la música, en cambio, se le adhieren tremendos jirones de vida, de lugares y tiempos, con todos sus colores, olores y sabores —y esto sin dejar de ser lo principal, o sea música—". Aun compartiendo su convicción de que "los cruces entre ambos géneros no [son] demasiado prometedores", es difícil soslayar la sospecha de que Deniz ha creado una poesía abundante en esos tremendos jirones de vida, de lugares y de tiempos que caracterizan a la frase musical.

Bibliografía sugerida

Erdera, FCE, México, 2005. Incluye *Adrede, Gatuperio, Enroque, Picos pardos, Grosso modo, Mundonuevos, Amor y oxidente, Op. cit., Ton y son, Letritus, Fosa escéptica, …2000, Cubiertos de una piel, Semifusas* y *Cuatro narices.*

E

ELIZONDO, SALVADOR
(Ciudad de México, 1932-2006)

Desde hace algunos años la relectura de Elizondo se ha convertido en una de mis costumbres menos censurables. A estas alturas de la vida, siguiendo el método propuesto por Elizondo en su *Autobiografía precoz* (1966 y 2000), oscilo entre hablar con los muertos y parlotear con los vivos, de tal manera que me siento mejor dispuesto hacia su obra. Quizá ya sean cuatro las ocasiones en que leo *Farabeuf o la crónica de un instante* (1965) y de cada sesión salgo más satisfecho tras rendir visita al doctor Farabeuf, quien contra el silencio que parecía exigir como forma de posteridad, se me aparece como un fantasma bien dispuesto a charlar con un vivo. Es un cirujano francés, un precepto de composición literaria, el primer sabelotodo, y al faltarle la materialidad novelesca, su ausencia ocupa las cuatro esquinas de la habitación. Su conversación sólo es monotemática en apariencia y yo saco provecho de sus manías.

Se olvida a menudo que Elizondo fue profesor de literatura en la Universidad Nacional y tutor en el desaparecido Centro Mexicano de Escritores. Yo, que no lo frecuentaba en el barrio coyoacanense de Santa Catarina, consigno lo anterior a cuenta de la naturaleza pedagógica de su obra, aprendizaje progresivo que, a través de sus libros, me ha permitido modificar gustos y matizar prejuicios, al grado que ya no creo, como lo pensaba ayer, que lo más nutricio de Elizondo esté en *Farabeuf* o en

El hipogeo secreto (1968). Esta última novela, por ejemplo, es un sistema de muñecas rusas injustamente relegado y tiendo a pensar de ella lo mismo que César Aira: "De pura autorreferencia está hecha su novela siguiente, *El hipogeo secreto,* cuyo tema es la escritura de una novela llamada 'El hipogeo secreto' y así sucesivamente, sin olvidar las referencias pictóricas (en este caso Chardin, quizá algo de Piranesi) y la servicial ecuación amorosa. Aunque los críticos han estado de acuerdo en que esta novela es extraordinariamente inferior a la anterior, en realidad podría ser superior, e incluso extraordinariamente superior" (Aira, *Diccionario de autores latinoamericanos,* 2001).

Tras *El hipogeo secreto*, Elizondo jugó (y convenció) con el imperativo de su autodestrucción, tal como se lee en la célebre letanía de *El grafógrafo* (1970): "Escribo. Escribo que escribo. Mentalmente me veo escribir que escribo y también puedo verme que escribo […]" Pero a la obra de Elizondo le esperaba, como se concluye ante su *Narrativa completa* (1998), un desenlace más allá de las innovaciones textuales de los años sesenta. Como lo dice Adolfo Castañón*, uno de sus intérpretes más sugestivos, Elizondo es el escritor mexicano mejor dotado en el manejo experimental de toda la gama de posibilidades narrativas, a través de motivos que se incrustan en el horizonte clásico de la literatura de la última centuria, desde la escritura como cosa mental a la analogía entre el orgasmo y la muerte.

A partir de *El grafógrafo* Elizondo comenzó la escritura de la parte más crecientemente dilatada y compleja de una obra que a la vez se espesa y se destila en *Cuaderno de escritura* (1969), *Camera lucida* (1983), *Elsinore* (1987) y *Teoría del infierno y otros ensayos* (1992), literatura pura, ensayo y narrativa en una combinación tanto más perfecta en su medida de estar escrita en la mejor prosa de su generación. Me pasa con Elizondo lo que a él le ocurría con *Monsieur Teste,* de Paul Valéry: "Al reelerlo ahora las ideas que ahí operan como que aparecen más claras, más radiantes, menos complicadas y mucho más dramáticas que entonces y como teñido todo de esa melancolía que produce el fracaso de las empresas espirituales, especialmente de aquellas que se nos propusieron, en un momento dado de la vida, como retos" (*Estanquillo,* 1993).

El universo literario de Elizondo, que él mismo delimita entre Quevedo y Gracián, Blake y Joyce, parece estrecho, escueto, árido, presidido por una voz monomaniaca. Son pocos, es cierto, los autores que Elizondo agregó, con los años, a su canon: Conrad, Pound, Jünger y, desde siempre, Dostoievski. Elizondo es, en esencia, un heredero de Mallarmé y Valéry. Y todos aquellos que comparten ese linaje se presentan como heraldos de la infertilidad, creyentes metafísicos en el Libro imposible, escépticos metodológicos que esperan la muerte del autor sentados junto a la tumba abierta de la literatura.

Elizondo, aunque fundó en los años sesenta una revista llamada *S.nob,* y *snob* es contracción de *sans noblesse,* pertenece a una nobleza que se arroga la prerrogativa de desdeñar a la muchedumbre de la novela burguesa y sus horarios, convencida de que "ir en busca del tiempo perdido es perder el tiempo" y un largo etcétera propio de las manías aristocráticas. Pero si en la literatura hay nobleza de sangre, es imposible encontrar esa misma sangre limpia del virus novelesco. Acaso "el mal de Teste" que Elizondo se autodiagnosticaba sólo sea la sabia regulación terapéutica que el escritor ejerce sobre la novelería romántica que lo afiebra sin derrotarlo.

La fidelidad al Quijote Mallarmé y a Valéry, su Sancho Panza, implica denunciar esas novelas de caballería protagonizadas por el decadentismo y sus operáticas misas negras, por estetas que se asumen como ídolos de perversidad. El puritanismo, el delirio geométrico, la pureza y la prosa técnica de Mallarmé y Valéry son una reacción familiar contra la otra lectura, bizantina y romántica, de Poe y Baudelaire. La parte maldita de Elizondo, en la que confluyen los suplicios chinos, Sade y Bataille, característico de *Farabeuf* y *El hipogeo secreto,* va mutando hacia las formas luminosas, refractarias y sutiles propias de *Camera lucida* y *Elsinore.* Abandonando lo que tenía de caballero de la decadencia, orlado de erotomanías, Elizondo toma conciencia de que casi todo aquello que pasa por satánico pasa de moda, y que la transgresión, previsiblemente, acabaría por convertirse, a principios del nuevo siglo, en la norma académica del arte contemporáneo.

Fue en la noción de proyecto donde Elizondo encontró la manera de continuar escribiendo una obra aunque pareciera que no la estaba escribiendo. Lo hizo siguiendo a Cyril Connolly en la sentencia pontificia que da comienzo a *La tumba sin sosiego:* el único objetivo en la vida de un escritor es escribir una obra maestra. El proyecto es el espacio donde el geniecillo de la escritura se manifiesta en la puesta en escena de su negación.

En *Camera lucida* están los textos canónicos de Elizondo, los que en su medida de proyectos devienen obras maestras. Esta sólo en apariencia heteróclita colección de ensayos y cuentos, como la ha explicado Dermot F. Curley, *proyecta* varios tópicos que explican todo el sistema elizondiano: "Log", donde es suficiente el proyecto de la isla desierta para ahorrarse la escritura de otro *Robinson Crusoe,* como "La verandah", ocupación de esa antesala que precede al atardecer en el trópico y explica a Conrad, en "La legión extranjera", donde se juzgan, se resumen y se desechan los motivos de la novela colonial francesa, o "Anapoyesis", la máquina inventada por el profesor Émile Aubanel para procesar la energía latente en los poemas de Mallarmé.

Siguiendo el método que le fue más caro ("Estoy soñando que escribo este relato…") pudo Elizondo escribir *Elsinore,* que, al combinar un prodigioso golpe de memoria con otra crónica de un instante, logra uno de los más eficaces relatos de formación de nuestra literatura, aquel en que dos muchachos escapan de un colegio militar en California y se encuentran sobre una barca en un lago. La técnica, puesta al servicio de la evocación, logra que Elizondo, gracias a los rigores del teatro mental, resulte ser un poderoso creador visual, dibujante de toda la vida.

Autor de muchas páginas aún inéditas, como esos diarios nocturnos que suscitan una alarmante curiosidad, Elizondo supo ser, a su irónica manera de apolítico, un agudo testigo de su tiempo, como lo entenderá quien se asome a colecciones de artículos como *Contextos* (1973) y *Estanquillo* (1993). Admirador del formalismo soviético y de otras formas del arte de masas del siglo xx, a Elizondo no le importaba decir que el mejor pintor del Tercer Reich fue el propio Hitler, pues era la clase de escritor que suele ver más allá de los nubarrones del periodismo y de las telarañas de la historiografía, capaz de firmar párrafos tan inquietantes como éste: "La disolución de la Unión Soviética ocurrida el otro día tiene para mí un enorme significado, filosófico, en cierto sentido sentimental y decididamente nostálgico. Cuando pienso que esa suprema doctrina científica que conoció algunos instantes de irrefutabilidad con las peras gigantes de Michurin, los perros de dos cabezas de Pavlov, los niños de Makarenko, etc.; que una estética que tuvo frutos tempranos pero fulgurantes como *El acorazado Potemkim;* que tantas cosas que admirábamos o nos impresionaban en nuestra juventud no hayan sido, en resumidas cuentas, más que una charlatanería, el pensamiento de Hegel manipulado por dos burgueses bromistas seguidos en todo el mundo durante cinco generaciones por millones y millones de hombres, haya perdido su significado y significante, de un día para otro. Ahora que ya no existe la Unión Soviética de nuestra niñez y nuestra juventud, con sus comisarios rapados, sus 'teóricos' implacables, sus babélicas brigadas de Madrid, su simpático ambiente doméstico moscovita de *Ninotchka,* seguramente sentiremos nostalgia ajena de aquel tiempo que creímos heroico, pero que a partir de ayer será ya hoy tiempo perdido".

Esa mórbida y en apariencia desdeñosa capacidad de observación de la historia ya era sapiencial en Elizondo cuando, en su *Autobiografía precoz,* nos ofreció, en un parpadeo, una evocación del nazismo como pocas se han escrito entre nosotros, al recordarse durante sus días infantiles en Alemania, junto a su nana Anne Marie.

Elizondo se autorretrata, en ese fragmento memorioso, bebiendo con William Burroughs en el Hotel Chelsea; páginas después es el hombre asombrado por la negación de su filosofía implicada en el nacimiento de su hija. Tras las aventuras con el cine y la pintura, una vez cumplidas sus temporadas en el infierno y en el paraíso, Elizondo dejó atrás Nueva York y París, y encontró no del todo deplorable su condición de escritor latinoamericano. Desde entonces este cosmopolita, tras anotar que el problema de Roma es que los romanos son poco interesantes, llevó una vida de retirado caballero mexicano, admirador de los emperadores Maximiliano y Carlota, escucha emocionado de las coheterías de barrio y orgulloso sobrino nieto de don Enrique González Martínez, el poeta a quien irremediablemente acabó por parecerse en la regularidad académica de sus hábitos y en cuya poesía encontró una confluencia afectiva con la de Paul Valéry.

Con su letra manuscrita, letra gruesa como una marca caracterológica y expresiva como una sucesión de ideogramas, Elizondo imprimió su destino al recordar en su *Autobiografía precoz* que "Beda el Venerable compara la vida humana al paso de una alondra extraviada que penetra en un recinto, lo cruza fugazmente y vuelve a salir hacia la noche. Una autobiografía es a la vida lo que ese momento es al vuelo de la alondra".

Julien Gracq dijo que Valéry había hecho mínimo el placer de la lectura para cuidar al máximo la verificación profesional de la escritura. Este juicio, escrito por Gracq a manera de elogio, es difícil de aplicar a la obra de Elizondo, donde el placer del lector crece a la par que la verificación técnica de la prosa. Este logro lo presenta como un clásico en dos o tres de las acepciones del término: el sentido de su obra va cambiando, sin perder su misterio, a través del tiempo, lapso en que su generación alcanzó a cerrar el siglo XX encarnando un clasicismo mexicano riguroso en la forma e implicado en las angustias de la literatura moderna. Pero Elizondo es, sobre todas las cosas, un clásico, en la medida en que, como lo señaló el crítico español Juan Malpartida, su obra está dedicada a desentrañar la capacidad poética del hombre, descubriendo y enseñando los mecanismos que atrapan fotográficamente la belleza. Cada vez que emprendo la relectura de Elizondo veo volar a la alondra y fantaseo con aventurarme a tomarla con la mano...

Bibliografía sugerida

Obras, I. Farabeuf. Narda o el verano. El hipogeo secreto. Cuaderno de escritura, prólogo de Adolfo Castañón, El Colegio Nacional, México, 1994.

Obras, II. El retrato de Zoe. El grafógrafo. Contextos. Miscast, El Colegio Nacional, México, 1994.

Obras, III. Camera lucida. Elsinore. Teoría del infierno y otros ensayos. Estanquillo, El Colegio Nacional, México, 1994.

Narrativa completa, prólogo de Juan Malpartida, Alfaguara, México, 1997.

Neocosmos. Antología de escritos, edición de Gabriel Bernal Granados, Aldus, México, 1999.

Autobiografía precoz, Aldus, México, 2000.

La escritura obsesiva, prólogo de Daniel Sada, RM, Madrid, 2009.

El mar de iguanas, Atalanta, Madrid, 2010.

Contubernio de espejos. Poemas 1960-1964, FCE, México, 2012.

Curley, Dermot F., *La isla desierta. Una lectura de la obra de Salvador Elizondo*, FCE, México, 1990.

ENRIGUE, ÁLVARO
(Guadalajara, Jalisco, 1969)

Mitología. "La ruta sería larga. Todas las rutas que conducen al objeto de nuestro deseo son largas", dice Joseph Conrad en *La línea de sombra*. La frase me gusta y hace muchos años que la copié en una tarjeta que ya amarillea. A ciertos libros de viajes reales o imaginarios los suelo colocar bajo la advocación de esa frase. Es el caso de *El cementerio de las sillas* (2002), la novela de Enrigue que es fiel, según sus propias palabras, al "arte de la navegación —cuando no hay batalla o temporal— [que] consiste en mantenerse despierto mientras se lucha contra el tedio; a eso se reduce todo, y en ello, extrañamente, radica también la moderada y permanente felicidad que se puede obtener en alta mar."

Enrigue el Navegante cuenta la historia de un linaje que se remonta a los tiempos ciclópeos, recorre los desiertos norafricanos bajo el imperio de Tiberio, cruza el siglo XVI desde Flandes hasta Nautla, Puebla, fabula con la eterna conspiración jesuítica y se asienta en una familia mexicana contemporánea, en apariencia indigna de sus antañonas raíces. Pero *El cementerio de las sillas* no es una novela histórica, si por ésta entendemos a esa creación del orden comercial donde cualquier persona con algún calado académico toma una época y la dramatiza para ilustrar las convenciones manidas de nuestro tiempo. Desde que se celebró el Quinto Centenario, en América Latina y España, pululan las ineptas novelizaciones históricas, pues el descubrimiento y la conquista se prestan maravillosamente para dar gato por liebre.

El cementerio de las sillas ocurre en la historia, pero el respaldo historiográfico sólo nos indica el tiempo invertido (o perdido) durante su viaje.

Bajo esa capa fluye una realidad novelesca que Enrigue torna verosímil gracias a la puesta en escena de un pobre diablo que, alimentándose de pizzas, quiere transfigurarse y dejar el siglo, abandonando el cuchitril que habita en la colonia Mixcoac del Distrito Federal. Este sujeto, apellidado Garamántez, es una astilla desprendida de la *Historia* (IV, 183-184), de Heródoto, donde el historiador habla de los fabulosos garamantes, extinto pueblo ganadero que sólo reaparece en la boca de los mitógrafos.

Enrigue quiso escribir, en esa coordenada, una novela de aventuras que fuese causa suficiente para meditar sobre los orígenes. En *El cementerio de las sillas*, al tenor del lapso final de Melquíades en *Cien años de soledad*, el origen está en el final de los tiempos. Y dado que la novela, al culminar, rinde homenaje a la grandeza americana podría pensarse que *El cementerio de las sillas* es un rodeo para hablar del origen de la nacionalidad mexicana. No lo creo. Si algo demuestra la soteriología de Enrigue es su indiferencia ante el origen como invertido destino manifiesto. Si cualquier familia poblana puede provenir de los garamantes, todo origen es una hermosa e inútil picaresca. Enrigue cree en los valores y exalta, fiel a la retórica de la novela de aventuras, el coraje, la amistad, el mestizaje; pero ninguno de esos atributos proponen una esencia.

Al emprender su navegación, a Enrigue, más que contemplar tierras extrañas, le importó no perder nunca la derrota de su nave y puso en ella todo su arte narrativo. Para lograrlo sólo podía servirse de un lenguaje, desenfadado y calculador, que lo distingue entre nuestros narradores contemporáneos. *El cementerio de las sillas* es un libro donde habla una sola voz a través de sus narradores y protagonistas, voz discernible por un sentido del humor que remite a la riqueza del español hablado hoy día en México. En esas conversaciones, que recorren siglos, siempre es Enrigue quien nos habla, usando el falsete irónico, la desconfianza marullera, el orgullo ladino. Gracias al lenguaje, esta novela presenta una poderosa galería de personajes, como los indios caribes, el flamenco Christophorus Gaaramanjik, o el último de sus avatares, ese Garamántez quien viaja a Nautla en busca de los arcanos de su estirpe, no sin antes protegerse de la muerte con una armadura compuesta de los cronicones y clásicos que un oportuno bachiller en letras lleva consigo (2002).

Realismo cómico. Entre los críticos prevalece cierto consenso, no pocas veces malhumorado, que advierte en la cuentística contemporánea apenas dos maneras imperativas y celosas de escribir cuentos. Una remite a Borges y condena a los autores a ejercer como eternos escolistas; otra se ufana en seguir el método de Chéjov (o de Raymond Carver, esa actualización chejoviana). Creo, tras leer *Hipotermia*, que Enrigue es de los pocos escritores mexicanos (y si me apuran, de todo el orbe de la lengua) que está escribiendo cuentos que no son ni borgesianos ni chejovianos.

Ante *Hipotermia* el editor y el lector, como el propio Enrigue, se sienten tentados a buscar una supuesta hibridez que lo acercaría a la novela. Aunque nuestra temporada literaria suele abrir las fronteras y premiar a los géneros mestizos, pienso que Enrigue es un cuentista modélico, tan bien hecho que, al enfrentarnos inesperadamente con el viejo género, nos lo presenta como si fuese nuevo, especie urguida de bautismo. Enrigue lo sabe y con esa confianza en sí mismo que delata a los buenos escritores, carece de escrúpulos a la hora de confesar el secreto de su poética: "Es algo que hacía desde niño: pretender que tengo una vida secreta a la que nadie se puede asomar. Estoy como un ciego que sale en la Biblia: aunque se curó de la vista tenía que fingir que no veía nada porque Jesucristo en persona se lo ordenó".

Todo el arte de escribir cuentos practicado por Enrigue proviene de esa frase y es a una sola clase de personaje a la que se encomienda como narrador de la mayoría de sus historias, ese escritor a la vez fracasado y al mismo tiempo dueño de todos los hilos de la comedia que es él mismo, es decir, su *alter ego*. Ese creador o escribidor (o cocinero como ocurre en uno de los cuentos) reflexiona y se desdobla a lo largo de *Hipotermia*, al grado que podría decirse que el único defecto estorboso de Enrigue es cuando se torna en comentarista de su propia obra mediante la conocida terapia implícita en reírse de sus propios chistes. Pero no podía ser de otra manera en un libro tan veladamente existencial que transita por una espesa selva emotiva, floración que faltaba en *Virtudes capitales* (1998), su primer libro de cuentos.

Otra lectura posible de *Hipotermia* lo inscribiría en la literatura de viajes, en la bitácora de quien se interna hasta la fuente oscura del río. A la manera de Sommerset Maugham en el Extremo Oriente, Enrigue fue a Washington, D. C., a corroborar y afinar sus prejuicios sobre la condición humana. Y es que en un planeta cuya característica esencial es el tráfico aéreo pocos mudan de alma al viajar: los detalles que Enrigue encontró en la humanidad de los washingtonianos (o de los dálmatas) sólo se le aparecen (en el sentido numinoso de la expresión) a un escritor vocativamente preocupado por ciertos problemas de la teología moral, es decir, por los actos que en apariencia gratuitos nos llevan a discernir el bien y el mal.

Un primer registro, en *Hipotermia*, se encuentra en los "Grandes finales" en los que Enrigue sacia su gusto (que es amor y que es consternación) por las civilizaciones perdidas y las lenguas desaparecidas, materia de *El cementerio de las sillas* y de la cual se desprenden un par de cuentos, aquel que narra la extinción del último dálmata o ese otro que traza el asilo museográfico de Ishi, el nativo. Ese derrotero arqueológico convierte a Enrigue en una suerte de egiptólogo sublimado, de tal forma que *La muerte de un instalador* (1996), primera novela de Enrigue, se recuerda como una variante de *Las aventuras de una momia*, donde la antigüedad quedaría simbolizada por las ruinas de nuestro posmodernismo. Esa noción del personaje literario como sobreviviente y como suma final de una familia, de un clan, de una dinastía, permea los libros de Enrigue. Esos naufragios con final feliz permiten que en *Hipotermia* pueda leerse una frase tan memorable como la que sigue sobre quienes protagonizaron los sismos mexicanos de 1985: "Hicimos la revolución, aunque le cueste aceptarlo a las generaciones anteriores, al estilo de Hemingway: como camilleros".

Hay una frase de Charles Péguy que leí hace meses y que ahora encuentro predestinada para describir el mundo de Enrigue: "Los padres de familia son los grandes aventureros del mundo moderno". Los cuentos de Enrigue frecuentemente tienen al padre y al hijo como héroes solitarios, cómplices en esa odisea cuyo rutinario final en Ítaca es uno de los logros de un autor desdeñoso de las minitragedias carverianas en favor de la reducción del mito, de la leyenda y de lo literario a su expresión más austera, como ocurre en "Escenas de la vida familiar" o en "Ultraje", puesta en escena propia de Terry Gilliam y uno de los mejores cuentos mexicanos de los últimos años. Al narrar la transformación de un camión de la basura en un barco pirata, Enrigue presenta una metamorfosis ocurrida cuando un fragmento de literatura o un accidente bibliográfico, convierten a la lectura literal en una maldición lanzada desde el Olimpo (2005).

Historia. La nueva novela de Enrigue, *Vidas perpendiculares,* es un perfeccionamiento o una suerte de segunda versión de *El cementerio de las sillas,* aquel viaje a través de los siglos en busca del linaje de una familia. Al imponer la naturaleza circular de sus obsesiones y adueñarse de ellas, Enrigue se distingue con un gesto de madurez. No son frecuentes, en esa nueva novelística latinoamericana de la que él forma parte relevante, gestos que abominen de apostarle a lo seguro y renuncien a salir a la caza de lectores fáciles con fórmulas manidas.

    Vidas perpendiculares (2008) es una novela histórica. Pero no lo es porque atraviese las tres edades en que fue dividida la historia por los profetas de la modernidad temprana –la edad divina, la edad heroica y la edad humana–, ni porque invoque a la legión imperial que en Palestina mató al Cristo, ni por las aventuras de un fraile cazamonjes en el siglo XVII, ni por la sombra de Francisco de Quevedo que aparece y desaparece con versos y soflamas, ni porque registre a la especie antes del lenguaje, a la horda sin la comunidad y se arriesgue en el diseño de escenas pretéritas que escritores menos ambiciosos evadirían. Tampoco es una novela histórica porque Enrigue tenga, entre sus fuentes de inspiración, a Georges Duby, a Mel Gibson, a los prehistoriadores, a Tácito, a san Pablo, a *Las memorias de un repórter en los tiempos de Cristo* (del metapsicólogo jesuita Carlos M. de Heredia) o al Mark Twain que usaba su propia máquina del tiempo para hurgar en la vida de Juana de Arco o el rey Arturo.

    Estamos ante una novela histórica porque su materia novelesca se nutre, si no me aventuro muy lejos, de algunas de las ideas del filósofo y jurisconsulto napolitano Giambattista Vico (1668-1745). Enrigue, con una divertida lucidez, juega con esas fases de la historia universal que van y vienen a través de *corsi y recorsi,* siempre y cuando haya una mente capaz de recurrir a la penetración imaginaria, al don de la fantasía, para convocarlas. Ese don, en Enrigue, resalta a través de una de las prosas mejor trabajadas de la lengua, un oficio que se nota no sólo en la felicidad de las frases sino en el acabado final de casi cada capítulo: todos, diría yo que sin excepción, delatan al buen cuentista.

El conocimiento histórico al que aspiraba Vico era una empatía psicológica, un mecanismo anticartesiano basado en la convicción de que "la mente sólo entiende por completo lo que ha hecho por sí misma", tal cual decía, más o menos, el autor de *La ciencia nueva* (1725). El imán de esa sabiduría, el ser que la concentra es Jerónimo, el niño de 40 mil años que protagoniza la novela, quien ha reencarnado mucho, como se puede decir, de ciertas personas, que han vivido mucho.

Que *Vidas perpendiculares* sea una novela afín a un motivo tan alcurnioso de la filosofía de la historia no la hace aburrida aunque exija lectores muy atentos, que se encontrarán, otra vez, con la escritura sardónica y flemática de Enrigue, una escritura que cuenta, dado que busca problemas y los resuelve, con tentar a la satisfacción por medio de la relectura. Es el caso del cuento de las dos ciudades que antepone a la ciudad de México, babilónica, junto a Guadalajara, sede vacante de la íntima tristeza reaccionaria, o de la educación con los jesuitas, único purgatorio a la altura del arte en *Vidas perpendiculares* o de la gresca eterna entre paganos y cristianos que, para Enrigue, es la gran proyección, la única que invita a la permanencia voluntaria.

Vico, según cuenta él mismo en su *Autobiografía*, se cayó, a los siete años, desde lo alto de una escalera y quedó cinco horas tendido "sin movimiento y privado de sentido", lo cual hizo temer a su familia que, con el cráneo fracturado y tumefacto, pudiera quedar idiota. "Gracias a Dios [dice Vico usando la tercera persona] el juicio no se confirmó [...] pero curado del accidente quedó afectado de allí en adelante de un natural melancólico y áspero [...]"

Y como Vico, Jerónimo, nacido en Lagos de Moreno, Jalisco, en 1936, encontró su ciencia entre los jesuitas y pudiendo haber sido idiota, como el Macario de Juan Rulfo*, resultó un Funes, la criatura de Borges, como ya lo han notado los primeros lectores de *Vidas perpendiculares*. Jerónimo, a lo largo de sus vidas, siempre está en agonía. Pero mientras otros novelistas (Carlos Fuentes* en *La muerte de Artemio Cruz*, Broch en *La muerte de Virgilio*) decidieron atiborrar al moribundo de todos los recuerdos que se le puedan presentar, puntuales y conmovidos, en el lecho del moribundo, Enrigue lo pensó al revés y la memoria nutricia sustituye la muerte de las generaciones.

Pudo terminar *Vidas perpendiculares* en cualquiera de las vidas que acometen a Jerónimo, quien vive, al mismo tiempo, en muchos tiempos. Pero Enrigue decidió ser fiel a la nueva religión y sometió a Jerónimo a una ley superior, la del amor, decisión que habría satisfecho al filósofo napolitano pero quizá disguste a algunos de sus lectores, como si el autor no hubiera querido llevar hasta sus últimas consecuencias el arte de la memoria que su novela invoca. Enrigue decidió ponerle fin al deambular de Jerónimo con la liberación de sus avatares, reconciliándolo, en el sexo, a través del clímax y del sosiego. Fue como darle muerte a Melmoth el errabundo o al judío errante (2008).

Bibliografía sugerida
El cementerio de las sillas, Lengua de Trapo, Madrid, 2002.
Hipotermia, Anagrama, Barcelona, 2005.
Vidas perpendiculares, Anagrama, Barcelona, 2007.
Decencia, Anagrama, Barcelona, 2010.

ESPINASA, JOSÉ MARÍA
(Ciudad de México, 1957)

Poeta, traductor, crítico literario y cinematográfico, Espinasa es también uno de los más perseverantes de nuestros editores independientes. Entre los escritores que he conocido, Espinasa está entre los mejores lectores; al catálogo de sus recomendaciones, en poesía y narrativa, debo muchos de mis libros electivos, que él convirtió en lecturas comunitarias, desde Léon Bloy hasta Luis Cernuda*, pasando por Henri Bosco, cierta Elena Garro*, Paul Gadanne o Juan Ramón Jiménez. A Espinasa sólo cabe reprocharle la escasez de su bibliografía crítica, comprensible en un hombre dedicado a publicar a un puñado de autores que se cuentan entre los mejores de la lengua. Pero junto a sus empresas editoriales están libros indispensables de nuestra crítica que, como *Cartografías* (1989), *Hacia el otro* (1990), *El tiempo escrito* (1995) y *Temor de Borges* (2003), son la obra de un lector que se mueve con la misma desenvoltura entre la narrativa mexicana del medio siglo o la poesía argentina contemporánea. Pocos como él para encontrar los secretos de una obra, a menudo ocultos bajo el polvo de las convenciones manidas: así ocurre con los ensayos de Espinasa sobre Inés Arredondo*, Sergio Galindo*, Tomás Segovia*, Jesús Gardea*, Héctor Manjarrez* y algunos otros, en que pareciera que ha dicho la última palabra. El tono menor, las dicciones apenas musitadas, la tentación del silencio y las notas marginales caracterizan a los escritores que a Espinasa le apasionan.

Bibliografía sugerida
Cartografías, Juan Pablos Editor, México, 1989.
Hacia el otro, UNAM, México, 1990.
El tiempo escrito, Ediciones Sin Nombre, México, 1995.
Temor de Borges, Ediciones Sin Nombre, México, 2003.
Actualidad de Contemporáneos, Ediciones Sin Nombre, México, 2009.

ESQUINCA, JORGE
(Ciudad de México, 1957)

La muerte del padre es uno de los temas más dramáticos y legendarios de la poesía mexicana. El tópico es universal aunque entre nosotros aparezca como la maldición de Pedro Páramo: ver cómo el padre se acaba por derrumbar con un montón de piedras. Está el inolvidable fragmento de *Pasado en claro* (1975) en que Octavio Paz* recuerda la muerte de su padre, "atado al potro del alcohol" y desmembrado por un tren. Está en "† 9 de febrero de 1913" (1932), el soneto de Alfonso Reyes* dedicado al general rebelde Bernardo Reyes, acribillado en la víspera de la Decena Trágica. Está "Algo sobre la muerte del mayor Sabines" (1973), de Jaime Sabines*, tan recitado: "Esperar que murieras era morir despacio [...]"

Hay otros muchos, según me cuenta Hernán Bravo Varela, mi informante: al padre y a su muerte le han escrito poemas Enriqueta Ochoa ("Retorno de Electra", 1978), Francisco Hernández*, Vicente Quirarte, Eduardo Milán*, Daniel Téllez. Jorge Esquinca, con *Descripción de un brillo azul cobalto* (2010), toma su lugar con un poema largo que alterna y acaba por convertir en una —paralelas falsas, no euclidianas— a la muerte del padre y a la de Gérard de Nerval. No es extraño que Esquinca, devoto de ese romanticismo francés sublimado por Rimbaud, se haya decidido, a hacer del poeta Nerval, un padre.

Escribe Esquinca: "resuenan las pisadas de mi padre/en otra calle/en otro tiempo/Rue de la Vieille-Lanterne/dieciocho grados bajo cero/el cangrejo más pesado que una roca/en la noche de Tuxtla/de pronto fría como una morgue/avanza mi padre/avanza la niebla/no se puede ver nada/el aire se ha vuelto/el cangrejo es un trozo de cristal/*le gentil* Nerval/paga la cuenta /recoge su sombrero/retira al cangrejo de la mesa/las notas de un piano se rompen/contra el aire duro".

Esquinca es un poeta orfebre (el término, aunque cursi, es exacto) y es inevitable pensar en toda su obra como una corona que, primero sueño, fue meticulosamente diseñada hasta poder inscrustarle en el centro esa piedra negra, radiactiva, que es la muerte del padre. Esa voluntad en la cual el poeta se toma la molestia de anticipar, profeta y medio, sus poemas venideros es propia, además —lo dice Marc Fumaroli hablando de Maurice de Guérin— del creador de poemas en prosa; el género fantasmal por excelencia, aquel en que la prosa rememora un poema ideal que se esfumó sin haberse podido escribir y cuyo residuo se preserva. Lo sabe Esquinca, autor, en *El cardo en la voz* (1991), de algunos de nuestros poemas en prosa más penetrantes.

Es decir, *Descripción de un brillo azul cobalto* ya estaba explícito en *Alianza de los reinos* (1988), reunión de la primera parte de la obra de Esquinca, donde el padre y su coche aparecen asociados a la celebración de una parvada. Años después, el padre, siguiendo el curso natural, ya no es adánico, sino fúnebre, escatológico (asociado a la sabiduría de lo finito) y se une a Nerval, padre electivo de un poeta que elige fatalmente a sus héroes en el panteón romántico. En el cielo que comparten el padre, Nerval y Esquinca, caen ángeles, algunos sobre París, otros de oro hueco, sobre la cabeza del padre, quizá durante el temblor capitalino de 1957, año de nacimiento de Esquinca. En ese mismo cielo siguen apareciendo las mujeres-niñas, algunas del orden místico, que cruzan toda la poesía de Esquinca: doncellas, hilanderas, sibilas.

Quizá el motivo de la muerte del padre fue perfeccionado por Esquinca en *Vena cava* (2002), su mejor libro, donde se lee un poema excepcional, "La última moneda". El poeta se despide de un moribundo, quien a lo largo de la vida se meció en las aguas del erotismo y que ahora espera en otro mar. Ese moribundo apenas escucha el ruego, a la vez imperativo y tierno, mandón, de quien lo ve morir: "¿Qué puedo hacer por usted? ¿Hay algo que todavía pueda hacer por usted?" Sorpresivamente, le responde: "Dame diez pesos. Dame una moneda de diez pesos […] Sí. Necesito diez pesos para mi pasaje".

El poeta busca la moneda que su maestro Elías Nandino* —nos enteramos al final del libro— necesitaba con urgencia para pagarle el viaje a Caronte y cruzar el río de la muerte. Esquinca, como todo poeta, quiere pasarse de listo y como Orfeo, Heracles o Psique, hacer el viaje gratis y volver para contarlo. *Descripción de un brillo azul cobalto* desarrolla, creo, aquel poema de *Vena cava*: el padre se desdobla en maestro (del poeta Nandino al poeta Nerval) y Esquinca, no en balde el traductor de Maurice de Guérin y nutrido de clasicismo como buen romántico, cambia a la muerte por el sueño. La moneda muda, también, de destino: pasaba de boca en boca, alimento de los amantes en *Alianza de los reinos*. En *Vena cava* sirve de óbolo, precisamente y se la lleva el padre-maestro sobre los ojos.

Esquinca ha consagrado, en desorden, sus poemas a los tres reinos (y a un cuarto reino, el del corazón) y le ha llegado, en *Descripción de un brillo azul cobalto,* la hora del padre, confiado (como lo estuvieron antes que él Reyes y Paz, no Sabines) en que la puerta de la infancia (lo parafraseo) no cierra. Dice Esquinca: "Como el vapor en la atmósfera/de un hospital donde mi padre/abre los ojos para que yo vea/la muerte habitarlo súbita/violenta eficaz insondable/la muerte que vuelve/a ocupar un espacio suyo/desde siempre/así/como lo digo/en un santiamén".

El padre, decía el fenomenólogo Eugène Minkowski, remite al género, la madre, al individuo, somos personas en la medida materna, mientras que la tribu, la civilización, es paternal. Es raro encontrar a quien se inventa una madre; no se puede sobrevivir sin la invención de un padre.

Bibliografía sugerida

Alianza de los reinos, FCE, México, 1988.
El cardo en la voz, Joaquín Mortiz, México, 1991.
Vena cava, Era, México, 2002.
Descripción de un brillo azul cobalto, Era, México, 2010.

F

FABRE, LUIS FELIPE
(Ciudad de México, 1974)

Pocas obras considero tan felizmente engañosas que la de Fabre, quien —para decirlo en los términos clásicos de Octavio Paz*— parece provenir de la ruptura cuando es uno de los más tradicionales entre los poetas que se dieron a conocer en la primera década del nuevo siglo. En su elogio de Salvador Novo* (sin duda, su profeta), nos recuerda Fabre que el autor de los *Poemas proletarios,* hizo todo lo que pudo para no escribir una Obra Maestra y ser la antítesis de José Gorostiza*: pasar a la historia como el poeta que no escribió nada semejante a *Muerte sin fin.* Por su formación poética y por su temperamento intelectual, Fabre pareciera provenir de aquello que está más allá de las vanguardias, de la agitación de lo posmoderno y sus cien mil derivas y neobarroquismo. Su único libro de ensayos lleva un título que no sólo es uno de los más amenazantes en la historia de nuestra literatura, sino que no parecía augurar otra cosa que al profesor y a su vademécum: *Leyendo agujeros. Ensayos sobre (des)escritura, antiescritura y no-escritura* (2005).

Leyendo agujeros no es lo que parece, por fortuna, y es un ensayo claro, conciso, inteligente. Habla Fabre en él de poetas que murieron más o menos jóvenes y se abismaron en el silencio, la no-escritura que tanto seduce, desde Rimbaud, a los modernos: habla de Ramón López Velarde, del argentino Néstor Perlongher (1949-1992), de los mexicanos Ulises

Carrión (1941-1989) y Mario Santiago Papasquiaro (1953-1998), así como de Roberto Bolaño*, un poeta que en *Los detectives salvajes* decidió, dice Fabre, que la poesía estaba en otra parte, en la novela. Al cuarteto lo justifican los casi cien años de Nicanor Parra, quien deslumbró a un jovencísimo Fabre con aquella pantomima genial: su discurso iconoclasta de recepción de lo que fue el Primer Premio Juan Rulfo en Guadalajara, en 1991.

Cita Fabre lo literalmente ilegible en "El sueño de los guantes negros" de López Velarde, habla de los desaparecidos y el poema-paradoja que Perlongher les dedicó, de los ejercicios encaminados a la desesperación del poema que en 1973 hizo Carrión sustituyendo progresivamente las letras por guiones, comas y espacios en blanco, etc., puerilidad que a aquella época (y a Paz, en *Plural*) le parecía interesante. Se pregunta por la misteriosa inexistencia de la poesía de Papasquiaro, el legendario Ulises Lima de Bolaño, pregunta que el propio Fabre hubo de responderse cuando apareció *Jeta de santo* (2008), la recopilación póstuma y entonces, de lo perdido lo que apareció, a Fabre, en una reseña en *Letras Libres*, le costó decir que estábamos, simplemente, a un anexo documental de *Los detectives salvajes*.

Considerando a *Leyendo agujeros* como la antesala crítica de *Cabaret Provenza* (2007) y *La sodomía en la Nueva España* (2010), sus principales libros de poesía, puede decirse que es un poeta al cual no cabe reprochársele el haber publicado nada superfluo, ni en prosa ni en verso, elogio en el que estarán de acuerdo la mayoría de sus lectores. Pero del observador participante de la no-escritura no queda gran cosa si se leen una y otra vez lo mismo el volumen más reciente que *Cabaret Provenza*, la *opera prima* más festejada de un joven poeta mexicano desde que aparecieron los de José Luis Rivas* y Fabio Morábito* hace un cuarto de siglo o más.

Notables son las virtudes de Fabre: su felicidad sintética, la precisión humorística, la musicalidad en buena ley pegajosa. Pero notable es también el desfile idiosincrático de personajes poéticos pintados por sí mismos, extrañamente decimonónico, que involucra a un vendedor de biblias, a la virgen, al seminarista, a la criada ("Elegía", hermoso poema, es un relicario que guarda un Boticelli), al chupacabras. A los retratos se suman las réplicas de la tradición provenzal y de los poetas aztecas según Miguel León-

Portilla*, haciendo de *Cabaret Provenza* una antinomia consagrada: es así como un poeta posmoderno, tradicionalmente, combinaba —se diría en el futuro— lo popular y lo culto.

Fabre consume lo que se supone es la dieta anticalórica de los posmodernos: el dominio proteico de la cita, la paráfrasis un tanto chillona de los estilos "modernistas", el saqueo casi tecnológico de los sitios arqueológicos del pasado literario. Pero insisto en que el resultado, ante *La sodomía en la Nueva España*, muestra a un poeta comprometido en preservar una tradición a la vez civil e histórica, la de Novo, en su defensa de lo usado, y la de Carlos Monsiváis*, a quien Fabre describió, con motivo de su muerte en 2010, como el no-poeta que nos enseñó, en verdad, dónde estaba la poesía y dónde no lo estaba. En estos dos grandes escritores homosexuales, Fabre, de alguna manera, se busca y se reconoce.

La sodomía en la Nueva España es un poema de archivo que reconstruye, dice Fabre, "la encarnizada persecución de homosexuales registrada en la Nueva España durante 1657 y 1658", sirviéndose de las investigaciones de Serge Gruzinski, Federico Garza, Guilhelm Olivier, Georges Baudot y otros historiadores. En la raíz de este auto sacramental de Fabre está un ensayo de Novo, "Las locas y la Inquisición" (1972). El poema de Fabre es solemne, enfático y se antoja verlo representado, así sea fantasmalmente: es un coro de maldecidos y torturados a través del cual se escucha, a ratos y adrede, a Quevedo. Hablan, por un lado, los protagonistas —Fabre se sirvió también del *Diario* (1648-1664) de Gregorio Martín de Guijo— y se les inventa, a las víctimas, una voz genuinamente patética, como cuando se escucha lo siguiente: "A la manera de los perros:/los sométicos, los sodométicos, los sodomitas/A la manera de los traidores: por detrás/A la manera de la Nada/que nada engendra/son sus amores".

A este "Retablo de sodomitas novohispanos" lo completan unos villancicos y un monumento fúnebre: Fabre se sirve con gracia de toda la tramoya del Siglo de Oro para representar un drama histórico de una manera del todo legítima, mediante la verdadera invención. El archivo, realmente, ha sido quemado por el poeta y de sus brasas ha aparecido no una transcripción sino un poema. Pero el riesgo del autosacramental es la teología moral: un libro como *La sodomía en la Nueva España* puede pasar de manera equívoca como literatura de género, es decir, expositiva e ideológica. Lo sabía don Marcelino Menéndez Pelayo y lo sabe Luis Felipe Fabre.

Bibliografía sugerida
Leyendo agujeros. Ensayos sobre (des)escritura, antiescritura y no-escritura, Conaculta, México, 2005.
Cabaret Provenza, FCE, 2007.
La sodomía en la Nueva España, Pre-Textos, Valencia, 2010.

FADANELLI, GUILLERMO
(Ciudad de México, 1960)

Pocas semanas después de leer *Lodo* (2002), de Guillermo Fadanelli, asistí a la proyección de *El amigo americano*, que dirige Liliana Cavani inspirada en la novela homónima de Patricia Highsmith. Tanto la película como la novela, para no hablar de todos los libros de la escritora texana, enseñan que cada hombre siempre está más cerca de lo que piensa de cometer un homicidio. El tema es irremediablemente moderno y remite a un nietzscheanismo diletante (por fortuna no se ha encontrado otro) aunque a decir verdad habría que atribuir la paternidad de la idea a Dostoievski.

"Matar a otro hombre es el mayor anhelo que uno trae en el bolsillo", dice el profesor de filosofía Benito Torrentera, el antihéroe de *Lodo,* novela que cuenta la historia de un pobre diablo que se involucra, por aburrimiento o por afán de protagonismo, en una serie perfecta de acontecimientos criminales, seducido por Eduarda, mujer vulgar en la que creyó ver una hipóstasis de la grandeza y de la crueldad de todo el género femenino. La fuga erótica del profesor Torrentera, impelido a vivir peligrosamente, termina en la cárcel, no sin antes ver cumplido su deseo de conocer Tiripitío, pueblo michoacano donde el agustino fray Alonso de la Vera Cruz fundó el Estudio General o el Gimnasio Mayor, la primera escuela de filosofía del continente americano.

Fadanelli empezó por ser un escritor maniqueo y pudo terminar siendo, tan sólo, un cronista del *underground*. Su talento le permitió olvidarse de ciertas moralinas contraculturales y, a través de la amarga filosofía moral, convertirse en el solvente autor de *Lodo*. Sobre casi todos los tópicos que su narración le va exigiendo, Fadanelli tiene una opinión aguda e inteligente que dar, pues es uno de esos escritores que no dejan de mirar un objeto hasta no extraer de él todas sus posibilidades. El viaje del profesor Torrentera y de su Eduarda, para no hablar del resto del repertorio, es un desplazamiento por la geografía de los oficios y de los sentimientos, desde los misterios de la vida ciudadana hasta la bárbara incuria de la provincia. Quizá *Lodo* sea, además de un manual de filosofía que funciona como novela, una meditación sobre el hombre victimable, no otra cosa que el alguna vez llamado varón domado: "Yo no albergo [confiesa el profesor Torrentera] ninguna animadversión especial en contra de las mujeres. Sólo les temo porque conozco el daño que son capaces de hacerme". Entre los aforismos que Fadanelli deja caer mañosamente a lo largo de su novela subrayé uno que lo define: "Entre mayor es la maleta de una persona, mayor es el grado de su imbecilidad". En alguna ocasión viajé con él y puedo atestiguar que su maleta era la más pequeña. Pero el equipaje es otra cosa, y Fadanelli viaja con un mundo entero.

Bibliografía sugerida

Lodo, Debate, México, 2002.
Compraré un rifle, Anagrama, Barcelona, 2004.
Dios siempre se equivoca. Aforismos, Joaquín Mortiz, México, 2004.
La otra cara de Rock Hudson, Anagrama, Barcelona, 2004.
Educar a los topos, Anagrama, Barcelona, 2006.
Malacara, Anagrama, Barcelona, 2007.
Elogio de la vagancia, Random House Mondadori, México, 2008.
Hotel DF, Random House Mondadori, México, 2010.

FERNÁNDEZ, SERGIO
(Ciudad de México, 1926)

Desdeñado como una figura de tránsito entre su propia generación —que clausuró los paraísos perdidos provincianos— y el experimentalismo de los años sesenta, Fernández debería ser leído de una manera más generosa, como el contemporáneo cabal que fue de Carlos Fuentes*, de Salvador Elizondo*, de Juan García Ponce*, salvando la distancia que desdibujó su perfil frente al brillante protagonismo de figuras intelectuales más resueltas y combativas. Durante algún tiempo creí que la visión plateresca de la novela de Fernández había cristalizado en la obra de sus contemporáneos y de sus discípulos mejor que en la suya propia. Fui injusto y quince años después, en un nuevo siglo donde la celebridad literaria suele ser una marca infamante que premia la banalidad y castiga el rigor, no me puedo dar el lujo de desaconsejar novelas como *Los signos perdidos* (1958), *En tela de juicio* (1964) y, sobre todo, *Los peces* (1968) y *Segundo sueño* (1976).

Los peces es otra de aquellas crónicas de un instante donde la abolición del espacio narrativo aparece asociada con la puesta en escena de un asedio erótico que, en este caso, involucra a un sacerdote y a una mujer, a través de la cual puede ser entrevista la filósofa española María Zambrano, sorprendida durante su destierro romano. Pero si *Los peces* es una de aquellas floraciones menores características del clima de una época más que del talento de quien las cultiva, *Segundo sueño* merece visitarse como una isla selvática situada en la ruta del archipiélago que incluye a *Terra Nostra* (1975), de Carlos Fuentes*; *Palinuro de México* (1977), de Fernando del Paso*; *Crónica de la intervención* (1982), de Juan García Ponce*, o *Si muero lejos de ti* (1979), de Jorge Aguilar Mora*, que crea un microcosmos donde el discípulo radical y romántico le responde a su maestro conservador y neoclásico.

Bitácora que narra la escritura académica de la biografía de un pintor renacentista, *Segundo sueño,* novela atiborrada de guiños herméticos y bisuterías esotéricas, abunda en páginas de una resuelta belleza y es una de aquellas novelas que premian en la página final, magistralmente resuelta, el esfuerzo que su lectura exige. Mientras Fuentes, en *Terra Nostra,* nos invita a recorrer, de la mano de Malraux y de Felipe II, un Escorial que incluye todos los grandes museos, reales e imaginarios, del mundo, Fernández construyó en *Segundo sueño* una miniatura museográfica barroca sólo habitable para quienes votan por la escritura contra la ficción. Pese a que conspiran contra Fernández el empastelamiento, el solipsismo y el empapelamiento, debe decirse que *Segundo sueño* es una de las pocas novelas genuinamente pictóricas —tratado y catálogo— de la literatura mexicana.

Profesor universitario de larga trayectoria, Fernández es también, más que el feble autobiógrafo de *Los desfiguros de mi corazón* (1983), un penetrante retratista especializado en los personajes femeninos universales. Escritos a la manera venturosamente anticuada de Sainte-Beuve, a la vez doctorales y periodísticos, los *Retratos del fuego y la ceniza* (1968) examinan con toda minucia a las heroínas de Durrell, Choderlos de Laclos, Azuela, Cervantes, Stendhal o Flaubert. Pero acaso fue su propia noción de *empeño*, tomada de sor Juana Inés de la Cruz, la que condenó la puerta literaria de Fernández, pues lo que quiso ser un "anhelo serio, desgarrador, esperanzado" devino en oficiosa maestranza desprovista de las consecuencias cómicas o trágicas que distinguen y preservan a la verdad novelesca. Enclaustrado en la academia, Fernández terminó por abaratar sus investigaciones estéticas recurriendo a las artes charlatanas de la quiromancia o la astrología, empeños en los cuales comprometió a los más incautos entre sus alumnos. Pero siempre quedan por escribirse capítulos esenciales de la historia literaria: no me extrañaría que una novela barroca como *Segundo sueño* y una figura excéntrica como la de Fernández encontraran, en un punto a transitar del horizonte, a esos lectores comprometidos que nosotros no pudimos o no quisimos ser.

Bibliografía sugerida

Los signos perdidos, Compañía General de Ediciones, México, 1958.
En tela de juicio, Joaquín Mortiz, México, 1964.
Los peces, Joaquín Mortiz, México, 1968.
Segundo sueño, Joaquín Mortiz, México, 1976.
Los desfiguros de mi corazón, Nueva Imagen, México, 1983.
Retratos del fuego y la ceniza, FCE, México, 1983.

FERNÁNDEZ GRANADOS, JORGE
(Ciudad de México, 1965)

En el año 2000 —esa fecha en que los niños de hace cuarenta años nos imaginábamos casi viejos y habitando en el planeta rojo— el poeta Fernández Granados publicó dos libros: *Los hábitos de la ceniza* y *El cristal*. No es sorprendente que ambos libros sean tan diferentes entre sí: estamos ante un poeta demasiado educado, cuyo disciplinado duende juega diestramente con variados registros. Puede ser solemne o chispeante, según el caso, aunque se esfuerce por contrariar a su naturaleza melancólica. Melancolía más renacentista que romántica, atareada en detectar los humores biliosos en la naturaleza y no en el alma: el doctor Burton y el ceniciento Bruno antes que Nerval.

Pero no es un obsolescente este poeta, y en *Los hábitos de la ceniza* leemos páginas que ilustran la obsesión central de los poetas —y no pocos de los narradores— nacidos en los años sesenta: el minimalismo (o el testismo, como se llamaba en el año de la castaña a la escuela de *Monsieur Teste*). Esta tendencia suele reducir la experiencia a un testimonio capilar, como si la carne, el demonio y el mundo se hubiesen reducido dramáticamente y al escritor sólo le quedasen, transformado en ciempiés, apenas unos centímetros para desplazarse, demorado en el inventario de los objetos y de las sensaciones más próximas a la mente. Esa palinodia del polvo, ese viajar entre algunos desperdicios domésticos, son elementos suficientes para perderse en lo que en otra parte he llamado el arte de vestir pulgas. Es el caso de "Mínimos Ulises", donde Fernández Granados espera "que la vida alguna vez cambie de tema" para habitar "lugares hechos a la medida de nuestras debilidades/donde alguna vez fuimos lo mismo/pero de otra manera, acaso más modesta".

Los hábitos de la ceniza, en sus dos o tres poemas más notables, recurre al Eclesiastés: "Para qué más libros/teatro vacío donde actúa el alma/ y deja su millar de soliloquios,/vanidad del papel contra el olvido". Esa desdicha ante la vanidad del saber (y del conocer) se manifiesta mejor en "Las cosas", donde el poeta alude a la ceguera, o en "Non Serviam", magnífico treno sobre los hijos que no nacerán. En otros poemas, como en

"Laúd de Villaurrutia" o en "Cama de Onetti", es a los escritores electivos a quienes toca cargar con la responsabilidad del "cansancio (natal) del descreído".

Si en *Los hábitos de la ceniza* Fernández Granados escoge una lectura del Eclesiastés en tanto que anticipada condena de lo fáustico, en *El cristal* muestra la otra cara de la moneda y presenta al poeta como el último depositario legítimo de la curiosidad del sabio. *El cristal* es un álbum cuya fuerza visual remite irremediablemente a los famosos *collages* de Max Ernst, pero sobre todo —y Fernández Granados lo dice— a Athanasius Kircher, el padre de los polímatas del Renacimiento.

Como el viejo Kircherio, al que sor Juana y fray Servando leyeron atentamente, *El cristal* postula a la poesía como registro minucioso de los prodigios terrestres y las maravillas estelares: taxonomía del universo donde la zoología, la botánica o la astrología judiciaria se manifiestan ajenas a la neblinosa frontera moderna entre el inventario científico y la fantasía mitológica. De los poemas en prosa de Fernández Granados saltan criaturas como el alima, gata terrestre que "bebe leche para alimentar su sigilosa fuerza", las piraustas, "mariposas blancas que viven en el fuego" o ese lagarto que "aborrece a este enfriado planeta como se aborrecen dos viejos y silenciosos enemigos". Se dirá que ya son muchos los manuales de zoología fantástica; yo replicaría que nunca serán suficientes. Más interesante sería reparar en que Fernández Granados, como muchos lectores de su generación y de la anterior, tomamos (pues me incluyo) la poética de Bachelard como una llave maestra de todas las puertas. Ha comenzado a ser notorio que esa "imaginación material" pasó de ser un hallazgo a convertirse en una noble, cansina asignatura, notoria a simple vista en cualquier currículum poético.

Si hace cuarenta años me hubiesen mostrado la familia, el género y la especie de los endriagos que, a través de la poesía de Fernández Granados, me esperaban como compañía, no sé qué hubiera pensado. Pero hoy sé que esas inmortales figuras fantásticas, siempre presentes, a veces olvidadas, están visibles —pertenecen al mundo legible— gracias al poeta Fernández Granados, que las nombra, las invoca, las clasifica.

Bibliografía sugerida
El cristal, Era, México, 2000.
Los hábitos de la ceniza, Joaquín Mortiz, México, 2000.
Principio de incertidumbre, Era, México, 2009.

FUENTES, CARLOS
(Ciudad de Panamá, Panamá, 1928-ciudad de México, 2012)

Visión y origen de una obra. La obra de Fuentes es el conjunto más complejo y variado de la narrativa mexicana. Desde sus novelas ya no puede hablarse de "progreso" en nuestras letras. Los libros de Fuentes reúnen todas las conquistas y tendencias de la literatura contemporánea. Suma y crítica de la novela moderna, destrucción de mitos y endiosamiento de los nuevos ídolos, la obra de Fuentes fija y suspende los límites de la modernidad. Los treinta y tres años que van de *Los días enmascarados* (1954) a *Cristóbal Nonato* (1987) son un trayecto cuya extensión alberga un misterio que, teniendo como centro obsesivo a México, rebasa las fronteras de su literatura. Fuentes lo ha querido todo, desde la recomposición de una cosmogonía mexicana hasta la refundación de la historia de la lengua, pretendiendo tocar con ambos pies las orillas del Atlántico. Hasta dónde ha llegado y cuáles son las fronteras de un proyecto cuya ambición supera varias de las aventuras novelescas de nuestro tiempo son las preguntas que recorren estas páginas.

El cuento "Chac Mool", que abre *Los días enmascarados,* contiene en toda su simplicidad de texto juvenil todo el universo potencial de Fuentes. Como ya se ha señalado con recurrencia, la transparencia del texto es patética. Un burócrata —que bien pudo ser el personaje de *El libro vacío* (1958), de Josefina Vicens*— compra una estatuilla del Chac Mool en La Lagunilla. En pocos días la deidad azteca cobra vida y obliga a su propietario a la huida y a la muerte. Fuentes comienza su carrera de escritor dando infusión vital a una estatua indígena, inventándola como coartada novelesca y horizonte cultural cosmológico. Esta obra de Fuentes se apoya en las transformaciones viscerales y mecánicas de semejante golem. Como a su anodino poseedor, el Chac Mool parece haber devorado a Fuentes, y el odioso mestizo en que se metamorfosea esa divinidad al recibir el cadáver de su creador es la nación grotesca que aparece en *Cristóbal Nonato*.

Los días enmascarados no se parece a ninguna obra literaria de sus días. Tiene atrás, sin duda, algo del versátil magisterio de Arreola*. Comparte con la atmósfera filosofante de su época esa obsesión ontológica por la mexicanidad que sigue siendo la jaula de oro que habita Fuentes. Pero la solución propuesta desde ese primer libro al enigma genésico del mexicano no tenía antecedentes narrativos y nadie hubiera prefigurado las dimensiones hercúleas de la resurrección "modernista" de los antiguos dioses que el joven Fuentes planteaba.

En los temas de *Los días enmascarados* se encuentran todos los temas del deliberado "modernismo" de Fuentes: el saqueo novelesco del mito, la disgresión semántica, la deconstrucción de la historia, la crítica del propio modernismo y la extrapolación futurista.

En la entrevista que Emmanuel Carballo* —con quien fundó la *Revista Mexicana de Literatura* en 1955— le hace en 1962, el novelista cuenta sus orígenes y se dibuja de cuerpo entero desde entonces: "El Chac Mool surgió, como numerosas obras literarias, de la lectura de una gacetilla de un periódico. Una exposición de arte mexicano visitó Europa en 1952. En ella figuraba el Chac Mool, dios de la lluvia. Éste, a su paso, produjo tempestades y cataclismos. La gente le ponía centavos en la barriga, e inmediatamente se desencadenaba una tormenta espantosa. Los datos de la nota roja artística es un hecho evidente para todos los mexicanos: ¿hasta qué grado siguen vivas las formas cosmológicas de un México perdido para siempre y que, sin embargo, se resiste a morir y se manifiesta, de tarde en tarde, a través de un misterio, de una aparición, de un reflejo? La anécdota gira en torno a la persistencia de viejas formas de vida" (Carballo, *Protagonistas de la literatura mexicana*, 1986).

El desarraigo es el punto de partida permanente tanto de Fuentes como de sus críticos. El origen de la cosmogonía en Fuentes carece de la profundidad ctónica de un Juan Rulfo*. No es difícil adivinar que procede de una combinación banal como la expuesta arriba: unir la mirada turística y folclórica con la ansiedad ontológica. El truco es el mismo en toda la prosa fuentesiana. Lo que ganó con su inmenso talento fue venderlo al mundo y presentarlo como un acto no pocas veces genial de prestidigitación novelesca.

Sigamos con Fuentes y Carballo: "—¿Es cierto, Carlos, que en tu quehacer literario luchas como un boxeador con las palabras? —Es verdad. No me gusta darle la mano a ninguna palabra, ni pedirle que tome asiento y que converse con ella. En la puerta misma me gusta agarrarla a bofetadas y ver cómo responde la rejega palabra. Debemos crear para las palabras una aduana artística: no dejarlas entrar en su acepción común y corriente. Las palabras esconden mucho más de lo que el uso diario les confiere [...] Crecí en un país de habla inglesa, en una cultura pensada y vivida en inglés. Mi lucha continua por conservar el español fue una lucha que abarcó toda mi niñez. Fui un niño a punto de perder su idioma nativo cada veinticuatro horas. El idioma quería decir para mí nacionalidad: era un conjunto opresivo de significados sujetos siempre a lucha, a reconquista [...] A partir de *Los días enmascarados* sentí la necesidad de luchar con las palabras castellanas, con esa literatura feudal, terrible, que hemos heredado, tan orgullosa de sus caracteres prístinos, de su pureza, de su heráldica, de su envejecimiento".

La ventaja de Fuentes era la de no provenir de la tradición de la prosa mexicana y, escasamente, de la española. Esa libertad le permite fundar explícitamente la novela modernista en México. Pero como todo conquistador, Fuentes ignora a sus precursores. Llamar "feudal" a la literatura hispánica en el siglo, no se diga de la Generación del 27, sino de Valle-Inclán, Reyes*, Guzmán*, Gómez de la Serna o Julio Torri*, es ser llanamente pedante. Semejante arrogancia dio a Fuentes, cómo negarlo, un impulso que las cuitas con la tradición, en otro caso, hubieran impedido. Por ello Fuentes nunca se buscó en la novela mexicana. No tenía por qué hacerlo. No en balde reconoce con sinceridad —en esa misma sinceridad— a D. H. Lawrence y Aldous Huxley entre sus maestros, literatos británicos que escribieron sobre México. A diferencia de ellos, Fuentes llegó para quedarse: uno de los críticos más ingeniosos del nacionalismo oficial se convirtió en el más complejo y radical de los mexicanistas. José Revueltas*,

Rulfo o Agustín Yáñez* se nutrieron de los ríos que rodearon a la novela de la Revolución mexicana. Fuentes, más joven, llegó con una añoranza y una convicción: nombrar a México. La inocencia turística de "Chac Mool" se convirtió en una manda. Esa separación distingue a Fuentes de sus estrictos contemporáneos. Mientras maestros modernos como Rosario Castellanos*, Jorge López Páez*, Sergio Galindo* o Elena Garro* volvían, liberados por Rulfo, a explorar sus infancias, Fuentes, hijo sin padre, decidía crear el mundo de un único y sonoro golpe.

La verdadera historia de Fuentes comienza en 1958 con *La región más transparente*. Nacían, como siameses, el genio y la figura, el autor y la obra. Disociarlos con justicia o entenderlos en su unidad es, desde entonces, una pesadilla de la *intelligentsia* mexicana. Elena Poniatowska recuerda fascinada: "Junto al libro de pastas duras, surge un joven sofisticado y cosmopolita, dispuesto a demostrar que es dueño del mundo. Así como Pita Amor llega al Sans Souci, al Leda, desnuda bajo su abrigo de mink y grita '¡Yo soy la reina de la noche!', Fuentes piafa, tasca su freno, espera la señal, la puerta que se ha de abrir automáticamente, el 'arranquen', el balazo en el aire. A los treinta años (nace el 11 de noviembre de 1928, bajo el signo de Escorpión) Fuentes es un muchacho alto, sin inhibiciones, guapo, delgado, que se viste bien, muchas veces de lino blanco, tan impecable como Alec Guiness en *El hombre de Panamá* […]" (Elena Poniatowska, *¡Ay vida, no me mereces!*, 1982).

Las críticas que desató la novela, en su momento, hoy parecen inútiles. El derrumbe que Rulfo había provocado en la retórica nacionalista era tan profundo que podía ser ignorado. Era un hecho silenciosamente mítico. En cambio, Fuentes peleaba, con una capacidad de combate nunca antes vista, en la arena iluminada del nacionalismo cultural. Su victoria es inolvidable. Dueño de todos los recursos artísticos, ahíto de audacia, brillante hasta enceguecer, Fuentes fundaba la *profesión* de la novela. Desde entonces, *hélas!*, México tiene a *su* novelista (*Antología de la narrativa mexicana del siglo XX*, II, 1991).

Terra Nostra y su huella. La "Edad del tiempo", título que Fuentes ha dado a su obra completa, es la crónica de la decadencia y la ruina de un escritor que, habiendo sido el fundador de nuestra novela moderna terminó por convertirse en notario del agotamiento de la concepción misma de "mexicanidad". Entre *Los días enmascarados* (1954) y *La silla del águila* (2003) han transcurrido cuarenta y nueve años durante los cuales Fuentes funda y agota la noción de un México genésico, atrapado en una noche de los tiempos que invariablemente remite al caos reptante de esos ídolos prehispánicos que, al ocultarse tras los altares de la leyenda negra, no cesan de manipular a una nación cuya incapacidad genética para ser moderna constituye la insistente y terrible obsesión de Fuentes. Obsesionado con la ontología filosofante del mexicano que pergeñaron los académicos locales en el medio siglo, Fuentes ha convertido su propia obra en la prueba de ese "subdesarrollo" que él denuncia sin cesar: una novelística a la cual no le interesa la condición humana, sino la fosilización caracterológica del mexicano y una prosa interesada no tanto en la historia de México sino en la confirmación determinista de un conjunto de leyes mitológicas llamadas a explicar el destino de una nación.

Aquel joven escritor ("cardenista y joyceano", como lo llamó José Joaquín Blanco*) que deslumbró por su cosmopolitismo al México de los años cincuenta se convirtió, más temprano que tarde, en un escritor caduco y provinciano, pues mientras sus lectores crecieron y se transformaron en ciudadanos del mundo, él insistió (e insiste) en explicar a un cada vez más reducido público internacional los misterios del alma mexicana. El ejemplo más tajante del envejecimiento prematuro de Fuentes está en su comparación con Octavio Paz*, su maestro y hermano mayor. Es interesante comparar la evolución intelectual de Fuentes con la de Paz, quien habiendo explicado metafóricamente la matanza del 2 de octubre de 1968 mediante el simbolismo de la pirámide de los sacrificios en *Posdata* (1969), tuvo la juventud de espíritu necesaria para abandonar las categorías que él mismo había construido en *El laberinto de la soledad* (1951) y reinterpretar el México contemporáneo en clave profana. Fuentes, en cambio, el hijo más conspicuo de *El laberinto de la soledad*, jamás buscó ni quiso encontrar el hilo para salir del laberinto.

Tras *La región más transparente* (1957) y *La muerte de Artemio Cruz* (1962), Fuentes se convirtió en el joven abuelo de la literatura mexicana, en el notario de sus mitologías y, tempranamente, en el propietario de las claves del apocalipsis al que estaban condenadas la vieja y la nueva Tenochtitlán.

La empresa de Fuentes, monumental, se ha ido desgajando ruidosamente década con década y son pocos quienes han podido permanecer indiferentes al estrépito de un derrumbe que asusta y ensordece. Para los críticos que en 1968 tenían veinte años (señaladamente Blanco*, Adolfo Castañón*, Enrique Krauze* y Evodio Escalante) ha sido impensable permanecer indiferentes frente a la obsecada y ciega vigilia de Fuentes en ese laberinto de la mexicanidad que lo conserva como su único habitante. Desde *Cristóbal Nonato* (1987), su último esfuerzo narrativo de consideración, Fuentes sorprende por la penuria intelectual de cada una de sus novelas, tan desatinadas que ni sus mejores amigos osan defenderlas públicamente: *Diana o la cazadora solitaria* (1994), *Los años con Laura Díaz* (1998), *Instinto de Inez* (2001), *La silla del águila* o *La voluntad y la fortuna* (2008). Pero si Fuentes defrauda es porque de manera un tanto necia (e inclusive solidaria) seguimos esperando que vuelva a ser quien se supone que fue alguna vez. Mal que nos pese, en el infierno didáctico fuentesiano habitan muchos de los sueños y las pesadillas de los intelectuales mexicanos de la segunda mitad del siglo xx.

Pero ¿hubo alguna vez un gran Carlos Fuentes?, ¿o toda su obra, y con ella los empeños de sus críticos, es sólo un espasmo endogámico en la querella nacionalista mexicana? Sí, sí hubo un gran Fuentes, el autor de *Terra Nostra* (1975), el único de sus libros que puede ser leído más allá del horizonte mexicano y la novela que lo sobrevivirá. Toda la obra de Fuentes parece haber sido planeada para llegar a *Terra Nostra* —libro hermano de *Rayuela, Cien años de soledad, Conversación en La Catedral*—, en la misma medida que todas las novelas fuentesianas posteriores son una expedición furtiva por los tesoros de *Terra Nostra,* al grado de que treinta años después el novelón aparece como una fortaleza saqueada e incendiada por su propio arquitecto.

Cronicón real de la grandeza y las miserias de los Austria, gran teatro del mundo que recita a Cervantes, a Tirso de Molina y a Quevedo, *Terra Nostra* es el gran libro de la leyenda negra y una estupenda respuesta a la

Historia de los heterodoxos españoles, de Marcelino Menéndez Pelayo. En un momento en que la literatura peninsular apenas se preparaba para saldar la pesadísima hipoteca de la Guerra Civil y el franquismo, de América Latina venía una polisémica propuesta de reconciliación novelesca de España con sus fantasmones. Las dificultades de lectura de *Terra Nostra,* que desalentarían a los blandengues (y aterrorizarían al lector que Fuentes actualmente corteja), se ven compensadas por la sonora belleza de su prosa. De igual forma, las apariciones, no por intermitentes menos geniales de personajes como la enana Barbarica, Ludovico o el ciego ratón, hilvanan un conjunto de historias que más que un comentario del barroco parecen su invención. Fuentes ofrece en *Terra Nostra* (junto a *Cervantes, una crítica de la lectura*) una biblioteca española y americana que ha creado nuevos lectores, aquellos empeñados en reinterpretar, en ambas orillas del Atlántico, el sino y el ocaso de ese gran imperio europeo sin cuya memoria, y frecuentación, es imposible entender la cultura del Nuevo Mundo.

Uno de esos libros que es mejor haber leído que estar leyendo, como dijo Edmund Wilson de los de Gertrude Stein, *Terra Nostra* ha tenido una influencia enorme (y escasamente reconocida) en los narradores hispanoamericanos empeñados en continuar con la crónica de Indias. Todos ellos miran hacia *Terra Nostra,* una suerte de enciclopedia imperial a través de cuyas entradas pueden rastrearse con facilidad desde lecturas y paráfrasis de Quevedo, el teatro de los Siglos de Oro, la crónica de Indias, el criptojudaísmo hasta la obra crítica de sabios como Marcel Bataillon y Américo Castro.

Pocos escritores han poseído el talento de Fuentes para arrancarle sus secretos a la pintura, como puede observarse en un libro de arte como *Viendo visiones.* Junto con el argentino Manuel Mujica Lainez, Fuentes sabe mirar y sacar de los lienzos a las creaturas, dándoles una vida nueva y prodigiosa. Ese método hace de *Terra Nostra* un comentario a ratos genial de Velázquez, de Luca Signorelli, de Goya, y de la misma manera en que sus modelos pictóricos son sometidos al embrujo de incesantes metamorfosis, los héroes de *Terra Nostra* parten de la fijeza de su referente histórico o literario (Carlos V y Felipe II, el conde-duque de Olivares, Cortés, *La Celestina,* el *Quijote, El burlador de Sevilla*) para multiplicarse a lo largo del texto y convertirse en creaciones autónomas y vigorosas.

La parte americana de *Terra Nostra,* a la mitad del volumen, rehúye las habituales *mexiqueneries* de Fuentes, presentando al Nuevo Mundo como una intuición en el espíritu europeo del siglo XVI, que acaso el novelista sitúa menos en la Edad Media de lo que realmente estuvo. Y la autoconciencia de Fuentes, su deseo de usar la novela como un medio apologético, es acertada, pues las dimensiones de *Terra Nostra* se prestan para enunciar, por ejemplo, el deseo de que la América española hubiese sido la patria del erasmismo.

Lo más fechado en *Terra Nostra* es, paradójicamente, el impulso que la hizo posible, la idea un tanto anticuada, pero entonces muy factible, de interpretar el fin de milenio en la clave del mayo parisino de 1968, que abre y cierra la novela. A Fuentes, como a tantos intelectuales, lo entusiasmó la rebelión juvenil como ese instante lúdico y profético cuyo influjo borraría la amenaza nuclear de la Guerra Fría. Pero un viejo lobo como Max Aub*, al comentar *París. La revolución de mayo* (1968) —una de las fuentes de *Terra Nostra*—, encontró "excelente el reportaje-ensayo de Carlos Fuentes acerca de los sucesos de mayo en París pero, ¡tan ingenuo a veces! No es la primera vez que descubren mediterráneos desde la Sorbona" (Aub, *Diario, 1966-1972,* 2003).

Que el carnaval de las barricadas en el boulevard Saint-Michel se convirtiera en el mecanismo de fabulación propicio para explicar la gran sarabanda barroca, que comienza con la rebelión de los comuneros de Castilla en 1521, es un mérito oportuno de Fuentes; pero no lo es el vulgar apocalipticismo que florece en *Terra Nostra* y se expande como un virus por toda su obra posterior. Armado de *En pos del milenio,* de Norman Cohn, Fuentes imagina el año 2000 como la previsible fecha de un apocalipsis de América Latina, continente que para la generación del *boom* monopolizaba todas las desgracias. Aunque maltratan la majestad del conjunto, las profecías comerciales no alcanzan a invalidar *Terra Nostra,* una de las grandes novelas mexicanas que, en ese universo platónico de la crítica, debió ser el principio y el fin de la obra de Fuentes.

El nuevo siglo encontró a un Fuentes casi milenario, una suerte de Matusalén que convirtió cada uno de sus años en evos y cada una de sus novelas en una prolongada agonía. Ningún escritor mexicano ha envejecido de tan mala manera como Fuentes, invariable caricatura de sí mismo, esforzada máquina de autopromoción que, entre los cocteles y las causas justas, se empeña en cazar arquetipos que, tan viejos como la propia obra de Fuentes, sólo existen como creaturas de su realidad novelesca. Lo que en otro escritor sería una virtud —la fabulación de un universo entero— en Fuentes es una tragedia dado el empeño didáctico que pone en hacer corresponder sus desgastados simbolismos con una realidad histórica y política que se niega a ser explicada por Fuentes. El tiempo ha fijado en él sólo sus defectos de estilo y su aliento pedagógico, miserias que, justo es decirlo, se convirtieron (y no sólo gracias a él) en taras comunitarias de toda una generación de la *intelligentsia* mexicana: el amor-odio hacia el Antiguo Régimen del Partido Revolucionario Institucional (PRI), la vocación palaciega del letrado, el cosmopolitismo como exportación de dicterios ontológicos y, sobre todo, esa superioridad ofendida del civilizador a quien ningún homenaje de la patria le es suficiente, pues nadie está llamado a ser profeta en su tierra. El novelista sobrevive como una veterana figura de la elocuencia, un hombre de otro tiempo para quien la literatura es una extensión de la vida pública, escritor prehistórico que convoca a una sucesión de fantasmas constituyentes de ese "tiempo mexicano" que Fuentes conoció y que considera, quizá con razón, como una eternidad de la que nunca despertaremos.

Bibliografía sugerida

Cervantes o la crítica de la lectura, Joaquín Mortiz, México, 1976.
Los días enmascarados, Era, México, 1982.
Cristóbal Nonato, FCE, México, 1987.
Terra Nostra, Joaquín Mortiz, México, 1997.
La región más transparente, Alfaguara, México, 1998.
La silla del águila, Alfaguara, México, 2003.
Viendo visiones, FCE, Buenos Aires, 2003.
Aura, Era, México, 2004.
La muerte de Artemio Cruz, Alfaguara, México, 2008.
La voluntad y la fortuna, Alfaguara, México, 2008.

G

GALINDO, SERGIO
(*Xalapa, Veracruz, 1926-1993*)

La obra de Galindo ya es abundante donde las limitaciones de la variedad se combinan con un estilo monocorde pero profundo. Cuando apareció *Polvos de arroz* (1958) quedó marcada esencialmente la trayectoria posterior de Galindo, su insistencia en narrar aquellas vidas sordas e inútiles que la novela ignoraba. El hombre superfluo es una obsesión central en este escritor. Y en cada texto, aun en los más flojos, Galindo deja leer una doble voluntad de asedio de las mujeres y de los hombres sin ventura: compromiso tradicional con el arte de novelar y búsqueda de las posibilidades no exploradas del realismo.

Sin reparos, Galindo indaga en la vida íntima y social de su Veracruz natal. Gesto de modernidad, sin duda, pues no olvidemos el subtítulo de *Madame Bovary*: un cuadro de la vida en provincias. El desfile humano de Galindo, empero, ya no puede ser una comedia. El suyo es el intento por descorrer el telón para esa mirada del juicio que Octavio Paz* encuentra en la invención novelesca de la provincia. Una nada secreta ansiedad perturba a Galindo: la amenaza de la desaparición de las historias de los hombres comunes. *El Bordo* (1960) es para muchos la novela insuperada de Galindo […]

Sin duda, Galindo comparte y ejerce la crítica de la textualidad de la novela que cundía en aquellos años; pero su importancia está en el uso que hace de los materiales desechados por el realismo previo al medio siglo. Vida de aldea que incluye el tratamiento de seres marginales (ancianos, niños, mujeres), despliegues de historias de poder que nunca se conectan con el gran Poder, vestigios de magia menor en poblaciones olvidadas por la tradición literaria. Pocos escritores han construido entre nosotros coros de personajes menores como Galindo. En ellos descansa su descubrimiento de la provincia como laboratorio de la conducta. Durante treinta años la investigación de Galindo ha proseguido, no siempre con éxito y a veces con atractivas fabulaciones, como *El hombre de los hongos* (1976), donde se aleja sin temor de su esfera habitual. Cierto sentimentalismo no siempre contenido afecta a Galindo, como lo muestra en novelas como *Los dos ángeles* (1984), donde la ciudad de México, que no es su materia, le sirve de pretexto para mostrar un humanitarismo que, no por conmovedor, deja de ser trasnochado e insulso.

Nos parece que no es sino hasta *Otilia Rauda* (1986) cuando Galindo alcanza la cima de su vocación. Galindo no es un hombre de ideas sino un narrador de historias, y en *Otilia Rauda* realiza una de las novelas mexicanas más logradas. La vida en Veracruz en los años treinta, la aldea/cárcel, el culto por los bandidos montaraces, los ventarrones de la política y, finalmente, el levantamiento de una heroína (Otilia Rauda) que despega entre los hombres superfluos logrando una estatura inolvidable. Otilia escapa de la monotonía del común retrato novelístico nacional: no es una nota del paisaje ni una demostración de costumbres, sino una voluntad encarnada. *Otilia Rauda* es, a su manera, una novela total, replanteamiento del realismo sin ambiciones cosmogónicas (*Antología de la narrativa mexicana del siglo xx,* I, 1989).

Bibliografía sugerida

El bordo, FCE, México, 1960.
Otilia Rauda, Grijalbo, México, 1986.
Espinasa, José María, *El tiempo escrito,* Ediciones Sin Nombre, México, 1995.

GAOS, JOSÉ
(Gijón, España, 1900-ciudad de México, 1969)

En la memoria de la cultura mexicana ocupa un lugar una y otra vez señalado por sus alumnos y no pocos observadores distantes, como excepcional. Todos los encomios señalan, con justicia, al discípulo de José Ortega y
Gasset llegando exiliado a México en 1939 e inventando la palabra *transterrado* y su concepto, que definen, para empezar, más que una situación, el
proyecto vital e intelectual del filósofo.

Aunque a algunos exiliados la palabra les pareció cursi o propia de un
exceso de celo para con los anfitriones, es inquietante comprobar que no
está todavía en el *Diccionario de la lengua española*: bien podría estarlo pues,
al menos en esta orilla del Atlántico, *transterrado* expresa un momento
histórico y una disposición intelectual como acaso ninguna otra. Su exactitud, al menos en lo que a Gaos compete, la comprobará quien recorra el
tomo octavo de sus *Obras completas* (1996) y vaya leyendo las ponencias,
las reseñas y los ensayos dedicados a la filosofía mexicana y escritos al filo
del medio siglo, que asombran por la constancia, el fervor y la gratitud militante con la que el maestro acometió su "empatriación" mexicana. Está,
como proemio, la devoción de Gaos por Reyes, cuya amistad prefirió a la
de Ortega (nexo ya dañado por la aquiescencia de éste con la victoria fran-
quista) cuando el autor de *España invertebrada* se expresó despectivamen-
te de don Alfonso.

Eso fue en 1947. Pero ya antes Gaos le había dado a Samuel Ramos, a
Antonio Caso y a José Vasconcelos* un tratamiento como filósofos que
ningún mexicano había tenido el cariño, la certidumbre o la osadía de
darles. A Ramos que poco después quedaría en la ingrata posición de ser
citado invariablemente como ancestro de un libro mayor, *El laberinto de la
soledad*, donde se le da su lugar para rebasarlo, Gaos lo retrató como una
especie de orteguiano intuitivo y concurrente. De Caso, de quien mi generación, al menos, ya no sabe absolutamente nada, dice Gaos que una obra
suya como *La existencia como desinterés, como economía y como caridad*
(1919) es digna contemporánea de los postulados de Boutroux y Bergson.
En la amalgama entre cristianismo y liberalismo que fabricó Caso, sirvién-

dose muy bien del artículo periodístico como martillo filosófico, Gaos encuentra a un leal pensador antitotalitario, que no abundaban, y a un ejemplo de lo que entonces, en la posguerra, se publicitaba como novator existencialismo cristiano. Finalmente, en relación con Vasconcelos, Gaos expresó de manera muy elegante la repugnancia política y moral que podía llegar a causarle, citando aquellas páginas que a tantos de sus lectores nos han divertido y escandalizado de la *Todología*. Vasconcelos, quien había sido el primero en denigrarse a sí mismo como filósofo, debió quedar silenciosamente agradecido ante la convicción metódica con la que Gaos lo reconocía como autor de un sistema filosófico.

Fue Emilio Uranga*, uno de sus alumnos y miembro del grupo Hiperión, quien dijo que "Gaos fue un español sin español" y que su escritura prolongó su cátedra de manera "prolija e inepta". Quien se haya arrojado sin precauciones a las *Obras completas* de Gaos, como yo lo hice alguna vez, podría compartir esa condena. Pero quien quiera evitar esa travesía y llegar sin fatigas a Gaos, deberá disfrutar de *Filosofía de la filosofía* (2008), una antología perfecta que Alejandro Rossi* ha preparado para quienes desconocíamos al Gaos más literario, al buen escritor que descansa de la filología filosófica en la que fue maestro, de las traducciones esenciales (Husserl, Heidegger) y de esa "hora académica" que según recuerda Rossi era su cotidiana obra de arte.

De *Filosofía de la filosofía* destacan también el par de fragmentos tomados de *Confesiones profesionales* (1958), que cuentan el origen y el encausamiento de la vocación filosófica de Gaos, cuando Xavier Zubiri, Manuel García Morente y Ortega, sus maestros, le permitieron ver, en tres fases, el "pensar del pensador". Las *Confesiones profesionales* se encuentra entre los buenos libros de memorias publicados en México, junto a *Vida en claro* (1944), de José Moreno Villa* o *Itinerario* (1993), de Octavio Paz*, libros breves y sintéticos que parecen ser equipaje ligero, escritos a la manera de lo que Gaos mismo dice de su decisión al llegar a México: pensar en que lo provisional siempre es definitivo.

También importan, en *Filosofía de la filosofía*, el par de ensayos escritos a la muerte de Ortega, en los que Gaos se propone juzgar al Ortega más político y a su liberalismo lo hace con un equilibrio no exento de su punto de gravedad, la mucha paciencia que el filósofo le había tenido a la monarquía y la muy poca que le otorgó a la República. Esos artículos, dice Rossi, constituyen "un caso fascinante de afecto y distanciamiento intelectual entre un maestro y un discípulo: ni mimesis ni crítica fácil y fatua".

Sorprendente, por inesperada, me resultó la lectura de "La caricia", "un ejemplo muy fino de fenomenología existencial", según Rossi, ensayo que parte de las caricias de Príamo en las rodillas de Aquiles cuando le pide el cadáver de Héctor y logra cambiar la manera en que se percibe y se efectúa un acto. Acariciar, el menos animal de los gestos humanos, concluye Gaos.

Como prólogo, junto con la precisa nota editorial que el antólogo antepuso a la edición española de 1989 de *Filosofía de la filosofía*, debería leerse "Imagen de José Gaos", uno de los ensayos capitales de *Manual del distraído* (1978), de Rossi. En aquellas páginas se hacía un análisis "severo e irreverente" de lo que estaba muerto y de lo que estaba vivo en el legado de Gaos, dibujado por Rossi como un protagonista, en general, del filosofar como "la disciplina frustrada por excelencia", y en particular, de "una aventura errada", la metafísica, un descarriado cuya vida quedó consagrada a la contemplación de las ruinas de Occidente a través de su tema imperecedero, la decadencia de la filosofía.

Bibliografía sugerida

Filosofía de la filosofía, selección y prólogo de Alejandro Rossi, FCE, México, 2008.

GARCÍA BERGUA, ANA
(Ciudad de México, 1960)

Aprendizaje. Es *El umbral. Travels and Adventures* (1993), uno de esos libros publicados tras una larga meditación que madura al paso de las heridas de la educación sentimental. Por ello, las lecturas románticas decimonónicas de García Bergua son tan visibles para el lector. Julius, el héroe de esta novela fantástica, es un personaje inusual en la literatura mexicana, que no habiendo gozado de una gran imaginación romántica, parece haberse reservado esa oportunidad para nuestro fin de siglo. García Bergua presenta en *El umbral* a un traficante de espíritus cuya aventura recuerda a la de Rafael en *La piel de zapa*. Como ocurre en el Balzac visionario, Julius es un ser que acuerda un contrato decreciente con el destino, treta materializada en una pluma que los ángeles mueven a su antojo, talismán que decidirá la suerte de un héroe. Lo fantástico-romántico se manifiesta sin pretensiones críticas o parafrásicas. García Bergua se relaciona con la tradición electiva como si fuera contemporánea efectiva de ésta. Lo que en otro autor pasaría por ausencia de malicia o calculado pastiche, en García Bergua es virtud, la envidiable virtud de una autora a la que el sentido del humor protege del demonio de la analogía. Esa sonrisa inteligente guía al lector por cada una de las estancias de *El umbral,* lo mismo un retrato muy familiar del exilio republicano español que una novela fantástica en la más generosa acepción del término.

La concordancia entre lecturas nutricias y la vivencia sentimental permite que *El umbral* sea una novela inocente sin ser ingenua. Me atrevo a suponer que a García Bergua le costará mucho escribir su siguiente libro, pues esta primera novela es de aquellas que vacían a sus autores, paralizados ante el horror y la grandeza de engendrar otra vida. García Bergua redacta con la aparente facilidad de quien juguetea al piano, escanciando una melodía cuya gravedad sólo se advierte en el recuerdo. La autora, finalmente, al dedicar *El umbral* a su hermano Jordi García Bergua*, autoriza la comparación. ¿En qué se parecen *Karpus Minthej,* de Jordi García Bergua y *El umbral*? Ambas son novelas fantásticas y románticas, y son un dúo que prueba, como quería Thomas Hardy, que el *genius diaboli* es una sustancia que transmigra de alma en alma. Los hermanos García Bergua han dado a la literatura mexicana esa escasa e inquietante sinecura que llamamos aire de familia (*Antología de la narrativa mexicana del siglo XX,* II, segunda edición corregida y aumentada, 1996).

Del cine al espiritismo. La historia de la literatura abunda en autores que perdieron sus poderes al componer, en su primer libro, una extenuante epopeya de la intimidad. Tras *El umbral. Travels and adventures,* esa catarsis romántica, Ana García Bergua evolucionó hasta convertirse en uno de los escasos escritores mexicanos que saben servirse de la historia (y de la historiografía) para construir verdaderos y habitables castillos novelescos. Si en *Púrpura* (2000), su segunda novela, asistimos a una farsa que da cuenta del camino emprendido por un joven provinciano a los estudios cinematográficos de la gran ciudad, en *Rosas negras* (2004) somos convidados a participar de una delicada novela espiritista, armada con esa rumorosa dedicación que delata la madurez en el oficio.

García Bergua domina con creciente maestría el arte de la parodia, como ya era notorio en *Púrpura,* un melodrama que se atreve a decir su nombre al homenajear el viejo cine mexicano y al sentimentalismo de utilería que proyectó las intimidades colectivas de una nación. Hija del historiador cinematográfico Emilio García Riera y lectora insidiosa del Salvador Novo* más frívolo, García Bergua dedicó *Púrpura* a redimir a esos "300 y algunos más" que orbitaban en torno a la cartelera, indiferentes a la sentencia que Paz* utilizó para explicar el ineluctable descrédito del teatro de Xavier Villaurrutia: el buen gusto de hoy es la cursilería del mañana. García Bergua profundiza y tras bambalinas nos encontramos, en *Púrpura,* con una consistente novela sobre la homosexualidad masculina, protagonizada por un héroe enamoradizo que, como en alguno de los *Pensamientos descabellados* de S. J. Lec, "se mudó de Sodoma a Gomorra" y vivió para contarlo.

Rosas negras ocurre en una ciudad provinciana del México de los primeros años del siglo XX, escenario donde el espíritu de un buen burgués va a dar al candil de su restaurante favorito y allí se queda capturado a merced de los flujos de la electricidad. En torno a esa luz sensible que se enciende y se apaga, novedad técnica absoluta que García Bergua examina con detenimiento, discurrirá una curiosa trama modernista, que escrita a golpes de *mot juste* en la mesa espírita, hace de la inconsolable viuda una heroína que se las arreglará para conquistar la autoestima y el amor. Y lo hará sin despreciar el uso, a la manera del escudo de Minerva, de los instrumentos pornográficos y psicalípticos a los que su abducido marido recurría en la intimidad y que ella rescata de su legado.

Chestertoniana reincidente, García Bergua no renuncia a las bombas

pestíferas con que los ácratas locales trastornan aquella paz pornifinsecu-
lar —como la llamaría Guillermo Sheridan*— ni se abstiene de alimentar
su novela de otros detalles de la *Belle époque*. *Rosas negras* es una comedia
de enredos donde el toque metafísico es una fragancia lo suficientemente
perceptible como para caracterizar un estilo nutrido de los amaneramientos de la novela rosa, de la tradición del folletón y de los trucos del melodrama doméstico decimonónico. Alumna de Juan José Gurrola y de Ludwig Margules, a García Bergua su formación teatral le ha permitido ser
uno de los pocos novelistas mexicanos con una noción de reparto: sus
personajes secundarios están tan bien delineados como los protagónicos y
nada parece sobrar en la cerrada construcción de su trama.

La gracia —esa aparente facilidad con la que García Bergua escribe—
muestra a una escritora para quien la documentación histórica es esencial
en la medida de su apropiada invisibilidad. Como si fuese una escenografía cinematográfica de James Ivory, no hay detalle en *Rosas negras* que sea
menor o que carezca de respaldo en la investigación histórica y en el
conocimiento literario. Esa paciencia —de mester de utilería o de ratón
de bibliotecas y archivos— es la causa, a su vez, de que las colecciones de
cuentos de García Bergua —*El imaginador* (1996) y *La confianza en los
extraños* (2003)— no funcionen, que desmerezcan junto a la meditada
orfebrería de sus novelas. Sus cuentos son curiosidades, *sketches* y, frecuentemente, sólo anécdotas que, condimentadas con una dosis apenas
suficiente de sentido del humor e imaginación, no superan el formato
periodístico para el que fueron originalmente destinados. La improvisación no es lo suyo: para escribir, García Bergua necesita del voluminoso
cuaderno de bitácora del escenógrafo.

Muchos novelistas recurren a la historia por pereza mental, creyendo
que el pasado es un depósito inagotable, gratuito y siempre disponible de
argumentos, de decorados y de historias extraordinarias. Esta clase de
saqueadores, apapachados por el público y bien cebados por los editores,
ofrecen, en el mejor de los casos, insulsas reproducciones del pasado, foto-
copias desechables: baratijas en lugar de tesoros. Salen de la cueva creyendo cargar oro en las alforjas y cuando llegan al mercado no se dan cuenta
de que lo que se traían entre manos era sólo las proverbiales cuentas de

vidrio. Como antes lo fue *El umbral* para el exilio republicano o *Púrpura* para el cine mexicano de la Época de Oro, *Rosas negras* es, para la decadencia finisecular decimonónica, una verdadera reinvención novelesca.

García Bergua es uno de nuestros pocos humoristas contemporáneos, y esa constatación provoca que su literatura sea asociada al linaje de Jorge Ibargüengoitia*. Concediendo que ambos vienen del universo del teatro (y en especial de la farsa), no creo que la filiación se justifique ni que sea justa para ninguno de los dos. Ibargüengoitia fue un escritor sarcástico y su corrosiva burla de las leyendas patrias y de la vida provinciana funcionó como un ajuste de cuentas con un México, el de su autobiografía, que, para decirlo a la española, *le dolía*. En el caso de García Bergua no encuentro —pues es un sentimiento raro en nuestra generación— ese odio sublimado, tan propio de Ibargüengoitia, contra aquel México cuya única autocrítica legible era la que podía encontrarse en la nota roja.

La provincia de García Bergua es una invención fraguada en la hemeroteca y su relación con la historia mexicana es arqueológica. Sus finísimas reconstrucciones históricas fluyen, no hacia la moralización mediante la sátira —que era lo que hacía Ibargüengoitia—, sino a la vieja noción romántica de la ensoñación racional. García Bergua es fiel a esa zona encantada del romanticismo europeo (Nodier, Hoffmann, Von Chamisso) que vino a dar sus floraciones finales en nuestro modernismo. Como el Gutiérrez Nájera de las impresiones urbanas fronterizas con la fantasía y el Amado Nervo espírita, García Bergua es una escritora que va recolectando, en la vida cotidiana y en la minucia doméstica, los elementos para evadirse de la vulgaridad y presentarnos una realidad sólo en apariencia simétrica que, al fugarse a través del espejo, subvierte los usos convencionales. La suya es, propiamente hablando, *literatura de evasión* —para utilizar una expresión desacreditada— y lo es en una medida tan alta que cuando aparecen los íncubos y los súcubos de la identidad sexual —como ocurre en *El umbral* y en *Púrpura*— encarnan en una velada forma angélica, que los torna, a los ojos del lector habituado a las sutilezas románticas, más imperecederos e inquietantes.

La palabra *ouija* fue inventada, hacia 1860, por E. C. Reiche, un fabricante de ataúdes de Maryland, para nombrar las señales que los médiums recibían del más allá y que asemejaban, al tocar sobre la madera de la mesa alfabética espírita, una combinación del *oui* francés y del *ja* alemán: sí y sí, *ouija*. Reiche aseguró, al contrario, que los espíritus del antiguo Egipto le habían soplado esa palabra, que, según he descubierto, está ausente de los principales diccionarios de la lengua española. Pero la palabra existe y es cosa de recurrir, para localizarla, a las almas próximas y semejantes que anidan en la red. Algo similar ocurre con *Rosas negras:* el pasado, en una escritora como García Bergua, se compone de diminutos universos paralelos que, expulsados de la historia, pueden ser habitados si se respetan ciertas leyes curiosas pero accesibles. En ese país numinoso, el humor es una de las armas predilectas que los hados utilizan para dominar y controlar el mal.

Bibliografía sugerida
El umbral. Travels and Adventures, Era, México, 1993.
Púrpura, Alianza Editorial, Madrid, 2000.
Rosas negras, Plaza y Janés, México, 2004.
Isla de bobos, Seix Barral, México, 2008.
Pie de página, Ediciones Sin Nombre/Conaculta, México, 2008.
Edificio, Páginas de Espuma, Madrid, 2009.
La bomba de San José, Era, México, 2012.

GARCÍA BERGUA, JORDI
(Ciudad de México, 1956-1979)

Jordi García Bergua murió en 1979 y dejó, a quienes no lo conocimos, una novela, *Karpus Minthej* (1981). Es imposible eludir la malsana relación que establece un artista con su obra póstuma: el libro se proyecta sobre la muerte y ésta ilumina el sentido de cada una de sus palabras. Es inútil separar ambos hechos, pues son, fatalmente, uno solo. La historia literaria, generación con generación, suele sembrar en sus caminos semejantes paradojas, de tal forma que ya constituyen una tradición. *Karpus Minthej* es una extraordinaria novela. No olvidamos que lo es, en buena medida, por su naturaleza testamentaria. Cierto escritor mexicano, en la amargura de una vejez olvidada e infértil, se burlaba de otro poeta quien, al morir joven, regaló a su generación una eterna disculpa. Escrita hace un siglo, creo, ya desde entonces *Karpus Minthej* hubiera sido una señal de alerta.

No es fácil absorber, como lo hizo García Bergua, los elementos más rigurosos de un linaje cuyo carácter primigenio es la propia extenuación. Ronald Firbank, Marcel Schwob, Oscar Wilde, Aubrey Bearsley y Félicien Rops, la saga pútrida de Venecia y la reconquista byroniana de Grecia son la materia desfalleciente que alimenta esta novela. Más allá de la leyenda de la muerte precoz de su autor, *Karpus Minthej* es una novela que parece lograr, tras una subterránea acumulación secular, todo aquello que se propusieron los modernistas negros y no lo lograron plenamente: los jardines simbolistas moteados con la flor azul del destino y la flor amarilla de Oriente, la perseverancia romántica del amor eterno, la perdición de todo aquel que identifica al arte con el heroísmo. Si en *Karpus Minthej* tenemos una visión magistral y extemporánea de ese lirismo no es porque creamos en el progreso indefectible. Antes que contemporáneo nuestro, que no lo es, García Bergua lo fue de Jean Moréas, de José Asunción Silva, de Jean Lorrain, del primer José Juan Tablada. Le dio al siglo que lo separa de sus hermanos la capacidad de transformar, astutamente, lo artificial en artificio.

Semejantes concomitancias, alardes de envenamiento lírico y tuberculosis emblemática, no son fáciles de sostener en nuestros días. El culto al decadentismo es una coartada comercial ya bastante rancia, y no faltan quienes se visten de malditos para ocultar una acedia tan vulgar como cualquier otra. La gracia de García Bergua fue su impudicia, el atrevimiento brillante, quizá involuntario, de escribir una novela exhausta y enfermiza, y hacerlo bien, acaso muy bien, como si la angustia de las influencias hubiese sintetizado la irrepetible pureza de su obra. *Karpus Minthej* destaca por su prosa cristalina, por la veracidad de su dandismo, por la fina destilación de literatura que leemos en ella. Se perdonan —o secretamente se agradecen— las inocentes disquisiciones sobre vida y destino que apestan a Nietzsche pero dejan en el aire la fragancia del primer Ruskin, de Mathew Arnold, del mejor Wilde. Perfumes, se dirá, volatilizados por el uso, fragancias adulteradas en *Karpus Minthej* algo recobran de su perturbadora esencia.

Ni *Brujas la muerta* ni *À rebours:* la imprevisible solución de García Bergua no es la de Rodenbach deshojando flores sobre la ciudad muerta ni la de Huysmans escogiendo la cruz por encima de la pistola. García Bergua, tras una sucesión de crímenes ilógicos en esos Balcanes que lo conducen a Grecia, pierde a su *K* en un sueño sin huellas. En los apéndices Karpus despierta, después de la segunda Guerra Mundial, en un espacio helado que puede ser la morgue, el tiempo, un hospital. Tras el periplo byroniano, sin duda obvio, el autor supo legarnos un camafeo abierto en cuyo retrato vemos el desagradable vacío de la obra abierta.

La erudición pedante, los juegos juveniles aristocráticos en un palacete veneciano, la palinodia de un dandi en la podredumbre de los puertos y la perdición ambigua de un destino están plasmados en esa novela. Sucede que García Bergua se adentró muy lejos en el bosque de la literatura y escribió una novela, que pudiendo haberse escrito hace un siglo y en cualquier lengua, es también la muy tardía obra maestra del decadentismo mexicano (*La utopía de la hospitalidad,* 1993).

Bibliografía sugerida
Karpus Minthej, FCE, México, 1981.

GARCÍA MÁRQUEZ, GABRIEL
(Aracataca, Colombia, 1928)

Anoche acabé de releer *Cien años de soledad,* experiencia largamente pospuesta por temor a la decepción. Pasado el trance, no temo incurrir en la chabacanería y decir que gracias a García Márquez volví a ser el niño de trece años que leyó esa novela por primera vez. Macondo seguía allí. Algunas páginas, párrafos enteros, "las axilas empedradas de golondrinos" del coronel Aureliano Buendía, me permitieron volver, con la magia de Melquíades como talismán, a la habitación donde hice esa lectura hace un cuarto de siglo. Para ello, no descansé hasta conseguir un ejemplar como el que originariamente leí, con la portada de Vicente Rojo.

Si la lectura es un oficio, releer es un arte custodiado por la memoria y el olvido. Me abstuve, en este caso, de consultar cualquier bibliografía crítica sobre García Márquez. Heroicamente resistí al morbo de examinar la *Historia de un deicidio* (1971), hoy rareza digna del librero catalán de Macondo, que Mario Vargas Llosa escribió sobre su entonces amigo. Ante *Cien años de soledad* incurrí en la vanagloria de querer estar a solas con mis recuerdos. ¿Era posible? Sí. La novela logró expulsarme de la obsesión por la historia. Mientras leí me olvidé de la genealogía macondiana, de Faulkner, Onetti, Carpentier, Rulfo*, de la novela de la violencia colombiana y de América Latina entera con sus salvajadas y sevicias, del *boom* y del realismo mágico, de García Márquez mismo.

Puesto que en la crítica sólo vale la primera persona, ante *Cien años de soledad* se vuelve inocua la querella de si una relectura forma parte de la historia literaria o de la autobiografía de cada uno de sus lectores. Releer es tensar un hilo entre los mitos literarios y una mitología personal. *Rayuela* de Julio Cortázar, por ejemplo, me fue insoportable como relectura. Quizá ese libro reflejaba las aguas melancólicas y tumultuosas de la adolescencia, la zona de la vida que recibe la crítica más inclemente de la madurez. Ni el amor, ni París, ni la Maga fueron como Cortázar me las contó. Su realismo sentimental caducó rápidamente. En cambio, *Cien años de soledad,* como los textos de Borges, es ajeno al realismo. Son mitos o fragmentos de mitologías que apelan directamente al mecanismo de las emociones y del intelecto. Sus nexos con el mundo fenoménico son casuales.

Repetiré entonces que *Cien años de soledad* es un libro fundacional, como lo son la *Ilíada* y la *Odisea,* indiferentes a las falsas atribuciones de autoría, impermeables a la tesonera labor de Schliemann y de sus sucesores. Ese sabor homérico autoriza que las nuevas generaciones de escritores vean a García Márquez con sana ignorancia o sincero desdén. Pero quienes despertamos a la literatura con *Cien años de soledad* somos tristes deudores de su prosa. García Márquez ha sobrevivido a su legión de imitadores, algunos contritos, otros desvergonzados. Hizo escuela. Pero su escuela vale un carajo.

La prosa me volvió a sobresaltar por su sonoridad. Música remota y omnipresente. Tenían razón quienes dijeron que desde el Siglo de Oro la lengua española no conocía derroche semejante. Me fue indiferente, en *Cien años de soledad,* la fastidiosa heráldica de los Aurelianos, las Amarantas y los José Arcadios. Creo haber leído a García Márquez como se releía durante siglos al poeta, fuese Ovidio o Virgilio. Ninguna teoría del relato me parece tan satisfactoria como la coincidencia fatal entre la curiosidad del enésimo Aureliano y el cumplimiento de la profecía de Melquíades. Cada lector tiene un tiempo propio. En esa dimensión, para mí, como para un par de generaciones, García Márquez es un Homero (*La sabiduría sin promesa. Vida y letras del siglo xx,* segunda edición aumentada, 2009).

Bibliografía sugerida
Cien años de soledad, Editorial Sudamericana, Buenos Aires, 1967.

GARCÍA PONCE, JUAN
(Mérida, Yucatán, 1932-ciudad de México, 2003)

La enfermedad dispuso que la escritura se convirtiera, para García Ponce, en la vida misma, en su única vida activa, como dijo Albert Béguin del poeta Joë Bosquet, otro escritor reducido por la fuerza a mantener unido el yo, gracias al acto mágico de escribir, contra la fragmentación del dolor. A lo largo de las décadas, el joven e insolente jefe de su generación se transformó en un sonriente maestro espiritual en cuya casa se oficiaban los ritos nocturnos del heroísmo del arte, aquella vieja y profana religión romántica que tuvo en García Ponce una garantía contra el olvido y los anatemas. Quien haya frecuentado a Juan sabrá que no exagero y que la energía que difuminaba su persona, atrozmente herida por la parálisis, impregnaba a sus amigos de un misticismo cuya consecuencia era el deseo de emulación: ser dignos, con nuestros cuadros o nuestros libros, no sólo de su voluntad y de su rigor, sino de los grandes artistas que él nos enseñó a amar. Aquellos que se acercaban a él interesados solamente en la aureola del santo enfermo descubrían bien pronto que García Ponce no se dejaba engañar por las apariencias ni por las vanidades. Juan concitó una devoción insólita entre muchos escritores y pintores, pues tirios y troyanos, letrados y artistas de diferentes corrientes estéticas y políticas, dueños de caracteres fuertemente contrastados, deponíamos ante él la querella infértil, la pequeñez aldeana.

Hay una imagen primera de García Ponce que cincuenta libros han fijado para siempre. Ante él, los críticos desfallecemos, pues a través de sus novelas, cuentos y ensayos, García Ponce lo dijo casi todo sobre sí mismo. Es el artista como héroe y el vidente de la mirada. Un pornógrafo al mismo tiempo que un pedagogo: nos enseñó a leer a Robert Musil, a Pierre Klossowski o a Georges Bataille para que tuviésemos las llaves de su propio reino milenario. ¿O fue al revés? En Juan la lectura fue hija de la literatura, y la prosa, madre disoluta del pensamiento.

Es difícil hablar de García Ponce sin rehabilitar de manera cansina los tópicos que unos y otros hemos configurado sobre su obra, hasta convertirla en una leyenda áurea, casi santa —entendiendo la santidad como demonología— que él recrea incesantemente. Tan pronto escribo sobre él me desespero, pues esa imagen primera me hipnotiza. Y acabo por asumir que el lector de García Ponce establece con su obra un pacto de amor que incluye la rabia y la indulgencia. Comprendo a quienes rechazan su literatura. Pero yo fui un adolescente que leyó las primeras ediciones de sus libros. Firmé, con García Ponce, ese pacto alevoso. Él lo advierte en "Tajimara", uno de sus primeros cuentos: "mirar es aceptar". El pobre Fausto, empero, también se queja de las exacciones a las que lo somete Mefistófeles. Tan es así que Goethe escuchó sus preces y le concedió esa salvación inverosímil que sólo Thomas Mann (y García Ponce) entienden. Quiero decir que nunca he callado ante las cláusulas perniciosas de un contrato que renuevo en su conjunto.

Tengo, como tantos otros, mucho que agradecerle a García Ponce. Orgulloso de los libros que había leído y de las mujeres que amó, a Juan se le podían confiar no sólo los problemas propios de la vida artística, sino cuitas sentimentales, derrotas existenciales y fiascos eróticos. Pero quisiera recordar una sola de mis deudas con su generosidad, en cuanto atañe a la condición del crítico literario. En 1995 Juan me pidió un prólogo para sus

Cuentos completos y entre mis elogios no dudé en incluir mis reticencias. "Me irrita en García Ponce [escribí entonces y lo sigo pensando] la repetición compulsiva, cierto desaseo formal, tramas e imágenes dúplices que se multiplican y, sobre todo, la insensibilidad ante la naturaleza histórica de las costumbres: si la sexualidad es esencialmente la misma en todas las épocas y civilizaciones, la lectura del erotismo varía. Lo que hace treinta años era escándalo, hoy es costumbrismo." Juan aceptó el prólogo tal cual, con entusiasmo, demostrando ser uno de los poquísimos escritores que escapan a la dictadura celosa y amarga de la vanidad herida. Cuando él nos invitaba a leerlo, entendía que era para criticarlo, pues sabía que sin crítica no hay literatura, y en su entorno la exigía y la festejaba.

García Ponce fue el corazón de la generación bautizada al amparo de la Casa del Lago, esa esbelta construcción porfiriana cuya señera importancia en la vida mexicana de los años sesenta nos habla de tiempos que se pierden en el siglo pasado. La vida de García Ponce tiene mucho de biografía colectiva. Es la crónica de una sagrada familia que incluye a sus hermanos en el nombre y en el espíritu: Juan Vicente Melo* y Vicente Rojo, Inés Arredondo* y Tomás Segovia*, Mercedes de Oteyza, Michèlle Alban y Huberto Batis hasta llegar a su enemigo más querido, Salvador Elizondo*, con quien sostuvo no hace mucho tiempo un discretísimo coloquio de avenencia cuyos rumores deben haber alegrado a las ánimas del purgatorio. Completan el cuadro pintores como su hermano Fernando García Ponce, Lilia Carrillo, Roger von Gunten o Manuel Felguérez, así como sus compañeros reunidos en torno a Octavio Paz* en las revistas *Plural* y *Vuelta*.

Los amigos de García Ponce, nacidos hacia 1932, fueron artistas hasta la extenuación, críticos atronadores y rigurosos, ciudadanos valientes (Juan lo fue en dos momentos políticos capitales: durante el movimiento estudiantil de 1968 y en las protestas electorales de 1988), almas felices o atormentadas, seres espantosos —en el sentido castellano original de la palabra, por admirables, chocarreros— que establecieron a plenitud la naturaleza crítica y moderna de nuestra cultura. Su aparición fue una recompensa póstuma para los poetas de Contemporáneos, sus verdaderos padres, y sus empresas editoriales, la culminación de una tradición cosmopolita, la de Alfonso Reyes* y Paz, que ocupa el centro de la literatura mexicana moderna. Y como en pocos casos, el círculo de García Ponce se fue renovando de manera natural, selectiva: una nueva generación de pintores, algunos nuevos escritores, empezaron a compartir con él ese tiempo iniciático tan suyo, el que se detenía en su casa, tiempo cuya definición me rebasa.

De la obra de García Ponce, acaso la más vasta de la literatura mexicana contemporánea, sobrevivirán varios libros, entre los que destaco ese perfecto trío de cuentos que es *Encuentros* (1972) y *Crónica de la intervención* (1982), la suma de sus obsesiones. ¿Quién ha leído *Crónica de la intervención, ese libro por venir?* Muy pocas personas. Dictada a Michèlle Alban durante los años setenta, esta novela total de mil quinientas páginas arrastra la mala fama de estar, dadas las condiciones prácticas de su elaboración, mal escrita. No niego que en el libro abundan las frases extensísimas en las que el sujeto se pierde en el camino o párrafos gramaticalmente deplorables, pero abundan los momentos en que el más conmovedor lirismo novelesco visita a García Ponce, convirtiendo al libro en un episodio poco conocido de la aventura en que la literatura latinoamericana del siglo XX empató en fervor y en intención a las grandes creaciones de la novela moderna.

Historia de dos mujeres idénticas (Mariana y María Inés) y de su círculo de amantes, *Crónica de la intervención* es una novela construida desde múltiples puntos de vista narrativos, todos ellos manipulados visiblemente por un narrador superomnisciente que reflexiona, al mismo tiempo que cuenta, en el arte de la novela. Inspirado en *El hombre sin atributos,* de Musil, y en *Los demonios*, de Heiminto von Doderer, a García Ponce le faltó la claridad analítica de los novelistas austriacos; en cambio, *Crónica de la intervención* posee un poder de evocación proustiano a ratos sobrecogedor y una filosofía en la que se reconoce el imperio del arte sobre la voluntad tal cual lo entendía Thomas Mann. Como este último, García Ponce padece de una profunda nostalgia crítica de la novela decimonónica y, al trabajar en su descomposición, hace de *Crónica de la intervención* una novela de lo alto y de lo bajo, de lo patético y de lo sublime, a través de cuyo repertorio transitan los criados y los señores, los locos y los cuerdos, los seres entregados a diversas formas de cenobitismo y los que orbitan en la vida pública.

La lectura que hicieron Georges Bataille y Pierre Klossowski del erotismo es el argumento nutricio de García Ponce, pero no sobra recordar que él fue el joven traductor de *Eros y civilización* (1965), de Herbert Marcuse. A su manera, *Crónica de la intervención* es la invención erótica de una civilización imaginaria, donde la sexualidad es el motor casi público de una novela que aspira a sustituir como tal a la historia. Si los juegos de la imagen y la semejanza entre Mariana y María Inés, gemelas y demiurgos, vírgenes y súcubos, dan la impresión de escapar al dominio del narrador y acaban por fatigar al lector en tanto que estatuas parlantes antes que personajes, *Crónica de la intervención* presenta un notable reparto de actores secundarios como fray Alberto, clérigo disoluto que caricaturiza a varios de los frailes reformadores de la década de los años sesenta, el revolucionario Diego Rodríguez (aproximación a José Revueltas*) o Evodio, el chofer que acabará por asesinar a su patrón y creatura modelada en el Moonsbrugger musiliano. Y extraordinariamente logrado es el personaje de Francisca (inspirada en Inés Arredondo), cuyo hundimiento en la locura, de la cual su amante trata de arrancarla infructuosamente, compone un capítulo de una intensidad estremecedora.

Crónica de la intervención no es la novela en clave de una generación (como lo será después *Pasado presente* en 1993) y sólo de una manera muy original es una novela sobre México, país que sólo una vez aparece mencionado por su nombre como escenario, error o guiño, a lo largo de la novela. La Kakania de García Ponce tiene su Acción Paralela en la organización del Festival de la Juventud (los juegos olímpicos de 1968), y la mirada distante y elíptica del novelista presenta un país imaginario cuya relación con el país real acaba por producir una de las novelas *mexicanas* más sugestivas y menos atendidas en nuestra historia literaria. Los ritos genitales de una comunidad secreta serán interrumpidos por una pesadilla tanática que conduce a la novela a su desenlace dramático. Mucha palabrería ha suscitado el movimiento estudiantil de 1968 y es un voto en favor de los poderes de la novela el que haya sido García Ponce, un aparente apolítico, el escritor que sintetizó la esencia de esa perturbación civil.

Mariana morirá el 2 de octubre de 1968 y la escena en Tlatelolco fue descrita por García Ponce en una página cuyo poético patetismo exige la cita: "El tercer orador del mitin apenas había empezado a hablar cuando unas luces de Bengala aparecieron en el cielo todavía neutro del fin de la tarde. Luces como las de una feria o una celebración patriótica, pero anacrónicas e inesperadas. Eran una señal casi tierna. Las luces de Bengala elevándose en el cielo, lentas y desparramándose después hacia abajo. Para algunos de los presentes en algún momento debieron evocar un nostálgico pasado. El fin del día; el tenue principio de la oscuridad. Muchas miradas siguieron el silencioso desaparecer de esas luces en el espacio. Después el sonido de las balas impuso un orden que no era humano".

En la paradójica fascinación del esteta ante el potencial vital de la rebelión y en el exterminio histórico de una idílica civilización erótica concluye *Crónica de la intervención,* paraíso habitado por mujeres etéreas y mentes analíticas, personajes que alcanzaron la absoluta inocencia gracias a la perversión, inmunes a la enfermedad, a los crímenes del tiempo. Puede decirse que es mucho lo que sobra en una novela que culmina apelando a la posibilidad de su eterna reescritura, pero había en García Ponce, atado a la silla de ruedas desde 1967, una negativa fisiológica (y una apuesta de sobrevivencia) que le impedía deshacerse de cualquiera de los fragmentos de su obra, como si al hacerlo su pronosticada muerte se acelerase. Piel de zapa al revés, la vida de García Ponce se prolongaba en la medida en que su obra se extendía. A ese impulso erótico, derrota cotidiana de lo tanático, debemos *Crónica de la intervención.*

La imagen primera de García Ponce ha sido, también, la última, al cerrarse el 27 de diciembre de 2003 una de las existencias más paradójicamente plenas de la cultura mexicana, la vida de un teólogo de la pornografía y agorero de libertinos, lector de Broch y de Borges, coleccionista de damas galantes y de mujeres fatales, sádico que vota por el Eterno Femenino, crítico de pintura que cruza el espejo, narrador compulsivo, enfermo que vence a la muerte con la enfermedad, el artista como héroe que nos mima, a través de sus libros, con esas leyes de la hospitalidad que conoce mejor que el diablo.

Bibliografía sugerida

Obras reunidas, I. Cuentos, FCE, México, 2003.

Obras reunidas, II. Novelas cortas I, FCE, México, 2003.

Obras reunidas, III. Novelas cortas II, FCE, México, 2004.

Obras reunidas, IV. Novelas. La invitación. La casa en la playa. La cabaña, FCE, México, 2005.

Obras reunidas, V. Novelas. Inmaculada o los placeres de la inocencia. Pasado presente, FCE, México, 2008.

Obras reunidas, VI. Crónica de la intervención, FCE, México, 2012.

GARCÍA TERRÉS, JAIME
(Ciudad de México, 1924-1996)

Nieto de porfirianos eminentes, como nos lo recuerda José Emilio Pacheco*, uno de sus discípulos más fieles, el carácter de García Terrés ha sido definido de manera respetuosa aunque imprecisa como aristocrático. En *Lo snobismo liberale* (1964), el librito que Elena Croce dedicó al mundo de su padre, el filósofo italiano Benedetto Croce, encuentro una definición que, tomada con las debidas precauciones, retrata a García Terrés y a aquella alta cultura mexicana estrechamente vinculada al dominio y a la decadencia del régimen de la Revolución, de la que él fue un hombre representativo.

Para Elena Croce el *esnobismo liberal* es una prenda de civilización, una cualidad propia de elegidos como su propio padre, Thomas Mann, Hugo von Hofsmannsthal o Bernard Berenson, hombres de letras y artistas que decidieron despojarse de la "nobleza" utilitaria e industrial a la que los condenaba su clase y optar por otra forma de vida burguesa que, entendida en la más noble acepción del término, se significaría por la cortesía que amuebla el trato con las buenas maneras, el refinamiento en tanto que paisaje del alma y el amor al trabajo entendido como la devoción que el sabio rinde a la utilidad pública. Aquella élite, recuerda Elena Croce, vestía a la inglesa e imponía sus maneras anglófilas, mediante la ostentación de un liberalismo que retenía, dificultosamente, las efusiones del alma romántica en la que anida la "íntima tristeza reaccionaria", como agregaría un mexicano.

A través de la *Revista de la Universidad de México* (1953-1965), como asesor, subdirector y director general del Fondo de Cultura Económica (1971-1988) y, en sus últimos días, al frente de la Biblioteca de México, fue García Terrés un poeta que, al desdoblarse en hombre público, ejerció un patriciado basado en varias de las convicciones del esnobismo liberal: es el refinamiento artístico (y no al revés) la palanca que impulsa la educación popular, la gran prosa es el baremo de la civilización, y el estilo superior de vivir (y de viajar) propio del poeta sólo puede retribuirse al Estado arriesgando un apostolado en las universidades, en los museos y en el mundo de la edición.

Alejandro Rossi* habló de un *talante liberal* para referirse a García Terrés. Tiene razón, pues el liberalismo, como adjetivo y como sustantivo, define la personalidad, inclusive la literaria, de García Terrés, una actitud política basada en la fe práctica, no exenta de riesgos y tensiones, en la autoridad civilizatoria del Estado mexicano. A la fidelidad de la república de las letras, ese Estado debía corresponder garantizándole un espacio propicio para su reproducción, en tanto que poder espiritual independiente cuyas metas finales no eran distintas del viejo sueño liberal al que la Revolución mexicana parecía llamada, allá entonces, a cumplir.

Aunque los gobiernos posrevolucionarios le habían prestado atención a la élite intelectual, otorgándole a sus representantes más conspicuos (Jaime Torres Bodet*, Agustín Yáñez*) puestos ministeriales o diplomáticos, es falsa la creencia, actualmente tan asentada, de que ese Estado *siempre* protegió a los escritores mediante becas y otra clase de estímulos. Esa política sólo se institucionalizará decadas después, entre los regímenes de Luis Echeverría y Carlos Salinas de Gortari, y tan es así que en 1959 esa carencia preocupaba a García Terrés: "En México no existe ninguna institución oficial, o descentralizada, que proteja sistemáticamente al escritor en tanto que escritor. El renglón del presupuesto dedicado al fomento de la cultura es irrisorio. Por educación se entiende, casi de modo privativo, la alfabetización: esfuerzo que estaría muy bien si fuera efectivo, y si a su lado se reconociera que la formación y el mantenimiento de una élite cultural es tanto o más importante que una vaga tentativa de enseñar las primeras letras a un pueblo por lo demás cargado de miseria" ("El ambiente literario en México", en García Terrés, *Obras*, III, 2000).

Fue en la Universidad Nacional Autónoma de México (UNAM), y desde sus difíciles condiciones de autonomía intelectual, que se tornaron críticas en 1968, donde García Terrés decidió formar y mantener esa "élite cultural" en las dimensiones, no tan modestas, que su capacidad de convocatoria aseguraba. El proyecto de la *Revista de la Universidad de México* hizo de la crítica la manera más eficaz de colocar a las bellas artes en el corazón de la tolerancia pública. La nómina de aquella revista es un verdadero armorial de nuestras letras: junto al viejo Reyes*, Pacheco; tras Octavio Paz*, Juan José Arreola*, Juan Rulfo* y Carlos Fuentes*, Juan García Ponce*, Juan Vicente Melo* y Carlos Monsiváis*; los poemas de Luis Cernuda* y los primeros cuentos de Gabriel García Márquez*; la entonces todavía nueva literatura latinoamericana (Gonzalo Rojas, Nicanor Parra, Sebastián Salazar Bondy, Ernesto Sábato) compartiendo las páginas con Erich Fromm.

La feria de los días (1961) reúne el periodismo político y cultural del primer García Terrés, presencia constante en la *Revista de la Universidad de México*, en *El Observador,* en *Cuadernos Americanos* y aun en *Excélsior.* Es un libro que, como todos los de su tipo, combina la caducidad a la que está condenada la opinión periodística con la permanente actualidad de caracteres morales que dibujan la vocación de quien los traza. García Terrés, al hablar de la agitada Francia que pasaba de la cuarta a la quinta República y ante el trío compuesto por el ministro Pierre Mendès-France, el presidente Charles de Gaulle y su mala conciencia moral, el novelista François Mauriac, añoraba para México una "política de altura" como aquélla.

En algunas ocasiones, García Terrés fue, a su pesar, profético, como cuando señaló que con la muerte de José Vasconcelos* —que su generación aborrecía con justificadas razones— nacería su mito. Pero mayor importancia tiene una opinión, al parecer menuda, que aparece con cierta frecuencia en *La feria de los días* y que es rarísima de encontrar entre los poetas y novelistas mexicanos de aquellos días: García Terrés localizaba en 1959 el problema central de nuestra vida pública en la libertad política, y "la solución ideal, la meta última, estriba en la plena libertad del voto".

No es fácil transitar (y a veces ni siquiera es conveniente hacerlo) del temperamento liberal a la convicción democrática. Pero García Terrés lo hizo en *La feria de los días,* testimonio apenas cifrado de lo irrespirable que era, hasta para un patricio como él, aquel mediodía de la Revolución institucional caracterizado por una rutinaria represión corporativa y policiaca promovida por el anticomunismo vociferante de la prensa. Del denuesto prudente de un régimen alérgico a todo cuanto no fuese compungida autocensura, al entusiasmo cardenista por la Revolución cubana, *La feria de los días* a veces se limita a las efusiones de la buena conciencia que atareaban a esa *gauche caviar* que el PRI se esmeró en cultivar. Pero es más frecuente escuchar, como en la defensa combinada del humillado Premio Nobel Boris Pasternak y de la libertad de expresión en México, a ese elocuente liberal que fue García Terrés.

Resultado de su experiencia como embajador en Grecia entre 1965 y 1968, *Reloj de Atenas* (1977) es uno de los mejores libros de viaje de nuestra literatura. Si García Terrés aspiró a vivir en el teatro de los acontecimientos y la centuria pasada fue el Gran Siglo mexicano, nada más propicio que la escena diplomática y ningún sitio mejor escogido que Grecia para exhibir la flemática gravedad del poeta. Al amparo de Giórgios Seféris, de quien se volverá amigo y traductor, García Terrés hacía de su misión en la Hélade un momento cenital en su camino de humanista cuando lo sorprendió el golpe militar de los coroneles en 1967. Formado naturalmente en una escuela cuya esencia —primera asignatura y máxima graduación— era aquella "política del espíritu" postulada por Paul Valéry, el embajador de México mantuvo la dignidad del cargo pese a padecer la impotencia del diplomático ante la persecución de sus amigos griegos: la corte del rey Constantino se había convertido en un cuartel.

Los cuadernos privados que llegarían a ser *Reloj de Atenas* debieron serle a García Terrés una compañía muy amarga, cuando apenas desembarcado de Grecia, en 1968, hubo de reintegrarse a una vida mexicana marcada por una solución autoritaria —la del presidente Díaz Ordaz al movimiento estudiantil— harto similar al golpe militar griego: cancelación de las libertades civiles e histeria xenófoba. Pero entre todos los funcionarios públicos —García Terrés llegó para hacerse cargo de la biblioteca y del archivo de la Secretaría de Relaciones Exteriores— sólo Paz, al renunciar a la embajada en la India, rompió con el consenso. Años después, al escribir el epitafio de Antonio Carrillo Flores —canciller en 1968—, el propio García Terrés definirá ese consenso como el "pragmatismo mexicano", recurso propio de la incongruencia entre la defensa teórica de los derechos ciudadanos frente al Estado y la siempre oportuna adhesión al gobierno en turno. García Terrés, como tantos hombres de su generación, no fue ajeno a esa debilidad, lo cual también forma parte del universo que Elena Croce detectó en los esnobs liberales, que según ella tenían "una fe informal, mística, un poco sacrílega en sus relativos semejantes, más que en una religión de la libertad, la cual presuponía el deber de probarse con la bajeza de los deberes cotidianos, con el límite, privado de matices seductores, de la realidad".

La palabra *cosmopolitismo,* en los primeros textos de García Terrés, como en no pocos de los de Paz, era un vocablo peyorativo. Pero fueron ellos, al viajar con tanto provecho por la tierra y sus literaturas, quienes devolvieron todos sus honores a la condición de cosmopolita. Quizá no haya figura más apropiadamente universal que la del poeta traductor, y en John Donne, W. B. Yeats, Tristan Corbière, Jules Laforgue o Hölderlin, los autores que García Terrés tradujo, es donde encontramos su verdadero itinerario. En *El teatro de los acontecimientos* (1988) y en su secuela póstuma incluida en el tomo II de sus *Obras* (1993-2000), asistimos a su periplo más propiamente mundano: de su encuentro con Ezra Pound en Atenas al recorrido por las familias poéticas de Grecia, de los retratos de Lionel Trilling, Graham Greene y Lillian Helman a la libre especulación en torno a esas almas esquivas —Julio Torri*, José Gorostiza*, Juan Rulfo o Luis Buñuel— que le fascinaban y de las cuales dejó páginas de buena prosa y astuto entendimiento.

El esnobismo liberal, se me ocurre, es una de las formas modernas del estoicismo, tan propio de la estirpe a la que García Terrés pertenece. De su poesía prefiero aquella en la que el hombre de letras aparece paseándose en la intimidad, como un patricio en su jardín, bromeando un tanto gravemente sobre las congojas forales del ciudadano y las luminosas alegrías que proporciona la vida entre los libros, no sin privarse de una lamentación ante la pecera familiar visitada por la muerte o por las circunvalaciones de un roedor doméstico. De *Las manchas del sol, 1956-1987* (1988), su poesía reunida, prefiero los volúmenes finales —*Corre la voz* (1980) y *Parte de vida* (1988)—, por la sutileza de un tono que Gabriel Zaid* localiza "en la grata elusión de la música obvia, de la queja romántica y el discurso engolado. En el distanciamiento placentero del yo, que va dejando señales de inteligencia al lector, entre líneas" (Zaid, *Obras*, 2. *Ensayos sobre poesía,* México, 1993).

Es curioso que García Terrés, a quien en los años cincuenta no le gustaba Borges (y no sólo por razones políticas, sino retóricas), acabase por escribir poemas afines a los del argentino, centrados en la displicencia metafísica y en la reserva emocional ante los fuegos fatuos de la posteridad, la infinita biblioteca y los meandros de la biografía literaria. Entre los poemas que encuentro más felices están "Envío" (de *Todo lo más por decir,* 1971), que registra la comedia íntima de para quien amanecer es una fuente de soponcios nerviosos; "Perseverancia", ese epitafio de epitafios donde al poeta "lo recuerdan/puntuales sus catorce descendientes/y las bibliografías"; "Limpieza general", que a Zaid le gusta mucho por su medida de exageración mitológica de un desastre doméstico, y "Sazón del alba", esa espera de "cuántas calladas horas faltan aún para reconocer/el fruto verdadero", leído con justicia como el testamento del poeta. Y siendo García Terrés un poeta que se batió contra todos aquellos que consideran árida o escasamente vital a la existencia libresca, no debe extrañar que varios de sus poemas sean pequeñas vidas más o menos imaginarias, como "La vocación" sobre Kaváfis, "Ezra Pound en Atenas", aquella maravillosa evocación de Gutiérrez Nájera ("El duque y la duquesa") o "Lowell", el torturante retrato de la caída de un poeta: "un libro que se acaba en el alba/la última lección de su verdad esquiva".

García Terrés participó de ese "descenso a la llanura de la poesía social, a la llaneza de la poesía coloquial, al canto llano de la poesía humana" (Zaid), que se volvió urgente tras *Muerte sin fin,* de Gorostiza. En ese viaje fue García Terrés, junto al propio Zaid, un poeta que se aventuró en el prosaísmo sin caer en la trivialidad (como les ocurrió a algunos de sus discípulos), renunciando humorísticamente a la alharaca telúrica para merodear al margen de los cantos, como leemos apenas al abrir *Los reinos combatientes* (1961).

Un tercer personaje habitaba en García Terrés, en armonía con el hombre de letras liberal y el poeta estoico: el prudente oteador de lo oculto, de esos infiernos del pensamiento que encontró en Freud, en Gilberto Owen y en el camino a Eleusis. Que un estoico como García Terrés decidiese comer hongos alucinógenos y hacer poesía con su viaje en "Carne de Dios" (1964) habla de la sofisticación de aquella élite, de su apertura a las búsquedas radicales de los años sesenta, y revela, también, los límites del esnobismo liberal. Acaso él mismo entrevió sus limitaciones cuando, años más tarde, comentó con harta indecisión *El camino a Eleusis,* del micólogo R. Gordon Wasson, haciéndose palpable que García Terrés apenas había sido un ocasional y curioso visitante eleusino. Como el esoterismo de salón —¿lo hay de otro tipo?— de Yeats, la experiencia alucinógena (única y doméstica) de García Terrés apenas quedó como una manifestación del espíritu de la época. Es sorprendente que el registro escrito del poeta no difiera en mucho al dejado en los mismos años por los *hippies* y jipitecas que peregrinaban a Huautla en búsqueda de María Sabina, viajeros que el poeta desdeña, desde una insostenible superioridad de iniciado, como legos.

Poesía y alquimia. Los tres mundos de Gilberto Owen (1980) es, como lo señalaron en su momento Aurelio Asiain* y Paz, una sobreinterpretación: es aventurado creer que el autor de *Perseo vencido* (1948), no habiendo frecuentado nunca los círculos herméticos y ayuno de lectores de ese orden, haya cifrado en clave alquímica su gran poema. Pero de búsquedas como la de García Terrés en la obra de Owen se compone el gran libro de la crítica: *Poesía y alquimia* es un hermoso capítulo en la historia de la poesía mexicana. A García Terrés le debe Owen su restitución como el poeta más estudiado (tras Gorostiza) de los Contemporáneos, y basta comparar *Poesía y alquimia* con las posteriores lecturas —dizque alquímicas— de la poesía de Jorge Cuesta* para ilustrar la diferencia entre la crítica literaria y la charlatanería académica.

A diferencia de Reyes, el maestro de quien tuvo que tomar distancia, García Terrés fue a Grecia y nos inició en el griego moderno y en sus poetas: Kaváfis, Elytis, Sikelianós, Embírikos y Seféris. Entre la antigua Hélade de la retórica ateniense que Reyes dibujó y la Grecia tercermundista y arruinada, tan parecida al México autoritario, que García Terrés registró en *Reloj de Atenas,* encontramos otra evidencia del camino de nuestras letras hacia la modernidad, un tiempo donde la magna arqueología se confunde, como debe ser, con las ruinas contemporáneas, tan poco prestigiosas, que habitamos. Eso es la civilización y así lo entendió, escribiéndolo, García Terrés.

Idéntica capacidad de conciliación entre el canon y la crítica permitió que las empresas culturales de García Terrés, visibles no sólo en la *Revista de la Universidad de México,* sino en el catálogo del FCE o en esa extraordinaria revista literaria hispanoamericana que fue *La Gaceta del FCE,* resultasen tan brillantes, tan desinteresadas. Distinguía a García Terrés una formidable (y sutil) capacidad para el trabajo en equipo, maestro como era en esa peculiar mayéutica que consiste en saber qué tarea intelectual o editorial corresponde a cada persona. Sólo del temperamento liberal puede desprenderse esa vocación que hace de una comunidad el talento multiplicado de los individualistas que la componen. De niño, García Terrés fue el primer escritor a quien vi en su biblioteca y, años después, estaba en la lógica del teatro de los acontecimientos que a él le tocara comisionarme la hechura de mi primer libro, como le ocurrió, venturosamente a otros escritores, de una, de dos generaciones. A don Jaime le hubiese horrorizado la comparación, pero a la hora de sacar los saldos de la centuria pasada, la riqueza cultural promovida y administrada por García Terrés es comparable (y acaso superior) a la que en su momento dilapidó, tan mayestáticamente, Vasconcelos.

Durante la segunda mitad del siglo XX hubo una escuela donde García Terrés ejerció como director y maestro, convencido, como Hofmannsthal y otros de los esnobs liberales retratados por Elena Croce, de que el secreto de la personalidad artística puede y debe transmitirse como si se tratase de la búsqueda del Santo Grial. Esa escuela, a la vez pública e iniciática, no escapó a la corrosión del tiempo y ya hace años que fue cerrada por los bárbaros. Dispersos en los caminos, aquí y allá, quienes nos formamos como escritores y lectores en esa escuela, llevamos, como si fuese una *Odisea* de bolsillo, el legado de García Terrés.

Bibliografía sugerida
Obras I. *Las manchas del sol. Poesía, 1953-1994,* FCE, México, 1995.
Obras II. *El teatro de los acontecimientos,* FCE, México, 1997.
Obras III. *La feria de los días, 1953-1994,* FCE, México, 2000.
Iconografía de Jaime García Terrés, FCE, México, 2003.

GARDEA, JESÚS
(Delicias, Chihuahua, 1939-ciudad de México, 2000)

Este extraño narrador, tan mal leído, empezó a publicar tardíamente y murió apenas pasada la madurez, dejando una obra inusualmente monocromática y nada desdeñable: trece novelas y una *Reunión de cuentos* (1999), donde hay algunas de las muestras más ejemplares del género. Ante novelas como *El sol que estás mirando* (1981), *La canción de las mulas muertas* (1981) o *El tornavoz* (1983), algunos entre los primeros lectores de Gardea creímos, equivocadamente, que se trataba —como creador de una zona imaginaria, el pueblo de Placeres— de un faulkneriano de tercera generación. Más que de Gabriel García Márquez*, estuvo Gardea en la órbita de Juan Rulfo* y Juan Carlos Onetti, y a diferencia de otros epígonos nunca recurrió —como lo señala José María Espinasa*— a los golpes de la varita del realismo mágico. Acabó Gardea por abandonar sigilosamente (y por completo) la anécdota y murió como un autor situado en los límites de lo inteligible.

Espinasa, el crítico a quien debemos las páginas más fieles y perceptivas sobre Gardea, encontró que este narrador "privilegia antes que nada la creación de una atmósfera; el polvo calcinado, el cénit donde 'el sol que estás mirando' deja sin sombra toda la piel expuesta a su existencia [...] Las leyendas y giros lingüísticos del norte de México son utilizados como elementos para la construcción de ese tono y esa atmósfera [...] La narrativa de Gardea tiene como fundamento lo entrevisto en las cortinillas de una peluquería, entre los visillos o a través de una puerta entornada, dividiendo así la realidad en un blanco y negro, no moral, sino plástico" (Espinasa, *Hacia el otro,* 1990).

Pero fue en los cuentos donde Gardea alcanzó una maestría basada en la depuración casi maniaca de sus poderes expresivos. En títulos como *Los viernes de Lautaro* (1979), *Septiembre y los otros días* (1981), *Las luces del mundo* (1986), *De alba sombría* (1987), *Difícil de atrapar* (1995) y *Donde el gimnasta* (1998), Espinasa encontró a "un cuentista atípico: sus historias tienden a ser parcas, enjutas, adelgazan hasta volverse imprecisas. Y no es que, al simplificarse la historia, el cuento se vuelva transparente. Al contrario: hay una textura impresionista, vibratoria, en ellos. Tienen su origen literario en *El Llano en llamas,* pero también echan raíces en otras experiencias narrativas, como la de Revueltas*, la de Magdaleno o la de Ramón Rubín, o en corrientes de investigación antropológica como la microhistoria. Sin embargo, toma distancia frente a sus antecedentes en el extremo formalismo de sus últimos libros. Al verlos en conjunto se muestra la evolución hacia un lenguaje voluntariamente seco, formalizado, que toma palabra, atmósfera o incluso ritmo del lenguaje hablado, pero no tiene nada que ver con él [...] Es evidente que no posee un lenguaje florido, que sus ficciones se tocan en una gama limitada de notas (eso que alguna vez se le ha reprochado: todos sus cuentos parecen el mismo), pero que en esas pocas notas se da un trabajo muy elaborado. Sus cuentos no se parecen, lo que se parece es la textura".

Las últimas novelas de Gardea —*Soñar la guerra* (1984), *Los músicos y el fuego* (1985), *Sóbol* (1985), *El diablo en el ojo* (1991), *La ventana hundida* (1992), *Juegan los comensales* (1999)— fueron preparando el camino de su libro póstumo, *Tropa de sombras* (2003). He leído dos veces esta novela sin llegar a entender de qué se trata. ¿Es una pesadilla ocurrida en un cuartucho abandonado en medio de la noche y del desierto? ¿Es la historia de cuatro hombres armados que escapan de un presidio con la única ayuda de una linterna? ¿O es una escenificación emparentada con el teatro del absurdo, cuya materia es el castigo del lenguaje? *Tropa de sombras* es uno de los pocos libros mexicanos de nuestros días que presentan a un escritor radicalmente indispuesto a hacer la mínima concesión al realismo tradicional, tantas veces reciclado como novedad editorial. Rasgo notable —y hasta un tanto heroico— en un autor como él, narrador nato cuya pericia retórica le hubiese permitido renunciar a la soledad y tentar las luces del mundo.

Aquel "narrador del desierto", a quien al principio identifiqué como un cumplido artesano bien dispuesto a "colorear" esas llanuras desérticas del norte de México huérfanas de expresión literaria, resultó ser un solitario ejemplar que hizo de la nada natural y del vacío geográfico una poética de la desolación. Pocas cosas más melancólicas de leer, en nuestra literatura contemporánea, que un cuento de Gardea, rutinariamente situado en ese punto donde el hombre se pierde en su sombra.

Cirujano dentista en Ciudad Juárez, Gardea disfrutó en vida de la fama de ser el primer novelista provinciano que alcanzaba cierto renombre sin establecerse en el Distrito Federal. Lo mató un infarto a los sesenta años. Yo hablé con él, en persona, una sola vez, como intermediario de una amiga interesada en traducirlo al alemán. La conversación duró tres o cuatro horas y no recuerdo nada notorio en Gardea, como si delegase en una máscara la responsabilidad de atender irremediables y latosos asuntos profesionales. En la calculada ausencia de vida literaria que se nota en su biografía, Gardea se parece a esos escritores alabados por Faulkner que, como al zopilote, nadie los odia, ni los envidia, ni los necesita. Nadie se mete con ellos, nunca están en peligro y pueden comer cualquier cosa.

Bibliografía sugerida

Reunión de cuentos, FCE, México, 1999.

Tropa de sombras, FCE, México, 2003.

GARIBAY, RICARDO
(Tulancingo, Hidalgo, 1923-Cuernavaca, Morelos, 1999)

Garibay es quien acabó de unir a la ciudad con su habla. Para él la ciudad emite compulsivamente signos verbales. Aun desde sus inicios —*Maza-mitla*, 1955—, cuando todavía se encontraba estrechamente ligado a los tópicos rurales, Garibay supo hacer del lenguaje un factor de movimiento narrativo. En los cuentos y sucedidos de Garibay la escena se desplaza movida por el vértigo de las palabras. El autor de *Beber un cáliz* (1965) y *Bellísima bahía* (1968) introduce sin rubor recursos extraliterarios al texto: guión radiofónico, argumento para televisión, movilidad cinematográfi-ca. Esta parafernalia no suele ser un gasto inútil. Es una estrategia que brinda todas las posibilidades escénicas a ese lenguaje popular que Gari-bay aprendió a oír y enseñó a escuchar a los narradores urbanos contem-poráneos.

Palabra empeñada, la de Garibay hace de la ciudad (y no sólo de la de México sino de dondequiera que prive lo urbano) un escenario donde la descomposición del cuerpo social impregna totalmente las atmósferas. Garibay denuncia con imágenes.

Tardíamente, Garibay publica una solvente novela, *La casa que arde de noche*, en 1971. El conocimiento casi académico que Garibay había acu-mulado en cuanto al lenguaje popular, se revela entonces no sólo como inventario afortunado. Se trata de una resta estilística, que hace que, en *La casa que arde de noche*, Garibay escoja lo más intenso de su repertorio, demostrando ser un realista cruel y exacto, un prosista de hondo patetis-mo poético. [...]

El patetismo de Garibay demostró que el lenguaje popular podía ser *exagerado* en el sentido literario y no en el de sus limitaciones como ins-trumento de expiación moral. Son los años en que Rubén Bonifaz Nuño* y Efraín Huerta* llevan la poesía a los salones de baile y a los camiones (*Antología de la narrativa mexicana del siglo xx*, I, 1989).

Bibliografía sugerida
La casa que arde de noche, Joaquín Mortiz/SEP, México, 1986.

Obras reunidas, 4. Crónica, 1, introducción general de Vicente Leñero y ensayo particular de Eduardo Mejía, Océano/Conaculta/Gobierno del Estado de Hidalgo, México, 2001.

Obras reunidas, 5. Crónica, 2, Océano/Conaculta/Gobierno del Estado de Hidalgo, México, 2001.

GARIBAY KINTANA, ÁNGEL MARÍA
(Toluca, Estado de México, 1892-ciudad de México, 1967)

Biblista, nahuatlato, helenista y enciclopedista, el padre Garibay fue uno de los pocos sabios, en la ya infrecuente y plena acepción de la palabra, con los que contó la cultura mexicana del siglo xx. Quien habría de culminar su carrera eclesiástica como canónigo lector de la Basílica de Guadalupe en 1941 fue previamente cura párroco en los pueblos de Jilotepec, San Martín de las Pirámides, Huizquilucan, Tenancingo y Otumba, sitios donde aprendió el otomí. Este hombre que nunca salió de México y que acaso ni el mar alcanzó a mirar, culminó en solitario la tradición filológica de la Iglesia mexicana. Continuador de la obra etnolingüística de fray Bernardino de Sahagún —cuya *Historia general de las cosas de la Nueva España* editó en 1956— y del impulso ilustrado de Francisco Javier Clavijero, el padre Garibay publicó las obras canónicas de fray Diego Durán, fray Diego de Landa y de Manuel Orozco y Berra.

Figura poco estudiada de nuestro clasicismo literario del siglo xx, el padre Garibay tuvo el griego que a Alfonso Reyes* le faltó y la caridad cristiana de cuya carencia se vanaglorió José Vasconcelos*. Respetuosamente aguardó el padre la muerte de Reyes para publicar su *Mitología griega* (1962), manual cuya utilidad y nobleza se ve oscurecida por una prosa apologética ampulosa y anacrónica. Y cabe recordar que la *Historia de la literatura náhuatl* (1954) da comienzo con la comparación que Vasconcelos se negó a hacer entre las literaturas del Indostán y las de las Indias occidentales. Desde sus soledades de erudito trabajando las lenguas clásicas y modernas en los pueblos del altiplano hasta su consagración como fundador del Seminario de Cultura Náhuatl de la UNAM, el padre Garibay ha sido el único hispanohablante que ha traducido íntegramente la tragedia y la comedia griegas. Es probable que su versión de *Las once comedias* (1967) de Aristófanes no sea la de mayor rigor filológico entre las que circulan en nuestra lengua; pero en mi opinión es la más bella y la más sabrosa.

Al padre Garibay, como católico, nada de lo universal le fue ajeno; al igual que Reyes y Vasconcelos, dedicó su obra a la edificación clasicista desde la cual debería proyectarse la cultura moderna y lo hizo reconstruyendo el eslabón más débil de la tradición mexicana: la literatura náhuatl. Desde *La poesía lírica azteca* (1937) y *Llave del náhuatl. Colección de trozos clásicos con gramática y vocabulario para utilidad de los principiantes* (1940 y 1961) hasta *Poesía náhuatl* (1964-1968), el padre Garibay recurrió a la filología como único medio para desbrozar un espacio ocupado por el hispanismo y el indigenismo. El primero, apoyado en patrañas racistas, negaba la existencia literaria de aquella "civilización sin alma", como la despachó Vasconcelos, mientras que a los indigenistas de la Revolución mexicana les bastaba con imprimir cromos pedagógicos y legendarios.

Los estudios nahuatlatos, como es natural en todo desarrollo filológico, han rebasado muchas de las hipótesis y atribuciones tanto de Garibay como de Miguel León-Portilla, su discípulo. Tras la polémica interpretación realizada por John Bierhorst del *corpus* de los *Cantares mexicanos* —cuya primera fijación debemos a Garibay—, parece esclarecerse que la traducción alfabética de la poesía náhuatl no responde a la noción de autor y tampoco representa una compensación apolínea frente a la indiscutible naturaleza sacrificial y militarista de las ciudades-Estado mesoamericanas. Se trataría de cantos ceremoniales de invocación hermética de los dioses, reyes y guerreros difuntos, realizada como dramática consecuencia de la Conquista. Aunque el padre Garibay no tuvo reparos en situar alguna parte de sus fuentes como posteriores a 1521, es probable que la totalidad del *corpus* sea, contra lo que él deseaba, poscortesiano.

A la *recensio* de Garibay se le reprocha una "precolombinación extrema del conjunto del manuscrito", a partir de la omisión arbitraria de todos aquellos escolios que consideró problemáticos, interesado como estaba en hacer de los *Cantares* una suerte de antología griega en concordancia con los grandes trágicos. Paradójicamente, le tocó a él, sacerdote católico, eliminar, considerándola grosera interpolación, toda la influencia cristiana en una poesía náhuatl que verosímilmente fue escrita después, no antes, de la Conquista. Educado en la escuela decimonónica y romántica, el padre Garibay quiso dotar a los aztecas de una *literatura nacional* a la altura de su horizonte civilizatorio: a esa urgencia respondió la *Historia de la literatura náhuatl* y con esa precaución debemos leerla. No es extraño entonces, advierte Gertrudis Payàs, que en 1965 el padre Garibay haya recibido el Premio Nacional junto con el arquitecto Pedro Ramírez Vázquez, proyectista del Museo Nacional de Antropología, la obra monumental con la que el régimen de la Revolución mexicana honró el arquetipo azteca en el que deseaba reconocerse.

Para quien estudia la literatura como manifestación de la historia de las ideas y es ajeno al encanto de las falsificaciones identitarias, la empresa clasicista de Garibay se vuelve así tan interesante y fecunda como las que intentaron, en los siglos XVI y XVII, Fernando de Alva Ixtlilxóchitl y Carlos de Sigüenza y Góngora. Si éstos tradujeron la cultura latina en clave cristiana y neoazteca, el padre Garibay arriesgó una síntesis también notable, tan útil para introducirse en la poesía náhuatl como para entender nuestra literatura moderna. En *La literatura náhuatl* (1990) Amos Segala resume de esta manera las intenciones y los límites del gran escoliasta: "El padre Garibay, de quien a veces ignoramos la frecuentación cotidiana no sólo de los textos nahuas sino de los de la espiritualidad grecolatina y veterotestamentaria, solía establecer relaciones de significado entre algún texto bíblico, indoeuropeo o prehélenico y alguno náhuatl. Tales referencias, tales acercamientos no sólo son convenientes para intentar ennoblecer la producción literaria de un pueblo al que consideramos que las manipulaciones más diversas han conspirado para ennoblecer su verdadera naturaleza. También son funcionales porque sitúan a esta literatura en la esfera que es principalmente la suya y que hacen de aquélla un fenómeno eminentemente religioso, la expresión de una colectividad que se reconoce, se rememora, ruega, duda, sufre y se alegra dentro de una cosmovisión precisa, ineluctable, omnipresente. El canto, la literatura, no tienen otra función, otra razón, que la de ser un apoyo precioso y controlado de esta *Weltanschauung*, de la que son una hipóstasis y una ilustración".

Garibay, sin duda, helenizó el universo literario de los nahuas, convirtiendo a la *toltecáyotl* —como la llamaría León-Portilla— en un registro clásico asimilable tanto para la Iglesia católica como para el indigenismo de la Revolución institucional, pero el padre mantuvo, entre ambos extremos, un equilibrio acrobático. Pero ni siquiera aceptando esta lectura política debe menospreciarse el talento de Garibay al redescubrir (y en cierto sentido inventar) a la literatura náhuatl poscortesiana como un bellísimo e inesperado brote que enriqueció la lengua castellana y cuya interrupción trágica fue la célebre clausura del colegio indígena de Santa Cruz de Tlatelolco en 1556. No es extraño así que Garibay recurriese a la emoción crítica al culminar la *Historia de la literatura náhuatl* examinando el caso de Bartolomé de Alva Ixtlilxóchitl, tercer hijo de don Fernando, quien a mediados del siglo XVII sintetizó en náhuatl a Lope de Vega y a Calderón de la Barca, proyectando un tipo nuevo de auto sacramental que quedó, como se lamenta el padre Garibay, en el "vuelo roto" de una auspiciosa fusión cultural.

El clasicismo de Garibay provocó a su vez una previsible reacción romántica: mientras el padre continuó con la tradición eclesiástica pretridentina que autoriza y postula la confluencia entre el paganismo y el cristianismo, entre el legado náhuatl y la conquista espiritual, para los publicistas de la nueva literatura indígena —antropólogos, académicos conversos a la causa neozapatista, clérigos de la izquierda posconciliar— el español sólo funciona en calidad de "lengua del conquistador", aislando a los indios del contexto fatal que permitió su sobrevivencia: una civilización hispánica y católica de la cual el México republicano es heredero. Si por modernidad se entiende la capacidad de todos nosotros —los bárbaros— para hablar e inteligir las lenguas que circulan en la ciudad, el legado de Garibay es inmenso: restauró —con las inevitables licencias del arqueólogo que dispone por primera vez de un sitio— toda una literatura, permitiendo que cincuenta años después las lenguas indígenas asuman un pasado susceptible de prolongarse en una nueva expresión artística. Libros como la *Visión de los vencidos* (1961), preparado por León-Portilla con las traducciones de Garibay, no sólo modificaron la lectura de la Conquista sino que nutrieron de esperanza escatológica la actual cultura política que rodea a los indios mexicanos. Cuando un Carlos Montemayor* baja de la academia y de los estudios clásicos para *renacer* entre las nuevas literaturas indígenas es imposible no ver su empeño como el desenlace, y al mismo tiempo la negación, del legado garibaldiano.

Festejado y chiqueado como la flor tardía del humanismo mexicano, el padre Garibay supo ser también un abate modernista, el primero en sugerir el ingreso de mujeres a la Academia Mexicana de la Lengua y una de las pocas voces que, desde la prensa y en los primeros días de la segunda Guerra Mundial, advirtió a la germanizante opinión nacional contra el exterminio de los judíos europeos. Desde *Excélsior* y *El Universal* o en la revista *Ábside,* tribuna de los literatos católicos, el padre Garibay fue una voz muy escuchada. Sus conocimientos del griego y del arameo afianzaron su papel como intelectual filosemita, traductor que fue de los *Proverbios de Salomón* y *Sabiduría de Jesús Ben Sirak* (1966) y la *Sabiduría de Israel* (1966).

Director del *Diccionario Porrúa de historia, biografía y geografía de México*, don Ángel María ofreció a los poderosos del medio siglo un lustre de rococó azteca para su exhibición en las sesiones académicas y en las páginas de sociales, incurriendo en festejadas coqueterías como la traducción al náhuatl de los menús que Salvador Novo* servía en La Capilla, su restaurante. Pero más allá del remanso autoritario que permitía a la élite institucional reconciliarse con la remotísima monarquía de los Axayácatl y de los Moctezuma, la admiración que el viejo Novo, regente del buen gusto y cronista de la ciudad de México, le tuvo al padre Garibay, su *Totlazotlamatinitzin Noteopixcatzin,* fue enorme. En el padre y doctor veía Novo esa inesperada realización clasicista que había sido uno de los sueños perdidos de su generación.

Hojeando *Letras de México* (marzo de 1943), me encuentro con una fotografía del padre Garibay que muestra, recargado con estudiada indolencia sobre el muro de una pirámide, a un hombre inverosímilmente joven, de abundantísima barba y greña apenas disimulada, vestido de chamarra y ataviado con un sombrero de palma. El padre Garibay de la imagen podría ser un personaje de los años setenta del siglo xx, un *hippie* en búsqueda de hongos alucinógenos, o un antropólogo marxista haciendo trabajo de campo, o también un arqueólogo del siglo XIX, sabio y aventurero, satisfecho de haber desbrozado la selva hasta topar con el tesoro de los mayas. Frente a la inquietante y simpática ubicuidad de ese personaje, dueño a la vez de varios espacios en el tiempo, cierro los ojos y los vuelvo a abrir. Sí, a quien ahora veo es al padre Garibay: podría ser, por qué no, Indiana Jones.

Bibliografía sugerida
Historia de la literatura náhuatl, Porrúa, México, 1954.
Poesía náhuatl, UNAM, México, 1964-1968.

GARRO, ELENA
(Puebla, Puebla, 1920-Cuernavaca, Morelos, 1998)

La vida y la obra de Garro encarnan la leyenda más asombrosa y problemática del tiempo literario mexicano. Casada en 1937 con Octavio Paz*, con quien vivió un turbulento matrimonio que terminó legalmente en 1959, Garro desarrolló una relación paradójica con las luces y las sombras del poeta. Paz es la amenazante hipóstasis del mundo para Garro. Por un lado, sus cuentos y novelas dependen de una fantástica persecución encabezada por su ex marido; por el otro, sin el apoyo material de Paz, que se extendió hasta el final de sus días, la difícil vida de Garro y de su hija Helena Paz habría sido, si cabe, aún más desdichada. En una entrevista concedida a Gabriela Mora en los últimos años de su vida, Garro ratificó la vigencia de su vastísima querella existencial: "quiero que sepas de una vez: primero, que yo vivo contra él, nací contra él, tuve una hija contra él, quise a mi familia contra él, estudié contra él, bailé contra él, tuve amantes contra él, escribí contra él y defendí a los indios contra él, escribí de política contra él, en fin, todo, todo, todo lo que soy es contra él [...] En la vida no tienes más que un enemigo y con eso basta. Y mi enemigo es Paz".

La desclasificación, en julio de 2006, de los documentos que exhiben a Garro como informante de la Dirección Federal de Seguridad (DFS) del gobierno de Gustavo Díaz Ordaz, antes y durante ese movimiento estudiantil de 1968, que se suponía había sido la causa de su pretendido exilio, esclarece todo un capítulo de la historia política de la literatura mexicana. Previamente se sabía, contra lo que sostenía la propia escritora junto con aquellos que facilitaron su regreso al país en 1993, que la causa de la impopularidad de Garro entre los intelectuales mexicanos no se debía a ninguna persecución encabezada por Paz. El motivo del desprestigio fue su actuación durante el verano de 1968, papel que actualmente nos parece cómico y propio de una novela de espías que sólo Garro pudo haber escrito, pero que, en las semanas posteriores al 2 de octubre, seguramente no fue nada simpático para quienes fueron denunciados por ella como autores intelectuales de la revuelta estudiantil.

Garro publicó, el 17 de agosto en la *Revista de América,* un artículo titulado "El complot de los cobardes", en el cual, tras culpar por primera vez a los intelectuales de azuzar a los estudiantes, su propio pánico toma dimensiones apocalípticas: "En los tumultos provocados, según los rumores, existen millares de muertos e incinerados secretamente por el gobierno. También se cuentan por millares los detenidos y los heridos en las cárceles. ¿Por qué entonces los intelectuales no buscan a las familias de las centenas de asesinados y heridos para presentarlos a la opinión pública? ¿Por qué no piden seriamente un castigo para los autores intelectuales de estas masacres?"

El 7 de octubre, cinco días después de la matanza de Tlatelolco, Garro aparecerá acusando, en los principales periódicos nacionales, al rector de la UNAM, Javier Barros Sierra, y a un grupo de intelectuales y artistas "de extrema izquierda", entre los que se contaban Carlos Monsiváis*, José Luis Cuevas, Rosario Castellanos* y Leonora Carrington, culpables, entre muchos otros, de llevar "a los estudiantes a promover la agitación y el derramamiento de sangre". Otras rarezas que han ido saliendo de los archivos, como el telegrama solidario que enviaron los escritores argentinos Jorge Luis Borges, Adolfo Bioy Casares y Manuel Mujica Lainez al presidente Díaz Ordaz, después del 2 de octubre, se debieron, muy probablemente, a llamadas desesperadas de Garro, íntima amiga de Bioy.

Y en concierto con las denuncias de su madre, Helena Paz publicó, en *El Universal* del 23 de octubre, una carta abierta dirigida a Paz, quien acaba de renunciar a la embajada de México en la India como protesta por los acontecimientos de Tlatelolco. En aquella patética carta al padre, Helena Paz le decía: "Tu condena debió de ser dirigida a los apoltronados que arrojaron a la muerte y a la destrucción a jóvenes desposeídos de fortuna [...] Debes saber que estos directores del desastre no han tenido ningún escrúpulo. Primero: en dejarlos caer y renegar de los caídos. Segundo: en entregarlos a la policía, en cuyas manos, siento decírtelo, están muchísimo más seguros que entre sus secas cabezas enfermas de ansia de poder. Tercero: en cubrirlos de injurias, que van desde cobardes, asesinos, espías, traidores, delatores, provocadores, granujas, etcétera, sólo porque perdieron la sangrienta batalla de Tlatelolco, que los intelectuales organizaron, y a la cual, por supuesto, no asistieron [...] Los jóvenes no eran pacíficos y la razón que ha convertido a estos violentísimos jóvenes, a quienes no conoces, es la carencia de una causa justa y la turbiedad de las cabezas dirigentes de su pérdida".

¿Qué ocurrió con Garro en 1968? ¿Dónde y cómo empieza la desorbitada aventura de una mujer tan terrible, tan seductora? Los datos revelados por el Instituto Federal de Acceso a la Información (IFAI) en mucho ayudan a resolver el rompecabezas puesto sobre la mesa, previamente, por la publicación, de cuyas características me ocuparé más adelante, de los diarios íntimos (*Testimonios sobre Elena Garro,* 2002) y los artículos políticos de Garro (*El asesinato de Elena Garro,* 2005) en ediciones regenteadas por Patricia Rosas Lopátegui.

A reserva de establecer cuidadosamente la cronología, debe recordarse, para armar el caso, que Garro, durante los años sesenta, navegaba en las aguas turbias del agrarismo oficial y que, en su afán de redención de los campesinos, entró en relación con Carlos Madrazo, presidente nacional del Partido Revolucionario Institucional (PRI) entre 1964 y 1965. Garro idolatraba al político tabasqueño a quien, gracias a su frustrado ímpetu reformista, veía como el salvador providencial que México estaba esperando.

En los artículos recogidos en *El asesinato de Elena Garro* se confirma que la escritora creía en los ideales, siempre a riesgo de ser traicionados, de la Revolución mexicana hecha gobierno y de su nacionalismo revolucionario. De infatuaciones mesiánicas como la sufrida por Garro está llena, infortunadamente, la vida intelectual de México.

La trayectoria de Carlos Madrazo, tras cruzarse accidentalmente con el movimiento estudiantil, terminó con su propia muerte en un sospechoso percance aéreo en 1969. Pero en agosto de 1968, dada la envergadura que habían cobrado las manifestaciones estudiantiles, Garro habría empezado a temer (o a ser precautoriamente informada) de que la represión caería fatalmente sobre los jóvenes y terminaría cobrándose víctimas entre la disidencia, más o menos tolerada, del partido oficial.

Garro, dada a la fantasía imprudente y temeraria, habría querido comprar protección para ella y para su hija Helena a cambio de seguir informando a la policía política de lo que ocurría en los círculos intelectuales involucrados con el movimiento. Jugando al doble agente, Garro terminó por ser una espía espiada y, creyendo servirse de la DFS, permitió que ésta se sirviera de ella. Pero el verdadero desencadenante de los hechos debió de ser la renuncia de Paz. Aterrorizada ante el peligroso desafío que significaba el gesto de su ex marido y temerosa de verse aún más involucrada en una situación equívoca, Garro cayó en una crisis paranoide cuya consecuencia inmediata fueron las pretendidas delaciones. Es probable que la información previamente suministrada a la DFS tuviera escaso valor y que las acusaciones públicas, sin lugar a dudas, fueran descabelladas incluso para la meticulosa inteligencia gubernamental. Pero la tendencia a justificar, recurriendo a toda clase de artimañas, la conducta de Garro en 1968, vuelve insoslayable decir que ella cometió una grave falta: puso en peligro la libertad de muchos amigos y colegas suyos, y contribuyó de manera tan destacada como extravagante al clima de linchamiento público proyectado, después del 2 de octubre, contra los intelectuales.

El resto de la historia es todavía más lamentable. Cuando Garro decidió poner fin a su autoexilio en París y en Madrid, fue recibida en México en olor de santidad por los enemigos literarios y políticos de Paz, quienes pronto huyeron de ella, al comprobar su tendencia irrefrenable al dispen dio económico: ningún dinero resultaba suficiente para cubrir las extrañas necesidades de las dos Elenas, especialistas en hacer desaparecer cualquier cantidad en días y, a veces, en horas. La literatura no conocía, desde que Léon Bloy escribió *El mendigo ingrato,* una relación tan infernal con el dinero como la sufrida por las Elenas.

Los recuerdos del porvenir (1963), la primera novela de Garro, fue al mismo tiempo un adiós a la narrativa de la Revolución mexicana y una de las novelas clásicas del realismo mágico latinoamericano, mientras que los libros de su último periodo, en mi opinión borradores arrojados inmisericordemente a la luz pública, han concitado la admiración de lectores imparciales, como lo es el escritor argentino César Aira, quien en su *Diccionario de autores latinoamericanos* (2001) dice: "Y Matarazo no llamó (1991), fechado 'París, 1960', es una sombría novela de delaciones, de lo mejor de la autora. *Inés* (1995), probablemente su mejor novela, vuelve a poner en escena a la madre y a la hija, perseguidas por un ex marido tan brutal y diabólico que a su lado el Augusto de *Testimonios sobre Mariana* parece casi benévolo. De 1996 son *Un corazón en un bote de basura,* novela corta, algo más liviana; y *Busca mi esquela* y *Primer amor,* dos relatos, el segundo ambientado en la Francia de posguerra, donde una madre y su hija, Natalia e Irene, Bárbara y Bárbara, huyendo de diversas acechanzas, unen sus destinos a los de los jóvenes prisioneros alemanes; y *Un traje rojo para un duelo,* novela muy densa, ambientada en México, con una madre y una hija, Natalia e Irene, perseguidas por un ex marido sádico y su familia. Por último, *El accidente y otros cuentos inéditos* (1997) son tres cuentos extraordinarios, que aluden a libros anteriores de la autora [...] *La vida empieza a las tres* (1997) es otro volumen con tres relatos. En forma póstuma se publicó una novela larga, *Mi hermana Magdalena* (1998), ambientada en México, París y Ascona, con el ya habitual marido monstruoso, secundado esta vez por una suegra no menos malévola. Entre lo publicado en los últimos años hay que agregar dos libros de no ficción: *Memorias de España 1937* (1992) es un delicioso relato del viaje que un grupo de intelectuales mexicanos hicieron a la España en guerra para apoyar a la República, entre ellos los casi niños Elena Garro y Octavio Paz, recién casados".

El trasfondo biográfico es indispensable para entender el genio de Garro, precisamente por la manera en que se operó semejante transustanciación entre el sufrimiento y la literatura. Ninguna locura tiene tanto método como la de Garro, capaz de distanciarse de sí misma de una manera sardónica y cruel, como ocurre en *Andamos huyendo Lola* (1980), *Testimonios sobre Mariana* (1981) y en *Reencuentro de personajes* (1982). El arte de Garro alcanzó su clímax en *Testimonios sobre Mariana,* novela situada en un París fantástico, el de la segunda posguerra, donde la tranquilidad es imposible para Mariana, quien vive rodeada de monstruos y de dioses. Sometida al imperio de Augusto (su esposo Octavio Paz, según la clave) y de Vicente (Adolfo Bioy Casares), Mariana es una heroína sadeana. Pero su sometimiento sólo puede ser relativo: este portentoso personaje es a la vez víctima y verdugo, nínfula y vampiresa, como ambivalente es su propio destino (y el de su hija), pues ambos seres sobrevivirán espectralmente más allá de la muerte, rodeados de sicofantes del surrealismo y de rusos blancos. A partir de *Testimonios sobre Mariana,* como bien lo recalca César Aira, las novelas de Garro se convirtieron en el desarrollo obsesivo de un solo tema: el poder tanático del orden masculino persigue a una madre y a una hija, protagonistas de una *folie à deux* que necesita de la catástrofe para reproducirse.

Y una vez muerta Garro, no terminó la exposición, siempre pública, de su desdichado destino. Sus diarios y papeles privados cayeron en manos de una profesora de la Universidad de Nuevo México, Patricia Rosas Lopátegui, quien urdió *Testimonios sobre Elena Garro,* una edición comentada de los diarios de Garro, a título de "biografía exclusiva y autorizada". Se trata de un escandaloso ejemplo de inepta manipulación del legado de un escritor, no sólo por el nulo respeto a las más elementales reglas de la edición académica, sino por la mala fe y el resentimiento a toda prueba del que Rosas Lopátegui hace gala, página tras página. En nombre de un feminismo chatarra obsesionado en inculpar a Paz, a toda la sociedad literaria y al Estado mexicano de una conspiración permanente contra la autora de *Los recuerdos del porvenir,* Rosas Lopátegui llega a extremos delirantes, que si en Garro son la sal de una existencia, en su editora y comentarista son mero ridículo. Abundan, en los comentarios con los que Rosas Lopátegui estorba la lectura de los textos, las inferencias psicoanalíticas, los retazos de teoría dizque literaria, la ignorancia del español hablado en México, el escaso conocimiento de la historia nacional y una especiosa bilis que torna nauseabundas las fatigas que implica leer, en busca de Garro, ese galimatías.

Tan escandalosos son los procederes de Rosas Lopátegui, que la prologuista de *El asesinato de Elena Garro,* Elena Poniatowska*, se vio obligada a desautorizar, en buena medida, el libro que aceptó prologar. Dice Poniatowska que "la información que Elena [Garro] le da [a Rosas Lopátegui] es un amasijo de contradicciones cuando no de falsedades"; que Rosas Lopátegui idolatra a Garro, sin cuestionarle nada, dándole tratamiento de santa y de mártir. Y en defensa de Paz, Poniatowska —amiga del matrimonio y testigo de primera mano— refuta a Rosas Lopátegui, recordando que el poeta estaba, a fines de los años cincuenta, loco de entusiasmo por la obra de Garro y que "admiró a su mujer que no dejaba de asombrarlo, mejor dicho de inquietarlo y desazonarlo hasta despeñarlo al fondo del infierno".

Poniatowska, contra los desvaríos de Garro que Rosas Lopátegui pretendió convertir en verdad biográfica, aclara que la carrera política y periodística de Garro durante los años sesenta transcurrió a la amable sombra de varios políticos del régimen diazordacista y que no hubo, ni en 1968 ni después, durante su autoexilio, "complot, ni confabulación, ni conspiración en contra suya. Las novelas y los cuentos de Elena eran leídos y comentados [...] el verdadero asesino de Elena fue su vida misma alejada de la realidad, incluso de sí misma".

El asesinato de Elena Garro, junto con las revelaciones del IFAI, debilitan en mucho la impostura que pretendió convertir la locura de la escritora en una descalificación íntima de Paz y de otros escritores, empresa un tanto inútil, pues Garro (y en ello radica también el genio del personaje) se resiste a ser traducida en términos de la corrección política. Pese a la manipulación de sus papeles privados y de sus artículos políticos, estamos ante un archivo cuya lectura deja una imagen escalofriante del infierno de Garro, a quien habrá que admirar en adelante por haber dejado, pese a la locura, una obra extraordinaria. En los años setenta, durante su estancia en Madrid, los diarios nos muestran, por ejemplo, a una Garro habitualmente delirante, viviendo de extorsionar a los incautos y víctima a su vez de los abusos de una auténtica corte de los milagros. En ese trance, mientras compara la obra de Paz con la del asesino Charles Mason, comprueba que Hitler fue un agente comunista y lee con devoción la prensa falangista mientras calcula cómo escapar de la España de la transición, en la cual temía ser víctima de alguna conspiración de los comunistas.

La grandeza de Garro estuvo en la sublimación de su sufrimiento. Mientras que en los diarios íntimos es abrumadora la evidencia patológica del delirio persecutorio, en las novelas su elevada conciencia artística impone la verdad, postulando la fatal complicidad entre las perseguidas y sus torturadores, como se ve en *Reencuentro de personajes* (1982). En esta novela criminal, la concentración dramática llegaría a un nivel casi insoportable de leer si no fuera por la noble estratagema elegida por Garro para confrontar a su heroína con la desgracia: los personajes de las novelas de Scott Fitzgerald y Evelyn Waugh aparecen en el texto indicando que sólo la literatura puede traer consuelo a los borrascosos paisajes del alma. Garro sólo es en apariencia una escritora desordenada y temperamental; su prosa es veloz, descarnada y efectiva, ajena a las metáforas y poseedora de una suprema capacidad para penetrar la realidad y mostrar la soledad, la melancolía y el horror en sus formas más reiterativas y sistemáticas. Por sus novelas, sus cuentos, por su teatro, Garro fue la gran narradora mexicana del siglo pasado, la única cuya obra pudo redimir con creces la amargura y el caos de una inteligencia errabunda.

Bibliografía sugerida

Andamos huyendo Lola, Joaquín Mortiz, México, 1980.
Reencuentro de personajes, Grijalbo, México, 1982.
La casa junto al río, Grijalbo, México, 1983.
Y Matarazo no llamó, Grijalbo, México, 1991.
Memorias de España 1937, Siglo XXI Editores, México, 1992.
Inés, Grijalbo, México, 1995.
Busca mi esquela y Primer amor, Ediciones Castillo, Monterrey, 1996.

Un corazón en un bote de basura, Joaquín Mortiz, México, 1996.
Un traje rojo para un duelo, Ediciones Castillo, Monterrey, 1996.
Mi hermana Magdalena, Ediciones Castillo, Monterrey, 1998.
Obras reunidas, I. Cuentos, FCE, México, 2006.
Obras reunidas, II. Teatro, FCE, México, 2009.
Los recuerdos del porvenir, Joaquín Mortiz, México, 2010.
Testimonios sobre Mariana, Porrúa, México, 2010.
Rosas Lopátegui, Patricia, *Testimonios sobre Elena Garro,* Ediciones Castillo,
    Monterrey, 2002.
———, *El asesinato de Elena Garro,* Porrúa, México, 2005.

GLANTZ, MARGO
(Ciudad de México, 1930)

Algunos escritores, como Vladimir Nabokov y V. S. Naipaul, se ufanan de detestar la música. Otros utilizan la novela o el cuento para expresar su legítima melomanía. *El rastro* (2002) no sólo es una de las novelas mexicanas mejor logradas de los últimos años, sino la única que yo recuerde donde la música clásica y sus intérpretes, lejos de adornar el texto, constituyen el nervio de la narración. Inspirada en las *Variaciones Goldberg,* tocadas por Glenn Gould, *El rastro* es un libro diferente al que Thomas Bernhard compuso sobre el pianista canadiense, *El malogrado.* Aquél es una elegía sobre el fracaso artístico, mientras que la novela de Glantz es una variación sobre el corazón.

Los trabajos narrativos previos de Glantz escasamente lograban conciliar al ensayista con el novelista; les faltaba esa tensión que en *El rastro* nunca cesa, obra que se extiende, como las buenas composiciones, sólo el tiempo exacto para desarrollar el tema y concluirlo. La narradora, mediante un soplo equivalente a la brevedad del libro, asiste al velorio de un músico, su ex marido. Con una prosa que aspira a reproducir las pulsaciones del órgano rey, *El rastro* va dejando caer las notas que remiten lo mismo a los pianistas Richter, Gould y Baremboim que a los *castrati,* a Bach que a Schubert, esos temas que Juan, el muerto, llevó en el corazón durante su vida. De la razón médica de la muerte de Juan, un infarto, Glantz deduce un pequeño tratado sobre el corazón, símbolo y receptáculo de la pasión, desde el principio de los tiempos. Y se compromete, tantas veces como se lo autoriza el monólogo interior de su personaje, a hablar del corazón desde la filosofía y la anatomía.

Los sentimientos sólo serán las formas espectrales de la vida (y de la muerte) del cuerpo; Nora —así se llama esta heroína sin rostro— enfrenta todas las vulgaridades y las contingencias que implica la muerte, en esa situación a la vez cómica, embarazosa y solemne que es la velación de un difunto. Se necesitan muchos años de vida en la literatura para escribir un libro como *El rastro*.

Bibliografía sugerida

El rastro, Anagrama, Barcelona, 2002.
Obras reunidas, I. *Ensayos sobre literatura colonial,* FCE, México, 2006.
Obras reunidas, II. *Narrativa,* FCE, México, 2008.
Obras reunidas III. *Ensayos sobre literatura popular del siglo* XIX, FCE, México, 2010.

GONZÁLEZ DE LEÓN, ULALUME
(Montevideo, Uruguay, 1932-Querétaro, Querétaro, 2009)

Hija de los poetas uruguayos Roberto y Sara de Ibáñez y mexicana por elección desde hace medio siglo, González de León es una poeta nacida en las revistas *Plural* y *Vuelta,* en las que participó animadamente. Traductora impecable a la cual ningún problema métrico ni enigma de la sintaxis le es ajeno, González de León cuenta, entre sus versiones más célebres, las de Lewis Carroll, Valéry Larbaud y e. e. cummings.

Octavio Paz*, en unas líneas bien conocidas, dijo que para algunos poetas "el lenguaje es una materia en perpetuo movimiento, como el color: una vibración, un oleaje, una marea rítmica que nos rodea con sus millones de brazos y en la que nos mecemos y nos ahogamos, renacemos y morimos. Para otros el lenguaje es una geometría, una configuración de líneas que son signos que engendran otros signos, otras sombras, otras claridades: un dibujo. Ulalume González de León pertenece a esa segunda familia; para ella el lenguaje no es un océano sino una arquitectura de líneas y transparencias".

En otro sentido, Ramón Xirau* destacó en la poesía de González de León "los juegos, las adivinanzas, los *nonsense rhymes* de la tradición inglesa". Pero más allá de esos elementos, es visible, en sus evoluciones de bailarina y en sus acrobacias tan bien resueltas, el desarrollo de un drama interior que sólo a ella le pertenece. González de León parece dudar —como lo cree Xirau— de que el suyo sea "un universo verbalmente complejo" y por ello ha titulado *Plagios* (2001) al conjunto de su obra. El gesto insiste, no sin la debida coquetería, en el carácter ancilar de su propia poesía, concebida como si tan sólo fuesen las esmeradas notas que una buena alumna escribe al margen del arte mayor. Es en esa disposición donde encuentro el drama de la mujer culta que al ganar holgadamente aquella "habitación propia" por la que Virginia Woolf batalló, se descubre cautiva en una jaula de oro. Y pese a haber recibido la aprobación de sinodales como Jorge Guillén y René Char, González de León se concibió a sí misma (y esa concepción le da un sentido equívoco a sus poemas) como una autora de tocador, recluida en una intimidad artesanal donde al buen gusto le tiene sin cuidado pasar por trivialidad.

El amor suele hacer de las suyas en el universo-mundo, de tal forma que un segundo modo en la poesía de González de León se resolverá en el encuentro con esa persona poética cómplice que para ella fue su pareja, el poeta Jorge Hernández Campos*. Carrolliana, es decir, dueña del secreto que permite viajar a través del espejo, González de León abandona la habitación propia para ocupar el tiempo de los amantes, pliegue apenas feérico donde la Bella Durmiente —una de las fábulas propias del primer momento de su poesía— ha despertado y se atreve a mirarse en el retrato de Dorian Gray. En los últimos poemas de González de León conviven, en aparente armonía, el horror a envejecer y la creencia en una inmortalidad de las almas concebida como fusión de los cuerpos.

La idea del amor como fusión mágica, dice el tratadista filosófico e historiador del erotismo Irving Singer, aparece, quizá por vez primera, en el parlamento que Platón le ofrece a Aristófanes en el *Simposio*. Tras exponer que nosotros, hombres y mujeres, somos sólo la totalidad restante de la unidad originaria, Aristófanes cuenta cómo los dioses nos duplicaron, resultando el amor ese anhelo por la otra mitad que nos ha sido cercenada. Ése es el camino recientemente andado por González de León, que, como François Villon, no puede concebir muerto al cuerpo femenino y que como se lee en el cuento de Aristófanes, confía en que el amor sea la restauración de la totalidad perdida.

Bibliografía sugerida
Plagios, FCE, México, 2001.

GONZÁLEZ DE MENDOZA, JOSÉ MARÍA
(Sevilla, España, 1893-ciudad de México, 1967)

Descendiente del almirante Diego Hernández de Mendoza y del marqués de Santillana, noble de familia empobrecida que hubo de emigrar a México apenas iniciada su adolescencia, en 1910, fue González de Mendoza un crítico literario cuya simpatía —en varios sentidos de la acepción— no le fue suficiente para remar contra el olvido. Pocos, muy pocos son quienes han recordado a quien firmaba sus artículos como "el Abate de Mendoza": entre ellos se cuentan Ramón Xirau*, que recopiló sus *Ensayos selectos* (1970) y Luis Cardoza y Aragón*. A Cardoza le tocó difundir que había sido el Abate, y no Miguel Ángel Asturias, el traductor del *Popol Vuh* y de otros memoriales mayas a partir de las versiones francesas de Georges Raynaud en 1927 y 1928. Por ello, estando en París como alumno en la Escuela de Altos Estudios, en los años veinte del siglo pasado, al Abate de Mendoza tocó formar parte de la empresa de reconquista que, en el clima enervado del exotismo europeo, hizo la nueva literatura latinoamericana del universo precortesiano.

Esa labor sería suficiente para respetar el pie de página que al Abate corresponde en nuestra historia literaria; pero creo que merece un recuerdo más piadoso quien antes que académico de la lengua y diplomático (a la sombra de Alfonso Reyes* y Jaime Torres Bodet*) fue, entre numerosos menesteres y diligencias, exégeta de José Juan Tablada y primer proyectista de sus *Obras completas,* lo mismo que devoto de Apollinaire (a cuyo hermano Alberto trató el Abate en México), autor de páginas notables sobre sor Juana Inés de la Cruz, Mariano Azuela, Camile Flammarion o Balzac, y cervantista de a pie que continuó las pesquisas para establecer las infinitas *Supercherías y errores cervantinos* (1917), escritas por don Francisco A. de Icaza, mexicano que se volvió español, al revés de González de Mendoza.

El Abate inicia su carrera literaria cuando el modernismo transita hacia la vanguardia, y por ello publicó lo mismo "cuentos sintéticos" en la serie novelística de *El Universal Ilustrado* que crónicas. En el primer caso, con *La luna en el agua* (1925) y *El hombre que andaba y otros cuentos inverosímiles* (1925), el Abate oscila entre las ficciones de Reyes y la novela lírica, mientras que con *Color de Francia* cierra la escuela finisecular de la crónica latinoamericana. El Abate, del brazo de Reyes, recorrió París tras las huellas de fray Servando Teresa de Mier, y el cuaderno de viaje que consigna esa y otras andanzas deja ver evaporarse al siglo XIX.

La simpatía crítica del Abate estaba regida por la amistad y la conformidad que suele sentir una cosa por otra, como dice el diccionario Covarrubias. A la manera de André Billy, otro crítico olvidado, escudero de Apollinaire y difusor de las doctrinas de Stanislas de Guaita, el Abate observó lo mismo las cúspides de la vida literaria que metió la nariz en sus más remotos andurriales. Más páginas que a los ateneístas y que a los Contemporáneos dedicó el Abate a la vida y obra del bardo José Dolores Frías (1891-1936), que algún lector incauto podría creerlo invención de su magín. Conocido como el Vate Frías, este personaje fue el último de los bohemios modernistas, y si alguna fama tuvo fue por sus *Obras completas,* de las que nunca escribió una sola línea. Pero según se advierte en una página que dejó a la posteridad, proyectaba la suma de ese modernismo que Juan Ramón Jiménez consideró una época tan variada y asombrosa como el Renacimiento. Apenas publicó, en vida, el Vate Frías unos

Versos escogidos (1933) que le prologó el letrado peruano Ventura García Calderón.

El Abate de Mendoza, un hombre decente a la antigua usanza, que murió en calidad de censor de la academia, vio en el Vate Frías a su semejante y a su negación: "A la sazón nos encontrábamos en París Frías y yo. Éramos antitéticos en modo superlativo. Devoto él de Dyonisios, y yo catador de tisanas y de aguas minerales; comodón él, al grado de tomar un taxi para recorrer los trescientos metros que medían entre la plaza de Rennes y el café La Rotonde, y yo afecto a las caminatas; separados, en una palabra, por numerosas discrepancias fundamentales, uníamos en común un amor a las letras y a la música, y la afición a ver el alba. Sólo que, noctámbulo él y yo madrugador, llegábamos a ella por opuestos caminos".

El primer viaje del Vate Frías a París lo hizo como corresponsal de guerra en 1917 y envió copiosas crónicas para *El Universal* y *Revista de Revistas*. Volvió a Europa entre 1921 y 1925, época en la que prologó el primer libro de Cardoza y Aragón *(Luna Park);* masticó el francés, escribió caligramas a la Apollinaire y versos detestablemente rubendarianos y proyectó unas *Vidas inejemplares, El nómade alucinado* y la *Nativitatis prosa,* textos que el Abate salvó del "ritmo de la viña" que al Vate le fue tan funesto. En 1934-1935 Frías reaparece en París como improbable promotor turístico de la Legación de México. Personaje de aquellos que más vale haber conocido que estar conociendo, José D. Frías estudió música sacra en el conservatorio de Querétaro, su ciudad natal, y en París, su ciudad adoptiva, era asiduo a las iglesias que en invierno se calentaban con la *Misa en re* de Beethoven, la *Santa Cecilia* de Charles Gounod o el *Papa Marcelo* de Palestrina.

Los seis artículos que el Abate dedicó al Vate Frías, recogidos en sus *Ensayos selectos*, son un tanto enigmáticos. Incluyen el recuerdo cariñoso del amigo desgraciado, la piedad por el borrachín y por el mal poeta, y forman parte de esa historia picaresca de los bajos fondos literarios al estilo de la escrita por Rafael Cansinos-Assens en España. Pero hay algo más: la tentación críptica de presentar al Vate Frías mediante el comentario de su correspondencia como una suerte de Monsieur Teste en agraz (o en cognac), en quien la barbarie ortográfica y la improvisación intelectual apuntan más hacia Apollinaire y César Vallejo que a las ruinas del modernismo. En una de sus cartas, por ejemplo, le decía el Vate al Abate: "México es un problema absurdo: M X C O I E . ¿Quién puede establecer el equilibrio entre tres consonantes y tres vocales siendo una de las consonantes la X absurda?" En otra, Frías se despedía de la siguiente forma: "Atelier Da Vinci, Viva la de Guadalupe. París 12 + 12 = 34 + 10 − 20. Me abruma Euclides".

Al Abate González de Mendoza, naturalmente, le faltó atrevimiento retórico y vuelo de imaginación para inventarse al Vate Frías como el eslabón perdido de la vanguardia mexicana, el Martín Adán que no tuvimos, el poeta bárbaro que algunos radicales extrañan. Pero no es difícil ver, en la calculada empatía que el intachable académico buscó establecer con el desastrado bohemio, la proyección de un destino común. Ambos fueron, con un sufrimiento sublimado en la honradez, sombras de grandes autores (el Abate, en la realidad, de Reyes, y el Vate, en sus sueños, de Rubén Darío), figuras menores condenadas a ir desapareciendo sin remedio de los diccionarios.

Tras una frasca que comenzó un año antes en Amecameca, el Vate Frías, al salir de algún tugurio capitalino, fue detenido por faltas a la moral y remitido a la comisaría, donde murió descalabrado en una celda, el 5 de junio de 1936. Julio Sesto, en *La bohemia de la muerte* (1929 y 1958), ese túmulo a las víctimas etílicas y toxicómanas del modernismo, escribió el epitafio, por fuerza lamentable, del Vate Frías: "Y — ¡yo acuso!— un empujón/de dos o tres policías/dio con tu cráneo de fuego/contra unas piedras frías [...]"

Menos dramático pero a su manera también desconsolador fue el destino del Abate de Mendoza. De nada le valieron las honras fúnebres que tuvo, de pequeño dignatario y presididas por Torres Bodet, pues poco después sus archivos fueron saqueados ante la desesperación de su viuda, Concepción Andrade y Escandón, que pidió el auxilio de la ley y de la prensa. Tal parece que el autor del latrocinio fue obligado a devolver, ante la Procuraduría General de la República, una parte de lo robado, que incluía retratos y cartas que Tablada había legado al Abate. La chinche, bien conocida entre los herederos de los autores nacionales por estas y otras pillerías, sigue saltando, hasta la fecha, de mesa redonda en mesa redonda y de conmemoración en conmemoración.

Desde entonces el Abate de Mendoza se ha encaminado sin vacilación hacia el olvido, y antes de dejarlo seguir su camino, recordemos lo que él dijo de los libros viejos: "No comprendemos bien a los libros. ¿Es la pereza lo que les hace acostarse súbitamente unos sobre otros, en un anaquel? Cuando hayamos resuelto esta interrogación, el Enigma, nuestro enemigo, será más débil. La vejez precisa la oscura psicología de los libros. Nuevos, son gregarios y anónimos como soldados. Viejos, adquieren personalidad, a través de una historia que adivinamos dolorosa: salió de la prensa el libro, inmaculado y dominical; pero la guillotina volvió operación quirúrgica el amable desfloramiento, o quizás violentó las hojas un dedo impaciente; sobre él pasó luego la inteligencia; y ahí está, desmesuradamente sucio, inválido, amontonado con otros como armenias después de una *razzia*. Los pudre la miseria física igual que a Santa, en la novela de Federico Gamboa; pero ocultan siempre en lo más hondo de las páginas un resto de blancura intacta, como guarda una cortesana el lejano perfume del primer abrazo".

Bibliografía sugerida

Ensayos selectos, prólogo y selección de Ramón Xirau, FCE, México, 1970.

GONZÁLEZ RODRÍGUEZ, SERGIO
(Ciudad de México, 1950)

Paisajismo ensayístico. Entre los escritores que trabajaron con Carlos Monsiváis* en la última etapa de *La Cultura en México,* González Rodríguez es uno de los más perspicaces y profundos. En aquel grupo era difícil distinguir la prosa de un autor de la de otro, interesados como estaban en la crónica como carta común de identidad, la historia literaria como producción académica de bajo perfil y la divulgación de nuevos mitos para rejuvenecer al nacionalismo cultural [...]

El Centauro en el paisaje (1992) es un baraja de lecturas que el autor abre sobre la mesa. Las lecturas de González Rodríguez tienen mucho de generacionales y es agradable jugar con un autor cuyas cartas marcadas nos son tan favorables. El descarte de González Rodríguez da comienzo con la dama estelar (Walter Benjamin) y va dejando ver las figuras bifrontes de Roland Barthes y sus mitologías, de Breton, Paz* y Cioran, de culturalistas como Paul Ricoeur y Fredric Jameson hasta cerrar con los ases de la posmodernidad como Jean Baudrillard y Paul Virilo.

González Rodríguez asume sin pretensión de exclusividad la lengua franca de un tipo de ensayo contemporáneo a la moda, "género centauro" en efecto, que se debe lo mismo a Benjamin que a Borges, y que tiene en los italianos Roberto Calasso y Claudio Magris a dos de sus exponentes más brillantes. Ensayo narrativo o ensayo-ficción, el género de marras se basa en la prominencia formal del fragmento, la tentación morbosa del aforismo y en la noción de que la cultura —clásica o moderna, popular o elitista— es un laberinto sin centro y que cualquier hilo es bueno para perderse en la aventura. No cualquiera se sale con la suya en un género que en apariencia brinda tantas facilidades y donde la frontera entre el sabio ecléctico y el diletante bien informado es harto imprecisa.

Los riesgos que corre González Rodríguez van más allá de una forma electiva que sin cierto talento se torna opaca o pretenciosa. *El Centauro en el paisaje* está estructurado a partir de dualidades prestigiosas (la ciudad y la escritura, lo sagrado y la técnica, la memoria y el deseo, la norma y lo monstruoso), que resultan atinadas fichas de lectura. González Rodríguez aparece como un alumno aplicado que glosa y reseña las obsesiones de Benjamin, Steiner, Paz, Bataille o Jünger. Juegan en su favor la claridad del estilo, la desconfianza ante el exceso retórico y una honradez de buen lector que no es común entre nuestros ensayistas. Pero estas virtudes normativas agregan poco a la experiencia de un lector familiarizado con las fuentes.

Las mejores páginas del libro son las que consagra a las imágenes mexicanas. Es aquí donde encontramos la inflexión que separa al autor de sus contertulios habituales. González Rodríguez logra insertar con mucha precisión detalles y pasajes de la tradición mexicana sin utilizarlos como la palanca de Arquímedes que pone en funcionamiento los aparatosos trabajos de "la cultura nacional". Es un alivio leer un libro editado en España (finalista del Premio Anagrama de Ensayo) que habla de Rafael López, Eduardo Lizalde* o Alfonso Reyes* sin insistir en la nacionalidad y que alude a una ciudad que no puede ser otra que el Distrito Federal y, sin embargo, la menciona como tal.

Al rechazar implícitamente "la cultura nacional" como pasión ontológica, *El Centauro en el paisaje* gana su coherencia. No es una novedad insistir en la naturaleza universal de la cultura en México. Sí lo es "minimizarla" con la naturalidad con la que procede González Rodríguez, localizándola como un detalle en el paisaje. El ensayista descarta la tradición nacionalista como eje y fragmenta episodios en un esfuerzo feliz por desarrollarlos en el contexto de la llamada posmodernidad.

Algunos temas de *Los bajos fondos* (1988), libro malogrado por la pereza, reaparecen en *El Centauro en el paisaje,* como el espiritismo finisecular o las mutaciones equívocas del burdel. Otras figuras muestran instantáneas sobre Gabriel Ferry, Breton y México, Luis G. Urbina y el cine, Juan García Ponce* y el gnosticismo, o las andanzas del inventor Juan Nepomuceno Adorno, todas ellas escritas con pertinencia intelectual y en una prosa sobria y elegante. *El Centauro en el paisaje,* de González Rodríguez, es un libro que pide la generosidad del lector y la devuelve con equidad, una síntesis clara de ciertas mitologías contemporáneas y un *collage* donde México se escabulle libre de la ontósfera nacionalista, como un signo más de la imaginación crítica (1993; *Servidumbre y grandeza de la vida literaria,* 1998).

Primera novela. Novela-ensayo, *La noche oculta* (1990) invoca mediante la ouija a D. H. Lawrence, investiga la improbable conjura de los taumaturgos nazis que soñaron con México para fundar Xanadú, revela que Borges recogió aquí la idea de *El libro de arena* y se interna en la geografía clandestina de una ciudad que guarda con celo los secretos herméticos de un libro inexistente. A esta enumeración —propuesta por Adolfo Castañón*— cabe sumar que Jesús Vizcaya, protagonista de *La noche oculta,* es un personaje infrecuente en nuestra narrativa, intelectual aficionado y rastreador de lo oculto cuya búsqueda vital afirma un tipo de novela que no teme ser declaradamente literaria. Con el cónsul Arvide de José María Pérez Gay (*La difícil costumbre de estar lejos,* 1984) y con el Xavier Villaurrutia de Pedro Ángel Palou (*En la alcoba de un mundo,* 1992), Jesús Vizcaya viene a aumentar la nómina de personajes literarios nacionales cuya cultura es un nudo problemático en sí mismo. Antes de estos esfuerzos nuestra literatura rehuía a sus propios héroes y el personaje literario en México solía ser o el integrante del coro trágico que da un paso adelante para reclamar la ontología patria (pienso en Artemio Cruz o Ixca Cienfuegos) o ese mito en funciones que va desde Pedro Páramo hasta la variada casta de caudillos, matarifes, léperos viejos y nuevos, hombres superfluos y mujeres que hablan desde la habitación apenas propia. La población imaginaria de la literatura nacional era un elenco constituido esencialmente por estatuas parlantes y entes emotivos a quienes se permitía encarnar y sufrir pero, escasamente, pensar [...]

La noche oculta es también un libro que investiga la encrucijada que une la teosofía popular con el milenarismo político, zona que emerge con *Morirás lejos,* de Pacheco*, sigue en *La difícil costumbre de estar lejos* y llega hasta *La casa del ahorcado* (1993), de Luis Arturo Ramos. En los tres casos México aparece como una tierra que no fue y no es ajena al delirio del nacionalsocialismo. González Rodríguez, como los autores que acabamos de citar, se niega a entender a México sin esas tinieblas de Occidente de las que nos hemos creído feliz o ingenuamente librados [...] Castañón resume con claridad el lugar de González Rodríguez entre nosotros, al decir: "no sé si *La noche oculta* es una excelente novela. Sostengo en cambio que es un libro auténtico y que obedece sin indecisión al movimiento de su fantasía originaria" (Castañón, *Arbitrario de literatura mexicana, Paseos,* I, 1993).

Investigación del horror. He pasado una tarde, mentiría yo si dijese que agradable, leyendo *Huesos en el desierto* (2002), de González Rodríguez. Este libro, que va del periodismo duro a la crónica cultural, es el viaje de un intelectual a una geografía del peligro que nada tiene de imaginaria: esa Ciudad Juárez que ha cumplido una década como patíbulo para cientos de mujeres. "Es patente [dice González Rodríguez a manera de conclusión] la existencia de un centenar de homicidios seriales contra mujeres, en Ciudad Juárez, Chihuahua —organismos civiles contabilizan más—, un suceso que parece implicar, como propone Robert K. Ressler, la participación de uno o dos homicidas en serie, aparte de los criminales comunes. Sería el producto de una orgía sacrificial de origen misógino, a cuyas víctimas se busca y se elige en forma sistemática (en calles, fábricas, comercios o escuelas) en un contexto de protecciones y omisiones de las autoridades mexicanas durante la última década. En especial, sus policías y funcionarios judiciales, que cuentan con el respaldo de un grupo de empresarios del mayor poder económico y criminal en todo el país". Las hipótesis sobre quiénes son los autores materiales e intelectuales de esos crímenes son muchas, y las enumera González Rodríguez, considerando todas las posibilidades como partes de un todo.

Esa totalidad es "un territorio a medio camino entre algo y la nada", un auténtico "ecosistema del mal", presidido por complicidades que abarcan a todo el sistema político e implican el ocultamiento casi mágico de las responsabilidades jurídicas, una ineptitud policiaca que sólo puede ser complicidad, un hervidero del diablo donde hozan politicastros de diversa laya y diferente partido, narcotraficantes, satanistas de variada inspiración, matones a sueldo, investigadores de crímenes seriales, chivos expiatorios de origen árabe, periodistas, médicos forenses, en fin, endriagos cuya multiplicidad volvería obscena casi cualquier novela. Pero el mundo de Ciudad Juárez es real, demasiado real, y está signado por el sacrificio y la impunidad. Esa realidad necesitaba, más allá de la denuncia tan necesaria como impotente, de una radiografía intelectual, y eso es *Huesos en el desierto,* un libro que acaso sólo será legible en su verdadero horror por generaciones futuras menos familiarizadas con el asesinato como industria doméstica, y con la más salvaje violencia misógina como bandera de sangre.

González Rodríguez, ensayista y novelista y él mismo personaje de Javier Marías y de Roberto Bolaño*, actualiza una de las tradiciones más dignas de la literatura civil mexicana, la que obliga al hombre de letras a apegarse a los hechos y a poner en riesgo su propia integridad en nombre de los ultrajados, de los humillados y de los ofendidos. Así lo hicieron José Revueltas*, en la novela, y Elena Poniatowska*, en la crónica: ante el crimen, el artista toma la decisión de armar el rompecabezas de una realidad necesitada del orden, del sentido común, de la justicia práctica. Apegándose a los hechos, González Rodríguez logra en *Huesos en el desierto* un equilibrio simétrico entre la búsqueda accidentada de la verdad (que es el honor de las víctimas) con una prosa ajena a esa pornografía de la violencia que suele acompañar a la indignación moral.

Huesos en el desierto necesitaba no ser sólo un libro valiente, sino una obra extraordinariamente bien pensada y mejor escrita, para recorrer con tiento y valor el osario de Ciudad Juárez. González Rodríguez es un escritor civilizatorio que, ajeno a las abstracciones y a las doctrinas, se compromete con la vida de cientos de muchachas que requieren del más alto tributo de la inteligencia. Leo el epígrafe de *Huesos en el desierto* y cierro los ojos en una suerte de plegaria laica: *Lege rubrum si vis intelligere nigram* [Lee lo anotado en rojo si quieres entender lo escrito en negro].

Bibliografía sugerida

El Centauro en el paisaje, Anagrama, Barcelona, 1992.
Huesos en el desierto, Anagrama, Barcelona, 2002.
El triángulo perfecto, Era, México, 2003.
La pandilla cósmica, Plaza y Janés, México, 2005.
De sangre y de sol, Sexto Piso, México, 2006.
El vuelo, Random House Mondadori, México, 2008.
El hombre sin cabeza, Anagrama, Barcelona, 2009.
Infecciosa, Random House Mondadori, México, 2010.

GONZÁLEZ SUÁREZ, MARIO
(Ciudad de México, 1964)

De *Nostalgia de la luz* (1996) a *Marcianos leninistas* (2003), González Suárez ha venido construyendo una obra que me interpela con frecuencia, aunque algunos de sus libros me parezcan erráticos, insatisfactorios. Sin otro soporte que una prosa casi intachable, González Suárez logró, con *De la infancia* (1998), una novela corta de des-formación —parafraseando a Thomas Bernhard— que se contará en una tradición que incluye —para hablar sólo de mexicanos— a José Martínez Sotomayor, a Jorge López Páez* o a Carmen Boullosa*, pues, como ellos, González Suárez cree en la infancia como la tierra primordial del escritor.

La trama es simple: las mudanzas físicas y espirituales de una familia atribulada por el terror al padre. Sin permitirnos mayor respiro (la atmósfera es turbia y comprometida) y sin cursilerías, *De la infancia* nos traslada al tiempo primordial de la crueldad, ensombreciéndonos durante la hora y media que dura la lectura del relato. No es ésta, como dicen sus editores, una novela fantástica. Como en algunas secuencias de Bergman, aquí no es necesario violar la naturalidad del mundo para empañarlo con la bruma de lo numinoso. Esa sensación no es obra de la imaginación de González Suárez, que dista de ser sobresaliente, sino del cuidado que pone en la prosa como única forma de recuperar, valga el tópico, el tiempo perdido. Esa fijación en los detalles domésticos, lúdicos y eróticos provoca que un modismo infantil, como *mieditis,* adquiera una legitimidad literaria que yo no hubiera sospechado. A la narrativa latinoamericana contemporánea, como si se estuviese reponiendo de tantos años de contemplación de la amada inmóvil en el solar, le ha dado por los viajes descabellados, hilarantes, inverosímiles. Pero quienes apuestan por esa errancia saben que la gran odisea de nuestro meridiano ya se escribió: *Los detectives salvajes* (1997), de Roberto Bolaño*.

Sensible al espíritu de la época, González Suárez diseña en *Marcianos leninistas* una vuelta al mundo en ochenta días, que son otra vez los días de la adolescencia y juventud de nuestra generación, la última que en el siglo pasado se sintió atraída por las ciencias y las quimeras del comunismo. Un escritor que detesto (Michel Houllebecq) dijo, y le concedo la razón sin vacilar, que añoraba la fantástica fraternidad que conoció, de niño, con los viejos comunistas. Los personajes de González Suárez, como yo mismo durante la infancia (y como en Salvaror Elizondo* o Mauricio Molina*, otros nostálgicos del *Sputnik*), viven el universo soviético, poblado de héroes justicieros y de naves espaciales donde viajaban perros, como un distante y atractivo horizonte infantil que funcionaba como un orden alterno al ofrecido por Disneylandia. A diferencia de éste, accesible a todos los televidentes, el país de los sóviets gozaba, desde la remota periferia latinoamericana, del prestigio de lo secreto, de lo prohibido, de lo iniciático. En *Marcianos leninistas*, el misterio se prolonga mediante un viaje a la antigua Unión Soviética, tierra apocalíptica plagada de refugios antiatómicos destinados a preservar el infierno durante toda la eternidad. Las primeras sesenta páginas de *Marcianos leninistas* son un lapso suficiente para presentar al tío Arturo, un cruzado de la causa dispuesto a perderse en vastísimas conspiraciones ideológicas cuyo escenario, más que la utopía, es la galaxia entera. Pocos como González Suárez han logrado reconstruir las atmósferas y las quimeras en que vivimos aquellos niños ancianísimos, haciendo del pasado de una ilusión una sensible realidad novelesca que yo titularía, como aquella novela de Arthur C. Clarke, el fin de la infancia.

Bibliografía sugerida
De la infancia, Tusquets Editores, México, 1998.
El libro de las pasiones, Tusquets Editores, México, 1999.
Marcianos leninistas. Ludibrium, Tusquets Editores, México, 2002.

GONZÁLEZ Y GONZÁLEZ, LUIS
(San José de Gracia, Michoacán, 1925-2003)

Escribía muy bien González y González: su lección de estilo fue tan influyente por lo que tuvo de inesperada. Es difícil creer que aquel "año axial" de 1968, como lo bautizó Octavio Paz* con un recordado anglicismo, tendría, junto a acontecimientos más dramáticos y fotogénicos, una contribución bibliográfica como *Pueblo en vilo* (1984). Microhistoria de San José de Gracia, el mundialmente celebrado clásico de la historiografía parroquial, que traducido al inglés y al francés y más tarde prologado por el Premio Nobel de Literatura y michoacano de adopción, J. M. G. Le Clézio, es uno de los grandes libros mexicanos.

Desde el principio, a González y González su empresa le pareció literaria y así lo dijo en el prólogo de *Pueblo en vilo*: "La historiografía local, como la biografía, parece estar más cerca de la literatura que los otros géneros históricos, quizá porque la vida concreta exige un tratamiento literario, quizá porque la clientela del historiador es alérgica a la aridez acostumbrada por los historiadores contemporáneos. El redactor de una historia local debiera ser un hombre de letras".

Pueblo en vilo fue la revolución en la revolución: sin los dogmas y las estadísticas, la sonora, útil, acogedora, simpática, prosa española escrita por ese hombre de letras que fue González y González se impuso como uno de los más peculiares estilos de una literatura mexicana que tiene a historiadores como él entre sus cimas. La felicidad de su idioma le es tan propia que sería inverosímil copiarle sin citarlo: sólo él puede llamar "clíonautas" a los historiadores, sólo él podría hablar de sus "literaturas y vivviduras" o llamar a Maximiliano "emperador barbas de oro" sin sonar condescendiente o chusco.

González y González era un historiador que regresó a escribir la "historia universal" de San José de Gracia, su pueblo natal, tras conocer, el gran mundo de la historiografía moderna. Es imposible escribir un libro menos provinciano que *El oficio de historiar* (1988), caminata por toda la historia de la historia, de Tucídides a Paul Valéry pasando por Macaulay, Nietzsche, Collingwood y tantos de los contemporáneos marxistas y estructuralistas. Didáctico sin ser profesoral y magistral sin acogerse a las licencias de pedantería que se le autorizan de buena gana a los verdaderos maestros, culto sin pasar como erudito, González y González, a la vez, es una lectura deliciosa como tratadista del oficio, propiamente dicho, del historiador: fichas y cuadernos, notas a pie de página, horas y horarios de escritura, conveniencia de hacerla cerca o lejos del fichero. No sólo fue González y González historiador eminente, revolucionario a fuerza de ser temperamentalmente tolerante y liberal, como lo han reconocido sus discípulos más fecundos e influyentes (Jean Meyer*, Enrique Krauze*) sino un verdadero oficiante, aquel que domina, transmite y celebra una materia. Lamentaba González y González que "la obsesión por hacer de Clío una divinidad científica ha hecho que se olvide su carácter básico de musa" y actuó en consecuencia.

De la microhistoria, González y González se desplazó con elegancia a la historia nacional, no sólo tocando casi todas las épocas, sino escribiendo *La ronda de las generaciones* (1984), otro libro ejemplar. En menos de 200 páginas y como jugando con las minorías dirigentes y sus generaciones, tal cual las postulaba Ortega y Gasset, el historiador de San José de Gracia se las arregla para escribir una eficaz y brevísima historia de la cultura mexicana entre la Reforma y el mediodía del siglo XX, como las hay pocas, sin digresiones y sin olvidos. Lo que parecía una lista, resulta ser una genealogía. Me atengo a citar algunas de las definiciones, casi aforísticas, que he venido subrayando. Los intelectuales (palabra que a González y González no le gusta, casi no la utiliza) de la Reforma "eran comecuras, que no irreligiosos. El romanticismo no se avenía con la irreligiosidad". Los Científicos (o cientísicos, según leemos) eran "hombres de contextura flemática y distante, figurines de levita y sombrero hongo", mientras que a los azules (es decir, los modernistas), "el positivismo de la Prepa les entra por un oído y les sale por el otro" pues fueron una "generación nepantli, entre dos aguas, que tuvo que cerrar la época nacionalista, liberal y romántica". "Mientras gobernó la generación revolucionaria no hubo paz [dice González y González, o reconoce que] los de 1915 lograron el pase de una campaña antirreligiosa dura y cruel a una tolerancia de credos no indigna de los países nórdicos del Occidente."

La influencia, enorme, de González y González se antoja, a estas alturas del nuevo siglo y engañosamente, como cosa normal. Se trataría del triunfo, con *Pueblo en vilo,* de la contracorriente: en vez de la gran historia de las ideologías en conflicto, la microhistoria y su paradójica lentitud, contra el frenesí que por la Revolución en abstracto sentían tirios y troyanos, documentar la vida de los revolucionados, mostrada por un sonriente historiador que orgulloso de ser católico, ranchero y pueblerino, se alejaba de las producciones en serie del "materialismo histórico". No creía aconsejable ni deseable, afirmaba González y González con Bertrand Russell, ser un historiador imparcial pero, al glosar, como lo hizo en su célebre ensayo de "La Revolución Mexicana desde el punto de vista de los revolucionados" (1986), el desagrado con que víctimas y testigos, convocados por el Museo de Culturas Populares, hicieron memoria de la vida de su pueblo durante la Guerra Civil, González y González lo hizo sin resentimiento y, sin patetismo, a algunos nos tocó fibras olvidadas.

Mi abuela paterna, por ejemplo, nació a finales del Porfiriato y la Bola, como ella le decía, la dejó huérfana y fue a dar, tras 1915, el fatídico año, a un hospicio de donde la sacó, medio muerta, la influenza española. De la Revolución los incendios, el hambre, las violaciones, y bien entrado el siglo XX, todavía fantaseaba con el regreso de un hermano pródigo arrancado de su casa por la leva. Más asombrosa que el relato de la abuela era la incapacidad de la parentela universitaria de la que yo era vástago para relacionar aquella Revolución con las que festejábamos en la mesa familiar, la soviética, la china y la cubana, ignorantes de que la conciencia histórica, la experiencia del siglo, la conservaba la inculta abuela. En fin: mi caso no debe ser el único. Tuve que leer a González y González para darle a mi abuela, la revolucionada, su crédito póstumo.

Bibliografía sugerida
El oficio de historiar, El Colegio Nacional/Clío, México, 1997.
La ronda de las generaciones, El Colegio Nacional/Clío, México, 1997.
Pueblo en vilo, El Colegio Nacional/Clío, México 2002.

GOROSTIZA, JOSÉ
(Villahermosa, Tabasco, 1901-ciudad de México, 1973)

El cumplimiento de la obra maestra absoluta, acaso aterrador, dio a Gorostiza la desdeñosa tranquilidad de quien se sabe, en vida, póstumo. *Muerte sin fin* (1939) alcanza el siglo XXI como el poema mexicano más leído entre los entendidos, el más discutido por los académicos y aquel en el que mayor número de nuevos poetas van renovando, generación con generación, su intimidad con la exigencia suprema de la forma. Dedicó Gorostiza el segundo trecho de su existencia al servicio público hasta llegar a ser, en el momento álgido de la Guerra Fría —durante la crisis cubana de los misiles en 1962—, la eminencia gris de la diplomacia mexicana. De lo

escrito por Gorostiza tras *Muerte sin fin,* quedan algún poema, varios proyectos y una novela que, según contaba Octavio Paz*, el poeta destruyó al
compararla desfavorablemente con *Le bain de Diane* (1956), de Pierre
Klossowski. Incluidas en su exigua *Prosa* (1969), destacan unas "Notas
sobre poesía", escritas en 1955, que en poco ayudan para sondear los misterios de *Muerte sin fin* pero acaso delinean la silueta del más grande, por
estricto, de los poetas mexicanos: "Me gusta pensar en la poesía no como
en un suceso que ocurre dentro del hombre y es inherente a él, a su naturaleza humana, sino más bien como en algo que tuviese una existencia
propia en el mundo exterior. De este modo la contemplo a mis anchas
fuera de mí, como se mira mejor el cielo desde la falsa pero admirable
hipótesis de que la tierra está suspendida en él, en medio de la alta noche.
La verdad, para los ojos, está en el universo que gira en derredor. Para el
poeta, la poesía existe por su sola virtud y está ahí, en todas partes, al
alcance de todas las miradas que la quieran ver".

Bibliografía sugerida

Prosa, edición de Miguel Capistrán y epílogo de Alfonso Reyes, Universidad de Guanajuato, Guanajuato, 1969.
Poesía y poética, edición de Edelmira Ramírez, ALLCA XX / FCE / UNESCO / Conaculta, Madrid, 1988 (Col. Archivos).
Poesía completa, edición de Guillermo Sheridan, FCE, México, 1996.

GUZMÁN, MARTÍN LUIS
(Chihuahua, Chihuahua, 1887-ciudad de México, 1976)

El moralista. La fama de Guzmán se afianzó por la prosa impecable y el
retrato feroz del moralista. Octavio Paz* dice que Guzmán escribe como
un historiador de la antigüedad. Plutarco, Tucídides y Tácito son recordados con frecuencia por Guzmán y sus lectores. Las deudas son cuantiosas.
Educación clásica, fina prosa española y tensión dramática anglosajona
son los componentes fundamentales en Guzmán. Pero Jaime Torres Bodet*

mencionó a La Rochefoucauld. La analogía es inquietante. Caballeros que marchan a la guerra para volver de ella y escribir sobre el carácter humano, Guzmán y La Rochefoucauld caminan hacia el mismo horizonte. Ambos escriben utilizando el retrato moral como resultado de la tensión entre el principio del egoísmo y la fatalidad del destino. Guzmán no tiene tiempo para convertirse en un Saint-Simon: las cortes que frecuenta se esfuman entre las vías ferroviarias y sólo quedan las fogatas abandonadas de los campamentos. Pero el problema de *El águila y la serpiente* (1928) es, como el de las máximas de La Rochefoucauld, la libertad y sus límites éticos. Los retratos individuales de Guzmán no se olvidan. Carranza, Porfirio Díaz moribundo, Madero, Eufemio Zapata se han convertido en piezas inalterables de una memoria trágica cuyo genio radica en la necesidad de su individualismo, absolutamente subjetivo e inalterablemente literario. La iluminación moral del retrato destruye o equilibra la posición de un hombre entre los hombres [...]

La escena política es propiamente una escena: la colocación y la mutación definen al personaje. Como en Corneille —Othón—, se establece un juego de sillas vacías donde cada lugar va siendo ocupado por las distintas modalidades del poder. Para Guzmám, el poder siempre está, por serlo, en descomposición. No tanto la descomposición de la materia como la de la luz. Guzmán se une a la guerra de 1910 guiado por una suspicacia común a tantos de los revolucionarios del siglo: "Imposibilidad moral de no estar con la Revolución y la imposibilidad material y psicológica de alcanzar con la Revolución los fines regenerativos que la justifican". Guzmán es un retratista moral, escritor comprometido. Como José Vasconcelos* llega a 1910 casi virgen de guerra y política. El deseo de aventura vital y la indignación civil los lanzan a la batalla. Vasconcelos se enamora, se vuelve un Casanova de la política, mientras que para Guzmán la política jamás es una espiritualidad, no lo quema como pasión ideológica, más bien lo enfría, convirtiéndolo en el narrador de la virtud entredicha.

En *El águila y la serpiente* leemos una interpretación antirromántica de la política como pasión autónoma, ejercicio cuya lógica es especular. Guzmán nunca *creyó* en la Revolución mexicana. Su entusiasmo juvenil se esfumó. Quedó el ojo que escudriña el espectáculo de los hombres. Stendhal, antes de unirse a la campaña napoleónica en Rusia, le recordó a su hermana: "Iré a la guerra, si puedo. Lo que me atrae es el deseo de ver de cerca los grandes espectáculos de esos perros llamados hombres [...]" (*Tiros en el concierto. Literatura mexicana del siglo v*, 1997).

Coda. Las grandes novelas de Guzmán —*El águila y la serpiente, La sombra del Caudillo* (1929) y *Memorias de Pancho Villa* (1938-1951)— ejemplifican el gran estilo clasicista de la primera mitad del siglo xx mexicano. Pero a lo largo de cincuenta años, la obra guzmaniana nunca ha quedado en condición de villa arqueológica; sus novelas dejaron de pertenecer al ciclo político (y publicitario e ideológico) de la Revolución mexicana para convertirse en clásicos universales de la lengua castellana y en retratos intemporales de la pasión política. En 1958 publicó *Muertes históricas*, donde las crónicas del ocaso de Porfirio Díaz y de Venustiano Carranza demuestran que, antes de la aparición de Juan Rulfo*, Guzmán fue el más grande de los narradores mexicanos.

Bibliografía sugerida

Obras completas I, prólogo de Carlos Betancourt Cid, FCE, México, 2010.
Incluye *El águila y la serpiente, A orillas del Hudson* y otros textos.
Obras completas II, prólogo de Rafael Olea Franco, FCE, México, 2010.
Incluye, entre otras narraciones, *La sombra del Caudillo*.
Obras completas III, prólogo de Víctor Díaz Arciniega, FCE, México, 2010.
Incluye *Memorias de Pancho Villa, Muertes históricas* y *Febrero de 1913*.

H

HELGUERA, LUIS IGNACIO
(Ciudad de México, 1962-2003)

Responso. "Es un deber de cada grupo literario, como de cada batallón en campaña, el retirar y el enterrar a sus muertos", escribía Sainte-Beuve ante la muerte de Alfred de Musset. De los escritores que llegamos a la revista *Vuelta* en los años ochenta del siglo pasado, Helguera ha sido el primero en morir. No son frecuentes, en ninguna literatura, los críticos musicales que son, a la vez hombres de letras, como lo fue Helguera. Y la literatura en lengua española tiene bien ganada fama de sorda, ajena al universo sonoro, con frecuencia más amiga de la pintura que de la música. Helguera, a diferencia de otros melómanos, se atrevió a hacer crítica musical con esa dosis de hipersensibilidad, altivez y amor por la conversación que caracteriza a los de su extraña especie. *El atril del melómano* (1997), de Helguera, se convertirá, junto a los libros de Jomi García Ascott (*Con la música por dentro,* 1982) y Juan Vicente Melo* (*Notas sin música,* 1990), en una obra de necesaria y hoy triste consulta, ocupando en el librero ese selecto escaño donde se unen la música y la literatura mexicana. A los críticos nos suele dar por el trabajo sistemático. Yo hice una antología de la narrativa y, poco después él publicó su *Antología del poema en prosa en México* (1993); a ambos nos gustaban las peleas literarias, y no pocas veces, reñimos. Pero éramos un par de críticos y ya se sabe que entre gitanos nunca corren las maldiciones adivinatorias. Nuestra última discusión fue bizantina, como toda buena discusión, y duró años: versaba sobre el ajedrez, que él amaba y yo despreciaba como necio pasatiempo, supongo que para disgustarlo. Pero uno y otro fuimos educados por ajedrecistas. Recuerdo que su caballerosidad, como sus furias, mucho tenían de honra malentendida y de un decoro marcado por el encanto. Como crítico musical, y a veces, como poeta, Helguera podía ser irresistiblemente encantador: "La taquicardía [escribió] es la taquigrafía del corazón".

Ante su muerte, es inevitable no pensar en Carlos Díaz Dufoo hijo (1888-1932), en cuyos *Epigramas* (1927) parece estar escrito el destino de Helguera: "Nunca pudo entender que su vida eran dos vidas". Más que un poeta, Luis Ignacio fue un prosista enamorado de las brevedades y de las sentencias, autor de un puñado de libros donde encontramos la gracia, la felicidad y ese amenazante germen de destrucción que subyace en la nota musical. Con su muerte, su horrible muerte, he perdido a un contemporáneo y a un semejante, a un interlocutor venturosamente incómodo; conozco bien la batalla que él perdió y me resisto a dejar de creer que todo pudo haber sido de otra manera (2003).

Libros póstumos. Luigi Amara* me entregó, hace unas semanas, *Zugzwang* (2007), otro de los libros póstumos de Helguera. Lo tonsuré con el abrecartas (es un libro intonso) y lo empecé a hojear (y luego a leer) con disgusto y amargura, como si la sola existencia de ese libro fuese una victoria de la muerte, otra más de las pruebas irrefutables de la muerte, hace ya un lustro, de su autor. Pasado ese momento, los poemas recogidos en *Zugzwang*, algunos de los cuales Helguera dispuso para su publicación, me empezaron a gustar, en la misma medida en que me abandonaba, desarmado, al lugar común donde ocurre que la desaparición prematura (y además, trágica) de un poeta se transforma, gracias a un beso encantado que lo justifica de cuerpo entero, en un cambio en el signo de sus defectos, rescatados como virtudes del orden profético. Qué le vamos a hacer: los muertos hacen con nosotros lo que quieren.

Los editores decidieron reunir —según se lee en la noticia introductoria de Víctor Manuel Mendiola— no sólo los versos que Helguera les entregó sino aquellos que excluyó deliberadamente del libro proyectado, junto con otros dados por "inacabados". Estamos ante una obra poética pequeña y cerrada: quizá sean los lectores a quienes no les tocó de cerca la vida y la muerte de Helguera quienes decidan si Antonio Deltoro* tiene la razón cuando dice, en el prólogo, "que una parte considerable de nuestra mejor poesía de los años recientes" se encuentre en *Zugzwang*.

Crítico musical, autor de aforismos, compilador de la *Antología del poema en prosa en México* y ensayista enamorado de pasearse ante las cumbres del pensamiento filosófico, Helguera dejó un ramillete de versos encantadores, algunos de los cuales he descubierto en *Zugzwang*. Antes, cuando leí *Murciélago al mediodía* (1997), sus poemas me parecían o fragmentos de una obra venidera o aforismos juiciosos. Ese libro es el mejor de los suyos, donde se observa con más detalle lo que él delimitaba como propio, los territorios del "escritor de corto aliento": el ir y venir entre el poema en prosa, la greguería, el aforismo, el ensayo inglés, el cuento breve. Pensando con música (como pensaba Helguera), *Murciélago al mediodía* es una colección de bagatelas. Pensando con el ajedrez (materia de otro libro póstumo: *Peón aislado. Ensayos sobre ajedrez*, 2006) se puede decir que Helguera ensayaba aperturas, defensas, gambitos pero no daba, en ninguna de las mesas a las que se sentaba, partidas completas. La única partida que terminó, se la ganó la muerte y *Zugzwang* conserva esa energía fatal, la que Helguera ocupó, primero, en llamar insistentemente a la muerte para después intentar repelerla cuando su completo dominio ya era invencible.

Zugzwang significa, en el ajedrez, aquella jugada indubitable en la que un jugador se ve obligado a hacer un movimiento fatal. Abusando de la asociación fácil, en los últimos poemas de Helguera cualquier movimiento resulta peligroso. Algunos oscilan entre la confesión sarcástica y un timbre que al sonar remite, lejano pero fiel, a Manuel José Othón: no sé si Helguera tuvo conciencia que el estro provinciano y el bucolismo urbano (también lo hay y a granel) eran el verdadero sedimento, la tierra, de su poesía, como puede apreciarse en "Recuerdo y olvido", en "Visión", "Globo", "Nido" o en "El campo". No es gratuito que el héroe de Helguera haya sido Silvestre Revueltas quien, haciendo honor a su nombre, es más un enorme y extraviado bardo pueblerino que un dandi o un poeta maldito.

La misma filiación se manifiesta en el homenaje al ruso Borodin: el exigente crítico musical que fue Helguera escoge homenajear a un no-moderno por definición, al autor de una música "noble y humilde", a un sentimental despreocupado de pasar por caduco.

Hay un par de poemas, en *Zugzwang*, que a mí me parecen magníficos, como "Sonámbula" o "Afinador de pianos", este último ya destacado por Deltoro en su prólogo. Aunque se sentía obligado, por el mandato de una convención doméstica, a hablar de tristeza y de diversas muinas, el autor de esos verso es un Helguera feliz, el devoto de Heitor Villa-lobos y de sus ocho chelos, a quien casi escucho tararear aunque creo que los melómanos no suelen hacerlo. Ese poeta todavía no ha caído en un desamparo donde la pose ya ni siquiera se apoya en aquel "orgullo satánico" atribuido legendariamente a los byronianos. *Zugzwang* es una bitácora de la agonía llevada a través de borradores que para mí son memorables, como llamadas de auxilio y hasta como necedades. "Fiesta", "Corral", "Blues en AA" u "Hospital I" son versos marcados por la desesperanza y la sordidez, por el alcoholismo y la alcoholatría, en un grado cuya densidad no encuentran muchos paralelos en nuestra literatura contemporánea. Son poemas paradójicamente sinceros, escritos en ese momento en que no importa si las buenas intenciones conducen al infierno.

Bibliografía sugerida

Antología del poema en prosa en México, FCE, México, 1993.
El atril del melómano, Conaculta, México, 1997.
Murciélago al mediodía, Vuelta, México, 1997.
Peón aislado. Ensayos sobre ajedrez, prólogo de Eliseo Alberto, DGE/El Equilibrista/UNAM, México, 2006.
Zungzwang, El tucán de Virginia, México, 2007.
De cómo no fui el hombre de la década y otras decepciones, Tumbona, México, 2010.

HERBERT, JULIÁN
(Acapulco, Guerrero, 1971)

Poesía. Si existe en México una poesía que se aleja del siglo pasado y a la que ya se podría llamar, utilizando una expresión anticuada, posmoderna, ésa es la de Herbert. Relectura del desterrado Ovidio, *La resistencia* (2004) es un libro de poemas que llama la atención por la forma en que Herbert erra, tanto en el sentido de periplo como en el de desacierto, ante Czeslaw Milosz o ante Kaváfis. En *Kubla Khan* (2005) ese afán mimético se profundiza y, tal cual lo indica el título, la complicidad se establece no sólo con Samuel Taylor Coleridge, sino con Borges, su comentarista decisivo.

Desde *El nombre de esta casa* (1999), su primer libro, Herbert ofreció poemas harto reconocibles que se ganaron cierta fama en el mundillo de los jóvenes poetas, como "Autorretrato a los 27" y "Los que cumplieron más de cuárenta": "Los que cumplieron más de cuarenta/se enojan si les hablas de tú/se enojan si les hablas de usted". Ese tono amable, empero, recordaba demasiado la impostación autobiográfica que sólo a poetas como Jaime Gil de Biedma, a quien Herbert admiraba, les alcanza para resultar memorables. En *El nombre de esta casa* Herbert aún era un poeta sin escuela, atendiendo a la observación de Tomás Segovia* de que los jóvenes poetas no pueden tener otra escuela que la de su propia juventud. Pero ya era notorio que Herbert buscaba conversación con la historia, el drama cinco veces milenario que al poeta se le va revelando a través de la frecuentación libresca (y del horror que la información exhibe visualmente y multiplica), a la primera manera de José Emilio Pacheco*, que se prolonga hasta *No me preguntes cómo pasa el tiempo* (1973).

Herbert, perteneciente a una generación espiritualmente muy alejada del patetismo humanitario o de la trascendencia ecologista, invoca voces mutantes que se sirven del escolio, del fragmento o del aforismo: "Cosa, cosa/¿por qué me has abandonado?" Esa línea de *La resistencia* remite, entre agradecida y nostálgica, a *Canto a un dios mineral,* a *Muerte sin fin,* a *Cada cosa es Babel,* a los poemas metafísicos distintivos de la gran tradición de la poesía mexicana que Herbert, al parecer, se ha prohibido escribir. Él prefiere tocar otra puerta y hacer sonar la alarma de pánico ante las ruinas del siglo xx tal cual las registraron los principales poetas historiosóficos: W. H. Auden, Joseph Brodsky, Milosz. Y, a la manera de las crónicas berlinesas de Walter Benjamin o de aquella parte más resueltamente cartográfica del romanticismo, Herbert propone, en esas imitaciones, al poeta como un mago de la ciudad dispuesto a recorrer la circunferencia del civilizado.

Al final, en *La resistencia*, el yo lírico de Herbert, en funciones de antólogo, acaba por encontrar, a través de Ovidio y, en menor medida, de Job, el hilo de su voz: "Cada pie un rasgo de estilo,/un oráculo impreso/geometría fulminada./Joyas que pule y desgasta la rivera mientras el río murmura su desesperación". Herbert es un poeta que cree, con Brodsky, que "la civilización se conserva en los pies de página".

En *Kubla Khan,* Herbert se vale de esa manera cotidiana de edición visual (y no sé si también existencial o fenoménica) que es el *zapping* y, frente a una televisión, fragmenta una poesía donde Xanadú es el reino atisbado por Coleridge pero, también, la canción de Olivia Newton-John. Es casi una obligación que un buen poeta tenga como ambición ser, además de un lector, un artífice. Pero tiene mayor mérito lograrlo y ofrecer un *Kubla Khan* donde, otra vez y fugazmente, como manda la convención, atisbamos un gran domo de placer y a una muchacha abisinia, y se nos ofrece beber la enervante leche del paraíso. Quizá se note que me ha sido muy instructivo y sugerente leer, junto a *Kubla Khan,* de Herbert, la versión que la poeta mexicana Nelly Keoseyán ha hecho de Coleridge: *Una visión en dos sueños. La balada del viejo marinero/Kubla Khan* (FCE, 2005).

Sólo con modestia es como puede seguirse a Borges cuando en "El sueño de Coleridge" asegura que "tales hechos nos permiten conjeturar que la serie de sueños y de trabajos no ha tocado a su fin" y que quizá la clave esté en la última de las ensoñaciones. A esa serie ha confiado Herbert su *Kubla Khan,* poema que, tras advertirnos que Xanadú es también el nombre de uno de los sistemas de acopio y mantenimiento que ha dado origen a la red, sabe decirnos que "Cuando digo Occidente digo/parque de accidentes/cual si la faz del sol a punto de ponerse/fuera un álbum de ventanas: estampitas".

De Gil de Biedma a Ovidio y de Pacheco a Coleridge, la poesía de Herbert ha seguido ese proceso a la vez pausado y catastrófico que hace nacer, de lo que era un cuaderno de lecturas, el mundo de un poeta. Pero los peligros que acechan a Herbert vienen de sí mismo, del cultivo de un segundo personaje, harto literal y previsible, que narra, en cuentos y novelas, esos paraísos artificiales que uno creería que encuentran, antes que en el hiperrealismo, mejor destino en la poesía. Así se infiere de las propias lecturas del poeta. No creo que la literatura mexicana necesite de un segundo Parménides García Saldaña y me alarma que un poeta tan estricto como Herbert presente su candidatura.

El tuteo de Herbert con sus abuelos civilizadores, ya lo han dicho los editores de *Kubla Khan*, permite leer verticalmente un fragmento en la historia contemporánea de nuestra poesía, regresando una generación y media en el tiempo hasta un poema de Jaime García Terrés* escrito en 1971, el año en que nació Herbert. En ese paisaje tenemos, junto a "Ezra", el poema que Herbert dedica a Pound, "Ezra Pound en Atenas", de García Terrés. Lo que en este último es el recuerdo de un mundo de héroes y semidioses donde todavía se podía ir a Atenas y encontrarse con Pound, en Herbert es un pedazo de cerámica de cuyas deslavadas imágenes puede deducirse una escaramuza de la batalla de Azincourt, el rostro de una diosa, alguna inscripción burocrática debida a un letrado o el nombre de una tragedia perdida (2005).

Crítica. De los poetas mexicanos actuales, Herbert está entre quienes han decidido desdoblarse en críticos y asumir los riesgos de esa condición en la arena de una vida poética local que, vista a través del abismo de la pantalla, impresiona por pendenciera. *Caníbal* (2010), libro que reúne sus apuntes sobre poesía mexicana reciente, permite leer en conjunto la crítica, inteligente y polémica que Herbert ha ofrecido durante los últimos años. Se formó Herbert, como todos los verdaderos escritores, en distintas escuelas informales, destacando entre las suyas la de David Huerta*, el poeta mexicano que más admira, o Eduardo Milán*, el crítico de poesía tan influyente en el último cuarto de siglo. De esa atmósfera proviene la defensa, temperada y lúcida que hace Herbert, en *Caníbal,* de algunas manifestaciones de lo nuevo, llámese conceptualismo, posmodernidad, "arte basura" o instalación poética.

Si la tradición es sólo lo bello que queremos conservar, dice Herbert citando a Ezra Pound, es obligatorio recordar que el poema como "materia versificada" se establece plenamente apenas en el siglo XIV en Inglaterra y España. De esa manera, muchas de las innovaciones llamadas habitualmente "experimentales", sean de índole gráfica, escénica, interactiva, oral, no pueden descartarse como poesía, tentación que anima a no pocos conservadores. Y este aserto, que habría merecido la aprobación del Octavio Paz poéticamente más radical, el duchampiano de los años sesenta, le permite a Herbert respaldar a poetas como José Eugenio Sánchez* (con mucho, su preferido), Luis Felipe Fabre* (1974), Luis Jorge Boone (1977), Eduardo Padilla (1976) o Daniel Saldaña París (1984).

La tradición, retórica, sentimental, crepuscular de la poesía mexicana, la simbolizada por Alí Chumacero* o Rubén Bonifaz Nuño*, es la que menos interesa al autor de *Caníbal,* lo cual no quiere decir —lo reconoce explícitamente— que no admire a poetas, como Julio Trujillo* (1969), Alfredo García Valdez (1964) o León Plascencia Ñol (1968), influidos por esa tonalidad "bellista". Otro apunte de Herbert, clave, pone las cosas en su lugar frente a la poesía comprometida: nadie puede sostener con seriedad que escribirla sea líricamente nocivo o políticamente incorrecto. Es cosa de escribirla muy bien, lo cual no es nada fácil. Tampoco es cierto, insisto con él, que haya sido condenada por el último Paz: es cosa de leer los prólogos a las *Obras completas.* Demuestra Herbert que la lira militante sigue tocándose pese a la bancarrota ideológica del viejo comunismo y que esa poesía (practicada con desiguales resultados por Sánchez, Óscar de Pablo, Iván Cruz Osorio) puede mirarse en un buen ejemplo de montaje poético, *La canción del ogro* (1984), de Jaime Reyes.

Hablando de Trujillo, a quien Herbert le reconoce la sapiencia acumulada en *Pitecántropo* (2009), el crítico dice que hay poetas que viven de la tradición, como si fuera la cuantiosa cuenta bancaria que les legó un tío lejano y hay otros que toman posesión, con naturalidad, de una herencia que les es propia. Herbert, agregaría yo, muestra en *Caníbal* su disponibilidad absoluta a arriesgar ese tesoro, exponiéndose, si es necesario, a dilapidarlo. Su libro discute fuerte con *Poesía en movimiento* (1965), con la *Crónica de la poesía mexicana* (1976), con la *Asamblea de poetas jóvenes de*

México (1980): relee los errores de una antología (la de Paz* y compañía) a la que se juzga por sus fracasos adivinatorios, pondera la importancia de los instrumentos antolométricos en funciones de crítica cultural (la asamblea de Gabriel Zaid*) y rechaza la perniciosa dualidad postulada por José Joaquín Blanco* entre cultistas y coloquiales, antagonismo maniqueo que reaparece periódicamente como emblema del resentimiento ideológico, del chantaje sentimental, del antiintelectualismo.

Herbert da las guerras que tiene que dar un crítico: ha hecho la guerra de las antologías (en defensa de *El manantial latente,* la muestra hecha en 2002 por Ernesto Lumbreras y Hernán Bravo Varela), publicó su propia antología latinoamericana (*El decir y el vértigo,* con Rocío Cerón y Plascencia Ñol, en 2005) y no rehúye las obligaciones de la crítica moral, señalando el escándalo filisteo que en México suelen provocar los estímulos estatales a la cultura, condenados (con honrosas excepciones) sólo cuando no benefician al quejoso.

Es también, *Caníbal,* una colección de reseñas literarias. En una de ellas, Herbert ratifica su admiración absoluta por Gerardo Deniz*. La admiración, la comparto, pero a estas alturas ya considero un poco cansina la creencia de que al autor de *Erdera* se le ningunea: a Deniz le han faltado premios, sobre todo internacionales, pero no la devoción manifestada, por escrito, desde hace cuarenta años, de todos los escritores mexicanos que importan. En otras reseñas, Herbert celebra a Tedi López Mills*, expone sus diferencias (con Luis Vicente de Aguinaga*), se permite las complacencias (todos las tenemos) y se da tiempo para revisar a una pareja nada casual de clásicos (cuya presencia destaca a la luz de la propia poesía de Herbert): el enervadísimo Manuel Acuña, su paisano, y José Juan Tablada, el hipermodernista. Sólo le reprocho a Herbert esas líneas en que se muerde el rebozo presentándose sólo como un humilde lector de poemas. Nada de eso: Herbert es un crítico hecho y derecho, y *Caníbal,* una lectura imprescindible sobre nuestra poesía contemporánea.

Bibliografía sugerida
El nombre de esta casa, Fondo Editorial Tierra Adentro, México, 1999.
La resistencia, Filodecaballos, México, 2003.

Kubla Khan, Era, México, 2005.
Caníbal. Apuntes sobre la poesía mexicana reciente, Bonobos, México, 2010.
Canción de tumba, Grijalbo Mondadori, México, 2012.

HERNÁNDEZ, EFRÉN
(León, Guanajuato, 1904-ciudad de México, 1958)

Con Hernández estamos otra vez cerca de Alfonso Reyes* (la máquina textual), de Julio Torri* (los seres desvalidos y su mirada irónica) y de Mariano Silva y Aceves (la inocencia como arma de la imaginación). Pero lo que en Reyes es relojería al margen de un tratado, en Torri perfecta conciencia de la función crítica de la prosa y en Silva y Aceves falsa obsolescencia, en Hernández es una sola realidad narrativa. Sintetizador secreto, absorbe tanto las intuiciones intelectuales del Ateneo como la prosa lírica de los Contemporáneos, y el resultado es la primera obra que se acerca al medio siglo de manera definitiva.

Cerrazón sobre Nicómaco es una ficción brillante. Es imposible evitar un nombre: Kafka. O, más que Kafka, su siglo. La angustia de Hernández —"ficción harto doliente" es el subtítulo del relato— proyecta una atmósfera grisácea que intensifica los actos humanos. Cada vez que pasan las nubes vemos una figura distinta: al humanista impenitente, al cómico adolorido, al sembrador del absurdo cotidiano. El Nicómaco de Efrén es ya víctima del caos sistemático del universo burocrático y lo rechaza mediante las divagaciones de lo imaginario. Si la poética de Hernández es prosaica, como lo anunciaba Octavio Paz*, lo es porque sabe introducir en el texto todo lo que hay de poético en el mundo y que no es estrictamente lírico.

Hernández abandona discretamente las zonas narrativas tanto del realismo como del lirismo. Del primero olvida el culto a la historia. Del segundo rechaza todo romanticismo. Su idea del texto es la máquina que pregunta. Contemporáneo de Borges y de Felisberto, nuestro Hernández comparte con ellos la postulación de la ficción como realidad primordial (*Antología de la narrativa mexicana del siglo XX,* I, 1989).

Bibliografía sugerida

Obras completas, I. *Poesía, cuento, novela,* edición y prólogo de Alejandro Toledo, FCE, México, 2007.

Obras completas, II. *Teatro, ensayo,* edición y prólogo de Alejandro Toledo, FCE, México, 2012.

HERNÁNDEZ, FRANCISCO
(San Andrés Tuxtla, Veracruz, 1946)

"No sueñe más. Es mi nombre", le dijo Juan Rulfo* a Hernández mientras éste miraba azorado el autógrafo del maestro. En la admiración, uno de los sentimientos más difíciles de manejar, creo entrever el drama interior de este poeta. En sus primeros libros, como *Mar de fondo* (1982), Hernández se permitía alguna nostalgia por sus lares de infancia y adolescencia; también quiso ser un poeta sonámbulo a la manera de Xavier Villaurrutia o permitiéndose, al menos, cierto jugueteo surrealista. Pero Hölderlin, Schumann, Trakl y algunos otros héroes del santoral romántico acabaron por definir una necesidad de admiración que no se ha colmado, como lo muestra *Imán para fantasmas* (2004), donde Octavio Paz*, Aimé Césaire y Salvador Díaz Mirón reciben ese comprometedor homenaje. Pero el resultado no ha sido, contra lo que hubiese sido previsible, una poesía libresca sino la creación de una máscara silénica tras la cual murmuran los poetas electivos.

Creyente en la literatura como una promesa cumplida de sufrimiento, Hernández es autor de dos libros notables: *De cómo Robert Schumann fue perseguido por los demonios* (1988) y *Habla Scardanelli* (1992). Es la suya una poesía angustiada que acaso no sea romántica sino eremítica, expresión de una renuncia que siempre nos hará pensar en Hölderlin y en todo aquel que renuncia radicalmente: "Escribo con mano firme, sin vino/un trago de tinta no es un/mal substituto". Queda implícita en la poesía de Hernández la pregunta subsecuente, la de cómo afrontar la agonía romántica, *a capella,* sin el calor ni la comodidad que ofrece la tramoya dramática. Y ante la tensión no resuelta entre el linaje de los grandes locos y la frialdad analítica, Hernández se desdobla en el jaranero Mardonio Sinta, un heterónimo que lo remite a las coplas de Veracruz y a su leyenda, pues este poeta sabe que, como decía Carlyle, sólo mirando reír a un hombre se le conoce de verdad. La poesía de Hernández muestra a un Sileno renunciante, que educa a Dionisio en las epopeyas perdidas de la embriaguez, una criatura que llora y grita de la misma manera en que se hunde en la contemplación más imperturbable.

Bibliografía sugerida

Poesía reunida (1974-1994), UNAM, México, 1996.

Mascarón de prosa, Conaculta, México, 1997.

Segunda antología personal, FCE, México, 1999.

Mardonio Sinta [Francisco Hernández], *¿Quién me quita lo cantado?,* Oro de la Noche, México, 1999.

Soledad al cubo, Secretaría de Cultura de Puebla, México, 2001.

Imán para fantasmas, Era, México, 2004.

Mi vida con la perra, Calamus, México, 2007.

La isla de las breves ausencias, Almadía, Oaxaca, 2009.

Población de la máscara, Almadía, Oaxaca, 2010.

HERNÁNDEZ CAMPOS, JORGE
(Guadalajara, Jalisco, 1921-ciudad de México, 2004)

La breve obra de Hernández Campos semeja los escasos y decisivos fragmentos que hubiese dejado un clásico latino, autor de un puñado de desgarradores versos elegiacos y de otro tanto de poesía tribunalicia. *La experiencia* (1986) y *Sin título* (2001) son los únicos libros accesibles de un autor de cuyos poemas escribió Aurelio Asiain*: "nunca pastiches ni parodias, resuenan —en la sintaxis, en el léxico, en los recursos retóricos— ecos de la lírica griega arcaica lo mismo que de los versículos del Viejo Testamento, de la poesía española medieval y de los poetas del Siglo de

Oro, de Pablo Neruda y de Federico García Lorca, de Eugenio Montale y
T. S. Eliot [...] Ni ocurrencias de memorioso ni guiños de entendido, citas
y alusiones son sólo los gestos más evidentes de una empresa creadora
que ve en la poesía un juego de lenguajes cruzados y para la que la variedad formal no obedece a un mero afán experimental. Entre los veintidós
poemas —pocos y muchos— que recoge *La experiencia* hay un soneto
ortodoxo, décimas blancas eneasílabas, coplas de aire tradicional, poemas
de pie quebrado, estribillos, formas de la poesía medieval, verso libre, versículos, versos extraídos de una página de prosa policiaca, monólogos dramáticos en un teatro en ruinas, poemas en los que la prosa convive sin
discordia con el verso [...] Todo ello habla de un poeta que, es tiempo de
decirlo, no está menos atento a la experiencia callejera que a la riqueza de las
bibliotecas y cuyo gesto es tan sensible a los vocablos recónditos del diccionario como a los insultos en lengua viva. Los suyos están entre los poemas más auténticamente *coloquiales* de la poesía mexicana, no sólo porque
en ellos aparezca de veras 'el lenguaje tal como se habla' en nuestro país
sino porque al leerlos asistimos a un verdadero diálogo de la lengua"
(Asiain, *Caracteres de imprenta*, 1996).

Entre *La experiencia,* cuyos poemas amorosos remiten a las pasiones
del varón que se devora a sí mismo en cada mujer, y *Sin título,* el libro
dedicado a la poeta Ulalume González de León*, observamos al viejo que
obtiene del amor los últimos instantes, los del paraíso, y los festeja apelando a una virilidad que trueca la amargura cenicienta del recuento en agradecido júbilo de quien encontró, al fin, ese filtro amoroso capaz de caute-
rizar las cicatrices existenciales, depurando el discurso elegiaco hasta sus
últimas consecuencias: "La poesía, manto de armiño,/nos cubre los hom-
bros/un instante;/luego resbala y cae sobre el fango/sin que podamos
impedirlo".

El amor aparece como una contigencia despojada de toda ilusión de
eternidad, pues la dama se presenta a través del instante: "desde la atalaya
destemplada del insomnio,/entre tus pies desnudos/pájaros picotean/
segundos endurecidos".

Pocos entre nuestros poetas han alcanzado la vejez en condiciones de
ajustar cuentas con el erotismo como lo hizo Hernández Campos, cuya

voz se quebró en esos versos finales donde los fastos de la masculinidad ceden al sosiego y a la rendición.

Que una obra como la de Hernández Campos concluyese con versos elegiacos tan contundentes resulta lógico al descubrirlo el autor de uno de los relatos más extraordinarios de la literatura mexicana, "El samaritano", que, comenzado en 1957, terminado en 1985 e incluido en *La experiencia,* cuenta cómo un niño sigue los rieles del ferrocarril de Guadalajara a México en búsqueda de su madre. En el camino tropieza con una pareja de teporochos que lo alimentan y lo violan, prodigando un brutal aguafuerte de formación, que da fe de aquella frase de Dostoievski sobre el más nefando de todos los crímenes: la destrucción del amor en el alma y en el cuerpo de un niño.

Traductor excelente (de T. S. Eliot señaladamente), ciudadano de la Roma de Catulo y Juvenal, y habitante de la Roma contemporánea entre 1951 y 1964, Hernández Campos no sólo fue un digno lector de los elegiacos latinos, sino un bardo tribunalicio, el autor de "El presidente" (1954), ese monólogo teatral donde la voz cantante —como lo recuerda Asiain— es el oído que escucha una polifonía estridente. Esas voces, al chillar, registran una celebrada catilinaria sobre el absolutismo presidencial mexicano, trasladando a la poesía coloquial y vernácula lo que Martín Luis Guzmán* había mitificado en *La sombra del Caudillo* (1929).

Apasionado por la forma cortesana y despótica, cabrona y sutil, mediante la cual se construyó el poder en México, Hernández Campos ejerció esa fascinación mediante el periodismo, a veces como crítico del gobierno, en otras como su apasionado apologista. En 1994 creyó un deber defender al Estado contra la rebelión neozapatista y lo hizo con una inteligente vehemencia que, no exenta de atrabiliario machismo, culminó el expediente de Hernández Campos como uno de los críticos más virulentos de la izquierda mexicana.

El Antiguo Régimen procreó dos o tres generaciones de letrados como Hernández Campos, refinados cortesanos que, sin ocupar altos cargos públicos, hicieron del comercio sadomasoquista con el Estado mexicano una peligrosa manera de vivir. Pero de esa legión pocos como Hernández Campos dejaron constancia, en unas escasas páginas de poeta, de la ambigüedad, del terror y de la fascinación provocadas por el Señor Presidente en una corte cuyas dimensiones coincidían con las de la república. "El presidente" es, a la distancia, más que la denuncia civil que se admiró en el medio siglo, una imprecación del presidencialismo no exenta de mórbida fascinación, mientras que el "Discurso que se estaba formando en la cabeza cortada de Cicerón", otro de sus poemas políticos, es una morosa delectación ante las ruinas que el poder sabe elegir como destino.

Al identificar el poder mexicano con el padre, Hernández Campos se asumió cautivo en ese laberinto: "Porque el poder es ese pétreo mascarón/ que resurge/cada seis años/siempre igual a sí mismo, siempre/reiterativo, ambiguo, obtuso, laberíntico,/siempre equivocado/e incapaz, que para eso es el poder, de enmendar / y aprender,/y nada es posible perdonarle, como tampoco/hay nada por qué odiarle". En ese mismo poder —"Padre, poder"— y versos atrás, el poeta perdona a su padre y espera "que un día me perdonen/mis hijos/cuando ellos descubran,/a su vez, que/no soy/no he sido/el poder".

No es extraño entonces que Pier Paolo Pasolini, esa supuesta víctima del poder, haya exaltado a Hernández Campos, quien se confiesa ante su cadáver, rescatando el informe pericial de la muerte del artista italiano, dedicándole un poema en *La experiencia:* "¿Cómo es que ahora Pasolini aparece exhibido fuera del tiempo, como en una *Pietá,* sobre las rodillas de la historia? ¿Cómo hubiéramos descrito el cuerpo muerto de García Lorca, el cadáver de Miguel Hernández, cifras en que se convirtieron, también ellos, de la pasión por la *polis,* de la pasión de la poesía trabada en lucha con la política? Monstruosa epifanía: muere el poeta y ya la justicia habla con un verso casi pasoliniano. La justicia, megáfono de la poesía".

Al comprar la idea bobalicona e histérica —una de las peores ideas que se le han ocurrido a la izquierda— de que esa compleja figura que fue Pier Paolo Pasolini, aristócrata y populista, erudito y agitador, había sido tácitamente asesinado por el Estado, encarnación del Mal absoluto, Hernández Campos, lejos de traicionarse, se explica: lo que él amó en el Estado fue su mistificación sacrificial, a cuyas sutilezas y crímenes dedicó, en prosa y en verso, páginas revulsivas y magníficas. Hernández Campos fue uno de los pocos escritores mexicanos del siglo xx que habló del amor y del poder (nada menos) y de ambas cosas tuvo algo grave que decir. No es poco mérito.

Bibliografía sugerida
La experiencia, FCE, México, 1986.
Sin título, Joaquín Mortiz, México, 2001.

HERRASTI, VICENTE F.
(Ciudad de México, 1967)

La muerte del filósofo (Acarnia en lontananza), tercera novela de Herrasti, se propone la imitación de una retórica casi perdida, la del autor del Elogio de Helena y de la Defensa de Palamedes, ese Gorgias de Lentinos, a quien Platón utilizó como pretexto para componer uno de sus diálogos. Todo saqueador sabe que, a los ojos del vulgo, cualquier baratija es mercable si proviene del pasado remoto, por definición novelesco, en principio prestigioso. A contracorriente de esa tradición comercial, que nace con Los últimos días de Pompeya (1834) de Edward Bulwer-Lytton y muestra su fortísima y perniciosa salud en cada una de las actuales novelerías de aeropuerto que tienen como protagonistas a héroes y sabios de la antigüedad, Herrasti se propone, más que una trama, la ejecución de un estilo.

No sé griego e ignoro si el autor (que no es exactamente Herrasti) insinúa que lo sabe al decir, en el apéndice de su novela, que intentó recrear "la sintaxis peculiarísima" de Gorgias en "las cualidades expansivas del castellano". Pero más allá de los amaneramientos de la falsa erudición, tan propios de la novela contemporánea que ya nadie descree de ellos, La muerte del filósofo (2004) es un libro con algunas páginas espectaculares, como aquellas en que penetramos en las galeras donde purgan su condena los sospechosos del asesinato del tirano Jasón, o esas otras en que una buena investigación en los tratados hipocráticos presentan al médico Jantias ejerciendo el arte del diagnóstico.

En sus primeras novelas me complació la genuina exhibición que Herrasti hacía de su aprendizaje como escritor, casi ufano del periplo del artista adolescente a la Rimbaud en *Taxidermia* (1995), como inverecundo en la búsqueda del indescifrable Aleister Crowley, en *Diorama* (1998). Al finalizar *La muerte del filósofo* quedé agradecido ante una novela tensamente dispuesta y bien redactada. Pero tan pronto leí el apéndice, una nota biobibliográfica donde Herrasti expone escuetamente sus motivos y se jacta de una obsesión previsiblemente ratificada ante el varias veces milenario lugar de los hechos, vacilé. Encontré que estaba, más que frente a una buena novela, que *La muerte del filósofo* lo es, ante un ejercicio académico de narrativa histórica que termina donde debería comenzar, negándose a penetrar en el alma de ese extraordinario personaje que pudo ser el esclavo Akorna. Ejercicio de un creador geométrico que escala hasta la cumbre y que una vez asomado al cráter de la verdad novelesca, cauto o timorato, decide no arrojarse al fuego. Encuentro en *La muerte del filósofo* una elección legítima que deviene en cálculo frío; se nos ofrece sólo un atisbo de la noble visión de conjunto que su autor aparentaba poseer. Pero releo mi nota sobre *Diorama,* la anterior novela de Herrasti, y detecto la escasa lógica con la que un crítico va deshilvanando su discurso sobre un autor: ayer lo acusé de irresponsable desmesura, hoy de calculada avaricia. Apenas alcanzo a presentar en mi descargo una razón atenuante: sólo suscitan humores enconados aquellos escritores que comparten con el lector la tiranía sentimental a la que ellos se someten.

Antes que por la atingencia comercial —en el sentido que Edmund Wilson daba a lo comercial como anverso de lo clásico—, de sus motivos vernáculos, históricos o políticos, Herrasti se propone la creación de un estilo memorable. Es el único de los escritores del grupo al que decidió pertenecer (el Crack) a quien la página le parece, antes que una consecuencia irremediable o fatal del pensamiento literario, una estructura mental en cuya fijación el artista se juega su verdadera oportunidad en el tiempo.

El tirano Jasón, el filósofo Gorgias y el esclavo Akorna juegan, en *La muerte del filósofo,* una mascarada cuya esencia puede advertirse en la triangulación de atributos entre el poder, el saber y la servidumbre. La devoción retórica de Herrasti nos permite escuchar, con mayor precisión que en los ruidosos parques temáticos que la novela actual dedica al siglo XX, algún eco del primer drama representado en la *polis*. En aquel reino de Cronos ocurrió que los tiranos pretendieron congelar la historia antes de que aparecieran los filósofos para incendiarla.

Bibliografía

Diorama, Joaquín Mortiz, México, 1998.
La muerte del filósofo, Joaquín Mortiz, México, 2004.

HERRERA, YURI
(Actopan, Hidalgo, 1970)

Un par de novelas cortas, a su manera sintéticas, han sido suficientes para establecer el prestigio literario de Yuri Herrera, autor de *Trabajos del reino* (2008) y de *Señales que precederán al fin del mundo* (2009). Tomándose su tiempo, Herrera no perdió su tiempo: es notoria la óptima destilación del estilo, el encuentro feliz con un lenguaje propio, simple sin ser esquemático, musical sin ser ruidoso ni almibarado, tierno y sólo a veces malamente sentimental. Las tramas de uno y otro libro son sencillas de exponer: *Trabajos del reino* (aparecida originalmente en 2004) cuenta cómo un cantante de cantina termina componiéndole corridos a un capo y *Señales que precederán al fin del mundo* nos presenta a una muchacha que cruza ilegalmente la frontera tras la huella de su hermano, otro indocumentado.

Herrera quizá resuelve —por el momento— la discusión que sobre "narcoliteratura" han sostenido, entre otros y durante el último sangriento lustro, críticos y narradores mexicanos como Rafael Lemus, Eduardo Antonio Parra*, Jorge Volpi*, Heriberto Yépez*. Que la actual violencia produzca novelas casi líricas como las de Herrera indica que va consumándose el proceso habitual que conforma al realismo y lo rebasa: desde su nacimiento a la novela le tocó ser sierva de la actualidad política y social pero liberándose de esa servidumbre, sublimándola, es como ganó su autonomía como crítica de lo moderno.

El realismo panfletario y comercial, las noveluchas prescindibles y hoy día más inútiles que hace 150, 170 años en tanto compiten en absoluta desventaja con las pantallas, instantáneos vertederos de imágenes que conforman nuestro tiempo, irán perdiendo toda relevancia cuando se hable de México en los tiempos de las guerras del narco. Quedarán, presumiblemente, libros como los de Herrera, de la misma manera en que sólo los filólogos se ocupan de toda la abundante novelería de la Revolución mexicana y el canon lo conforman los Azuela*, los Guzmán*, los Urquizo. Ello no quiere decir que la síntesis lírica lograda por Herrera sea el único camino: a todos nos gustaría leer una Gran Novela mexicana, documental e hiperrealista, sobre los tiempos de crimen que corren, a la manera de *A sangre fría,* de Capote y de lo que propuso Vicente Leñero* en los años ochenta. Yo creo improbable —por razones que merecerían otra reflexión— que esa novela aparezca y en ese sentido, la de Herrera es una solución bien acorde con el lirismo seco de Rulfo*, homenajeado de manera eficaz en *Señales que precederán al fin del mundo.*

Otra cosa que leer a Herrera enfatiza: en un cuarto de siglo, el eje narrativo de la literatura mexicana se desplazó hacia el norte, hacia la frontera y la escritura de la gran novela urbana, la suma total sobre la ciudad de México, pasó a segundo término como ambición literaria. Impera el desierto como tópico mítico y narradores como Jesús Gardea* (a quien Herrera, a su manera, simplifica), Daniel Sada*, Parra, no sólo descubrieron una geografía y la poblaron sino levantaron una escenografía donde un escritor como Herrera se desenvuelve con una naturalidad de rico heredero. Herrera me parece, menos que un principio, el fin de un camino: el imperio narco reducido (como sólo la buena prosa puede y debe hacerlo) a la mirada falsamente idiota de un bufón arrimado en palacio, la travesía al otro lado protagonizada por una superheroína, una figura moral.

Nos guste o no nos guste como ciudadanos, el mito mexicano por excelencia ha vuelto a ser una versión particularmente siniestra del lejano y salvaje Oeste, mundo de crímenes horrendos que apareció, constituido de manera decisiva, en literatura, con *2666* (2004), de Roberto Bolaño*, cuya extrapolación de Ciudad Juárez y su feminicidio fundaron una mitología a la cual estará asociado, durante décadas, quizá no México, pero sí la idea novelística de "mexicanidad". Hemos vuelto a ser, como lo estudia Sergio González Rodríguez* en *El hombre sin cabeza* (2009), el país del sacrificio humano y de ello sólo el arte, en este caso la literatura, puede sacar provecho.

Herrera nos ofrece un bálsamo, esa poetización de lo oprobioso que lo sustrae del horror bruto de la noticia y anula el convencionalismo estético producido, fatalmente, por la indignación. Lo ha logrado destilando —la técnica pareciera rulfiana— una y otra vez varios modos y tradiciones (lo vernáculo, lo coloquial, lo culto) hasta dejar a su lengua literaria tan adelgazada que aparece en el límite de lo insaboro. En *Trabajos del reino* pero, sobre todo, en *Señales que precederán al fin del mundo,* novela donde el autor ejerce un control menos estricto sobre su expresión, Herrera mezcla y depura (insisto) el habla de la frontera y los chilanguismos con algo de Cormac McCarthy (que forma parte más de la poesía de los Estados Unidos que de su narrativa) y mucho de la tradición hispanoamericana de la novela lírica, basada en la épica del yo.

Cuando se habla de "narcoliteratura", finalmente, se discuten los deberes públicos de la literatura. Herrera le da un discreto perfil ético a sus novelas, apostando por el libre albedrío de sus personajes, en la libertad aventurera que los conmueve. El Artista, en *Trabajos del reino,* se escapa por los pasadizos del palacio del capo y se gana su libertad, dueño al fin de un destino nómada, mientras que Makina, inmaculada tras ser herida de bala, presa en una nueva identidad, ha llegado a ella como resultado de una elección demostrada en ese momento de la novela en que empieza a escribir, fugazmente, un libro capaz de trastornar a sus captores. No es ni quiere ser del todo realista Herrera, es casi fantástico su mundo: mantiene un pie sobre la tierra, por fortuna sólo uno. Se preguntaba hace poco Adolfo Castañón* si bajo la cobija de la "narconarrativa" descubriríamos a un Azuela. Es probable que no. Pero tenemos, ya, a un Yuri Herrera.

Bibliografía sugerida

Trabajos del reino, Periférica, Cáceres, 2008.
Señales que precederán al fin del mundo, Periférica, Cáceres, 2009.

HINOJOSA, FRANCISCO
(Ciudad de México, 1954)

El humor de un cuentista. A Hinojosa lo imagino como un maestro óptico afincado en Ámsterdam o La Haya en el siglo XVII, renegando de los malos trabajos que hace su colega Spinoza, distraído por la filosofía. El tapanco del doctor Hinojosa incluye todas las variedades de lentes conocidas, además de una juguetería abundante en ingenios mecánicos y maléficos. A su consultorio asisten miopes y astigmáticos que anhelan ver mejor y salen de allí con las recetas cruzadas, felizmente engañados. Los bizcos ven triple y quienes querían ver el rojo, se van convencidos de que todo es azul. Esa capacidad de distorsión es obra de un cuentista puro, de los que escasean en tantas literaturas, un maestro de la caricatura, entendida como la exageración artística de los caracteres y de las situaciones. Los usos y costumbres del hombre huero, la ineptitud burocrática, las ambiciones perdidas, la notícula roja, son suficientes para un ilusionista cuya retórica parte de un arduo presupuesto: eliminar de la literatura casi toda la literatura. No es extraño así que Hinojosa sea un autor de cuentos infantiles tan exitoso, pues los niños no confunden la repetición con el aburrimiento ni la exageración con el puntillismo. Cuando escribe para adultos —lo que ello signifique— el ingenio de Hinojosa se desplaza hacia el orden moral pues, como pocos géneros, la caricatura es moralizante. Exagera para exponer y expone para sancionar.

Pero a diferencia de otros moralistas, Hinojosa es un médico a quien las consecuencias del diagnóstico le tienen sin cuidado. No es necesario esperar las carnestolendas para decretar el carnaval. Pareciendo bromas o simple humor negro, los cuentos de Hinojosa están construidos sobre una severa economía formal donde cada elemento, en apariencia fútil, es indispensable para el desarrollo dramático. Leer los cuentos de Hinojosa es presenciar asesinatos múltiples, carreras académicas hiperbólicas, traiciones laborales, un trasplante de riñón, un lío político que clausura la universidad... Hilarantes o macabros, los textos no pueden ser contados por otro que no sea Hinojosa, pues dependen de las dioptrías recetadas, al personaje y al lector, por ese alquimista de la luz obsesionado por acabar de descomponer el mundo o por darle al caos una contingencia.

Negros, héticos, hueros (1999), los cuentos completos de Hinojosa, tienen un peso específico mayor que muchas de las fugaces novelerías que infestan las librerías. Ante cierta inadvertencia, Hinojosa escribe unos nuevos *Viajes de Gulliver*. Un Gulliver, que se cree el licenciado Tapia o el profesor Aldecoa y que huye de Lilliput, Brobdingnag, Laputa, Balnibarbi, Glubbdubdrib... en fin, un Gulliver convencido de que es normal e irrefutable que cada ser se vea rodeado de enanos y de gigantes, víctima de la enormidad o de la pequeñez de las civilizaciones y de sus barbaries. Los seres hinojosianos se mueven entre ciudades y continentes, crímenes, castigos y degradaciones utilizando sin parpadear esos lentes que de su creador recibieron para viajar. A diferencia de Swift, Hinojosa no parece creer, hace centurias, que la sátira tenga algún fin pedagógico o sea una forma elusiva o clandestina de la denuncia. Desde *Robinson perseguido* (1981), un poema largo, Hinojosa emprendió la deformación visual de los mitos literarios o cinematográficos, logrando inquietantes caricaturas. Entre *Informe negro* (1987) y *Un tipo de cuidado* (2000), Hinojosa ha venido escribiendo, cuento tras cuento, una comedia más que humana, ogresca.

Los humores de un versificador. "Es difícil definir a un raro auténtico en días como los nuestros, en los que la originalidad narrativa se abarata concediéndose a toda clase de pasiones y sentimientos", decía Guillermo Sheridan*, hace tiempo, a propósito de Hinojosa y sus cuentos, para enumerar enseguida las características de su rareza feroz, ebria, veloz, baladí, que los distingue. La descripción de Sheridan —recogida en *Paralelos y meridianos* (2007)— agrega que Hinojosa no es un raro en la acepción religiosa, decadente y enfermiza que patentó Rubén Darío: pertenece al noble orden patafísico, con su corolario de parodia, pastiche, autoparodia. En las antologías del humor negro y de la patafísica que están pendientes, aquí y en China, deberá estar, en fin, Hinojosa, bien conocido por una obra copiosa en la literatura infantil y por una obra significativa, en la literatura a secas.

Sólo de Hinojosa podía esperarse una novela en verso como *Poesía eras tú* (2009). El título alude a *Poesía no eres tú* (1974), un libro bueno y solemne de Rosario Castellanos*. Hay quien piensa que el de Hinojosa es una historia mínima y heterodoxa de la versificación mexicana. Yo me atendría a decir que esta "versada" es una narración fluida y trágico-cómica en la que nos enteramos, a través de media centena de versos escritos en distintos metros, de cómo termina una historia de amor, la vivida por un par de porqueros, él, poetastro y ella, una mujer de negocios electa diputada.

El "destino político", como dicen los columnistas del género, de Zaharí, la aleja de su amante, a quien es el único que escuchamos. A diferencia de su remotísimo modelo, *El cantar de los cantares*, en *Poesía eras tú,* Hinojosa no ha querido escribir un diálogo entre el novio y la novia, lo cual hubiera resultado, quizá, en un libro más logrado y simpático. Pero no es poco lo que cabe en el gran teatro del mundo dispuesto por Hinojosa, *Poesía eras tú* tiene mucho de dilatada epopeya amatoria legible, a través de los versos del amante, en las pesadillas, los ataques de celos, las libaciones y las crudas, los tropiezos profesionales y los acurrumucos, las desgracias familiares o las violencias domésticas que unen a la pareja.

En un viaje a Nueva York culmina el amorío y a partir de ese clímax el amor entre el poetastro y la porquera se torna ceniciento. Una vez triturados el corrido, el bolero, la canción ranchera y la poesía inocente, Hinojosa descarta el amor cortés o la sublime y fugaz aventura erótica; en *Poesía eras tú* ha preferido ilustrar, siguiendo la clasificación del cordobés Ibn Hazm, los amores sustentados en el largo trato: "Gentes hay que no pueden amar de veras sino después de un largo rato, de mucho verse y de una dilatada convivencia; y ése es el amor que suele durar y afincar y en el que no hace mella el paso del tiempo. 'Lo que entra con dificultad no sale con facilidad', reza el proverbio, y ésa es también mi opinión" (*El collar de la paloma*, VI, 165).

Como a todo verdadero humorista, a Hinojosa no se sabe si tomarlo o no en serio. Habrá a quien le parezca que *Poesía eras tú* es una fruslería. Otros de sus lectores considerarán que, por el contrario, esta novela en verso cataloga el oprobio sentimental mexicano, del cual se origina todo lo demás, lo cual no me extrañaría como punto de partida pues los cuentos de Hinojosa se originan en un escándalo profundo ante la miseria moral y la comicidad de los convencionalismos. Dice Hinojosa que la novela se le ocurrió leyendo una carta-poder y proponiéndose reescribirla en verso. La técnica de un escritor como él es aislar la exageración, crear lo grotesco al diluir la realidad que lo vuelve soportable. Dice Sheridan, su exégeta: "Nunca se sabe por qué esta mano escribe con velocímetro esas vidas, ni para quién las evoca, pero sí para qué: subrayar la histérica realidad del sinsentido como subsuelo moral, como una infección violenta que medra contra la razón".

Desde su primer libro, que fue de poemas, *Robinson perseguido* (1981), Hinojosa juega con los héroes clásicos mexicanos y universales y los condena a situaciones embarazosas, operando una máquina del tiempo que conserva al arquetipo y descarta todo lo demás en calidad de tramoya. El poeta que pergeña los versos de *Poesía eras tú*, es porquero, como lo era Eumeo, aquel que recibió a Ulises disfrazado de mendigo y le sirvió con lealtad y tino para vengarse de los pretendientes. Menos fiel, el de Hinojosa, es un Eumeo criollo, una criatura lírica e inconstante que ve con fatalidad, resignación y picardía, el desamor.

Bibliografía sugerida

Negros, héticos, hueros, Ediciones Sin Nombre, México, 1999.
Un tipo de cuidado, Tusquets Editores, México, 2000.
La verdadera historia de Nelson Ives, Tusquets, México, 2002.
La nota negra, Tusquets Editores, México, 2003.
El tiempo apremia. México: ¡cuántos cuentos se cometen en tu nombre!, Almadía, Oaxaca, 2009.
Poesía eras tú, Almadía, Oaxaca, 2009.

HIRIART, HUGO
(Ciudad de México, 1942)

Un tratado de onirocrítica. Si algún día se escribe la historia de nuestra heterodoxia literaria, Hiriart ocupará en ella un sitio único y entrañable.

Cronista de civilizaciones imaginarias, crítico del gusto, creador escénico de fantasías chocarreras, Hiriart es un escritor que cualquier literatura moderna podría reclamar como ciudadano. Si su fama y fortuna no rebasan holgadamente las fronteras del país en que accidentalmente nació, sabremos que la gracia, la inteligencia y la hospitalidad han sido desterradas de la prosa y del teatro del mundo.

Sobre la naturaleza de los sueños (1995) es un tratado filosófico en la más añeja y generosa de las acepciones del término. No conozco nada similar en la literatura contemporánea en lengua española. Es un extraño libro escrito por un moderno como si fuera antiguo, obra dedicada al buen vulgo por un polígrafo que no confunde la erudición con la pedantería ni la exquisitez con la oscuridad. Hiriart ejerce la comunicación tal como la entenderían los primeros filósofos. Quien lea *Sobre la naturaleza de los sueños* acudirá a un espectáculo insólito en este fin de siglo. Un autor piensa en voz alta, en la plaza pública, sobre los sueños, espacio donde lo humano y lo divino han dirimido sus vastas controversias desde el principio de los tiempos. Se antoja encontrarse con Hiriart en el Banquete o en el Jardín de Epicuro, o defendiendo la Academia de Atenas de la clausura justiniana, con Descartes destazando un cadáver tras haber emborrachado a los sepultureros. Y cómo olvidar que es un hombre de teatro. Pues sólo un dramaturgo es capaz de decirnos, con hermosa jactancia, que ha escrito un libro hípnico (e hipnótico) sin haber leído "ningún libro sobre el tema para no desviarme de mis propias reflexiones ni malversar mis procedimientos mentales", como si el inconsciente colectivo no hubiera acumulado una enorme sabiduría onirocrítica ni incontables letrados hubiesen escrito sobre esa ciencia. No puede ser en desdoro de Hiriart decir que *Sobre la naturaleza de los sueños* es un talentosísimo desarrollo de la onirocrítica aristotélica. De otra forma sería improbable un libro como éste, pues poquísimos entre nosotros tienen una relación tan creativa e íntima con los clásicos como Hiriart. Cuando Alfonso Reyes* nos exponía la retórica ateniense, lo hacía con la modestia del aficionado a la filología grecolatina. Pero una erudición didáctica como la de Reyes parece pobretona junto a la hiriartiana imaginación filosofante. Es fácil honrar a Isócrates por convención. Incluso es necesario. Pero es excepcional leer a un moderno que se mide con Aristóteles como si veinte siglos fuesen un suspiro. La diferencia entre un Reyes y un Hiriart es la que separa a la aspiración *clasicista* de la disertación *clásica*.

Siguiendo un orden de exposición escolar —en el sentido primigenio del término— Hiriart desarrolla un tratado encantador sobre la naturaleza de los sueños. Parafraseo deshilvanadamente algunas de sus hipótesis:

• Los sueños son un presente que se desplaza. Los sueños son únicamente presente. Resumir una sonata de Scarlatti es imposible. El modelo de los sueños no es el cuento. Es la música.

• Un sueño es una actividad donde las imaginaciones laterales (detectables en la vigilia) dejan de ser latentes para mostrarse y ocupar la actividad entera de la mente.

• En los sueños no suceden cosas, se desarrollan implicaciones. Un sueño es una conjetura de la imaginación que no ocurre en ninguna parte. No hay en los sueños detalles superfluos. En un sueño nada es anómalo, todo es significativo.

• El sueño es movimiento, lucha entre configuración y desvanecimiento. No importa qué significan los sueños, sino qué son. La adivinación y la interpretación de los sueños es irrelevante.

Hiriart se sitúa de inmediato entre quienes rechazan el sueño como visión profética y oscuridad de la razón. La querella entre los chamanes y los filósofos es tan vieja como el propio sueño. Aunque la palabra *onirocrítica* fue divulgada por el adivinador Artemidoro de Daldis —quien vivió hacia fines del siglo II d.C.—, su uso es anterior y defendía a los sabios de la influencia de la mántica, el arte de la adivinación que tuvo en los sueños su materia nutricia. Fueron materialistas como Anaxágoras y Demócrito quienes reivindicaron el sueño como función del cuerpo y no del alma. Los átomos, decía Demócrito, emiten imágenes que penetran a través de los sentidos. Los dioses mismos, como los demonios, son *ídolos,* imagos de los hombres. Hipócrates y sus amigos hablaron de sueños de origen divino, de los que se despreocuparon para dedicarse, como médicos, del sueño como actividad humoral del cuerpo. El camino hacia la psicofisiología de Aristóteles se abrió.

Pero la otra vía, la de los sueños proféticos que admiró Homero, era entonces, como ahora, más atractiva para un público ávido de una explicación sobrenatural de la existencia. Quienes atravesaron la puerta de cuerno han sido legión; son pocos los que prefieren la puerta de marfil. Antifón de Atenas escribió la primera *Interpretación de los sueños* junto con un *Arte de no sufrir*. La oniromancia será, hasta Freud, una gnosis terapéutica o no será. Platón dirá, inclusive, que el sueño es tan inverosímil como la vigilia, ya que pasamos partes proporcionales de la vida en uno u otro estado. La propia muerte de Platón, mitificada por los pitagóricos, aparecerá como un misterio mántico.

La reacción de Aristóteles contra la oniromancia fue tan contundente como discreta. En los *Parva naturalia* hay tres pequeños tratados sobre el tema: "Del sueño y de la vigilia", "De los sueños" y "De la adivinación mediante el dormir". Estos opúsculos fueron compuestos en el último trecho de su vida, cuando el Estagirita regresa a Atenas tras la muerte de Platón y funda el Liceo. Los *Parva naturalia* son una obra ancilar que retrata a un Aristóteles volcado decididamente hacia la ciencia natural. Sin embargo, la onirología u onirocrítica aristotélica bien puede desprenderse del primer párrafo de la *Metafísica*, que estoy seguro que Hiriart tuvo presente al escribir *Sobre la naturaleza de los sueños*: "Todos los hombres por naturaleza desean saber. Señal de ello es el amor a las sensaciones. Éstas, en efecto, son amadas por sí mismas, incluso al margen de su utilidad, y más que todas las demás, las sensaciones visuales".

Resumida en los tres tratados hípnicos de los *Parva naturalia,* la doctrina onirocrítica de Aristóteles es, a su vez, la consecuencia de un texto precedente, "De la memoria y de la reminiscencia", base de la gnoseología occidental hasta la aparición de Descartes. En esas páginas, Aristóteles desarrolla una noción de memoria selectiva sin la cual la idea del sueño como manifestación inmanente, antes que divina, no se sostiene. ¿Qué dice el Estagirita sobre el sueño en los *Parva naturalia*? En principio, asegura que el sueño —lo que el hombre vive mientras duerme— es, como todas las cosas, acto y potencia, facultad del alma y función del cuerpo, de tal forma que:

1) La función corporal determina la facultad del alma para soñar.

2) Esa sensibilidad onírica descansa, como la actividad diurna, en el sentido común, pues es tan fácil olvidar un acto durante la vigilia como recordar un sueño. Y al contrario.

3) El sueño es *una actividad de la imaginación.*

4) El sueño no sólo representa imágenes, sino que genera opiniones y juicios.

5) Los deseos "naturales" forman parte del sueño. Quien tiene sed sueña con agua. Pero esos sueños no determinan la totalidad del fenómeno. Son sueños excrecionales.

6) Los sueños sólo son reales en la medida en que la imaginación puede serlo. La adivinación onírica es sólo una posibilidad sancionada por la estimable credibilidad del vulgo.

Hiriart sólo cita en dos ocasiones a Aristóteles en *Sobre la naturaleza de los sueños*. No siendo su curioso tratado un repaso académico, sino un ensayo empírico y especulativo, no tenía obligación retórica alguna de reconocer sus deudas. Pero me atrevo a sugerir que la onirocrítica hiriartiana es un desarrollo tan puntual como magistral de los *Parva naturalia*. Averroes, el gran comentarista árabe de Aristóteles, resumió la doctrina de su maestro en palabras que Hiriart podría firmar: "De todas las facultades del alma, los sueños están relacionados principalmente con la imaginación, ya se trate de sueños verdaderos, ya de sueños falsos".

La tesis central del escoliasta mexicano —los sueños son una actividad de la imaginación que funciona como desenlace del sentido común— es estrictamente aristotélica. Inclusive, lo que Hiriart llama conjetura onírica fue previsto por el Estagirita en el cuarto tratado de los *Parva naturalia*: "De la misma manera que acordarse de alguien no es el signo ni la causa de que esa persona se presente, de la misma manera los sueños no son tampoco ni el signo ni la causa de lo que ocurre, sino una simple conjetura. Es por lo que, también, muchos de los sueños no se realizan; la simple conjetura no es, en efecto, ni permanente, ni general".

En contraparte, si Hiriart toma de Aristóteles la noción de conjetura como vínculo onírico entre los sentidos, su explicación del prestigio oracular de los sueños habría fascinado al filósofo. La oracularidad del sueño, dice Hiriart, proviene de su impertinencia como estructura sinóptica. Lo que no puede ser narrado convencionalmente se convierte en un hervidero de signos nefastos o fastos. En este punto, Hiriart aplaude la ambigüedad de Aristóteles ante la oniromancia. Y se suma a ella perdonándole la vida a Freud cuando lo tenía vendado frente al paredón. No es fácil decidirse a fusilar al gran chamán de los modernos.

La ausencia coqueta y seductora del psicoanálisis en *Sobre la naturaleza de los sueños* no sólo es un cariñoso homenaje a Aristóteles, sino un relevante argumento de Hiriart. Los filósofos naturalistas saben que una mínima concesión a las doctrinas trascendentes se paga cara. Más vale el escepticismo aristotélico que soltar el anatema contra quienes peregrinan por la puerta de cuerno. La mántica freudiana es anecdótica y arquetípica. Una lectura comparada de *La interpretación de los sueños* —en su versión final de 1909— y el libro del mismo título escrito por Artemidoro, en la época del emperador Marco Aurelio, deja mal parados a quienes han pretendido dotar al psicoanálisis de un estatuto epistemológico. Aristóteles e Hiriart estarían de acuerdo en que la oniromancia freudiana, como la de Artemidoro, carece de valor científico —al menos en el sentido positivo del término. Ambas interpretaciones simbólicas reflejan las esperanzas y los terrores de los hombres de los siglos II y XIX; son un inventario íntimo de la psicología ciudadana de la Viena burguesa o de la decadencia pagana, pero comparten similares equivalencias arquetípicas, como las que fijó, con una comprensión más rica de la antropología cultural, un Jung.

Los paralelos entre Artemidoro y Freud no culminan en la aparente intemporalidad de la oniromancia. Ambos fueron terapeutas amados o aborrecidos por sus contemporáneos, padres de una manualística que popularizó la intimidad de los sueños. Cicerón alcanzó a lamentar la desaparición del espíritu aristotélico y la profusión de chamanes de toda laya. Pero un ilustrado como Cicerón no vaciló, al mismo tiempo, en consultar a los intérpretes de sueños cuando los sinsabores de la vida abrumaban su raciocinio. Procedió como muchos racionalistas modernos. Pero nuestro Hiriart, como Aristóteles, deja el desvarío mántico a los platónicos, los románticos y los psicoanalizados. Al filósofo de la Calle del Árbol, como al Estagirita, le importa cómo funcionan las cosas, no qué son. En días de ansiedad metafísica o de multitudinarias elaciones esotéricas, el llamado al sentido común, como la obra más elaborada de la imaginación creadora, es un alivio.

La psicofisiología aristotélica perdió su crédito en el Renacimiento, cuando Harvey y Vesalio demostraron la falsedad de las nociones clásicas sobre la circulación de la sangre o la respiración. La neurofisiología contemporánea, apoyada en el electroencenfalograma, descubrió una etiología del sueño de origen bioquímico... Pero, curiosamente, los modernos desechamos la parte más racional de la onirocrítica aristotélica, la que otorga al sentido común la soberanía sobre los veleidosos cinco sentidos, cuyo número impedía su concordancia con los cuatro elementos primordiales. Es aquí donde Hiriart deja a Aristóteles para seguir a Descartes, cuyo *Tratado del hombre, Las pasiones del alma* y *Meditaciones metafísicas* guían su preceptiva, basada en el rechazo de toda "inherencia de atributos" propia de la escolástica. Su método es prodigar los juegos, los ejemplos y las dudas. El filósofo se transforma en hombre de teatro que dispone de una perfecta maquinaria escénica donde los observadores vemos maravillados las piruetas acrobáticas de una inteligencia que nunca se cae del trapecio.

Ignoro si *Sobre la naturaleza de los sueños* ocupará un lugar entre la onirocrítica contemporánea. No puedo ocuparme, por incompetencia, de la deuda de Hiriart con la filosofía analítica secular. Pero la originalidad es una superstición moderna que sólo superan quienes, como él, mantienen un diálogo vivo y chispeante con la tradición clásica. Los antiguos resucitan, transfigurados, en manos de este "escritor titiritero" que incurre con alegría en las travesuras del espíritu. *Sobre la naturaleza de los sueños* enaltece al ensayo como género y es una obra maestra de la imaginación crítica. Debo decir, en fin, que no requerí de mucha ciencia para rastrear algunas de las fuentes del autor. Hice trampa. Fui discípulo informal de Hiriart durante unos breves pero intensos meses. Jamás se tomó la molestia de leer las tonterías que redactábamos sus entenados. Dijo que más valía que aprendiéramos a pensar que a escribir. Y ordenó la lectura de Aristóteles, de Descartes y de la *Anatomía de la melancolía,* de Robert Burton. Cría cuervos y velarán tus sueños (*Servidumbre y grandeza de la vida literaria,* 1998).

Ingenio y grandeza de un patafísico. El teatro y la filosofía, géneros que se repelen, hicieron de Hiriart uno de los pocos ingenios vivos de la lengua española. Siempre me ha intrigado que Hiriart carezca del aplauso universal que merece: no existe un escritor mexicano tan preparado como él para ocupar la cabecera en casi cualquier banquete, sea en un corral de comedias del Siglo de Oro o en la taberna donde el doctor Johnson, al amparo del fuego prehistórico, entretenía al venéreo Boswell.

Editada en su conjunto, como debía hacerse, la obra de Hiriart se dividiría en cuatro registros: la novela, la tratadística, el ensayo breve y el teatro. Pese a ser un eterno estudiante de filosofía que postula y escenifica problemas, axiomas y paradojas, las primeras vocaciones de Hiriart fueron la escultura y la pintura, habilidades cuyo ejercicio nunca ha abandonado, pues a sus virtudes las caracteriza la armoniosa concurrencia. Al creador de ingenios mecánicos y al titiritero se suma el filósofo, y al filósofo, el novelista, y al narrador de historias, el director de teatro y el dramaturgo, y ambos terminan por reposar en el articulista que, a su vez, esculpe y dibuja.

Las primeras novelas de Hiriart, *Galaor* (1972) y *Cuadernos de Gofa* (1981), precedieron en varios años a lo que los entendidos llaman el gusto posmoderno en literatura que tornó rutinarios el pastiche estilístico, la parodia histórica y la imitación de imitaciones. Se olvida que *Galaor,* celebrada (y anticervantina) reescritura de una novela de caballerías apareció cuando nuestra narrativa oscilaba entre el desentrañamiento de los misterios inmanentes del texto y las urgencias comprometidas, juveniles y vernáculas. *Galaor* es el precedente de buena parte de las mejores novelas que se han escrito en México entre un siglo y otro, ya sean narraciones bizantinas, bitácoras de navegación en alta mar o vidas de filósofos griegos. Fue Hiriart el caballero andante que autorizó todos los encantamientos.

He releído *Galaor* como una curiosidad significativa y frecuento los *Cuadernos de Gofa* de tarde en tarde. Lo hago sin hartarme del profesor Gaspar Dódolo y de la geografía espiritual de los gofos, donde la flora y la fauna de los resentimientos, la cobardía de los trópicos, los puertos de la embriaguez y la caverna de la avaricia nos llevan ante el único caso registrado de una tertulia transformada en una civilización. Las similitudes que hace años encontré, como lector que domeña al entusiasmo con las comparaciones, entre Hiriart y Henri Michaux y Jonathan Swift se han ido borrando y, al final, los *Cuadernos de Gofa* sobreviven en su singularidad.

De las novelas posteriores de Hiriart, *La destrucción de todas las cosas* (1992) nunca me convenció del todo: pese a sus divertidos golpes de efecto, el libro carga con una responsabilidad asfixiante, la de proyectar en el futuro la Conquista de México. El apocalipsis es uno de los géneros más frecuentados de la literatura mexicana, al grado de que ya tiene hasta sus convenciones, que Hiriart acató un tanto perezosamente. Tampoco me gustó *El actor se prepara* (2004), un tratadillo de teología moral disfrazado de novela policiaca donde la trama no funciona como debe ser y tampoco agrega gran cosa al acervo hugoliano. *El agua grande* (2002), en cambio, me parece la depurada suma de su prosa. Es un cuento filosófico que reflexiona sobre las formas narrativas y que, paralelamente, desarrolla la historia de un cantor ciego que ve la luz en una cantina del centro histórico de la ciudad de México y quien, tras un subsecuente periplo iniciático, se convirte en un gurú. Así lo cuenta Magistrodomos a su discípulo, ensayando un cuento mientras lo analiza, diseccionando el arte de narrar cuando lo actúa y fraguando, en fin, una divertida clase de filosofía.

La obra de Hiriart dimana de la disertación, mediante el despliegue de artes retóricas que asombran magistral y teatralmente al azorado lector (o espectador), imitando los modos de los filósofos-matemáticos con los que se educó y quienes, para bien de la literatura, lo alejaron de Heidegger y de Hegel, de los existencialismos y de las historiosofías. Hacen mal quienes no se toman en serio a Hiriart como tratadista, pues consideran impropios del pensamiento el sentido del humor y la cortesía. No son muchos los tratados propiamente dichos que se han escrito en México, aunque entre ellos destaquen clásicos como *El deslinde* (1944), de Alfonso Reyes, *El arco y la lira* (1955), de Octavio Paz*, y *Poética y profética* (1982), de Tomás Segovia*, obras a las que debe agregarse *Sobre la naturaleza de los sueños,* esa eminente averiguación onirocrítica en la que Hiriart rodea a Aristóteles y lo comenta. Católico y hombre sobrio, Hiriart es autor, también, de un tratado terapéutico titulado *Vivir y beber* (1987).

En *Los dientes eran el piano. Un estudio sobre arte e imaginación* (1999) y en *Cómo leer y escribir poesía* (2003), su sucedáneo, Hiriart intentó repetir el procedimiento utilizado en *Sobre la naturaleza de los sueños*. El resultado no fue tan feliz. Una vez que el lector conoce la retórica hiriartiana, su repetición fatiga: no siempre la observación meticulosa de un gato logra que éste se convierta en un jarrón chino, como quisiera el ilusionista.

Más allá de esos tratados, que me entusiasman al ayudarme a pensar aquello que soy incapaz de exponer, asumo probable que Hiriart sea recordado como un ensayista puro, articulista que ha hecho de la publicación regular de brevedades en la prensa literaria un arte. Al armar colecciones como *Disertación sobre las telarañas y otros escritos* (1980) y *Discutibles fantasmas* (2001) sumó a su bibliografía un par de libros magníficos. En el segundo volumen, cuya lectura acabo de hacer, he seguido el hilo dispuesto por él, encontrándome con sus páginas sobre la educación de los niños en general y el teclado infantil en particular —Bartók, Tchaikovski y Schumann—, con sus finas observaciones autobiográficas que incluyen una sabia micrometafísica del miedo, y con la extrema y fantasiosa ociosidad de las altas matemáticas. En *Discutibles fantasmas,* además, está ese retrato del poeta Gonzalo Rojas que, gracias a una indicación de Brecht, aparece comiendo pulpo en calidad de pulpo en su tinta, lo cual motiva una definición del personaje que se aplica al retratista: barroco pero estricto, intenso sin ser lacrimoso, artista sin trivilidad ni grandilocuencia.

He visto la mayoría de las obras teatrales de Hiriart, dirigidas por otros directores o puestas por él mismo. El mundúsculo (como lo llamaría Gerardo Deniz*) de Hiriart se somete a la luz en la escena y fatídicamente muestra su tino junto a sus negligencias, hijas de la improvisación orgullosa, de la creencia en que todo lo resuelve la autocrática varita mágica del ingenio. Pero desde *Hécuba, la perra* (1982) hasta *El caso de Caligari y el ostión chino* (2000) he sido partícipe, al menos durante algunos minutos (que en el teatro son una eternidad), del encanto que Hiriart les insufla a sus criaturas escénicas.

Al leer algunas de las obras (mecanos, cuartetos, juguetes) reunidas y publicadas en libros como *Minotastas y su familia* (1999) o *La repugnante historia de Clotario Demoniax* (2005), descubro, contra lo que hubiera pensado, que el teatro hugoliano no es un teatro literario y que los textos tienen poco vuelo separados del regocijante recuerdo de las puestas en escena.

Tampoco es teatro de ideas ni puede serlo en nuestros tiempos, que todavía acusan los estragos del uso y del abuso que los existencialistas hicieron, hace ya medio siglo, del teatro como vehículo de la filosofía.

La lectura de *Minotastas y su familia,* por ejemplo, remite a los memorables teatrinos y telonerías que lo hicieron posible y que sobreviven pálidamente en las fotografías. *Ámbar* (1990), a su vez, es más una novela dialogada o un libreto que un verdadero drama, mientras que *El tablero de las pasiones de juguete* es un trabajo didáctico encaminado al contrapunto entre el asunto fáustico, propio de los primeros modernos y los venerables mitos griegos. Y *Camille o la historia de la escultura de Rodin a nuestros días* (1987) es la más convencional o "comercial" de sus obras. Con *La repugnante historia de Clotario Demoniax,* finalmente, se publican algunos escritos teatrales y una pieza estricta y hermosa como *La caja,* que se sostiene sola como el mecanismo representativo de la dramaturgia huguesca.

Sin el teatro, Hiriart perdería su eje de gravitación y su obra quedaría condenada al desorden y al caos. Baja comedia, la suya necesita del orden que le proporcionan las tablas, los telones y las bambalinas, toda la utilería (y la juguetería) propia de una literatura esencialmente dramática, es decir, una forma mimética del relato representada gracias al conflicto de los personajes y expresada por el diálogo entre ellos.

No pocos de sus discípulos —yo lo fui y lo presumo— hemos tratado de desarmar el ingenio mecánico para descubrir el secreto. Algunos, como David Olguín en el prólogo a *Minotastas y su familia,* le dan cierto crédito a lo que Hiriart dice de sí mismo, criatura obsolescente que habría conservado intacto su yo infantil, sustituyendo los soldaditos de plomo (y de plástico) por los actores y los personajes. Yo he buscado minuciosamente sus fuentes y me he cultivado en el camino, leyendo a Artemidoro de Daldis o corroborando que Hiriart se ha alimentado glotonamente de *Las dos carátulas* (1883), esa fabulosa historia del teatro escrita por Paul Bins de Saint-Victor, crítico del *Moniteur Universel* e hijo del Conde de Saint-Victor, autor de un tratado sobre la imaginación... Pero las partes en sí, una vez separadas, son avaras para explicar esa noble máquina inventora de prodigios y simulaciones.

Durante algunas noches ociosas y megalomaniacas me he puesto a pensar qué obras mexicanas salvaría de la destrucción de todas las cosas, y no han sido pocas las desveladas en que he decidido otorgar ese privilegio a los libros de Hiriart. En fin, que las altas potestades den larga vida y salud al grande, ameno e inquieto Hugo Hiriart.

Bibliografía sugerida

Galaor, Joaquín Mortiz, México, 1972, y Tusquets Editores, México, 2000.
Disertación sobre las telarañas, Martín Casillas, México, 1980, y FCE, México, 1987.
Cuadernos de Gofa, Joaquín Mortiz, México, 1981, y Era, México, 1998.
Ámbar, Cal y Arena, México, 1990.
La destrucción de todas las cosas, Era, México, 1992.
Sobre la naturaleza de los sueños, Era, México, 1995.
Los dientes eran el piano. Un estudio sobre arte e imaginación, Tusquets Editores, México, 1999.
Minotastas y su familia, prólogo de David Olguín, El Milagro, México, 1999.
Discutibles fantasmas, Era, México, 2001.
El agua grande, Tusquets Editores, México, 2002.
Cómo leer y escribir poesía, Tusquets Editores, México, 2003.
El actor se prepara, Tusquets Editores, México, 2004.
La repugnante historia de Clotario Demoniax, Tusquets Editores, México, 2005.
El arte de perdurar, Almadía, Oaxaca, 2010.

HUERTA, DAVID
(Ciudad de México, 1949)

Hace veinticinco años que apareció *Incurable* (1987) y a lo largo de las relecturas, que, sin contar las consultas virgilianas, ya deben de sumar tres, uno no sabe si un libro como éste se abre siempre en la página correcta, como decía W. H. Auden, o si se abre "en la página injusta", como afirma Huerta. Ese vaivén entre el oráculo y la profecía, entre la literatura como adivinación y el libro como fatalidad, tornan difícil la definición de una obra que, transcurrido ese trecho de frecuentación, me parece decisiva para contar la verdadera historia de la literatura mexicana de la segunda mitad del siglo XX.

A *Incurable,* ese poema que por su extensión (389 páginas en nueve capítulos) ha sido también considerado, de manera hipotética, como una novela en verso libre, se le puede someter a las mil y una interpretaciones, aunque acaso sea posible entrar en materia mediante tres maneras: leyéndolo como una larga narración, escuchándolo como si fuese un parloteo joyceano y consultándolo en su carácter de un diccionario privado del *modernism* o del posmodernismo.

Yo mismo escribí hace veinte años una reseña entusiasta de *Incurable,* ofrenda de admiración un tanto imprudente. Decía yo entonces que *Incurable* era, o podía ser, una novela, un cuerpo narrativo. Recibí (y los di por buenos y sensatos) comentarios severos que me reprochaban —como el reseñista de novelas que ya era en 1987— creer que un poema se convertía en novela sólo en virtud de su extensión y de su aparente narratividad, elección grosera que delataba impericia e ignorancia. Para mi sorpresa, una argumentación similar ha sido considerada por lectores perseverantes de *Incurable,* como Ronald Haladyna, Gilberto Prado Galán, Carlos Oliva Mendoza y, en esa dirección, el propio Huerta, para quien, puesto que los poemas largos de la historia de la literatura son narraciones, en *Incurable* "hay una novela con un hilo argumental muy diluido, muy tenue [...] pero novela al fin".

"El mundo es una mancha en el espejo", dice la primera línea de *Incurable,* y con la genealogía de ese verso puede recorrerse la obra de Huerta, quien hizo suya la principal ansiedad narrativa del adolescente, aquella que consiste en penetrar en los misterios de las luces y de las sombras reflejadas en las ventanas. Es una imaginería propiamente moderna de Baudelaire (del Baudelaire de Walter Benjamin para ser precisos) y es más propia del novelista que del poeta. Este narrador de *historias* —la más vasta *Incurable*— ya decía, en *El jardín de la luz* (1972), que "En el espejo del baño/se guarda la imagen del principio", y a la vez: "Y nada ocurre/al fondo de un minuto".

Huerta forma parte de los poetas para quienes "la imagen es la causa secreta de la historia", como dice José Lezama Lima, y en esa perspectiva la historia entera puede concentrarse en un exasperado minuto tal cual se lee en *Cuaderno de noviembre* (1976). Jaime Moreno Villarreal*, uno de los pocos que no ha cedido a la tentación de emprender el saqueo hermenéutico en esa cueva de Alí Babá que es la obra davidhuertiana, va al grano, destacando que el versículo, tan propio de Huerta y a la vez herencia que el infortunado José Carlos Becerra* le dejó, debe leerse como el segmento breve que la exegética aísla para sus propios fines, la explicación y la doctrina o la interpretación y la memoria. Al versículo siempre se regresa, pues ése es el sentido del *versare,* meditar y reflexionar, según Quintiliano. A la poesía versicular, concluye Moreno Villarreal, siempre se vuelve, aunque parezca en especial apta para leerse de corrido.

En el tránsito entre dos siglos, Huerta es el poeta mexicano más leído por los jóvenes poetas, muchos de los cuales prefieren, spinozianamente, las proposiciones ofrecidas en *Cuaderno de noviembre* a las demostraciones logradas en *Incurable.* Tomando el camino más corto o aventurándose por el más dilatado, nos topamos con una civilización minúscula sólo descifrable con el auxilio de la propia poesía que se escribió para retratarla: "Destrucción de un texto o corrección de estilo, autocrítica", dice Huerta.

Después de *Cuaderno de noviembre* Huerta tuvo que decidir entre el tono catilinario, teóricamente sentencioso, radicalito, de *Huellas del civilizado* (1977), y la lujuria (en el sentido de exceso, demasía) de *Versión* (1978), libro de un poeta derrochador, ya enriquecido por sus dones. Pero en cualquiera de los modos se asoma inmortal, inmorible, el devastado héroe romántico: "Artaud tenía razón [dice Huerta en *Versión*] siempre es mejor/abrazarse a uno mismo y roer estos huesos en un/rincón aparte". Ese romanticismo en los huesos que es el de Artaud, desesperado por parlotear, irá cargando las tintas para presentar al poeta devorado por *Incurable,* que, al borde de un ataque de nervios, espera lo verdadero, la enfermedad.

La historia crítica de *Incurable* es sorprendentemente parca y es la crónica de un desdén un tanto rudo y no pocas veces exitoso. Junto a quienes, no debiendo hacerlo, optaron por el silencio, estuvieron aquellos que denostaron la extravagancia de *Incurable,* o se las arreglaron para hacer suyas las frases derongatorias que el propio poeta profirió ambiguamente sobre su obra: "El libro empezó queriendo ser una obra maestra, en los términos de Cyril Connolly, y terminó siendo sólo un libro grandote".

Inclusive los defensores de Huerta y de *Incurable* (unos no son necesariamente los otros) tienden a pensar que el libro no dice gran cosa digna de ser comprendida, "que no es *filosofía*", como si sus cientos de versículos (y las formas métricas allí anidadas) fuesen únicamente chisporroteo incesante y un tanto placero de juegos de artificio, algo así como una intensa y azotada noche mexicana del posmodernismo (que también lo es *Incurable*), verborrea erudita y a la postre un tanto inútil.

Aurelio Asiain*, quien en *Caracteres de imprenta* (1996) fue uno de los pocos que leyó el libro con buena fe y no se limitó tan sólo a morderlo con el diente verde de la envidia, se manifestó reticente ante una poesía "sólo retóricamente filosófica". Ante esa objeción cabría preguntarse si después de Lucrecio ha habido un poema filosófico que no sea sólo retóricamente filosófico y si la poesía (la de Dante, la de Goethe, la de Victor Hugo) puede relacionarse de otra manera con la filosofía. Al menos creo que Santayana, una autoridad en Lucrecio, me daría la razón. En lo que Asiain acierta (y en lo que es propiamente su crítica de fondo) es en preguntarse qué tanto dependía *Incurable* de la retórica mundana de la filosofía universitaria de su tiempo y en qué medida el poema traía su propia música, pregunta que, a treinta años de los setenta del siglo pasado, marchitas aquellas escuelas, ya puede responderse.

La presencia de Foucault, de Deleuze y Guattari, de Barthes y de la Kristeva en *Incurable* perdura ambientalmente, como estática en el fondo de la grabación, tanto como se oye en *Muerte sin fin* aquel Heidegger que, presentado como director de conciencia de José Gorostiza*, resultó ser el Plotino editado por José Vasconcelos*. Esa orquestación epocal también es audible en Alí Chumacero* o en otros poetas del medio siglo, nutridos del existencialismo meditado y traducido por los exiliados españoles, como la educación filosófica es notoria en *Cada cosa es Babel* (del materialismo al empiriocriticismo) de Eduardo Lizalde*.

No se necesita tener un recuerdo agradecido o una opinión amarga de esa jerga de los franceses, del mal francés de la teoría estructuralista, para aceptar lo fecundos que resultaron esos *maîtres à penser* en los poemas que se hicieron en *La Mesa Llena,* la efímera revista que reunió a Huerta con sus amigos a fines de los años setenta. No es propiamente hablando poesía hermética, sino poesía *à la page* la que aparece en *Cuaderno de noviembre*, en *Peces de piel fugaz* (Coral Bracho*) o en la poesía episódica que escribieron Paloma Villegas*, Jorge Aguilar Mora* o Héctor Manjarrez*, que respondían a otras inspiraciones. Tampoco acertaríamos al decir que Huerta es "tan filosófico" como lo fue en su día, por ejemplo, Enrique González Martínez, el poeta búho. Sería más justo reconocer que Huerta depende aun en mayor medida de sus lecturas de formación que otros poetas mexicanos, dado su entusiasmo casi militante por los maestros que se hacían de lenguas (y de don de lenguas) a través del marxismo, del psicoanalisis, del feminismo, y cuyas citas, ecos y resonancias atraviesan, perdurablemente, *Incurable*. No habiendo pretendido escribir "un poema filosófico", es necesario reconocerle la osadía de ser un poeta que, como quería Joseph Brodsky, al buscar carne encontró palabras, un inmanente mundo de citas: "Yo me creí la segunda persona, pero seguí escribiendo".

Desde el punto de vista de la poesía pura (aquello que ocurre entre el demonio del verso y el demonio del silencio, como decía el abate Henri Bremond), algunas cosas pueden reprochársele a *Incurable*. Una de ellas, acaso la más pertinente (que creo que a Asiain no le pasó inadvertida) es que muchos de sus versículos son arqueología (en el sentido que le da Eliot al hablar del Pound provenzal), pues a la verdadera poesía puede llegar a sobrarle esa erudición libresca o esa ansiedad epistemológica.

Sin duda cada lector puede intervenir en la obra (nunca he entendido por qué la obra de Claude Simon sería más abierta, por ejemplo, que la de Balzac) cuando se le dé la gana y cortar aquí y allá versículos que le distraen o le aburren: prerrogativa de lector, aquí y en China. *Incurable* es "una guirnalda de horrores modernistas", como confiesa Huerta que es su diccionario, a través del cual las aporías, las paradojas, los oxímoros, las palinodias o las disgresiones son los elementos que cuestionan la primacía del *logos,* si las variadas lecturas (que apenas empiezan), nos llevan al posmodernismo (como dice Haladyna) o lo convierten, como yo lo creo, en un tardío y espectacular poema del *modernism* en nuestra lengua.

Poema no-de-amor, *Incurable* narra, a la vez testimonial y auspicioso, nuevas formas de la batalla entre hombres y mujeres. En Octavio Paz* al hombre le toca concelebrar a la mujer como símbolo sagrado; en Rubén Bonifaz Nuño*, la derrota del macho lo devuelve a su muda condición de adolescente nervioso, y en Tomás Segovia*, qué es la mujer en Segovia sino la única medida del mundo. En Huerta al ogro masculino no le basta con ser pastor de musas y quejica abandonado. En una poesía habitadísima, tan sobrepoblada de musas, cortesanas, bailarinas, amazonas, filósofas, teósofas, pintoras, en ese bosque erótico, es el varón quien busca despejar la incógnita de su propia caracterología frente a la mujer escandalosa, pintaparedes, castrante, igualitaria y domadora del feminismo como temperamento melancólico y como temperatura social, tal cual le tocó vivirlo a la generación de Huerta, la del 68. *Incurable* es una casanoviana *Histoire de ma vie* pasada por el tamiz estructuralista: lo que ocurre, dice Huerta, "al ocultarse la letra que soy en el texto del mundo".

"El mundo es una mancha en el espejo", dice el verso que nos permite entrar en esa dimensión a escala, empequeñecida por la mente del poeta. Estamos ante lo que Raymond Queneau, hablando de Jacques Prévert, llama "el mundo evangélico", la escena poblada de fantasmas y réplicas de los poetas y de los ideólogos, de los músicos y de los señores de la guerra. Alberto Paredes, en *Una temporada de poesía* (2004), describe a *Incurable* como un "museo de era". Se antojaría decir que también es un museo de cera.

Esa centuria evangélica, ese mundo social, ha sido captado por Huerta mediante un procedimiento similar al deducido por Jean-Pierre Richard en su ensayo sobre Victor Hugo, en el cual se destaca el genio de ciertos poetas para registrar la totalidad de lo heterogéneo a partir de la separación de sus partes constituyentes: cosas, leyes, sucesos, hombres y preguntas. Esos ingredientes, cuya mutua hostilidad percibe el poeta, constituyen el "caldo" poético de *Incurable,* compuesto a partir de su unidad constituyente, el fragmento entendido como una imagen del mundo a la hora de autocrearse y crecer. Mediante ese procedimiento, insisto, "el mundo es una mancha en el espejo" cuya forma se va difuminando por el lento avance interior de una especie de tumescencia, lo incurable.

Libro representativo y a la vez obra de vate (vaticinio), *Incurable,* es uno de esos libros que, como quería Brodsky, al combinar la necesidad lingüística y la condición perecedera de la propia carne, emergen impulsados por "la urgencia imperiosa de conservar ciertas cosas del mundo de uno, de la civilización de uno, de la propia continuidad no semántica de uno". Es un poema que tiene por tema la errancia del civilizado a través de los tiempos finales de la modernidad, un periplo circular, a ratos mera caminata de loco en una celda, "un viaje alrededor de mi cuarto" donde la mente se somete a numerosos trances religiosos (que no místicos), un libro que termina asumiendo el silencio propedéutico previsto por el filósofo, frontera semántica de la que dependen la conducta del agonista y la agudización de sus enfermedades: el fracaso del suicida adolescente, la partida del alcoholismo. Y sólo hasta "El fumador", poema resueltamente autobiográfico incluido en *Hacia la superficie* (2002), penetramos en esa enrevesada vida ejemplar que algunos buscan vanamente en *Incurable.*

Incurable también tiene una dimensión familiar, genealógica, y escenifica, en algunos capítulos, el diálogo poético con su padre, recurriendo a veces a la intermediación de Becerra, imago del hermano mayor. De "El Tajín" a "La Venta" y de allí a la otra arqueología, a las ruinas del futuro que en *Incurable* aparecen ligadas a la imagen poética del padre: "A las fórmulas de mi amor y de mi odio —la primitiva sal de mis vocabularios". No sé por qué extraño pudor la crítica mexicana se abstiene de estudiar o al menos de señalar las relaciones familiares que unen a un hijo poeta (David Huerta) con un padre poeta (Efraín Huerta*), como si el parentesco fuese en demérito de alguno de los dos (o de ambos).

Quienes conciben la poesía como un camino de ascetismo, una búsqueda del silencio, y desesperan ante *Incurable* son quienes mayor provecho sacarán en llegar hasta el final, pues es esa exigencia wittgensteniana de silencio que en Huerta pasa por una lectura de *La comunidad inconfesable,* de Maurice Blanchot, la que justifica toda la empresa. Es la historia de una gestación, una novela que —como ocurre con las viejas novelas— conoce el tropiezo, la lentitud, la puerta falsa, poema que puede ser tan aburrido como la vida misma y tan agobiante como el siglo ruinoso, un calvario no-de-amor que se mide con otros libros que le son esenciales, como *Bajo el volcán,* de Malcolm Lowry.

Después de *Incurable* el poeta debió temer, como pocos en ese trance, encontrarse en el callejón sin salida o verse aplastado por la obra maestra, por el connollyniano fracaso de la Promesa. Pero para quienes *Incurable* resultaba un artefacto demasiado difícil de desactivar, quienes lo hallaban poundiano, cantaresco, apareció *Historia* (1990), cuyos poemas, aunque escritos paralelamente a la creación de *Incurable,* pueden leerse como la reconstrucción del ser tras la curación, como una reducción temática o como un adelgazamiento: nada quería menos el poeta que verse desahuciado por *Incurable.* Desde entonces la poesía de Huerta ha seguido expandiéndose en direcciones distintas, asterisco o mancha, desde *Lápices de antes* (1993), libro en cierto sentido caligráfico, escrito para disfrutar la belleza misma del acto de escribir hasta una demostración de puntería en el verso breve, como *La sombra de los perros* (1996). *La música de lo que pasa* (1997), por otra parte, es su poemario más libresco, más en el siglo de la literatura, manual que enfrenta la angustia de las influencias, donde Huerta le guiña el ojo a Walcott y a Heaney pero también a Char y a Beckett, este último esbozado memorablemente.

En *El azul en la flama* (2002), finalmente, Huerta le apuesta a la emulación de Gorostiza, ya muy distante de la retórica que va de *Cuaderno de noviembre* a *Incurable:* desaparece ese léxico (y casi una lexicografía) heredada de *Incurable.* Se interrumpe la locuacidad casi mediúmnica y el poeta se manifiesta ya libre de las lezamianas "cosas egipcias de encierro y furia".

El tiempo computado que se toma el civilizado de *Incurable* en llevar a buen puerto su viaje es tiempo de vida, experiencia legible a través de extravíos emocionales y de desconciertos mentales: "Me acerqué a la puerta de vidrio como si yo mismo fuera una ficción". El héroe del poema es probablemente un poeta lírico pero, como lo percibe Paredes, es un personaje del cual no se nos ofrece una identidad particular, documentable. En *Incurable* habla alguien o tal vez Nadie, como Ulises pasó por ser, y ese personaje le toma la presión a su propia sensibilidad nerviosa (neuropática se decía antes), y al hacerlo acaba por registrar la temperatura de su época. Ese paisaje mental (Huerta no diría espiritual) es una civilización compuesta por las lecturas y los fantasmones de un islote de familias, de *gens,* de tribus formadas por todos aquellos radicales que tras "los ídolos y las pasiones" le dieron la vuelta al globo hasta tomarse de las manos. Odisea del civilizado que se aleja de la clausura nocturna y va tomando posesión, maniaca, obsesiva y compulsiva, de la mañana, *Incurable* es, como Joyce se imagina su propia obra en *Ulises,* un libro abandonado en algún lugar visible de la habitación, "cierto libro abierto en cierta página", como un conocimiento manifiesto.

Bibliografía sugerida

El jardín de la luz, UNAM, México, 1972.
Cuaderno de noviembre, Era, México, 1976.
Huellas del civilizado, La Máquina de Escribir, México, 1977.
Versión, FCE, México, 1978 y 2005.
Incurable, Era, México, 1987.
Historia, Ediciones Toledo, México, 1990.
Lápices de antes, Toque de Poesía, México, 1993.
La sombra de los perros, Aldus, México, 1996.
La música de lo que pasa, Conaculta, México, 1997.
Calcinaciones y vestigios, ISSSTE, México, 2000.
El azul en la flama, Era, México, 2002.
Hacia la superficie, Filodecaballos, México, 2002.
La calle blanca, Era, México, 2006.
Before Saying Any of the Great Words: Selected Poems, traducción de Mark Schafer, Copper Canyon Press, Washington, 2009.

HUERTA, EFRAÍN
(Silao, Guanajuato, 1914-ciudad de México, 1982)

Al desvanecerse el fervor que rodeó a Huerta como el poeta comprometido por antonomasia, su obra queda, contra lo que suele suceder en situaciones

similares de caducidad política, liberada de un lastre. Es una poesía a la
que —en cualquiera de sus tres registros— se regresa con cariño, ya sea
buscando en él al bardo blasfemo de una ciudad de México desaparecida,
ya recurriendo al tierno y vehemente autor elegiaco o en calidad de escucha reincidente de los poemínimos, que se sobreviven y se renuevan como
fuegos de artificio en la bóveda verbal de la lengua.

Huerta, dice José Homero en *La construcción del amor. Efraín Huerta,
sus primeros años* (1991), estableció de manera firme su poética desde sus
primeros libros, reunidos en *Los hombres del alba* (1944). En ese libro aparece en marcha como un surrealista de a pie, que sin mayores pretensiones esotéricas o automáticas se encuentra con imágenes elegiacas memorables, como aquellos versos que componen "La muchacha ebria". Y cosa
rara en un poeta mexicano, la obra de Huerta no se ancló en los hallazgos
juveniles ni se anquilosó en sus rutinarias caídas demagógicas y proselitis-
tas. Octavio Paz*, honrando la amistad juvenil que lo unió con Huerta,
dijo que aun en sus poemas netamente propagandísticos puede apreciarse
la veracidad de su palabra poética.

Nada tuvo Huerta de poeta inculto o bárbaro, como lo presentaban,
ante su ocasional complacencia, sus lectores más ingenuos y fervorosos.
Fue, al contrario, un escritor preocupado por enriquecer su propio acervo, recurriendo a una tradición de la lírica castellana que dominaba con
donaire. No deja de ser curioso que un poeta en apariencia dedicado al
alma y a las formas populares fuese el autor de *El Tajín* (1963), un poema
que muchos poetas mexicanos —algunos de ellos de cuerdas bien distintas— tienen por canónico, uno de esos textos fundacionales que involucran a la poesía como testigo de la corrosión de la historia y su destino
ruinoso como motivo. La obra de Huerta ha prohijado una vasta descen-
dencia —lo dice David Huerta* partiendo de una opinión de José Emilio
Pacheco*— que incluye "toda una ancha corriente de poesía mexicana; no
la única desde luego, y en ocasiones tampoco la más valiosa —en buena
parte porque resulta devorada por una retórica de lo tremendo y de lo vis-
ceral que no ha limado sus asperezas en los delicados cristales de muchos
poemas de, por ejemplo, Efraín Huerta".

Varios de los mejores poemas huertianos, en ese sentido, pertenecen a la segunda mitad de su vida. Más que en las declaraciones de amor y de odio a la ciudad de México, poemas en los que yo no me reconozco sino de manera legendaria, los lectores prefieren "Praga, mi novia", "Sílabas por el maxilar de Franz Kafka", "Juárez-Loreto" o "Barbas para desatar la lujuria", cuya retórica parece fácil de imitar pero no lo es, pues expresa ese ánimo libertario, bohemio y machista que sólo en Huerta, entre los poetas, me refresca y sigue sorprendiendo. Mientras que un Jorge Portilla* anunciaba en la *Fenomenología del relajo* (1966) que la condición "desmadrosa" del mexicano desaparecería ante el advenimiento de la sociedad sin clases, Huerta prefirió exaltar las libertades vernáculas en tanto que intimidades colectivas de la cultura mexicana.

Sería injusto desdeñar lo que uno de sus más cumplidos exégetas, su hijo el poeta David Huerta, ha calificado —en el prólogo a la *Poesía completa* (1988)— como la obstinación política de Huerta. Pese a haber sido expulsado en 1943 del Partido Comunista Mexicano (PCM), Huerta fungió como el poeta oficioso del estalinismo mexicano, al grado de haber sido uno de los últimos escritores occidentales en atreverse, diez años después del XX Congreso del Partido Comunista de la Unión Soviética, a escribirle un responso a Stalin.

Huerta todavía agregó a su obra *Amor patria mía* (1980), uno de los poquísimos poemas latinoamericanos donde la inspiración patriótica, sin abandonar su debida solemnidad, plantea al mismo tiempo un nudo trágico —la excomunión de Miguel Hidalgo— y una solución lírica, la juguetona conferencia sobre la historia nacional que en la cama dicta un hombre a su amante. Ese tono, el del último Huerta, casó de manera festiva con el clima de apertura de los años ochenta, cuando la izquierda mexicana, obligada a presentarse ante el electorado, abandonó la parte más rústica de la parafernalia estalinista e inició la reivindicación de las mitologías populares y de ciertas maneras heterodoxas. El México de las izquierdas, cuya identidad está tan asociada a 1968, tuvo en Huerta, con todas las ventajas y agravantes del caso, a su poeta nacional, aunque más valdría protegerse de la capciosa solemnidad de una afirmación como la mía con un poemínimo del propio Huerta: "Ahora me cumplen o me dejan como estatua".

Sin duda los poemínimos, publicados en diversas colecciones durante los últimos años de su vida, perdurarán como la parte más memorizable de la obra de Huerta, volviendo, como ha dicho David Huerta, al habla popular de donde salieron. Entrando a uno de los universos poéticos más risueños de la literatura mexicana, yo regreso a los poemínimos, a veces comparables a las greguerías, con la satisfacción de quien disfruta de uno de los pocos tesoros verbales que me atrevería a llamar, sin reticencia teórica y de manera idiosincrásica, como absolutamente nacionales.

Bibliografía sugerida

Poesía completa, prólogo de David Huerta y edición de Martí Soler, FCE, México, 1988.

José Homero, *La construcción del amor. Efraín Huerta, sus primeros años,* Conaculta, México, 1991.

I

IBARGÜENGOITIA, JORGE
(Guanajuato, Guanajuato, 1928-Madrid, España, 1983)

El acontecimiento central en la biografía literaria de Ibargüengoitia ocurrió algunos meses después de su nacimiento, el 17 de julio de 1928, cuando fue asesinado el general Álvaro Obregón, presidente electo. El propio escritor consideró fascinantes las circunstancias en las cuales se cometió el magnicidio, de tal forma que, para escribir *El atentado* (1962), *Los relámpagos de agosto* (1964) y *Maten al león* (1970), leyó muchas de las despiadadas, chuscas, solemnes, significativas y absurdas memorias de los generales de la Revolución mexicana. El crimen, perpetrado por un militante católico que se había hecho pasar por caricaturista, tuvo así, entre sus consecuencias imprevisibles, la obra misma de Ibargüengoitia, cuyo centro está en *Los relámpagos de agosto,* libro que el epigramista Francisco Liguori consideró el *Quijote* de la literatura mexicana.

Esa observación, más tarde corregida o precisada por Gabriel Zaid* en el sentido de que el guanajuatense no había escrito el *Quijote* pero sí varias novelas ejemplares, sólo es hiperbólica a medias. Si pensamos, al menos durante un momento, en la novela de la Revolución mexicana como nuestra novela de caballería, no cabe duda de que fue Ibargüengoitia y nadie más antes que él, quien se echó al camino para parodiar y satirizar la administración institucional de la historia revolucionaria, exponiéndola a los rigores de la intemperie. Pareciera que sólo al humorista le está permitida la potestad de negarse a sí mismo, así que ya no hace falta contradecir a Ibargüengoitia, quien tenía entre sus rutinas descalificar la naturaleza humorística de su propia obra.

En las discusiones, un tanto imprudentes, sobre quién sería el más raro de los novelistas mexicanos que orbitan en torno a 1932, yo votaría por Ibargüengoitia. Mi elección se debe, como ya se sospechará, a que mientras la feliz obsesión por alcanzar a la novela moderna podía rastrearse, dos generaciones atrás, en los Contemporáneos, modernísimos a la francesa y lectores si no de Proust al menos de Giroudoux, una aventura como la de Ibargüengoitia, que a la distancia parece el cumplimiento natural de una exigencia de salud pública, partía de premisas menos sólidas y de antecedentes poco prestigiosos. Quiero decir que la obra de Ibargüengoitia, en esencia ajena a la historia de nuestra literatura, pudo no haber existido, mientras que la escritura de novelas como *Farabeuf, La obediencia nocturna* o *El desfile del amor* habría podido calcularse.

Ibargüengoitia fue un discípulo tan aventajado de Rodolfo Usigli* que hasta se negó a seguir el calvario de su maestro en el teatro mexicano. En cambio, lo imitó en la estupenda manufactura de todo cuanto escribía, así fuese el más circunstancial de los maquinazos, mérito enorme en un articulista tan prolífico como él. Y volviendo al teatro, si atendemos lo que dicen críticos como Luis de Tavira y David Olguín, y si nos atenemos a lo que han escrito, después de *El atentado,* dramaturgos obsesionados con la historia de México, como Vicente Leñero*, Ignacio Solares o Flavio González Mello, ocurre que la polémica carrera teatral de Ibargüengoitia pasó de ser una amarga anécdota a resultar casi un camino de perfección. Ibargüengoitia sería el responsable, si entiendo bien, de habernos llevado de Bernard Shaw a Bertold Brecht.

El gesticulador (1937), de Usigli, es la historia de un impostor que, al faltar a la verdad, delata a toda la Revolución hecha Gobierno, víctima de un fallo moral o un desequilibrio higiénico, mientras que con *El atentado* el público asiste a una representación un tanto más escandalosa, revisionista: el glorificado movimiento armado de 1910 y sus secuelas aparecen como una farsa sangrienta y lamentable. A su manera acertaba Emmanuel Carballo*, ejerciendo como comisario, cuando en 1964 lamentó que los cubanos no hubiesen advertido "los alcances ideológicos" de la novela que habían premiado en la Casa de las Américas. Se comprenden, a su vez, las censuras que la novela ha seguido recibiendo a su paso en las cátedras materialistas, dialécticas y estructuralistas. Todavía en 1982, un crítico como José Joaquín Blanco* prodigó a Ibargüengoitia, junto con los elogios más justos y entusiastas, la reserva debida a su "fatalismo anarquizante", probablemente motivado por cierta ignorancia de la "estructura económica y social" que había hecho posible a la Revolución mexicana. Al consultar *El atentado. Los relámpagos de agosto* (Archivos, 2002), la estupenda edición crítica que hicieron Juan Villoro* y Víctor Díaz Arciniega, se confirma que de Sergio Pitol* a Fabrizio Mejía Madrid*, numerosos escritores mexicanos han leído a Ibargüengoitia con provecho y que no somos pocos quienes hemos querido honrarlo al menos con una página inteligente.

El gran invento de Ibargüengoitia en los términos de la crónica en México fue la postulación de la vida cotidiana como aventura absoluta. Son siete las colecciones de artículos que se han recopilado después de su muerte y en todas ellas, desde *Autopsias rápidas* (1988) hasta *Ideas en venta* (1997), pasando por *Instrucciones para vivir en México* (1990), *La casa de usted y otros viajes* (1991), *Misterios de la vida diaria* (1997), y *¿Olvida usted su equipaje?* (1997), se disfruta a Ibargüengoitia. Es un cronista que en apariencia sólo habla de sí mismo y a quien seguimos encantados en las circunvalaciones de un "viaje alrededor de mi neurosis" que nos lleva de Coyoacán a París y de El Cairo a Buenos Aires. Y sus temas, en apariencia variadísimos, en realidad sólo son un par: la inagotable estupidez del patriotismo, tanto más imbécil cuando se ejerce desde el poder, y la degradación irremediable de la geografía humana, ese edén subvertido que Ibargüengoitia, estoicamente, se resigna a habitar.

Yo sigo leyendo a Ibargüengoitia con una enorme alegría y muchos de sus artículos me son entrañables más que por su sentido del humor por expresar un temperamento liberal cuya progresiva extinción ha resultado ser, ¿quién lo hubiera pensado?, una de las características más alarmantes de la nueva vida democrática. Pero no sé si esa parodia general de las cosas de México que escribió Ibargüengoitia en el viejo *Excélsior,* que es la verdadera y triste historia de la vida nacional durante el sexenio del presidente Luis Echeverría (1970-1976), conserve su atractivo para los nuevos lectores. Aquel país legal, preocupado por la travesía terapéutica del yaque *Acalli* y arrullado eternamente por el señorpresidentismo, acaso ya sea muy remoto. De las Poquianchis al feminicidio, de *Las muertas* a las muertas de Juárez, es probable que el México de los artículos y de las novelas de Ibargüengoita remita, como los cartones de Abel Quezada, a una nación un tanto rústica, gobernada, con leyes a la vez sencillas y brutales, por héroes a la vez zafios y ridículos.

La obra de Ibargüengoitia, cerrada por la muerte precoz, permite a su vez la comparación con la todavía inconmensurable hemerografía de Carlos Monsiváis*, en buena medida el cronista a la cabeza de la escuela rival. Sin restarle simbolismo al episodio que en 1964 los enfrentó (en el que Monsiváis defiende a Alfonso Reyes* del grosero desdén de Ibargüengoitia), saltan a la vista dos maneras antagónicas de leer la misma circunstancia, esas antevísperas del Priato que consumieron un larguísimo cuarto de siglo. No obstante el contraste entre la polisemia interpretativa de Monsiváis y la llaneza casi espartana de la ironía en Ibargüengoitia, ambos cronistas se alimentan de la misma *agelastia* institucional, como Guillermo Sheridan* ha llamado a la solemnidad idiosincrásica de los gobiernos del PRI. Pero mientras Monsiváis, el protestante, descifra la promesa democrática en las mitologías populares, Ibargüengoitia conserva el decoro del señorito católico de provincia y apenas disimula el horror que le causa la masa como agente de la fatalidad niveladora y destructiva del progreso. A fuerza de hablar de sí mismo, Ibargüengoitia, el gran desconocido, se desvanece casi por completo, y Monsiváis, ocultándose entre la multitud, nos ofrece, como mapa de la realidad mexicana, un autorretrato.

Sheridan, en tantos sentidos el heredero y el relevo de Ibargüengoitia, ha dicho que lo mismo *Los relámpagos de agosto* que *Los pasos de López* (1982), esa hilarante revisión de la conspiración de Hidalgo en 1810, sustentaron su eficacia no sólo en la utilización del hombre superfluo como antihéroe, sino en el rechazo de los tiranos metafísicos tan propios de la novela latinoamericana. Ibargüengoitia regresó el género a su origen, al *Tirano Banderas* (1926), de Valle-Inclán, oponiéndose a los arquetipos nacionalistas que aparecían, ya entonces imperturbables, en la obra de Carlos Fuentes*.

Ibargüengoitia dedicó no pocos artículos a lo que él llamaba "el cumplimiento de esa segunda profecía de Quetzacóatl", es decir, el desembarco, siguiendo al de los españoles, de los indios mitificados, de lo neoazteca. Esa empresa de falsificación, que le causaba horror al muralista José Clemente Orozco, que motivaba solemnes meditaciones en el medio siglo y que ha seguido alimentando las ilusiones de los antropólogos, de los radicales y de los cursis, a Ibargüengoitia le daba risa, ajeno como era a las angustias identitarias. Ibargüengoitia murió como un distinguido colaborador de *Vuelta,* pero nunca ocultó su incomodidad ante el lado mistagógico de Octavio Paz*, al grado de que encontraba muy chistosa la visión de alguien como Susan Sontag expresando, con un ejemplar de *El laberinto de la soledad* bajo el brazo, su proverbial estupefacción ante los arcanos de México.

Evelyn Waugh, el novelista inglés que habiendo escrito un libro tan antipático sobre México nutrió a tres escritores tan distintos como Elena Garro*, Ibargüengoitia y Sergio Pitol*, lamenta horrorizado el aspecto lunar del país que visitó de muy mala gana y en mala hora, en 1938. En lo lunar no encuentra Waugh, y lo aclara expresamente, ninguna cualidad poética. México, dice Waugh en el prólogo de *Robbery Under Law: The Mexican Objet-lesson,* es un planeta reducido a polvo, moribundo y resquebrajado.

La civilización, como la lepra, ha carcomido México desde las extremidades, escribe Waugh. Ante el desangelado puterío exhibido en *Las muertas* (1977), quizá la obra maestra de ese misántropo que fue Ibargüengoitia, me parece que éste a veces pensaba de México lo mismo que Waugh. No es extraño que Ibargüengoitia haya opuesto al sentido del humor la cursilería, que es lo propio de la clase media, según él, pero que en otro siglo llamaban, con mayor precisión, filisteísmo. El humor de Ibargüengoitia, que llamamos negro sólo por convención y que Zaid encontró nietzscheano en su reveladora dimensión cómica, ese humor fue la forma que el novelista mexicano eligió para poblar lo que a los ojos impíos de Waugh pasaba por ser un yermo.

Bibliografía sugerida

Los relámpagos de agosto, Casa de las Américas, La Habana, 1964, y Joaquín Mortiz, México, 1965.

La ley de Herodes y otros cuentos, Joaquín Mortiz, México, 1967.

Maten al león, Joaquín Mortiz, México, 1969.

Viajes en la América ignota, Joaquín Mortiz, México, 1972.

Esas ruinas que ves, Novaro, México, 1975, y Joaquín Mortiz, México, 1981.

Las muertas, Joaquín Mortiz, México, 1977.

Dos crímenes, Joaquín Mortiz, México, 1979.

Los pasos de López, Océano, México, 1982, y Joaquín Mortiz, México, 1987.

Autopsias rápidas, edición de Guillermo Sheridan, Vuelta, México, 1988.

Teatro completo, tomos I, II y III, Joaquín Mortiz, México, 1989-1990.

Instrucciones para vivir en México, edición de Guillermo Sheridan, Joaquín Mortiz, México, 1990.

La casa de usted y otros viajes, edición de Guillermo Sheridan, Joaquín Mortiz, México, 1991.

Ideas en venta, edición de Aline Davidoff, Joaquín Mortiz, México, 1997.

Misterios de la vida diaria, edición de Aline Davidoff, Joaquín Mortiz, México, 1997.

¿Olvida usted su equipaje?, edición de Aline Davidoff, Joaquín Mortiz, México, 1997.

El atentado. Los relámpagos de agosto, edición crítica de Juan Villoro y Víctor Díaz Arciniega, ALLCA XX/FCE/UNESCO/Conaculta, Madrid, 2002 (Col. Archivos).

J

JACOBS, BÁRBARA
(Ciudad de México, 1947)

A lo largo del siglo XX, la marginalia compuesta por cartas, diarios íntimos, sueños, notas de trabajo, etc., todo aquello que se guisa, se sazona, en la cocina del escritor, adquirió un prestigio literario del que carecía. A Gustave Flaubert le hubiera parecido una *boutade* que se considerara a su correspondencia el culmen de su obra por encima de sus novelas, compuestas de frases que, según él, le costaban días y días escribir; y, sin embargo, cualquiera puede asegurar hoy día, sin inmutarse, que el mejor Flaubert no está en *Madame Bovary*, sino en las cartas a su amante o a sus amigos. Numerosos poetas, desde Coleridge hasta Mallarmé, se quedarían pasmados de saber que a los académicos les interesan, en la posteridad, más los borradores de sus poemas que los poemas mismos.

El propio Kafka, fuente de todos los equívocos y de todas las sobreinterpretaciones, no habría podido predecir el valor talmúdico atribuido a su *Diario* o a las cartas cruzadas con sus desdichadas novias. En fin, la marginalia coleccionada por los ingleses con celo filatélico se convirtió, gracias a los franceses, en alta filosofía. Géneros aristocráticos como la sentencia se comercializaron y, gracias a Nietzsche, el aforismo se volvió, en el bolsillo, el tratado de filosofía al alcance de cualquier estudiante. No pocos tenemos como verdadera vocación escribir un diario: guardamos las apariencias publicando ensayos críticos o novelas.

A estos asuntos, apasionantes para mí y seguramente para ella también, ha dedicado Jacobs lo mejor de su obra. Lo ha hecho como ensayista
(en *Juego limpio*, 1997, o en su reciente tratado sobre la risa, *Nin reír*,
2010), en algunos de sus cuentos y en la novela dedicada a sus años con
Augusto Monterroso*: *Vida con mi amigo* (1994). En *Escrito en el tiempo*
(1985), una colección de cartas no enviadas a la revista *Time*, Jacobs se
fiaba de que el escritor sólo puede encontrarse a sí mismo "en esa labor
paralela que toma la forma de cartas, de diarios, y modernamente, de entrevistas. Estos tres géneros de la literatura permiten al escritor establecer su
Weltanschauung literaria".

Retomo esos antecedentes, que son propiamente una filiación, para
hablar de *Lunas* (2010). En esta novela —como en *Las hojas muertas*
(1987)— al principio me impacientó esa impostación de ingenuidad
femenina sin la cual tal parece que a Jacobs le cuesta arrancar, como si
tuviera que seguir pagando peaje a no sé qué mala o buena conciencia.
Pero en la medida en que me involucraba en la trama de *Lunas*, admití
con agrado el valor de la apuesta y la riqueza que al final le ofrece, multi-
plicada, a quien termina de leer su novela. El final del libro es lírico, es
trágico-cómico, es insospechado, una verdadera meditación sobre qué es
y qué no es escribir: mediante el epitafio, se penetra en la naturaleza del
fracaso, en la existencia vicaria de quien vive a la sombra de la vida como
los diarios y las cartas sobreviven a la caducidad atribuida a los poemas y
a las novelas.

Lunas cuenta la historia, desde tres puntos de vista distintos, de un
profesor de literatura, a su manera fracasado y genial. Asedian su misterio,
una antigua alumna que se entrevista con su viuda; el narrador omnisciente que nos permite leer los sueños que Pablo Lunas le cuenta a su
malhumorada psicoanalista, quien rechaza sistemáticamente ese material
por irrelevante y, finalmente, cierra *Lunas* el testimonio de la sobrina de
la viuda, quien revela la esencia de la novela, aquello que esta última, la
improbable heroína y antigua bailarina, no escribía. Recluida en el convento de Benifassà, Aurora de Lunas borra, a diario, su obra: "la cartuja de
las monjas no era museo de arte pero sí un centro de creación, depósito
de energías no estériles silenciosas, que sin embargo dejé —me fui [...] un

cisne nada lentamente —sin moverse apenas, posado por su propio reflejo en el agua".

El libro, cocinado con humor flemático, le debe mucho a Henry James, por supuesto, pero también es una variación del motivo de Penélope: mientras Pablo Lunas, un Odiseo, vagaba, allá lejos, por la enseñanza de las letras y vivía, minuciosamente, los sueños de cada día que en su caso eran sus grandes aventuras, Aurora de Lunas, su viuda, tejía y destejía la verdadera trama. Jacobs se ha nutrido de la marginalia moderna, pero también de la antigua. Los sueños son el nervio de la novela y como almanaque onírico habría que remitirse, para encontrar algo semejante en la literatura mexicana, al *Diario de mis sueños* (1932-1948), del doctor Bernardo Ortiz de Montellano. Jacobs, empero, le debe más a los onirocríticos de la Antigüedad que al psicoanálisis: le interesa el tratado clínico, anecdótico, sapiencial, como es notorio en *Nin reír,* que he leído junto a *Lunas.*

Jacobs no sólo dispone con plena libertad de sus propios diarios y sueños (y quien sepa buscar en *Lunas* descubrirá, ocultas, varias biografías imaginarias de la literatura hispanoamericana moderna) sino concibe a la marginalia en el corazón de la experiencia literaria. En apariencia, Jacobs es una escritora de tono decimonónico y pose tradicional, en verdad no lo es, pues ha sido tocada por la gracia intemporal de Lewis Carroll, el autor que su heroína, con consecuencias nefastas, traduce. Bárbara Jacobs quizá aprueba, entre los discípulos de Maurice Blanchot, a aquel quien llegó a decir que la obra verdadera de un escritor no está donde éste se propone hacerla, con toda su conciencia, sino en ese otro lugar donde ensaya, borronea, practica, sueña. Dime qué no publicas y te diré quién eres.

Bibliografía sugerida

Escrito en el tiempo, Era, México, 1985.
Las hojas muertas, Era, México, 1987.
Vida con mi amigo, Alfaguara, Madrid, 1994.
Lunas, Era, México, 2010.
Nin reír, Taller Ditoria, México, 2010.

JANDRA, LEONARDO DA
(Pichucalco, Chiapas, 1951)

Aquellos que fuimos testigos de la aparición de Da Jandra en la literatura mexicana no podemos sino recordar esos días con afecto y hasta con gratitud. Tras sus primeras novelas, que unos pocos leímos con positiva inquietud, la persona del propio Da Jandra se presentó como el pudiente administrador de una leyenda que, en aquellos primeros años noventa, coloreaba oportunamente al fin de siglo: él y su compañera, la pintora Agar, vivían desde 1979 retirados en la playa virgen de Cacaluta, oficiando, a la vez, de robinsones y de pareja de *sadhus* en el bosque. Pero a diferencia de tantísimos utopistas de la vida cotidiana que después de 1968 se escaparon por el sendero de la transgresión o de la otredad, Da Jandra no regresaba a la ciudad ni con las manos frecuentemente vacías del comedor de hongos ni con el cuerpo ideológicamente cauterizado de los revolucionarios a la deriva. Da Jandra se presentó con un discurso novelesco —la trilogía *Entrecruzamientos,* publicada entre 1986 y 1990— cuya originalidad no estaba en los temas —el regreso del civilizado a la naturaleza y la búsqueda de una espiritualidad alternativa al pretendido fracaso de la razón occidental— sino en el brío casi solar y en la refrescante desvergüenza con la que volcaba el vino nuevo de sus años supuestamente perdidos entre las filosofías posmarxistas en los odres viejos de la *Paideia,* del abismo entre Atenas y Jerusalén o de la inverosímil *toltecáyotl,* sustrato de esa mexicanidad que desde entonces buscaba este hispanófilo.

La soledad de aquel Da Jandra en Cacaluta se complementaba, como le ocurre a quienes pretenden abandonar el mundo sin descolgarse del siglo, con una ansiedad de comunión que tornaba al supuesto salvaje en civilizado de polendas y al emboscado en hijo de hidalgo. Durante un lustro Da Jandra y Agar —ya para entonces militando como públicos valedores del Parque Nacional de Huatulco— se convirtieron en los singulares anfitriones de unas Décadas de Pontigny a la oaxaqueña, donde se invitaba a un grupo peligrosamente heteróclito de escritores y artistas a comer, a beber y a debatir en la playa, sin mayor programa que cumplir y sin apenas otra obligación que charlar bajo el sol, sobre lo humano y lo divino. Dudo que los convidados hayamos llegado a alguna conclusión digna de figurar en los anales finiseculares vigesímicos y apuesto doble contra sencillo a que ninguna de nuestras discusiones habría resistido una transcripción grabada. Aquella cosa sólo fue, en fin, excitante palabrería de letrados, tanto más grata por haberse dado en una época ajena a las prodigalidades de la charla literaria. Ignoro, a su vez, qué tanto sirvieron aquellos encuentros como respaldo de la causa ecologista que formalmente los convocaba. Pero estoy seguro de que Da Jandra —una variante de B. Traven, cuya verdadera identidad pocos conocen porque quienes la averiguan suelen olvidarla— organizó aquellos encuentros regido por el más noble desinterés y por una alegría gregaria salpimentada por el ferviente deseo infantil de ver nadar a sus amigos urbanitas —como nos llamaba— hacia su playa casi privada en el Pacífico mexicano.

Tarde o temprano las novelas —algunas tan logradas como *Arousiada* (1995), texto a caballo entre el español y el gallego— resultaron insuficientes para contener a Da Jandra, ansioso de pontificar y de dar cátedra, acicateado por sus fracasados intentos de ejercer de tratadista filosófico a la alemana, como lo probaron *Totalidad, seudototalidad y parte* (1990) o *Tanatonomicón*, firmados bajo el seudónimo S. C. Chuco. Le quedaba a Da Jandra usar una forma más propia para su inteligencia errabunda, el ensayo puro, y presentarse con una personalidad más propiamente hispánica, la del divulgador filosante: eso nos lleva a *La Hispanidad, fiesta y rito / Una defensa de nuestra identidad en el contexto global* (2005), libro que es frecuentemente algo peor y pocas veces algo mejor que lo que su intimidante título promete.

Para empezar el examen de este panfleto conviene decir que, pese a que cumplió con la obligación generacional de sacudir los *Grundrisse* y el *Anti-Düring* en busca de los escarabajos sagrados de la filosofía de la historia, Da Jandra nunca fue marxista, vacunado como estaba por una temprana educación intelectual en Unamuno y en Ortega. Pero a la vez es difícil hallar un temperamento más ajeno al liberalismo, en cualquiera de sus variantes, que el de Da Jandra. El previsible y acaso lamentable resultado del camino tomado por Da Jandra es el tradicionalismo: si alguien extrañaba en nuestra escena intelectual a Ramiro de Maeztu y a José Vasconcelos* (al joven y al viejo), podemos afirmar que con *La Hispanidad, fiesta y rito* los tenemos de regreso.

El argumento de este ensayo, obviando las insalvables contradicciones que a menudo lo tornan ilegible, es bastante simple. Puesto que "España ya no es el problema ni Europa la solución", dice Da Jandra, la reserva espiritual de la identidad hispánica se ha trasladado a México, y ya que el ombligo de la luna se encuentra despresurizado por la desmexicanización, los atlantes han cruzado el río y el desierto para establecerse en los Estados Unidos. La Raza Cósmica la componen actualmente los mexicanos (y otros hispanos) que penetran victoriosamente en el imperio, y en ellos deben confiar todos aquellos que temen por la pérdida de nuestra identidad. Los chicanos, concluye Da Jandra, nos harán libres.

Si el *Diccionario de escritores mexicanos* de la UNAM está en lo correcto y Da Jandra —cuyo verdadero nombre según esa fuente sería Leonardo Breogán Cohen; según otras, Leonardo García Palencia— se doctoró en filosofía en Santiago de Compostela en los años finales del franquismo, suena a olvido freudiano que en *La Hispanidad, fiesta y rito* el autor se abstenga de explicarle a sus lectores —presumiblemente jóvenes dada la naturaleza pedagógica del libro— el origen contemporáneo de la noción de hispanidad. Más que en la liberalidad de Unamuno, que daba a la hispanidad cierto cariz pluralista, Da Jandra se inspira en Maeztu, quien, siendo embajador en la Argentina a principios de los años treinta del siglo XX, recibió del cura Zacarías de Vizcarra (atento a su vez a las profecías de santa Brígida) la iluminación que señalaba a la hispanidad, antorcha del Santiago Apóstol, como el camino a recorrer para librar a los pueblos católicos de la peste liberal y democrática inaugurada por la Revolución francesa. Maeztu, muerto en los primeros días de la Guerra Civil, se convirtió en uno de los mártires patronos del fascismo español, que tras la derrota del Eje en 1945 quedó, merced a la prudencia del general Franco, en la forma un tanto más bénevola de nacional-catolicismo.

No voy a ser yo quien le reclame a Da Jandra la búsqueda de ideas nuevas en libros viejos, recurriendo a Menéndez Pelayo, a Juan Valera o a ese implacable teócrata que fue Juan Donoso Cortés, abuelito del derecho nazi, para deshacer los supuestos entuertos de la mexicanidad. Y no lo censuro por inspirarse en una ideología "políticamente incorrecta" como el hispanismo de Maeztu. Tan sólo advierto cómo la recurrencia al arsenal identitario resucita, casi siempre, el oprobio moral del fanatismo, cuestión tanto más grave cuando *La Hispanidad, fiesta y rito* abunda en *netas* y *buenas ondas* que desconcertarán fácilmente al lector incauto. En ese sentido van las corteses zalemas que Da Jandra dirige hacia Américo Castro y su España de las tres culturas, cuando es evidente que este nuevo tradicionalista mexicano sostiene, con Ángel Ganivet (aunque él cree que la frase es de Unamuno), que "la filosofía más importante de cada nación es la suya propia, aunque sea muy inferior a la imitación de extrañas filosofías", como la de Ortega, quien le habría dado "la espalda a la más pura manifestación de la intravivencia, la hispanísima relación entre lo estético y lo ritual". Estamos, pues, en el horizonte de quienes creen que "el concepto de hispanidad es anterior a la realidad nacional que entendemos por España y va mucho más allá de ella". No es a Maeztu, una vez más, a quien cito, sino a Da Jandra.

Cada vez que Da Jandra llega al callejón sin salida del hispanismo más rancio se las arregla como puede para meter reversa y hacer concesiones multiculturalistas y profesiones de fe democráticas que acaban por anular, en el mejor de los casos, sus argumentos. Leyendo *La Hispanidad, fiesta y rito* nos encontramos, así, con una sucesión de disparates, lugares comunes y, a veces, con observaciones penetrantes: mientras que su diálogo con *El laberinto de la soledad* culmina con un error cómico —tomar por literal aquella metáfora paziana de "los hijos de la chingada"— la mestizofilia de Da Jandra es plausible, como lo fueron antaño los discursos priistas en esa materia que en mucho contribuyeron a corroer el racismo de la sociedad mexicana.

Pero el coco de un hispanista es el indigenismo y, llegado a ese punto, tras perdonarle la vida a ese otro ideólogo racista que fue Guillermo Bonfil Batalla, Da Jandra se mete en honduras. Una vez hecha la orozquiana analogía entre el nazismo y los sacrificios humanos aztecas, Da Jandra escribe una página que acaso al viejo Vasconcelos no le habría ruborizado firmar y que no resisto la tentación de citar: "En el indigenismo hay una reserva valiosa de la más auténtica mexicanidad. Hay un impetuoso deseo de ser, hay arte y genio, pero sobre todo hay sacralidad. Sin embargo, se le negaron al alma indígena algunos de los principales valores evolutivos y se la privó violentamente de aquellas expresiones civiles que impulsan al hombre más allá de la horda y lo llevan a compartir y respetar al mismo Dios, la misma Constitución y las mismas leyes humanas y divinas. Hasta ahora fue en vano buscar entre el odio y la miseria que corroían al indigenismo una moral revolucionaria, una conciencia política justa y representativa o una ciencia potenciadora de novedades. Y lo más grave: a pesar de tanto rito y de tanta fiesta, no hubo en el alma indígena el perdón y el amor que sacralizan el permanente fervor a la sagrada Madre y al hijo de Dios sacrificado. Discriminado y oprimido, el indígena invirtió por completo los más grandes valores del Hijo de Dios encarnado: donde debería haber amor y misericordia, persistió el temor y la suspicacia, y en vez del perdón y de la bondad, se siguió optando por el resentimiento y el odio".

No soy indigenista en ninguna de sus variantes y descreo de cualquier sacralización ética, política o religiosa que se les quiera endilgar, como privilegio identitario, a los indígenas de México. Por ello, al leer un párrafo tan macizamente racista —verdadera excomunión que condena a los indios a errar como horda— me convenzo de la perniciosa comunidad de intereses palpable en todo fanatismo de la identidad, lo proclame el subcomandante Marcos o lo sostenga Da Jandra, individuos en quienes alguna vez (y no en balde) un despistado creyó ver a una misma persona. Al leer *La Hispanidad, fiesta y rito* encuentro urgentísima la perseverancia en el despliegue del doble concepto liberal de individuo y ciudadano, como único remedio a las tinieblas mentales de la cháchara identitaria, a veces revolucionaria, a veces tradicionalista, siempre atroz.

Pero la mayor debilidad de este manifiesto antiliberal no está en la reedición de la doctrina de Maeztu ni en la postulación de un neovasconcelismo, sino en el concepto mismo de identidad. Briago de hispanidad, a Da Jandra la mexicanidad misma le importa poca cosa, pues el mexicano le parece —usando yo los términos de Roger Bartra*— una especie mutante entre el no-ser y la realización cósmica, un accidente entomológico que abandonará su defectuosa cárcel corporal y se reintegrará al cosmos. No ofrece Da Jandra un solo ejemplo —como sí lo hicieron antes

que él, bien o mal, Samuel Ramos y Octavio Paz*— de alguna particularidad gastrónomica, lingüística, poética o deportiva que haga distintos a los
mexicanos de los gallegos o de los salvadoreños. Y si no entra en detalles
es porque sabe, como la mayoría de los ideólogos identitarios, que la identidad no existe, que es un arma política disfrazada de concepto metafísico.
Como tal, la identidad es sólo una palabra tan inaprensible y tan fácil de
mercar como la *dialéctica,* la *seudototalidad* o la *absolutez,* los conceptos
con los que se hacía bolas el joven Da Jandra.

Cuando una persona de mediana educación es interrogada sobre qué
es la identidad nacional su respuesta suele ser vaga, cantinflesca y, finalmente, correcta: el concepto acaba por remitir invariablemente al folclor, a
los usos y costumbres patrióticos cuya práctica suele estimular el Estado.
Que las sesudas lecturas de Da Jandra no lo hayan llevado más lejos de las
opiniones identitarias que circulan vulgarmente es probatorio de la frau-
dulenta densidad intelectual del concepto de identidad y, a la vez, de la
facilidad política con que la palabreja aparece siempre que una sociedad
liberal vive en condiciones embrionarias o se encuentra débil o amenazada. Da Jandra asocia feblemente la identidad con el rito y la fiesta, tomando
una idea que Paz, en *El laberinto de la soledad,* sacó del culturalismo francés. Sin profundizar en la función de lo sagrado en la cultura moderna
(como lo han hecho Eliade, Murena o Calasso), a Da Jandra le basta con
llenarse la boca con la enunciación de lo ritual para acabar por hundirse
en el folclorismo. Va Da Jandra a buscar fiesta y rito entre los mexicanos
que viven en los Estados Unidos, y encuentra que allá efervesce (o se cuece)
la Raza Cósmica, aquella que tomará el relevo gimnástico de la hispanidad, nada menos que a través de la fiesta Broadway y de las celebraciones
del 5 de Mayo efectuadas por los paisanos. Quizá sea excesivo decirle a Da
Jandra que donde como turista ve mexicanidad lo que hay es la pluralidad
étnica de la cultura estadunidense, y que pocas cosas hay más profundamente estadunidenses que la lucha sindical de César Chávez, el Plan
Espiritual de Aztlán o "la conciencia nacional chicana", tan respetable-
mente *gringa* como el Poder Negro o la discriminación positiva. La docta
ignorancia y la manía de persignarse componen la actitud de los profetas de
la hispanidad ante el demonio protestante encarnado en los Estados Uni-

dos: Da Jandra repite todos los tópicos de esa leyenda negra repuesta en escena por los ideólogos antiliberales de nuestra época. Para él los Estados Unidos son un continente vacío donde se adora al Dios dinero, la tierra de misión que a la Raza Cósmica le tocará redimir.

Da Jandra le saca ventaja a Vasconcelos, quien no tuvo en el horizonte una Mexamérica que poblar de atlantes rojos, a quienes en su calidad migratoria de espaldas mojadas, el nuevo tradicionalista regaña por dejar su componente hispánico de este lado de la frontera y aparecer en Los Ángeles como sanguinarios adoradores de Huichilobos. Da Jandra, como todos los ideólogos identitarios, transfiere las enfebrecidas alucinaciones de la élite etnicista —en este caso el neoaztequismo chicano— al conjunto del cuerpo social, compuesto de trabajadores mexicanos que buscan en los Estados Unidos no una identidad perdida, sino una remuneración justa.

Nunca ha sido Da Jandra, ni en persona ni en obra y pese a su tendencia fatal a la tratadística, un espíritu sistemático. Antes al contrario, cuando yo lo conocí, era difícil hallar en México personaje más vivazmente contradictorio, intemperante a la manera agresivamente ibérica de José Bergamín y un agonista que cuando se caía del potro de la teorética podía ser el más encantador de los hombres. Ecléctico e hiperquinético, Da Jandra hubiese sido intolerable como profesor o como gurú: pero sus propios defectos lo tornaron —mientras tuvo algo que decir— en un novelista que se deleitaba en narrar, entre una cacería de venado y una puesta de sol, algunas de las aventuras de la mayéutica y otras tantas de la dialéctica. Todo aquello me parece lejanísimo. En los diálogos entre Eugenio y don Ramón, la materia central de *Entrecruzamientos,* la hispanidad era uno de los elementos dialógicos en conflicto: hoy sabemos que, como el viejo Vasconcelos, Da Jandra no tardará en lamentarse de haber perdido el tiempo peregrinando por el desierto de la razón cuando de lo que se trataba era de volver al Padre Nuestro. No es la primera vez que un rebelde toca a rebato en el campanario de su espíritu y regresa a pedir la Bula de la Santa Cruzada, aduciendo buena fe, pues lanza sus anatemas en nombre de la salvación de las almas, la del indio que no conoce a Cristo o la del mexicano que se la ha vendido a los demonios del liberalismo.

Bibliografía sugerida

Entrecruzamientos, Almadía/Conaculta, Oaxaca, 2004.

La Hispanidad, fiesta y rito/Una defensa de nuestra identidad en el contexto global, Plaza y Janés, México, 2005.

La almadraba, Planeta, México, 2008.

La gramática del tiempo, Almadía, Oaxaca, 2009.

JOSÉ AGUSTÍN
(Guadalajara, Jalisco, 1944)

Si por inspiración se entiende la sincronía entre un autor y el tiempo, el diálogo fértil entre la lengua vernácula y la conciencia literaria, no me cabe duda de que *Se está haciendo tarde (final en laguna),* de José Agustín, es una novela inspiradísima que, con los años transcurridos desde su publicación en 1973, ha ganado una espesura por la que en ese entonces hubiera sido arriesgado apostar. El coloquialismo, esa vindicación del habla juvenil que hace treinta y nueve años singularizaba a José Agustín, en poca cosa (o en nada) estorbó mi relectura, quizá porque esa germanía —con las modificaciones léxicas naturales— se ha convertido en una lengua franca que en sí misma ya no dice nada en particular. Tuvo José Agustín en ese libro una conciencia casi inmanente de la cesura entre la recreación artística de los coloquios callejeros y su mera grabación: pocos, entre sus imitadores y discípulos —entre los que se cuenta fatalmente él mismo— lograron superar *Se está haciendo tarde* en cuanto a depósito de ingenio verbal.

A principios de los años setenta, nos enteramos tan pronto abrimos la novela, que un lector de tarot llamado Rafael llega al puerto de Acapulco para ponerse en manos de Virgilio, el guía que lo habrá de conducir hacia las puertas de la percepción. Los amigos se encuentran, enseguida, con Francine, Gladys y Paulhan, tres drogos ya veteranos que están bien dispuestos a agotar, en un solo día que no llega a sumar las veinticuatro horas de la narración de los hechos, buena parte de la reserva vivencial que entonces trastornaba a tantas intimidades en Occidente. El imperio de la aldea global logró que el peregrinaje de aquellos jóvenes, aunque no fuese en rigor la primera de las olas contraculturales del siglo, trazase nuevos pasajes turísticos y comerciales sobre el mapa del planeta. Esa segunda ruta de las especies, inaugurada por aventureros y capitalizada por traficantes, pasó por Huautla, Londres y Katmandú, desplazamiento hacia un Oriente imaginario emprendido en nombre de los paraísos artificiales, de la nueva música, de la relajación decisiva en las costumbres sexuales y de las espiritualidades heterodoxas. Aquellos años sesenta y setenta del siglo pasado, justamente porque crearon la impresión lampedusiana de que todo cambió para que nada cambiase, en realidad fueron años que, para bien y para mal, todo lo transformaron. Fue esa larga temporada en que Octavio Paz* y José Agustín (y medio mundo) podían coincidir frente al *I Ching. El libro de las mutaciones.*

Al releer *Se está haciendo tarde,* encontré, contra mis precauciones, que la novela se expresaba más allá del breve e intenso tiempo histórico del cual es testimonio. Como *Bajo el volcán,* de Malcolm Lowry, novela a la que tanto debe, *Se está haciendo tarde* no sólo es el registro casi clínico de una intoxicación brutal, sino la no por evidente menos eficaz crónica de un viaje dantesco donde el paraíso infernal se gana o se pierde mediante el agustiniano (por el de Hipona) salto de obstáculos en la carrera del pecado. Más o menos aliviados (o alivianados) del peso muerto judeocristiano, los protagonistas logran desligarse de la vieja lógica que relaciona a la santidad con la transgresión e intentan un periplo pagano.

Novela de la droga, escrita con un ojo al gato (Carlos Castaneda) y otro al garabato (José Revueltas*), en *Se está haciendo tarde* la mariguana, el alcohol y la silocibina nos recuerdan que la búsqueda del éxtasis no es ocio ni negocio reservado para los racionalistas. Tan bruto y tan vacío puede ser el monje atado a las formas más estrictas de oración mental como el menos refinado de los comedores de hongos alucinógenos. Hace ya muchos años que Adolfo Castañón*, al reseñar *Se está haciendo tarde,* anotó con suspicacia que no por opacos y torpes los personajes de José Agustín dejaban de ofrecer cuentas semejantes a las dejadas por la literatura mística. Cuando Paul Claudel, en un intento de atraer a Rimbaud al campo católico, lo definió como "un místico en estado salvaje" debió agregar que sólo vive en estado salvaje el verdadero místico, incapacitado para dar una visión coherente, artística, de la revelación que real o supuestamente lo separa del resto de los mortales.

Cualquiera que conozca las insomnes revoluciones del alcohol o de las drogas corroborará que otra de las virtudes de *Se está haciendo tarde* es el realismo, o si se prefiere, la verosimilitud del relato joseagustiniano, la certeza con la que el narrador se sumerge en la fabilidad sensorial, en el desparpajo momentáneo y en el azar suicida de quien se pierde en la fiesta, en el reventón. Por fuerza embarazosas, eufóricas, nauseabundas, repetitivas, las elaciones tóxicas constituyen un tiempo más fragmentario que perdido: José Agustín expresa, mediante lo carnavalesco, un mundo volteado de cabeza que sólo cobra algún sentido si se le recorre a la manera de una cinta de Moebius.

Escrita en un sitio en extremo simbólico, esa antigua cárcel de Lecumberri, entonces llena de presos políticos y donde José Agustín penaba una condena por posesión de mariguana, *Se está haciendo tarde,* como tantas de las ficciones significativas, tampoco podía transcurrir en cualquier lugar. José Agustín sitúa geográficamente su paraíso infernal en Acapulco, que desde su antiguo límite en la Playa de la Condesa hasta la Barra de Coyuca, recibe el más alto homenaje literario. Acapulco, tristemente cosmopolita en su condición de ciudad condenada a la paupérrima decadencia cuando se acicalaba con apenas algunas de las formas mundanas del prestigio, se presenta en *Se está haciendo tarde,* y por única vez, como el pudridero mexicano, línea imaginaria que debió su hechiza reputación a la de funcionar, cruzando el medio siglo, bajo otras leyes, las leyes de la hospitalidad.

Tan memorable como Acapulco es el trazo expresionista de los personajes, la cámara lenta utilizada por el narrador para describirlos a través de las más imperceptibles alteraciones de la conciencia. Desde ese par de mujeres prematuramente envejecidas a fuerza de desencantos tóxicos, hasta el homosexual que se apropia de márgenes entonces insólitos de libertad verbal, o Rafael, el novato que se deja iniciar por un Virgilio religiosamente determinado a cumplir su misión, todos los protagonistas responden a un destino novelesco. Y hasta tópicos tan manidos como la descripción de una puesta de sol le salen endiabladamente bien a José

Agustín, como si *Se está haciendo tarde* fuese una novela escrita, de principio a fin, en cierto estado de gracia. Pero reconozco que a quien no haya percibido ese mundo a través de esa gigantomaquia que nuestros padres llegan a representar ante la mirada infantil, le parecerán insensatos mis elogios.

Si casi nada quedó de la pasajeramente conocida como "literatura de la Onda" ello se debe a que José Agustín, la supuesta cabeza de escuela, se devoró casi toda la temática del movimiento en un solo libro, *Se está haciendo tarde,* precisamente. Tras esa novela, víctima de una sobredosis retórica o de un trance místico agotador, José Agustín quedó exhausto y vacío. Esa clase de agotamientos no los soporta la vida literaria contemporánea, que exige de cada autor, más que una obra, un catálogo que ha de presentarse, en cada estación y puntualmente, en el mercado. En otros tiempos, en los buenos y en los malos tiempos en que la literatura estaba asociada a la consunción romántica y no a la habilidad comercial, a José Agustín y a sus lectores les hubiera sido suficiente con un solo libro verdadero, con *Se está haciendo tarde.* Pero desde 1973, cuando la noche empezó a caer sobre los años sesenta y sus mitologías, a José Agustín no le ha sido perdonado el haber sido quien apagó la luz y cerró la puerta. Él mismo se ha maltratado sin misericordia, exhibiendo públicamente lo peor de su naturaleza, la indigencia de sus ideas, la superficialidad de sus propósitos, la mala hechura de sus libros. Pero no deja de inquietarme que a José Agustín, durante un cuarto de siglo, los críticos no le hayamos ahorrado ninguna dureza en la expresión, utilizando en contra suya una crueldad sospechosa que se ufanaba en demostrar que él no creció y que nosotros somos su severa posteridad, eternos adultos que descalifican el desvarío adolescente. Tal pareciese que José Agustín fuera el responsable de la clausura de un paraíso infernal, de la cancelación de una mítica Edad de Oro de la que todos hemos oído hablar y a la que muchos hubiésemos querido, inconfesablemente, pertenecer.

El final en la laguna de Coyuca, donde toca a un impávido lanchero fungir como Caronte y decir: "Yo creo que mejor nos regresamos. Se está haciendo tarde", nos priva de saber si a aquellas almas en pena, sorprendidas a la mitad del viaje alucinógeno, les fue dado cruzar la laguna Estigia o si regresaron a la orilla de los vivos. No sé si José Agustín lamente haber escrito *Se está haciendo tarde (final en laguna)*, en la medida en que esa novela impuso la sombra sobre el resto de su obra; me queda claro, no obstante, que al sugerir en el título del libro el final de una temporada ejemplar, no desconocía los poderes que estaba desencadenando.

Bibliografía sugerida

Cuentos completos (1968-2002), De Bolsillo, México, 2007.
De perfil, De Bolsillo, México, 2007.
Se está haciendo tarde (final en laguna), De Bolsillo, México, 2007.

K

KRAUZE, ENRIQUE
(Ciudad de México, 1947)

Biógrafo del poder. "Yes —writing lives is the devil", anotó Virginia Woolf. Esta cita abre, a su vez, *Writing lives. Principia Biographica*, de Leon Edel, el más brillante de los biógrafos contemporáneos. Las ocho biografías que Krauze dedicó a los caudillos de la Revolución mexicana están en relación directa con la sorprendente anotación de la autora de *Orlando*, pues convocan una turba demoniaca que toca la literatura, la biografía, la historia y, finalmente, la política. La amplia recepción pública que han tenido los libros de Krauze no se ha visto correspondida por una equivalente atención crítica. Las razones de esta sinrazón son variadas y van desde el desprecio general (ya sea de la crítica literaria o histórica) hacia los libros destinados explícitamente a la divulgación masiva, hasta la repulsión política de todos aquellos que rechazan el combate liberal de Krauze.

Ya se ha insistido en que Krauze pretendió hacer *biografía* y no *historia*, amparándose en la cristalina diferencia de Plutarco y en la fértil tradición de la biografía anglosajona. De tal manera que las siguientes notas comienzan por aceptar la naturaleza plena y cabalmente biográfica de los libros, así como su factura esencialmente literaria. Escribir sobre Porfirio Díaz (*Místico de la autoridad*), Francisco I. Madero (*Místico de la libertad*), Emiliano Zapata (*El amor a la tierra*), Francisco Villa (*Entre el ángel y el fierro*), Venustiano Carranza (*Puente entre siglos*), Plutarco Elías Calles (*Reformar*

desde el origen), Álvaro Obregón (*El vértigo de la victoria*) y Lázaro Cárdenas (*El general misionero*), pudiera suponer el ejercicio de un gesto redundante. ¿No componen estas ocho figuras —exceptuando a Díaz— el panteón estatal de nuestro siglo xx? ¿No se han escrito miles y miles de páginas
sobre ellos, desde todas las perspectivas ideológicas o facciosas, pasando
desde la erudición académica más ampulosa hasta los anecdotarios más
triviales? Así, Krauze trabajó a contracorriente. La biografía, indica Armando Momigliano, es el arte de la selección, pues su paradoja es la de ser un
género basado en la imposibilidad: efectivamente la vida de un hombre *no*
puede ser contada. Si es compleja la tarea del biógrafo de B. Traven o de
un escoliasta latino, pues ha de indagar minuciosamente en la vida de un
hombre que decidió anular su rostro o en la de aquel que la historia borró,
más ardua resulta aún la tarea de visitar la biblioteca de Babel que aprisio-
na a los héroes de la historia. Y nadando en esa dirección, Krauze ha cumplido, en primera instancia, con el género por el que apostó, la biografía. Es
un género que no ha gozado de cabal salud en la literatura de habla española. Esta reticencia de nuestra cultura bien pudo originarse en la Contrarreforma: enfado ante el libre examen, pues no es cuestión del hombre
juzgar una vida, dado que esto atañe a Dios. Nuestros modernos escolásticos han sustituido a Dios por la Historia y sus leyes universales y colectivas. La biografía acaba por resultar, aun por su estatuto retórico, un género
inquietante, frente a varias de las certezas intelectuales del México contemporáneo.

La biografía es un género literario. A menudo se olvida que literatura
no es sinónimo de invención. Antes que historia y política, *Biografía del
poder* (1987) es una obra literaria consciente de sus límites, dueña de su
retórica, una escritura sobre las pasiones políticas de los hombres. Ocho
vidas *históricas* tratadas por un biógrafo que, además, ha sabido suscitar la
esencial e imprescindible morbosidad de todo aquel que se inmiscuye en
la vida ajena. No importa que la vida de los héroes sea del dominio público. Nada es suficiente para el amante de lo ajeno, el militante de la biografía. Pero más allá del indeclinable oficio del lector de biografías, se impone
decir que Krauze no pretendió hacer girar la perspectiva histórica de la
Revolución mexicana ni brindar una versión completa de los hechos.

Quiso alumbrar *vidas individuales* (el historicismo ha impuesto que ese par de palabras ya no resulten tan redundantes como debieran) con la lámpara biográfica, instrumento que se basa en la selección, en el pensamiento de los fondos, las sombras y las líneas de un rostro desaparecido. Como literatura, *Biografía del poder* precisa sus objetivos. Al cerrar los libros, cada figura histórica se revitaliza y logra desprenderse de ese espíritu universal en el que creía Benedetto Croce. La concisión clásica, la economía expresiva y la generosidad con el lector son algunos de los atributos formales de *Biografía del poder*. Subrayamos lo formal pues nadie ha reparado en esa virtud indispensable, como si la historiografía no necesitara, también de escritores de talento.

Krauze describe una suerte de sistema planetario que gira en torno del astro del poder. Cada uno de los ocho planetas va recorriendo consecutivas zonas de luz o de sombra. Se dice que *Biografía del poder* no adopta datos nuevos. Amén de que en ella hay hallazgos historiográficos notables —como el diario espírita de Madero—, afirmar tal cosa es mostrar un desprecio, no por emboscado menos profundo, por la potencia de la forma y la nobleza de la escritura para dilucidar la historia. *Biografía del poder* no es la primera ni la última contribución a la historia de la Revolución mexicana. Pero es uno de sus momentos de lucidez. Lucidez que radica en el examen de las zonas de gravitación que los planetas van cursando. El amor patriarcal y los dejos de la sentimentalidad modernista en Díaz; la tierra madre en Zapata; la ambivalencia entre Eros y Tánatos que martiriza a Villa; la shakespeareana tragedia laica de Carranza; la vergüenza de lo ilegítimo en Calles; la fatalidad de la muerte pesando sobre Obregón o las misiones de Cárdenas, son todos trazos inquietantes, renovadores y no pocas veces brillantes. Pero Krauze no ha acertado en todos los casos, ni sus biografías aspiran a lo definitivo. Buen retratista, Krauze busca en cada rostro algún signo de contradicción existencial y de allí, ha contemplado variantes históricas. ¿Qué otra cosa puede ser la biografía sino la apuesta por hallar la voluntad entre los testimonios cambiantes del azar?

Si el astro magnético de *Biografía del poder* es esencialmente el poder, la zona más novedosa en este sistema planetario es la que concierne a las luces y a las sombras de la fe religiosa. Los ocho revolucionarios (pues todos lo fueron, como fueron mártires, dictadores, libertarios y, varias veces, asesinos) oscilan pendularmente entre la tierra y la muerte. La religiosidad aparece como dispositivo esencial en estas vidas de caudillos. Ya era hora de rechazar el maquillaje jacobino de nuestra tradición histórica, penetrando en las fuentes litúrguicas y sagradas de la conducta. Con Max Weber, Krauze apuesta por la imagen del espíritu que une al hombre con el tiempo, al héroe con la sociedad que domina y que fatalmente lo sacrifica. Pero no estamos ante un heroísmo a lo Carlyle pues en esa disyuntiva Krauze sabe separarse de toda apuesta a favor de las misiones históricas, llevando su escritura hacia las encrucijadas de la intimidad. Biografías que trenzan la fuerza de las raíces con la múltiple diversidad del accidente, las de Krauze van indagando síntomas. La mística autoritaria de Díaz, el amor a lo primordial en Zapata o el fanatismo desfanatizador de Calles son elementos de educación sentimental que dictamina, sin quererlo, el rumbo de la historia. El caso más notable es, nuevamente, Madero. Por primera vez su espiritismo deja de ser una *boutade* a los ojos del lector, convirtiéndose en el mecanismo secreto de la ideología democrática maderista. Similar es la sorpresa que depara la biografía de Carranza: la conmovedora devoción del Primer Jefe del ejército constitucionalista al legado de las guerras de Reforma, revela una faceta que tanto la momificación oficial como la inquina de sus víctimas ha borrado. Con Martín Luis Guzmán* y Fernando Benítez*, Krauze continúa la narración de uno de los capítulos más trágicos, absurdos y emocionantes de la historia mexicana: el martirio de Tlaxcalantongo.

Ante una historia oficial hipócritamente laica, donde el arquetipo pierde su complejidad genésica para consumirse en su utilería de cartón. Krauze busca las fuentes del mito político. Es claro que no renuncia a la hipótesis de trabajo que consiste en aceptar la naturaleza mitológica de su asunto. No niega los mitos: los asume y trata de desentrañarlos. Ya no son posibles ni los Villa ni los Carranza verdaderos, pues querámoslo o no, hay ciertas vidas que pertenecen a ese mar azaroso e irracional que es la historia. Frente a César, Suetonio sospechó que bien podía estar mintiendo pues entre esas ruinas la verdad escapa veleidosa e insistente.

La *Biografía del poder* es una colección ubicada en el centro de la aventura de nuestro siglo mexicano y en el poder político que, contra viento y marea y no sin razón histórica, se manifiesta heredero de aquellos caudillos. Aquí el panorama se complica, pues hemos llegado a las puertas de la política.

Es alentadora la riqueza de la historiografía reciente sobre la Revolución mexicana. Hace veinte años que la mitografía oficial caducó definitivamente para mostrar su carácter de tramoya sin escenario y sin actores. Las versiones críticas que la enfrentaron, sobre todo después de 1968, pecaron de mesianismo ideológico e insuficiencia empírica. Tal pluralidad de fenómenos —esas varias revoluciones mexicanas que ocurrieron entre 1910 y 1940— no podían caber ni el "ciclo de las revoluciones burguesas" ni en la teoría de la revolución permanente. Se ha cuestionado, desde entonces, la naturaleza revolucionaria de la conmoción (Ramón Eduardo Ruiz), se han separado las transformaciones sociales de las políticas (Arnaldo Córdova), se han examinado las élites porfirianas (François Xavier Guerra) lo mismo que su influencia decisiva en la dirección del movimiento. También sobresalen las apasionantes pesquisas de Friedrich Katz sobre la trama exterior de la revolución, las revelaciones de F. J. Schryer sobre la composición social de los ejércitos, el formidable milenio chiapaneco de Antonio García de León o ese otro Obregón que Jorge Aguilar Mora* dibuja. Éstas son sólo algunas de las contribuciones que marcan, quizá, el fin de la dilatada historiografía romántica de la Revolución mexicana.

¿Cómo se relaciona la *Biografía del poder* con este clima intelectual de vastas revisiones críticas? Si consideramos que la última obra romántica sobre 1910 fue *La revolución interrumpida* (1971), de Adolfo Gilly, inolvidable por su aliento épico pero superada en su legalidad dogmática, entenderíamos a la *Biografía del poder* como un corte clasicista. Krauze regresa a una idea de la historia basada en la función verbal de la conducta (y en eso se diferencia de los calendarios patrióticos tradicionales) cuya esencia no radica en una vocación extraña a su vocación íntima y sentimental. Biógrafo, Krauze no pretende empeñar en la historia prenda alguna que comprometa alucinaciones ideológicas. Y he aquí la probable debilidad de *Biografía del poder*, pues el título general de las biografías parece entrar en consideración con su espíritu, si esperamos que tras la lectura se revele una anatomía del poder. En Díaz y Cárdenas (los constructores del Estado), en Villa y Zapata (los rebeldes de la plebe), en Madero y Carranza (los mártires de la legitimidad) o en Obregón y Calles (los caudillos de la guillotina), hay, cómo dudarlo, esa pasión común por ese poder que involuntario, glorioso y errático, sólo puede provocar una revolución y su vértigo. Pero más allá de esa obvia coincidencia en la historia, la lectura de cada biografía revela una pasión individual, inescrutable y radicalmente solitaria que cierta tentación sacramental consagró mediante el bautizo colectivo en la pila del poder.

Krauze afirmó recientemente que su generación ha vivido más fascinada por el poder que por la cultura. De ser así , su *Biografía del poder* es el libro de un escritor atrapado por la oprobiosa y magnética atracción de ese astro de la melancolía sobre quienes perecieron en sus piras. Pero cada uno de esos ocho caminos hacia la inmolación —violenta o pausada— se basa en una terca diversidad. Si el poder lo es todo, nada es el poder. Entonces los libros de Krauze resultan ser la aventura de un biógrafo entre pasiones humanas y políticos que se consumieron en una de aquellas edades históricas y, al mismo tiempo, apocalípticas, donde todo acaba de morir y nada comienza a nacer.

Biografía del poder retrata a ocho figuras del panteón estatal de la Revolución mexicana. Conviene aclarar de paso una obviedad sociológica: en México, hasta hace pocos años, el ámbito de lo estatal estuvo inextricablemente ligado a lo social, a lo civil y más aún, a los espacios de generación de la conciencia colectiva. Krauze no ha pretendido desmitificar, pues ésta sería una operación imposible. Acepta el mito con la sagacidad de un científico y lo desentraña como una prosa magnífica cuya relevancia es histórica y formal. Pero hay un riesgo político. No puede ser otro, pues es Krauze un intelectual que piensa explícitamente en los términos del universo de la política, y ésta no perdona. Es probable que la *Biografía del poder* sea leída como una puesta al día del solemne panteón de la Revolución mexicana, pues Krauze aceptó trabajar reconociendo su existencia y, probablemente, su vigencia.

Por lo anterior, a manera de antídoto, resultan interesantes una exclusión y un convidado especial. Este último, Porfirio Díaz. Ya no es posible seguir pensando en la historia en términos adánicos y mirar cómo cada vez que el poder se transfigura, aparece a sus espaldas alguna edad de las tinieblas. Y la exclusión concierne a una novena biografía fantasmal, excluida del octeto por tratarse del hombre que se negó radicalmente a ejercer poder alguno en la Revolución mexicana: Ricardo Flores Magón.

Nunca quedará resuelta la discusión entre Droysen y Burkhardt sobre la naturaleza de la biografía. Para el primero sería imposible escribir una biografía del poder pues César y Federico *el Grande* pertenecen a la historia, no a los hombres. Solamente, piensa Droysen, es susceptible de escribirse la biografía del fracasado y la del aventurero, que no pertenecen más que a sí mismos y así, a nosotros. Pero Burkhardt arriesga: sin la biografía de los grandes hombres, el Renacimiento no hubiera sido posible y lo divino no hubiera regresado nunca a lo humano. Esta herida es el núcleo creador de la lectura de Krauze, el apasionante territorio donde el animal político sondea los límites de su existencia.

Krauze reconquista la biografía para la cultura mexicana. Escribió ocho libros para que fueran leídos por muchas personas. Escribir para el gran público con la mayor exigencia literaria es raro y, cuando ocurre, reverdece esa pasión humanista que tiene su epítome en el arte de la conversación escrita. "Yes —writing is the devil", dijo Woolf, y Krauze ha sorteado con maestría las emboscadas de los demonios del poder y de sus signatarios (1988; *Servidumbre y grandeza de la vida literaria*, 1998).

El siglo XIX. Al paso de una obra ya significativa, que tiene su centro en las vidas paralelas de los caudillos políticos e intelectuales de la Revolución mexicana, pienso que Krauze se ha convertido en un historiador popular en varias de las mejores acepciones del término. De *Caudillos culturales de la Revolución mexicana* (1977) a *Siglo de caudillos* (1994), Krauze pasó de cumplir sobradamente con su cuota académica a responder con pasión a las obligaciones que se ha impuesto como un historiador leído por miles de mexicanos. Krauze se volvió popular, cabe agregar, sosteniendo opiniones políticas que, sino heréticas, al menos resultaron irritantes en el seno de una clase política e intelectual adormecida por los dogmas marxistas o por las recetas burocráticas del régimen priista.

En 1982, cuando Krauze interrumpió el aplauso más prolongado del sexenio y puso en duda la naturaleza providencial de la nacionalización de la banca privada, el joven historiador decidió su futuro intelectual al escoger una impopularidad entre los clérigos que le garantizó esa audiencia entre los ciudadanos de la que ahora disfruta. Al temple moral se sumó la evolución estilística: desde entonces Krauze escribe cada vez mejor, quizá porque sabe que lo hace para un número creciente de lectores, quienes corresponden a la claridad de exposición y al vigor retórico que el historiador les ofrece. Krauze, desde luego, no está exento de los peligros que puede acarrear a su discurso el afán didáctico que lo impulsa, pero *Siglo de caudillos* demuestra cómo su búsqueda del público lo ha perfeccionado como prosista, alejándolo tanto de la vulgarización mal entendida como de la premura por pontificar.

Biografía del poder fue una obra plena en hallazgos historiográficos justificados por el aliento de un historiador que captura las sombras de los héroes y las devuelve, humanizadas, al ámbito de los ciudadanos. Con *Siglo de caudillos* Krauze emprende una tarea quizá más ingente y la resuelve mediante una notable capacidad de síntesis, obra de un historiador que insiste en buscar la sanción de sus contemporáneos. Ése es su riesgo y su apuesta, y con esa medida será juzgado por las academias y por los cenáculos del futuro.

Fue Daniel Cosío Villegas* quien ingresó al siglo XIX mexicano con la intención de cruzar una frontera hacia el más allá, decidido a saquear tumbas y fumigar telarañas, indiferente al aullido de las almas en pena, dueño de la candorosa temeridad de quien decide iluminar la faz del vampiro e interrumpir su siesta milenaria. Sus libros sobre la República Restaurada y el Porfiriato resultaron decisivos para desprestigiar la conseja que sostenía que antes de la Revolución mexicana sólo había tinieblas en nuestro pasado. Mas tras ese acto de justicia, Cosío Villegas se limitó a inventariar lo encontrado en esa casa de espantos que él había abierto al público. Pero mientras limpiaba las estancias de nuestro siglo XIX, a Cosío Villegas se le escapó el alma de la época por las ventanas recién abiertas. Es ese espíritu del tiempo el que Krauze, uno de sus discípulos, ha logrado atrapar en *Siglo de caudillos*.

El siglo XIX mexicano, de aprehensión tan confusa, oscila en la memoria entre la más alta de las tragedias y la más baja de las óperas bufas. En esa oscilación apenas alcanzamos a distinguir entre figuras que, como pocas, han sido víctimas del embalsamamiento con engrudo y cartón. Incluso entre los mexicanos cultos, personajes como Hidalgo, Morelos, Iturbide, Santa Anna, Juárez, Maximiliano y Díaz, significan esencias morales antes que realidades históricas: la gallardía, el martirio, el jolgorio, la vesanía, la intransigencia, la ensoñación o el principio de autoridad. Y muchos de esos mexicanos ignoran la asombrosa riqueza de nuestro reparto decimonónico: Abad y Queipo, Guerrero, Mier y Terán, Victoria, Bravo, Gómez Farías, los hermanos Lerdo de Tejada, Santos Degollado, Ocampo... son nombres que dicen poco o nada a la mayoría de nosotros. *Siglo de caudillos* fascinará al curioso, sorprenderá al ignorante y ordenará la memoria parcial o equívoca de sus lectores, ofreciendo un panorama a partir del cual cada uno podrá hacer su siglo XIX siguiendo las indicaciones generosas y detalladas que Krauze proporciona.

¿Cuáles son los movimientos de Krauze en la casa que su maestro Cosío Villegas abrió? Para empezar, Krauze opta por realizar plenamente esa historia de las ideas que Cosío Villegas no estaba preparado para emprender, partiendo de los móviles de esa extraña guerra de independencia que ha fascinado a un cada vez más abundante grupo de historiadores en el último cuarto de siglo; acto seguido, Krauze pone orden en la vasta e inverosímil bibliografía que rodea al general Santa Anna, y al llegar a Juárez, el historiador precisa sus instrumentos, ofreciendo una biografía sucinta del presidente indio que recuerda a esas páginas "artísticas" que Lytton Strachey escribió, aunque sus victorianos ilustres desmerecen junto a la compleja arrogancia histórica de esos autócratas oaxaqueños que conforman los mejores capítulos de *Siglo de caudillos*.

Krauze no había resistido a la tentación de colocar una suerte de Arcadia republicana anterior a nuestra historia secular, idealizando la República Restaurada como ese espacio democrático que los mexicanos nos empeñamos en olvidar y perder. En *Siglo de caudillos* hay una autocrítica que devuelve a la década anterior a Díaz esa naturaleza fecunda no exenta de graves tensiones autoritarias. Y el examen del Porfiriato, finalmente, es una mesurada llamada a la reconciliación. Historiador atento al peso de los símbolos, Krauze sabe que mientras los restos de Porfirio Díaz continúen su destierro parisino seguirá faltando entereza y sosiego a la memoria mexicana.

Los personajes centrales de *Siglo de caudillos* son, empero, Lucas Alamán y José María Luis Mora; en el conflicto ideológico que los une y los separa Krauze encuentra una y otra vez las claves que van descifrando al siglo XIX. Es una pareja de pensadores, más hermanos que enemigos, las que va provocando una síntesis imaginaria que será la que intenten Iturbide y Santa Anna en el fracaso, y Juárez y Díaz en el éxito.

Estudioso conmovido de las raíces biográficas, Krauze ha decidido basar su *Siglo de caudillos* en la lógica de las opciones raciales, elección historiográfica consecuente con las maneras decimonónicas y que hace pocos años, cuando aun dominaban en el horizonte las historias marxistas, habría resultado escandalosa. Para Krauze el siglo XIX es la centuria del fracaso criollo, del temple indígena y de la realización mestiza. Mediante esa progresión, él vuelve a ser ese historiador popular para quien la biografía es el nudo que explica a esos caudillos que lo fascinan desde que comenzó su tarea intelectual (1994; *Servidumbre y grandeza de la vida literaria*, 1998).

El retratista. En *Sobre la aventura*, Georg Simmel dice que el retrato (y se refiere al retrato en la pintura) es obra plena del Renacimiento, pues es un género que supera la oposición entre cuerpo y alma. La unidad que ofrece el retrato, asegura el sociólogo alemán, sólo se vuelve del todo patente cuando Spinoza piensa, de manera conjunta, en la corporalidad y el espíritu, la sustancia y el movimiento, el ser y el destino. Tanto si se cuenta la modernidad desde el Renacimiento como si se le apareja con la Ilustración y la Revolución francesa, pocos géneros tan cabalmente modernos como el retrato histórico y literario. Es cosa de ver el índice de la *Anthologie du portrait* (1996), uno de los libros póstumos de Cioran: el género gravita entre el Gran Siglo y 1789, del aforismo al cadalso y de la guillotina al liberalismo.

El género lo inventaron los franceses y sin embargo, no me sorprende que un anglófilo como Krauze haya publicado *Retratos personales* (1997), un libro que coincide con los sesenta años del historiador mexicano. Me llama la atención constatar que el biógrafo no haya utilizado previamente la palabra "retrato" en la portada de sus libros, porque si algo ha hecho Krauze a lo largo de su obra es retratar con bondad e inteligencia a los héroes, a los antihéroes y a los caudillos culturales: de Díaz y Madero a Zapata y Carranza, a los hombres de 1915 (y entre ellos, en primera fila, Cosío Villegas), a Octavio Paz*, entre otros *Mexicanos eminentes* (1999), como tituló un libro previo.

Retratos personales, que reúne piezas escritas a lo largo del nuevo siglo, es una galería que destaca por la benevolencia con la que Krauze se refiere a villanos de fama sulfurosa como Emilio Azcárraga Milmo, nuestro *last Tycoon* o al centenario jefe sindical Fidel Velázquez, que a lo largo de la entrevista que le concedió a Krauze se quita, quizá por primera vez, los lentes oscuros. Esa bondad (insisto con la palabra) del retratista proviene de la regla de cálculo utilizada para medir a aquellas personas que en principio son incomprensibles para un intelectual. La inteligencia le permite, a su vez, mantener vivo el hogar del afecto, como se lee en el texto dedicado a Julio Scherer, el ruso. En esa cuerda afectiva Krauze sabe ser, también, letal, como lo es en el párrafo en que censura a Elena Poniatowska*: "soldadera literaria de oído maravilloso y de una simplicidad intelectual inmune a la desilusión y a la experiencia".

La destreza, en un biógrafo, lo expone. Casi siempre un retrato es una aproximación al autorretrato y Krauze mismo va apareciendo en *Retratos personales*: el joven empresario que salva la fábrica familiar, el ingeniero que se convierte en uno de los historiadores más leídos, el subdirector de *Vuelta* y el creador de *Letras Libres*, el nieto mexicano de un socialista judío que se transforma en un apasionado liberal en un país como México donde hay muchos demócratas pero poquísimos liberales.

Krauze recupera, en *Retratos personales*, viejos ensayos (alguna vez fueron artículos) que se leen muy bien en tanto que retratos, como ocurre con los consagrados a sus colegas historiadores, a Edmundo O'Gorman*, uno de sus maestros o a Jean Meyer*, el francés que se volvió mexicano reconstruyendo el erial armenio de la Cristiada. *Retratos personales* también ofrece varios de los mejores textos que ha escrito, como el dedicado al pintor Juan Soriano, persona (y personaje) tan diferente a Krauze que el contraste torna más perfecto al retrato. Otra pieza notable es la reseña retratística dedicada a la escritora y periodista británica Rebecca West quien vino a México por primera vez a los 74 años y descifró apenas dos o tres líneas de nuestra mano que quizá sean las esenciales. El resto de los retratos los irá desvelando el lector: José Luis Martínez* en su biblioteca, Rosa Verduzco entre los huérfanos, Alejandro Rossi* y Gabiel Zaid* en *Vuelta*, el anarquista Ricardo Mestre en el Café La Habana, don Luis H. Álvarez en huelga de hambre, Ralph Roeder en su suicidio o Carlos Castillo Pereza desplomándose ante la tierra prometida.

El trasfondo, en Krauze, es plutarquiano y su vena nace en Lytton Strachey pero quien lea *Retratos personales* descubrirá, aquí y allá, el temple necesario como para situar al retratista en la familia de los moralistas. El lector encontrará, también, mucha historia en esta obra, es decir, a la mirada que se despliega sobre el terreno para señalar "la presencia del pasado" entre nosotros, parafraseando otro de sus libros. Krauze es un historiador y es un moralista porque su obsesión es el futuro de nuestro pasado, lo cual no es una premisa obvia ni algo que le ocurra por naturaleza a todos los historiadores y a todos los moralistas. Ese vínculo entre historiar y crear define a Krauze y le permite colmar su propio ideal de empresario cultural: el pasado debe estar para servirnos. La historia no es una metafísica sino una lección práctica y el retrato, modernísimo e hipercrítico, siempre aspira a una ejemplaridad cuya divisa, es, en Enrique Krauze, la misma que en aquellos de sus maestros más queridos: *Ducit amor patriae* (2007).

Bibliografía sugerida

Siglo de caudillos, Tusquets Editores, México, 1994.
Biografía del poder, Tusquets Editores, México, 1997.
La presencia del pasado, Tusquets Editores, México, 2006.
Retratos personales, Tusquets Editores, México, 2007.
De héroes y mitos, Tusquets Editores, México, 2010.
Redentores: ideas y poder en América Latina, Debate, México, 2011.

L

LEDUC, RENATO
(Ciudad de México, 1897-1986)

Cerrando la procesión de estilistas catadores, un bohemio pantagruélico que lo bebe todo. Leduc, periodista y poeta, ofrece a la literatura mexicana esa vida de la calle que el modernismo concebía como imagen lastimera (recordar las navidades de pobres por Gutiérrez Nájera) y que Salvador Novo* comienza a celebrar desde una visión exterior y cromática. La isla de Leduc, que a ninguna se parece entre las opciones prosísticas de su tiempo, tiene las dimensiones de la ciudad. Arrabalera, no se permite ni culpas morales ni redenciones ideológicas. Soez, reivindica el ingenio, la profundidad y la belleza de lo más vernáculo de la lengua. Irónica, deja entrar en el atildado salón literario a una caterva de bohemios en festiva descomposición venérea. Pero la leyenda del poeta popular, del cronista de toros, del articulista venal y del vigilante epicúreo del espectáculo del mundo, suele ocultar a un prosista de imaginación.

La prosa de Leduc es la de un bárbaro con oro en las alforjas. *Los banquetes* (1932 y 1944) es una muestra de esa amplia obra dispersa y aún no recopilada donde la distinción de géneros es a menudo ociosa. Meditaciones intempestivas desde la barra de una cantina, *Los banquetes* son una filosofía de la vida y una regocijante lección de ojo clínico y amor por las palabras, cualquiera que sea su origen. [...] *Los banquetes* —relato, tratado, divagación— es la protesta de un cínico frente a las convenciones esté-

ticas, espirituales y políticas de su época. La sensualidad gidista y el milenarismo político sufren las vejaciones de un cínico desenfadado como
Henry Miller y admirador de Chaplin (a quien dedica en nombre del
heroísmo, el tercero y el último de los diálogos), para quien el estilo es la
brújula para guiarse en la borrachera de la vida (*Antología de la narrativa
mexicana del siglo* xx, I, 1989).

Bibliografía sugerida
Obra literaria, prólogo de Carlos Monsiváis, FCE, México, 2000.

LEÑERO, VICENTE
(Guadalajara, Jalisco, 1933)

El novelista católico. Solitario, Leñero marchó al margen de los grupos y de
las obsesiones de su generación. Mientras sus estrictos contemporáneos
optaron por una búsqueda sensorial y metafísica, él se ciñó a un minucioso realismo, no sin recibir las influencias benéficas de la novela católica, el
nouveaux roman y el nuevo periodismo. Con *Asesinato* (1985), Leñero ha
llegado a un nivel de hiperrealismo que no dudamos en calificar de perfecto. Reconstrucción documental del asesinato de los esposos Flores Muñoz
en la ciudad de México en 1978, *Asesinato* es una "novela sin ficción" que
poco tiene que pedirle al Truman Capote de *A sangre fría*.

Ya en 1983 había dado una muestra de perfección formal con *La gota
de agua*, que siendo la narración de un hecho cotidiano —la ausencia de
agua potable en el hogar del escritor— logra una intensidad narrativa que
obliga al lector a devorar el texto, como si se tratara de la más intrincada y
rítmica de las novelas policiacas. *La gota de agua* es una fina burla de la
vieja "nueva" novela francesa.

No cabe duda que Leñero es el artífice consumado de la forma en
nuestra novela. Una mente matemática, un conocimiento profundo del
tiempo del realismo y un arsenal impresionante de reglas —muchas de
ellas teatrales—, hacen de sus novelas emocionantes arquitecturas portáti-

les. Pero si Leñero no es el mayor novelista mexicano es por la aridez de su horizonte intelectual.

Católico practicante, seguidor cauto pero persistente de las teologías latinoamericanas de la liberación, Leñero muestra sus limitaciones cuando se enfrenta a ideas religiosas o políticas, como en *Pueblo rechazado* (teatro, 1969), *El evangelio de Lucas Gavilán* (novela, 1979) o *Jesucristo Gómez* (teatro, 1986). Entonces Leñero es un escritor simplista y dogmático como la teología política a la que se adhiere. A este católico al parecer no le fue concedida la gracia que dramatiza a la literatura cristiana moderna: la crisis de conciencia. A diferencia de ancestros ilustres como Bloy, Bernanos o Green, Leñero siempre aparece como un escritor demasiado seguro de sus convicciones, que son pocas y firmes. Su espíritu, tan hábil para para desarmar las contradicciones fácticas del realismo, es parco al hallarlas en el mundo de la conciencia. Quizá sea tarde para que Leñero sufra esa crisis de conciencia de cualquier signo que confiera a su obra la contradicción vital de la que fatalmente carece; pero de ocurrir, sería insospechada e incalculable la potencia de su literatura.

No por ello deja de ser Leñero una especie de autor católico tal cual lo entiende el modernismo cristiano. No se puede dejar de pensar en Pascal al penetrar en Pascal al penetrar en sus preocupaciones. Severo como un jansenista, Leñero acierta admirablemente cuando emprende la búsqueda, que sabe infinita, de la verdad. Su realismo es una metódica demostración de la farsa de la historia, que para Leñero se desarrolla más en los hechos que en las ideologías. Textos dramáticos como *El juicio* (1971) sobre los motivos de León Toral, asesino de Obregón o el *Martirio de Morelos* (1981), sobre el proceso seguido al cura insurgente, héroe nacional sospechoso de delación, son bofetadas violentas —que han estimulado la codicia de los censores— en el rostro de la esclerótica historia oficial.

Es natural que los afanes de Leñero suelan dirigirse hacia la crítica judicial del poder. Es allí, como en Leonardo Sciascia y Federico Campbell, donde un realista moral encuentra las huellas imborrables que dejan víctimas y verdugos a su paso. En novelas como *Los periodistas* (1978) y *Asesinato*, la lupa de Leñero agiganta monstruosamente la venalidad y la corrupción de la sociedad mexicana. Quizá consciente de su parquedad,

Leñero no interviene en esos libros, aunque en uno de ellos (*Los periodistas*) él mismo sea personaje y víctima del golpe echeverrista al diario *Excélsior*. El novelista sólo organiza los hechos para que éstos hablen abrumadoramente (*Antología de la narrativa mexicana del siglo xx*, ii, 1991).

El realista en el mundo. Retratos reales e imaginarios escritos a la manera de crónicas y cuentos, los textos reunidos en *Gente así. Verdades y mentiras* (2008) ofrecen, con cierta generosidad, un extracto de las preocupaciones de Leñero, uno de los escritores mexicanos más preocupados por el poder del realismo literario para interrogar a la vida y documentarla. Leñero ha sabido ser un investigador de la psicología de los poderosos y de sus victimarios, un moralista cuyas certezas religiosas y políticas no necesitan ser gravemente enunciadas para competir por la verdad pública. Se trate de León Toral, el asesino del general Obregón y antihéroe de *El juicio,* de la "novela sin ficción" (*Asesinato*) que reconstruye la muerte de un par de pudientes abuelos en manos de su nieto, o de *Martirio de Morelos,* el drama del héroe independentista resquebrajado por la Inquisición, a Leñero le interesa, como arte narrativo, la reconstrucción documental de los hechos. Pero siendo un periodista que habitualmente no necesita presentarse como juez, Leñero antepone la reserva metodológica del epígrafe del poeta argentino Antonio Porchia que presenta, amenazante, *Gente así*: "Quien dice la verdad, casi no dice nada".

Las mejores páginas de *Gente así* acatan esa regla metódica y la obedecen en los terrenos pantanosos de la vanidad literaria o del ajedrez, pero sobre todo, en los dominios del catolicismo y de sus heterodoxos que, mayores o menores, son los protagonistas del libro. Se retrata, por ejemplo, al padre Tomás Gerardo Allaz, publicista dominico de origen suizo que predicó con el ejemplo la pobreza evangélica, llegando, en la exhibición de ésta, a "la soberbia de la humildad" como el propio Leñero, a pregunta expresa, se lo dijo.

Leñero fue algo más que un observador participante en las tribulaciones del México católico posterior al Concilio Vaticano II y en *Gente así*, anecdotario y manual de varia invención, aparece el obispo Sergio Méndez Arceo obligado a cometer un acto de caridad cristiana que no estaba prevista en su agenda, una vez terminada su reunión en la revista *Proceso*, a cuyo cenáculo asistía como espía o como convidado de piedra. Y junto al obispo aparecen, citados como testigos por distintas voces narrativas, Gerardo Medina, el panista de la época mística que denunció la matanza del jueves de Corpus de 1971, Antonio Estrada, el novelista de los últimos cristeros o Iván Illich, el teólogo reformista yugoeslavo a quien Leñero sitúa en paralelo con su casi homónino, Iván Ilich, el personaje de Tolstoi, con quien lo unió el refugio final, contra los dolores atroces de la enfermedad, el bálsamo del opio.

En esa tierra de herejes que fue la ciudad de Cuernavaca a fines de los años sesenta, junto con Méndez Ardeo y Gregorio Lemercier, el benedictino introductor del psicoanálisis entre los monjes, sitúa Leñero a Iván Illich, en sus grandezas y debilidades, y, en su agonía, acompañado por el poeta Javier Sicilia*, en calidad de albacea intelectual. En *Gente así* se leen las opiniones libres de Leñero, un hombre prudente en compañía de obispos guerreros y monjes locos. Ojalá que Leñero no se tome demasiado en serio aquella frase de Bernanos que le citó al padre Allaz, en cuanto a la "gracia de olvidarse" y que sus recuerdos, que saltan con frecuencia en sus relatos y en sus reportajes, se conviertan en esas memorias, autónomas y orgánicas, que escasamente se escriben en México. A Leñero le saldría muy bien un libro de ese tipo, que ataría algunos cabos sueltos, desde la vida literaria vista por un *outsider*, el entusiasmo por la teología de la liberación y sus clérigos hasta la aventura de la revista *Proceso*, capítulos que se sumarían a *Los periodistas,* que cuenta el golpe contra el diario *Excélsior*, y a *Vivir del teatro* (1982 y 1990), sus memorias como dramaturgo.

La encuesta en tierra de herejes no es lo único que interesa en *Gente así*. Leñero no puede permanecer indiferente al gran misterio sagrado de la literatura mexicana y ofrece su versión narrativa del silencio de Juan Rulfo*. También cuenta la temporada mexicana del escritor chileno José Donoso, en 1964, que tuvo un final abrupto que a Leñero le sirve para reflexionar sobre la vanidad de los viejos escritores. Le interesa, a su vez, el plagio literario como uno de los encantos de la picaresca literaria y para ello escribe un cuento en memoria de Rafael Ramírez Heredia, el narrador policiaco enfrentado a un enigma de esa índole. En *Gente así* hay, también, una versión distinta de la vida (y de la muerte) del joven Dostoievski o minibiografías de otros, que como la del recientemente fallecido cineasta Jaime Casillas Rábago, Leñero reproduce y retoca.

No me extraña que el ajedrez ocupe un punto meridiano en *Gente así*, pues el pomposamente llamado "juego ciencia" posee características empáticas con la mente literaria de Leñero: el diseño a la vez cerrado e infinito de la prospección, la armonía de los movimientos y el orden fatal de sus resultados, las reglas incontrovertibles de la fe y cierta inutilidad pascaliana pues la búsqueda de la verdad es como ganar en el ajedrez, una sapiencia moral sin verdadero fondo escatológico, como yo definiría, pomposamente, al catolicismo de Leñero. "Ajedrecistas", el relato del que hablo, es una variación sobre el ajedrez, que tiene, según se vea, dos o tres protagonistas: el gran maestro mexicano Carlos Torre Repetto, quien abandonó los tableros al tropezarse con la locura, el periodista Luis Ignacio Helguera que lo entrevistó antes de fallecer en un accidente aéreo en 1953 y su homónino, el poeta y ajedrecista Luis Ignacio Helguera* que murió, también precozmente, cincuenta años después. Este relato, como varios en *Gente así* (salvo dos o tres viñetas y algún cuento de taller) expone las virtudes de Leñero, la amenidad estilística y el suspenso que sabe desplegar cuando un tema realmente le apasiona (2009).

Bibliografía sugerida

El juicio, Joaquín Mortiz, México, 1971.
Los periodistas, Joaquín Mortiz, México, 1978.
Vivir del teatro, Joaquín Mortiz, México, 1982.
Teatro completo, UNAM, México, 1983.
Asesinato, Plaza y Janés, México, 1985.
Vivir del teatro II, Joaquín Mortiz, México, 1990.
Gente así. Verdades y mentiras, Alfaguara, México, 2008.
Teatro completo, I, FCE, México, 2008.
Teatro completo II, México, 2010.

LEÓN FELIPE
(Tábara, España, 1884-ciudad de México, 1968)

Durante su largo exilio mexicano León Felipe llegó a emblematizar, para un público algo mayor que el compuesto por la inmensa minoría, al poeta como patriarca. Aun en sus peores versos —que pueden ser horribles—, hay en León Felipe —seudónimo de Felipe Camino García— una emocionante sonoridad: la voz del más español entre los poetas españoles, anarquista y católico sin incurrir en contradicción, cristianísimo blasfemo para quien el infierno, antes que un fin, era un medio. Es León Felipe un boticario galdosiano que escapa de la ruindad de la aldea para encontrar, en la ciudad moderna, una nueva constelación de astros y signos.

"Yo no repudio a nadie. Todo lo que hay en el mundo es mío y valedero para entrar en un poema, todo, hasta el aliento teatral y tribunalicio de Núñez de Arce. Whitman es también teatral y tribunalicio. Y yo también lo soy", escribió León Felipe al defenderse de la crítica que Borges había hecho en 1942 de su prosopopéyica traducción del *Canto a mí mismo*. "Lo que hago con el Libro de Jonás, lo hago también con el de Whitman, si se le antoja al Viento", remachaba León Felipe, poeta poseído, doblemente poseído, por la convicción —singular en el siglo hispanoamericano— de ser una voz emanada del Antiguo Testamento. Pero el profetismo leonfelipiano no fue ajeno al humor autocrítico y al sarcasmo antipoético, tan propios de las tensiones de la poesía moderna.

Versos como los de León Felipe "no se habían escrito antes en España", advirtió Octavio Paz*, cuya admiración comenzó desde que ambos poetas se conocieron en el congreso antifascista de Valencia en 1937. Aunque prefería hablar de León Felipe como ejemplo de disidencia moral, en "Nocturno de San Ildefonso" y en otros poemas autobiográficos de Paz, es imposible no escuchar algunos ecos de *Español del éxodo y del llanto* (1939). No podía ser de otra manera: León Felipe y Paz vieron a los mismos "fariseos revolucionarios", al decir del español, sacrificar el honor de los poetas durante la Guerra Civil.

León Felipe —casado con la mexicana Bertha Gamboa— vivió en México durante varias temporadas —la primera ocasión en 1923— hasta que se estableció en el país una vez derrotada la República. Fundador, junto con Juan Larrea y Jesús Silva Herzog, de *Cuadernos Americanos,* en 1941, León Felipe publicó en México *El payaso de las bofetadas* y *El pescador de caña* (1938), *El Hacha* (1939), *Español del éxodo y del llanto, El gran responsable* (1940), *Llamadme publicano* (1950), *El ciervo y otros poemas* (1958) y *¡Oh, este viejo y roto violín!* (1968), libro del cual Gabriel Zaid* dijo que hasta en sus balbuceos más ineptos había ángel.

"Ahora León Felipe tiene fama en la tierra, en el cielo y en el infierno", escribía Ermilo Abreu Gómez* en 1946, cuando el poeta español era un personaje característico de la vida cultural de México, cercano lo mismo a Salvador Novo* —con quien intentó montar alguna de sus paráfrasis de Shakespeare— que al exilio republicano, donde no le faltaron ni amigos fieles ni detractores. Ni siquiera Luis Cernuda*, que desnudó las falencias de su poesía, dejó de rendirle tributo, como lo hicieron Vicente Aleixandre, Luis Cardoza y Aragón*, Max Aub*.

Como algunos otros desterrados, el anciano León Felipe confundió la emocionada gratitud con la complacencia servil y acabó por escribir y dar a la imprenta una oda dedicada al presidente Gustavo Díaz Ordaz en 1967, que le granjeó la antipatía de una nueva generación que veía en él, no sin razón, a un protervo figurín a veces llamado a escena por el régimen autoritario. El peor León Felipe era un poeta de fácil digestión para los filisteos de toda laya. A la muerte de León Felipe, Aub comentó con ironía que la amistad del viejo poeta con algunos poderosos políticos mexicanos le valieron para tener una suerte de "funerales nacionales" que, presididos por Novo y Agustín Yáñez*, los literatos oficiales del gobierno, resultaron una despedida no tan paradójica para un ácrata: los anarquistas suelen morir como conservadores. Y fue precisamente en el velorio de León Felipe donde Novo hizo aquella declaración sobre el alborozo que le causaba la ocupación militar de Ciudad Universitaria.

Pero son curiosas las mudanzas del tiempo y hoy, al comenzar un nuevo siglo, cuando un manto de acracia cubre a la masa juvenil que se manifiesta contra un mundo que encuentra canalla, León Felipe es, otra vez, un poeta accesible. No en balde pueden leerse, en los comunicados del subcomandante Marcos, numerosas metáforas sentimentales y figuras retóricas que provienen de la célebre *Antología rota* (1947), de León Felipe. A la distancia, de toda la panfletaria en verso que legó la Guerra Civil española, pocos libros conservan la dignidad moral y literaria de *Español del éxodo y del llanto*. Poesía libertaria la suya, dirigida contra los clérigos y contra los comisarios, inclemente con la Iglesia y con el Partido, pletórica de imaginación profética y, en el fondo, paradójicamente desconfiada de los poderes oraculares del poeta: "¡Yo también! Yo no fui más que una mueca, / una máscara / hecha de retórica y de miedo". Marca de profeta: estando su capacidad de indignación por encima del drama de su época, las mejores páginas del bíblico y ácrata León Felipe, de una manera extraña, no envejecieron.

Bibliografía sugerida
Antología rota, Losada, Buenos Aires, 1997.

LEÓN-PORTILLA, MIGUEL
(Ciudad de México, 1926)

Al hablar, al platicar —diría él subrayando ese arcaísmo que sólo usamos los mexicanos—, León-Portilla va tomando el ritmo, las cadencias, el fraseo anecdótico y dialogado de esa literatura náhuatl a la que se ha dedicado durante más de medio siglo y de la que es, no tan paradójicamente, fundador. Su conversación es sabrosa, colorida: podría recogerse entre los *Icniuhcuicatl*, esos cantos de amistad que ocupan toda una sección de *La tinta negra y roja* (2009), la magna antología de poesía náhuatl que publicó acompañada de las imágenes de Vicente Rojo.

Discípulo del padre Ángel María Garibay Kintana* (1892-1967), León-Portilla es una autoridad mundial desde que publicó *La visión de los vencidos* (1959), uno de los libros más influyentes en la historia mexicana, una pieza de convicción que le da voz al enmudecido universo de México-Tenochtitlán, la ciudad aplastada, militar y metafísicamente como pocas lo han sido en la historia universal, en 1521.

Y es la historia universal el punto de partida, siempre, de León-Porti-lla. Ha recogido el testigo donde lo dejaron Bartolomé de las Casas y Ber-nardino de Sahagún, los frailes que fundaron, al mismo tiempo, el moder-no derecho de gentes y la etnografía como una ciencia justa. No diría yo que León-Portilla es un multiculturalista o un relativista: es un antiguo humanista empeñado en que el colegio indígena de Santa Cruz de Tlate-lolco, como utopía de concordia y florecimiento, vuelva a abrirse y a ello ha dedicado su obra desde *La filosofía náhuatl estudiada en sus fuentes* (1956) hasta *Fray Bernardino de Sahagún* (2009) pasando por *Los antiguos mexicanos a través de sus crónicas y cantares* (1961) y por *Quince poetas del mundo náhuatl* (1993).

Autoridad, en fin y en principio, León-Portilla es uno de los mexi-canos más venerados. También ha sido cuestionado. Se advierte, según algunos de sus críticos, que si el padre Garibay "helenizó" a la literatura náhuatl, León-Portilla "aztequizó" un mundo que ya estaba irremediable-mente tocado por el catolicismo europeo. Se discute, también, la pertinen-cia de usar, ante el *corpus* precortesiano, la noción autoral de literatura. Pero Garibay y, sobre todo León-Portilla no sólo recobraron la expresión escrita de toda una cultura: le dieron —justa, artificial o tardíamente— al romanticismo mexicano, esa literatura nacional, originaria y autóctona, que en el siglo XIX no pudo establecerse ni fijarse.

Autor de *Toltecáyotl: aspectos de la cultura náhuatl* (1980), libro coloca-do en el centro de una nutrida bibliografía, a la vez erudita y didáctica, es, insisto, un renacentista. Mira el mundo con los ojos de Campanella y Tomás Moro, de Vasco de Quiroga. En su denostación de los destructores de las Indias asoma Erasmo pero sus verdaderos héroes son, menos que los artistas y sabios nahuas, los *tlamatimine*, los frailes misioneros, fran-ciscanos y dominicos, etnógrafos piadosos que lograron, en el siglo XVI, hacer subsistir, en cuerpo y en espíritu, a los vencidos. Y entre Herodoto y Tucídides, León-Portilla, me parece, que vota sin dudarlo, por Herodoto, el generoso oteador de los extremos del mundo, autor de un inventario curioso y polifónico de pueblos, naciones y maravillas. No cree León-Por-tilla que deba ponerse al sacrificio humano, al Estado militarista, en el centro del mundo azteca. Sería para él, me imagino, como colocar a la Inquisición en el corazón de España. Algunos lo han hecho y tienen sus razones: León-Portilla no lo haría. Más que esa historia mexicana que se conoce de memoria al grado de abrir comillas verbales y citar literalmente al evocarla, a León-Portilla le interesa la actualidad cultural y política de los indígenas. Le interesa su futuro. Pese al escepticismo que la desdeña como una experiencia literaria en agraz, una literatura a la vez anticuada e ingenua, León-Portilla promueve y exalta a la literatura indígena que, al transitar del siglo XX al XXI se escribe en náhuatl, en mayo yucateco, en mixteco y zapoteco. Dos veces ha sido partero León-Portilla y es evidente que se enorgullece de lo que ha traído al mundo. Es historiador, filólogo y filósofo. Su mundo es una utopía en la cual la herida de 1521 ha cicatrizado.

Bibliografía sugerida

La filosofía náhuatl estudiada en sus fuentes, UNAM, México, 1956.

La visión de los vencidos, UNAM, México, 1959.

Los antiguos mexicanos a través de sus crónicas y cantares, UNAM, México, 1961.

Quince poetas del mundo náhuatl, UNAM, México, 1993.

Toltecáyotl: aspectos de la cultura náhuatl, FCE, 1980.

Fray Bernardino de Sahagún, Nostra Ediciones, México, 2009 (Col. Para Entender).

La tinta negra y roja, Era/El Colegio Nacional, 2009.

LIZALDE, EDUARDO
(Ciudad de México, 1929)

Lizalde es uno de los poetas mexicanos que más me importan, no sólo por la admiración causada por tantas y tantas elegías, malignidades y epigramas, sino por el testimonio de su avatar político en el "siglo delincuente", como él llama a la pasada centuria. El año decisivo en la biografía intelectual de Lizalde es 1956, y no sólo por ser la fecha de aparición de *La malahora,* uno de sus castigados pecados de juventud. Aquella fue la fecha del XX Congreso del Partido Comunista de la Unión Soviética, en una de cuyas sesiones Nikita Jruschov denunció los crímenes de Stalin, hiriendo fatalmente a miles de comunistas, como Lizalde, en el mundo entero.

En 1960, Lizalde fue expulsado, junto con José Revueltas*, del Partido Comunista Mexicano (PCM) y ambos fundaron la Liga Leninista Espartaco, que se proponía, tal cual lo dictaba la ansiedad de ortodoxia propia de los herejes, dotar al proletariado mexicano de una verdadera cabeza teórica. Formado en los años del Deshielo, Lizalde es un poeta representativo de aquel síndrome cuya principal manifestación fue la imposibilidad de seguir siendo comunista aunada a la imposibilidad de dejar de serlo. Lizalde creyó, como lo llegó a decir el desencantado italiano Ignazio Silone, que la batalla final sería entre comunistas y ex comunistas.

El poeticismo, la pequeña empresa, casi familiar, con la que Lizalde, Enrique González Rojo y Marco Antonio Montes de Oca* intentaron revolucionar la poesía, se remonta, en la lejanía, al desastroso matrimonio que, auspiciado en los primeros años soviéticos, resultaba de la subordinación de las vanguardias estéticas a la vanguardia política. En el caso de Lizalde, según su propia confesión, aquel experimento poeticista que se proponía la creación científica de imágenes poéticas, quedó sólo en literatura comprometida. Así ocurre, por ejemplo, en *Odessa y Cananea* (1958), redundante ilustración versificada de lo que ya Sergei Eisenstein había montado, genialmente, en el cine.

Haber sido comunista en el siglo XX es una experiencia en buena medida imborrable que moldea los reflejos con los cuales se manifiesta el pensamiento, una retórica tan persuasiva como la que en otros tiempos dejaba, en sus antiguos alumnos, la formación en la orden dominicana o en la Compañía de Jesús. Nadie ha advertido, por ejemplo, en que publicar, como lo hizo Lizalde en 1981, una autocrítica al estilo de la *Autobiografía de un fracaso. El poeticismo,* sólo puede ser obra de la mente, entre angustiada y analítica, de un ex comunista.

Mi relectura de Lizalde, a lo largo de las páginas de *Nueva memoria del tigre* (1993 y 2005), ha pasado por contrastados estados de ánimo que terminaron por mostrarme a un poeta mucho más complejo y estimulante de lo que recordaba. Buena parte de la poesía política de Lizalde, lo mismo sus catilinarias contra el presidente Díaz Ordaz que los poemas que evidencian el derrotero de su antiestalinismo, han quedado irremediablemente fechados. La voz de Lizalde, vozarrón de barítono bajo, es siempre la misma en sus distintas maneras y, eventualmente, cansa. Diletante de ópera como lo es, Lizalde conoce los riesgos comunes a la sustitución del canto por la declamación y se arriesga a engolar la voz o a quedar por debajo de la afinación correcta de una nota.

En *Cada cosa es Babel* (1966), primero de los libros que Lizalde reconoce como legítimos, ese afán, propio de las maneras intelectuales marxistas, de someterse profesoralmente al examen de una filosofía, deja un fruto magnífico. Lizalde regresaba a Hegel, lo que hace de *Cada cosa es Babel,* hilozoísta o hegeliana, no sólo un diálogo con *Muerte sin fin* y con *Canto a un dios mineral,* sino un poema filosófico tal cual un moderno lo puede escribir, como averiguación donde el poeta usurpa lo que la Antigüedad reservaba a los filósofos, asomándose al fin del mundo o calculando los límites del lenguaje. Más que el primer libro de un "nuevo" Lizalde aparecido tras las purgaciones de su prolongada adolescencia, como lo señala Evodio Escalante en *La vanguardia extraviada* (2003), la culminación del poeticismo está en *Cada cosa es Babel,* un poema desprovisto al fin de la trivilidad y del mal gusto, que, más que la paja teorética, era lo que tornaba deplorables sus experimentos juveniles.

Menos como un poema sometido a esa "tentación del gran-poema-visión-del-mundo" que le reprochó Gabriel Zaid* (*Leer poesía,* 1972), *Cada cosa es Babel* ha sido leído como una filosofía de la composición donde el poeta lleva a cabo una hazaña mental, ya sea como depositario de una impersonalidad sublime o en el papel del Adán nominador que domina el paraíso. Años después y recurriendo a sus eficaces poderes paródicos, Lizalde escribió *Al margen de un tratado* (1982-1983), donde el *Tractatus logico-philosophicus* de Wittgenstein sustituye como materia de examen a las lecturas de Hume, Kant o Hegel que transitan, sin mayores pretensiones académicas, por *Cada cosa es Babel.* Y es arriesgado dar por cerrada la obra de Lizalde: *Algaida* (2004) es un poema genésico donde las malditas cosas se reintegran en un orden neoclásico, como si la tarea de interrogación comenzada en *Cada cosa es Babel* hubiera alcanzado la conformidad final con la naturaleza.

De *El tigre en la casa* (1970) a *Caza mayor* (1979), pasando por *La zorra enferma (malignidades, epigramas, incluso poemas)* (1974), Lizalde se presenta con una personalidad de poeta mayor que pocas veces lo abandona, trago seco y amargo que compite con Jaime Sabines*, más recomendable para la sed empalagosa de los bohemios, como antaño se llamaba a quienes, entre otros ocios y negocios, frecuentan, cantan y memorizan a los poetas. No es por ello ajeno al ánimo de la tertulia: pocos poetas conversan tanto, tan expresamente, como Lizalde, quien se dirige en *Caza mayor* a Sabines, a su admirado Rubén Bonifaz Nuño*, a Rosario Castellanos*. Pareciera que Lizalde estuviese reponiendo las horas perdidas en el comunismo o en el poeticismo, dándose de alta entre sus contemporáneos, orgulloso de ser el último en llegar a la meta y no de pasar por un solitario.

Con Propercio, Catulo y Juvenal, Lizalde practica, junto al epigrama, la elegía erótica. Y tras nutrirse en los poetas latinos, se concentra en el amor canalla que se devora a sí mismo, desde Paolo y Francesca a Casanova, el inadvertido coleccionista de almas. Recurriendo al manido contraste entre estoicos y epicúreos, podemos decir que Lizalde se aparta de la lamentación estoica propia de los poetas del medio siglo y se arriesga a la reescritura epicúrea de los grandes temas, románticos o posmodernistas, de Salvador Díaz Mirón y, sobre todo, de Ramón López Velarde. En "Para una reescritura de Manuel Acuña" (*Al margen de un tratado*), Lizalde resume en unos cuantos versos paródicos el hartazgo de la carne, la fatiga de la mujer y la bisutería entera del sentimiento dispendiado por la experiencia romántica. Lector suyo desde los juveniles años poeticistas de los que fue testigo, a Salvador Elizondo* le asombró la concreción de la palabra alcanzada por Lizalde, su "percepción agudísima de los estados más nefandos de la vida" (*Museo poético,* 1974). Sonoro elogio que podría colocarse como venablo en el retrato de varios de nuestros grandes poetas modernistas.

El procedimiento de Lizalde, la forma en que como moderno se sube a los hombros de los antiguos, quedará muy claro años después, al justificar *Rosas* (1994), libro crecido, como la mala yerba, al margen de una traducción de *Las Rosas,* de Rainer Maria Rilke: "Fueron primero concebidos [los poemas de *Rosas*] como juegos de apócrifos rilkeanos o parodias risueñas con cierto tufo romántico a divanes y cuadros *art nouveau*. El ejercicio, que consistía en pulsar la misma cuerda una y cien veces, para sacarle todos los matices posibles a la idéntica agotada melodía, naturalmente, se frustró. Me resultaron epigramas y pastiches —frecuentemente irrespetuosos—, y poemas, o glosas de otros textos, más cercanos a mis obsesiones".

Poeta comunista y poeta ex comunista, escoliasta filosófico y epigramista, lector de Wittgenstein y de López Velarde, otra manera suya, un modo final, acabará por darnos la imagen completa de Lizalde: su lamentación por la ciudad de México, *Tercera Tenochtitlán*. Publicado en dos partes (1982 y 2000), este poema compite con "Hablo de la ciudad" (*Árbol adentro,* 1987), de Octavio Paz*, por ser el último gran poema urbano del pasado siglo mexicano. El poema de Paz es resueltamente didáctico y, aunque se inspira en nuestra ciudad, acaba por condenarla para quedar en una descripción baudeleriana de la urbe moderna. Tras la lección de *Tercera Tenochtitlán,* en cambio, no quedó ningún poeta con el brío suficiente para intentar esa última visión de Anáhuac, vistazo de cuerpo entero que no se repetirá y que acaba por invertir la imagen primordial, la de Bernal Díaz del Castillo.

El tono solemne y brutal le sale magnífico a Lizalde ante el Mictlán urbano en un treno que no puedo sino parafrasear: ciudad definida como seco osario y terrestre paradoja, cloaca madre que se adelanta a sus profetas, retrato luciferino de los guaruras y otros espectros de nahuales de la noche mexicana, serpientes que todavía se asombran de ser piedras. Tras la lectura fervorosa de las declaraciones de amor y odio de Efraín Huerta*, a quien está dedicado el poema, la lírica urbana se había convertido en una convención atascada de jeremiadas y escasa en poetas, estancamiento al que Lizalde, con *Tercera Tenochtitlán,* puso fin.

Tercera Tenochtitlán culmina con la ciudad misma convertida en un librero que se desvencija, biblioteca volteada de cabeza, signos desparramados que dan fin al persistente tema de la venganza de los dioses que ha de tener por escenario la vieja ciudad de los aztecas, que atormentó no sólo a Lizalde, sino a Paz, a Carlos Fuentes*, a José Emilio Pacheco* y otros más jóvenes, como Homero Aridjis* y Hugo Hiriart*. Varios de estos autores son novelistas y han puesto al servicio de la novela una imaginación apocalíptica que se alimenta, como la de Lizalde en *Tercera Tenochtitlán,* del eterno retorno de ese momento gravísimo, la caída de México-Tenochtitlán el 13 de agosto de 1521, de las pocas fechas en la historia universal que pueden calificarse, sin temor a la exageración, como el día preciso en que se extinguió una civilización. Atando cabos, es curioso que Lizalde mismo sea autor de una novela que no fue muy leída, lo cual tiene su razón de ser en que *Siglo de un día* (1993) es, quizá hasta en contra de la voluntad del autor, una novela en verso.

Muchos párrafos, en *Siglo de un día,* podrían ser escanciados versicularmente, lo cual no sólo resulta aburrido sino inusual para los actuales lectores de novelas. Pero la novela, construida en torno a otro día, el 23 de junio de 1914, cuando las tropas de Francisco Villa toman Zacatecas, tiene su chiste y ratifica la importancia capital que para Lizalde significa la confluencia, ilustrada por Revueltas y por Paz, entre el poeta y la historia. *Siglo de un día* coloca a la Revolución mexicana en el centro y la describe a través del lamentable fracaso del letrado a quien le tocaba narrarla. "No escribo yo estos versos [dice Lizalde al terminar *Tercera Tenochtitlán*], sino me son dictados, hablados al oído, por los dioses abolidos y por los modernos / por nuestros siempre quejumbrosos fantasmas familiares".

Ya muy tardíamente alcancé a compartir las mismas devociones que Lizalde, de modo que su obra no puede, repito, dejarme indiferente. Alguien como yo, que en 1981 dedicaba su primer artículo político a demandar, nada menos, que la rehabilitación de Revueltas en el santoral del PCM, no puede sino sentir una estrecha familiaridad hacia Lizalde. Y ello sin hablar de otras dudosas hazañas en las que involuntariamente lo emulé, como aquella que me coloca, con él, entre los pocos escritores mexicanos que culminaron la ínclita tarea de leer completo *El capital,* tratado al que Lizalde, al menos, supo brindarle un puñado de versos juveniles. Pero pasadas las grescas entre los güelfos y los gibelinos, persistirá la persona poética de Lizalde como la de un improbable héroe byroniano, que se priva de ofrendar su vida por una causa justa y rememora, exhausto y retirado, duelos salvajes con tigres y tigresas. Un Sandokán que ha colgado los hábitos, el veterano pirata de la Malasia resignado a encarnar en uno de aquellos ateos que hasta han perdido la esperanza, según dice en *Caza mayor.*

Bibliografía sugerida
Algaida, Aldus, México, 2004.
Nueva memoria del tigre, FCE, México, 2005.
Almanaque de cuentos y ficciones [1955-2005], Era, México, 2010.
Siglo de un día, Jus, México, 2010.

LÓPEZ MILLS, TEDI
(Ciudad de México, 1959)

La gran mayoría de nuestros poetas, si fuesen inquiridos sobre sus creencias religiosas, se declararían agnósticos. Y, obligados a profundizar, quizá aceptarían ser tomados por gnósticos, en el modo usado por Harold Bloom para retratar a la religiosidad individual contemporánea. Más indiferente que atea, la religión de los poetas suele paliar esa ya vieja ausencia (o disminución de Dios) convocando a los lares y a los penates, "poderes invisibles o meras abstracciones, divinidades protectoras de dispensas, de estancias, de mansiones", tal cual reza la definición escogida por López Mills en *Luz por aire y agua* (2002). No importa si hay "uno o muchos dioses", o si están adentro o afuera, siempre y cuando esas figurillas se manifiesten, *hic et nunc,* aquí y ahora.

Esa vigilancia que los penates ejercen sobre el mundo es palpable (aunque no siempre es visible) en poetas que, como López Mills, aspiran a controlar un mundo de númenes domésticos, habitantes felices de un vecindario al que le bastan unas cuantas calles para contener el universo. Pero López Mills no se distrae más de lo debido de ese arte de vestir pulgas tan característico de cierta poesía mexicana. En *Luz por aire y agua,* por ejemplo, los versos se desplazan con certeza hacia las preguntas filosóficas que le dan su sentido original a la poesía y que van más allá del paganismo académico en el que frecuentemente incurrimos los incrédulos. Cuando no se siente obligada a hacer comparecer personajes palatinos, López Mills logra unir, para usar otra opinión propia de Bloom, a Montaigne y a Freud, como ocurre cuando, escribiendo el epitafio de su madre, la hija se pregunta: "¿Si me conozco te conozco?" En esa línea confluyen, con una calidez infrecuente, la lectura de los clásicos con el autoanálisis de los modernos.

En el primer libro de López Mills (*Cinco estaciones,* 1989), Adolfo Castañón* encontró un "verso limpio y metálico" que ha ido depurándose hasta llegar a formas tan concentradas como las expuestas en *Un jardín, cinco noches (y otros poemas)* (2005). En contraste con la perpleja realidad dramática de otro jardín, donde transcurre *Ese espacio, ese jardín,* de Coral Bracho*, el de López Mills parece estar desierto y ser una tierra sólo habitada por una mente despejada y alerta, la misma que actúa creyendo en "la certeza sin el mérito del presentimiento", tal cual ella lo dice en *Un lugar ajeno* (1993).

López Mills es una descendiente del *modernism* que asume, como dice *Segunda persona* (1994), "el lastre —pecio y rodio— de algunos actos y de algunos hechos / las huellas de un estilo enorme". Pero más allá de la devoción guardada a los maestros antiguos de los siglos XIX y XX, a algunos de los cuales López Mills ha traducido y recreado, su poesía dice otra cosa. Las composiciones de López Mills me recuerdan (y no sé exactamente por qué) las praderas amarillas que en los primeros pintores norteamericanos hacían las veces de solitarios paisajes del alma. Pero quizá sea más exacto decir que su poesía me sabe a aquella frase de Mallarmé que sin duda López Mills tiene presente: "Las palabras, en fin, dijeron lo que querían".

Bibliografía sugerida

Un lugar ajeno, Ediciones del Equilibrista, México, 1993.
Segunda persona, UAM, México, 1994.
Luz por aire y agua, Conaculta, México, 2002.
Un jardín, cinco noches (y otros poemas), Taller Ditoria, México, 2005.
Contracorriente, Era, México, 2006.

La noche en blanco de Mallarmé, FCE, México, 2006.
Muerte en la rua Augusta, Almadía, Oaxaca, 2008.
Parafrasear, Bonobos, México, 2008.
Libro de las explicaciones, Almadía, México, 2012.

LÓPEZ PÁEZ, JORGE
(Huatusco, Veracruz, 1922)

El viaje del yo narrador hacia la infancia, como lo prueba Proust, es una empresa que sólo puede proponerse una narrativa al alcanzar la madurez. Lo hacen Elena Garro* y Rosario Castellanos*, lo hace López Páez con decantada pureza. *El solitario Atlántico* (1958), en su tradicionalismo, es el resultado de una investigación nueva, la del viaje interior desde una suerte de apatía estoica que rechaza las grandes ontologías y se afirma en la trascendente nimiedad del existir. "Mi imaginación [se dice en *El solitario Atlántico*] perfeccionaba las manchas en trazos bien firmes: aquel barco inmenso cuidado de briznas: la canoa azul y el trasatlántico amarillo." El niño de López Páez es un liberador: el padre del hombre. La prosa en esta *nouvelle*, casi silente, es cromática, dueña de una luminosidad que recuerda a Katherine Mansfield, y de una discreta presencia del mal que remite a Henri Bosco (*Antología de la narrativa mexicana del siglo xx*, I, 1989).

Bibliografía sugerida
El solitario Atlántico, FCE, México, 1992.

M

MAGAÑA, SERGIO
(Tecaltepec, Michoacán, 1924-ciudad de México, 1990)

La calle de la Santa Cruz, atrás de la Alameda, era el hogar del dramaturgo Magaña. Allí vivía, entre la humildad y el regocijo, el último custodio de la vieja bohemia. En 1982 asistí, con Julio Ramírez y Jaime Casillas, a una de sus legendarias veladas. Se bebió mucho entre estudiantes de teatro; una guitarra y la música de *Santísima* —una de las últimas obras de Sergio— sonaba desde el tocadiscos. No había ninguna mujer en el elenco. Yo llegué asustado, pues sabía que era una fiesta de homosexuales. A los veinte años, la conciencia de la alteridad erótica lastima. Pero acabé castamente sentado en las piernas del maestro Magaña, que me conocía de niño.

Magaña fue un hombre dulce y bronco. Nació en Michoacán pero fue un veracruzano casi oaxaqueño. De su boca escuché, quizá por primera vez, nombres como O'Neil, Seki Sano, Salvador Novo* o Tennessee Williams. Su descripción de la mayestática fealdad de Tamara Garina nunca se me va a olvidar. Vi a Magaña, por última vez, durante una reposición de *Moctezuma II,* quizá la más memorable de sus obras.

No soy quién para juzgar su teatro. Magaña se dio a conocer en ese medio siglo empeñado en la situación existencial del mexicano. Su búsqueda, como a veces ocurre cuando la ontología y la nacionalidad se topan, se atascó en el costumbrismo. Con motivo de su muerte, quiero hablar de

El molino de aire, novela escrita en 1954 y publicada en 1981. En los años cuarenta publicó una novela primeriza (*Los suplicantes*) y un libro de cuentos, *El ángel roto.* Fue el propio Magaña quien se encargó de que esos intentos no llegaran a la posteridad.

Alabar una obra porque su autor ha muerto es una de las variadas formas de la inmoralidad. Pero quien no haya incurrido en el obituario generoso, que levante la mano. *El molino de aire* no es una novela extraordinaria, pero es una muestra modesta y pura del ciclo narrativo de la disolución de la provincia como memoria. La novela de Magaña es hermana de las creaciones de Sergio Galindo*, Emilio Carballido* y Jorge López Páez*. Novela de formación que escribe el artista adolescente cuando conquista la ciudad y decide ajustar cuentas con la infancia, *El molino de aire* es un testimonio punzante. Es una acuarela dulce sin ser empalagosa. Este libro sobre el nacimiento de los sentidos tiene a la guerra de 1910 y sus secuelas cristeras como telón de fondo inefablemente teatral. Magaña se permite la insinuación mientras el coro de la violencia se apodera de las tablas. *El molino de aire* concluye con una promesa de reintegración que su autor no cumplió. Sergio no volvió a la provincia ni a la novela. Se convirtió en testigo del escándalo de la gran ciudad cuyos dramas escenificó.

Una generación sin abuelos, opinaba Sartre, es más feliz puesto que inventa la tradición a su gusto. ¿Será? Los viejos, como los niños, son materia fácil para la idealización. Y aquella velada del 82 culminó antes del amanecer con la comisión de un acto incalificable en la base del asta bandera del Zócalo. Tras la fechoría, Magaña, el dramaturgo a quien conmovió la desastrada ingenuidad de Moctezuma II, desapareció sin despedirse, caminando alegremente entre los tiraderos de fruta podrida, saltando sobre los teporochos dormidos como quien juega rayuela, apenas alumbrado por las primeras luces de las vecindades (*Servidumbre y grandeza de la vida literaria,* 1998).

Bibliografía sugerida

El molino de aire, Universidad Veracruzana, Xalapa, 1981.
Los signos del zodiaco, FCE/SEP, México, 1984.
Moctezuma II/Cortés y la Malinche (Los Argonautas), Edimusa, México, 1985.

MANJARREZ, HÉCTOR
(Ciudad de México, 1945)

Panorama de una obra. El hombre no es la negación de los mitos, sino la proyección que secreta una máquina cuya combustión manifiesta los humores que, infinitos, caben en los trabajos y en los días de todos los mortales. A estos últimos consagra su obra Manjarrez. Lejos estamos hoy día de aquel narrador que, para José Joaquín Blanco* acababa de regresar —con Jorge Aguilar Mora*— "de sus estancias rock-barthesianas europeas, y sus libros eran en gran medida el producto de ellas; la provinciana onda mexicana se ve pequeñísima y anticuada frente a la onda inglesa y el estructuralismo francés, y los leyó en cierto sentido como manuales de modernización —e intelectualización— en la onda: refinamientos de capacidad satírica, situaciones epatantes, ultrabarroquismo verbal, extremada politización, referencias archiliterarias, sabiduría psicoanalítica" (Blanco, *Crónica literaria,* 1996).

Acto propiciatorio (1970) es el primer libro de cuentos de Manjarrez, que para José María Espinasa* tiene la virtud de ser consciente de la imposibilidad de contar. Manjarrez asume, en su prehistoria como escritor, la desfachatez de liberar la imaginación de la pubertad: el *cowboy* que sale de la televisión para convivir con una familia de clase media, la seducción imposible de la estrella cinematográfica y otros tópicos que culminarán en la novela emblemática de la vanguardia que venía de los setenta: *Lapsus* (1971).

Opina Espinasa: "La narratividad en la que se basa el libro es vista ahora como una pura suma de síntomas. Este tipo de libros diez minutos después de haber sido escritos han envejecido cien años. Hay que decir que este libro es donde el escritor se ha mostrado más desnudo ante sus lectores, donde más riesgos ha corrido y el que se ve como más importante en su carrera de escritor. Y a pesar de su voluntad de riesgo ha multiplicado sus máscaras. Se está ya ante el hecho evidente de que no hay novela que narrar. La autointrospección y el humor textual van ganando terreno y todos los artificios no impiden que estemos ante un monólogo (que no osa decir su nombre) del escritor ante la página en blanco (que para eso es escritor) y nuevamente como una mala conciencia ante el gesto mismo, preocupado más por la apariencia que por el dolor de esa escritura. Ésta es la tensión que aún hoy permanece en *Lapsus,* a cada página crece la angustia, una angustia un tanto sórdida, porque el texto ya no da para más [...] Sólo las mujeres se escapan a esa ausencia de personajes que hay en el texto y justamente porque no buscan ser personajes, sino idealizaciones, símbolos, objetos, carnalizaciones sin otra función que ésa. La sintomatología propuesta encuentra tierra abonada: todos, pero todos, los lugares comunes de la metanovela están allí. Citas a pasto, desdoblamientos del narrador, referencias a Vietnam y al 68, liberación sexual, drogas y sexo, rock, cosmopolitismo y cierto esperanto multilingüe, humor y —aparente— iconoclastia [...] Libro bomba, se nos revela al cabo de los años como una paloma a la que se le cebó la mecha, y que sin embargo no dejamos de mirar inquietos, con cierta desconfianza, temerosos de que en algún momento estalle" (Espinasa, *Hacia el otro,* 1990).

Lapsus es el momento donde comienza ese "modernismo" que tendrá su explosión en *Palinuro de México.* La compleja elaboración formal de Manjarrez era una prueba de fuerza frente a la década que concluía. Pero su formalismo, demasiado envanecido de sus conquistas, impidió que la profunda naturaleza emocional que cubría superara el clamor de la vanguardia. Y después el silencio. Callar en el centro de una vanguardia, si hay tal lugar, es decir mucho sobre su naturaleza. Apenas en 1978 apareció un libro de poemas (*El golpe avisa*) y años después otro (*Canciones para los que se han separado,* 1985). Pero Manjarrez no es un poeta. Los suyos son aforismos que glosan las excreciones más sensibles de sus cuentos y novelas.

La reaparición de Manjarrez como narrador fue deslumbrante. Con *No todos los hombres son románticos* (1983) leemos a un cuentista de oficio acendrado y justo. Muertos los actos propiciatorios y los conceptos cerebrales, nacía el agonista de los largos títulos. Mientras Fernando del Paso* absorbe el mundo, Manjarrez dibuja la pasión de sus tristes y estrictos semejantes. Manjarrez es capaz de escribir lo mismo visiones fragmentarias de la realidad tan antológicas como los cuentos "Historia", "Luna" o "Noche", que lamentables estampas de sensiblería política, como "Nicaragua" o algunos de sus poemas. Pero es el escritor sentimental quien brilla a través de *No todos los hombres son románticos*. A Manjarrez no le interesa la nación, ni la obra maestra, ni ese mercado juvenil que lo acoge equívocamente como el cronista de "ésos eran los días". Lo suyo es la indagación racional de ese destino que muchos cuerpos vivieron. De la magra aceituna del deseo a la dura semilla de la razón, de la fantasía verbal al realismo metafórico, Manjarrez cosecha lo que para Alfonso Reyes* es el más ingrato de los tiempos en literatura: el pasado inmediato. Los cuerpos obsesionan a Manjarrez. Son muy distintos a los de Del Paso, fluviales y heracliteanos. Sus personajes se bañan siempre en las mismas aguas del deseo y allí consumen y deyectan todo cuanto el cuerpo recibe: "El hombre [nos dice] es un gran sentimental que traduce las emociones en ideas y los hechos en normas".

Este prosista de encuentros eróticos, comunidades marginales y fracasos macromilenarios no es el espíritu festivo que la apariencia suele fijar. El mal está ausente en sus libros y Manjarrez busca reiteradamente la templanza estoica. *No todos los hombres son románticos* es un libro que se subraya. Aquí y allá abundan las máximas de un moralista para quien la carne tampoco es triste, pero sabe testificar el dolor: "No se puede ir al festín de los cuerpos sin el cuerpo desnudo".

Con su segunda novela, *Pasaban en silencio nuestros dioses* (1987), Manjarrez trasunta la educación sentimental de su generación en distancia crítica: "Lo que sí me puedo atrever a decir es que en el momento en que escribí *Lapsus,* lo escribí estrictamente sobre la cresta de una ola histórica y de una ola espiritual. Y después, como todos sabemos, esa cresta se acabó: se estrelló en una playa no sé si de Acapulco o de Malibú. Y después los que quedaron fueron como emisarios del pasado, como vestigios de aquel sentimentalismo militante, y de aquella emoción de que éramos jóvenes; como teníamos el pelo largo íbamos a cambiar el mundo al revés" (Teichmann, *De la Onda en adelante. Conversaciones con 21 novelistas mexicanos,* 1987).

En *Pasaban en silencio nuestros dioses,* el pintor Lucas abandona los setenta, transforma cuerpo y rostro, deja las comunas abortadas que se quisieron lo mismo falansterios que puentes organizados hacia la realidad, atrapa la educación de los hijos —ese amor radical tan poco tratado en nuestras letras— y reconoce su masculinidad entre la euforia feminista. No es gratuito que Manjarrez escoja a un pintor como héroe. Cada capítulo, tanto como varía la persona del verbo, es una variación en la perspectiva: yo, tú, él, se van moviendo para ofrecer diversos tonos cromáticos.

Novela de exacta brevedad, *Pasaban en silencio nuestros dioses* concluye con la muerte de José Revueltas* en 1976. Al fechar su conclusión, Manjarrez hace cesar el ciclo del poder y los cuerpos tal como Revueltas lo dibujó, pues los dioses, aquellos dioses, se fueron en silencio: "[...] A Revueltas todavía le toca ser de los muertos que se entierran dentro de la ciudad". Este réquiem, que al no quererse solemne lo es y, en el mejor de los sentidos, es un momento clave de nuestras pasiones. Enterrar a Revueltas. Es una ventura que lo haga un autor que expresa deliberadamente la fusión entre la pasión política y el humor amoroso que obsesionó a su generación. Sin dioses, Manjarrez vota por los mortales. El amor por las mujeres y la reivindicación masculina de un cuerpo sensible son el aura de su prosa. Esos días radicales bien pueden fijarse, intemporalmente, entre *Se está haciendo tarde (final en laguna),* de José Agustín* y *Pasaban en silencio nuestros dioses,* de Manjarrez. Del banquete eleusino a la exhumación del gran monigote trágico.

La trilogía informal que Manjarrez escribe entre 1983 y 1987 es una ofrenda al corrosivo sentimiento del tiempo, libros que ponen en el centro una ilustración sentimental cuyo universo es la memoria unida de mente y cuerpo. Entrevistado por Reinhard Teichmann, Manjarrez dice en 1987: "Salman Rushdie tiene una frase impresionante en su novela *Shame:* 'El realismo puede romper el corazón de un escritor'. No pienso escribir una novela más en vena realista: Rushdie es muy sabio" (*Antología de la narrativa mexicana del siglo XX,* II, 1991).

Revolución y literatura en un ensayista. La rebelión, la gracia y la revolución son los tres grandes puertos en los que desembarca Manjarrez en la primera colección de sus ensayos. *El camino de los sentimientos* (1990) reúne dieciséis textos escritos entre 1971 y 1989, aunque sabemos que durante esos dieciocho años Manjarrez escribió mucho más pero eludió la tentación de una prosa crítica que le hubiera brindado una consagración hechiza que no desea, misma que ya es un hito entre los ensayistas más jóvenes. Manjarrez es autor de una obra unitaria y este libro lo confirma. Estamos ante uno de los autorretratos intelectuales más brillantes de la década de los ochenta.

Las dos décadas de Manjarrez como escritor significan una sola obra que culmina, por ahora, en *El camino de los sentimientos*. Es cierto que hay una distancia entre el cuentista precoz y procaz de *Acto propiciatorio* (1970) y el vanguardista insolente de *Lapsus* (1971), entre el poeta aforístico de *El golpe avisa* (1978) y las *Canciones para los que se han separado* (1985), y, finalmente, del prosista asumidamente sentimental de *No todos los hombres son románticos* (1983) a *Pasaban en silencio nuestros dioses* (1987). Pero ésta es justamente la distancia que les invito a recorrer. ¿Cómo seguirlo en ese viaje sentimental? Manjarrez escogió el pasado inmediato para desplazarse en la escritura. *Acto propiciatorio* abunda en reminiscencias infantiles y adolescentes; *Lapsus* es una novela cuya ambición la condenó a una vejez prematura, por no decir instantánea. Allí se quiso resumir la cultura radical de los años setenta justamente cuando morían. Como poeta, Manjarrez glosa la experiencia emocional de su generación. Y como tal ha sido excluido de esa república y de sus antologías, destierro que él acepta, ignoro si con sinceridad. En *No todos los hombres son románticos* están varios de los mejores cuentos de la década, donde se ilustra descarnadamente la batalla que por el cuerpo dio una época al parecer ya ida. La más reciente de sus novelas (*Pasaban en silencio nuestros dioses)* es la conclusión de un ciclo: apreciándola, no me atrevo a vaticinar sobre su destino en nuestra memoria.

Alfonso Reyes dijo que el pasado inmediato es el más ingrato de los ayeres. Citar a Reyes en un texto sobre Manjarrez podrá parecer desconcertante o sencillamente descabellado. Las diferencias, de tan obvias, no vale la pena ni mencionarlas. Hay, empero, afinidades seductoras. Ambos son cosmopolitas refinados para quienes, ya sea Virgilio, ya sea la insólita perseverancia de los Rolling Stones, son temas dignos de una vasta conversación literaria. Uno y otro están entre los más finos y alegres retratistas de nuestras letras. Reyes no conoció a Isócrates; Manjarrez, según entiendo, nunca habló con Jack Kerouac. Pero cuando estos escritores los retratan, sentimos que hablan como contertulios y testigos oculares. Y sobre todo, tanto el sábio helenista como el joven escritor que vivió las vanguardias sabiendo que las perdería, forman parte de la tribu de nuestros autores paganos. Para ellos el mal produce dolores inmensos, pero su literatura es ajena a las religiones del crimen y del castigo. Manjarrez lo dice en *El camino de los sentimientos,* cuando busca en su biblioteca algún autor que lo aleje de la única redención que considera verdadera, la de la risa. Como a todos los modernos, a Manjarrez lo seducen los espíritus religiosos, pero como no todos los hombres son románticos, sabemos que la seducción duele, pero no mata.

Manjarrez es, por elección propia, un escritor sentimental. Pienso en Laurence Sterne, en Italo Svevo, en Ford Maddox Ford, en aquellos que no temen viajar para conmoverse ni en desnudarse para convencer. Su alegría puede ser tan profunda como la melancolía. Por ello Manjarrez se entromete (ésa es la palabra) con sus autores predilectos. Ama a los rebeldes (sobre todo si no tienen causa o si la pierden), lo conmueve la gracia y respeta a los revolucionarios.

Los ensayos de *El camino de los sentimientos* consagrados a Cleaver, Keroauc, Gombrowicz y Lowry se cuentan entre los retratos más lúcidos que la lectura ha proporcionado a un escritor mexicano. Reyes se identifica con Goethe: Octavio Paz* dibuja el rostro de sor Juana; Juan García Ponce* santifica a Klossowski; Federico Campbell investiga a Sciascia; Sergio Pitol* busca entre los eslavos sus afinidades electivas. La lista no es muy larga. Manjarrez trata de entender a los suyos. Abundan toda clase de recursos en sus ensayos: la primera persona, la conversación dialógica, la divagación novelesca, la investigación tan libre como erudita. Su cultura es cosmopolita, vanguardista, mexicana. En cada texto menudean, siempre exactas, las expresiones francesas e inglesas y chilangas, no pocas alemanas e italianas. Es un lector que dialoga con sus muertos. Lo hace con un espíritu de justicia extraño entre nosotros, aun cuando alguien como Albert Camus se lleve injustas reprimendas.

"Su breve e intenso tiempo", dice Manjarrez de Eldrige Cleaver, el escritor y militante negro. Ese breve e intenso tiempo es el que fecha al propio Manjarrez y no es casual que *El camino de los sentimientos* culmine con una reflexión sobre 1968. Manjarrez no se avergüenza de vivir y revivir lo que él mismo llama "la película radical de los sesenta", pues la considera una experiencia, yo no diría de formación, sino de nacimiento.

Manjarrez ama la locura de los rebeldes. Aunque considere a Camus un *prof de philo*, acata, como veremos, la distinción de éste entre rebelión y revolución. Paradójicamente, esa diferencia la popularizó el agraviado Camus durante el medio siglo, habiendo sido desarrollada previamente por Ortega y Gasset en *La rebelión de las masas* y, más tarde, por Paz en *Corriente alterna*. Pero Manjarrez se emociona con la caída de Cleaver, desde las Panteras Negras hasta la reelección de Ronald Reagan; explica sin complacencias pero con cariño la trayectoria de Kerouac, liberándolo de la santurronería con la que suelen rodearlo nuestros californianos de importación; se indigna con su maestro Gombrowicz cuando lo descubre admirando a Thomas Mann y al final revela sagazmente el mecanismo. Manjarrez escribe piezas ensayísticas a cielo abierto e invita a la lectura en la mejor tradición del ensayo; sus elecciones, más que originales, son íntimas, a veces secretas, y son las del hombre de letras que conoce sus libreros con la precisión del navegante y la manía de un coleccionista de sellos postales.

Por ello se desplaza a placer ante su autora secreta, con el gimnopédico Satie o con esa *madame* Teste tan extraña que Manjarrez invoca para encelar y contrariar a Paul Valéry, espíritu que para mi sorpresa no le es antipático. Pero el problema empieza con Antonin Artaud. El asunto es viejo si recordamos que ese texto es el más antiguo del libro. Artaud, más acá de la literatura pero necesitado de revolución. Las palabras de Manjarrez sobre Artaud son la señal que divide *El camino de los sentimientos*. ¿A quién seguir?, ¿a los locos o a los revolucionarios? ¿Cómo conciliarlos? Esa pregunta de Manjarrez es la de todos los que en el siglo xx creyeron que Marx y Rimbaud podían darse la mano alegremente. Para Manjarrez la respuesta comienza con Cortázar.

"La revolución y el escritor según Cortázar" (1984) es el ensayo más largo del libro y el más serio. Quiero decir con esto que el ensayista no bromea, no ironiza, critica, trata de comprender, de ir a la raíz, de explicarnos una conversión un tanto insólita. Manjarrez compara hábil y didácticamente a José Bianco (*La pérdida del reino*) y a Cortázar hasta la secesión del autor de *Rayuela* de la órbita de *Sur,* y su ulterior y festivo compromiso con las revoluciones cubana y nicaragüense. Es un texto honrado y honorable pues rehúye todo extremismo y ofrece al lector datos y signos que esclarecen el panorama. Pero explicación no pedida, al fin, el ensayo acaba por ser, pese a sus aciertos, un inconcluso examen de conciencia del propio Manjarrez, que acaba por ser timorato por cauteloso. El ensayista termina siendo complaciente con Cortázar y la Revolución cubana. En relación con el primero, Manjarrez acaba por atribuir sus errores políticos, como lo hizo Paz al morir Cortázar, a la inocencia tardía de su vocación política. En cuanto al régimen cubano, aun en 1984, Manjarrez no se atreve a llamarla por su nombre y apellido: una dictadura totalitaria.

Esa clase de inhibiciones chocan con la alegría crítica de Manjarrez y peor aún porque creo que el ensayista se miente a sí mismo. Como veremos más adelante, Manjarrez comparte tímidamente las debilidades de Cortázar, las de un candor ingenuo y miope ante los festivales revolucionarios. No deja de ser interesante la comparación entre Manjarrez y Cortázar. El primero advierte —con razón— sobre la ausencia del mal en la obra del argentino. Pero cuando apareció *Pasaban en silencio nuestros dioses,* Fernando Solana —también con razón— se quejó de lo mismo en Manjarrez: un autor obsesionado por la factibilidad del bien. Su obra es la de un cronopio sentimental enamoriscado de los locos y muy pendiente de los rebeldes, aunque poco exigente con los revolucionarios, que para Kundera, otro de los personajes de Manjarrez, son una combinación geométrica de ambos.

José María Espinasa —uno de los pocos críticos que se ha ocupado de Manjarrez con pasión y extensión— se equivocó al decir que éste vivía de la "fijeza demente de la esperanza". Si Manjarrez tiene esperanza, ésta es cauta, deliberativa, racionalista, acaso ingenua pero jamás demente ni mucho menos fija. Por ello, su ensayo sobre Cortázar, tan instructivo, carece de la pasión que tiene el consagrado a la muerte de José Revueltas. Cortázar no era un loco. Revueltas, para el ensayista, "era un monje loco de la época más trapense de la militancia comunista". Ese texto es impecable, pues además de ser una severa consideración de la situación moral del escritor en aquel año de 1976, que hasta yo recuerdo sordo y amenazante, es una magnífica descripción del devenir de Revueltas entre nosotros. Tras exhumar sus relaciones con Dostoievski y Sartre, Manjarrez recuerda a José Vasconcelos*, Martín Luis Guzmán*, Jaime Torres Bodet*, Salvador Novo* y coloca a Paz como el único escritor mexicano —junto a Revueltas— capaz de haber encarnado un deseo libre de polvo en la cultura mexicana del siglo xx. Aunque no hay un ensayo en *El camino de los sentimientos* dedicado a Paz, su presencia es para Manjarrez un referente permanente, incómodo, lúcido.

Manjarrez vivió varios años en Europa y en 1971 tenía pánico de volver a su país. Pero lo hizo y continuó aquí su camino de los sentimientos. Esa distancia le brinda una metódica distinción para entender la mexicanofobia de Graham Greene lo mismo que la euforia con la que aceptamos la presencia de Malcolm Lowry.

Sutil espectógrafo de las contradicciones que unen y separan a la literatura de la política, Manjarrez cede ante algunas obligaciones. Es el caso de la larga y tediosa reseña sobre los libros de Elena Poniatowska*. No está de más seguir insistiendo en la oportunidad y el valor civil de la escritora, ni en la promoción que ha hecho de figuras fatalmente necesarias como Rosario Ibarra de Piedra. Pero entre 1981 y 1990 la "frase feliz" (cito a Manjarrez) de Poniatowska se ha desgastado hasta convertirse en una comercialización de las culpas de la izquierda entre la clase media. Lamento que Manjarrez haya sido tan cortés como para no mencionar la responsabilidad literaria de ella en ese fenómeno. Manjarrez dice, con mucha seguridad, que ni Cortázar ni Poniatowska pertenecen a esa sustancia infusa que él llama la cultura de la izquierda. ¿Manjarrez pertenece a ella? No, en el viejo sentido de la izquierda partidaria. Sí, si recurrimos a una actitud moral e intelectual que repudia la injusticia y tolera críticamente los errores, inclusive los trágicos, de la izquierda, esa izquierda de la que Manjarrez ha sido algunas veces desafortunado compañero de viaje.

El camino de los sentimientos concluye con una ponencia de 1989, presentada en Alemania Federal apenas unos días antes de la caída del muro de Berlín. Manjarrez, sedentario que tiene un olfato temerario para el viaje sentimental, escribe uno de sus textos más deshilvanados y confusos. El discípulo irritado de Gombrowicz, formalista tan discreto que se cuida de publicar las cientos de cuartillas que escribe porque no le satisfacen, trata de explicarse el 68 en los albores de su desenlace histórico en 1989. Pero la Forma aún no se aviene a la Historia.

Sin embargo, hay en ese ensayo fallido una intuición que pocos días después corroborarán los checos, los húngaros, los alemanes y hasta los victimarios de Ceaucescu. Manjarrez considera que la Revolución no ha perdido vigencia y es más actual que nunca en la medida en que se ha despojado de sus utopías sangrientas. Manjarrez estaría de acuerdo con Edgar Morin cuando dijo hace años que el horizonte revolucionario no podrá desaparecer drásticamente de la tradición occidental pero que tarde o temprano mudaría radicalmente de naturaleza. Tal parece que ello ha ocurrido, pues varias de las metas que dieron origen a la idea moderna de revolución no se han cumplido. Ésa es la crisis de la izquierda en la que vive Manjarrez.

El camino de los sentimientos confirma algo que sospechábamos viejos y nuevos lectores de Manjarrez. Novelista, cuentista y poeta, era también, muy a su gusto, un ensayista secreto, dueño de una de las inteligencias más agudas, ocurrentes y libres de nuestras letras. Su viaje sentimental no ha sido corto ni ésta es en modo alguno su conclusión. Seguirá olfateando sus libreros en busca de esa conversación sobre la rebelión, la gracia y la revolución que es personalísima y a la vez universal (1990; *Servidumbre y grandeza de la vida literaria,* 1998).

Mediodía de un pagano. El joven Manjarrez fue un escritor pagano enamorado de las lenguas bárbaras, de la revolución como culto dionisiaco, de la contracultura como nueva escuela de las mujeres (y de los hombres), un moderno ávido de la incesante y lucreciana metamorfosis de todas las cosas, las constelaciones y los cuerpos. El desgarbado novelista de vanguardia que apareció en *Lapsus* se convirtió en el alegre nostálgico de *No todos los hombres son románticos* y en el sereno bardo de las *Canciones para los que se han separado* para cerrar, al fin, su propio jardín de Epicuro con una novela titulada *Pasaban en silencio nuestros dioses.*

En contraste con otros narradores de su generación, Manjarrez no ha dilapidado su talento con libros vanos o circunstanciales. Escribe mucho pero publica poco, aunque ocho libros en veintiséis años son una obra que ocupa un sitio extraño en las bibliotecas mexicanas. Está y no está. Sus libros, como los de García Ponce, exigen del lector una devoción previa e intensa. Son de la clase de autores que pactan de por vida con sus demonios.

Quizá Manjarrez, que acaba de cumplir los sesenta y seis años, vivió una juventud más larga que la mayoría de sus contemporáneos, salud que le vedó ciertas zonas de la experiencia literaria. Su obra, desde el bullicioso experimentalismo de *Lapsus* hasta la concisión sedante de sus últimos poemas, sufría de un ludismo ejemplar pero a ratos frívolo. Advirtió Manjarrez que sus personajes, como los cronopios cortazarianos, eran felices o inmaduros, pero siempre feéricos. Esa naturaleza los salvaba, con gracia, del paraíso infernal que Revueltas y Rulfo* dictaron como canon de la literatura mexicana. Y ni siquiera sus entusiasmos revolucionarios, por fortuna inconsistentes, lograron imbuir a Manjarrez de nociones fiables de trascendencia.

Ya casi no tengo rostro (1996) revela desde el título la zozobra (y el indiscreto regocijo) de quien descubre las sombras largas de la disolución ontológica. No creo que Manjarrez haya abandonado la familia de los paganos (donde yo incluiría entre otros a Fernando del Paso, Leonardo Da Jandra* o Julián Meza). Ocurre que es un incrédulo sombrío ante el triunfo de la barbarie y de la religión. Hombre sin ansiedad religiosa, materialista convicto y confeso, Manjarrez relata su miedo a la muerte, sus dudas frente al más allá y su incertidumbre ante la trascendencia en estos ocho magníficos cuentos.

"Dos mujeres", relato inicial de la colección, desacraliza la iniciación sexual a través de la interferencia maligna de una cocinera serbia, mientras que en "La ouija" aparecen los revolucionarios latinoamericanos colocados ante un brete causado no por la historia, sino por el más allá. "Bolero", acaso el mejor cuento del libro, es un homenaje a la mujer fatal, en este caso la guerrillera que une la clandestinidad de sus amores con las leyes de la conspiración y, al fin, se esfuma como otra diosa sin segunda oportunidad sobre la tierra. "El lago y el mecate" es una estampa de locura que me recuerda a Thomas Bernhard, delatando un odio contra el próximo semejante que se repetirá en "Fin de mundo", el cuento que cierra *Ya casi no tengo rostro*. Es aquí donde el erotismo acaba por convertirse en una vivencia tanática sobre la desesperanza sexual, camino empedrado por tarántulas que parecen cerrar todo retorno al reino de Eros.

Utilizando el viejo tópico, digamos que si los temas de *Ya casi no tengo rostro* son románticos, el tratamiento es clásico. Y es que el verdadero dominio de la forma del cuento es raro en la lengua actual. Un anglófilo como Javier Marías se burlaba, prologando a Isaak Dinesen, de la facilidad con que, entre nosotros, pasa por cuento cualquier prosa de ficción. Quizá fue Borges el involuntario (y trágico) responsable de esta confusión, pues una cosa es ser (como él) un irrepetible comentarista del género y otra, imitarlo. Un tercer anglófilo (Manjarrez) escribe sus cuentos con una fidelidad retórica al género que le permite el manejo de registros variados que van desde el realismo estricto al cuento magistral de terror, como lo es "Misa de difuntos".

La prosa de Manjarrez ha perdido gracejo retórico a favor de una escritura escueta, ágil, a ratos ríspida, pero planeada con delectación para desechar toda exuberancia. Quizá esta elección retórica sea la justa para hablar de un universo que dejó de ser, para el autor, el mejor de los mundos posibles, volviéndose una realidad degradada por el mal, casi fantasmagórica, donde los locos y los insectos, los hombres hueros, las mujeres imposibles y los revolucionarios quebrados juegan a la ouija, indecisos entre la trascendencia y la superstición.

"Música", segundo cuento del libro, es acaso la estampa que dibuja al autor despidiéndose del jardín de sus delicias, aquella tierra donde hombres y dioses deshacían el mundo y atravesaban el tiempo, irresponsables ante el mal. Pero queda la música. De pocos narradores mexicanos se puede decir lo que de Manjarrez: ha crecido, siendo el inmaduro o el porfiado, el sensato o el insolente, junto con sus lectores. Por ello, gracias al poder de identificación que su obra provoca, confío en sus virtudes sapienciales. Manjarrez se interna, con *Ya casi no tengo rostro,* en esa zona "donde la muerte, según Lucrecio (*De rerum natura*, II), no destruye las cosas anulando la materia: sólo disgrega sus elementos para darles otra

vida en un mundo nuevo; las hace cambiar de forma, de color y de significado para darles una·segunda vida en otro tiempo" (1996; *Servidumbre y
grandeza de la vida literaria,* 1998).

Museo de una época. La experiencia sexual (con lo mucho o lo poco que
tenga de amor) es, en Manjarrez, la situación en la que un ser se convierte
en prisionero de otro: de su belleza, de sus atributos, de su miseria, de su
brutalidad, de su talento. Por ello y por otras razones, *La maldita pintura*
(2004), y sobre todo sus últimas veinte páginas, se cuenta entre lo más
fuerte e impresionante de la narrativa mexicana de los últimos años: un pintor enjaula, en la habitación superior de su casa en Primrose Hill, a dos de
sus mujeres, condenadas a posar eternamente, al natural, o reducidas a ser
una instalación viva.

Ninguno de entre los narradores que le son estrictamente contemporáneos ha ido progresando, como Manjarrez, con tanta enjundia, inquieto
por desafiar, de libro en libro, a la Forma: no podría ser de otra manera en
un escritor educado en la lectura de caracteres tan distintos como los de
Witold Gombrowicz y Antonin Artaud, el joven y el cruel. Y más allá de la
literatura, extensión que en Manjarrez importa mucho, está la pintura junto con la música: Lucien Freud y Francis Bacon, Mick Jaegger y Keith
Richards.

Leyendo en retrospectiva la obra de Manjarrez encuentro alguna identidad, pese a la lejanía, entre los tres relatos que componen *Acto propiciatorio* (1970), obra de un joven de veintitrés años que llevaba casi diez viviendo en París y en Londres, y *La maldita pintura,* la síntesis que de su propio
arte logra un maestro. Manjarrez es un escritor muy pintor, extremada-
mente visual, y en "Johnny", primer cuento de *Acto propiciatorio,* lo que
leemos es el destino ingenuo de una imagen, la del *cowboy* que, a través de
la pantalla de televisión, escapa de su mundo y se instala, como huésped,
entre una familia de la clase media mexicana. *La maldita pintura* es, también, la historia de una imagen, la que Dos —los personajes sólo llevan
números como nombres— logra componer al encerrar a las mujeres. En
ambos casos es notoria la facilidad con la que Manjarrez, ayer y hoy, cruza
el espejo, se atreve a lo que parece inverosímil, se arriesga.

Los primeros cuentos de Manjarrez son la obra de un primitivo (tal cual lo describió Espinasa hace años) y en ellos destaca la buena y la mala influencia de Carlos Fuentes* y de su visión (que no era difícil compartir) de la nueva clase media mexicana que, lo mismo en *La región más transparente* (1958) que en *Acto propiciatorio,* es un sujeto digno de befa y escarnio y, a veces, de ternura. El resultado de esa caricatura y de sus modestos mitos, más que de sus "mitologías", es un tanto burdo y, puesto que la técnica es rudimentaria, el caricaturista sale caricaturizado.

En *Lapsus* (1971), su primera novela, ya nos encontramos a un escritor dueño de su época, justo en el sentido en que André Gide lo desaconsejaba, es decir, sin adelantarse a su tiempo, felizmente atado a sus convenciones. Manjarrez comprobó esa limitación al declararse, sin atisbo de duda, como parte de la ola de los años sesenta. El retroceso de la marea dejó encallada, además, a *Lapsus* en calidad de novela caduca casi por definición. Pero, al releerla, la encuentro menos aburrida y más comprensible que cuando la leí por vez primera, hace un cuarto de siglo.

El libro, pese a su probable caducidad, es un viaje exótico por los sesenta tardíos, a través de Haltter y Heggo, las mutaciones mediante las cuales un escritor se autoparodia con desenfado, en libertad. Buscando en el imperio de los fragmentos que, a la joyceana, aparecen y desaparecen, en *Lapsus* hay capítulos de buena prosa, notablemente el que lleva por título, de forma ejemplar, "Lucy in the Sky with Diamonds". Manjarrez no confundía la escritura experimental con el desaliño y, paradójicamente, *Lapsus,* la novela contracultural por excelencia, no sólo está en inglés y en francés, sino en un castellano estupendo, a través del cual el oído de Manjarrez se educa y se aguza y se adueña de virtudes que ya no lo abandonarán y que acuden a rescatarlo aun en sus momentos menos felices: la adaptación bilingüe o trilingüe del habla popular, los modismos políticos, las peculiaridades dialectales, los sobreentendidos intelectuales, la pasión por la juvenilia. Es notable la sensibilidad y la eficacia con la que Manjarrez inventa y preserva ese acervo, casi siempre consciente de la frontera entre lo culto y lo vernáculo, entre lo perecedero y lo imperecedero.

Lapsus es un pequeño museo como los hay en Londres o en París, un memorial dedicado a los años sesenta del siglo xx en aquellas ciudades, y de *Lapsus* no se sale, como no se sale de ningún museo, pensando que lo que allí se muestra es anticuado. Manjarrez le puso pátina a su tiempo y sabía que así ocurriría si leemos el tono celebratorio de los apéndices y de las anotaciones políticas, literarias o discográficas que acompañan el texto de *Lapsus*: Lenin y John Lennon, Jacques Brel y Leo Ferré, Fuentes y Frantz Fanon, Mao Tse-tung y el LSD, la guerra de Vietnam y Allen Ginsberg, su antiprofeta, The Doors y Octavio Paz.

"Allí estaban [escribirá Manjarrez tiempo después] los sesenta, en su impotencia y su delicia, en su babosería y sinceridad, tal como habían sido." De la República de Weimar al festival de Woodstock: Raymond Aron, a quien no se le puede acusar de grandes simpatías por el *Zeigeist* del 68, dijo que los años sesenta sólo competían con los años veinte en ser, para el siglo XX, ese Antiguo Régimen cuya vivencia era equivalente a la felicidad, tal cual lo dijo famosamente Talleyrand.

Después de *Acto propiciatorio* y *Lapsus,* un primer díptico en su obra, Manjarrez dejó de publicar narrativa y apenas dio a las prensas *El golpe avisa* (1978), libro de poemas que, accidente o excepción, destaca, en una década poética innovadora, por su llaneza meditabunda, la queja del intelecto ante las sevicias del corazón y una flema (proverbialmente) inglesa que recuerda a Rodolfo Usigli*, corresponsal y consejero de Manjarrez y otro poeta extracanónico.

Se ha hablado mucho (y bien) de *No todos los hombres son románticos* (1983), la colección de relatos que acabó por hacer de Manjarrez el gran nostálgico y el artista sentimental, el fotógrafo de esa época muerta. Algunos de los cuentos, no en balde los más políticos, son algo menos que cuentos: son los testimonios líricos de alguien que creyó durante demasiado tiempo en la alianza entre la revolución erótica y la revolución política. Pese a la información contestataria, radical y muy "nueva izquierda" prodigada en *Lapsus,* no fue sino hasta la caída del muro de Berlín cuando Manjarrez hizo sus cuentas, como se lee en *El camino de los sentimientos* (1990), la única reunión de sus ensayos, entre los que destaca ese esbozo de autorretrato que es el texto dedicado a Julio Cortázar.

"Yo tenía veinte años. No permitiré que se diga que es la edad más hermosa de la vida", dice la celebrada primera frase de *Adén Arabia* (1931), de Paul Nizan, de la cual Manjarrez se sirve, junto con una referencia a Los Beatles, para iniciar *No todos los hombres son románticos.* Creador de un personaje que es una versión comunista y ex comunista de Rimbaud y autor favorito de la generación del 68, con 24 000 ejemplares vendidos en Francia ese año de *Adén Arabia,* Nizan sólo le da color de época a un libro que tiene por héroe habitual a un joven que suele tener veinte años (o algunos menos) y vive su novela de formación en Londres o en Belgrado. Lo que importa es la fijación, ya definitiva e impresionante, del motivo central en Manjarrez, algo que podría titularse, parafraseando alguna obra de Lope de Vega, "El amoroso secuestrado". Tanto en "The Queen" (de *Acto propiciatorio*) como en "Historia" y "Cuerpos", de *No todos los hombres son románticos,* estamos ante hombres y mujeres raptados por el sexo. En "The Queen" tenemos a un mozo de hotel, mexicano, que tras intentar robar a una estrella inglesa de cine, se convierte, al estilo de las estilizadas fantasías masoquistas de Rachilde, en su esclavo. En "Cuerpos" será otra amante inglesa la que aísle y extermine a su desvalido y joven amante, iniciado que reaparece en "Pudor", esta vez como víctima de una putita eslovena en Belgrado. El tema, más sadeano que propiamente romántico, reaparece en "Fin de mundo", el cuento que cierra *Ya casi no tengo rostro* (1996), donde una pareja en crisis se ve rodeada de tarántulas en una playa de Nayarit. Es la última de las plagas bíblicas que la había devastado desde el principio de la narración.

Pasaban en silencio nuestros dioses (1987) es una novela escrita en la frecuencia de esa ligereza que, en Manjarrez, es evidencia de dominio de la escena. La trama se desenvuelve a través de los accidentes prácticos y las acrobacias ideológicas de una consigna: "Lo personal es político". La llegada de la imaginación al poder en las comunas no puede ser sino cómica y así lo entiende Manjarrez, en esta "radikalski fotonoveliski" que medita, esencialmente, sobre la masculinidad. En la manera en que D. H. Lawrence lo es en *Mujeres enamoradas,* Manjarrez supo ser un escritor discursivo que se sentía obligado a elaborar los presupuestos de una nueva moral. Es probable que nunca antes se haya escrito, entre nosotros, una página como aquella que, en *Pasaban en silencio nuestros dioses,* da cuenta, con una crudeza hiperrealista, de la fantasía de iniciación sexual que uno de los hombres narra en aquella tertulia que hoy sería llamada, con toda propiedad terapéutica, un grupo de autoayuda.

El oído de Manjarrez es un sentido moral. Quiero decir que quien comprende, traduce y decodifica en el nivel de comprensión que él tiene, en su capacidad de escucha, queda dotado para manipular con eficacia a sus personajes y, al hacerlo, bosquejar a su propia época. Verosímil, *Pasaban en silencio nuestros dioses* enfoca la vida "pequeñoburguesa" de la izquierda mexicana, reducida entonces a los bohemios y a los universitarios, quienes temían al Estado mexicano por su voluntad de represión selectiva y por su capacidad de cooptación universal. *Pasaban en silencio nuestros dioses* se acaba dos veces: cuando la sirvienta, doña Dios, se come por error un pastel de mariguana y cuando entierran a José Revueltas. Entre la idiosincracia criolla que permite a los comuneros disponer, sin dar mayores explicaciones, de servidumbre doméstica y la transformación del hereje comunista por excelencia en leyenda, los años setenta se van.

Entre 1987 y 1996, Manjarrez guarda un segundo silencio narrativo que termina con *Ya casi no tengo rostro,* un libro de cuentos. Menos dado al ejercicio testimonial y tomando riesgos dramáticos de mayor calado, Manjarrez presenta en ese libro tres relatos de antología: "Dos mujeres", "La Ouija" y, sobre todo, "Fin de mundo", el descenso de una pareja al borde la ruptura que se enfrenta, no tan alegóricamente, a la vigilancia de insectos vigilantes y opresivos. Crónica de la visita diaria al infierno que puede ser el matrimonio en cualquiera de sus modos, tradicionales o informales, en ese cuento Manjarrez insiste en el destino masculino y afina su mirada sobre un mundo finisecular en que los varones educados, de dos o tres generaciones, hemos sido coautores y víctimas y cómplices y enemigos de la gran emancipación femenina del siglo xx.

De la *A* a la *Z* tuvimos que estudiar, de manera patética o cómica o solidaria, las asignaturas de ese nuevo desorden amoroso al que Manjarrez dedica sus mejores páginas y que se manifiesta en la alteración de los patrones de crianza, el imperio del orgasmo femenino, la convivencia abierta con la homosexualidad, la prevención y el castigo de la violencia doméstica o en las dificultades de las mujeres para encontrar la autoestima vocacional y en un largo etcétera en que se nos ha ido la vida. Esas obsesiones configuran *Ya casi no tengo rostro* y se manifiestan, a plenitud, en esa comedia, a la Capra, a la Cukor o a lo Woody Allen que es *El otro amor de su vida* (1999), una de las pocas novelas cómicas de la literatura mexicana.

El otro amor de su vida ocurre en Tlalpan, un domingo, y narra cómo una mujer universitaria cambia de pareja mientras entran y salen a escena, en una perfecta comedia de enredos, su mejor amiga, su madre, un policía de barrio o un chelista mexicano-polaco que iba pasando por allí. Otra vez se verifica el patrón del secuestro: la nueva pareja se ha quedado encerrada en la casa de ella y, en sus complicaciones para salir de la situación, el autor despliega el atrezo, los pasos de los personajes y sus diálogos. En esta novela, como en otro registro ocurre con *Rainey, el asesino* (2002), Manjarrez se da el lujo de cumplir lo que sueña y hacer lo que planea.

Homenaje a R. L. Stevenson, a Sir Arthur Conan Doyle y a Joseph Conrad en su calidad de narradores de las nuevas mil y una noches, las londinenses, *Rainey, el asesino* es la primera parte de un nuevo díptico inglés que se complementa con *La maldita pintura,* el regreso de un escritor maduro al escenario de su juventud. Como en los sueños, el regreso de Manjarrez a Londres ocurre en el presente.

Entre *Lapsus* y el nuevo siglo ocurrieron muchas cosas, como es obvio, y *Rainey, el asesino* es una mirada incisiva, como mandan las formas breves, sobre el horror de las dictaduras latinoamericanas de los años setenta y ochenta, que en México se vivieron a través del asilo de cientos de exiliados políticos argentinos, uruguayos, chilenos. En ese contingente novelesco, la sabiduría mundana de Manjarrez encuentra a los héroes y a los oportunistas, a las mujeres fatales y a los amigos inolvidables, una onda expansiva de realidad histórica que trastornó a las élites políticas e intelectuales de un México todavía provinciano, somnoliento y agazapado.

Rainey, el asesino no transcurre en México sino en la Argentina y en Inglaterra. Su asunto es la tentación de ejercer la justicia privada contra la impunidad de los asesinos y de los torturadores. Pasaron algunos años (y no pocos dioses) para que Manjarrez se decidiese a continuar escribiendo su versión de aquellos ambientes, desde la perspectiva del anfitrión o del observador-participante. Lo hizo de la mejor de las maneras posibles: evadiendo la facilidad que ofrece el mero testimonio y planteando, al grano, la esencia de un asunto del cual Manjarrez, que sabe más, mucho más, no ha dicho la última palabra.

La historia que se nos cuenta en *Rainey, el asesino* es la de un pudiente médico argentino que decide vengar la muerte de un pariente lejano, un recluta argentino que en la guerra de las Malvinas, en 1982, fue ejecutado a mansalva por un oficial británico. Para verificar su venganza en contra de quien resulta ser un misterioso aristócrata, el Dr. Rainey cuenta con la complicidad de una antigua amante, víctima y sobreviviente de la dictadura militar. En escasas noventa páginas, Manjarrez homenajea a los maestros británicos del relato de misterio y coloca sobre la mesa una reflexión sobre el mundo moral de la culpa colectiva y de la justicia privada.

La maldita pintura ironiza sobre el destino autodestructivo y comercial del arte contemporáneo y es, como lo ha dicho José Joaquín Blanco, antes que una palinodia, "una farsa formidable, casi extravagante: por ejemplo, media novela nos ofrece el *tableau vivant* o el 'cuento cruel' de unas mujeres desnudas domésticamente enjauladas, por decisión propia, en una especie de instalación solipsista, sin público, para sí mismas y los hombres de la enrarecida y exclusivista comuna".

Si el tema manjarreziano del secuestro amoroso alcanza en *La maldita pintura* su culminación, ello se debe a que en el relato se cruzan otros problemas caros al autor, como las relaciones de poder entre el discípulo que busca a su maestro (y así descubre la "instalación") y entre los padres y los hijos. La educación sentimental, en Manjarrez, incluye la política, la religión de la vanguardia a la luz del posmodernismo, el sexo como la verdadera fuente del saber. En este campo minado se expresa la concentración artística de Manjarrez, uno de los pocos escritores mexicanos que se educaron con igual intensidad en los libros que en los museos canónicos, en las pequeñas galerías y en los grandes conciertos, a los que se les puede seguir llamando, en toda la vieja extensión de la palabra, hombres de mundo.

Bibliografía sugerida

Acto propiciatorio, Joaquín Mortiz, México, 1970.
Lapsus, Joaquín Mortiz, México, 1971.
El golpe avisa, Era, México, 1978.

No todos los hombres son románticos, Era, México, 1983.
Canciones para los que se han separado, Era, México, 1985.
Pasaban en silencio nuestros dioses, Era, México, 1987.
El camino de los sentimientos, Era, México, 1990.
Ya casi no tengo rostro, Era, México, 1996.
El otro amor de su vida, Era, México, 1999.
Rainey, el asesino, Era, México, 2002.
La maldita pintura, Era, México, 2004.
El bosque en la ciudad seguido de El cuerpo en el DF, Era, México, 2006.
Yo te conozco, Era, México, 2008.

MARTÍNEZ, JOSÉ LUIS
(Atoyac, Jalisco, 1918-ciudad de México, 2007)

Biógrafo del fundador de México. El mejor de los libros que Martínez ha escrito a lo largo de una trayectoria de medio siglo es *Hernán Cortés* (1990). La vocación de Martínez es la historia literaria y la literatura histórica. En este caso la palabra *vocación* es clave. Se trata no sólo de un hombre de letras que decidió poner a disposición de la cultura mexicana una de las mejores bibliotecas del país, que tuvo en él a un sabio guardián, sino de un investigador cuya modestia sólo es igual a la universalidad de su saber y la curiosidad de sus empeños. Martínez es una figura que puede reconocerse en una tradición que viene de lejos, con Juan José Eguiara y Eguren, Francisco Xavier Clavijero y Joaquín García-Icazbalceta, en el fin del virreinato y en el primer siglo del México independiente. Si el clima de la Contrarreforma impidió mayor magnificencia al debate de las Luces, la atmósfera propia del claustro cultivó a los bibliófilos y bibliógrafos, hombres dedicados a preservar y difundir, a través de las tormentas, un saber amenazado por la pólvora y el fuego, o, peor aún, por la negligencia y el olvido.

La obra crítica de Martínez, comenzada en los primeros años de los cuarenta, no ha sido totalmente recopilada. Él fue quien olfateó la muerte de la mendaz narrativa posrevolucionaria y quien, veinte años más tarde, recibió con entusiasmo y sensibilidad la promoción de los sesenta. Sin embargo, el crítico cuya divisa fue siempre la cortesía y la mesura fue desapareciendo en aras del funcionario público y del historiógrafo.

Los trabajos recientes de Martínez son más historiográficos que históricos. Frente a las opiniones y las ideologías, prefirió los hechos y su base documental. Sus recopilaciones y antologías son asumidamente didácticas y presentan la oportunidad de valorar el término en su más noble acepción. Martínez no hizo de la erudición una hermenéutica ni de su vastísima cultura un sello de prestigio intelectual. Su devoción por el enriquecimiento de la tradición nacional recuerda ese humanismo que Antonio Machado y Alfonso Reyes* reivindicaron durante el siglo. Pero si la obra de Martínez no pocas veces pareció superficial o neutra, a partir del *Hernán Cortés* ya no lo fue. Con un tacto a veces excesivo, Martínez puso en el lector la responsabilidad de una elección que divide nuestra conciencia histórica desde 1521.

Hernán Cortés se presenta como una guía biográfica que acompaña los cuatro volúmenes de los *Documentos cortesianos* que el propio Martínez rastreó y esclareció. Naturalmente, su libro es mucho más. Discípulo de Reyes, Martínez heredó su claridad de exposición. Si su estilo no es brillante, sí lo son sus visiones panorámicas, y su descripción no busca la poesía de *Visión de Anáhuac* pero respira como los horizontes naturales que pinta Diego Rivera cuando abandona el bosquejo de las pasiones de los hombres. Es ocioso insistir en las virtudes de Martínez como investigador, pues las tiene notables: información abundante más economía narrativa. Cuando un erudito presenta un libro apoyado en una bibliografía tan vasta y logra que su material interese hasta por sus pies de página, es que ha conseguido un envidiable equilibrio. Tras enumerar someramente los mundos que se encuentran, Martínez averigua el oscuro origen de Cortés, su viaje juvenil a las Indias y la expedición a México. Lo que sigue es el genio político del conquistador, su capacidad para navegar a contracorriente y la conciencia prosística de su propia heroicidad al ir redactando las *Cartas de relación*.

Como un Bernal Díaz del Castillo, a quien prefiere el autor entre los cronistas por su humanismo, son las páginas consagradas al encuentro de Cortés y Moctezuma las más fascinantes de la biografía. Una vez más, como en tantos textos, encontramos esa epopeya donde la voluntad vence a la fatalidad. Martínez condena las matanzas del Templo Mayor, Tepeaca y Cholula, cometidas ya por Cortés, ya por sus capitanes. Las guerras de conquista, desde que son, han sido sangrientas. ¿Es inútil que el historiador juzgue moralmente un hecho que de sí es inmoral, pues entonces todo casi lo es en la historia? Cortés violó el código de honor del guerrero, como antes lo hizo Alejandro y luego Napoleón, para no hablar de los conquistadores del siglo XX. Vencedores, los antiguos mexicanos no habrían sido más clementes.

Tras la narración de la caída de México-Tenochtitlan, se afirman las cualidades históricas y biográficas de *Hernán Cortés*. Presenciamos la fundación de una nueva cultura sobre las ruinas perseverantes de una civilización, que, herida de muerte, sobrevive gracias a ese mestizaje que Cortés estimuló, tanto por su ansiedad de cruzado católico como por su codicia feudal.

Poco se sabe de un héroe. Incluso Droysen, el biógrafo de Alejandro Magno, se pregunta si vidas tan legendarias pueden ser arrancadas de la historia para encarnar en biografías. En la inútil expedición a las Hibueras, en los tediosos juicios de residencia o en la fracasada pretensión virreinal de Cortés, vemos a un hombre de rostro fragmentado, cuyas tonalidades de expresión varían desde la verdosa caricatura riveriana hasta las grisáceas hagiografías hispanistas. El empeño de Martínez logra dibujar a Cortés en esas múltiples imágenes, no pocas insospechadas. Mención aparte merece la asombrosa galería de personajes menores que Martínez reconstruye, dándole al *Hernán Cortés* una hermosa densidad de uso novelesco: criadas, frailes, soldados de fortuna, indios conversos, una esposa presumiblemente estrangulada y la inasible doña Marina.

Hernán Cortés apareció cuando se acercaba el quinto centenario de lo que Álvaro Mutis* ha llamado con indudable acierto una asombrosa hazaña náutica. Siendo así, el material que Martínez puso a nuestra disposición, pese a su reiterada reserva, resulta inequívoco. El Cortés de 1521 es un conquistador legendario; el marqués del Valle, el constructor de un

Estado en condiciones inéditas en la historia; el don Hernando de la caída, noble que mendiga crédito y reconocimiento en las cortes metropolitanas, es un retrato lastimero de la función patrimonialista que el Estado da y quita a sus políticos en la cultura hispánica.

El juicio de residencia a Hernán Cortés no ha terminado y es absurdo esperar un veredicto histórico que satisfaga a fiscales y querellantes por igual. La justicia es tan relativa como la historia, y lo es aún más cuando a la segunda se le exigen dictámenes absolutos. Asombra lo mismo el aztequismo impostado, impostor y mesiánico que pretende negar el lugar de México en el Occidente de habla española, como el candor, para no utilizar una palabra más fuerte, de algunos estudiosos extranjeros —el más reciente es J. M. G. Le Clézio— que acusan a los españoles de haber destruido el dudoso edén que la mala conciencia europea utiliza para atormentarse con necedad folclórica. Para los primeros, el México posterior a 1521 es una imitación barata de Europa. Conmueve Lucas Alamán escondiendo en una cripta la osamenta de Cortés para impedir la profanación liberal en 1836. ¿Pero no es exagerada la petición de principio de José Vasconcelos* exigiendo el desagravio del conquistador mediante la erección de un monumento en su memoria en cada pueblo de México?

Pocos saben dónde están esos restos en la actualidad. Leyendo a Martínez, visitamos la Iglesia del Hospital de Jesús, templo pobre y abandonado, en efecto. Cortés descansa bien allí. Los cálculos del azar o de la providencia, según se quiera, le dieron a la grandeza y a la miseria del conquistador un lugar casi anónimo. *Hernán Cortés* es un libro memorable para el lego como para el erudito. Ya los historiadores discutirán su pertinencia. Mientras tanto, terminada la lectura, Martínez nos conduce hacia una frase que él no se atrevió a escribir pero que resulta natural al cerrar su libro: Hernán Cortés es el fundador de México (1990; *Servidumbre y grandeza de la vida literaria,* 1998).

Crítica e historia literaria. No escribo estas líneas para elogiar lo que los hombres de letras han hecho a cambio de no ser críticos literarios. Me felicito por el Premio Villaurrutia, por la atinada gestión cultural desde el Estado o por la contribución de los letrados al servicio exterior. Pero esos méritos no me interesan en este momento. Por ello no hablaré de José Luis Martínez como el enciclopedista que fue (y a quien admiré por serlo), sino del crítico que dejó de ser. A Martínez no le faltaron, en su juventud, hallazgos brillantes y puntualizaciones memorables como crítico. Pero hombre esencialmente timorato, debió de impresionarle la impronta de genios malogrados (como Jorge Cuesta*), o de genios realizados (como Octavio Paz*). Y se inclinó por los ejemplos de Alfonso Reyes y Jaime Torres Bodet*, por la mesurada carrera pública.

Las historias literarias de Martínez (en realidad escritas en los años cuarenta y sólo después corregidas o aumentadas) ejemplifican un género que sólo Reyes pudo hacer con donaire: la historia literaria sin crítica literaria. Y cuando Martínez abandonó las reseñas —ante los narradores de los años sesenta— empezaba a sufrir deslumbramientos un tanto extraños: comparó a José Agustín* con el marqués de Sade y dijo que *Gazapo* era una novela pornográfica (*Servidumbre y grandeza de la vida literaria,* 1998).

Vida en una biblioteca. Durante muchísimos años, la casa de José Luis Martínez en la calle de Rousseau fue, para muchos escritores, investigadores e historiadores, la biblioteca mejor provista de México y aquella cuyas puertas siempre estaban abiertas. Martínez mismo no sólo reunió, a lo largo de una vida plena que se apagó el 20 de marzo de 2007, ese acervo de valor incalculable, sino que dio su tiempo a los demás como guía y custodio de su propia biblioteca, cicerone que, además de pasear a sus invitados por el laberinto, nunca le escatimaba a los inoportunos la respuesta, usualmente telefónica, de un acertijo bibliográfico, de un enigma lexicográfico, de una curiosidad libresca. Martínez se sentía obligado a resguardar la vida entera de Hernán Cortés, el héroe fundador al que dedicó esa biografía que es su gran libro, lo mismo que la más modesta de las monografías dedicadas a la historia de alguno de nuestros pobres municipios.

A Martínez le interesaron las civilizaciones antiguas y buena parte de la literatura moderna, pero su gran pasión fueron las letras mexicanas, desde el mundo perdido de Nezahualcóyotl, el rey poeta, hasta la poesía de los Contemporáneos, sus hermanos mayores. De su bibliografía destaco una antología a partir de la cual muchas cosas se vuelven inteligibles, *El ensayo mexicano moderno* (1958 y 1993), y *Pasajeros de Indias* (1983), libro erudito y ameno.

Salvaguardó Martínez, acaso con celo excesivo, la obra póstuma de Reyes y nunca dejó de estudiar con amor de entendido y puntillosa modestia los libros de Paz, cuyo genio le parecía el acontecimiento decisivo de su larga vida de lector. De los proyectos de Martínez dejó pendientes (y que todavía alcanzó a enumerar en un repaso aparecido en *Letras Libres* de marzo de 2007), al menos dos de ellos no pueden abandonarse so pena de serle infiel: la correspondencia entre Reyes y el polígrafo dominicano Pedro Henríquez Ureña, lo mismo que la edición del *Diario* de Reyes, cuya hechura compartía Martínez con un grupo de colegas.

Fue Martínez un hombre institucional en el sentido público y fecundo de la expresión, tal cual se entendía a mediados del siglo pasado: la organización de la cultura era el más alto honor al que un escritor nacional podía aspirar. Y Martínez, en la línea de Torres Bodet, su maestro, sirvió ejemplarmente al Estado mexicano, como diplomático y como funcionario, lo mismo en París y en Atenas que en el Instituto Nacional de Bellas Artes o en los Talleres Gráficos de la Nación. Su último cuarto de siglo lo dedicó a restaurar y a modernizar a la Academia Mexicana de la Lengua, de la que fue director honorario hasta su muerte. Pero en ese orden, recorriendo su largo expediente como servidor público, yo destacaría su gestión al frente del Fondo de Cultura Económica (1976-1982), durante la cual quedó firmemente establecido el carácter hispanoamericano y ecuménico de un catálogo diseñado para resguardar a nuestra cultura de los libros malos y prescindibles, aquellos que circulan comercialmente por las peores razones. Quizá ninguna otra colección muestre mejor el sello que Martínez le imprimió a la más importante de las editoriales latinoamericanas que aquella que reproducía facsimilarmente las Revistas Literarias Mexicanas Modernas, una de las cuales fue *Tierra Nueva,* que Martínez hizo en su juventud, junto con Jorge González Durán y el poeta Alí Chumacero*, durante tantos años su amigo inseparable.

Quienes nos dedicamos a la historia de la literatura mexicana le debemos muchísimo a Martínez. A mí, que nunca me decidí entre hablarle de tú o hablarle de usted, me honró al elegirme como la persona que cubriría los últimos cincuenta años de la *Literatura mexicana del siglo xx,* libro que, firmado por ambos, apareció editado por el Conaculta en 1995. Ninguno de los dos quedó satisfecho con el resultado y en aquella época expresé, muy francamente y de manera pública, mis diferencias con su idea de la historia literaria. Pero debo decir que, como consecuencia de esas divergencias, en nada varió su trato hacia mí, cariñoso en la forma, tolerante en el fondo. Y es que la prudencia y la ecuanimidad fueron las características más encomiables de Martínez, como lo muestra su *Hernán Cortés,* obra maestra del equilibrio frente a la cuestión esencial, la más espinosa y polémica, de la historia de México. Esa biografía (y un poco antes que ésta, las de Enrique Krauze*) fue un acicate para que otros escritores nos midiésemos con la escritura de la biografía histórica.

En fin, que muchas cosas, y muchas de ellas buenas, se dirán de Martínez. A mí me causa una enorme ternura recordar a José Luis: la última vez que lo visité, afanándose por presumirme una de las joyas de su biblioteca, *El himen en México,* un rarísimo folleto de medicina legal que le fascinaba poseer. Con la muerte de Martínez se interrumpe una estirpe de eruditos que entre nosotros se remonta al Virreinato. Fue el bibliófilo (y el bibliómano y el bibliógrafo) ante el Altísimo (2007).

Bibliografía sugerida

Literatura mexicana. Siglo xx, 1910-1949, Robredo, México, 1949, y Conaculta, México, 1990.

El ensayo mexicano moderno, FCE, México, 1968, 1971 y 2001.

Nezahualcóyotl: vida y obra, FCE, México, 1972 y 2003.

Pasajeros de Indias. Viajes trasatlánticos en el siglo xvi, Alianza, Madrid, 1983.

Hernán Cortés, FCE, México, 1990.

Primicias. Antología, edición de Adolfo Castañón, El Colegio de México, México, 2008.

Martínez, José Luis, y Christopher Domínguez Michael, *La literatura mexicana del siglo xx,* Conaculta, México, 1995.

Martínez Baracs, Rodrigo, *La biblioteca de mi padre,* Consulta, México, 2010.

MEJÍA MADRID, FABRIZIO
(Ciudad de México, 1968)

Mejía Madrid ha escogido ponerse bajo la advocación de Woody Allen, no sólo como el inventor de fantasías desquiciadas y cómicas, sino como el cronista de lo que siente y piensa una parte de nuestra *intelligentsia,* ese pequeño e influyente país que tiene (o tuvo) su corazón en algunas facultades universitarias y que llegó a identificarse, antes de la alternancia electoral, con la "sociedad civil" misma, teniendo al periódico *La Jornada* como blasón y a Carlos Monsiváis* como patricio laico. Al expandirse, gracias al dominio del Partido de la Revolución Democrática (PRD) en el Valle de México, la que había sido una *gauche divine* perdió mucha de su alcurnia, víctima de la más duradera de sus victorias, la democratización bárbara que contribuyó a establecer y de la que no se ha beneficiado en la medida de sus sueños.

Menos que a sus héroes, esa izquierda letrada prefiere cantar sus derrotas o, al menos analizarlas con la gravedad de quien recuerda, con la debida inspiración psicoanalítica, sus fracasos amorosos: el movimiento estudiantil de 1986-1987, la candidatura defraudada de Cuauhtémoc Cárdenas, el extraño paso del subcomandante Marcos por este mundo sublunar o las movilizaciones políticas y electorales que estuvieron a punto de entregarle, a Andrés Manuel López Obrador, la oportunidad de la dictadura democrática. Ese estado de ánimo, nacido de una verdad a medias, aquella que predica que la ciudadanía se forja como reacción a los agravios del poder, está en Monsiváis, en Elena Poniatowska*, en Juan Villoro* y tiene en Mejía Madrid al más idiosincrático (criado en el cinturón rojo de Copilco que rodea a la UNAM, licenciado en Filosofía y Letras) de sus relevistas.

Tequila, DF (2008) es la más reciente de las novelas de Mejía Madrid, libro cuyo personaje central, un poeta maldito perdido entre las olas del resentimiento contracultural y de la inventiva esotérica, sería memorable de no ser inoportuno, anacrónico. Es imposible examinar su caso sin tener en cuenta el precedente recentísimo de *Los detectives salvajes* (1997) y de *El testigo* (2004), de Villoro. Quién lo hubiera dicho: el infrarrealismo acabó por ser la regla cómica de la literatura mexicana, la leyenda de vanguardia que nos faltaba. Mejía Madrid padece de epigonismo. No es el peor de los males —todos sufrimos en distintas fases del mal de la escuela— y sólo se libran de padecerlo esos casos de insólita originalidad que muy de tarde en tarde admiramos y leemos. Como es el caso, que viene muy a cuento, de Roberto Bolaño*.

Como epígono, además, Mejía Madrid lleva ventaja por haberlo afrontado desde el principio, con una resignación que ha hecho, en su caso, de la angustia de las influencias un fervor creativo. De *Entrada libre*, aquel título de Monsiváis a *Salida de emergencia* (2007), la última colección de crónicas de Mejía Madrid, éste ha seguido a aquél (al personaje y a su obra) con lealtad filial y dada la bondad del ancho mundo que le abrió su maestro, Mejía Madrid ha descubierto otros ámbitos: la vida y muerte de un anarquista del siglo XXI (Brad Will), el cine porno en su manufactura local, la movilización cívica contra la criminalidad. También, debe decirse, en *Salida de emergencia*, se corroboran mitologías y se remachan convenciones: en Atenco, en Oaxaca, la izquierda radical siempre es víctima y su victimario es el eterno e inmutable monstruo priísta caricaturizado (a veces con mucho ingenio) en *El rencor* (2006), otra de las novelas de Mejía Madrid.

Como humorista y relator íntimo de la generación nacida en los años sesenta, Mejía Madrid ha escrito crónicas y capítulos de novelas en las que no puedo sino reconocerme: la parranda rescatista del temblor de 1985, el pavor woodyallenesco ante el resultado de la prueba Elisa, la estrecha infinitud de la antigua librería Gandhi. No llegaría yo a suscribir, empero, la letanía con la que cierra *Hombre al agua* (2004), su novela más conocida, enésima declaración de amor/odio a la ciudad de México inspirada por aquel mapa novohispano en que aparecía, la ciudad, bajo la forma de la bestia del apocalipsis. Y es que ante algunas páginas de Mejía Madrid, las más epigonales, se acude al desolador espectáculo de un intendente militar recorriendo tierra arrasada en busca de las provisiones que ya se llevaron, para el vivaqueo de los generales, rastreadores más inmisericordes.

Tequila, DF está construida con eficacia, usando el método de Durrell en su olvidado *Cuarteto,* narrando lo mismo desde distintos ángulos: la vida de un misántropo (el poeta experimental) vista por su compadre, su ex mujer y validada por un testigo literario. Lo hace Mejía Madrid con su habitual sarcasmo y ya no confunde, como le ocurría en *Hombre al agua*, a la novela con el periodismo histórico-literario, al despliegue de una fábula con la imitación de un *Inventario* de José Emilio Pacheco*.

Más allá del escritor costumbrista y del escéptico solidario, prefiero, entre la bibliografía de Mejía Madrid, *Viaje alrededor de mi padre* (2004), novela más "exótica" que algunas otras vendidas como tales con mayor fortuna y poquísima justicia. La idea del libro, a primera vista y apenas empezada la lectura, parece la peor de las ideas posibles: un libro narrado por Dios, quien no sólo no resulta ser el mejor de los narradores sino insiste en parafrasear el Antiguo Testamento, empresa que ni a Thomas Mann le salió bien. "Y sin embargo, se mueve", porque es allí donde Mejía Madrid saca provecho de su dominio del pastiche, de la sátira amarga y de las desproporciones grotescas, logrando dos fragmentos estupendos, uno en tono shakespeareano, "Ascenso y caída de la casa de Cawdor" y otro, "La suerte del camarada Beria", escrito entre Dostoievski y Búlgakov y resuelto en un tono admonitorio, extrañamente lírico (y onírico), que convierte a *Viaje alrededor de mi padre* no sólo en un capítulo inesperado del nihilismo ruso, sino en un libro clave. A ratos condenado a irse con las manos vacías, Mejía Madrid es tesonero y, con el tiempo, ley de la herencia literaria, ha acabado por hacer suyo, legítimo heredero, lo que perteneció a sus maestros.

Bibliografía sugerida

Hombre al agua, Joaquín Mortiz, México, 2004.
Viaje alrededor de mi padre, Aldus, México, 2004.
El rencor, Joaquín Mortiz, México, 2006.
Tequila, DF, Random House Mondadori, México, 2008.
Disparos en la oscuridad, Santillana, México, 2011.

MELO, JUAN VICENTE
(Veracruz, Veracruz, 1932-1996)

Semblanza de un raro moderno. Castigado por todas las enfermedades, desahuciado más de una vez, Melo parecía haber rechazado los pesares del cuerpo, criatura hecha sólo de espíritu, errante entre la neblina de Xalapa y el puerto de Veracruz, un ser, en fin, que se sobrevivía a sí mismo, inmune ante la tragedia de la carne gracias a la alegría del alma. Nacido en 1932 —como Salvador Elizondo* y Juan García Ponce*—, Melo escribió la novela más expresiva de su generación, *La obediencia nocturna* (1969), un libro cuya relectura ratifica su condición de clásico de la literatura moderna de México, sitio donde termina la educación y nace la condición agónica del artista secular. Apadrinado por León Felipe* en la adolescencia, autor de dos colecciones de cuentos (*Los muros enemigos,* 1962, y *Fin de semana,* 1964), Melo calló tras *La obediencia nocturna,* víctima, acaso, del síndrome de la obra maestra, aquel que obliga a los escritores tocados por la gracia a elegir el silencio ante la posibilidad de ser desleales a una literatura que todo les dio y todo les quitó. A la muerte de Juan Vicente, ocurrida el 9 de febrero de 1996 en su puerto natal, me entero de que *La rueca de Onfalia,* la novela que trabajó durante veinticinco años, y que algunos pensábamos que era una mentira piadosa para entretener a los amigos, existe.

Así que Melo mintió con la verdad. Médico dermatólogo especializado en el Hospital Saint-Louis de París, de donde se escapó para hablar de literatura con otro médico, ese maléfico doctor Louis-Ferdinand Céline, Melo fue un escritor difícilmente concebible sin la medicina. Sus cuentos, como su novela, hablan de la vida como de esa lepra que devasta la piel y tonifica la verdad metafísica. Si la medicina fue su profesión, la música fue su pasión. Las grafías musicales de Mario Lavista ilustran *La obediencia nocturna,* obra de un melómano que creó, en los fértiles años sesenta, nuestra crítica musical contemporánea. José Antonio Alcaraz, Juan Arturo Brenan, Luis Ignacio Helguera* o Gerardo Kleinburg son sus irremediables discípulos. ¿Qué música le gustaba a Melomelómano, me pregunto mientras hojeo sus *Notas sin música* (1990)? Evaluó con justicia a los músicos mexicanos, de Manuel M. Ponce a su querido Mario Lavista. Y lo esencial de su crítica musical fue la predicación, en el desierto, del modernismo, ante un público pacato que aguantó sus elogios a Scriabin, Roussel, Satie, Milhaud, Poulenc, la escuela de Viena y Olivier Messiaen. Se burló de la cháchara humanitaria de ciertos escritores, "músicos de domingo", como Georges Duhamel en Francia o don Jaime Torres Bodet* en México, filántropos que creyeron que la *Novena* de Beethoven "trataba" de la libertad y decidieron explicárselo a la patria ensordecida.

Melo murió querido por sus amigos y homenajeado por las autoridades. En su caso, la generosidad venció al olvido. Yo lo conocí de niño, cuando Juan Vicente me parecía gordo y paseaba su diabólica sonrisa por los cafés de la entonces recién bautizada Zona Rosa. Lo reencontré, en mi calidad de novicio, en el primer homenaje nacional que se le ofreció, en marzo de 1984 en Xalapa, donde lo vi tan flaco como el Espíritu Santo, pero bailando como un arlequín toda la noche, "vampiro" que no se acuesta sino hasta cuando el amanecer está en su punto. "Muchas gracias [dijo en aquella ocasión] por este homenaje prepóstumo". En medio del bailongo, mientras yo intentaba convencer a una damita de las virtudes del amor a primera vista, Melo me reconoció y me mandó un beso soplado contra la palma de la mano, como advirtiéndome que la obediencia nocturna es un don que jamás se solicita (*Servidumbre y grandeza de la vida literaria*, 1998).

Novela póstuma. Las ediciones póstumas habitan el lado oscuro de la tradición literaria. Papeles olvidados, borradores interrumpidos o testamentos cuidadosamente preparados para leerse tras la muerte del autor, los inéditos provocan dilemas morales, querellas legales y riñas filológicas. A veces, un albacea incumple la sospechosa súplica del legatario y publica en vez de quemar. En otras ocasiones el archivo del escritor es saqueado por parientes sin escrúpulos. Y no han faltado quienes diseñan sus propias ediciones póstumas como una apuesta razonada contra la posteridad.

A un año de la muerte de Melo leemos, al fin, *La rueca de Onfalia,* novela legendaria de dudosa existencia y cuya publicación hacía temer la exhibición de un desaguisado. ¿Para qué arriesgar un destino como el de Melo, cerrado de manera brillante y dramática con *La obediencia nocturna* en 1969? Si *La cordillera* existió alguna vez, ¿no hizo bien Juan Rulfo* en destruirla para evitar la publicación de un texto quizá inferior a sus solitarias obras maestras?

Melo, en cambio, dispuso la edición de *La rueca de Onfalia* pocos días antes de su muerte. Por ello, antes de comentar mi lectura, debo compartir algunas precisiones. Ana María Jaramillo —quien rescató y transcribió el material— sostiene que las escasas 121 páginas del pequeño volumen fueron escritas por Melo a finales de los años sesenta. El autor, según ella, jugó con la existencia del manuscrito durante un cuarto de siglo, limitándose a hacer, de tarde en tarde, modificaciones de poca monta. No veo razón alguna para descreer de este testimonio (que lamentablemente no está en el libro), pues como otros lectores pienso que la novela es estilísticamente simultánea, si no es que anterior, a *La obediencia nocturna*. *La rueca de Onfalia* puede ser el eslabón perdido entre *Los muros enemigos* (1962), *Fin de semana* (1964) y *La obediencia nocturna,* obra que mantiene su sitio como nota final y magistral de esa década de narrativa mexicana. Y tras el sosiego, la buena noticia: contra todas las reservas y no pocos pronósticos razonables, *La rueca de Onfalia* es un hermoso libro.

¿Qué quiere decir "la rueca de Onfalia"? Me dicen que José Emilio Pacheco* ya hizo esa investigación. Con riesgo de ser reiterativo, consulté algunas fuentes mitológicas para leer que Ónfale, reina de los lidios, compró a Heracles (o Hércules) una vez que el héroe culminó sus doce trabajos. Esclavo de Ónfale, Heracles se convierte en un trasvestido que divierte a su señora disfrazado de mujer y le sirve cardando e hilando lana. Ónfale, famosa por su cabellera perfumada, y Heracles, el fortísimo, acaban haciendo el amor y engendran varios hijos. En una ocasión, Pan, enamorado de Ónfale, entra en los aposentos de la reina, se equivoca de lecho confundido por las sedas que visten a Heracles, y se lleva una azotaína del héroe. Desde entonces, aseguran los mitógrafos, Pan exige a sus visitantes que se presenten desnudos.

Ovidio, Luciano y Plutarco cuentan la historia de Ónfale y Heracles, el trigésimo trabajo del héroe, esa engañosa servidumbre vicaria que trueca las funciones del amo y del esclavo, mitema que advierte sobre la ambigüedad que une y separa a lo femenino de lo masculino. Simbólicamente, la rueca de Ónfale representa el desarrollo de los días, el hilo cuya existencia cesará de tejerse cuando la rueca quede vacía. Es el tiempo contado que transcurre inexorablemente, el hilo de las generaciones que desteje el vestido del mundo.

Quizá Melo escuchó primero el breve poema sinfónico de Saint-Saëns (*Le Rouet d'Omphale, op.* 31, 1872) y luego se acercó al mito, que el músico francés interpretaba de la siguiente manera: "El tema de la partitura es la seducción femenina, la lucha triunfante de la debilidad contra la fuerza. La rueca es sólo un pretexto, escogido desde el punto de vista rítmico y de marcha general de la pieza. Las personas a quienes pueden interesar los detalles verán en ella a Hércules gimiendo bajo unos lazos que no puede romper y a Onfalia mofándose de los vanos esfuerzos del héroe".

La rueca de Onfalia es una trasposición del mitema a esa saga familiar veracruzana que Melo se sentía destinado a narrar. Desde las novelas líricas de Gilberto Owen, Xavier Villaurrutia y Jaime Torres Bodet (consagradas a Ixión, Narciso y Proserpina), nuestra narrativa no lograba una operación de esa naturaleza de manera eficaz. Melo, mejor que los poetas de *Contemporáneos,* logra esa fragmentación de las imágenes clasicistas, una de las grandes aventuras de la literatura moderna, cuyo paradigma es *Ulises,* de Joyce.

He dicho que *La rueca de Onfalia* es un hermoso libro. Pero no es una gran novela. Varias páginas son memorables por la musicalidad de la prosa y la potencia de la evocación visual. Cuando Florelia y el doctor Rosique repiten el asunto de Ónfale y Heracles, y aquél se opone al vestido de novia de ella, Melo gana una batalla, no por diminuta menos esplendorosa, en la querella de los modernos contra los antiguos. Melo quiso escribir una novela de inspiración provinciana que recorriese tropos como la quedada, el niño monstruoso hijo del pecado, los velorios y las vendetas... Pero el libro póstumo de Melo se detiene una vez que el autor, melómano al fin, experimenta al piano una serie de variaciones encantadoras pero fugaces. *La rueca de Onfalia* es algo más que una colección de borradores y algo menos que una novela lograda: es una primera versión digna y sugerente de unos Buddenbrook veracruzanos cuya escritura fue, acaso, la promesa incumplida del novelista.

Es una lástima que Melo, en cuyas líneas de la mano se leían las enfermedades y los accidentes, pero también la fiesta y la música, haya carecido de esa templanza que tuvieron escritores menos inspirados que él, como Sergio Galindo*. Pero estaba en el destino de Melo encarnar al artista temeroso de la obra terminada, quien desdeña la literatura a cambio de la vida: no fue nuestro último romántico porque los románticos nunca se acaban. Pero ante este libro póstumo persiste la duda de por qué retrasó hasta la agonía la publicación, y cuándo y por qué decidió, si es que lo hizo, dejar la novela en calidad de proyecto. Es probable que Melo, hijo rebelde de una familia alcurniosa, temiese hasta el final la develación de intimidades escandalosas. Extraña inocencia del romántico cuya rebelión se difumina cuando le entregan las llaves de la ciudad. ¿Qué significan entonces las páginas que componen *La rueca de Onfalia*? No son Heracles de cuerpo entero sino algunas de las más hermosas sedas que usaba cuando Pan lo descubrió, trasvestido en la prodigiosa Ónfale (1997; *Servidumbre y grandeza de la vida literaria*, 1998).

Bibliografía sugerida
Juan Vicente Melo, Empresas Editoriales, México, 1966.
El agua cae en otra fuente, Universidad Veracruzana, Xalapa, 1985.
Notas sin música, FCE, México, 1990.
La obediencia nocturna, Era, México, 1993.
La rueca de Onfalia, Universidad Veracruzana, Xalapa, 1996.

MENDOZA, ÉLMER
(Culiacán, Sinaloa, 1949)

De los narradores mexicanos contemporáneos pocos personifican mejor al Tipo Duro —del que hablaba Connolly— o al escritor piel roja —como los llamaba Saul Bellow— que el culiche Mendoza, autores para los cuales es en la calle, en el mercado o en la morgue donde se libran las batallas por el alma y las formas. Al menos dos de sus novelas (*El amante de Janis*

Joplin y *Efecto tequila*) se leen sin pausa, con un creciente horror ante una cultura de la violencia que Mendoza relata con una aptitud infrecuente. El narcotráfico y su represión policiaca, hidra de dos cabezas, así como los ajustes de cuentas con la Guerra Sucia de los años setenta, son temas que se prestan, como pocos, a la confusión del corrido con la novela y al trueque de la verdad novelesca por el manoseo miserabilista de la realidad. Casi todos somos víctimas frecuentes de la indignación pero el buen escritor está obligado a rechazarla cuando se convierte en un obstáculo para pensar, en una mera artimaña moralista.

No ignoro que, precisamente en ese sentido, Mendoza ha concitado el reproche de un crítico tan agudo como Rafael Lemus: "Dije Élmer Mendoza pero podría haber dicho otros nombres. En cualquier literatura él sería un autor; en la nuestra es un síntoma. Su realismo es el de muchos, el más representativo. Es inútil citar a los autores que comulgan con su costumbrismo: no es éste tanto un estilo como un vaho, una manía, de nuestra narrativa. Sabemos que hemos leído muchas novelas como las suyas, nos cuesta precisar títulos y nombres. ¿Qué es lo que reconocemos? Esa manera de mirar y representar lo real. Un realismo estrecho. Es real sólo lo que observo: el mundo, los hechos, la historia. (Así en Culiacán como en Berlín.) Es real el mundo, insignificantes los objetos. (Nada en este realismo recuerda a las estampas inanimadas de, por ejemplo, el *nouveau roman*.) Es más real el mundo que la vida: más la acción que el tedio, más los fenómenos que las emociones, más lo social que lo íntimo. No extraña que este realismo sea incapaz de recrear, plenitud y vacío, la existencia. Tampoco asombran sus resultados formales: produce obras convencionales porque es convencional su manera de contemplar la realidad. Bienvenidos al realismo mexicano".

Pero *El amante de Janis Joplin* (2001), contra lo que dice Lemus, presenta a uno de los personajes más creíbles de la novela mexicana contemporánea: los rusos habrían venerado, en calidad de idiota iluminado, a ese pobre diablo a quien Mendoza condenó a vivir y a morir en la Sinaloa de 1970. En pocos meses (esas intensas semanas que van de una peculiar iniciación en el crimen clánico a la ejecución de Estado) este hombre superfluo, que vive acicateado por una voz interior que puede ser lo mismo una conciencia crítica no identificada que franca esquizofrenia, fracasa como pelotero en Los Ángeles, se encuentra sexualmente con alguien que puede ser una Janis Joplin desfalleciente, o simplemente su sombra, y se ve enredado en una trama urdida por la guerrilla, el narco, la brutalidad represiva. Sin la chispeante conciencia del lenguaje público y del lenguaje literario que Mendoza tiene, cualquier otro escritor hubiera entregado —con los elementos que componen *El amante de Janis Joplin*— un libraco pasajero y mendaz, una fabricación comercial destinada a periclitar. Pero Mendoza, no sin humor crítico, trazó un retrato perdurable de aquel Culiacán donde los gomeros todavía ni se soñaban con ser los grandes narcotraficantes internacionales y los *enfermos* apenas comenzaban la trágica aventura del terrorismo urbano, aquel mundo en que un comandante de la policía judicial podía encontrar un manual de adiestramiento guerrillero descifrando a su buen entender los versos de un ejemplar de *Libertad bajo palabra* abandonado en una casa de seguridad. El libro registra un salto cualitativo en la espiral de nuestra violencia, como lo han señalado Federico Campbell y Sergio González Rodríguez*, lectores hipersensibles al tema. Y al leer a Mendoza verificamos cómo aquella criminalidad todavía un tanto rural se ha transformado en un no por cotidiano menos alarmante espectáculo televiso que en México, a diferencia de hace treinta años, transcurre en las caóticas, en las ruidosas, condiciones de la democracia.

Menos convincente me pareció *Efecto tequila* (2004), aunque asumo que Mendoza tomó mayores riesgos narrativos y lingüísticos: al idear una trama desplegada en España, el Brasil y la Argentina, se quitó de encima el sambenito de novelista de Culiacán y aspiró, legítimamente, a formar filas entre los escritores contemporáneos que tienen por mandato escribir novelas internacionales y a quienes el pase de abordar les es tan necesario para comenzar a redactar como lo era, para semejante propósito, el Código napoleónico para Stendhal. *Efecto tequila* parodia y recrea las correrías del torturador argentino que fue detenido en México mientras fungía como ejecutivo del registro estatal de automóviles. Es poco lo que Mendoza puede agregar, como novelista, al horror de la dictadura argentina: el mal absoluto es, casi siempre, estéticamente irreductible.

Para seguir y para cercar al torturador, Mendoza no puede sino recurrir a una figura humorística: inventa a Elvis Alezcano, alias *Guitarra de Hendrix,* descrito por las autoridades argentinas como un "mexicano al servicio de los ingleses en el 82". Más que un personaje propiamente dicho, este espía mexicano es un hilo conductor que permite, una vez más, calar el oído lingüístico del novelista, que se complace en el habla de Madrid, en el habla del Río de la Plata. Este héroe justiciero apenas funciona como el guiño sentimental implicado en proponer a un mexicano triunfador, pleno de autoestima, que sale al mundo para devolverle un poco de justicia, alguna coherencia moral. No es Mendoza el primero en imaginar un redentor con esos atributos y acaso le sirva de consuelo que otros escritores mexicanos, de cuerdas muy distintas a la suya, también han presentado resultados insuficientes, caracteres borrosos. Da la impresión de que el hiperrealismo de Mendoza se origina en la frecuentación asidua de algunos autores que apenas asoman la nariz en sus novelas pero que lo instruyeron en el difícil arte de escribir sobre la violencia sin incurrir en esa literatura patibularia que, más que denunciar la putrefacción del mundo, se propone el linchamiento moral del lector.

Bibliografía sugerida

El amante de Janis Joplin, Tusquets Editores, México, 2001.
Efecto tequila, Tusquets Editores, México, 2004.
Cóbraselo caro, Tusquets Editores, México, 2005.
Balas de plata, Tusquets, Editores, México, 2009.

MEYER, JEAN
(Niza, Francia, 1942)

México, como Francia, es un país que adopta. Y de los escritores franceses que han hecho una segunda vida en México pocos tan queridos como Meyer y quizá ninguno tan cercano al corazón de quienes encontraron en él no sólo a una voz, sino a una fuente de reconocimiento capaz de otorgarle sentido a la historia propia. Y si Meyer, de familia alsaciana, nunca hubiera hecho una vida mexicana como lo ha hecho desde que llegó al país en 1965 siguiendo las huellas de los cristeros, si tras publicar *La Cristiada* (1973-1975) se hubiese desinteresado por completo de México, nuestra deuda aún así sería inmensa.

La Cristiada es de aquellas obras que aparecen muy ocasionalmente en la historia de la historia y se convierten en episodios, casi milagrosos, de restitución. Meyer recuperó el origen, el fragor y las consecuencias de una Guerra Civil que entre 1926 y 1933, con una tregua de tres años que sólo sirvió para desarmar a quienes se habían rendido obedeciendo una orden que no podía desobedecerse sin incurrir en herejía, costó la vida de 250 mil personas, de las cuales sólo 90 mil eran soldados de ambos bandos. A diferencia de las víctimas de la Revolución mexicana, cuya contabilidad se habría cerrado oficialmente con la Constitución de 1917, sobre los cristeros —tal cual se lo advirtió a Jean Meyer su maestro Luis González y González* en San José de Gracia— al estigma de la derrota se sumaba la letra escarlata de la muerte civil. Las miasmas azufrosas de la Reacción sofocaban a un régimen más jacobino que liberal al cual se avinieron, a cambio de traicionar a una rebelión campesina, la jerarquía católica mexicana y el Vaticano. Todo eso está en *La Cristiada,* obra maestra de la historiografía del siglo xx, uno de esos libros, insisto, que modifican el registro moral, alteran la secuencia de los hechos y obligan, a una cultura entera, a releer y a reescribir. Meyer es el gran historiador mexicano de la libertad religiosa.

Meyer, en esa aventura, no se conformó (lo cuenta González y González en su prólogo a la edición de 1991 de *La revolución mexicana,* 2004) con aplicar el marxismo universitario de los años sesenta ni se encerró en la ciudad de México ni aceptó la versión fraguada por los gobiernos posrevolucionarios al glorificar su empeño (detenido por esa mezcla de sentido común y compasión que hizo grande al general Lázaro Cárdenas) de desenraizar el catolicismo rural mexicano. Antes de que se volviera verdad periodística el deber de memoria, Meyer lo cumplió con *La Cristiada.* En *La gran controversia. Las iglesias católica y ortodoxa desde los orígenes a nuestros días* (2005) afirma Meyer que el historiador no debe emular a

Chateaubriand, quien ensombrecido por Napoleón, se propuso convertirse en el vengador de la historia. Duda Meyer de la judicialización del pasado al que conduce con frecuencia ese escrutinio público.

He mencionado a Meyer entre los escritores franceses que se hicieron mexicanos no sólo porque escribe en español desde mediados de los años sesenta y en nuestra lengua ha publicado novelas históricas (*A la voz del rey,* 1989 y *Los tambores de Calderón* de 1993 y reescrita en 2010 como *Camino a Baján)* sino porque la historiografía, desde el principio de los tiempos, es y debe ser una rama de la literatura. Quien lea la parte apologética de *La revolución mexicana,* encontrará, concentradas, las virtudes literarias de Meyer: sin caer en la arenga romántica, ajeno al panfleto político, sólo amparándose en el vigor moral de la evidencia, va dando al traste con una mitología completa.

Yo no sé si pueda ser una ciencia la historia, pero de lo que estoy seguro, ante obras como la de Meyer, es que forma parte de la imaginación vivida, escuchada y escrita, de una nación, como el lector lo puede averiguar leyendo esa autobiografía desplazada en el tiempo que es *Yo, el francés. La intervención en primera persona. Biografía y crónica* (2002), el libro que recoge y recrea los testimonios de los oficiales franceses que en el siglo XIX llegaron y se fueron con el emperador Maximiliano. También pueden probarse, en *Samuel Ruiz en San Cristóbal* (2000), la aptitud de Meyer como historiador del presente, testificando la conflictiva actuación, en Chiapas, de los catecúmenos indígenas y de su obispo, antes, durante y después del levantamiento neozapatista de 1994.

No sé contentó Meyer con ser mexicanista: las historias nacionales, junto con las literaturas nacionales, se van volviendo intransitables para los espíritus universales. Tras ser un extraño caso de exiliado político francés que llega a París en 1969 expulsado de México por el régimen mexicano, aprendió ruso. No sólo le interesaba a Meyer seguir en primera línea, con el rigor del historiador se propone conocer la lengua de quienes estudia, la desintegración de la Unión Soviética ni comparar lo incomparable, el caso cristero con la destrucción comunista del campesinado ruso, sino completar el conocimiento espiritual del catolicismo mexicano con la historia de la Iglesia Ortodoxa.

Si se entiende al ecumenismo como una sustitución de la religión por la ética, es probable que Meyer sea católico sin ser ecuménico. Sabemos que buscó los santuarios perdidos del Bajío y del Occidente de México en la pequeña parroquia de Saint-Irénée de París, cisma entre los cismas. Dice Meyer, como el poeta polaco Czeslaw Milosz, sentirse a la intemperie en un mundo en que desaparecieron el Paraíso y el Infierno y la creencia en la vida después de la muerte se ha debilitado, y que, por ello, le ha parecido que la historia religiosa es la primera que debe ser contada. En ese relato, Meyer se ha hecho acompañar de Juan Rulfo* y de Andrei Rubliov, de Tarkovski y ha sido fiel, a través de muchos libros, a sus maestros: el infatigable Pierre Chaunu, el cronista de las cruzadas Steven Runciman, el gran microhistoriador, Luis González y González. Con su aire a Clint Eastwood, Meyer está imantado de lo que el primero de sus maestros, Fernand Braudel, consideraba la milagrosa potestad del historiador, su capacidad para revivir todo lo que toca, rodeándose de seres extraordinarios y así vencer a la muerte.

Bibliografía sugerida
Samuel Ruiz en San Cristóbal, Tusquets Editores, México, 2000.
Yo, el francés. La intervención en primera persona. Biografía y crónica, Tusquets Editores, México, 2002.
La revolución mexicana, Tusquets Editores, México, 2004.
La gran controversia. Las iglesias católica y ortodoxa desde los orígenes a nuestros días, Tusquets Editores, México, 2005.
La Cristiada, FCE/Clío, México, 2007.
Camino a Baján, Tusquets Editores, México, 2010.

MILÁN, EDUARDO
(Rivera, Uruguay, 1952)

Como lo había sido durante la Guerra Civil española, México fue, en los años setenta del siglo pasado, refugio para miles de exiliados políticos.

Algunos eran sobrevivientes de las prisiones y de los campos de internamiento. La mayoría eran profesores y estudiantes universitarios, militantes o simpatizantes de la izquierda proscrita en Chile, en Uruguay y en la Argentina. En las facultades, en los círculos políticos y en los cafés literarios de la ciudad de México, se escuchaban los acentos de Buenos Aires, de Córdoba, de Santiago de Chile, de Concepción, de Montevideo. En comparación con los casi cuarenta años del régimen del general Franco, lapso que permitió que los refugiados españoles se convirtieran en mexicanos, las dictaduras sudamericanas fueron breves, y cumpliéndose una década de las asonadas, los militares fueron regresando a los cuarteles. Restablecidas las democracias, la mayoría de los exiliados retornó.

Apenas unos cuantos, entre los escritores, se quedaron. Uno de ellos fue Milán, el poeta y crítico uruguayo. Su caso es un tanto anómalo. Aunque hijo de un militante de la guerrilla urbana uruguaya, entonces condenado a veinticuatro años de prisión, Milán llegó a México en 1979 sin compartir, aparentemente, el activismo político característico de una comunidad de exiliados que reproducía, a escala, la entreverada y cavernosa geografía política de la izquierda continental. Milán, como otros escritores uruguayos, se acercó a la revista *Vuelta,* de cuyo consejo de redacción fue miembro y donde llegó a ser el crítico de poesía más constante. Pero quien lea sus poemas, sobre todo los aparecidos durante esa temporada espléndida que incluye *Errar* (1991), *La vida mantis* (1993), *Nivel medio verdadero de las aguas que se besan* (1994) y *Circa 1994* (1996), encontrará que en él falta toda relación con la poesía mexicana de su generación. Y lo digo con cierto alivio: Milán no sólo llegó ya formado sino que se mantuvo aislado, casi autista, en un universo donde reinaba la música, de Vinicius de Moraes a Charlie Watts, todo ello dispuesto gracias a un oído simpático, alerta.

Desde entonces, la poesía en lengua española, en ambas orillas del Atlántico, ha tenido en Milán a un conversador indispensable, coautor de antologías como *Prístina y última piedra. Antología de poesía hispanoamericana presente* y como *Las ínsulas extrañas. Antología de poesía en lengua española (1950-2000).* Previamente, con Jacobo Sefamí, Roberto Echavarren y José Kozer, antologó *Medusario* (1996), una "muestra" de poesía latinoamericana que exaltaba un estado de ánimo "neobarroco" registrado entre la veterana vanguardia (de Huidobro y Girondo a Octavio Paz*) y el coloquialismo (cierto Neruda, Parra, Cardenal), tercera vía que incluía a poetas tan diferentes (y sólo cito a los mexicanos) como David Huerta*, Coral Bracho*, José Carlos Becerra* y al propio Milán. Tal cual lo percibe Felipe Vázquez en *Archipiélago de signos. Ensayos de literatura mexicana* (1999), Milán se decidió a reflexionar sobre la evolución "posmoderna" de nuestra poesía. No es, desde luego, el único que lo ha hecho. Pero quizá es quien más se ha arriesgado tomando ese derrotero.

La crítica literaria de Milán ha sido cuestionada por su recurrencia, que se ha ido difuminando, a cierta jerga más rioplatense que postestructuralista, legible en *Una cierta mirada. Crónicas de poesía* (1989) y en *Resistir. Insistencias sobre el instante poético* (1994). Todos los críticos, debe decirse en descargo de Milán, hacemos uso de una jerga particular, que cuando amenaza por agotarse, reaparece disfrazada o trasvestida: así van pasando los años y nuestros gustos se convierten en peticiones de principio, en colecciones de frases hechas, en fobias incurables y en coqueterías obsolescentes. En el caso de Milán, además, su vocabulario crítico es en buena medida epocal: en otro tiempo habría sido lukacsiano o sartreano y, en cualquier caso, su buen gusto y su afán anticonformista habrían estado por encima de cualquier teorética.

Los estudios informales de Milán en la escuela de la poesía concreta, que se tiene por muy austera, rigorista y loyoliana, suscitan una admiración que recuerda la broma de Julien Gracq, que se imaginaba a Mallarmé cargando su bolsa de dormir cada vez que sonaba el clarín del "progresismo metalingüístico", reclutado al servicio de la vanguardia. Ese camino, recorrido por Milán a golpe de ejercicios espirituales y levitaciones, llega hasta su poesía de madurez, la que importa, obra de un lector de san Juan de la Cruz y de Miguel de Molinos. Milán es un practicante de los juegos auditivos y de las asonancias, recursos que le allanaron un hogar a un poeta cuya errancia está asociada no sólo a la lectura de Haroldo de Campos y otros de los concretistas brasileños, sino de Nicanor Parra y de Gonzalo Rojas. Y en el argentino Juan Gelman (1931), otro poeta exiliado en México, Milán ha acabado por encontrar a la figura tutelar, al perfecto hermano mayor que, no sin amargura ni mal genio, buscaba.

La epifanía, tal cual la concibió James Joyce en el *Retrato del artista adolescente,* es el procedimiento central en Milán, como lo es en tantos poetas contemporáneos. Pero en pocos, debe decirse, la epifanía funciona tan bien como en Milán, mediante manifestaciones visuales repentinas, vulgaridades del habla y del gesto, frases memorables del pensamiento mismo. En un poema como *Nivel medio verdadero de las aguas que se besan* se desenvuelve ese ego pendenciero que dialoga consigo mismo, presentando una dualidad perfecta y funesta: "Si usted no fuera humano y no cayera del caballo por amor,/¿sería ardilla? Sería/pero caería del árbol por amor. No hay forma/que por amor no caiga, hasta las muy enfermas [...]"

Individualista, confidencial sin ser del todo autobiográfica, la poesía de Milán juguetea con los límites de la palabra y se mantiene, irremediablemente, ligado a la vida familiar, a respetable distancia de lo hermético. Tal cual lo registra Nicanor Vélez en el prólogo de su antología de Milán (*Querencia, gracias y otros poemas,* 2003), pocos como él permiten, impúdicos, que sus hijos, su mujer, la madre prematuramente muerta o el padre tupamaro preso y liberado aparezcan tan libremente en el poema, concediendo a la sensibilidad lo que suele marchitarse en el sentimentalismo. A partir de *Son de mi padre* (1996), Milán acelera el retorno a los valores ideológicos de su primera juventud. Calculo que fue en ese momento cuando, víctima de una epifanía política, decidió terminar su relación con *Vuelta* y aprovechó la enfermedad fatal de Octavio Paz para dar el portazo.

Junto a ese poeta del hogar que Milán sabe ser, en clave posmoderna, persiste otro personaje poético, característico del otro modernismo, el finisecular decimonónico. Se trata de esa especie de poeta maldito o de pequeño canalla que recela, en la mujer preñada y en el niño, de la creación del hombre, concebida como una maldición y una ruina. Ese ser vive dominado por sus monstruos: la gratitud le resulta insoportable, considera herético pagar sus deudas y sólo respira tranquilo cuando sabe que "el monstruo ya no está/y sólo a veces hay ruido en el techo/para que sepamos que puede aparecer cuando quiera —cuando quiera, querer: ése es su poder".

El poeta que habla en los nuevos versos de *Querencia, gracias* va de sabio, de insípido gurú orientalísimo, de compañero de ruta del budismo que consulta astrólogas y presume a sus guías espirituales. No sólo se permite cotizar en el partido de la poesía comprometida, lo cual es lo de menos, sino que reparte bendiciones y sapiencias. Es un espectáculo que yo, ingenuamente, no había previsto y en el cual Milán ofrece, al mismo tiempo, un arte de la poesía y un silabario de certezas íntimas. Del imperio de la forma y de la teoría de la literatura, de las tropas en desbandada del postestructuralismo, lo que salió, en el caso de este escritor transplatino y mexicano, fue un cursi. Pero cursi según la definición de Ramón Gómez de la Serna, es decir, en el sentido en que "sólo lo cursi de cada momento histórico se salvará", y Milán, como poeta, siempre estuvo a salvo, más cerca de las milongas, borgesianas o no, que de la poesía concreta: "Podemos [escribe en *Alegrial* (1997)] ser sagrados pero preferimos ser perfectos/o sea trágicos". Se me ocurre que las epifanías de Milán son lo que quedó de aquellos *Fragmentos de un discurso amoroso,* de Roland Barthes, que tanto nos gustaban, aunque hoy sea de mal tono admitirlo.

Bibliografía sugerida
Manto, FCE, México, 1999.
Querencia, gracias y otros poemas, selección y prólogo de Nicanor Vélez, Galaxia Gutenberg/Círculo de Lectores, Barcelona, 2003.
Dicho sea de paso, Taller Ditoria, México, 2008.
El camino Ullán seguido de Durante, Amargord, Madrid, 2009.

MIRET, PEDRO F.
(Barcelona, España, 1932-Cuernavaca, Morelos, 1988)

El escritor favorito de Luis Buñuel. Los cuentos de Miret hubieran permanecido ignorados si no fuera por el entusiasmo de Luis Buñuel, de José de la Colina* y del poeta Gerardo Deniz*, quienes legaron su insistencia a un grupo de escritores jóvenes que han comenzado el comentario de esta obra inclasificable. De la Colina: "Leer, entrar en un cuento de Miret, es entregarse a una experiencia nueva que sólo lentamente es literaria o estética. Abolido en el texto cualquier propósito filosófico o moral o formal, sólo queda el testimonio directo, el testimonio de una aventura en el más fantástico, no diré maravilloso, de los espacios: lo cotidiano. Sí, lo cotidiano registrado en bruto, sin las claves que le imponemos, racionalizándolo [...] Narración nada más: sucede esto y esto y esto, y la mera sucesión de hechos, de accidentes, de actos, de miradas, de pausas, de puntos suspensivos, de parpadeos, las aceleraciones, detenciones, lentitudes y desplazamientos que nos hace recorrer Miret como en un palacio de las sorpresas minuciosamente dibujado por Piranesi, resultan en efecto una aventura prodigiosa que nunca abandona este mundo, esta realidad, esta vida humana. Miret es un Gómez de la Serna sin greguerías, un Felisberto Hernández sin ensoñación, un Kafka sin símbolos, es sólo y nada menos que Miret, nuestro desconocido hermano, el marciano que tenemos aguardando en el desván de nosotros mismos".

Miret es un Céline sin odio, autor que no cabe en ningún capítulo, que a nadie pertenece y sin embargo, a veces, fabula la historia, se burla de ella sin contemplaciones y con alguna indiferencia. Por excéntrico puede hacer pareja con quien sea, aun con el apocalíptico José Emilio Pacheco*, o como bien lo hace notar Luis Ignacio Helguera*, con Jorge Ibargüengoitia*: "[...] hay que decir que no todos los cuentos de *Rojos y azules, Prostíbulos, Zapatería* y *Rompecabezas antiguo* nos parecen a todos —todos somos apenas unos cuantos— igualmente afortunados. En algunos triunfa demasiado impunemente la extravagancia [...] Sin embargo, en los cuentos más redondos y mejor logrados de Miret no deja de impresionar su especial habilidad para captar cada desplazamiento, acto, silueta o contorno fugitivos, o para llevar a cabo una repetición torturadora de imágenes-frases y párrafos-momentos circulares, tal vez a la manera de Robbe-Grillet, pienso concretamente en la celosía y el *nouveau roman*... Filmación verbal, por decirlo así, de la realidad; dibujo móvil y preciso de personas y situaciones; recreación de ambientes, del lenguaje coloquial y de la corriente cotidiana de pensamientos y ocurrencias —a menudo ociosos, ingeniosos, divertidos— en el interior de la conciencia, y que utiliza el eficaz recurso de la interrupción de frases y palabras. Un maestro para recrear con naturalidad la naturalidad misma, comparable en esto a Jorge Ibargüengoitia, cuentista de excepcional oído para los diálogos tal como se dan y para el chiste sencillo pero infalible" (*Antología de la narrativa mexicana del siglo* XX, II, 1991).

Raro entre los raros. Han pasado los años y Miret sigue pasando lista, casi un murmullo, cuando se convoca a los raros de la literatura mexicana. Murió Luis Buñuel, el maestro, el amigo y el valedor de Miret, y también murió, ¿quién lo hubiera pensado?, Luis Ignacio Helguera, el último de los miretianos y el más entusiasta y a quien le tocaba, en el cuento y en el poema en prosa, asegurar la reproducción del bacilo. Durante la última década, al menos, Gerardo Deniz prologó la reedición de *Esta noche... vienen rojos y azules* (1964, 1972 y 1997), Mario González Suárez* lo antologó en *Paisajes del limbo* (2001) y José de la Colina refrendó su fidelidad al incluir su ensayo sobre Miret en *Libertades imaginarias* (2000). No está olvidado Miret, sería injusto decirlo, y quizá corresponda a su estricta naturaleza literaria permanecer en ese estado de latencia.

He releído *Insomnes en Tahití* (1989), la novela póstuma de Miret, y me ha parecido, quizá con mayor convicción que antes, un libro extravagante y notable. Creo que es la única novela mexicana escrita utilizando un solo diálogo que transcurre durante las 141 páginas del volumen. Como en Ivy Compton-Burnett, la escritora insular que le encantaba a Natalie Sarraute y a otros de los oficiantes del *nouveau roman,* en Miret las conversaciones, en francés y en español, no recuerdan a ningunas otras y aunque sean inverosímiles o pedantes no parecen ni falsas ni gratuitas. No es casual que Miret domine el diálogo (como domina la descripción opaca y somera en sus cuentos), pues fue un prestigiado guionista de cine.

Insomnes en Tahití registra las conversaciones ocurridas durante la noche en blanco de un turista en Tahití. Así como en Comala todos son hijos de Pedro Páramo, en esa isla de Tahití todos se presentan en calidad de descendientes de Paul Gauguin. Esos personajes le quieren vender al protagonista, a toda costa pero no a cualquier precio, pinturas originales y litografías firmadas de Gauguin. Regateo que resulta en una trama no sólo originalísima sino enigmática. *Insomnes en Tahití* podría leerse como una meditación novelada sobre la autentificación y la autenticidad en el arte, desde Leonardo da Vinci hasta la vanguardia y del museo al mercado, en un tema que Max Aub* quizá agotó en *Jusep Torres Campalans* (1958).

Estudio un tanto técnico sobre las posibilidades del diálogo en la ficción, en *Insomnes en Tahití* tampoco está ausente la historia, pues la segunda Guerra Mundial, sus héroes, son monstruos, y sus consecuencias son materia de especulación en esta novela y tema hilarante en *Rompecabezas antiguo* (1981), el más interesante de sus libros de cuentos. Finalmente, *Insomnes en Tahití* es un libro que, entre burlas y veras, habla del "orientalismo", como se ha definido reprobatoriamente a la curiosidad occidental sobre el pensamiento salvaje. El mundo, tal cual aparentaba ser para Miret, se filtra a través de las persianas de la habitación del hotel donde este turista pernocta en Tahití.

Es probable que Miret haya recibido de Buñuel la recomendación de leer a Raymond Roussel (1877-1933), el hermano mayor de los surrealistas. *Insomnes en Tahití* es un homenaje a ese millonario ociópata que fue Roussel y a sus *Impresiones de África* (1910), en un gesto que autentifica el lugar de Miret entre los raros universales. Roussel admiraba a Verne (al grado de que no toleraba que cualquier boca pronunciase su nombre) y a Pierre Loti, el literato colonial francés cuya popularidad fue inmensa, hace un siglo, entre el gran público. Roussel fue hasta Tahití en busca de los personajes de Loti y alcanzó a fotografiarse con ellos. Paradójicamente, Roussel se gloriaba de que ninguno de sus libros le debía un ápice a sus viajes. De Roussel a André Breton, a Salvador Dalí y a Buñuel llegamos en línea directa a Miret, que nació en Barcelona en el año de 1932, en que nacieron varios de nuestros grandes escritores, y que murió en 1988 en esta ciudad de México, a la que había llegado, como hijo de exiliados, a los siete años.

El mundo de Miret, como lo percibió Buñuel, no es exactamente mágico o del todo fantástico… Es realidad pura filmada en blanco y negro, el escenario de una maqueta diseñada por Miret, que antes de ser guionista estudió arquitectura. Como Roussel, Miret prefería dejarle el mínimo a la imaginación, ejercitándose en la "filmación verbal", como llamó Helguera al miretiano interés en "recrear con naturalidad la naturalidad misma".

Termino con el .recuerdito de rigor. En 1987 Adolfo Castañón* y yo fuimos a un congreso de escritores exiliados en Veracruz. No sé por qué fui convocado a un encuentro de ese tipo pues soy persona de hábitos sedentarios que apenas sale, de tarde en tarde, de su barrio. En fin. En alguno de esos días, Adolfo y yo nos escapamos del congreso y fuimos a recorrer, en un automóvil rentado, algunas de las playas vecinas al puerto. En Chachalacas jugamos un rato, entre un turbante y las dunas, a ser personajes de Dino Buzzati… En el atardecer alcanzamos al resto de los exiliados ponentes en La Antigua y allí nos encontramos con Miret, quien en esa asamblea de árboles petrificados y de aventuras prehistóricas, se encontraba en el mejor de los mundos posibles.

Bibliografía sugerida
La zapatería del terror, Grijalbo, México, 1978.
Rompecabezas antiguo, FCE, México, 1981.
Prostíbulos, Pangea, México, 1987.
Insomnes en Tahití, FCE, México, 1989.
Esta noche… vienen rojos y azules, presentación de Gerardo Deniz y palabras preliminares de Luis Buñuel, Conaculta, México, 1997.

MOLINA, MAURICIO
(Ciudad de México, 1959)

El narrador futurista. Molina conecta su primera novela a esa poderosa e influyente tradición apocalíptica que la literatura mexicana ha creado recientemente, línea que arranca con la soberbia desmesura de *Cristóbal Nonato* (1987), de Carlos Fuentes* y que ha tenido expresión con los libros de José Agustín*, Homero Aridjis* y Hugo Hiriart*, todos ellos convencidos de que la destrucción de la ciudad de México, y con ella la de la nación como realidad espiritual, es un hecho literario ineluctable, ya sea mediante la catástrofe ecológica, la invasión estadunidense, la parálisis del sistema político o la repetición cíclica de la caída de 1521. Para Molina, sin embargo, el apocalipsis de todos tan temido ya ocurrió; tuvo lugar como una profecía que se cumple en silencio y cuya localización en la cronología es un acto fútil pues la modificación de los hechos cotidianos es radical [...]

El eclipse lunar es la metáfora que Molina elige para fabular la creencia en la influencia decisiva de los astros sobre los hombres. *Tiempo lunar* (1993) es una novela que asume solemnemente las fases fastas y nefastas de la luna sobre la cultura moderna. Más que un "lunario sentimental" posmodernista o una novela sobre la expedición lunar de 1969 —como la del extraordinario Paul Auster en *El palacio de la luna*—, el libro de Molina debe mucho a la estética futurista y apocalíptica del cine contemporáneo. *Tiempo lunar* rinde culto a *Blade Runner* antes que a Pepsicóatl; la ciudad devastada en Molina puede ser el Distrito Federal, aunque guarda una inquietante semejanza con esa Moscú postsoviética de Vladimir Makanin en *El pasadizo*.

Citar al estadunidense Paul Auster y al ruso Makanin no es un capricho analógico propio de la crítica comparada. Estamos ante una universalización de los escenarios apocalípticos, ante el surgimiento de esa literatura mundial soñada por Goethe, pero ahora en condición de pesadilla universal apenas atenuada por la proliferación de Babel. En pocos de los nuevos autores mexicanos está tan presente el tráfico con la narrativa contemporánea como en Molina, ávido en la búsqueda de concordancias con la estética de la llamada posmodernidad.

En este sentido, es justo reprochar a Molina su fidelidad a los tópicos del *thriller* futurista, devoción que le permitió estructurar una novela bien narrada, pero que tropieza por su insistencia en una caracterización visual. El héroe de *Tiempo lunar* repite una y otra vez los gestos del investigador ocasional que intenta resolver la misteriosa desaparición de su mejor amigo; fuma y bebe mientras se entromete con una heroína en cuyo cuerpo está la clave de *Tiempo lunar*. Las escenas sexuales solicitan la complacencia de la estética retro antes que la aprobación de quien pide al texto una sensualidad más íntima y detallada. *Tiempo lunar* es una novela escrita por un director que les ha pedido a sus personajes que sobreactúen. A esa dirección de actores le faltó la malicia de la parodia. Pero Molina logró lo que se proponía. La sobreposición del mapa lunar sobre la ciudad de México ofrece un poderoso efecto de distanciamiento; las reglas del *thriller* pasan a segundo plano gracias al aliento que cierra la narración presentando la desaparición del fotógrafo Ismael, rodeado de *poltergeists,* como un azar del Eterno Retorno (*Antología de la narrativa mexicana del siglo XX,* II, segunda edición corregida y aumentada, 1996).

Viaje alrededor de una obra de teatro. A lo largo de una década, Molina ha ido publicando colecciones de cuentos, como *Mantis religiosa* (1997), *Fabula rasa* (2001) y *La geometría del caos* (2002). En ellos, Molina se empeña en seguir a una sola figura, la del vagabundo, el *flâneur* o el *wanderer,* ese ser consciente y voluntariosamente desprendido de la comunidad, zona del alma localizada en esa calle que de tan familiar resulta misteriosa. Pero de estos viajeros hacia lo remoto cotidiano acaso sean Samuel Beckett y Lucía Joyce, la infortunada y enloquecida hija de James Joyce, los personajes más caracterizados en la obra de Molina. *La ballerina y el clochard* (2005) es una obra de teatro donde sintetiza, en la exacta proporción que exige la literatura dramática, el drama familiar que significó la infatuación de Lucía por Beckett, entonces el joven secretario de su padre. Uno de los fenómenos menos estudiados en la literatura mexicana contemporánea es el progresivo y fatal distanciamiento entre los escritores y el teatro o entre la dramaturgia y la literatura. Los autores que se manifiestan en ambos registros, como Hugo Hiriart, se han convertido en rarezas. Quizá Molina, tras *La ballerina y el clochard,* sea uno de los escritores mejor preparados, por la naturaleza visual de su imaginación y por la curiosidad por la que se pasea entre los modernos, para que, como en algunos buenos momentos del siglo XX, el telón de la literatura mexicana se levante.

Bibliografía sugerida

Tiempo lunar, Osa Mayor, México, 1993.

La ballerina y el clochard, prólogo de José Ramón Enríquez, UNAM, México, 2005.

La trama secreta. Ficciones, 1991-2011, FCE, México, 2012.

MONSIVÁIS, CARLOS
(Ciudad de México, 1938-2010)

Vida. La omnipresencia de Monsiváis en la vida política, cultural y literaria de México durante buena parte del último medio siglo lo ha convertido, dada la extrema originalidad de una figura tan poderosa como esquiva, en un gran desconocido. Sus lectores mexicanos, así como los escritores que hemos crecido bajo sus variadas formas de magisterio, solemos ofrecerle a Monsiváis las garantías de un mito (o de una mitología) cuya fecha de fundación se pierde en el origen de nuestros tiempos. Es tentador suponer que el cronista siempre estuvo allí y que ese trecho histórico que empezó en 1968 haya sido, en una medida retórica, más que un episodio de la vida nacional, la obra misma de Monsiváis, cuya grandeza reposaría, precisamente, en su capacidad para crear esa ilusión óptica.

Esa peregrinación rutinaria que es la vida pública de Monsiváis harta y fatiga, alimenta heréticos deseos parricidas y excita la curiosidad de imaginar si México podría sobrevivir sin su vigilancia. Pero más allá de las confrontaciones ideológicas y de los disgustos pasajeros, siempre queda una evidencia que yo reconozco sin rubor: existe una cultura mexicana venerable por su calidad democrática y liberal que sin Monsiváis sería inconcebible. Me es difícil escribir mayor elogio de un intelectual.

El propio Monsiváis se definió a sí mismo, no sin cierta amargura, como miembro de la primera generación de norteamericanos nacidos en México. No es casual que el primer estudio serio de su obra haya salido de la academia estadunidense, el de Linda Egan (2000; *Carlos Monsiváis. Cultura y crónica en el México contemporáneo*, 2004). Yo agregaría que Monsiváis es incomprensible sin la cultura norteamericana. Me aventuro a encontrar en él una voracidad similar a la que el poeta Walt Whitman sufrió durante los años previos a la Guerra Civil, apresurándose a recoger todas las voces y todas las imágenes de la cultura callejera de los Estados Unidos, para componer ese himno total de lo alto y de lo bajo que es *Hojas de hierba*. Hay en Monsiváis una pasión poética de esa naturaleza, tanto más admirable porque careciendo por completo de alma de artista, es un escritor que ha buscado, en cada ciudadano, a un crítico de la vida.

Lector de la Biblia, Monsiváis ha sido fiel a su educación protestante, buscando la verdad con pasión evangélica y procurando la sanación de los oprimidos mediante la palabra. Una y otra vez este profeta puritano ha expulsado a los mercaderes del templo. Y camino a Adrianópolis el peregrino acabó por convertirse en piedra de una iglesia autonombrada la Sociedad Civil, cuyos rituales empezaron por ser caóticos y acabaron por convertirse en una liturgia laica cuyo altar Monsiváis ocupa con frecuencia, casi siempre para fustigar a su grey.

"El pecado fue el tema central de mi niñez y la idea de algún modo... ha seguido rigiéndome hasta ahora", escribió el joven Monsiváis en *Carlos Monsiváis* (1966), su autobiografía precoz. La declaración muestra la continuidad paradójica entre su origen cristiano y su evolución como uno de los grandes secularizadores intelectuales de la sociedad mexicana, escritor que ha librado una batalla casi teológica contra la noción de pecado como rasero moral al servicio del poder. Pero pocos espíritus más libremente agnósticos que el de Monsiváis. Más allá de su retrato del Niño Fidencio en *Los rituales del caos* o de su rastreo cotidiano de las barbaridades proferidas por los jerarcas de la Iglesia romana, Monsiváis es algo más que un anticlerical: es el más severo y profundo de los anticatólicos mexicanos. A su lado, ayuno de cualquier noción de religiosidad, el novelista Martín Luis Guzmán*, célebre por sus anatemas contra las supersticiones y las milagrerías católicas, queda como un jacobino autoritario. Y aunque se cuidaría de declararlo explícitamente, creo que, en buena lid reformada, Monsiváis encuentra consustanciales a la república católica no sólo la superstición y el fanatismo sino la exaltación nacional de la cultura de la pobreza.

Padrino de la generación del 68, como lo llamó Enrique Krauze*, Monsiváis sólo puede ser descifrado en su dimensión de intelectual público como uno de los grandes *mafiosi* de nuestra cultura, un perseverante y astuto animal político. Aunque visitó las catacumbas del Partido Comunista Mexicano (PCM) durante el medio siglo y dejó sentidos homenajes a sus muertos en *Amor perdido,* Monsiváis es un hombre de izquierda ajeno a todas las variantes del marxismo-leninismo. Gracias a su formación protestante y a la repulsión que siente por toda forma de impunidad, Monsiváis es un liberal tanto en el sentido norteamericano de la palabra como en la acepción mexicana, juarista, del término. Padece de ese amor un tanto inocente por la igualdad y la desobediencia civil que viene de H. D. Thoreau y es un defensor militante del Estado como garante del laicismo. Ese doble liberalismo permite a Monsiváis pasar pruebas democráticas que otros reprueban, como lo es su decidida execración del régimen de Fidel Castro. Ese derrotero le ha permitido, también, colocar en la vida pública la agenda feminista y los derechos de los homosexuales.

En la izquierda mexicana, Monsiváis es de los pocos que han intentado la justa equivalencia entre la libertad política y la igualdad social. Pero no siempre es fácil ese equilibrio, como lo muestra la actitud de Monsiváis, más ambigua que vigilante ante el Ejército Zapatista de Liberación Nacional (EZLN), la guerrilla que en 1994 cosechó tantas simpatías entre los universitarios mexicanos y la izquierda internacional. Monsiváis se deslindó de la mística sacrificial del subcomandante Marcos, por lo que tenía de repetitivo martirologio cristiano, pero toleró la ruptura del orden republicano que el neozapatismo significó. El "amor por los oprimidos", tan propio de Monsiváis, es también el límite de su lucidez. El rebelde, desde su óptica, siempre goza de la razón teológica y el imperativo ético, y más aún si es joven, categoría que le permite "equivocarse" en los métodos de lucha. Quienes paralizaron la Universidad Nacional Autónoma de México (UNAM) durante casi un año nunca dejaron de ser para Monsiváis unos "chavos" comprometidos en batalla desigual y torpe contra un poder político que en todos los casos es maligno. Y masoquista como suelen serlo los predicadores, ni cuando los activistas del Consejo General de Huelga (CGH) lo maltrataron personalmente en 1999-2000 se atrevió Monsiváis a despojarlos de su malhumorado, reticente y paternal manto protector. Tampoco es poca cosa su lamentable y acaso pasajera obnubilación ante López Obrador, cuyo juarismo es una falsificación que Monsiváis estaba obligado a ver antes que nadie. Ante los oprimidos, falsos o verdaderos, Monsiváis se ciega y pone su facilidad dialéctica al servicio de causas que acaban por hundirlo, me imagino, en dolorosas crisis de conciencia. La imagen es bella para la literatura; pero convivir con un "soldado de la paz, la hermandad y la justicia" y con el autonombrado *ombudsman* de la sociedad, como lo llama Linda Egan con ironía, no es fácil.

La partida civil que Monsiváis y sus colaboradores dieron en 1968 desde *La Cultura en México* fue, a la vez, un episodio de arrojo democrático y la fuente de legitimación de su grupo durante los años setenta. Cuando en 1988 la rebelión electoral neocardenista dividió esa compleja alianza de profesores, políticos y escritores que era el grupo *Nexos*, Monsiváis, rodeado como estaba de la aclamación multitudinaria, emprendió la siguiente etapa de su carrera, una jefatura moral basada en su visibilidad pública y en su probidad ética. Desde entonces, como lo dijo Adolfo Castañón*, Monsiváis está destinado a ser el último escritor público que las multitudes mexicanas serán capaces de reconocer. Aplaudido por el público cuando ingresa a una sala de conferencias, detenido por los ciudadanos para sacarse la foto, Monsiváis, más que un candidato en campaña, parece el más exitoso de los predicadores, jerarca de una iglesia invisible que se reúne, al instante, donde se escucha su voz.

A través de la obra de Monsiváis encontramos a un mitógrafo y a un etnólogo profesionalmente condenado a sustituir los ídolos derrumbados por sus propias piezas de devoción. Muchos de los iconos populares respetados o tolerados por las élites intelectuales deben su culto a la beatificación literaria de Monsiváis, quien encontró en personajes tan variopintos como las actrices de la época dorada del cine mexicano, Agustín Lara, Juan Gabriel, José Alfredo Jiménez, *sic transit* Gloria Trevi o Fidel Velázquez, a enternecedores o detestables paradigmas de la mexicanidad. Y como inevitable escritor costumbrista, Monsiváis también dedicó sus afanes interpretativos a luminarias que irremediablemente perdieron su pretendida importancia sociológica, como los cantautores Raphael y Emmanuel o Raúl Velasco. Está en el destino del juez instantáneo sentenciar popularidades de quince minutos.

Analista cultural que casi siempre propone soluciones universales al drama particular del mexicano, Monsiváis fue minando, a golpe de artículos, el viejo canon de la identidad mexicana. Antepuso, a cambio, el elogio whitmaniano de seres ordinarios que se convirtieron, gracias a su intercesión, en arquetipos y en mitologías. Monsiváis es, pese a todo, un verdadero pluralista, para quien la exploración de la diferencia culmina en los valores universales. Ello es notorio en su actitud ante la agenda indígena del EZLN. Simpatizó con el derecho de rebelión de los indígenas ante una realidad oprobiosa sin apelar al color de la tierra, al síndrome de la pirámide o al derecho de sangre. Un momento capital en esa evolución fue cuando Monsiváis (rompiendo con el Octavio Paz* de *El laberinto de la soledad,* el menos legible actualmente) dijo que la matanza del 2 de octubre había liquidado "la supuesta intimidad del mexicano y la muerte". Sus escritos, contra lo que pudiera pensarse, le dan escasa munición al multiculturalismo: está lejos del racismo invertido propagado en obras como *México profundo* (1987), de Guillermo Bonfil Batalla. Para Monsiváis, parafraseando a Marshal Berman, la identidad se desvanece en el aire.

A comienzos del siglo XXI la figura de Monsiváis aparece más ligada a la memoria política de México que a su tradición literaria, de tal manera que es necesario restituir su imagen como hombre de libros, el autor de una bibliografía que incluye *Días de guardar* (1970), *Amor perdido* (1976), *Escenas de pudor y liviandad* (1988), *Entrada libre* (1987), *Los rituales del caos* (1995), *Aires de familia. Cultura y sociedad en América Latina* (2000) y *Salvador Novo. Lo marginal en el centro* (2000), el más personal, el más genuino de sus libros, el que lo destaca como ese eslabón decisivo de la gran tradición mexicana que ha sabido ser. Su popularidad, más callejera que mediática, ha oscurecido al autor de esos relativamente escasos libros formales perdidos en una obra periodística que, reunida, ocuparía muchos volúmenes. Esa restitución debe contemplar que en Monsiváis es frecuente la indiferencia ante la claridad expresiva, la densidad churrigueresca, el fárrago: periodista a destajo al estilo decimonónico, suele incurrir en la latosa sustitución de las frases por los párrafos. El cronista confía, en sus peores momentos, en que sus eternos lectores llevamos décadas estudiando su jerga gramatical y que nuestra paciencia es infinita.

Monsiváis es el marginal que viajó hacia el centro, el espectador que se transformó en espectáculo, un liberal que cree en la utopía como distribución equitativa de la esperanza. Pero ese escritor no es el solitario solidario aplaudido por sus feligreses, sino un pesimista que se sabe, con inmenso dolor, predestinado para salvarse, convencido de que las buenas obras a nadie redimen. Monsiváis viaja a las regiones inferiores aterrado ante la sonora trompeta del apocalipsis y profetiza actuando como un coleccionista de las palabras, los gestos y las conductas que componen esta nación. Si México desaparece —digo, es un decir—, por lo menos una pareja de cada especie sobrevivirá en el arca de Monsiváis y al menos uno de nuestros objetos tendrá su réplica en ese museo, no tan imaginario, que es su obra.

Muerte. De todos los escritores mexicanos, Salvador Novo fue la medida de Monsiváis. Para algunos, quizá, el alumno superó al maestro en fecundidad, en valentía. Hijos únicos, homosexuales, Novo y Monsiváis murieron tras muchos días de hospital y ambos fueron velados en los museos y palacios de la vieja ciudad que amaron, repartiéndosela —un siglo corto partido a la mitad— entre los dos. Será apasionante comparar *La vida en México,* de Novo, con las crónicas completas de Monsiváis que habrán de editarse algún día. Novo admiraba mucho al "sabio Monsiváis" y el joven mantuvo su amistad con él pese al respaldo del maestro a la ocupación militar de Ciudad Universitaria en 1968. Monsiváis, por cierto, condenó con la tibieza de quien encuentra a su familia haciendo algo impropio, la ocupación, por parte de los partidarios de López Obrador, su candidato, del Centro Histórico de la Ciudad de México, en 2006.

Monsiváis, en *Salvador Novo: lo marginal en el centro* (2000), el más personal de sus libros, nos explicó cómo Novo conquistó la Respetabilidad. La vida misma de Monsiváis, tan distinta, también representó un combate por la Respetabilidad, otorgándosela a un conjunto de nuevos y viejos valores democráticos: el reconocimiento jurídico de la diferencia sexual, la libertad efectiva de cultos, la tolerancia pública de la protesta social y de las garantías que el Estado debe ofrecerle. El liberal que acabó por ser juarista hasta en su resignada conformidad ante la purificación que habría de imponernos un autócrata justiciero, el radical a quien cegaba su igualitarismo social, el casi jacobino Monsiváis, lo dije hace años y lo repito hoy, elevó la calidad de nuestra democracia mucho antes de que ésta iniciara su exasperante y peligrosa adolescencia, en la que sobrevivimos.

Algunos de los homenajes recitados, cantados y escritos tras la muerte de Monsiváis, insisten con un afán sectario un tanto masoquista, en subrayar su eterna condición de crítico del poder, aseveración que merece matizarse. En los años setenta, tras 1968, Monsiváis, pertrechado en el suplemento cultural de *Siempre!* como maestro de varios de quienes actualmente están entre nuestros grandes escritores, representaba a uno de los más efectivos focos de oposición intelectual al régimen autoritario. Aprendió, allí, a jugar en varias mesas al mismo tiempo, con pocas pero valiosísimas fichas y lo hizo brillantemente si tomamos en cuenta la manera en que la transición y la alternancia lo retribuyeron. A partir de 1997, Monsiváis disfrutó la legítima satisfacción de ver gobernar en el Distrito Federal al Partido de la Revolución Democrática (PRD), no sólo el partido más cercano a su corazón ideológico, sino aquel que hizo suya su agenda (matrimonio entre homosexuales, despenalización del aborto, discusión de la eutanasia). Es decir: Monsiváis, con las reservas y los matices obligatorios en un intelectual, fue un ideólogo en el poder, condición que le garantizó, merecidamente, la democracia. Más que un símbolo de la persecución, fue una imagen de la hegemonía de la izquierda en una de las ciudades más grandes del mundo.

Algunos escritores —para pasar a otro asunto que la muerte de Monsiváis ha puesto en la conversación— que se cuentan entre aquellos que se han reconocido abiertamente como homosexuales, le recriminaron a Monsiváis, con acritud, el no asumirse explícita, expresamente, como tal. A mí no me parecieron muy pertinentes esas peticiones sustentadas en volver dogma de estricta observancia aquella consigna teorética de "lo personal es político". Sus razones personalísimas tendría para no hacer público lo que, además, todo el mundo sabía. Lo importante fue la dedicación política, el cabildeo, la imaginación práctica, que puso Monsiváis a favor de esos derechos de los homosexuales y de otras minorías, cuya conquista le resultaba una urgencia ética de obvia y honda raíz personal. Y ha sido un poco bochornoso escuchar y ver patidifusos a los noticieros de la televisión, estos días y a estas alturas, ante su deber de decir que la bandera multicolor puesta sobre el féretro de Monsiváis era la del orgullo gay.

También he leído, en algunas responsos, la avidez por exorcizar aquellas palabras de 1978 de Octavio Paz sobre que Monsiváis "no era un hombre de ideas sino de ocurrencias", como si sólo la muerte del cronista, en olor de santidad, las refutara, las diluyera, pesadillescas. El contexto de aquella frase fue una polémica cuyo asunto principal, no menor, era la tragedia del entonces llamado, eufemísticamente, "socialismo real". Yo no sé si Monsiváis tenía ideas o ocurrencias, pero el resultado de aquella discusión fue que él, dándole la razón a Paz, se convirtió, años antes de la caída del muro de Berlín, y no después, en un crítico del totalitarismo, pero no del sufrido en las lejanas estepas, sino del padecido en Cuba, allí donde nuestra izquierda (y su falsa némesis, el PRI) se muestran insensibles a esa repugnancia de toda forma de violencia política, de crueldad ideológica, que honró a Monsiváis. A diferencia del estalinista Saramago, con quien ha sido comparado en virtud de cierta pereza mental, Monsiváis no se andaba cayendo del caballo, a cada rato, en el camino de La Habana.

Monsiváis no fue ajeno al embrujo de la fama ni a los fuegos, fatuos o quemantes, de la vanidad literaria. Hubiera sido imposible —algo había en él de predicador protestante pero no de asceta— que se mantuviera indiferente a su condición de ser el más popular de los intelectuales mexicanos. Condición que, dicho sea de paso, no es necesariamente una inmaculada virtud: yo hubiera preferido, a veces, que se arriesgara a ser impopular entre los suyos, él que conocía tan bien la liviandad del gusto público. El Monsiváis que tantísimos conocimos y con el que algunos polemizamos, era un hombre a la vez feroz y sensible, mordaz y generoso, solidario y maldiciente, derrochador y estricto. Hubiera agradecido, emocionado, el cariño desbordado en estos días. Pero también le hubiera parecido un desfiguro a tolerarse con escepticismo el fervor con que lo sacaron en procesión.

Bibliografía sugerida

Días de guardar, Era, México, 1970.
Amor perdido, Era, México, 1978.
A ustedes les consta. Antología de la crónica en México, Era, México, 1980.
Entrada libre. Crónicas de la sociedad que se organiza, Era, México, 1987.
Escenas de pudor y liviandad, Grijalbo, México, 1988.
Los rituales del caos, Era, México, 1995.

Aires de familia. Cultura y sociedad en América Latina, Anagrama, Barcelona, 2000.

Las herencias ocultas del pensamiento liberal del siglo XIX, IESA/CEA, México, 2000.

Salvador Novo. Lo marginal en el centro, Era, México, 2000.

Imágenes de la tradición viva, FCE, México, 2007.

Escribir, por ejemplo (de los inventores de la tradición), FCE, México, 2008.

Apocalipstick, Debate, México, 2010.

La cultura mexicana del siglo XX, edición de Eugenia Huerta, El Colegio de México, México, 2010.

Egan, Linda, *Carlos Monsiváis. Cultura y crónica en el México contemporáneo*, FCE, México, 2004.

Moraña, Mabel, e Ignacio Sánchez Prado (comps.), *El arte de la ironía: Carlos Monsiváis ante la crítica*, Era, México, 2007.

MONTEMAYOR, CARLOS
(Parral, Chihuahua, 1947-ciudad de México, 2010)

La conversión de Montemayor en propagandista de la cultura indígena es uno de los fenómenos más interesantes de nuestra vida literaria. Académico de la Lengua, funcionario universitario, poeta con fama de exquisito, traductor de lenguas antiguas y modernas; un perfil tan convencional presentaba a Montemayor como otro de los hombres de letras integrado sin sobresaltos al establecimiento cultural. *Guerra en El Paraíso* (1991), su novela sobre la guerrilla de los años setenta en Guerrero, anunció la transformación del erudito en un intelectual apasionado por la lucha social. ¿Cómo fue que Montemayor bajó de la torre de marfil para internarse no en la plaza pública sino en la selva? *Encuentros en Oaxaca* (1995) es la narración del choque de Montemayor con las actuales literaturas indígenas. Este pequeño libro, a mitad de camino entre las confesiones y el ensayo, no vale gran cosa en sí mismo. Al leerlo, descubrimos que sólo una figura como Montemayor podía convertirse en escoliasta de los indios y en su informante para el resto de los mexicanos. La sorpresa inicial resultó un tanto injustificada. Han sido humanistas como él, de fray Bernardino de Sahagún hasta Ángel María Garibay Kintana*, quienes inventaron y reconstruyeron la antigua literatura de los indios. Catecúmeno del protestantismo radical en su juventud, Montemayor ha vivido una nueva epifanía, entendida como la revelación privada que confiere a la comunidad un sentido superior de la realidad. Resulta curioso que sea la teología protestante la que acepte la epifanía como fenómeno individual, mientras que el catolicismo la considera una irrupción repentina y milagrosa de Dios ante los ojos de todos los hombres. Como sea, la epifanía de Montemayor apasiona por ser un suceso numinoso de orden lingüístico, antes que otra manifestación de la conversión política o religiosa.

Invitado como asesor de los talleres de literatura indígena promovidos por los organismos estatales para la cultura popular, Montemayor descubre en Oaxaca, a principios de los años ochenta, una oportunidad infrecuente para un humanista de formación clásica: asistir al nacimiento de una lengua literaria y contribuir a su creación. Tan pronto como Montemayor, entre trago y trago de mezcal, pide a los escritores indígenas que le reciten en chatino, mixe o zapoteca, la epifanía lingüística tiene lugar, íntegra, ante el sobresaltado humanista, quien empieza, eufórico, a comparar aquellos acentos prosódicos con los del griego arcaico que conoce gracias a la frecuentación de la poesía clásica. La escena parece ocurrir en una cantina llamada *La Farola,* contigua al mercado de la ciudad de Oaxaca, sitio frecuentemente presentado al turista como la locación fatal del cónsul en *Bajo el volcán,* de Malcolm Lowry. El académico de la Lengua, entre el aserrín y el urinario, accede a un rito de iniciación que lo trasladará a un universo prehomérico, cuya traducción, será, desde entonces, su misión ante la cultura mexicana. Los poetas indígenas pueden estar tranquilos. Por primera vez no son los informantes de Sahagún o de los antropólogos estadunidenses. El informante será Montemayor.

Honradamente, el iniciado se plantea de inmediato los problemas capitales de la literatura indígena actual, acertijos que tanto los indios letrados como los lingüistas del Instituto Nacional Indigenista le van revelando:

1) Los escritores indígenas no se deciden entre la traducción de sus tradiciones orales a la lengua española o la transliteración fonética de éstas al alfabeto latino. *2)* Los lingüistas, citados por Montemayor, tienden a resguardar la virginidad política del indígena como prenda sagrada. De esa forma, paradójicamente, rechazan la transliteración —que requiere, como es obvio, de una vasta educación lexicográfica, gramatológica y lingüística— pues destruirá el estado de naturaleza de esas literaturas (la oralidad), corrompiéndolas mediante la occidentalización y convirtiendo a los letrados indios no en los Otros, sino en sus iguales. Es decir, presumiblemente, los lingüistas se sienten culpables de ser intelectuales. Les parece una pesadilla que sus entenados se transformen en legatarios del saber opresor. *3)* La solución más fácil —escribir en español— es rechazada por la mayoría de los indígenas, pues ello sería confirmar la negación radical de sus culturas. La identificación lengua/nación se da por hecho.

Montemayor, fascinado por la epifanía lingüística, apoya fervorosamente la escritura en lenguas indígenas, y deja a los lingüistas las arduas complicaciones pedagógicas y retóricas. En cuestión de horas, el comentarista magistral de la Égloga IV de Virgilio comienza a tallerear a los indígenas, enseñándoles nociones elementales de métrica castellana, y averiguando, con ellos, las dificultades de transliteración. La generosidad del informante vence las reticencias políticas de sus nuevos amigos. Montemayor les garantiza la buena voluntad de sus propósitos, se va formando una idea de los escritores que lo rodean, algunos maduros, otros en ciernes, escucha las sensatas objeciones de quienes prefieren escribir en español y las rechaza con ardor misionero. Si los jóvenes pueblerinos ya no quieren hablar en zapoteco, habrá que convencerlos con paciencia franciscana. Hay que recoger las palabras de los viejos de la tribu con tesón agustino. Se acepta, con la mejor casuística jesuita, que algunos escriban en castellano, siempre y cuando sea el camino más corto a la lengua indígena. A principios de los años ochenta del siglo XX, Montemayor echa las sandalias al polvo en busca de una evangelización al revés, que busca no el rescate, sino la invención de una literatura. Queriendo regalarles a los indios un clasicismo, Montemayor estimuló un experimento culterano.

Crónica de una epifanía, *Encuentros en Oaxaca* es la historia de un intelectual urbano que se resiste a idealizar a sus nahuatlatos, pero acaba cayendo de rodillas ante ellos. Lo sorprendente, una vez más, es que Montemayor no camina por la vereda de la misericordia cristiana, la fascinación eleusina o la culpa revolucionaria, que suelen ser los tres grandes caminos hacia el indigenismo. Una vez más, el retórico desfallece ante un signo lingüístico. Los indios, dice, "escriben y piensan y hablan en español, que no es su lengua, mejor de lo que yo hablo o escribo en griego moderno o en francés". Esa certidumbre convierte a sus discípulos en maestros de la verdad minoica y en homéridas... Pero Montemayor olvida que él no necesita de su griego moderno para subsistir cotidianamente. El bilingüismo de los escritores indios es una necesidad existencial antes que una elección intelectual. De esa inocencia epifánica, Montemayor desglosa una actitud ante el español indigna de un hombre de su cultura. Acepta, como cualquier bachiller radical, que nuestra lengua es esencialmente "la lengua del conquistador", una realidad lingüística impuesta por el genocidio y un lazo superficial que la nueva evangelización desterrará en un par de generaciones... Pero páginas atrás transcribe el testimonio de sus amigos zapotecas, que se quejan de no entenderse entre sí, de que la variedad dialectal los separa como etnia, por lo que, más allá del círculo familiar —y de ceremonias muy precisas, como la pedida de una muchacha—, tienen que usar el español como lengua franca para dar unidad a la exuberante variedad lingüística de Oaxaca.

No soy filólogo, pero el sentido común indica que las llamadas lenguas francas son sistemas lingüísticos cuya retórica e historicidad es un capítulo decisivo en la historia. La lengua, entendida como instrumento de la clase dominante, parte de la superestructura, es una tontería que el propio Stalin —que murió en calidad de sumo lingüista de los pueblos— desautorizó en 1950 contra el hiperrealismo socialista de filólogos soviéticos como Nikolai Y. Marr. La parrafada de Montemayor me recuerda a la de ciertos profesores argentinos que hace veinte años, en la escuela preparatoria, nos decían que el inglés era la lengua del imperio y que aprenderla era connivencia con el enemigo. ¿Olvidó nuestro humanista los sistemas lingüísticos bipolares, donde se escribe una lengua y se habla otra? ¿No podría profundizar en esas lenguas poseedoras, durante siglos, de una variante demótica y otra letrada? Si el español de México está plagado de giros indígenas, Montemayor, antes de su cruzada, ¿no habría podido ofrecernos un estudio comparativo de los cinco siglos de castellanización y su influencia sobre el universo indio? Si *Encuentros en Oaxaca* es la crónica de una epifanía, el propio Montemayor es responsable de una antología de la literatura indígena que prueba la dificultad de convertir aquella revelación individual en una redención colectiva.

¿Quiénes son los escritores indígenas actuales? Son una élite intelectual india. Nada tengo contra las cofradías intelectuales urbanas; menos podría lamentar que los indígenas las formen. Me parece, inclusive, una noticia formidable. La aventura del Colegio de Santa Cruz de Tlatelolco, formado en 1535 por Bernardino de Sahagún para crear un clero aborigen, y disuelto veinte años después, continúa, al fin, cuando termina el siglo XX. Los actuales intelectuales indígenas pertenecen, mal que nos pese, al México moderno; como sus colegas de las revistas *Nexos* o *Vuelta,* hablan varios idiomas, tienen becas estatales, empezaron leyendo a Pablo Neruda y a Amado Nervo, y hoy están hartos de Roland Barthes y de lingüistas estadunidenses que yo no he leído. Pocos son autodidactas; la mayoría recibió educación pública y algunos tienen posgrados en el extranjero. A diferencia de los novicios de Tlatelolco, no deben fidelidad al arzobispo de México ni al rey de España. Son ciudadanos mexicanos que profesan el catolicismo, el protestantismo histórico o las religiones pentecostales; sus preferencias políticas, estoy seguro, van del Partido Revolucionario Institucional (PRI) al Ejército Zapatista de Liberación Nacional (EZLN). Los hay apolíticos y ecologistas. Y, como todo intelectual del siglo, tienen una batalla que dar. La suya es reivindicar, con acceso a Internet, la identidad indígena en diez lenguas mexicanas.

La aparición de una intelectualidad india, con una relación conflictiva con el Estado, a quien odian y necesitan como todos los intelectuales, es uno de los datos capitales que ofrece el informante Montemayor. Reclutados por el Instituto Nacional Indigenista, o educados por el Instituto Lingüístico de Verano, o catequizados por teólogos de la liberación, priístas, zapatistas, sectarios del Quinto Sol, los escritores indígenas publican libros y organizan coloquios. Su existencia, autónoma y beligerante, es una buena noticia para el resto de los intelectuales, criollos o mestizos, que ya no tendrán que ocuparse de "darles voz a los que no la tienen". Si el optimismo de Montemayor es razonable, en poco tiempo prescindirán de Montemayor.

Ocurre que esos intelectuales indios tienen con nosotros otra coincidencia, grave e incómoda. Carecen de lectores. En México, país oficialmente alfabetizado, no se lee. En México se lee poca literatura, buena o mala. En las regiones indígenas, ¿quién no lo sabe?, las tasas de analfabetismo son abrumadoras. Si los indios no leen en español, no es predecible que entiendan las complejas transliteraciones al maya, náhuatl, otomí, chinanteco, tzeltal, tzotzil, que apasionan a Montemayor —y antes que él al Instituto Lingüístico de Verano, la calumniada institución estadunidense a la que debemos la vida de tantas lenguas indígenas condenadas a la extinción—. Si fracasó la castellanización del indio soñada por José Vasconcelos*, tampoco tuvo éxito el bilingüismo impulsado por Manuel Gamio. La lectura en lenguas indígenas —y ésa es la cruel paradoja soslayada por Montemayor— sólo ocurrirá cuando las naciones indias se integren política y educativamente a una sociedad democrática. Si el camino a ésta es el proyecto del EZLN, o el del Estado, ése es otro problema. Mientras tanto, los letrados indios —como todos los escritores— seguirán en su lucha por ganar lectores, ya sea en maya o en español. El proyecto de las literaturas indígenas es un galimatías que entusiasma por su noble grandeza utópica.

Montemayor, en el prólogo a *Los escritores indígenas actuales* (1995), que antologa poesía, narrativa y teatro, evade el problema de una literatura sin lectores. No es la primera vez que los letrados se sustraen por completo al dominio público. Una literatura enclaustrada no deja de ser, por ello, literatura. Hasta la invención de la imprenta y el cisma luterano, Europa fue una sociedad sin lectores y ello no empequeñece a la *Suma teológica* o a la *Divina Comedia*.

Una somera descripción del circuito intelectual indio nos permite hablar, al fin, de lo que publica. Pero antes de hacerlo, el propio Montemayor —aclaración no pedida— se pregunta si los textos antologados, en ocho lenguas, son literatura en el sentido occidental de la palabra. Como yo incluiría dentro de ese canon a toda traducción que pueda leerse fonéticamente, aunque provenga del chino o del tzeltal, no comentaré la diferenciación hecha por Montemayor entre comunicación oral y arte de la lengua: es una precaución tomada por el informante contra quienes afirman que la tradición oral no es literatura. Fue una sociedad ágrafa, en efecto, la que creó las condiciones para la aparición de Homero.

Montemayor reconoce que la tradición indígena —con la notable excepción zapoteca— es ágrafa. Pero aclara que todas las lenguas indígenas de México son sistemas lingüísticos tan complejos como el francés, el inglés, el español o el alemán... Verdad a medias. Una cosa es rechazar la división racista entre "lenguas cultas" y "dialectos", por lo demás olvidada por la lingüística moderna, y otra es olvidar la historicidad de una lengua. El náhuatl, en potencia, puede ser tan complejo como el alemán; en realidad, no lo es. ¿Por qué? Por los famosos 500 años de conquista que desplazaron y humillaron a las lenguas indígenas por una lengua franca más poderosa, de la misma manera que el griego y el latín, idiomas de la Iglesia de Oriente y Occidente, rebasaron al arameo que hablaba Jesucristo.

Las lenguas indias no son lenguas muertas. No sólo las hablan miles de mexicanos sino que están generando, como hemos visto, su transición hacia la escritura fonética. Una lengua puede ser gravemente herida por una conquista militar y religiosa. Es imposible, en cambio, conservarla por decreto. Las campañas de defensa estatal de cualquier lengua son ridículas. Si la Roma imperial las hubiese aplicado con éxito no existirían el español, el francés o el portugués, formas felizmente corrompidas del latín. Éstas son verdades de Perogrullo para el filólogo y misterios esotéricos para el propagandista político, sea hispanista o indigenista. Los escritores indios, junto con sus amigos en las ciudades, creen en una idea occidental, europea y romántica, la que identifica a las naciones indias con sus lenguas. Aceptan el *Volkstum* de Herder con idéntica pasión que la de algunos ideólogos alemanes que gozan de pésima reputación en nuestro siglo.

El desarrollo alfabético de una lengua ideográfica no depende de las buenas o malas intenciones de la clase dominante. El náhuatl, lengua hegemónica en el centro de México en 1521, fue transliterado y conservado gracias al celo de los misioneros y de sus ilustres alumnos indios. La conquista española no fue un exterminio lingüístico. En 1627 el rey Felipe IV ordenó que hubiese "cátedra en las lenguas de la tierra mexicana", tal como lo había decidido el Concilio Eclesiástico Mexicano en 1585. Más allá de la evangelización, el virreinato necesitaba de las lenguas indígenas para soldar sus estructuras de mediación entre la corona y los caciques autóctonos. El uso familiar de la lengua vernácula no fue perseguido por el Santo Oficio, muy atento a las oraciones de los judíos conversos de España y Portugal. Tras la pira de códices fraguada por fray Juan de Zumárraga y fray Diego de Landa, los españoles olvidaron el problema. Tan es así que Serge Gruzinski documenta una repaganización en el siglo XVII y David Brading recuerda el nacimiento del criollismo novohispano como una exaltación del pasado azteca. Heredero del modelo romano, el Imperio español utilizaba una lengua franca —el castellano— y una lengua litúrgica —el latín—, y las lenguas demóticas lo tenían sin cuidado, contando la que hablaron de origen Carlos V y los Borbones. En cambio, el Estado de la Revolución mexicana fue ideológicamente indigenista. Su gran fracaso —la integración de las etnias al progreso material de la nación— es visto con ambigüedad por los nuevos indigenistas. Por ello, la rebelión de Las Cañadas de 1994 es un fenómeno tan confuso. Es, al mismo tiempo, una condena vocinglera de la occidentalidad de México y una petición digna al Estado nacional para que cumpla sus responsabilidades con los pueblos [...]

He dado este rodeo para decir que Montemayor, criollo al fin, busca una identidad clasicista en un berenjenal de lenguas que no murieron sino que apenas están naciendo. El futuro de la literatura indígena es responsabilidad de los escritores indios. No serán, en esta ocasión, los clasicistas quienes les salven la lengua.

La poesía, la narrativa y el teatro —antologados por Montemayor en *Los escritores indígenas actuales*— son obra de adolescentes y jóvenes escritores indios, y es, por fuerza, una literatura tan balbuceante, primeriza y anticuada como la que produce 95% de los talleristas hispanófonos de la República. Montemayor se distrae hablando de la composición silábica y acentual del zapoteco, pero el humanista calla ante la calidad del material recopilado. En prosa o en verso, el lector sólo encontrará parábolas moralizantes, alegatos justicieros, leyendas orales pobremente transcritas. El siriaco y el arameo sólo tuvieron alfabeto cuando apareció el cristianismo, y tardaron dos siglos en tener una literatura. Acaso el teatro —que tanta importancia tiene en la formación de la nueva intelectualidad india— sea el género que mejor se preste para alumbrar este doloroso parto. No acepto la objeción que me harán las buenas conciencias, pidiendo conmiseración por estos escritores pensando en sus condiciones de vida. El racismo invertido, por hipócrita, es una forma perversa de la solidaridad. Le tomo la palabra a Montemayor: si los indios no son los Otros, tratémoslos entonces como iguales. La pobreza temática y expresiva de su literatura no es un problema sociológico o político, es un asunto filológico: estamos ante la infancia de una tradición alfabética. Es una triste ironía que el mejor de los escritores indígenas que conozco, Jesús Morales Bermúdez (1956), no figure en la antología, pues escribe en español.

En el tomo II de *Los escritores indígenas actuales,* éstos toman la palabra. Domingo Meneses Méndez, chol, reproduce en su ensayo el temor de los lingüistas que recibieron en Oaxaca a Montemayor. Dice que la transliteración al español puede convertir al escritor indio en "un peligro para su propia cultura". Sus palabras, autoritarias, responden a esos "usos y costumbres" de la comunidad indígena, que podrán ser arcádicos, pero no democráticos. Meneses Méndez cree en el letrado como en un sacerdote responsable de la tradición e indiferente frente a los lectores, concepto ausente en su disertación. El zapoteco Javier Castellano Martínez es más audaz. Ridiculiza —ya era hora— a Francisco Rojas González (1904-1951), padre del indigenismo literario del medio siglo, por las imprecisiones toponímicas y los dislates paternalistas en que incurre. Por otro lado, Castellano Martínez se burla de sus paisanos que adaptan *Las mil y una noches* o cuentos de Grimm para consumo de los turistas revolucionarios o alucinógenos. Este crítico zapoteca es el único que asume el carácter fundacional de su empresa. Manuel Pérez Hernández, tzotzil, es un lingüista. La historia de sus aventuras hubiera fascinado a Jakobson o a Lévi-Strauss. Tomó un curso con el doctor Laughlin, que le permitió conocer un universo lexicográfico de 30 000 vocablos tzotziles, transcribió un diccionario del siglo XVI y desde la lingüística comparada, en sistema de cómputo, regresó a la lengua de sus ancestros. Ubaldo López García, mixteco, ofrece una forma aún más elaborada del viaje al revés: *1)* estudió el códice Selden en un taller especializado; *2)* interpretó los pictogramas y explicó cada uno en español; *3)* los ofrece en mixteco, lengua hablada en la época del códice —la historia de la princesa Seis Mono—, y *4)* tiene que volverlos a traducir al náhuatl, que es la lengua que hablan (pero no leen) los vecinos de Jaltepec, sitio original de la leyenda, a quienes se dirige. Estamos ante una invención culterana, un gongorismo más cercano a las ficciones de Borges que a los versos del príncipe Nezahualcóyotl.

La empresa de Montemayor reivindica a la nación indígena como resultado de la suma de Herder: lengua + territorio + religión. El viejo romanticismo nacionalista reaparece con una novedad de importancia: la creación de una literatura indígena escrita en lengua étnica. Pero Montemayor se deshace de la religión, el tercer elemento. A su teología india, revelada en los textos, le falta una dimensión, la antropología sobrenatural. Lo mismo le ocurrió a Guillermo Bonfil, en *México profundo* (1987), libro cuyo racismo involuntario inspira tanto a Montemayor como al subcomandante Marcos, y a los miles de adoradores equinocciales del Quinto Sol. Es lógico que el nuevo indigenismo ignore la dimensión cristiana de la cultura indígena. Quienes resaltan, maravillados, el carácter "sincrético" del cristianismo mexicano no han leído, al parecer, ninguna buena historia de la Iglesia católica, que en China o en el propio Levante adquirió formas sincréticas mucho más espectaculares en términos litúrgicos y riesgosas en el terreno del dogma que entre los chamulas o los tarahumaras. Puede rechazarse a la lengua española como epítome de la nacionalidad, pero es imposible olvidar que el cristianismo venció en el Nuevo Mundo, como en el Imperio romano, por ser una religión más poderosa y convincente que el paganismo. Así lo creyeron desde Constantino hasta el último de los esclavos. Pocos fueron quienes lloraron la destrucción o el abandono de los templos paganos sancionados por una sociedad conversa. Se insiste, en cambio, en la imposición militar de una religión (y su lengua) a los indígenas americanos. Todas las religiones nacen sobre las brasas de otras; la historia del monoteísmo es la crónica de una violencia legitimada por la conversión. Entre el antiguo humanismo y el multiculturalismo en boga, Montemayor quizá niegue que hubo una conquista espiritual en la Nueva España, como en Roma o Damasco. Pero las sociedades indígenas son dramáticamente cristianas. Tan es así que la más dolorosa de las violencias que vive Chiapas —la tierra prometida del *México profundo*— ocurre entre indios católicos e indios protestantes. El EZLN fue obra, en buena medida, de los catequistas radicalizados por la teología de la liberación. El mediador es el obispo de San Cristóbal y la prosa de Marcos es evangelizante, como el llamado *Popol Vuh*... La lengua española de México debe a los indígenas parte de su esplendor, como se lo debe el barroco a los anónimos constructores indios. Nunca un pueblo ha elegido. su lengua. Esta fatalidad fue la misma para la Iglesia de Jerusalén, obligada a predicar en griego, como para Alva Ixtlilxóchitl, Alvarado Tezozómoc o el inca Guamán Poma, creadores del español de América. La cultura indígena de México es un tipo complejo de civilización cristiana que no puede ser negada por una epifanía lingüística (*Servidumbre y grandeza de la vida literaria,* 1998).

Bibliografía sugerida

Los escritores indígenas actuales, tomos I y II, Conaculta, México, 1991.

Encuentros en Oaxaca, Aldus, México, 1996.

Obras reunidas I. Novelas. Guerra en El Paraíso. Las armas del alba, FCE, México, 2007.

Obras reunidas II, Novelas. Mal de piedra. Minas del retorno. Los informes secretos, FCE, México, 2010.

MONTERROSO, AUGUSTO

(Tegucigalpa, Honduras, 1921-ciudad de México, 2003)

En una literatura tan rica como la hispanoamericana del siglo XX, a Monterroso le tocó ser una de las figuras más absolutamente originales. Creció en Guatemala y llegó a México en 1944, víctima de la persecución política. Su obra borró esa frontera artificial que nos separa de la América Central y fue más allá a través de quinientas páginas que nos convirtieron, a sus lectores, en contemporáneos de un tiempo absoluto llamado literatura, donde viven Esopo y Kafka, Cervantes y Cortázar, Virgilio y Pessoa.

Clásico en vida, reinventor de la fábula, maestro de muchísimos escritores, Monterroso logró un consenso sustentado en un enigma que parece irresoluble: sus libros no responden a ninguna de las clasificaciones ni de las expectativas de la literatura mundial. Títulos como *Obras completas (y otros cuentos)* (1959), *La oveja negra y demás fábulas* (1969), *Movimiento perpetuo* (1972), *Lo demás es silencio* (1978), *Viaje al centro de la fábula* (1981), *La palabra mágica* (1983), *La letra e* (1983), *Los buscadores de oro* (1993) y *Pájaros de Hispanoamérica* (2002), más que una bibliografía, son una tradición en sí misma y una escuela del gusto literario. Puede hablarse de la perfección de su castellano, de la infalibilidad de su ingenio o de su increíble facilidad para sintetizar, en el dominio de la brevedad, bibliotecas enteras. Se reproducirán los elogios de Isaac Asimov, de Italo Calvino, de Gabriel García Márquez*; correrán ríos de tinta, pero el misterio seguirá allí: no alcanzamos a definir qué clase de escritor fue ni cuáles fueron los extraños vericuetos que lo condujeron a encarnar esa forma discreta y perenne del ingenio. Se dice con fortuna que nada puede agregarse a la perfección, y sus páginas, desde sus célebres fábulas hasta sus más "simples" apuntes literarios, fueron perfectas. En Monterroso lo clásico demostró ser la antítesis de la solemnidad y de los laureles, de lo inaccesible o de lo tedioso, de lo académico o de lo magistral; en él la literatura fluía como la heredera más viva y chispeante de la conversación.

Quizá Monterroso, como se ha dicho, fue un romano; pero su latinidad no recuerda a la de Cicerón sino a la de esos espíritus traviesos e inmortales para quienes Roma fue hervidero de teologías, el punto de partida, y no la meta, de todos los encantamientos, maleficios y supersticiones. Fue Monterroso nuestro Lucio Apuleyo y sus libros una evolución prodigiosa de *Las Metamorfosis* o *El asno de oro,* un trabajo donde las pesadas alegorías selváticas de las letras hispanoamericanas fueron un lastre arrojado en el viaje al centro de la fábula, esa tierra donde el principio del relato aparecía bajo la más diamantina de sus formas.

Monterroso se rehusaba a hacer declaraciones cuando algún escritor moría, negándose a envilecer el noble arte del epitafio con la trivial velocidad del comentario de ocasión. Así, escribir estos apuntes tiene algo de indecoroso, una justa insensata por agregar a una obra y a una persona adjetivos y calificativos de los que prescindiría sin riesgo. Pero quedan los muchos amigos de Monterroso. Y creo no equivocarme al decir que el mejor de sus amigos fue Bárbara Jacobs*, su compañera de tantos años. Ella publicó *Vida con mi amigo* (1995), una peculiar confesión, más dialogada que autobiográfica, sobre sus días con ese amigo al que la elegancia apenas le permite nombrar. Monterroso y Jacobs vivieron una de las más hermosas amistades literarias en los anales de esa historia cotidiana de la literatura que a muchos lectores nos conmueve.

La mañana del sábado 8 de febrero de 2003 me desperté, como medio mundo, con la noticia de la muerte de Monterroso. Mi primer pensamiento fue libresco. Me recordé de niño mirando el librero familiar, concentrado en un tomo delgado de Joaquín Mortiz que decía en el lomo *Monterroso. Obras completas*. Entonces, como ahora, me pregunté cómo podía caber tanta literatura en un libro tan pequeño. Eso era cosa de encantamiento, la obra del dueño de la palabra mágica.

Bibliografía sugerida

Cuentos, fábulas y lo demás es silencio, Alfaguara, México, 1996.
Pájaros de Hispanoamérica, Alfaguara, México, 2002.
Corral, Wilfrido H. (comp.), *Refracción. Augusto Monterroso ante la crítica*, Era, México, 1995.

MONTES DE OCA, MARCO ANTONIO
(Ciudad de México, 1932-2009)

Hijo de un general de la Revolución mexicana, Montes de Oca es un hombre que ha sostenido invariablemente que el poeta sólo debe dedicarse a la poesía y hacerlo de manera tan celosa como el fraile mendicante que recibe su limosna en los caminos, confiado a la buena voluntad de la mujer devota, del usurero y del todopoderoso. Es el más poeta de nuestros poetas, un asombroso espectáculo de fertilidad lírica que se ha extendido a lo largo de medio siglo, desde *Ruina de la infame Babilonia* (1953) hasta los cuatros libros inéditos que completan la más reciente edición de *Delante de la luz cantan los pájaros (Poesía 1953-2000)* (2000), tomazo de 1182 páginas que, en los límites de la encuadernación, intimida. No hay poesía en México (y probablemente tampoco en el radio entero del idioma) tan rica en imágenes como la suya, al grado de que sus lectores podrían componer su propia antología sin correr el riesgo inmediato de seleccionar los mismos versos que otros. Pero la historia crítica de Montes de Oca es la historia de un problema sólo similar al representado por Juan Ramón Jiménez o Pablo Neruda, poetas a los que, por otro lado, sólo engañosamente se parece. Pocas obras poéticas han sido tan objetadas por la crítica, y pareciera que Montes de Oca, en el caso contrario que Juan Rulfo*, fue un escritor cuya obra fue perdiendo importancia y peso con cada libro que publicaba.

Octavio Paz*, personalidad decisiva en el desarrollo de Montes de Oca y el más fiel de sus valedores, fue el primero en enfrentar los reparos, y al rebatirlos autorizó otros, no menos problemáticos y duraderos. En 1959, cuando Montes de Oca ya había publicado *Contrapunto de la fe, Pliego de testimonios, Razón de ser* y *Delante de la luz cantan los pájaros* (el poemario así titulado originalmente), decía Paz: "Algunos críticos le reprochan su riqueza de imágenes, reparo tan absurdo como el de criticar la esbeltez en el chopo o la blancura en la nieve. No me extrañan los juicios adversos. Tras años de anemia parnasiana es natural que la explosión verbal de Montes de Oca —con todas sus caídas y faltas de gusto, lo admito, pero también con toda su fresca y admirable energía— parezca un escándalo. La salud es escandalosa en un sanatorio […] No, la poesía nunca es excesiva. Los numerosos aciertos de Montes de Oca no me cansan; me cansa cuando desfallece, cuando se repite y, sobre todo, cuando sustituye la expresión original por lugares comunes de la filosofía o de una moral religiosa que yo encuentro conformista. En suma, cuando predica ('la vieja paz de Dios y la nueva de los hombres'); cuando filosofa ('lo externo y mi ser son aguas del mismo río'); cuando insiste en expresiones abstractas y pintorescas ('exponer las verdades de mi reino, el divino fórceps, la viruela de la lluvia picotea la faz del charco', etc.). No son faltas de gusto (¿qué es el gusto?) sino la rigidez del sistema lo que, a mi parecer, estorba la visión. Una arquitectura de cemento —lo que llaman el fondo o el contenido— recubierta por una vegetación salvaje" (Paz, *Obras completas, 3. Dominio hispánico,* 1994).

Al hablar de anemia parnasiana Paz se refería al imperio de Enrique González Martínez y de Jaime Torres Bodet* y a la ausencia de esa rebeldía que él sostenía en relativa soledad, aislamiento que vino a romper una poesía como la de Montes de Oca. Otros poetas más conservadores, como Alí Chumacero*, juzgaban a Montes de Oca entre el asombro y la condescendencia: "Vigor y desmesura, plasticidad y violencia, impudor y crueldad, desbordado todo en el catálogo de la imagen, defienden estos imperfectos poemas que surgen de golpe 'como un árbol en la mitad del mar'. Desbocado, diríamos; disparado, irrumpiente; enemigo del reposo, ajeno a la meditación, Montes de Oca se enfrenta a la poesía con la inexperiencia insobornable de la juventud" (Chumacero, *Los momentos críticos,* 1987).

Más de una década después, Montes de Oca —el último de los poetas mexicanos en abandonar el uso del *vosotros*— había publicado ya varios de sus libros más impresionantes, como *Cantos al sol que no se alcanza* (1961), *Fundación del entusiasmo* (1963), *La parcela del Edén* (1964), *Vendimia del juglar* (1965) y *Pedir el fuego* (1968), y ante esa crecida bibliografía, Gabriel Zaid* se preguntaba qué tipo de equívoco acaba por enredar hasta a sus lectores más fervorosos. "Su poesía [decía Zaid en *Leer poesía* (1972)] tiene misterio, seducción, brío. Es una lujosa antesala de algo que finalmente no aparece, y que así, precisamente, como en ciertas obras de Pirandello, adquiere su debido esplendor. Esto no quiere decir que de pronto no salgan cosas espléndidas: *Árboles milenarios desde el primer segundo.* Pero estas salidas nunca se despliegan, no se dejan seguir más allá. Leer seguidamente un poema de Montes de Oca, no digamos un libro, es una experiencia frustrante. No es así como hay que leerlo. Hay que tomarlo como un libro de horas o como una serie de greguerías" (Zaid, *Obras,* 2, 1999).

En una nota agregada en 1994 a su *Diario público, 1966-1968* (2005), Emmanuel Carballo* juzga con acritud y dureza a un joven poeta que lo había entusiasmado: "Montes de Oca publicó a partir de 1966 numerosas y abundantes autoantologías (más de las convenientes). Sin embargo, no fue más allá de lo que yo apunté en 1967. Nunca escribió el libro definitivo, el poema deslumbrante. Emprendió sistemáticamente una tarea vulgar y monótona: autoplagiar sus hallazgos y repetir estructuras y discursos poéticos con ligeras variantes. No alcanzó el grado de gran poeta: figura históricamente entre nuestros jóvenes más representativos de los años cincuenta y sesenta [...]"

La descalificación de Carballo es más hiriente aún porque es paradójicamente injusta. Una y otra vez Montes de Oca trató de reinventarse y, fiel a sí mismo en contra de su voluntad, los logros fueron escasos, intentándolo mediante la prosa poética (en *Las fuentes legendarias,* 1966, o en *Sistemas de buceo,* 1980), con poemas visuales (*Lugares donde el espacio cicatriza,* 1974) o recurriendo a cierto rigor "concretista" (como en *Vaivén,* 1986). Ese drama, esa errática búsqueda de la metamorfosis, nos lleva a la comparación que sugiere Zaid entre las imágenes de Montes de Oca y las greguerías de Ramón Gómez de la Serna. De entrada parece incorrecta, pues el humor que distingue a la greguería está del todo ausente en Montes de Oca, poeta solemne, como tiene que serlo quien prefiere la letanía.

"No se pueden leer greguerías encadenadas", admitía José Moreno Villa* y tampoco es suficiente limitarse a picar imágenes en Montes de Oca, pues ese mismo dramatismo frustrante que Zaid detecta, al menos a mí me arrastró a la lectura de casi todos sus poemas, en búsqueda de ese misterio que se nos escapa y cuya huida no se tolera fácilmente. Al final, el conjunto, la majestad y la cantidad acaban por imponerse.

Sobre Montes de Oca, Vulcano fraguando las palabras a martillazos, no se ha escrito mucho y la mayor parte de su obra permanece sin explorarse. Pero ya son suficientes y justas algunas de las opiniones críticas acumuladas, como la de Evodio Escalante a quien, en *La vanguardia extraviada* (2003), le fascina el joven poeta que predica contra la usura y elige educarse en los coloquios de los obreros, un animal mesiánico que apela a la poética del hombre nuevo y a una restitución verbal de la edad de oro, bardo que le apuesta, como diría José Revueltas*, a que no vuelva a suicidarse Maiakovski. Hay quienes ven un fluir heracliteano en Montes de Oca, un río que no cesa y va arrastrando todo consigo mientras que Ramón Xirau* se detiene en la naturaleza romántica de su poesía, conquistadora de nuevos reinos. Concluiríamos con Adolfo Castañón*, para quien el romántico Montes de Oca forma filas en el surrealismo, que fue uno de los romanticismos del siglo XX. Pero no pocas veces, hay que decirlo, su imaginería surrealista es sólo académica, más la rutina del cantante que, antes de arriesgarse contra las convenciones vigentes, interpreta melodías canónicas.

En casi todo romántico opera la creencia de Woodsworth de que el niño es el padre del hombre. Las infancias, en Montes de Oca, se van sucediendo como los avatares en las religiones del Indostán. Él mismo lo sugiere en su autobiografía precoz (*Marco Antonio Montes de Oca,* 1967) al recordar la hospitalidad brindada por Juan José Arreola*: "También nos entregábamos con lujo de fiereza al futbolito, al dominó, a las guerras de cojines y a los cerrillazos. Luego seguía el pin-pon o ese juego de los barcos en que nos tendíamos con el papel, escudriñando la línea del horizonte en busca de acorazados italianos o malgaches. ¡Aquella fue mi cuarta infancia consecutiva!"

En Montes de Oca el poeta es un demiurgo que disfruta eternamente de la infancia, tierra que parece desprendida de un cuento fantástico de Rubén Darío o de una fábula modernista de José Antonio Ramos Sucre. Pese a que se educó con Dostoievski y Kierkegaard, otras lecturas de infancia y adolescencia son las que han nutrido al poeta, como es notorio en *Las fuentes legendarias* (1966) y en *El corazón de la flauta* (1968), donde es fácil toparse con los vestigios arqueológicos de *Veinte mil leguas de viaje submarino,* de *La leyenda dorada,* de *Las mil y una noches,* de los manuales de mitología griega. El de Montes de Oca es un universo-mundo regulado por la correspondencia armónica de los elementos y poblado por miles de palabras que, a la vez libres y gregarias, encarnan en una saga caballeresca, con princesas y endriagos, ritos de pasaje y pases mágicos. Escojo casi al azar una imagen y una escena de *Las fuentes legendarias:* "Despiertan momias sólo desmayadas. Van hacia la explanada arrastrando vendajes como cáscaras de frutos a medio mondar. Abandonada ya su larga hibernación, caminan bajo el plenilunio con una cobertura de aire macilento seguidas de parcelas, barrios enteros, caudas de oropel y mundanería. Vienen a presenciar, entre curiosas y testimoniales, el nuevo orden que encarna el mago".

En el dibujo maestro de su obra, a Montes de Oca le ayuda su cristianismo celebratorio, casi pagano y feliz a la manera de creyentes como Max Jacob (y con él, Arreola). Pero, refractario al lado oscuro de la poesía moderna, es un mundo irreal, a veces demasiado bello para ser poéticamente verosímil. Numerosos versos de Montes de Oca, por ejemplo, están dedicados al amor carnal entre hombre y mujer, pero tras compulsar las recopilaciones (yo prefiero *Pedir el fuego. Poesía, 1953-1987* [1987], la más manejable), no queda la impresión de que sea un poeta erótico. Y otros sentimientos, como el odio, la vanidad o la envidia, parecen irrelevantes en su poesía, tanto más extraño al tratarse de una obra de treinta libros. Siempre más cerca de Bécquer que de los profetas románticos, en Montes de Oca el mal se ausenta por largas temporadas. En el fondo, como a Gómez de la Serna, todo lo humano le es ajeno. Es sólo poesía. Pero sin ese depósito de imágenes en apariencia infinito que es la obra de Montes de Oca, atravesar la literatura mexicana sería un calvario en el desierto.

Bibliografía sugerida

Pedir el fuego. Poesía, 1953-1987, Joaquín Mortiz, México, 1987.
Delante de la luz cantan los pájaros (Poesía 1953-2000), FCE, México, 2000.
La alas de la palabra, prólogo de Víctor Manuel Mendiola, FCE, México, 2010.
Escalante, Evodio, *La vanguardia extraviada,* UNAM, México, 2003.

MONTIEL FIGUEIRAS, MAURICIO
(Guadalajara, Jalisco, 1968)

A Montiel Figueiras le gustan los mapas y las coordenadas, el compás y la brújula. Es un buen viajero (lo cual no es igual a viajar mucho) y un doble afán, cartográfico y orientador, determina su presencia: entre nuestros críticos —de cine y literatura— es uno de los más constantes. No se conforma con publicar regularmente ensayos y reseñas sino en hacerlos perdurar en libros bien pensados y correctamente dispuestos, como *Terra cognita* (2007) y *La brújula hechizada: algunas coordenadas de la narrativa contemporánea* (2009). Si el primero da cuenta de su cinefilia, el segundo ofrece como subtítulo "Algunas coordenadas en la literatura contemporánea" y no le ahorra a sus lectores cierta presión a la vez didácta y periodística: el crítico está para orientar porque lee (o debe leer) mejor que sus lectores.

Tiene cariño por la reseña como género (y como pasaporte, salvoconducto) y no abandona sus reseñas al garate: las cuida, las remoza y las conserva en sus libros. Sabe Montiel Figueiras, también autor de una novela (*La penumbra inconveniente,* 2001), que las colecciones de ensayos y reseñas, cuando se trabajan y no sólo se amontonan, son libros difíciles de hacer y casi imposibles de vender, ya sea a los editores o a los lectores. Así, en *Terra cognita*, releí páginas que agrupadas en libro acrecentaban su valor y adquirían una densidad mayor, como las dedicadas al preterido Curzio Malaparte o a Clint Eastwood en su faceta genial de historiador fílmico de la Guerra del Pacífico. Lo mismo ocurre en *La brújula hechizada* (título que casi duplica aquel otro de Lezama Lima: *La cantidad hechizada*). No es lo mismo leer en una revista un elogio de Haruki Murakami (1949) que encontrarlo situado mediante la comparación tácita que impone un recuento crítico con sus contemporáneos japoneses Kôji Suzuki (1957) o el otro Murakami, Ryu (1952). Y si a ese trío lo leemos frente a Yukio Mishima (junto con Dino Buzatti, de los pocos viejos autores del siglo XX registrados en *La brújula hechizada*) nos encontramos, gracias a Montiel Figueiras, con las tempestades del gusto literario. Un clásico, como Mishima (1925-1970), no pareciera ser otra cosa que un muerto viviente, venerable ancestro cuya violencia ritualizada y su teatro de máscaras desentona con la banalidad obsesiva-compulsiva de los héroes (si es que lo son) murakamiamos, su pertinaz individualismo cibernético y esa melancolía a la postre creativa que los salva. A mí también me gusta Haruki Murakami pero no sé por qué. Quizá sea por la inexpresividad perfecta de sus mujeres, me digo, tras leer *La brújula hechizada*.

No es fácil hablar de Murakami, de Henning Mankell o de W. G. Sebald. Son glorias contemporáneas ante las cuales impera el sobrentendido de la pertenencia: no le gustan a ciertos lectores (aunque sean millones), le apasionan a toda una época, de la cual o somos esclavos o nos creemos coautores y corresponsables. Decir no, para un crítico, es más fácil que explicarse profesionalmente frente al consenso epocal. Así debería ocurrir en *La brújula hechizada* y no siempre sucede: Montiel Figueiras no atina a explicar por qué le es entrañable Mankell ni se mete en honduras (que tratándose de un crítico de cine serían apasionantes), preguntándose por qué lo policiaco es, a la vez, el realismo y la metafísica de casi toda la narrativa posterior a aquel momento en que André Gide bendijo a Dashiell Hammett y a su *Halcón maltés*.

A veces (le ocurre a Montiel Figueiras, me ocurre a mí, le ocurrirá a todo verdadero reseñista) el género conspira contra las explicaciones y una reseña, fatídicamente limitada en su extensión, debe ser o el manifiesto de un fervor o la radiografía de una idea. En relación con Sebald, Montiel Figueiras alcanza a sugerir lo esencial y para hacerlo recurre al desplazamiento geográfico (es viajando como el autor de *La brújula hechizada* se orienta) y del Cementerio de los Sin Nombre llega naturalmente al autor de *Los anillos de Saturno*. Muerto a principios del nuevo siglo, cuando su fama se tornaba (como la de Roberto Bolaño*, en sentido estricto, otro profeta) enceguecedora, aventuro que Sebald fue el último en inclinar la cabeza en honor de los muertos del siglo XX y en autorizarnos a seguir nuestro camino una vez que él mismo se reunió con ellos, las víctimas de las conflagraciones y los éxodos, en la otra orilla, y no con nosotros. Por ello, fantaseo, ese recurso de Sebald a la foto sepia, la verdadera pátina del tiempo.

La errancia. Paseos por un fin de siglo (2005), *Terra cognita, La brújula hechizada:* los tres libros críticos de Montiel Figueiras muestran con claridad que lo suyo es el dominio pleno del mapamundi, la cartografía, las coordenadas precisas. No viaja a tontas y a locas: lo desconocido le interesa porque puede dejar de serlo. Por eso, obra de un buen entrevistador literario, su libro concluye con entrevistas a John Banville, Barry Gifford, Ricardo Piglia, entre otros.

Aspira Montiel Figueiras a sacar a sus lectores del barullo de una globalización que impone el "consumo indiscriminado y acrítico", y conducirlos, en calidad de navegante, hacia las zonas neurálgicas. Eso lo hace Montiel Figueiras con suficiencia: si se trata de hablar de literatura actual él es la persona indicada. También el suyo es un trabajo crítico que muestra la otra cara de la globalización: nunca habitamos —y me refiero solamente al mundo de los lectores de novelas— en un mundo tan pequeño: millones leen a los mismos autores, sean Murakami, Coetzee, Bolaño, Mankell. No se parece, en tanto lectura profana, nacida del mercado, a la unanimidad con que el siglo XVI europeo empezó a leer la Biblia ni al crédito filosófico del que gozaron los enciclopedistas. ¿Qué es, entonces, ser un novelista internacional en la primera década del nuevo siglo? Ése es un tema para la próxima vez que Montiel Figueiras tome el compas y la brújula.

Bibliografía sugerida

La penumbra inconveniente, El Acantilado, Barcelona, 2001.
Terra cognita, FCE, México, 2007.
La brújula hechizada: algunas coordenadas de la narrativa contemporánea, DGE/Equilibrista/UNAM, 2009.
Paseos sin rumbo: Diálogos entre cine y literatura, Fórcola Ediciones, Madrid, 2010.

MORÁBITO, FABIO
(Alejandría, Egipto, 1955)

Cuentos de un poeta. La obra entera de Morábito, ya sea en prosa o en verso, está dedicada al cuidado de los dioses penates mediante el registro de las ceremonias privadas a través de las cuales un padre de familia ejerce como autor. En un mundo fatigado de hablar de la vida cotidiana y de sus revoluciones, Morábito es un nuevo poeta del hogar que no rehúye ni lo mediocre ni lo melodramático, consciente, de que entre el "hambre de poesía "y la falta de prosa" cabe casi toda su experiencia literaria. Ninguno de los escritores mexicanos contemporáneos —y Morábito ya se cuenta entre los más grandes— leyó de manera tan aguda a ciertos clásicos latinos, hasta lograr la exposición de un arte del vivir que recuerda al estoicismo: la templanza en el trato de los otros, la prudencia (que no frialdad) ante las manifestaciones emotivas, y sobre todo, la mirada paciente de los seres y de los objetos como la herramienta esencial de cualquier ciencia del hombre (la literatura incluida). "No soy un religioso/en busca de visiones [decía Morábito en *Lotes baldíos* (1985), para después presentar al teporocho] recolector de escombros,/pepenador de absurdo,/el único que sabe/discernir materiales,/el último humanista/especialista en todo, el único filósofo/con quien se dignarían/a hablar Platón y Sócrates".

Ese saber, origen de la poesía de Morábito, ha dado como resultado poemas fascinantes por su sencillez y casi numinosos por su capacidad de penetración. Si en *La noche transfigurada*, de Schöenberg, el misterio se desvela cuando una mujer confiesa estar embarazada, en *Alguien de lava* (2002) Morábito ha sabido detener el instante inverso y manifestar el deseo de un hombre de no tener un hijo. Era imposible entonces que quien escribía "casi relatos" no se convirtiera en cuentista; sus cuentos son fantásticos (*La lenta furia*, 1989) y realistas (*La vida ordenada*, 2000), pues Morábito es también un escritor académico: busca el alma en cada forma. Si el cuento tiende a desaparecer para ser sustituido por un cajón de sastre donde los fragmentos, la prosa poética o las ficciones, pasan por "cuentos", sin serlo, en al menos cuatro relatos de *La vida ordenada*, Morábito nos da una lección magistral sobre las reglas internas del cuento.

"Ventanas encendidas, mi tormento./Gente sólo visible en esta hora./ De día los edificios son triviales,/de noche la fragilidad de su interior me hechiza./Se espía buscando desnudeces,/pero también por hambre de poesía,/hambre no de la piel del otro,/sino de una manera de gastar latidos,/de ver cómo transcurre un corazón ajeno./Por eso morbo y poesía andan juntos./Falta de prosa, mi tormento", dice Morábito en *Alguien de lava*. Gracias a esa curiosidad, en *La vida ordenada*, la vulgaridad del hogar se convierte en una investigación de la naturaleza de las cosas humanas, ya sea a través de la extraña conducta de una sirvienta muda, en la invasión cortazariana de un espacio familiar, o en la metamorfosis de una cita de arrendamiento en una orgía ocurrida, ¿que más da?, en la realidad o en el sueño.

En *También Berlín se olvida* (2004), Morábito elige otra vez una ciudad extranjera (como la propia ciudad de México en la que vive desde 1969) para ejercitar esa combinación de afectuosa curiosidad y distanciamento metódico que lo distinguen. Con una prosa magnífica que delata una reescritura obsesiva y mediante textos que reúnen las cualidades del cuento, de la memoria íntima o de la divagación ensayística, Morábito hace de *Berlín* un hogar transitorio sujeto a las mismas leyes que el resto de su obra.

La mirada del viajero no es la que preside este libro, sino la figura en movimiento de un sedentario capaz de reproducir, tanto en un espacio mínimo como la duración corta del tiempo, las manías del hogar. A Morábito le fascinan los *Kleingärten* berlineses, esas pequeñas parcelas urbanas para el cultivo de frutas y legumbres transformadas en cédulas urbanas que parodian el retiro campestre. Morábito dice que esas casitas "entroncan espiritualmente con las residencias de campo de los patricios romanos y con las villas italianas del Renacimiento, con las cuales comparten ese peculiar sentimiento del 'nido perfecto' que suele ser el causante de las fantasías más estrambóticas". La frase algo tiene de confesión: la fantasía del nido perfecto, "el afán de reproducir en un espacio minúsculo el universo de una morada completa" es el motivo central en la escritura de Morábito.

Esa regencia hogareña domina sobre las moradas o los jardines de Morábito, ya sea una ciudad en *También Berlín se olvida* o el espacio bucólico investigado en *Los pastores sin ovejas* (1995). En diversos episodios tramados en Berlín, Morábito va inventando y bautizando nidos, habitáculos poéticos donde, al paso del ferrocarril, los rieles se convierten en "una suerte de mar para los pobres o los sedentarios" o un accidente automovilístico, atisbado fisgonamente por el narrador, se plasma en una pintura de caballete a la vez bucólica e hiperrealista.

Morábito, quien ha escrito versos indelebles sobre las discusiones de pareja o la soledad de un adulto en el jardín de niños, a veces peca, como en algún cuento de *La vida ordenada*, de un exceso de familiaridad que lo conduce al sentimentalismo o a la convicción de que todo aquello que proporciona la realidad es una herramienta maleable para el ingenio del escritor. Asumiendo que la mía es una mente intoxicada de historia y que lo que voy a decir tiene un reprochable tufillo moralista, un texto como "El muro", una serie de variaciones kafkianas sobre el muro de Berlín, me empezó por parecer ingenioso hasta que acabé por rechazarlo como una trivialidad. No hay toponimias históricas que un escritor no pueda desacralizar pero noto en Morábito cierta propensión profesoral a reducir el mundo a las dimensiones poéticas de la casa de muñecas, a banalizarlo. Es una falacia patética proponer, como la hacía Morábito en *Los pastores sin ovejas,* al campo de concentración hitleriano como una versión negativa del campo bucólico, o hacer del muro de Berlín una puerta de figurante, como leemos en *También Berlín se olvida.*

Tras situarse entre la Kudamm y la Kantstrasse, las avenidas hermanas entre las cuales fijó su pequeña historia berlinesa, Morábito ofrece "Mi lucha con el alemán", persuasiva y lúcida profesión de fe, notable entre los escritos de su género. En la batalla perdida por aprender un idioma, Morábito ha sabido retratar la tarea diaria del escritor, sus supersticiones y sus vanidades, lo mismo que ese íntimo dramatismo que justifica nuestras vocaciones.

Los libros de Morábito suelen provocarme las más curiosas asociaciones, como si apareciesen para devolverle cierto sentido a los rituales de la *gens.* Cuando los vecinos, pues fueron ellos, me dieron mi ejemplar de *También Berlín se olvida* estaba yo leyendo, obviamente sin saberlo, un libro gemelo al de Morábito, *Le piéton de Paris,* de Léon-Paul Fargue. Muchos años había esperado ese libro en el librero y al leerlo me estaba pareciendo insatisfactorio, una colección casi turística de viñetas parisinas. Interrumpí la lectura de Fargue, hice la de Morábito y así como a él, el fallido aprendizaje del alemán le abrió una puerta narrativa, a mí el libro de Morábito me explicó el de Fargue: donde yo buscaba mapas había en realidad hogares alumbrados desde la lejanía.

Pero la mejor definición del arte de Morábito me sigue pareciendo la que cité hace tiempo y proviene de un párrafo tomado de *Voluptuosidad,* la única novela que escribió Sainte-Beuve, donde el crítico explica así las teorías de Lamarck: "Su concepción del universo era sencilla, desnuda y triste. Construía el mundo con el menor número de elementos, de crisis y de duración posibles. Según él, las cosas se hacían por sí mismas, por continuidad y sin tránsitos ni transformaciones instantáneas. Su genio de la creación era una larga paciencia ciega" (2004).

La poesía de un novelista. Las novelas sobre la infancia conforman un archipiélago en la literatura mexicana. Recuerdo haber visitado *El solitario Atlántico* (1958), de Jorge López Páez*, *Las batallas en el desierto* (1981), de José Emilio Pacheco*, *Elsinore* (1987), de Salvador Elizondo*, un par de novelas de Carmen Boullosa* (*Mejor desaparece,* 1987, y *Antes,* 1989), *William Pescador* (1997)... No puedo, insisto, sino imaginar estos libros en su contorno de islas, aisladas por su geografía circular, autártica, bloques de tierra distantes de las cronologías continentales, ajenos al relato sincrónico.

Últimamente han aparecido otras tres novelas en esa manera insular: *Edén* (2006), del llorado Alejandro Rossi*, *Yo te conozco* (2009), de Héctor Manjarrez*, y *Emilio, los chistes y la muerte* (2009), de Morábito, su primera novela. En los tres libros el mundo de los niños aparece gobernado por sus propias leyes y sólo recibe a los adultos en su calidad de visitantes pasajeros e incomprensibles, obligados a cierta servidumbre freudiana, episódica.

Es probable que no haya escritor mexicano tan bueno como Morábito, poeta y cuentista, si por bondad se entiende dominio de la forma, poder para materializar lo soñado. Pero no aspira a la conquista geográfica, no se ensancha. Es el maestro de lo limitado, de lo simple y a veces podría decirse —repito un símil que use al escribir sobre *También Berlín se olvida*— que los seres, en su universo, viven casi desnudos, en un estado de pobreza electiva.

El argumento de *Emilio, los chistes y la muerte*, ya se ha dicho aparece como disparatado y en manos de un mal escritor sería pueril. Morábito pone en la escena a un niño de doce años que, armado de un detector de chistes, visita un cementerio vecino a su hogar donde conoce (y conocerá en un anticipo del conocimiento bíblico de la carne) a una mujer enlutada por la muerte reciente de su hijo, contemporáneo de Emilio. Eurídice se llama la señora. La obviedad del nombre es manifiesta, lo es menos la manera en que ella se encuentra con la madre de Emilio. La trama dispuesta nos lleva, también, con el padre del niño y registra a un puñado de personajes que rondan por el cementerio, ocupados en tareas más metafísicas que prácticas, aunque parezca lo contrario: ejercen el amor furtivo, practican los escarceos eróticos casuales, vigilan el camposanto, falsifican las fechas en las lápidas en el afán de impedir que los vivos se separen radicalmente de los muertos.

Yo no suelo imaginarme con facilidad las escenas de las novelas que leo, no lo hago con naturalidad, me atengo judaicamente a la literalidad de la escritura, a su iconoclastia. Pero el poder visual de *Emilio, los chistes y la muerte* me obligó a imaginarlo casi todo, escena por escena, gracias a la capacidad de Morábito para reducir, trabajando a escala.

Emilio, los chistes y la muerte es una novela de aventuras reducida a lo esencial: no le falta nada. El héroe se somete a los ritos de pasaje decisivos en toda mitología: la excursión arriesgada en tierra extraña, la iniciación erótica, el encuentro con una bruja (toda mujer que ha perdido un hijo lo es, es La Llorona), la batalla por la sucesión entre el hijo y el padre que concluye con la pérdida del poder del progenitor mediante una lesión, una vez que Emilio lo hace caer de una escalera. Y no está ausente cierto exotismo pues en las grandes ciudades de nuestra época es raro pensar en un niño jugando en un cementerio. Nuestras costumbres funerarias son posconciliares: a nuestros muertos no los enterramos, los incineramos. Y si la novela es mexicana por el español de México (que Morábito aprendió a los quince años) y por la flor de cempasúchil, hay una escena memorable —el monaguillo levantándose la sótana para orinar— que sólo se le habría podido ocurrir, me parece, a un verdadero católico-romano, a un escritor como lo es Morábito, nacido en Alejandría, Egipto, hijo de italianos. Es un detallito casi blasfemo poco imaginable desde la ciudad de México, a la vez guadalupana y jacobina. Almacenaré la imagen como si la hubiera visto en una película del neorrealismo.

La aventura de Emilio, a quien Morábito no lo priva de los placeres edípicos ni de los homoeróticos, termina, una vez abandonado el mundo de los bellos durmientes, muertos que parecen vivos, con un trance de muerte en el cual el héroe habrá de probarse, librándose mediante su ingenio de una inmersión en las tinieblas. Quizá sobreinterprete, pero que el niño se llame Emilio, no me parece casual. Es notorio —en el arte de Morábito no se le oculta nada al lector— que este Emilio está sometido a una educación natural. Por eso le interesa, mítico e instintivo, el origen de las lenguas. Por ello, lo más original es la maquinita detectora de chistes que el niño porta con él, como talismán. Ese artilugio capta lo primordial en la experiencia del lenguaje, lo profano y lo sagrado, la risa y la plegaria. *Emilio, los chistes y la muerte* es una de las novelas perfectas de nuestra literatura.

Bibliografía sugerida

Los pastores sin ovejas, Ediciones del Equilibrista, México, 1995.
La vida ordenada, Tusquets Editores, México, 2000.
La lenta furia, Tusquets Editores, México, 2002.
También Berlín se olvida, FCE, México, 2004.
Grieta de fatiga, Tusquets Editores, México, 2006.
La ola que regresa. (Poesía reunida), FCE, México, 2006.
Emilio, los chistes y la muerte, Anagrama, Barcelona, 2009.

MORENO VILLA, JOSÉ
(Málaga, España, 1887-ciudad de México, 1955)

Pocas veces la literatura mexicana ha recibido a un escritor tan bien dispuesto al amoroso entusiasmo por las cosas nuevas, a la curiosidad que discierne lo exótico de lo profundo y a la simpatía que convierte al extranjero en contemporáneo esencial, como ocurrió en el caso de Moreno Villa. Tampoco es común que un hombre, como le ocurrió a este pintor y poeta (y no cualquier poeta, sino quien con *Garba*, en 1913, fue el heraldo de la nueva poesía española), se reinvente a los cincuenta años, edad que tenía Moreno Villa cuando llegó a México, desterrado, en 1937. Aquí se casó con la viuda de Genaro Estrada, su amigo y protector, aquí tuvo a su único hijo y aquí fue enterrado con la bandera republicana sobre el féretro.

Alfonso Reyes* conocía a Moreno Villa desde sus primeros días matritenses. En 1923, lo convocó a participar en los cinco minutos de silencio en recuerdo de Mallarmé, que Reyes organizó a las puertas del Jardín Botánico de Madrid, la mañana del 14 de octubre. Más tarde Reyes pidió a los asistentes —entre los que estuvieron Ortega, Enrique Díez-Canedo, D'Ors, Bergamín— una página sobre lo que habían pensado durante la muda conmemoración. Moreno Villa entregó la siguiente respuesta, que lo dibuja: "Dieron la orden de silencio, e instintivamente me levanté, separándome un poco del grupo. Aquel movimiento me pareció que quebrantaba ya en parte la ceremonia, pero todavía me pareció quebrantarla más el tren de mis ideas. ¿Es un silencio perfecto este en que yo dialogo conmigo mismo? No fijé nada la atención en Mallarmé a pesar de sus insistentes llamadas. Eran las presencias corpóreas las que de un modo avasallante saltaban sobre mi atención. Quise cerrar los ojos pero me reí. Nueva herejía que malograba mi parte en la ceremonia. Largué la mirada a su gusto. Dio en los árboles, en los caminos y en las personas. Pensé en la psicología de los primeros, en la importancia de los segundos y en las formas de las terceras. No es posible iniciar desde aquí a nadie en la psicología de los árboles; huelga ponderar la excelencia de las grandes avenidas y humildes senderos, si estamos en que la nobleza de un jardín depende de sus dimensiones y de su recato, respectivamente, como del tamaño y de la dimensión de los árboles. Respecto de las formas sociales o públicas de los que estábamos reunidos, ¡qué tema para la loca mordacidad! ¡Cuántas maneras tiene la afectación! Volví sobre los árboles, que se conllevan admirablemente a pesar del poco espacio de tierra que les da el jardinero. Ellos se desquitan alcanzando el otro, el de arriba, el supremo. Y si se llevan bien es porque no tienen ojos ni oídos. Brazos sí; pero ya sabemos que no son los brazos los irreductibles, sino las intenciones. Pensé también en la comodidad que traen la vigilancia y el aseo, y, finalmente, en lo voluptuosa que era la luz esmerilada de aquel día" (Reyes, "Culto a Mallarmé", en *Obras completas,* xxv, 1991).

Durante sus primeros meses en México, el escritor malagueño recorrió el país y sus impresiones dieron lugar a *Cornucopia de México* (1940), y de manera póstuma a *Nueva cornucopia de México* (1976), libros donde cada artículo, trátese del sabor de una fruta, del contorno de una iglesia, de la anatomía de un giro del idioma, provocan la tentación —como lo dijo Reyes— de ir a darle las gracias al instante.

Turista fue Moreno Villa, pero turista a lo Stendhal, y leerlo, ya sea como memorialista o como crítico literario, es cosa que oxigena. En la prosa de Moreno Villa, como en su poesía, el yo lírico y el ego narrador disfrutan de una vida abierta donde agradecemos al autor y anfitrión no sólo los alimentos terrestres sino la caminata digestiva por el bosque. *Vida en claro* (1944) es un ejercicio de saludable egotismo y —como él lo previó— un libro que, acompañado de la *Automoribundia* (1948), de Ramón Gómez de la Serna, dio comienzo a la implantación, aún no del todo lograda, del género autobiográfico en la recatada tierra de la lengua. Igual talante tiene *Los autores como actores y otros intereses literarios de acá y de allá* (1951), donde aparecen piezas ensayísticas tan notables como las dedicadas a Manuel Machado o a Tirso de Molina.

"No sé qué tiene este amigo que siempre viene bien", dijo Juan Ramón Jiménez de Moreno Villa, verdadero español de dos mundos que rehuyó el patriotismo de aldea, político o literario, que enclaustró, sofocó y amargó a tantos de los transterrados. Moreno Villa fue el eternamente joven habitante de la Residencia de Estudiantes de Madrid, la casa de la Generación del 27, solar del que sólo pudo sacarlo la Guerra Civil, pues ni la mujer a la que dedicó *Jacinta la pelirroja* (1929), su hermoso, imprevisible poema elegiaco, lo había logrado. A Moreno Villa lo acompañó, en México, ese espíritu de residencia, la camaradería del bachiller naturalmente dispuesto a ejercer la literatura, las bellas artes y la crítica como el juego entre amigos, una actividad donde la vida comunitaria se impone a los requiebros solitarios de la voluntad romántica.

Moreno Villa, el autor de *La escultura colonial mexicana* (1941) y de *Lo mexicano en las artes plásticas* (1948), llegó a México más interesado en oír que en hablar. De muy pocos de aquellos españoles exiliados cabría esperar una reflexión como ésta: "En esto del *tempo* no pudimos influir los andaluces en los americanos. Creo que nuestra prisa les aturde y les ofende. Les parece agresiva. Y no cabe duda que la prisa reviste de dignidad y hasta de majestad lo que se dice. La rapidez desmesurada del andaluz convierte al hombre en chisgarabís. Nadie cree que puede pensarse y sopesarse a tal velocidad".

Fue Octavio Paz* quien nos enseñó a querer a su amigo Moreno Villa como al tío que viene de ultramar para cerrar el círculo de nuestra educación sentimental, personaje que, moralmente inhabilitado para el sermón o la diatriba, prefiere el regalo de una vieja edición en el momento preciso, esa grata compañía que acaba por darle orden a lo increado. Paz escribió que sólo un poeta como Moreno Villa —hombre sensible en el que la reflexión y la emoción no van reñidas— podía haber entendido el alma de un pueblo. Es significativo que en fecha tan tardía como 1979 —fecha de su último texto sobre el poeta malagueño— Paz utilice una locución tan decimonónica como "el alma de un pueblo", refiriéndose a aquel conocido párrafo de la *Cornucopia de México* donde Moreno Villa se pregunta: "¿No has leído historia de México?", y se contesta: "Para escribir este libro, no. Además la historia de México está en pie. Aquí no ha muerto nadie, a pesar de los asesinatos y los fusilamientos. Están vivos Cuauhtémoc, Cortés, Maximiliano, don Porfirio y todos los conquistadores. Esto es lo original de México. Todo el pasado es actualidad. No ha pasado el pasado".

Sin esas líneas, me temo, el propio Paz no hubiera escrito *El laberinto de la soledad;* de la misma forma en el párrafo de Moreno Villa, que yo no leo necesariamente como un encomio de México, ha confirmado su penetrante asertividad durante la segunda mitad del siglo. En fin, que sobre Moreno Villa, quien inventó la quirosofía para escribir sobre las manos de los escritores mexicanos, uno no termina nunca de hablar. Interrogándose sobre la confusión que priva en México entre los verbos *mirar* y *ver,* Moreno explicó su propia inteligencia: "De repente recuerdo haber oído también 'Me quedé viendo'. 'Me quedé viendo a Elena'. Era otro caso parecido, en el que el gerundio estaba por *mirando.* Pero algo me detenía en este ejemplo. ¿Qué pasaba? No pasaba, es que se detenía delante de mí una frase como ésta: 'le dí muchas vueltas al asunto, y al cabo del tiempo fui viendo [...]'"

Bibliografía sugerida

Vida en claro. Autobiografía, FCE, Madrid, 1976.

Los autores como actores y otros intereses literarios de acá y de allá, FCE, México, 1984.

Cornucopia de México y Nueva cornucopia mexicana, prólogo de Roberto Suárez Argüello, FCE, México, 1985.

MORENO VILLARREAL, JAIME
(Ciudad de México, 1956)

Toda la obra de Moreno Villarreal, difuminada a través del aforismo, el ensayo, el poema, el cuento o la canción, remite a todo aquello que materializa la prehistoria de un escritor, que puede ser él mismo o un personaje imaginario. Uno de los primeros títulos de Moreno Villarreal fue *La estrella imbécil* (1986), un libro tempranero de aquellos que le garantizan a un autor esa feliz madriguera en la retaguardia, punto de partida al que siempre se puede volver. Durante una época yo creí, banalmente, que había un combate entre la Literatura y la Escritura, y que Moreno Villarreal se arriesgaba a perderse en esta última. Me faltaba modestia y me falta sutileza, dos de las virtudes que caracterizan (y no es accidental que así sea) a Moreno Villarreal.

Y es en *La estrella imbécil* donde duerme el texto que explica a Moreno Villarreal, en la forma de una falsa reseña o de una fantástica conmemoración, que celebra a John F. Woodley, quien cuando tenía dieciocho años, en 1908, habría dejado apenas unas líneas escritas al margen de un libro escolar de literatura. "Los libros y los cuadernos escolares [anota Moreno Villarreal, fungiendo como escoliasta de un escoliasta] son personales historias que se alargan de curso en curso. Cada alumno aburrido va escribiendo sus señas entre apuntes de clase, en una palabra recalcada, en una frase morosa e insolente, en un verso memorizado, con una inicial amada, gestos todos que dan, mejor que la instrucción escolar, los rasgos de una persona."

Me parece que desde *La estrella imbécil* (y ya han pasado casi veinte años), Moreno Villarreal no ha cesado de buscar los rasgos de su persona literaria escribiendo sobre artes como la mecanografía, la taquigrafía o la dactilografía, o insistiendo en oficios sutiles como la redacción de la ficha académica, la composición libre, las láminas subtituladas y comentadas, la toma de dictado o la apretada síntesis. Si bien esta obra es, en alguna medida, consecuencia de la pedagogía dictada por Salvador Elizondo* en *Cuaderno de escritura* (1969), hace rato que Moreno Villarreal camina solo, entretenido en su capacidad para congelar imágenes y símbolos en la memoria. Comentarista de pintura y fotografía, estudioso de los iconos,

Moreno Villarreal vive en un personalísimo gabinete de medallas e inscripciones. En *El salón de los espejos encontrados* (1995), por ejemplo, nos conduce hacia las fotografías que se dejó tomar Verlaine, escudriña en la mujer pompeyana que pide silencio con un lápiz en los labios o examina las diferentes poses y posturas de Mallarmé, el astro ciego que preside su constelación. Y no falta un verdadero desciframiento del Esopo de Velázquez, lección magistral que coloca a Moreno Villarreal junto a Carlos Fuentes* entre los escritores mexicanos más naturalmente dotados para ejercer, ante la pintura, la imaginación crítica y el arrebato lírico.

En *Música para diseñar* (1991), otra de sus misceláneas, Moreno Villarreal se preocupa por los trovadores campesinos, esos formidables primitivos que, en México o en cualquier otro lugar del planeta donde persistan, son una prueba de que Homero es nuestro contemporáneo, un poeta amenazado por la extinción. Moreno Villarreal posee, junto a la inteligencia de la mirada, esa preocupación por la confluencia entre lo culto y lo vernáculo, forma de discriminación positiva que es tan propia de los verdaderos espíritus musicales. Es natural entonces que Moreno Villarreal nos ofrezca un libro tan original como *La leyenda de Edipo el mago* (1998) que es, en dos modos complementarios virtuosamente ensamblados, un registro erudito y un cuento popular. En *El vendedor de viajes* (2001), a su vez, Moreno Villarreal apuesta por escribir algunos cuentos (más o menos tradicionales) y en uno de ellos presenta a un personaje —la tía solterona— que más de uno de nuestros novelistas le envidiaría, el retrato de una compungida dama de clase media católica que encuentra un reino de libertad sin desafiar las convenciones manidas.

Persiste en *El vendedor de viajes,* pese a la variedad de recursos narrativos, una fidelidad al proyecto anunciado desde *La estrella imbécil,* pues casi todas las creaturas de Moreno Villarreal viven sujetas a la servidumbre vicaria, alumnos desvalidos que dependen de maestros poderosos y ejemplares, como los discípulos de Adhémar, quien profetizó la oscuridad en el fracaso universal de la luz eléctrica, o como el infeliz y a la postre fantasmal secretario de Henry James.

La escalera anaranjada (1986, 1991 y 2003), finalmente, es el ensayo (y relato y poema) que Moreno Villarreal dedicó a Edward James, el surrealista inglés que construyó en Xilitla, en San Luis Potosí, un conjunto de treinta y seis edificaciones que se cuentan entre las modernas maravillas del mundo. Entrevisto primero por Elizondo, quien le publicó la memoria de su viaje eleusino en la revista *S.nob* ("Cuando cumplí cincuenta años", 1962), Edward James es el personaje perfecto para conjuntar las obsesiones de Moreno Villarreal. En *La escalera anaranjada* hay trabajo de campo y tradición oral, erudición excéntrica y desconsuelo ante la vanguardia y sus ambiciones más desconcertantes. Xilitla, donde el mapa de la geografía se despliega naturalmente sobre el mapa de la imaginación, es el punto donde Moreno Villarreal ejercita su libertad de manera más plena, haciendo confluir lo antiguo con lo moderno y lo primitivo con lo sofisticado, combinaciones en las que ha sabido ser maestro de sus lectores y discípulo de sí mismo.

Bibliografía sugerida

La línea y el círculo, UAM Iztapalapa, México, 1981.
La estrella imbécil, FCE, México, 1986.
Linealogía, Jordi Boldó y Climent, México, 1988.
Música para diseñar, FCE, México, 1991.
El salón de los espejos encontrados, El Equilibrista, México, 1995.
La leyenda de Edipo el mago, Conaculta, México, 1998.
El vendedor de viajes, Tusquets Editores, México, 2001.
La escalera anaranjada, Aldus, México, 2003.
La doble visión, Conaculta, México, 2005.

MUÑIZ-HUBERMAN, ANGELINA
(Hyères, Francia, 1936)

Dueña de una abundante bibliografía que incluye la novela histórica, las antimemorias y la poesía, Muñiz-Huberman es, sobre todo, una escritora que ha hecho del exilio, tanto el suyo propio como hija de republicanos españoles como el que atañe a la condición judía, su principal tarea, reflexión que puede fecharse entre dos años axiales de la historia de España: la expulsión de los judíos en 1492 y la derrota de la República en 1939. Como autora de *Las raíces y las ramas. Fuentes y derivaciones de la Cábala hispanohebrea* (1993), Muñiz-Huberman cree que en el censurado y clandestino legado cabalístico pueden encontrarse los prolegómenos de esa Ilustración hispánica cuya ausencia es frecuente lamentar.

Profesora universitaria y conferencista, Muñiz-Huberman ha reunido algunas de sus disertaciones en *El siglo del desencanto* (2002), uno de los escasos libros de su género que pueden leerse como un verdadero ensayo. A lo largo de estas páginas, Muñiz-Huberman no puede sino sentirse iden- tificada con la obra de María Zambrano, figura central de la filosofía y del exilio, de la misma manera en que habla de pensadores escasamente leí- dos en México, como Hermann Cohen y Franz Rosenzweig, o de los modernos clásicos judíos, a saber, Martin Buber, Elias Canetti, Elie Wiesel y Nelly Sachs.

"Si el hombre radica en el centro [dice Muñiz-Huberman en uno de los ensayos más característicos de *El siglo del desencanto*] quiere decir que es el centro natural de Dios. Es su morada temporal: de ahí el sentido de la infinita responsabilidad o categoría ética y de su defensa de la vida. Es, pues, el judaísmo, una religión de vida y no de muerte, como el cristianis- mo. Casi podría afirmarse que Dios no es externo sino interno natural- mente. Edmond Jabès dice que la sinagoga la lleva por dentro. De ahí que la cultura judía esté fundamentada en la palabra y en el oído, a diferencia de la griega, apoyada sobre la imagen y la vista. De allí también que el judío pueda hablar (y no sólo hablar sino discutir) con Dios. Es su única manera de comunicarse: poniendo en el centro la palabra."

La obra de Muñiz-Huberman incluye libros de cuentos como *Huerto cerrado, huerto sellado* (1985), *Serpientes y escaleras* (1991), *Narrativa relati- va* (1992), *Trotsky en Coyoacán* (2000), novelas como *Tierra adentro* (1977), *Dulcinea encantada* (1992), *Castillos en el aire* (seudomemorias, 1995), *Los confidentes* (1997), *El mercader de Tudela* (1998) y *Areúsa en los conciertos* (2001), y títulos de poesía como *Villano al viento* (1982), *El libro de Miriam* (1982), *El ojo de la creación* (1992), *La memoria del aire* (1995) y *Conato de extranjería* (1999).

A esta escritora judeomexicana le preocupan, esencialmente, los trabajos del irracionalismo judío, en el siglo del Holocausto, crimen no en ocasiones justificado como una batalla contra la razón moderna. A Muñiz-Huberman puede aplicarse una perla de Shelomo Ibn Gabirol, que ella misma recopiló en *La lengua florida. Antología sefaradí* (1989): "El primer escalón para la sabiduría es el silencio; el segundo, la atención; el tercero, la memoria; el cuarto, el esfuerzo; el quinto, el maestro o el estudio".

Bibliografía sugerida
El siglo del desencanto, FCE, México, 2002.

MURGUÍA, VERÓNICA
(Ciudad de México, 1960)

Desde *Auliya* (1997), su encantadora primera novela, hasta los cuentos de *El ángel de Nicolás* (2003), Murguía ejerce el difícil oficio de escoliasta. Cada uno de sus textos, con mayor o menor fortuna, es una nota al margen del gran libro del tiempo, escolio destinado a multiplicarse gracias a una prosa bien trabajada, quizá temerosa de excederse pero siempre precisa. *Auliya* presenta el encuentro entre una maga coja y su joven galán, quienes tras variados ritos de pasaje, han de recorrer el tramo que une el desierto con el mar. En esa novela, justamente elogiada por Carlos Fuentes*, se presenta el trueque de los sugestivos poderes emanados del agua y la tierra, la deformidad física y la belleza del alma, el reino animal y los genios malignos. El amor por las culturas del Islam y por su prehistoria berberisca, el placer de fabular y la potencia poética de las imágenes hace de *Auliya*, al mismo tiempo, un cuento filosófico y un relato fantástico.

La segunda novela de Murguía (*El fuego verde,* 1999) me pareció, en cambio, demasiado fiel a las convenciones que hacen de las sagas épicas sajonas y de la consecuente imaginería medieval un poco creíble mundo de las maravillas, a la manera de cierta *fantasy* comercial. En *El ángel de Nicolás*, las fórmulas narrativas no se ven tan fácilmente, gracias a la paciencia de Murguía, a su fina percepción, educada en separar el material de lectura de su reescritura. La pieza que abre el volumen, "El idioma del Paraíso", es uno de los mejores cuentos mexicanos de los últimos años, ejemplo de cómo se toma un fragmento legendario y se le da forma dramática. A otros de los textos les faltó esa pequeña dosis de atrevimiento que hace de una bella estampa un cuento memorable. Entre las escritoras mexicanas contemporáneas, Murguía está escribiendo una de las obras en prosa más solidas, auténtica relectura de los mitos y leyendas de la antigua Grecia, de la Biblia, de la piedad medieval y de la tradición árabe. A los lectores de hoy se les ha acostumbrado a la monografía novelada, que se alimenta sin recato del infinito acervo histórico sin ofrecer sustancia novelesca. Murguía desarrolla entre nosotros el difícil arte de resucitar a los más antiguos de los antiguos y colocar en la palma de nuestra mano a Marsias y a Apolo, a Herodes, Herodías y Salomé, y a la espada que probablemente nos expulsó del Paraíso.

Bibliografía sugerida
El ángel de Nicolás, Era, México, 2003.
Auliya, carta-prólogo de Carlos Fuentes, Era, México, 2005.

MUTIS, ÁLVARO
(Bogotá, Colombia, 1923)

Un escritor como Mutis pertenece, por ventura, a muchas literaturas, y es una tarea sencilla, teniendo desplegada su obra ante los ojos, enumerar las ciudades que podrían gloriarse de tenerlo entre sus hijos. En primer término, Mutis es un poeta colombiano que comparte con Eduardo Carranza, Jorge Zalamea o Nicolás Gómez Dávila esa visión cifrada del mundo donde lo sobrenatural se manifiesta como una segunda naturaleza. En segundo término, Mutis es un poeta hispanoamericano que se reconoce en la antigua idea imperial castellana, cuya extinción parece repararse cada vez que escritores como él recorren la América mala y la América buena, apareciéndose en Cartagena de Indias, en Quito, en Valparaíso o en la ciudad de México. En tércer término, Mutis se inspira en el memorialismo. francés, en el cardenal de Retz, en el príncipe de Ligne y en Chateaubriand, y es un legitimista que se debe, como marido, a los Borbones pero que ha de reservar su bonhomía de caballero para el resto de los partidos. Todo lo contrario de un afrancesado, Mutis llega a las arenas de Rimbaud por ser moderno y no al revés. También es eslavo (como Conrad) y bizantino y ortodoxo y ruso como Alexandr Sergueievitch y en el último de los casos, desde que publicó hace medio siglo su *Diario de Lecumberri* (1960), registro de su estadía en el Palacio Negro, Mutis es, también, un escritor mexicano.

Un armorial como el suyo que, a la vez es una bibliografía, sería intimadatorio si no estuviésemos hablando de un poeta de culto y de un novelista popular. Por *Los elementos del desastre* (1953), por la *Reseña de los hospitales de ultramar* (1958), por *Los trabajos perdidos* (1965) y por *Caravansary* (1981), Mutis es un poeta de culto cuyos poemas, como la biblioteca de bolsillo que carga el Gaviero, nos acompañan a lo largo de vidas enteras y regresan a nosotros, fieles y enigmáticos, en horas distintas de días diferentes, en tiempos de paz y en tiempos de guerra. Y Mutis es un novelista popular porque las siete novelas recogidas en *Empresas y tribulaciones de Maqroll el Gaviero* (1993) no sólo le han dado merecidos honores, sino han logrado, cosa nada fácil, imponer a un personaje ejemplar en la memoria de numerosísimos lectores, en nuestra lengua y en otras.

La historia literaria del Gaviero o su biografía bibliográfica es bastante peculiar y no es un suceso muy común ni en las letras modernas ni en las antiguas. Mutis, un poeta exigente y escaso, a quien la buena fama de *raté* no le hubiera disgustado, se fue desdoblando en un *alter ego* o máscara, en una persona literaria que, llamada el Gaviero, fue sumando vida como un homúnculo nacido o forjado en "esa alianza del esplendor verbal y la descomposición de la materia" que, según decía Octavio Paz*, definía su poesía. Maqroll, aventurero y escéptico, una suerte de Marqués de Radomín trabajado por la desesperanza del siglo XX, empezó a manifestarse en los primeros poemas de Mutis y acabó por enseñorearse de toda su poesía, titulada desde 1973 como *Suma de Maqroll el Gaviero*.

Si es que aquello fue una decisión, si es que el asunto no le fue impuesto por el propio Gaviero, Mutis se decidió, a mediados de los años ochenta, a escribir su saga novelesca. Aparecieron, en fila india, *La nieve del almirante* (1986), que todavía muestra esa emocionante vacilación entre la poesía y la prosa; *Ilona llega con la lluvia* (1987), que cuenta uno de los grandes amores del Gaviero; *La última escala del Tramp Steamer* (1988), que se dilata en un episodio característico en la vida del Gaviero; *Un bel morir* (1989), que adelanta la muerte del héroe; *Amirbar* (1990), que es la que prefiero como novela erótica y fantasía mineral caucasiana y prometeica; *Abdul Bashur, soñador de navíos* (1991), retrato del cómplice de Maqroll, y *Tríptico de mar y tierra* (1993), que no he leído, para reservarme un nuevo Mutis para el futuro.

En aquel entonces fue un privilegio ser testigo, como lector de a pie, de aquella muestra de vitalidad y desparpajo en un gran poeta que bien podría haberse resignado a recoger la cosecha de sus honores. Aquellas entregas, como si fuesen fascículos o cromos, nos revivían el placer infantil de acudir al quiosco en busca de un nuevo capítulo de nuestras hazañas predilectas, lo cual concuerda con el vínculo, destacado por algunos críticos, entre la saga de Maqroll y el cómic literario, sea el *Corto Maltés* o *Tintín*.

Las libertades que Mutis se tomaba fueron, en ese momento, decisivas para los nuevos narradores de la lengua, de la misma manera en que surgieron algunas dudas o equívocos que es pertinente comentar. El poeta y crítico colombiano Juan Gustavo Cobo Borda, muy cercano a la obra de Mutis, habló de su paso de la poesía a la narrativa y no evitó alguna reticencia: "El problema para quienes conocían y habían disfrutado de la obra de Mutis, es que estas novelas dicen lo mismo, ampliándolo en prosa, y sin terminar de redondear la figura del Gaviero, por definición inconclusa. Pero quizá sea una falacia crítica: la gloria de Maqroll consiste en no aparecer nunca del todo".

Yo mismo, hace quince años, no me sentía muy cómodo con la "novelización" de Maqroll y tendía a esperar de las novelas del Gaviero una consistencia narrativa propia del novelista profesional, lo cual no siempre es un mérito o una cualidad. Me faltaban lecturas y un conocimiento menos solemne de la novela de aventuras, de aquella novela colonial que escribieron Pierre Loti o Pierre Benoît, lo mismo que el trato con el Chateaubriand más sentimental *(Atala, René),* con *El libro de la selva* y con *La vorágine.* Como sus maestros, Mutis estaba autorizado a ser cursi o a gobernar, a su absoluto arbitrio, su mundo. En ese sentido es interesante la opinión del escritor español Jon Juaristi, quien supone que las de Mutis no son "novelas de aventuras sino novelas sobre el concepto mismo de aventura". No lo sé, porque admitir ese criterio implicaría decir que las novelas de Conrad (o de Blaise Cendrars, otro de los ejemplos de Mutis) tampoco son del todo novelas de aventuras, lo cual no me parece ni justo ni convincente. Creo que Juaristi se toma demasiado en serio, en el mal sentido de la expresión, las novelas de Mutis, quien procede como tenía que hacerlo un lector de Valery Larbaud, inventando un poeta como recurso para evadir una verdadera confidencia. La novela de aventuras del siglo XX la terminaron de escribir esos desventurados que Mutis conoce muy bien, como André Malraux o Drieu la Rochelle, que son las dos caras de la moneda de la desesperanza, el éxito mundano del gran escritor y el suicidio del escritor maldito.

Más que un descendiente de don José Celestino Mutis, el botánico, y del espíritu de las grandes excursiones geográficas del siglo XVIII, la pasión de Maqroll por el recorrido trasatlántico, la adicción por lo extenso y lo oceánico viene, como Mutis lo sabe, de Larbaud y de Saint-John Perse, de la vuelta al mundo como capricho de la voluntad, lo cual termina de emparentar al Gaviero con... Simón Bolívar, quien encuentra la muerte como resultado de la ausencia de movimiento, tal cual lo dibuja Mutis en "El último rostro", uno de los cuentos más extraordinarios que he leído.

Un equívoco final tiene que ver con el tradicionalismo de Mutis, deducido de su autodefinición como gibelino, monárquico y legitimista, al contarse entre quienes, palabras más, palabras menos, consideran que el mundo posterior a la Revolución francesa es un error diabólico. Esa fidelidad de Mutis al *ancien régime* o al "pensamiento reaccionario", como se ha dicho, no es una *boutade,* pero tampoco supone un credo conservador en literatura. Mutis se entregó, según dice Adolfo Castañón*, uno de sus lectores mejor inspirados, a la aventura de la vanguardia con "una devoción y una violencia mística", y su filiación está en la alianza moderna entre la poesía y la prosa. Al Gaviero, otro moderno, le fascina la grandeza mecánica de los puertos; como a Abdul Bashur, le obsesiona el navío perfecto. Ante esas figuras uno piensa en Georges Simenon y escucha el quinteto de Bruckner.

El Gaviero, dice Guillermo Sheridan*, ha tenido tanta vida como agonía y sus aventuras las ha escrito Mutis desde la memoria del viaje, desde su reelaboración. Es una hermosa paradoja que a Mutis le sea imposible imaginar, como lo ha confesado, a un Pushkin envejecido caminando por San Petersburgo, o a un Federico García Lorca sobreviviente, exiliado en la ciudad de México, mientras que la eterna vejez de Maqroll es el gran tema musical de su obra, la legendaria disipación de un personaje que regresa a la poesía.

Bibliografía sugerida

La muerte del estratega. Narraciones, prosas y ensayos, FCE, México, 1988 y 2004.

Siete novelas. Empresas y tribulaciones de Maqroll el Gaviero, Alfaguara, Bogotá, 1995.

Suma de Maqroll el Gaviero. Poesía reunida, FCE, México, 2002.

Abdul Bashur, soñador de navíos, edición de Claudia Canaparo, Cátedra, Madrid, 2003.

N

NANDINO, ELÍAS
(Cocula, Jalisco, 1900-Guadalajara, Jalisco, 1993)

Vida larga y plena fue la del doctor Nandino, contemporáneo y cómplice de los poetas de la revista *Contemporáneos,* médico que sumistraba droga al aventurero Antonin Artaud en los años treinta y generoso protector de los nuevos escritores. Nandino, a través de la revista *Estaciones* (1956-1960), publicó lo mismo a Carlos Pellicer* y Alí Chumacero* que a los entonces imberbes Carlos Monsiváis* y José Emilio Pacheco*. Abandonando el ejercicio de la medicina, regresó a su estado natal y allí auspició a la siguiente promoción, entre la que destaca Jorge Esquinca*. La poesía de Nandino, injustamente comparada con obras de mayor alcance, como la de Xavier Villaurrutia y otros de sus amigos, fue ganando con las décadas una conmovedora claridad, desde *Poemas árboles* (1938) y *Conversación con el mar y otros poemas* (1945-1948) hasta *Erotismo al rojo blanco* (1983) y *Banquete íntimo* (1993). Su longevidad le permitió vivir otros tiempos y asumirse públicamente como homosexual. De esa oportunidad feliz carecieron otros de los poetas de su generación y esa libertad refresca sus poemas de vejez. En *Cerca de lo lejos. Poesía 1972-1978* (1979), quizá su libro más logrado, encontramos el deseo del anciano sin las autoflagelaciones del "viejo verde", como en "Dedicatoria extemporánea": "(Sólo queda del Narciso/que se ahogó:/este anciano delirante/y las ojeras/de la vida que vivió.)" Amable testigo de un siglo de literatura mexicana, Nandino dejó dos libros de memorias, *Elías Nandino: una vida no/velada* (1988), conversaciones con Enrique Aguilar que el poeta después desconoció, y de manera póstuma, en *Juntando mis pasos* (2000). Como William Carlos Williams, el doctor Nandino vivió esa simpatía solar que une a la literatura y a la medicina.

Bibliografía sugerida

Nocturna palabra, FCE, México, 1960.
Cerca de lo lejos. Poesía, 1972-1978, FCE, México, 1979.
Erotismo al rojo blanco, prólogo de Carlos Monsiváis, Domés, México, 1983.
Juntando mis pasos, Aldus, México, 2000.
Aguilar, Enrique, *Elías Nandino: una vida no/velada,* Grijalbo, México, 1988.

NETTEL, GUADALUPE
(Ciudad de México, 1973)

Pocas veces puede verse de manera tan nítida la madurez alcanzada por un escritor que leyendo *El cuerpo en que nací* (2011), de Nettel, quien dista de ser una recién llegada a nuestra literatura. Me explico: la eficacia narrativa, el dominio expresivo, la templanza emocional, aunados a la gracia autocrítica, característicos de *El cuerpo en que nací,* hubieran sido imposibles de apreciarse de no ser la consecuencia y el desenlace, al menos, del par de libros previos de Nettel, una primera novela (*El huésped,* 2006) y una colección de cuentos (*Pétalos y otras historias incómodas,* (2008). No abandonó la vena autobiográfica pese a la insuficiencia novelística de *El huésped* ni se rindió ante la comprensible fatiga de quien cree padecerse a sí mismo, condenado a reescribir eternamente su educación sentimental. Nettel ha esperado pacientemente a sus monstruos y los ha dominado, sin domesticarlos del todo, como cabe esperar del verdadero novelista: un aventurero entre las quimeras antes que un domador en el circo.

El cuerpo en que nací es una novela autobiográfica: en ella el estilo, maestro de la imaginación, se nutre de una vida similar a la de la persona que firma el libro, una niña atravesando la adolescencia en ese hervidero de herejías pedagógicas y sentimentales que fueron los años setenta en México y en Francia, los escenarios principales en los cuales toda una generación (y una casta) pueden reconocerse. El reparto: una madre dividida entre su convicción de educar a sus hijos según lo dictaba la escuela de María Montessori y la necesidad de hacerse de una habitación propia (lo mandatado por Virgina Woolf) en otro país, un padre a cuya ausencia original, por el divorcio, se suma otra más, misteriosa, porque oculta una larga temporada en la prisión.

De la niña se hará cargo su abuela, víctima del mal llamado síndrome de Diógenes, esclavizada por la acumulación de periódicos y otras baratijas, personaje obviamente chapado a la antigua pero, en su solvencia, el único respaldo de una protagonista a su vez dividida entre la observación morosa y el afán por hacerse de un lugar en un equipo infantil (y masculino) de futbol. *El cuerpo en que nací,* sus capítulos chilangos, transcurren en la Villa Olímpica, construida para albergar a los atletas en 1968 y a lo largo de las décadas siguientes el sitio de residencia de no pocos de los argentinos, chilenos y uruguayos que se exiliaron en la ciudad de México, abriéndola al mundo de una forma que no pasa inadvertida al escrutinio de Nettel ni a la hipersensibilidad de su heroína.

Usando como estratagema una confesión psicoanalítica —el recurso es apenas necesario y de omitirse no se habría notado—, la narradora explora y agota, quizá, un tema muy suyo, la debilidad visual, en *El huésped,* un viaje más inverosímil que alegórico a la ciudad-Estado de los ciegos y que en *El cuerpo en que nací* es el motivo de una novela de formación narrada en el curso de un peregrinar, a la espera y en la búsqueda de un remedio quirúrgico para la mácula blanca en el iris de la niña. Abundante en sentencias penetrantes y analíticas sobre la humillación de los niños, la fatalidad de los usos ortopédicos, el despertar de la pasión por leer, las escaleras de los edificios como zonas de iniciación, el descubrimiento de la masturbación, los primeros escarceos eróticos, la epopeya de la amistad entre los pubertos y los contrastes oceánicos entre los sistemas pedagógicos, *El cuerpo en que nací* destaca, sobre todo, por la sobriedad elegida para narrar: no excluye las emociones, las analiza y el tono, siendo confesional, se gana al lector sin chantajearlo.

Si los libros anteriores de Nettel le han interesado a la crítica por su afición teratológica, por su buena mano de pintora de monstruos domésticos, algunos de los cuales son de suyo memorables, en *El cuerpo en que nací* la apuesta es más alta: el realismo como arte mayor al que se llega con naturalidad, la concisión como principio, el imperio de lo esencial sobre lo anecdótico sin incurrir en la perorata existencial y el testimonio literario de una pequeña época ajeno a la ansiedad sociológica trasvestida con lo sobrenatural (que fue lo que estropeó, tras unas primeras páginas estupendas, a *El huésped*), se combinan gracias a un humor del orden cáustico, en mi opinión, inquietante.

El cuerpo en que nací no es melodramático ni trágico ni azotado porque la vida de la heroína en algo aspira, sí, a la ejemplaridad, es decir, al reconocimiento de lo particular. Su vida, ordinaria a su manera, es un severo proceso de autorreconocimiento, llamémosla, si se quiere, *anagnórisis,* pero ello no variará el resultado final, la reconciliación. Sabiéndose incurable en lo que concierne a la catarata adherida a la retina, la heroína no puede ni debe, le dice uno de los médicos que revolotean, fastos y no nefastos a lo largo de la novela, arriesgarse a una operación. Así, su educación sentimental, a ese camino en el dolor al cual todos estamos condenados, ha terminado, junto con la novela: "El cuerpo en que nacimos [concluye Nettel] no es el mismo en el que dejamos el mundo. No me refiero sólo a la infinidad de veces que mutan nuestras células, sino a sus rasgos más distintivos, esos tatuajes y cicatrices que con nuestra personalidad y nuestras convicciones le vamos añadiendo, a tientas, como mejor podemos, sin orientación ni tutorías".

El párrafo comparte su sentido con aquel de *Poesía y verdad,* de Goethe, en que recomienda la religión natural, aparecida cuando las supersticiones terminan y no cuando imperan, como el remedio al cual debe acogerse el sentido común para librarse de la hipocondría, entendida como esa descomposición moral del cuerpo a cuya anatomía Nettel ha dedicado un libro notabilísimo. Abandonando la fantasía del doble, se encontró a sí misma.

Bibliografía sugerida
El huésped, Anagrama, Barcelona, 2006.
Pétalos y otras historias incómodas, Anagrama, Barcelona, 2008.
El cuerpo en que nací, Anagrama, Barcelona, 2011.

NOVO, SALVADOR
(Ciudad de México, 1904-1974)

¿Quién fue Novo? ¿Ese hombre sin moral y sin ideas que atacó a los débiles y agasajó a los poderosos, que escribió con caca y a quien sólo salvan los epigramas contra sí mismo, como lo describió Octavio Paz*? ¿O fue ese homosexual valiente que Carlos Monsiváis* admira, el agitador cultural que al defender su derecho a la diferencia, aun en contra de su insolidaria voluntad, ganó la libertad para los otros?

El joven Novo fue, y en ello coinciden todos sus intérpretes, el escritor mejor dispuesto a dialogar, en poesía y en el ensayo pero también en sus reseñas más superficiales, con esa literatura moderna que tuvo, en los años veinte del siglo pasado, su esplendor. De los Contemporáneos fue el más ávido y el más informado; aunque no le interesó ejercer la crítica literaria y como ensayista le faltó la sensibilidad de Xavier Villaurrutia y la pasión por las ideas que caracterizaron a Jorge Cuesta*, Novo fue, sin discusión, *el* moderno. No se conformó con la lectura rutinaria de la *Nouvelle Revue Française* y de la *Revista de Occidente,* frecuentando rincones más selectos como *Commerce* y *The Little Review.* Su conocimiento de la poesía de vanguardia, particularmente la anglosajona, llegó a ser enciclopédico, y al poeta que acompañó a Paul Morand y a John Dos Passos en sus paseos mexicanos no le fueron ajenos Joseph Conrad, Marcel Proust, José Moreno Villa*, H. L. Mencken, Ramon Fernandez o George Santayana, como lo prueba la compulsiva enumeración de novedades que consta en su columna de *El Universal Ilustrado* en 1929. No quiero decir que Novo haya leído a todos los autores que consigna; mejor aún, a través de ellos supo tomarle la temperatura literaria a una época vertiginosa y extraer de ella un temperamento.

En libros como *Ensayos* (1925), *El joven* (1928), *Return ticket* (1928), *Jalisco-Michoacán* (1933), *Continente vacío* (1935) y *En defensa de lo usado* (1938), Novo hace propias las maneras viajeras de Morand, haciéndolas valer lo mismo para Hawai que para Guadalajara; pasa del entusiasmo futurista ante la gran ciudad a la postulación de un clasicismo a la manera de Léon-Paul Fargue en *Le piéton de Paris*. Si Novo no calificó en vida entre los autores canónicos por la ausencia en su bibliografía de un libro consagratorio (a la manera de *La sangre devota, Al filo del agua, Muerte sin fin, Pedro Páramo* o *La región más transparente*), debe reconocerse que poseyó una virtud sólo visible entre los grandes escritores: transitar entre la corte y la aldea, la capital y la provincia, las metrópolis de la literatura mundial y sus periferias. El Joven que alcanzaría la madurez (y que comenzaría a ver podrirse los frutos de su ingenio) con *Nueva grandeza mexicana* (1946) no tuvo complejos al exhibir, criticar y ponderar el fecundo contraste entre la provincia de su infancia provinciana y la joven madurez. Novo hace suya la tradición y dispone de ella sin complejos parricidas: la ciudad narrada por Novo, para ser verdaderamente moderna, debe reconocerse en su linaje criollo, coquetear con el aztequismo y buscar un estilo mestizo que le sea propio, intransferible.

La comodidad con la que Novo se mueve entre contradicciones que paralizaron a espíritus menos sofisticados y atléticos que el suyo, es notoria en su poesía. En *XX poemas* (1925), *Espejo* (1933) y *Nuevo amor* (1933), como lo dijo Antonio Castro Leal*, no se aprecia la influencia de ninguno de los entonces maestros de la lengua (ni Enrique González Martínez ni Juan Ramón Jiménez), y habiendo hecho su escuela en la lectura de e. e. cummings o H. D., Novo jamás depende notoriamente de ellos, como le ocurrió a Villaurrutia con Jules Supervielle. Si *Nuevo amor* fue inmediatamente traducido al inglés y al francés, un libro como *Poemas proletarios* (1934) es bastante excepcional entre la literatura de los años treinta, cuando difícilmente un poeta estaba en condiciones de criticar al obrerismo revolucionario en boga sin recurrir a la ideología y utilizando el sarcasmo, la ironía y, sobre todo, la ambigüedad, tan eficaz en *Frida Kahlo* (1934). Ni la Rusia revolucionaria ni la Guerra Civil española alcanzaron a tener a un satírico como lo tuvo el régimen de la Revolución mexicana en Novo, más dispuesto, contra lo que dice su reputación sulfurosa, a comprender líricamente los mitos estéticos que a denunciarlos: "Nuestros héroes / han sido vestidos como marionetas / y machacados / para veneración y recuerdo de la niñez estudiosa".

En su libro más literario y personal, *Salvador Novo. Lo marginal en el centro* (2000 y 2004), Monsiváis ha demostrado cómo la provocación satírica convirtió a Novo en ese escritor homosexual que gana, en un país apenas moderno, la batalla que Oscar Wilde, su maestro, perdió en los tribunales de la Inglaterra del esteticismo, logrando domesticar (y hasta educar) a sus enemigos, obligándolos a ser, durante décadas, clientes de su ingenio.

La victoria de Novo, ese enemigo de las causas perdidas que Monsiváis dibuja, tuvo un costo dramático, deparándole la vejez patética, acaso paradójica. Para comprender al Novo de la Respetabilidad, es necesario demorarse en el mausoleo que construyó como sede de su posteridad, *La vida en México* (1937-1973), que comienza en el sexenio de Lázaro Cárdenas y culmina en los tiempos de Luis Echeverría. Estos especiosos tomos, cuya edición inició José Emilio Pacheco* (1964-1967) y concluyeron Sergio González Rodríguez* y Antonio Saborit (1996-2000), son la crónica general de las cosas del régimen de la revolución institucional.

Primero como anónimo cronista político y luego como diarista a la Goncourt, Novo terminó por ser el letrado defensor del despotismo mexicano, al conocido grado de haber festejado la ocupación militar de Ciudad Universitaria en 1968. Pero la distancia histórica impone matices, y el Novo que comienza a redactar sus crónicas contra el cardenismo en la revista *Hoy* no es tan reaccionario ni tan conservador como lo pinta la leyenda. No lo emocionaron las conquistas sociales de la política de masas y fue despectivo y cruel con causas que no eran suyas, como la de la República española y sus desterrados. En cambio, fue el crítico más agudo, como lo sugiere Monsiváis, de una cultura política de izquierda que, integrada en el cuerpo del Estado, se convirtió en un patrimonio moral e ideológico de una tradición política mexicana que dista de haber muerto. Cada vez que nos sentimos exasperados ante las muecas autoritarias de quienes se vanaglorian de detentar el monopolio de los sentimientos populares, la prosa de Novo vuelve a ser un corrosivo a disposición de sus herederos intelectuales, entre quienes encuentro a dos puritanos, tan distintos entre sí, como el propio Monsiváis y Guillermo Sheridan*.

Novo, justo es decirlo, no fue un puritano, ni como enemigo ni en tanto apologista de la Revolución hecha gobierno. Si Martín Luis Guzmán* —cuya obra, dejándose llevar por las apariencias, Novo despreció— había retratado a los caudillos revolucionarios con la cínica frialdad de un moralista del Gran Siglo, Novo fijó los usos y costumbres del poder institucional, concentrándose en el rostro, cambiante e inmóvil, de cada uno de los presidentes de la República, que vienen a ser, a través de *La vida en México,* uno solo.

El ridiculizable mesianismo pueblerino que Novo veía en el general Cárdenas se convirtió, ante los presidentes cuya admiración cultivó el cronista, en una omnisciencia morigerada por la cortesía y en una omnipotencia que, regida por la fatalidad, procuraba realizar en privado los sacrificios humanos. Novo fue el novelista del boato presidencial encarnado por esos tlatoanis sin penacho que, según él, escribían muy bien (como el general y presidente Manuel Ávila Camacho) o accedían a presentarse, utilizando su humana apariencia, en el palco del Palacio de Bellas Artes o en una sesión de la Academia Mexicana de la Lengua, como lo hacía el licenciado y presidente Miguel Alemán. Novo, que había sido el archicosmopolita, acabó por encarnar lo provinciano, que, en opinión de Valéry Larbaud, consiste en creer que sólo lo oficial es real y es racional.

Creador de la noción de sexenio como única obra de arte a la altura del pensamiento mexicano, Novo inventó un mundo palaciego cuya perfección nada tenía que envidiarle a las mecánicas cortes barrocas diseñadas por Gracián o Saavedra Fajardo. Sería tentador decir que Novo fue el duque de Saint-Simon de aquel reino de la revolución institucional, pero resultaría inexacto, pues el cronista de la falsa aristocracia y de la nueva burguesía no vivía en la corte, sino en la villa, desde la cual habilitó una serie de espacios de mediación —del Instituto Nacional de Bellas Artes a la prensa frívola, del teatro de vanguardia al coctel y de la gastronomía a la bibliofilia— que funcionaron como pasajes civilizatorios. En ese decurso es natural que Novo haya muerto como una figura de la televisión, que multiplica y suplanta a la vetusta opinión pública. No todo en ese México del medio siglo, sazonado por Novo según su propia receta de rococó neoazteca, es deplorable, y quienes lo rechazamos desde la actual barbarie democrática debemos recordar que aquellos años fueron también los de la edad de oro de la cultura mexicana, en buena medida creada a la benévola sombra de ese absolutismo ilustrado que tuvo en Novo (y en Carlos Chávez y en Jaime Torres Bodet*) a uno de sus regentes.

La vida en México parece escrita para demostrar que aquel país horripilante nacido de los crímenes de Pancho Villa, que devastaron a los Novo como a miles de familias, había encontrado, al fin, el brebaje de la eternidad. La tragedia retórica de Novo fue transformar, sexenio tras sexenio y página con página, al Nuevo Régimen en *ancien régime;* quien había sido un irritante poeta de vanguardia fue insensible a la tenebrosa magia de su prosa, que al nombrar adánicamente a la modernidad, la envejecía y la tornaba obsolescente, tan grotesca como la figura del propio Cronista de la Ciudad, el Joven por antonomasia transformado en el esperpento con peluquín cuyo maquillaje fue, también, el de un régimen que, como él mismo, acabó por pagar caro su horror a envejecer.

¿Quién fue entonces Novo? Es discutible la petición de principio de Monsiváis, en el sentido de que "la heterodoxia sexual [es una] elección límite en una sociedad represiva". Casi todas las sociedades han sido represivas con los homosexuales, de la misma manera que llamar "atroces" a las condiciones de vida de los Contemporáneos implica una victimización en la que no reconozco a Novo, soberbia y beligerante figura de una élite cultural en ascenso en el interior del Estado. Los poetas y sus protectores en los ministerios se las arreglaron, gracias a la calidad aristocrática de su inteligencia, para derrotar, más temprano que tarde, al homófobo Comité de Salud Pública que los nacionalistas instrumentaron en su contra. Yo preferiría ver en el personaje de Novo a un arribista balzaquiano que, como Vautrin, tras mirar la ciudad luminosa, decide conquistarla, cínico y lúcido, hasta conocer todos sus secretos y manejar todos sus mecanismos. Casi expósito de la guerra civil de 1910, Novo se aprovecha de la movilidad social cultivada por el caos de las revoluciones. En el momento en que éstas se cristalizan en el Estado, artistas y aventureros como Novo, instalados en el corazón del mecanismo, imponen un estilo.

Novo pertenece a la escuela de los moralistas inmoralistas, quienes hacen sus oblaciones en la disección del poder y en la anatomía de la alcoba. Esta religión privada a veces entra en dramática querella con el oficio público y en otras ocasiones se mimetiza con la moda y el gusto de una época. Como Casanova y como Jean Cocteau, Novo parecía condenado a deambular en el mundo de las apariencias. Pero, hombre de murmuraciones, reservó para sí mismo (y para un puñado de iniciados) su libertad de escritor. Atrás de la máscara sí había un rostro o, al menos, una "rápida sombra", aquella que cierra *La estatua de sal*, uno de los libros más extraordinarios de la literatura mexicana del siglo xx.

La publicación póstuma de *La estatua de sal,* en 1998, texto que había circulado·a trasmano durante casi cincuenta años, es una respuesta a la injusticia, denunciada por Monsiváis, con que Paz se refirió a la ausencia de independencia moral y coherencia intelectual en Novo. *La estatua de sal* redime a Novo de tantas de las páginas, huecas y estúpidas, que componen *La vida en México.* En su perfección, ese libro acaba por fijar una imagen perdurable de Novo, estableciendo, en la prosa, la inteligente y autorreflexiva continuidad de sus poemas más entrañables, los de *Nuevo amor.* Aun en los episodios más escabrosos —como aquel en que el Joven deja caer la prueba de su concupiscencia ante un Pedro Henríquez Ureña paralizado por el deseo—, Novo escribió sin ceder un instante a la vulgaridad.

Esta pieza de bravura sorprende por su opaca belleza, en su medida de un relato que muestra, en su brevedad, las costuras de la provincia devastada por la Revolución y los secretos augurales de la noche urbana. Si la gran literatura es aquella que delata el envés de la realidad y varía la paleta cromática del tiempo, *La estatua de sal,* más novela que autobiografía, es, al mismo tiempo, un acto de higiene ética y un glorioso ejemplar de la literatura de lo grotesco que un André Gide, lleno de pequeñas teorías más o menos banales, hubiese sido incapaz de escribir. Se le reprocha a Novo un freudismo *amateur,* como si la explicación propedéutica de su propia sexualidad fuese superior a las teorizaciones hoy en boga. Importa que la elección del narrador (el manejo y la supresión de la culpa) funciona endiabladamente bien en *La estatua de sal,* lo mismo que las referencias literarias a Wilde y a Huysmans, la atmósfera íntima de las leoneras, el maridaje de los olores de la gasolina y el cuerpo, o la educación sentimental que compartieron Novo y Villaurrutia. Habrá a quien le parezca deprimente, desoladora, *La estatua de sal*. A mí me resulta edificante en su medida de novela desplegada como crítica del mundo.

Como tantos escritores, Novo se equivocó respecto a la trascendencia de su propio talento. Último de los decimonónicos al creer que el teatro le daría la posteridad, Novo vivió atormentado por los enemigos de la promesa. En 1969 le confió a un corresponsal: "Con usted quiero confesarme, quitarme todas las máscaras y los vendajes de la circulación pública, descender de todos los pedestales de merengue en que me han encumbrado premios, distinciones, alabanzas, aplausos, etcétera, y confiarle la desoladora convicción de que mi vida como escritor ha sido un verdadero fracaso. No quiero por esto decir que no vaya a pasar o que no haya ingresado ya en la historia de las letras mexicanas como un pequeño fenómeno de fertilidad y versatilidad, de ingenio, etcétera; lo que quiero decir es que sin jactancia creo haber sido dotado por la naturaleza y bendecido por Dios con facultades de imaginación, de sensibilidad y de capacidad creadora que no he sabido aprovechar debidamente en la producción de la Obra Maestra con que todos soñamos y con que todo artista debe tender a justificar su presencia transitoria en el mundo" (citado en Domínguez Michael, *Tiros en el concierto. Literatura mexicana del siglo v,* 1997).

El propio Cyril Connolly, quien en *Enemigos de la promesa* diagnosticó las enfermedades profesionales del escritor contemporáneo, murió amargado porque a su carrera le había faltado la canónica confirmación de la novela. Más allá del escándalo, de la reputación y de la respetabilidad, al poeta quizá le hubiese sorprendido saber que en *La estatua de sal* tenía esa obra maestra, inconclusa como tantos libros esenciales y tan inacabada como el mundo sublunar que vio pasar, asombradísimo, a Novo.

Bibliografía sugerida

Poesía, FCE, México, 1961.
La vida en México en el periodo presidencial de Lázaro Cárdenas, edición de
    José Emilio Pacheco, Conaculta, México, 1991.

La vida en México en el periodo presidencial de Manuel Ávila Camacho, edición de José Emilio Pacheco, Conaculta, México, 1994.

La vida en México en el periodo presidencial de Miguel Alemán, edición de José Emilio Pacheco, Conaculta, México, 1994.

La vida en México en el periodo presidencial de Adolfo Ruiz Cortines, tomos I y II, edición de Antonio Saborit, Conaculta, México, 1996.

La estatua de sal, prólogo de Carlos Monsiváis, Conaculta, México, 1998.

La vida en México en el periodo presidencial de Adolfo López Mateos, tomos I y II, edición de Sergio González Rodríguez, Conaculta, México, 1998.

La vida en México en el periodo presidencial de Gustavo Díaz Ordaz, tomos I y II, edición de Antonio Saborit, Conaculta, México, 1998.

Viajes y ensayos, tomos I y II, edición de Sergio González Rodríguez, Antonio Saborit y Mary K. Long, FCE, México, 1999.

La vida en México en el periodo presidencial de Luis Echeverría, edición de Sergio González Rodríguez, Conaculta, México, 2000.

O

O'GORMAN, EDMUNDO
(Ciudad de México, 1906-1995)

En todas las listas de grandes libros mexicanos debería aparecer *La invención de América* (1958), de O'Gorman, una piedra bien pulida y certera que lanzada al agua no ha cesado en hacer notar su onda expansiva. *Imprevisibles historias. En torno a la obra y legado de Edmundo O'Gorman* (2009) forma parte de esa irradiación: es una colección de muchos de los estudios y ensayos que el historiador preparó para introducir a sus lectores y alumnos en Herodoto y Tucídides, para sus ediciones críticas de las grandes obras de la historiografía virreinal (las de José de Acosta, Antonio de Solís, Las Casas, Motolinía, fray Servando Teresa de Mier, etc.) o para intervenir en simposios y coloquios con su personalidad, magistral, de perturbador. Perteneció O'Gorman a una casta de espíritus cuya presencia a la vez conforta que incomoda: la de quienes combaten la mansedumbre, el convencionalismo, las ideas manidas. Y al mismo tiempo, se acercaba siempre a polemizar donde encontraba verdadera inteligencia: se enfrentó en buena lid con Lewis Hanke, el lascasiano, rechazó *El deslinde* de Alfonso Reyes*, estuvo a la altura de Marcel Bataillon.

Liberal sin partido (como se supone debe serlo un auténtico liberal, según algunos doctrinarios), O'Gorman dedicó buena parte de su energía (dispensada con sabiduría a través de pocos pero doctos libros) a combatir las mistificaciones históricas del liberalismo mexicano. En "Hidalgo en la historia" (1964), como lo recordó Roger Bartra* al saludar la aparición de *Imprevisibles historias*, O'Gorman se batió contra el mito de "El Divino Anciano" que según El Nigromante habría sido, antes que los indios o los españoles, el padre de los mexicanos. Se burló el historiador, a su vez, de la invención del *Grito de Independencia,* obra esta vez de otro liberal, don Manuel Payno. En su último libro (*Destierro de sombras*, 1986), dio por fallada O'Gorman la polémica guadalupana a favor del rigor antiaparicionista (sostenido no se olvide, en buena medida, por católicos). Lo prehispánico le parecía del orden de lo monstruoso. Pero todas estas empresas de desmitificación —empezando por la principal, la que genialmente llamó "invención" al descubrimiento de América— tendían a lo contrario de lo pensado por quienes recelaron de él: no a desposeer a la historia nacional de su gaseosa esencia sino a fundamentar ésta en la existencia activa y fascinante de las ideas, los mitos, las leyendas.

Verdadero "idealista" y de los mejores entre esa clase entonces maldecida de filósofos, fue O'Gorman. Quizá, fue, también, el verdadero existencialista mexicano. Muy temprano en su carrera de historiador —la que tomó al dejar una exitosa carrera de abogado— O'Gorman dijo que habría que preocuparse —a propósito de Luis González Obregón, el cronista colonial cuyo puesto tomó en el Archivo General de la Nación— de la leyenda como fuente del conocimiento histórico. Esto, según dice Álvaro Matute, lo tomó O'Gorman de Croce, una de sus inspiraciones.

Fue O'Gorman, al decir de su maestro José Gaos*, que nunca se ahorró el entusiasmo al hablar de uno de sus discípulos más queridos, aquel en quien se manifestó "la potencia artística de un historiador de las ideas". Por ello, *La invención de América* (madurado, pulido y continuado, a través de varias versiones) ha sido, por su concisión, dominio y valentía, tan influyente. Se arriesgó O'Gorman a sostener la más impopular de las ideas —más "políticamente incorrecta" ahora que a mediados del siglo XX, afirmando que América pertenecía, de manera mística e invariable, no sólo a la imaginación occidental sino al ensanchamiento universal de Europa, cuya civilización le parecía a O'Gorman, la única deseable y la única posible. Inevitable (y no por ello menos penoso) es que la ogormiana "invención" de América haya sido puesta al servicio del antioccidentalismo y traficada por los relativistas como lo contrario de lo que quiso decir el historiador, convertida en la suprema receta que concibe toda realidad como una mistificación oscura para enajenar la conciencia del otro, la víctima. Adversario lo fue O'Gorman del positivismo, de la obsecación de Ranke al olvidar que la historiografía naturalista no era sino la más pretenciosa de las fuentes secundarias, pero también del irracionalismo, del ánimo legendario que sustituye a la verdad por falacias cientificistas.

No todo en O'Gorman es convincente, me doy cuenta al leer estas *Imprevisibles historias* preparadas por Eugenia Meyer y volver, por ejemplo, a *México, el trauma de su historia* (1978). Su misterioso desdén de la Revolución mexicana ocultaba (como lo percibió en aquel momento Enrique Krauze*) la amarga convicción, no revelada por conveniencia, de que tan sintético de los Méxicos antagónicos, liberal y conservador, era el reino del Partido de la Revolución como lo había sido el Porfiriato, el vapuleado régimen idiosincrático. Le molestaba a O'Gorman (igual desasosiego recorre *El laberinto de la soledad*) la naturaleza imitativa, "extralógica", de nuestro liberalismo del XIX y, sin embargo, justificaba y enaltecía esa misma dependencia cuando se remontaba a los orígenes novohispanos de México, que en su opinión, eran los únicos orígenes de los que podíamos valernos. ¿Por qué no pensar, gracias a O'Gorman y contra él, que tanto formaba parte del fluido universal la ansiedad liberal por mitificar a una nación que la altivez criolla del Barroco?

O'Gorman fue decimonónico en la mejor de las acepciones, es decir (y es ahora a Bartra a quien cito), "ni totalmente arcaico ni totalmente moderno", un escritor anticuado, de prosa rígida que algo le estaba pagando a las arideces del derecho y sin embargo, el más voraz de los devoradores de mitos, el aforista que escribió (la cita le gusta mucho a Gonzalo Celorio, buen amigo de O'Gorman): "Las ideas mueren cuando se convierten en creencias; las creencias cuando se convierten en ideas".

Bibliografía sugerida

México, el trauma de su historia, UNAM, México,1978.
Destierro de sombras, UNAM, México, 1986.

La invención de América, FCE, México, 2006.

Imprevisibles historias. En torno a la obra y el legado de Edmundo O'Gorman, edición de Eugenia Meyer, FCE, México, 2009.

P

PACHECO, JOSÉ EMILIO
(Ciudad de México, 1939)

El moralista. Sartre dijo que su infierno eran los otros. Lezama Lima, tras conceder la existencia de tal lugar, lo imaginó vacío. Pacheco cree que "no hay infierno. Aquí pagamos todo". Esta divisa, tan vieja como varias de las herejías gnósticas, anuncia al viajero que ha ingresado al reino del hombre de letras mexicano que firma sus artículos con unas iniciales —JEP— que lo singularizan en nuestra literatura contemporánea.

La sangre de Medusa y otros cuentos marginales (1990) reúne las primeras ficciones en prosa publicadas por JEP. Es una nueva edición pues, como se sabe, el polígrafo es un defensor de la reescritura o de la autocrítica activa.

No me interesa la discusión sobre si un escritor tiene derecho o no de retocar sus textos primerizos. Hay que distinguir entre los derechos de autor y las necesidades filológicas. Tengo acceso, en fin, a algunas de las primeras ediciones que Pacheco modificó y debo decir que los cambios son poco significativos y benéficos en la mayoría de los cuentos.

"Podemos [se justifica JEP] cambiar todo menos nuestra visión del mundo y nuestra sintaxis." Afirmar que nuestra visión del mundo no puede cambiar es una tontería. La vida cultural es abundante en mutaciones individuales o colectivas que nunca cesan de sorprendernos. Pero en el caso de Pacheco la petición de principio es válida. Entre su obra prehistórica de 1956-1958 y la actualidad del escritor de cincuenta años, no hay, en efecto, alteración o desarrollo de sus obsesiones.

"El tríptico del gato", "La sangre de Medusa" o "La noche del inmortal" son algunos de estos textos juveniles que contienen esencialmente toda la ideología pachequiana: el terror de la historia, la fantasía zoológica, la sacralidad de la naturaleza y la vivencia cotidiana del apocalipsis. Piezas originales en la narrativa de esos días, los primeros cuentos de JEP se siguen leyendo con agrado y anuncian el método de composición de *Morirás lejos* (1967), una de las novelas admirables de la segunda mitad del siglo XX.

En *La sangre de Medusa y otros cuentos marginales* conviven el adolescente con el hombre maduro y se leen páginas insulsas lo mismo que piezas diamantinas de la llamada ficción súbita, género en el que Pacheco puede ser magistral. Pero lo más relevante está en esos textos recientes que tanto irritan a los escritores de mi generación, para quienes JEP se convirtió en una bestia negra disfrazada de cordero, cuyos lamentos aburren por reiterativos, melodramáticos y facilones, esquelas lacradas de pésame por la miseria y la corrupción de México, país que Pacheco entierra cada semana. Hace algunos años alguien escribió que él se autoflagela, a diario, a periodicazos.

No se necesita ser un gran escritor para delatar la inefable descomposición de la patria y basta con ser un mal periodista para publicarlo. ¿Qué ocurre con el profeta cuando el apocalipsis se cumple todos los días? Predicción que se cumple es historia y deja de ser profecía. Jeremías se transforma en Bernabé.

JEP, como la mayoría de los escritores con fama y hacienda, se ha ido enfermando de soledad, de ausencia de autocrítica, de ese síndrome de genio incomprendido (o del profeta desoído) que a pocos respeta. Entre mis amigos y estrictos contemporáneos, quienes han renegado de Pacheco suelen ser poetas que rechazan las formas civiles de la poesía y endiosan a escritores cínicos (en el sentido filosófico de la palabra) y aparentemente herméticos como Gerardo Deniz*, cuya oscuridad hace babear a algunos jóvenes. De una moda a la otra: en los años setenta, JEP era la insignia de una poesía discretamente comprometida y fácil de imitar para los principiantes. En los años noventa, década de acedia política y bizantinismo estético, lo fácil es copiar a Deniz y dar una jerga pedante por poesía.

Ni Pacheco es el más ridiculizable de nuestros poetas ni Deniz habla la divina lengua de la posmodernidad. Ambos son autores imprescindibles y su oposición —estimulada por viejos rencores— propicia la fértil e indispensable guerra de las escuelas.

La sangre de Medusa y otros cuentos marginales es una buena oportunidad para discutir a JEP como problema. La influencia de JEP es hija legítima de su elección retórica: el escritor como moralista. Pacheco tomó esa función de dos fuentes, una modernísima, la idea de Borges del primado de la lectura sobre la escritura. La otra es la venerable tarea del escritor como *clérigo* que sostiene los valores de la Ilustración (volteriana, goethiana o católica) contra la barbarie política. En el curso de su carrera, Pacheco ha venido descartando varios papeles en el teatro de la cultura nacional. Ni el hombre de letras como funcionario (Jaime Torres Bodet*, Agustín Yáñez*) ni el artista como habitante de la torre de marfil (Salvador Elizondo*, Juan García Ponce*) ni el intelectual comprometido (José Revueltas* y Octavio Paz*).

Lejos de la burocracia cultural y de la beligerancia política, JEP, como heredero de Alfonso Reyes*, agregó a la ejemplaridad de éste las virtudes moralistas ausentes en la sabia figura del viejo. Invisible pero gradualmente poderoso, gozando de las comodidades de una torre de marfil con ventana a la plaza pública (y feligreses a la espera de la profecía), Pacheco se afirmó como el clérigo que no traiciona su adhesión humanista a las buenas causas... siempre y cuando éstas no sean ideológicamente costosas. A diferencia de su hermano espiritual, Carlos Monsiváis*, quien comete errores políticos porque hace política, JEP logró colocarse por encima de la contaminación pública. Esa función no es postiza. Es tan íntima que se traduce en una poesía civil y ecologista, y en un periodismo cultural consecuente con su moralismo.

Pero esa situación se ha venido desgastando. El moralismo, sin compromiso político, se vuelve inocuo; la profecía, cumplida por la realidad, convierte al poeta en notario, y la cansina falsa modestia volvió a Pacheco una presencia exasperante. El proceso ocurrió a contrapelo de una extrema politización de la sociedad mexicana, cuando a las élites de diversos signos ideológicos les interesa menos el conmovido testimonio pachequiano.

Aquella frase de Walter Benjamin sobre la esperanza de los desesperanzados conmovió a JEP. Y la convirtió en una sentencia personal difícilmente conciliable con el infierno terrenal del gnosticismo. No siendo un crítico pero tampoco un profeta de la revelación religiosa o revolucionaria, JEP quedó en calidad de artista de la queja. Y las condolencias pachequianas olvidan, como le ocurre a todo el pensamiento humanitarista, que los oprimidos son a veces corresponsables y cómplices de la opresión.

Desprovisto de una política del espíritu, Pacheco se refugia en la crítica del progreso devastador, en los valores gastados de un nacionalismo que ya no se atreve a decir su nombre, en la creencia —que proviene de la vulgata académica— de una "deshumanización" homologable con la barbarie, olvidando que lo único enteramente inhumano es la naturaleza.

Y en este punto vuelvo a su obra narrativa, donde escasean los hombres y abundan las bestias. No es extraño. JEP, fabulista, se ha servido de la humanización de los animales para expresar su moralismo. Quizá sea, desde el doctor Mier, el escritor mexicano más obsesionado por la zoomorfización de la sociedad. Pero esto, que lo distingue, impide la aparición de lo novelesco en su prosa. Sus creaturas exponen oposiciones intelectuales antes que conflictos emocionales. Obras tan logradas como *Morirás lejos* (1967) o *Las batallas en el desierto* (1981) no destacan por sus personajes, sino como máscaras de las antinomias proverbiales entre historia y naturaleza, trasladadas a la persecución de los judíos o mediatizadas en la nostalgia por la infancia como edén corrompido.

Fernando Benítez* dijo que Pacheco superaba a Reyes por la vastedad de su cultura y la variedad de sus talentos. No lo dudo. Agregaría que Reyes fue un gran pagano que rechazó el drama de la cruz, precisamente ese dualismo judeocristiano que JEP carga sobre sus espaldas, sufrimiento cuya predicación distingue su poesía, sus ficciones y su enciclopédica obra ensayística.

Le falta a JEP esa conformidad con el mundo real tan clara y festiva en el paganismo de Reyes. Le sobra un malestar contra la barbarie que jamás ha tomado los riesgos del fervor cristiano, el asco gnóstico del mundo o la ansiedad revolucionaria. Es un retórico del humanitarismo. Pero Pacheco, nunca lo olvidemos, nos ha enseñado demasiado. Por ello, recordemos ahora, al hablar de él, a la más ejemplar de sus lecciones: a un verdadero escritor —como él— hay que juzgarlo por sus mejores páginas (*Servidumbre y grandeza de la vida literaria*, 1998).

El poeta. JEP es un escritor cuya influencia entre los lectores de poesía sólo puede compararse con la que tuvieron, hace cien años, románticos y modernistas como Juan de Dios Peza y Amado Nervo. Reunida en dos ocasiones bajo el título general de *Tarde o temprano* (en 1980 y en 2000), su poesía tiene un solo asunto, desde el primero de sus libros hasta el último, es decir, desde *Los elementos de la noche [1958-1962]* hasta *Siglo pasado. Desenlace [1999-2000]:* la destrucción ecológica del planeta, consecuencia fatal de esa sucesión de crímenes que es la historia de los hombres. "La honda tierra [escribe Pacheco] es la suma de los muertos. Carne unánime / de las generaciones consumidas."

No comparto la opinión de otros críticos que, como Jorge Fernández Granados*, antologador de *La fábula del tiempo* (2005), consideran que la poesía de JEP se ha ido transformando, del drama testimonial de la conciencia al examen histórico y de éste a la nostalgia del tiempo perdido. Caín y Abel, insisto, monopolizan la escena pachequiana. En lo que no le falta razón a Fernández Granados es en que JEP es un dotado fabulista y en ese registro están escritos algunos de sus mejores poemas. Yo escogería los versos de Julián Hernández en "El cancionero apócrifo", los de "El pulpo", "Prosa de la calavera", "A la orilla del Ganges" o los de "El rey David", inscripciones que acaso nos sobrevivan, tal cual lo desea Pacheco, más allá de su falsa modestia y de su humildad farisea, poemas cuyo número es suficiente para salvar la obra de un poeta.

Hasta *Irás y no volverás [1969-1972]*, JEP agradó (y hasta conmovió) por la enternecida claridad y economía de una poesía civil cuyo compromiso no tenía demasiados antecedentes en México y se escribía en paralelo a las experiencias del nicaragüense Ernesto Cardenal o del chileno Enrique Lihn. Gabriel Zaid*, por ejemplo, encontraba en *El reposo del fuego [1963-1964]* un libro "seco, calcáreo, desolado [...] cuya función es combativa, de lucha contra el desierto y contra el tiempo, y hasta cierto punto oblativa: de rendición anticipada. Esta lucha puede también cumplirse en el silencio [...]" (Zaid, *Obras, 2, Escritos sobre poesía,* 1999). Una década después, Octavio Paz dijo que leyendo a Pacheco podría pensarse que el poeta era un "doctor Pangloss al revés, empeñado en mostrarnos que vivimos en el peor de los mundos posibles" (Paz, *Obras completas, 4. Generaciones y semblanzas,* 1994).

Algo de malignidad había en ese comentario de Paz y por desgracia, a lo largo de los últimos años, esa tendencia panglosiana en JEP se ha exacerbado, auxiliada por las profecías cumplidas que le han dejado en préstamo la historia universal y la historia nacional. Ha quedado en segundo término esa austeridad mimética de su poesía, que era lo que a Paz, como a Zaid y a Guillermo Sucre les gustaba. Es asombroso que un erudito en la tradición poética, lo mismo en lengua española que en lengua inglesa, como Pacheco, se haya empeñado en escribir (y en corregir y reescribir) una poesía tan primaria. La suya es, esencialmente, la poesía de un pedagogo. Esa vocación sólo se aquilata al observar, en la Feria del Libro de Guadalajara, a los niños y adolescentes haciendo fila a la espera de la firma de JEP, quien no en vano publicó en 2005 *Gota de lluvia y otros poemas de José Emilio Pacheco para niños y jóvenes.*

No del todo distinto al poeta y al narrador, el JEP que perdurará, en mi opinión, es el traductor (en el sentido más amplio de la palabra) y el periodista literario (como a él le gusta llamarse). En ambas vertientes, Pacheco, quien fue amanuense de Juan José Arreola*, es la memoria de la literatura hispanoamericana. Sus "aproximaciones" son traducciones a veces libérrimas y no menos excelentes cuando se proponen la precisión. Se trata de un tesoro que va, entre muchos otros poetas, de Omar Khayyam y el haikú del viejo Japón, de Goethe y Edgar Lee Masters a Apollinaire, Rilke y Marianne Moore hasta T. S. Eliot, Valery Larbaud y los poetas indígenas de Norteamérica.

"La poesía no es de nadie: se hace entre todos", dice la soberana divisa de JEP. No es extraño, si escuchamos a Sucre, que esa búsqueda gregaria sea lo que mejor corresponde a un temperamento poético caracterizado por "la paráfrasis, el *collage,* las variaciones; sus poemas recrean continuamente la voz o la mirada de otros poetas, cronistas, artistas: los múltiples epígrafes de sus libros y poemas revelan la minuciosa búsqueda del efecto literario. Aun sus versiones —'Aproximaciones'— de las más diversas tradiciones poéticas forman una parte considerable, y aun clave, de su obra" (Sucre, *La máscara, la transparencia: ensayos sobre poesía hispanoamericana,* 1985).

A la frecuentación semanal de "Inventario", la columna que este periodista literario ha publicado a lo largo de casi medio siglo y que tarde o temprano aparecerá como libro, muchos le debemos buena parte de lo que somos. Sin esa columna, que a mí me tocó leer en la revista *Proceso* a partir de 1976, es improbable que yo hubiese elegido, si de algo sirve el ejemplo, la crítica como oficio. Es difícil enumerar la totalidad de los autores que conocimos gracias a la invitación de Pacheco, desde los maestros mexicanos que estaban atrapados en el purgatorio, como Martín Luis Guzmán* y Alfonso Reyes, hasta los patriarcas de la gran crítica del siglo, como Edmund Wilson, Cyril Connolly y Walter Benjamin, pasando por los inventores de la literatura hispanoamericana, de Francisco Javier Clavijero y Rubén Darío.

La lista es variopinta: también incluye a Suetonio, Ignacio Manuel Altamirano, Vladimir Holan, Walt Whitman, como tenía que ser, resultado de la apasionada omnipresencia de JEP, la que le permite relacionar, a través del eterno presente de la crítica, las heridas más viejas en el drama de la civilización con la actualidad de la barbarie. Pacheco nos contagió su pasión agónica por la historia mexicana y la exorcización de sus demonios, la curiosidad enciclopédica por tantas lenguas y todas las literaturas o la oportuna versión contemporánea de un fragmento de la antología griega. De la erudición a la crónica, Pacheco ha pintado una galería que va del horror a la melancolía, de las vidas paralelas de los tiranos hasta la experiencia única de los poetas, de la masacre de generales revolucionarios en Huitzilac hasta la muerte atroz de Jorge Cuesta*, pasando por el sepelio poco concurrido de Luis Cernuda*.

Las voces y los ámbitos que JEP ha convocado como ensayista son una forma específica de sensibilidad literaria que será asociada a esas últimas décadas del siglo xx que fueron tan esplendorosas para la cultura mexicana. Queriendo ser un cronista del desastre, Pacheco nos sobrevivirá como el garante de una alta cultura literaria representativa de un México no demasiado lejano donde la crítica (de arte, de cine, de literatura) fue considerada como una de las bellas artes.

En 1989 en la Residencia de Estudiantes, en Madrid, le pregunté a JEP, una vez terminada una lectura de poemas, qué pensaba de la aparente impunidad de su poesía, que en ese entonces nadie se atrevía a criticar. Quizá recogí la necesidad de mi propia generación de distanciarse de sus maestros, aun de los más queridos, como reza el corno de esas querellas entre los antiguos y los modernos que todos nos vemos obligados, en nuestra pequeña medida, a repetir. Pero si he criticado a Pacheco, lo he hecho guiado por la creencia en la profundidad y la nobleza de la amistad literaria, que él me enseñó a considerar, desde su escritura, como aquello que se forja fuera del comercio mundano entre escritores, en la soledad de la lectura.

Y aquella noche en Madrid, Pacheco dejó pasar mi impertinencia y nos fuimos a cenar. La conversación se prolongó al grado de que a la hora de regresar a la Residencia de Estudiantes, donde pernoctábamos, nos encontramos cerradas las puertas de esa benemérita institución, al parecer todavía ajena a la liberalidad de costumbres propia de la democracia española. No hubo más remedio que saltarse la reja; José Emilio encabezó el asalto del castillo y, durante unos inolvidables momentos, fuimos, en el mejor de los mundos posibles, contemporáneos de todos los bachilleres trasnochados de la historia.

Bibliografía sugerida

Morirás lejos, Joaquín Mortiz, México, 1967 y 1968 (corregida). Otra edición: SEP, México, 1986.

La sangre de Medusa y otros cuentos marginales, Era, México, 1990.

La fábula del tiempo. Antología poética, selección, prólogo y bibliografía de Jorge Fernández Granados, Era, México, 2005.

Gota de lluvia y otros poemas de José Emilio Pacheco para niños y jóvenes, selección y prólogo de Julio Trujillo, Era, México, 2005.

Tarde o temprano [1958-2009], FCE, México, 2009.

PARRA, EDUARDO ANTONIO
(León, Guanajuato, 1965)

Un cuentista perfecto. Los infiernos mexicanos son muchos y se encuentran simultáneamente en varios tiempos y en diversos espacios. Pocos escritores los conocen tan bien como Parra, el primero de nuestros realistas. No me interesa *Nostalgia de la sombra* (2002) como novela policiaca —aunque reconozco las hábiles manos del narrador ante los hilos del género— y repruebo la matanza final, salpicadero de sangre que peca de tópico cinematográfico. A cambio, Parra hizo de su asesino a sueldo un verdadero personaje en busca de su identidad, recorriendo el tramo quizá inverosímil entre la medianía, la miseria y el crimen. Cigarrillo tras cigarillo, ¡ah cómo fuma nuestro héroe!, el gatillero Mendoza cuadricula el vacío de la ciudad de Monterrey, necesitado de una memoria para enfocar a su víctima y tirar a matar.

Si toda novela surge de una gruta primordial, como decía Michel Tournier, *Nostalgia de la sombra* tiene su epicentro en esos tiraderos de basura que Parra planta magistralmente en el corazón de su novela. Ese paisaje subterráneo honra a José Revueltas* y supera páginas similares de Ricardo Garibay*. En esos humanos reducidos a una redundante animalidad, Parra expresa el estremecimiento tan propio de su narrativa, esa capacidad orgánica para registrar el sufrimiento, sin ofrecernos los habituales consuelos de la sensibilería o de la sociología.

Los cuentos de Parra, como lo dije en su momento, me parecen una hazaña retórica, la de saber volver a contar una pesadilla. Desde su primer libro (*Los límites de la noche*, 1996) apareció entero, como pocas veces ocurre en cualquier literatura, un cuentista natural, que no confunde al género con sus imitaciones o paráfrasis, y nos permite el infantil y estremecedor "cuéntamelo otra vez" sin el cual no hay literatura. La fuerza de Parra comienza por su falta de "originalidad". Ninguno de sus temas —la nota roja, los mojados, la estulticia rural— es ajeno a la tradición del realismo mexicano. Pero los alarmantes —como dijo José Agustín*— grados de verosimilitud de los que es capaz nos recuerdan una verdad elemental: sólo la forma rige el principio del relato. En *Tierra de nadie*

(1999), Parra vuelve a historias que obsesionaron a Revueltas o a Juan Rulfo* (o a autores menos prestigiosos como Francisco Rojas González) y las cuenta como si fuesen novedades infernales. Así ocurre en "El cristo de San Buenaventura" sobre el linchamiento propiciatorio del loco en un pueblo, el patético romance de los teporochos en "La vida real" o en "Nomás no me quiten lo poquito que traigo", la vejación de un prostituto. La violencia mexicana, que parecía agotada por décadas de literatura miserabilista, renacía con Parra, como si todas las formas de crueldad fueran nuevas en la pluma de uno de los cuentistas más extraordinariamente dotados de nuestras letras. Por ello, cuando Parra anunció su primera novela, todos sus lectores (y él mismo) temimos que el cuentista perdiese el control de una forma tan distinta, la novela, por naturaleza, digresiva. Con *Nostalgia de la sombra*, Parra demostró que su hipersensibilidad, tan útil para retener los espasmos de la brevedad, también le sirve para los grandes planos, como ocurre con esas infernales escenas de carretera, donde lo que vemos desplazarse es la existencia de su personaje. Parra posee, como su gatillero, armas de largo y de corto alcance. El pulso puede temblarle, sin duda, pero su escritura no depende tanto de la pluma como de la mirada, de un ojo que capta todo movimiento en la sombra (2003).

La novela de Benito Juárez. En las páginas de *Letras Libres*, Carlos Monsiváis*, en el año 2000, decía que a "la imagen ubicua, omnímoda" de Benito Juárez ya no le hacía falta nada, salvo, quizá, una serigrafía de Andy Warhol. Al decirlo conjuraba la escena ominosa de Vicente Fox recibiendo, al tomar posesión de la Presidencia de la República, un crucifijo de manos de uno de sus hijos, montaje rechazado en el acto por un grupo de diputados que le gritaron "¡Juárez, Juárez!", cantinela que el nuevo presidente se limitó repetir desde el estrado, burlón y fastidiado. Al final, los pecados, los reales y los imaginarios, del régimen foxista fueron otros y el Estado laico, presidido por los herederos de los antiguos conservadores, no sufrió mayor merma. Es probable que el Partido Acción Nacional (PAN) abandone en 2012 el Poder Ejecutivo habiendo hecho las paces, por buena voluntad, de mal grado o por omisión, con el fantasma de Juárez y esa herencia suya, liberal y jacobina, que los gobiernos de la Revolución mexicana administraron con tanto provecho.

Vuelvo al recuento de Monsiváis: en honor de Juárez se han bautizado ciudades, avenidas, calles, puentes, pueblitos. Es mundialmente famosa la horrísona cabeza de Juárez, eregida en Iztapalapa y convertida, de manera imprevista, en una Meca del arte conceptual. Desde el Año de Juárez, en 1972 se han producido exposiciones, *ballets,* películas, telenovelas y al Benemérito sólo le faltaba recibir los honores de una buena novela contemporánea y ésa es lo que ha escrito Parra, que en aquella apoteosis juarista de nuestras infancias contaba con siete años.

Parra es un escritor profesional y, también, un escritor convencional. Me explico: tiene, desde sus primeros cuentos, un don narrativo que parece infuso y que proviene, por el contrario, de un dominio precoz de la forma, aquello que le permite escribir, a placer, un relato perfectamente cerrado sobre sí mismo, una novela negra o una novela histórica como *Juárez. El rostro de piedra* (2008), según las convenciones del realismo del siglo xx. Ernest Hemingway, Truman Capote, Raymond Chandler, (Cormac McCarthy, José Revueltas, Juan Rulfo, Vicente Leñero*, parecieran ser sus modelos. Es Parra, ya lo dije alguna vez, un Tipo Duro del realismo y es fácil imaginárselo escondido en un Vips escribiendo a mano en un cuaderno escolar y acompañado de altísimas dosis de cafeína o en casa aporreando el teclado con la dura verdad de la vida aprendida haciendo la nota roja en las ciudades fronterizas, donde cuenta la leyenda que se formó. Esa caracterología ya era insólita durante la década en que aparecieron sus colecciones de cuentos (de 1996 a 2010: *Los límites de la noche, Tierra de nadie, Nadie los vio salir, Parábolas del silencio,* reunidos finalmente como *Sombras detrás de la ventana. Cuentos reunidos*) y acabó por hacer de Parra un restaurador del realismo y sus convenciones, de ese México vil y sanguinario con el que uno prefiere no toparse, por excepción, en la literatura. Parra es lo contrario a ese escritor mexicano caricaturizado por Roberto Bolaño* como el esteta que camina leyendo a Paul Valéry sin mirar las ruinas y las infamias que lo rodean.

Un escritor de ese temperamento tenía que probarse en un género tradicional como la novela histórica y salir airoso. No incurrió Parra en nin-

guna de las flaquezas de ese híbrido lamentable que es la biografía novelada, que carece del vigor documental y el respeto por la verdad propios de
la biografía a secas y se priva, por pereza mental y ansiedad comercial,
de las libertades de la novela. Además, la biografía novelada de tema histórico suele ser el sabático de los profesores desengañados: la materia la
pone la historia, vivero inagotable y pasa por arte la creencia vulgar de que
basta con leer novelas para escribirlas. En *Juárez. El rostro de piedra,* por
ejemplo, no se le ofrece al lector esa lista bibliográfica destinada a respaldar a un autor extraviado en el tráfico mal entendido entre la historia y la
ficción. Todo lo que tenía que leer Parra lo leyó notoriamente (de Justo
Sierra a Enrique Krauze*, pasando por Francisco Bulnes, Ralph Roeder
y Héctor Pérez Martínez) y se alimentó de los documentos, discursos y
cartas que de Juárez están, desde hace casi medio siglo, a la mano de los
lectores.

Parra renunció a contar toda la vida de Juárez desde el principio, aho-
rrándose la glosa o repetición de su infancia, establecida por el propio
Benemérito en esos *Apuntes para mis hijos* (1857) que deberían formar parte de las antologías históricas de la literatura mexicana, pues Juárez es,
también, nuestro Henry Adams. Ningún otro autor nacional ha clausurado su niñez en tanto que paraíso perdido como Juárez, volviéndola un
cuadro bucólico invulnerable a toda duda y a toda impertinencia.

Tampoco se detiene Parra en lo stendhaliano, en lo napoleónico que
hay en el mito: el indio zapoteco arrimado en una casa decente de Oaxaca
donde reescribe, con final felicísimo, la intentona de Julien Sorel, casán-
dose con una de las hijas de la familia, esa Margarita Maza que será —tantas veces se ha dicho— la simiente de su fuerza. Ese matrimonio borrará, de
manera laica y burguesa, como un piano en medio del salón, el horror
de esa otra pareja, originaria y generatriz, la del conquistador Cortés y La
Malinche. El resto de esa educación sentimental se conoce bien: el aprendizaje del castellano y la enseñanza eclesiástica que, combinada con la
abogacía, la verdadera religión liberal, harán de Juárez no sólo gobernador
de Oaxaca sino un teólogo laico que, presidiendo la Suprema Corte de
Justicia, se convertirá en 1858 y tras el autogolpe de Ignacio Comonfort,
en presidente de la República. La foto que durante tantas décadas guardaron

la mitad de los mexicanos bajo la almohada, como Julien Sorel la de Napoleón, fue la de Juárez, un corso legalista que se aferró al poder sin haberlo asaltado y murió con él.

Juárez. El rostro de piedra comienza con un tópico, de aire hamletiano, en el que aparece el presidente, azotado por los insomnios, deambulando por el Palacio Nacional, meses antes de su muerte, en 1871. Desde esa atalaya, Parra va y viene hacia los momentos capitales de la vida del héroe a través de los cuales armará la narración: el encierro, allí mismo en Palacio en el invierno de 1857-1858 y los días en Veracruz, la ciudad carnavalesca que es la única que le quita el sueño, con fantasías y afiebramientos, al Juárez de Parra, la manufactura de las Leyes de Reforma y las rivalidades canallescas producidas, por las victorias, en 1861 y 1867, la estancia en las tinajas de San Juan de Ulúa (que le dan oportunidad al novelista de pintar, con olores y colores revueltianos, un infierno), el fusilamiento de Maximiliano y la indecorosa petición de clemencia de la princesa Salm y la última batalla, que como dicta la convención a la que Parra se pliega, pierde Juárez con la muerte.

Si el orden narrativo es juicioso, sin ser lineal, Parra no desaprovecha el rico reparto que rodeó a Juárez y que invalida alguna de las diatribas de Bulnes: la dimensión de Juárez se mide por la grandeza de sus camaradas, rivales y enemigos, de los Lerdo de Tejada al propio Maximiliano, pasando por Melchor Ocampo, Santos Degollado, Guillermo Prieto, Porfirio Díaz, Miguel Miramón. Hacía tiempo que no se escribía en México una novela histórica tan pródiga en caracteres insospechados. Si el impasible no puede sorprendernos, un Ocampo o un Prieto son creaturas novelescas nuevas para el lector, posibilidades riquísimas de fabulación.

Juárez. El rostro de piedra convalida la convicción de que Juárez es el mexicano más importante de la historia. Habría completado, junto a Odín, Mahoma, Lutero o Cromwell en *Los héroes*, de Carlyle. A su lado, ninguno de los justos y justicieros, generales y bandoleros de la Revolución mexicana alcanzan su esplendor. Pero las novelas no son el vehículo propio para convalidar esa clase de convicciones y debo decir que terminé el libro de Parra un tanto fastidiado, impotente ante la omnipresencia de Juárez, quien pareciera manipular, desde ultratumba, hasta a los novelistas que tocan su figura un siglo y medio después.

Ese hartazgo ante el ídolo de bronce se debe, también, a la prosa de Parra. Enérgica y enjundiosa (y no en pocas ocasiones memorable por un toque dramático al modo gran estilo), la prosa depende de un narrador omnisciente al que le da por bajarse de la negra carroza republicana e increpar a Juárez llamándolo Pablo y no Benito. Pasando las páginas, empero, el boato tribunalicio y la oratoria decimonónica le van dando a la novela el inevitable tufillo conmemorativo y cívico, por más que Parra se esfuerce en humanizar al héroe poniéndole en circunstancias convenientemente equívocas, atraído ante un capitán trasvestido en Veracruz, invitado por su criado a desfogarse con alguna mujer o mortificado por el exceso de tabaco. Parra sigue el tono señorial y renacentista de Roeder, él mismo traductor al español (con la ayuda de Alí Chumacero) de su *Juárez y su México* (1972). Otros diálogos y sucedidos remiten no a la simplificación escolar realizada por Victoriano Salado Álvarez en sus *Episodios Nacionales Mexicanos* (1902-1906) sino a las telenovelas históricas que a Juárez le dedicó Ernesto Alonso en los años sesenta.

Leer una novela sobre Juárez es releer la historia y quemarse con las llamas de un infierno retórico. Eso es irremediable. Para los "posmodernos", la novela histórica suele ser o la oportunidad para modificar libremente la historia fiándose a la ucronía o el recurso judicial que permite multar al pasado e imponerle penas retroactivas por crímenes horrendos. Anacrónico, Parra escribe desde un momento literario anterior y *Juárez. El rostro de piedra*, utiliza, hasta con felicidad, el tono ilustrado con que Heinrich Mann hizo su dueto sobre Enrique de Navarra.

Pero si la libertad que la novela histórica, entendida tradicionalmente como la entiende Parra, le da al novelista es poca, en el caso de un Juárez, el margen es más estrecho. Digámoslo a la antigua: Juárez exige la forma más alta, la de la tragedia, mientras que el general Santa Anna no puede sino revivir dentro de una comedia devenida en opereta, como lo entendió bien Enrique Serna* en *El seductor de la patria* (1999) y Maximiliano y Carlota son romance y son romanticismo puro, tal cual quedaron en *Noticias del imperio* (1987), de Fernando del Paso*.

Es arduo especular de qué manera hubiera podido Parra rehuir la grandilocuencia trágica. ¿Arriesgándose a impostar una primera persona como la que malogró las *Memorias de Pancho Villa* (1951), de Martín Luis Guzmán*, quién jugaba con la ventaja de haber conocido a su personaje? ¿Recurriendo al monólogo interior del Juárez moribundo como lo estableció Hermann Broch con su célebre Virgilio y tantos han imitado? ¿O desacralizando a Juárez, como sólo puede hacerlo el pintor juchiteco Francisco Toledo y dejándolo en instalación posmoderna de dudoso gusto?

Esas dudas me hicieron añorar, para Juárez, un realista menos convencional (y quizá, también, un escritor no tan profesional) para hacer el intento de librar al héroe de sí mismo. Pero una vez que terminé mi propio rondín por las páginas más virulentas de Bulnes, por *Juárez: su obra, su tiempo* (1906), de Sierra, por la biografía de Roeder o por *Juárez, el impasible* (1934), de Pérez Martínez, me sorprendí pensando que sería inverosímil escribir una novela sobre Juárez distinta a la de Parra. Hubo una alternativa, genial, que agotó el dramaturgo austriaco Franz Werfel en aquel drama magnífico prologado en español por Borges, *Juárez y Maximiliano* (1924). Werfel se abstuvo de presentar a Benito Juárez en la escena, conservándolo ausente en su calidad de conciencia del desdichado emperador. Quizá *Juárez. El rostro de piedra*, de Parra sea una buena novela que sirva para recordarnos que el verdadero Juárez es invisible.

Bibliografía sugerida
Nostalgia de la sombra, Joaquín Mortiz, México, 2002.
Juárez. El rostro de piedra, Grijalbo, México, 2008.
Sombras detrás de la ventana. Cuentos reunidos, Era, México, 2009.

PASO, FERNANDO DEL
(Ciudad de México, 1935)

Desmesura y genio de un narrador. Para este narrador monumental el cuerpo es la explicación vital del mundo. Cuerpo y mundo se relacionan a través de toda clase de vasos comunicantes. Los humores, tal como los entiende la diversa tradición que arranca con Hipócrates, Descartes, Thomas Browne o Torres Villarroel, son los instrumentos que este novelista tiene del mundo. Del Paso analiza los cuerpos con la pasión clínica del médico. Para él, hay una tragedia de la historia pero ésta se deduce de los humores del cuerpo. No en balde, como un curandero de la antigüedad, profetizó, desde la ciudad que despierta en *José Trigo* (1966), la noche de Tlatelolco. En *Noticias del imperio* (1987) hace de la melancolía de Carlota de Bélgica, suma y círculo de la aberración histórica. No es fácil ocuparse de *Palinuro de México* (1977). Es una novela total, organismo que se reproduce consumiendo todo lo que existe, la más compleja de las invenciones novelísticas de la literatura mexicana [...]

Nuestro Palinuro, como su padre virgiliano, es un piloto que cruza la tierra. La nuestra y otras, tantas como el lenguaje de la imaginación se permite crear. ¿Cómo seguir ese periplo, cómo trazar una ruta de lectura? Aquí nos concentramos en la secreción de los humores. Para Del Paso, la imaginación se ejerce con el bisturí. El instrumental de Palinuro, al ir viajando por el cuerpo, revela la naturaleza secrecional de las pasiones, pues como los antiguos, el novelista busca en órganos y tejidos la explicación del carácter. Pero, heredero de Joyce y del surrealismo, Del Paso renuncia a las seguridades de la cosmovisión. Suyo es el caos de sensaciones e ideas y a éstas consagra su novela [...]

El humor es central en la novela. Del Paso está lejos del erotismo que entendieron y practicaron contemporáneos suyos como Salvador Elizondo* y Juan García Ponce*, tendencia que no deja de ser una consecuencia, igualmente adocenada y estetizante, del que practicaron los discípulos líricos de Gide y antes que ellos, los modernistas negros. A diferencia de ellos, Del Paso —rabelesiano y renacentista— olvida el culto de las llagas o los meandros de la identidad. Lo suyo es el delirio y el festín. Para él la carne, lejos de ser triste, es la suma de todo conocimiento. Carne pútrida, carne apetecible. En sus cuerpos esa materia total tiene la misma textura taxonómica del mundo: geología, zoología, botánica.

Quien fuera profeta involuntario de Tlatelolco, se niega a sacrificar a su Palinuro en la pira del 68. Prefiere herirlo, haciéndolo atropellar por una tanqueta en el Zócalo. Para Del Paso 1968 es un accidente, nunca banal, incluso de consecuencias imborrables, pero al fin y al cabo secuencia que libera la risa, el otro humor sin el cual su erotismo no se comprende. Contra lo que parece, Del Paso no es un novelista crítico, pues al devorar el mundo, crece; se niega a vomitarlo. Antes que una anatomía, en *Palinuro de México* se procede a una disección del lenguaje; en esa novela los desahuciados del mundo y de la gloria no se lamentan. Se salvan.

La desmesura de Del Paso es probablemente el último festín de esa omnívora literatura latinoamericana que inicia con Carpentier y que goza de la proliferación tropical. Llegando a Del Paso, tras *La guerra del fin del mundo* de Vargas Llosa y *Cristóbal Nonato* de Carlos Fuentes*, la imaginación del Nuevo Mundo ve una vez más a sus fastuosas ruinas cubiertas por la selva. Y, como en *Los pasos perdidos*, las huellas se van borrando.

¿Qué significan cabalmente las tres vastas novelas de Del Paso? *José Trigo* es un *Berlinalexanderplatz* de la ciudad de México, última aparición fantasmal de una modernidad suspendida; en *Palinuro de México* devoramos el mundo y en *Noticias del imperio* sufrimos de la difícil digestión de la materia nutricia de la historia. En esta última novela, admirable por tantas razones, pueden detectarse las consecuencias de una indigestión. Del Paso se extiende en las ofrendas en el altar de esa "loca de la casa" en la que confía hasta la voluptuosidad. El delirio verbal de *Palinuro de México* dejó extenuado a un cuerpo sin duda vigoroso pero no inmortal, que a veces parece consumirse de fiebre. *Palinuro de México* es una magnífica odisea "modernista" de la literatura mexicana. En una cultura obsesionada por la creación/recreación de mitos, como la nuestra, no deja de entusiasmar la negativa que Del Paso impone frente a ellos. Hijo de la tradición joyceana, el *Bloom Day* delpasiano certifica la gozosa imposibilidad de una novela nacional. A fin de cuentas, *Palinuro* niega a *Pedro Páramo* y a *Artemio Cruz*. El hombre no es la negación de los mitos, sino la proyección que secreta una máquina cuya compulsión es la manifestación de los humores, que infinitos, caben en los trabajos y los días de todos los mortales (*Antología de la narrativa mexicana del siglo XX*, II, 1991).

Una gran novela mexicana. En 2007, el libro más votado en la encuesta realizada por la revista *Nexos* para conocer cuál era, en la opinión de un centenar de escritores, la mejor novela mexicana de los últimos treinta años, fue *Noticias del imperio.* Ese resultado no me sorprende del todo. *Noticias del imperio* es la más novela de nuestras novelas, como lo fue, durante varias décadas, *Al filo del agua* (1947), de Agustín Yáñez*, según lo sostuvo el crítico Emmanuel Carballo*. Esa calificación redundante expresa que novelas como éstas colman, al aparecer, lo que la opinión literaria entiende que debe ser un género. *Noticias del imperio* es una novela "como deben de ser las novelas" una vez que las lecciones de Proust y Joyce se impusieron en el gusto, se convirtieron en materia canónica y dejaron de ser un código más o menos reservado para los iniciados.

A la distorsión del tiempo narrativo característica del clasicismo del siglo XX y que en *Noticias del imperio* mana incansablemente a través del monólogo de Carlota de Bélgica, se suma su atractiva autoridad como novela histórica, presuntuosamente histórica para algunos de los pocos lectores que no consideran, como lo dijo en su día José Emilio Pacheco*, que "no hay en el siglo XIX un episodio que supere en intensidad trágica la novela sin ficción de Maximiliano y Carlota".

Fue el dramaturgo Rodolfo Usigli*, como lo reconoce el propio Del Paso en las páginas finales de *Noticias del imperio* quien le dio su primera forma literaria al más novelesco de nuestros episodios nacionales, sólo superado por el encuentro entre Cortés y Moctezuma II. Tras el precedente de *Corona de sombra*, el drama usigliano de 1943, no ha sido escaso el mérito del novelista: la imagen que sus lectores tenemos de "los efímeros emperadores de México" y en buena medida del presidente Juárez, su némesis, pasa a través del filtro dispuesto por Del Paso. *Noticias del imperio* es una de las pocas novelas que conservan la propiedad de ser parte, a la manera decimonónica, de la educación histórica y política de sus lectores. Creo que esas virtudes tornan secundarios los reparos puestos al libro, como los que censuran la ley que Del Paso se habría autoimpuesto, el recurso, monótono por sistemático, del soliloquio infinito y de la enumeración caótica. Ese procedimiento no ahuyentó, a decir verdad, a muchos, tomando en cuenta que la novela está armada de tal forma que permite hacer trampa al lector, libre de saltarse los monólogos en que la antigua emperatriz delira en función de loca de la casa e ir de frente al delicioso novelón histórico-folletinesco. *Noticias del imperio* demuestra, por otro lado, que el cultivo de Clío, el uso de la historia como fábula no requiere del novelista una idea crítica de la historia o el despliegue de alguna historiosofía, como puede verse en el aparatoso tomo III de las *Obras completas* (2002), que recoge el ensayo y la obra periodística de Del Paso y que apabulla por el convencionalismo y el conformismo de su autor. No es la primera vez que un erudito hombre de mundo es al mismo tiempo un nacionalista de miras tan estrechas.

Noticias del imperio y *Palinuro de México* (1977) son, cronológicamente, dos de las últimas grandes novelas del *boom,* en las que la historia americana es una forma fabulosa del lenguaje como ocurre en Alejo Carpentier, en José Lezama Lima o en Carlos Fuentes*. Y Del Paso, posee, de una manera más pronunciada que sus maestros y colegas, una doble naturaleza: su obra es Rabelais en clave criolla, la expresión de un insaciable apetito erótico, de carne y de mundo. Pero también es, barroca o manierista, una obra refinadísima en el sentido decadentista de la palabra, el resultado de una extrema extenuación nerviosa. Preparando estas líneas me asomé a *El imperio de las voces. Fernando del Paso ante la crítica* (1995) que recopiló Alejandro Toledo y en esa antología descubrí que dos de las reseñas más convincentes sobre *Palinuro de México* las escribieron dos poetas contemporáneos de Del Paso, Francisco Cervantes* y Marco Antonio Montes de Oca*, lo cual permite ver desde otra distancia, la de la lucidez poética, a una de las cimas de la prosa mexicana.

Decía Montes de Oca en 1980, aludiendo a la hipersensibilidad mitológica y médica de nuestro *Palinuro*: "El libro de Fernando del Paso es una de las contribuciones más afanosas al barroco mexicano de todos los tiempos. ¿De todos los tiempos? El futuro no existe en *Palinuro de México.* Su riqueza estriba en la perfecta omisión del futuro [...] La historia de Palinuro es un pretexto que, desviado de sus fuentes latinas, ancla su punto de partida en la versión que del personaje hace Cyril Connolly en su maravilloso y no sé si olvidado texto *La tumba sin sosiego.* Palinuro, piloto de Eneas, se queda dormido cuando está al timón del barco y es arrastrado por las aguas hasta el cabo Spartivento o cabo Palinuro, así llamado hasta la fecha. Para Del Paso, como para este poeta inglés, poseído por la hipocondría, el mito se convierte en símbolo del hombre que se deja arrastrar por sus propios sueños, sueños enormes porque se sueñan con los ojos abiertos y al final son la causa de su muerte" (2008).

Bibliografía sugerida
Obras I. *José Trigo y Palinuro de México*, FCE, México, 2004.
Obras II. *Noticias del imperio y Linda 67. Historia de un crimen*, FCE, México, 2004.
Obras III. *Ensayo y nota periodística*, FCE, México, 2004.

PAZ, OCTAVIO
(Ciudad de México, 1914-1998)

Obras completas. Las obras completas son el estatuto al que arriba todo autor cuya vida en la literatura merece, a juicio de sus contemporáneos o de la posteridad, un orden de lectura cuya aspiración es la permanencia. El resultado es una operación editorial que impone las necesidades del conjunto sobre la arbitrariedad en que aparecieron sus partes. En el caso de Paz es una fortuna que sea el propio escritor quien haya editado sus *Obras completas*, pues de esta manera nos ofrece libros nuevos por su orden e intención. Y la suma resultante no afecta los factores que la hicieron posible, pues la obra suelta de Paz seguirá circulando como ha ocurrido, con creciente fortuna, durante los últimos cincuenta años. Es interesante comparar el mecanismo de las obras completas en Paz con la solución adoptada por Alfonso Reyes*, el escritor que llenó la primera parte del siglo mexicano como Paz ha colmado la segunda. Reyes, en sus últimos años, era dueño de una obra que sufría de una considerable dispersión geográfica y editorial. Esas circunstancias impusieron a Reyes la planificación de sus obras completas más allá de su muerte, ordenando su lectura como una propuesta para la posteridad. Hoy suele decirse que los libros individuales de Reyes desaparecieron entre la vastedad del todo, quedando sujetos a la acumulación progresiva e inevitable que dificulta el acceso a su literatura. Paz ha decidido evitar un curso similar para su obra, reformulando el orden tanto de sus libros como de sus artículos. Esto ocurre en un momento precioso para la literatura mundial, pues a sus ochenta años, el poeta está en la plenitud de sus poderes críticos y artísticos.

Las *Obras completas* de Paz ofrecen numerosas posibilidades de lecturas. Supongo que ésa fue una de las intenciones del autor al editarlas personalmente. Al leer los tomos tercero y cuarto, los consagrados a la literatura hispánica y mexicana, decidí forzar aún más la liberalidad que Paz ofrece, intentando la composición de un diccionario alfabético de autores y conceptos cuyo resultado es una importante prueba de la naturaleza enciclopédica de la obra de Paz. Sería deseable ampliar el juego al resto de las obras completas; aparecerían así los personajes decisivos de la escena política del siglo xx, innumerables artistas plásticos de tres continentes, muchos escritores de otras lenguas y tradiciones, y los grandes maestros del pensamiento moderno.

El dominio hispánico incluye textos de origen y extensión dispersa, que van desde artículos escritos hace treinta años hasta las conferencias Nobel de 1990; presenta una parte de *Cuadrivio* (1966) y otra de *Corriente alterna* (1967) y culmina en las evocaciones más recientes. El tomo mexicano arranca con las "Seis vistas de la poesía mexicana" y recorre la vasta galería de protagonistas y agonistas que componen nuestra literatura. Al mezclar ambas compilaciones y reordenarlas en orden alfabético aparece una ecúmene crítica cuya sola ennumeración basta para comprender la dimensión enciclopédica de las lecturas críticas de Paz. Ese diccionario incluiría, entre otros, a Rafael Alberti, Dámaso Alonso, Juan José Arreola*, José Bianco, Rubén Bonifaz Nuño*, Jorge Luis Borges, Luis Cardoza y Aragón*, Camilo José Cela, Luis Cernuda*, Alí Chumacero*, Julio Cortázar, Jorge Cuesta*, Rubén Darío, Gerardo Deniz*, Salvador Díaz Mirón, Salvador Elizondo*, Carlos Fuentes*, Juan García Ponce*, Pere Gimferrer, Ramón Gómez de la Serna, Jorge Guillén, Miguel Hernández, Efraín Huerta*, Vicente Huidobro, Jorge Ibargüengoitia*, sor Juana Inés de la Cruz, Eduardo Lizalde*, Ramón López Velarde, Gabriela Mistral, Antonio Machado, Marcelino Menéndez Pelayo, Marco Antonio Montes de Oca*, Álvaro Mutis*, Pablo Neruda, Juan Carlos Onetti, Manuel José Othón, José Ortega y Gasset, José Emilio Pacheco*, Carlos Pellicer*, Francisco de Quevedo, José Revueltas*, Reyes, Alejandro Rossi*, Juan Ruiz de Alarcón, Juan Rulfo*, Julio Torri*, Luis G. Urbina, Xavier Villaurutia, Emilio Adolfo Westphalen, Agustín Yáñez* y Gabriel Zaid*.

La lista es abundante pero impresiona aún más por la variedad de los rostros y la pluralidad de las actitudes de quienes Paz ha nombrado, moviéndose entre el tiempo retórico y la materia histórica con vastísima sapiencia. Paz escribe sobre los poetas del Siglo de Oro y examina a los excéntricos entre los novelistas mexicanos contemporáneos; capta al modernismo latinoamericano y a la generación española del 27; discute el fracaso de nuestro romanticismo y pondera la magnificencia de esa poesía moderna de América Latina de la que él mismo es figura central.

En la enciclopedia de Paz cada orilla del Atlántico cuenta con un faro que busca e ilumina a su contrario. Ese intercambio de luces y de sombras ha conocido la oscuridad de la guerra o de la indiferencia, pero ningún obstáculo ha impedido el tráfico clandestino de especies o las correrías de los corsarios. Fundación hispánica y disidencia latinoamericana componen esa esfera de la lengua española cuyas literaturas han encontrado en Paz un cartógrafo y un descubridor.

Ese diccionario posible seduce no sólo por la posibilidad de llenar generosamente cada entrada alfabética, sino por el tono que se encuentra atrás de cada nombre. Paz es un extraño autor que no incurre en el artículo de ocasión o en la referencia inútil; este maestro del retrato literario presenta sus fervores y sus reservas en encarnaciones individuales tan vivas como problemáticas. Páginas como las dedicadas a Neruda o Alberti combinan la crítica de la política con la comprensión diáfana de poéticas que le son entrañables; un escritor tan distinto a Paz como Borges encuentra en su juicio una definición persuasiva escasa entre la abundante exégesis que rodea al escritor argentino. Los tomos III y IV de las *Obras completas* suman mil páginas durante las cuales emociona leer los encuentros personales con Neruda o Cuesta tanto como la conversación del poeta con sus muertos electivos como Quevedo, sor Juana o López Velarde. Trashumancia posible para quien hace de la tradición un tiempo abierto a la eternidad del poema y cerrado a las intemperancias históricas. Paz es un escritor contemporáneo de todos los escritores que ama e interroga. Pero no ha guardado esa privanza para su poesía; crítico literario y ensayista moral, Paz ensaya en público y el lector es testigo de un diálogo cuya profundidad y belleza carece de equivalencia en una época como la nuestra, tan dada a las preferencias sectarias en literatura, a la exaltación de los gustos editoriales del vulgo y a las tediosas disecciones académicas.

Paz, como escritor mexicano, cierra su siglo con una actitud crítica muy distinta a la de sus predecesores y maestros. Reyes se ocupó escasamente de la literatura mexicana de su tiempo; fue muy parco con sus compañeros de generación e ignoró a los más jóvenes. Villaurrutia y Cuesta buscaron con cariño ejemplar a Díaz Mirón o López Velarde; fueron generosos con sus amigos y justos con algunos de sus adversarios; señalaron la aparición de nuevos escritores (como el propio Paz) pero jamás estuvieron en condiciones de abarcar la variedad de la literatura hispanoamericana. No dejaron testimonios significativos de sus pares en España, Cuba o América del Sur. Paz, en cambio, habla de Ortega y Gasset y de José Vasconcelos*, de Westphalen y de Deniz, de Gómez de la Serna y Huidobro. El universo hispanoamericano de Paz es una totalidad.

Poeta que no aspiró sino a dialogar con las obras elegidas, Paz se convirtió en un ensayista cuya crítica es parte esencial —fundación y dominio— de la literatura secular. Su experiencia moderna, que va del Barroco americano al surrealismo, le permitió ejercer la universalidad más activa en el ámbito de su propia lengua. Pareciera que en Paz hubo un desasosiego inicial, concerniente a la insuficiencia de nuestra Ilustración o a la pobreza de la crítica en el mundo hispánico; esa irritación lo invitó a librar las vastas batallas y los movimientos sutiles que impone la prosa del pensamiento. La publicación de las *Obras completas* de Paz confirma que la crítica ha encarnado finalmente en la tradición hispanoamericana, pues, en la segunda mitad del siglo XX, un poeta mexicano le dio esa altura intelectual y esa dignidad retórica de la que carecía.

Hay una escena en *Generaciones y semblanzas. Dominio mexicano* que me entusiasma. Es aquella en que Cuesta expone al joven Paz su teoría del clasicismo, en compañia de una mujer y al amparo de la noche. En ese recuerdo de Paz ocurre una suerte de cambio de mando, de cesión primordial del secreto de la crítica, como si Cuesta hubiera otorgado sus poderes a un poeta capaz de sacarlos de la zona de sombra y llevarlos a la luz del mediodía. Esa ceremonia explica la devoción de Paz por una herencia, la de los Contemporáneos; su necesidad de rebatir y fundar la tradición, convirtiendo aquella teoría cuestiana del clasicismo mexicano en un razonamiento plural que transforma al clásico en moderno, a la literatura nacional en observancia universal de la crítica. En ese sentido puede leerse la enciclopedia que Paz pone hoy en nuestras manos (1994; *Servidumbre y grandeza de la vida literaria,* 1998).

Política. Octavio Paz es un clásico contemporáneo. Esa doble condición —la tradición y la actualidad— inhibe a la crítica. No son pocos los que retroceden ante el reto propuesto por Paz; son menos aún quienes han emprendido una crítica meticulosa y honrada, generosa pero intransigente,del pensamiento de un poeta que desde su juventud crea, a través del lenguaje, una política del espíritu.

Tres críticos políticos mexicanos habían abordado "la política de Paz" con libros de intenciones más o menos exhaustivas: Jorge Aguilar Mora*, Enrique González Rojo (hijo) y Fernando Vizcaíno. *La divina pareja. Historia y mito en Octavio Paz* (1978), de Aguilar Mora, fue un libro pionero que no suscitó la discusión que merecía. La indiferencia provocó que las sugerentes tesis de Aguilar Mora envejecieran en soledad. Veinte años después, *La divina pareja* dice más sobre el radicalismo teórico de los años setenta que sobre Paz. Es una crítica a ratos trotskizante, a veces nietzscheana, acaso deleuziana, donde un heterodoxo le pide a Paz que responda al examen de la teorética universitaria de esos días, culpándolo de una lectura equívoca de la historia. Para Aguilar Mora, el poeta castiga al "marxismo" por ser un determinismo, pero le reprocha después a Marx el incumplimiento de sus profecías deterministas. Aguilar Mora es un "ultrabolchevique" —como llamó Maurice Merleau-Ponty a Jean-Paul Sartre— que rechaza la pareja historia/mito que encuentra en Paz. Creo que Aguilar Mora localizó una asociación esencial del pensamiento paziano pero extrajo de ésta una conclusión partisana difícil de compartir cuando no se sueña con un gaseoso "marxismo verdadero". El matrimonio entre historia y mito es, paradójicamente, una de las virtudes más elocuentes de la política del espíritu en Paz. Lo que para el crítico es una mala lectura resultó, para mí, una interpretación poética de la historia no exenta de grandeza.

Curiosamente, ese ensayista original y virulento que es Aguilar Mora devino, finalmente, en otro mitógrafo: *Una muerte sencilla, justa, eterna* (1990), su gran libro sobre la Revolución mexicana, es una tanatografía que exalta el mito romántico de la violencia revolucionaria. Las mitologías de Aguilar Mora son retóricamente tan cuestionables como las que atribuye a Paz. Pero si Aguilar Mora es un solitario, el poeta González Rojo es un heresiarca. Durante los años setenta, el poeta organizó un cenáculo llamado EIRA (¡Espartaquismo Integral Revolución Articulada!) que, como su nombre lo indica, pretendía articular al viejo espartaquismo revueltiano que se había quedado esperando el descenso celestial de la teoría leninista sobre el proletariado sin cabeza. Siguiendo el modelo plejanoviano del círculo de estudios que diseña la revolución mientras las condiciones históricas, tan impuntuales, no se presentan, González Rojo escribió *El rey va desnudo. Las ideas políticas de Octavio Paz* (1989), donde a manera de banquete platónico, el heresiarca y sus catecúmenos analizan "la situación teórica" creada por las ideas de Paz sobre "el socialismo realmente existente". Generoso, el hereje explica a sus iniciados que Paz no es un agente del imperialismo yanqui, sino uno de nuestros primeros antiestalinistas, que se extravió por uno haberse topado con los verdaderos evangelios. Pero el propósito de González Rojo es más humano que divino. El profesor necesitaba de un pretexto para exponer sus teorías sobre el modo de producción "intelectual" (MPI) aparecido en la Unión de Repúblicas Socialistas Soviéticas (URSS) y sus satélites. Su pretexto fue Paz. El destino del MPI (González Rojo ama las siglas, sectario al fin) no es materia de este artículo, pues aquella cosa desapareció de la faz de la Tierra en dos años, caso insólito en la historia de los MP que, como el feudalismo o el capitalismo, solían durar siglos. La doctrina de González Rojo, escrita en una abominable prosa profesoral, es un champurrado de las tesis de Trotsky, Bruno

Rizzi, Charles Bettelheim y Rudolf Bahro. El asunto queda en manos de la heresiología del marxismo mexicano.

Cuando el rey se hace cortesano. Octavio Paz y el salinismo (1990) es un panfleto donde el heresiarca vuelve a tomar a Paz como pretexto para denunciar, por enésima vez, a las mafias intelectuales cuya alianza con el Estado le han cerrado a los escritores independientes el justo reconocimiento del ¿proletariado? Sin el ímpetu herético del libro anterior, González Rojo expone ahora el programa del Partido de la Revolución Democrática (PRD), pues el profesor insólito de la izquierda metaleninista descubrió súbitamente que en el nacionalismo neocardenista se encontraba, acaso, la revolución articulada.

Xavier Rodríguez Ledesma comparte con Aguilar Mora y González Rojo, ese "ultrabolchevismo" que consiste en violentar discursos cuyo conflicto con el "marxismo" se resuelve llamando a capítulo al poeta para indicarle qué clase de herejía es compatible con la historia. Naturalmente, hay grandes diferencias entre la veleidosa inteligencia de Aguilar Mora, la triste hermenéutica de González Rojo y la titubeante neutralidad académica de Rodríguez Ledesma. Pero los tres críticos comparten la ilusión de que hay un marxismo verdadero esperando su oportunidad sobre la Tierra. No es el caso, por cierto, de *Biografía política de Octavio Paz o la razón ardiente* (1993), de Vizcaíno, quien logró mirar al poeta desde una perspectiva ajena a la heresiología.

El pensamiento político de Octavio Paz es obra de un autor de mi generación —Rodríguez Ledesma nació en 1960— y quizá por ello me conmueve su disputa con la crítica paziana del marxismo, pues fue la que yo sufrí. Uno y otro ingresamos a las universidades públicas en el trasiego de aquella "crisis del marxismo" que pareció agravarse entre el golpe de Estado en Chile (1973) y la represión del general Jaruzelski contra los obreros polacos (1981). Aunque aquella crisis fue una de esas fiebres tercianas que parecen anunciar la salvación del enfermo cuando en realidad son el espasmo salutífero previo a la muerte. En esos días pareció que la fecundidad de las herejías marxistas —del eurocomunismo al consejismo, de Enrico Berlinguer a Bahro, pasando por Louis Althusser— sustituiría a la decrépita ortodoxia soviética. Pero tan pronto empezó la Perestroika, las

recurrentes esperanzas de Occidente en la redención de la URSS, retratadas recientemente por François Furet, empezaron a disolverse y el 1 de
enero de 1992 la bandera de la hoz y el martillo bajó del asta del Kremlin.
Pero con la ortodoxia se hundieron las herejías, que sin ésta perdieron su
razón de ser. La ilusión trostkizante de una regeneración del "estado obrero", basada en la cómica idea de que aquel sistema era, en principio superior
al capitalismo, se esfumó.

Paz se alejó del marxismo tras un proceso que él ha descrito punti-
llosamente. Rodríguez Ledesma lo documenta con veracidad. En 1950, al
denunciar los campos de concentración soviéticos, el poeta se separó tajan-
temente del estalinismo. Más tarde reunió a la idea de que éste era una
patología pavorosa, pero patología al fin, en el cuerpo presumiblemente
sano del comunismo de Marx, Lenin o Trotsky. Es ese segundo movimiento, que no podía llevar sino al reencuentro con la tradición liberal, el que
Rodríguez Ledesma no acepta cabalmente. La existencia de un marxismo
herético y fecundo grabado en las páginas de la patrística, es una ilusión a
la que el sociólogo se aferra. El propio Paz sufrió esas dubitaciones. De la
esperanza utópica cultivada con Victor Serge y André Breton, Paz se desplazó hacia la constatación de que Marx fue un filósofo bifronte, con un
rostro libertario y otro totalitario. Las tendencias despóticas del socialismo
marxiano fueron truculentamente aplicadas por el bolchevismo, cuya
naturaleza concentracionaria fue profetizada por Proudhon —en una carta al propio Marx— en fecha tan temprana como 1844.

Queriendo mostrar las contradicciones de Paz ante el pensamiento de
Marx o frente al socialismo real, Rodríguez Ledesma olvida lo esencial. Paz
es un crítico del bolchevismo, no como aberración histórica, sino en su
medida de sociedad cerrada cuyo germen pasó fatalmente de Marx a Lenin
y de Stalin a la izquierda mundial, implantando un totalitarismo peor que
el nazismo, pues Hitler jamás se lavó las manos en las aguas de una tradición humanista. Mientras escribía esta reseña me topé con una página de
la *Historia del pueblo de Israel*, de Ernest Renan, que creo que viene al caso:
"Todos los sueños humanitarios son contradictorios, ya que la imaginación gira en un círculo estrecho y los dibujos que traza son como los
losanges raros de los mosaicos orientales. La Revolución francesa defendió

la libertad y la fraternidad, y llevaba en su interior al imperio. El gran germanismo idealista de Herder y Goethe se ha convertido en un realismo de hierro que no conoce más que la acción y la fuerza. ¡Qué decir del socialismo moderno y de los cambios frontales que haría si llegase al poder!" El gran Renan escribió estas líneas en 1887.

Cuando Paz dice que el liberalismo y el socialismo deberán sintetizar un nuevo tipo de utopía no creo que entienda al marxismo como sinónimo de socialismo. Pero para Rodríguez Ledesma, Marx parece ser el único teórico del socialismo, olvidando a Babeuf, a Fourier, a Saint-Simon y a Louis Blanc, los socialistas "utópicos" cuyo descrédito fue una de las primeras misiones de la intolerancia marxiana. No me extraña esta omisión en *El pensamiento político de Octavio Paz*.

Hace quince años, en México, sólo se estudiaba "sociología marxista" en claustros universitarios a ratos iluminados por las engañosas luciérnagas de la herejía. Pero los herejes —desde el generalísimo Trotsky hasta la martirizada Rosa Luxemburgo— no hubieran rendido cuentas distintas que Stalin, Mao y Castro, militantes y enemigos cabales de la sociedad abierta. Las restauraciones socialdemócratas en Rusia y Europa central serán, en el peor de los casos, un triunfo del nacionalismo beligerante. En el mejor, la victoria de los mencheviques. Los enemigos de Lenin —también ausentes de nuestra cultura universitaria—, como Bernstein y Kautsky, imaginaron lo más justo de las democracias occidentales. Los mencheviques, como dijo Edgar Morin, esperan su Lamartine, quien lavó el honor de los girondinos, calumniados por la guillotina, el águila imperial y la escarapela borbónica.

El esfuerzo documentado y sistemático de Rodríguez Ledesma, tan útil para quienes releen a Paz como para aquellos que se acercan por primera vez, fracasa como interpretación teórica. Paz no es un marxista vergonzante o equívoco. Es un hombre del siglo que compartió la ilusión comunista y la abandonó para convertirse en defensor de la sociedad abierta.

La ruta de Paz como crítico de la vida pública en México recibe un seguimiento cabal en este libro. Las grandes polémicas del poeta, desde los años cuarenta hasta la discusión con Carlos Monsiváis* en 1977, son registradas con precisión e imparcialidad. Rodríguez Ledesma ratifica documentalmente que Paz, como reconocen quienes lo calumniaron hasta hace una década, fue un pionero en la descripción del despotismo mexicano, ese "ogro filantrópico" bautizado magistralmente por el poeta. Comparto con Rodríguez Ledesma esa impaciencia ante un régimen de la Revolución mexicana, que como los muertos-vivos del folletín gótico, despierta del letargo cuando los héroes ya festejan su aniquilación. A Rodríguez Ledesma le duele la distante parsimonia con que Paz espera la "hora cumplida" del Partido Revolucionario Institucional (PRI). Pero el sociólogo soslaya que el democratismo de Paz nace de su abandono, especialmente en *Postdata* (1969), del culto por la diosa Revolución, meretriz que embaucó e infectó a los hombres de nuestro siglo.

Y a Rodríguez Ledesma le aturde la prolongada batalla de Paz contra la izquierda mexicana. Aquélla fue una solitaria guerra en dos frentes, ante la estatolatría de la Revolución mexicana contra una izquierda cuyos afanes democratizadores tropezaban con sus fidelidades dogmáticas. Y como ha dicho Roger Bartra*, fue la izquierda la que se benefició con la agresiva interlocución de Paz.

El poeta se ganó la calumnia biliosa y la quema en efigie. A contrapelo, yo conocí en el Partido Comunista Mexicano (PCM) muchos demócratas consecuentes a pesar de sus fidelidades castristas o leninistas. Algunos de ellos militan actualmente en el PRD. Creo que Paz no ha sido sensible al valor moral de estos demócratas. Pero debo decir que en los días siguientes al 1º de enero de 1994, cuando vi a tantos "reformistas" reconvertirse instantáneamente al culto por la guerilla zapatista, me di cuenta de que la suspicacia de Paz estaba, una vez más, fundada. Si el Ejército Zapatista de Liberación Nacional (EZLN) hubiese extendido la rebelión más allá de Las Cañadas y el país se hubiera internado en la guerra civil, creo que muchos de quienes ahora peregrinan por la paz en Chiapas estarían cantando las loas del ejército revolucionario.

Lamentablemente, Rodríguez Ledesma concluye su libro en 1993, registrando las elecciones de 1988 como último episodio en la vida política de Paz. El sociólogo lamenta que el poeta no haya tomado una actitud más beligerante ante unas elecciones tan controvertidas. Estoy de acuerdo con Rodríguez Ledesma. Me hubiera gustado que Paz se sumase a la demanda de anular las elecciones y repetirlas. Pero la política es el reino de lo posible. Paz, como el PRI y el Partido Acción Nacional (PAN), apostó a que el presidente Carlos Salinas de Gortari se legitimara en los hechos, con una verdadera reforma democrática que atenuase o resolviese la ilegitimidad de su elección. Y al ocupar sus escaños en la Cámara de Diputados y en el Senado, los cardenistas, contra su voluntad, votaron *de facto* su adhesión a la transición pactada. Cuauhtémoc Cárdenas, al replegarse y fundar el PRD, haciendo lo que José Vasconcelos no hizo en 1929, libró al país de un desenlace sangriento. Y no creo que su partido, pese a sus colosales incongruencias, haya sido un obstáculo en la democratización del país.

El presidente Salinas de Gortari emprendió reformas económicas que Paz y buena parte de la opinión pública aprobaron. Llegó 1994, la rebelión zapatista, los asesinatos políticos y el desplome de la economía. El viejo régimen priísta demostró su incapacidad de reformarse... pero en ese mismo año se realizaron las elecciones más pulcras de nuestra historia y las ganó el PRI con 51% de los votos.

En *El pensamiento político de Octavio Paz* se le reprocha al poeta su conformidad con la lentitud de la transición democrática. Nacido en 1914, Paz es un intelectual cuya biografía corre paralela al régimen de la Revolución mexicana, fue un niño que sufrió una guerra civil que involucró a su padre con el zapatismo, un adolescente ante la represión callista y el joven poeta entusiasta de las reformas sociales del general Lázaro Cárdenas. Diplomático al servicio de un régimen aplaudido internacionalmente por la izquierda, Paz renuncia en 1968 a la embajada de la India como protesta por la masacre del 2 de octubre, acontecimiento que los cubanos y los soviéticos pasaron por alto. La biografía de Paz está marcada por un rechazo coherente y sistemático de toda ruptura violenta con el sistema. Es una elección política de naturaleza profunda, que genera impaciencia o rabia, pero cuya legitimidad intelectual no puede ser juzgada de acuerdo con la moral de las convicciones que tantos críticos le exigen a Paz. Rodríguez Ledesma lamenta que Paz no sea un clérigo revolucionario. No es el primero.

Cuando mataron a Luis Donaldo Colosio yo tuve una fantasía bolchevique: en pocas horas me convertiría en testigo de la toma del Palacio de Invierno de la Revolución Mexicana. Casualmente, la noche siguiente visité a Paz para entregarle unos suplementos y aproveché el viaje para contarle esa ilusión, mezcla de esperanza y terror. Paz desalentó fríamente mis elucubraciones. La desaparición súbita del PRI no sólo era improbable sino indeseable. El escepticismo de Paz frente al apocalipsis —pues no era otra mi fantasía— me asombró. Entendí su firme convicción de que la historia, mirada con la moral de la responsabilidad, puede ser sustraída de los caprichos de la violencia.

Esa anécdota es útil para dibujar la decepción de Rodríguez Ledesma al concluir su libro. El poeta no comparte con los jóvenes la prisa de ver morir al padre, pues el PRI es una estructura binaria de poder cuya legitimidad hemos reproducido cuatro siglos de mexicanos. Ante el Estado mexicano, Paz ha reaccionado como un intelectual reformador que busca el diálogo con el príncipe, no su derrocamiento, pues esa visión tenebrosa —la Revolución— ya la tuvo en Mixcoac o en Valencia, fantasma que nubló su ojos y formó su razón crítica.

La modernidad en Paz se resiste a las maneras intelectuales marxistas, a ratos inciertas, otras veces dogmáticas, que Rodríguez Ledesma utiliza para concluir su tesis. La dialéctica, dice Paz, no está en la historia ni en la naturaleza. Por ello Paz ha sido un intelectual enemigo de aquella traición de los clérigos que denunció Julien Benda, momento en que los letrados arengan a las masas, justificando los medios por la escatología dialéctica, sancionando las bodas entre la sangre y la esperanza. La política del espíritu de Paz es la defensa de los valores universales de la Ilustración, obra de un intelectual que no cede, o si lo hace retrocede aterrado, ante la tentación de vender su alma al demonio de las ideologías seculares que intentaron la destrucción de la sociedad abierta (1996; *Servidumbre y grandeza de la vida literaria*, 1998).

Poesía. El genio de Paz pertenece a una especie rara, la de los poetas-críticos y en el siglo XX, tal como lo dijo Julio Cortázar en su elogio del poeta mexicano, sólo Paul Valéry y T. S. Eliot comparten con él esa conjunción de reflexión analítica y canto poético. ¿Chocan alguna vez, como se lo temió Cortázar, ambas aptitudes? Tal pareciera que no, lo cual lo convierte en un sujeto de ardua exposición: la poética de Paz no sólo examina la historia de la poesía universal sino, por extensión y añadidura, explica, antes que a ninguna otra, la poesía del propio Paz. Lo mismo ocurre, por cierto, con los autores de *La Joven Parca* o de *Tierra baldía*.

En el caso de Paz, a más de diez años de su muerte, entrada la segunda década del siglo XXI, su figura sufre del menoscabo y de los equívocos propios de la posteridad de todo gran escritor. Sus ideas políticas —que vistas retrospectivamente sólo son un honorable, mayéutico capítulo de la reacción socialdemócrata y liberal al comunismo— han cesado de causar escándalo. Y cuando la caída del muro de Berlín, en 1989, le dio la razón a Paz, aquellos que temerosos de ser víctimas de la mala fama pública asociada a su nombre, decían "preferir al poeta" por encima del pensador, empezaron a invertir el exorcismo: concluyendo que no había sido un gran poeta sino un perspicaz observador de la escena histórica. Esta segunda manera de perdonarle la vida es acaso más grave e insidiosa que la primera pues atenta contra la unidad esencial de su obra entera.

Asociado, de principio a fin, a la tradición romántica que hace del poeta un visionario, es decir, el hombre absolutamente reflexivo que se mueve por el tiempo, Paz vivió bajo la exigencia de rendir testimonio, intelectual y religioso, de su época, negándola y sacralizándola. Las ideas, en Paz, no pueden separarse de la poesía, como es imposible sustraer a William Blake del influjo de la Revolución francesa o separar, en el antiprofeta inglés, a la pintura de la poesía. Tampoco puede ignorarse el romanticismo humanitario en Victor Hugo o despojar a los surrealistas de la doble herencia, a la que aspiraron, de Rimbaud y de Marx.

Pueden preferirse, en Paz como en Pound o en Breton, al poeta sobre el ensayista: lo que no se debe es creer que sin el pensamiento (una suerte de política del espíritu) expresado en *El arco y la lira* (1956) o en mucha de la crítica política y literaria, pueda comprenderse cabalmente la poesía. Y no siempre todos los ensayos de los grandes poetas son esenciales para comprender el sentido de su obra, como es el caso de Luis Cernuda*, a quien Paz tanto admiró y autor de un *Pensamiento poético de la lírica in-*

glesa (1958), libro esforzado, un tanto profesoral, cuya lectura cumple con su cometido ensayístico pero no arroja mayor luz sobre la poesía de Cernuda.

De los *Cantos* de Ezra Pound o del *Canto General* de Pablo Neruda, sin embargo, puede resumirse, por explícita, la doctrina fascista o comunista de sus autores, sin necesidad de ir a las enseñanzas didácticas de Pound o a las declaraciones periodísticas con las que Neruda, en su papel de gran poeta comunista, infestó el mundo. Paz, en cambio, acompaña a su poesía de una vigorosa y seductora obra de pensador, al grado que el poeta francés Claude Roy, dijo que el espectáculo dado por Paz haría pensar en Hölderlin o Nerval escribiendo los tratados de Tocqueville o Marx. Roy quizá se excede en la comparación: pero muestra el sentido del deslumbramiento provocado por Paz. Para los jóvenes que a principios de los años ochenta, como fue mi caso, nos acercamos a Paz con la incomodidad de hacerlo ante un hombre no sólo célebre sino poderoso, era asombrosa (y muy convincente) la admiración que le profesaban los escritores de su generación, casi siempre, la mayoría, ajenos u hostiles, dado el imperio intelectual del marxismo en esas décadas, a sus ideas políticas.

La unidad de la obra de Paz puede sustentarse de diversas maneras. Una de ellas es el ejercicio de correspondencia: buscar en un poema, escrito antes o después pues el tiempo del poeta no es el del profesor y las "conjungaciones y las disyunciones" van y vienen. En otros casos, la respuesta a las preguntas de un tratado (ya subrayé el nexo entre la edición de 1960 de *Libertad bajo palabra* y *El arco y la lira*) y de mucha de la crítica política, literaria y artística, están, naturalmente, en un poema, escrito antes o después.

En 1942, convidado a participar en el cuarto centenario del nacimiento de un san Juan de la Cruz al que él contrapone con Francisco de Quevedo, Paz airea su disyuntiva estética. Se trata de "Poesía de soledad y Poesía de comunión" (recogido en *Las peras del olmo* en 1957), pieza que se convertirá en un principio de partición, de enfrentamiento binario que atraviesa toda la obra. Si entonces a la soledad la encarna Quevedo, la comunión se concentra en san Juan de la Cruz, mientras que llegando hasta *Sor Juana Inés de la Cruz o las trampas de la fe* (1982), ese retrato histórico de la poeta monja novohispana sigue expresando, con toda complejidad, las consecuencias de esa oposición entre la irreductible, "maldita" individualidad del poeta y el fracaso fatal de sus deseos de comunión con la Iglesia, el partido, la humanidad.

Son niveles distintos, desde luego, los que asocian a una página ensayística con un poema, a una idea con un verso y por ello he hablado de correspondencia y no de coherencia. Nunca quiso ser Paz un pensador sistemático ni intentó, como Blake, ser un profeta. Tampoco, transformó, como lo quiso Pound en su batalla contra la usura, su propia poesía en una historia "particular" de la infamia. Paz es un romántico desengañado: sueña con una religión de la poesía pero lo despierta un escepticismo que le impide, en su sentido religioso, el *entusiasmo*. El hechizo del mundo termina con la crueldad de los sueños utópicos hechos realidad política. Sólo el poema, una vez, vuelve a encandilar al poeta.

La madurez poética de Paz ocurre en la India, donde además, como lo sintetiza Paul-Henri Giraud en *Octavio Paz, Vers la transparence* (2002), el poeta encuentra el más fecundo de sus mitos personales. Dos libros de poemas, *Salamandra* y de *Ladera Este* tienen su correlato en otro par de libros de ensayos *Corriente alterna* (1967) y en *Conjunciones y disyunciones* (1974). *Blanco* (1967), su apuesta poética más radical abre un periodo de discusión que empieza con "Los signos en rotación" (desde la edición de 1967, epílogo de *El arco y la lira*) y termina con *Los hijos del limo: del romanticismo a la vanguardia* (1974), relato crítico de la aventura estética del siglo poético. A su vez, *Los hijos del limo* —en un principio sólo el guión de las conferencias de Paz en Harvard— son el proemio histórico de los dos grandes poemas memoriosos, *Pasado en claro* (1975) y *Vuelta* (1976) que publicará una vez cumplidos sus sesenta años. Al final de su vida, justo es reconocerlo, el ensayista se volvió mucho más especioso y abundante que el poeta y aunque en *Árbol adentro* (1987) están un puñado de sus mejores poemas breves, el vigor ensayístico del último Paz no lo tiene ningún otro poeta moderno. En su última década, escribió los vivaces prólogos de cada uno de los tomos de sus *Obras completas* (uno de ellos, *Itinerario*, una verdadera síntesis autobiográfica) y cerró tanto sus meditaciones eróticas con *La llama doble* (1993), como su largo viaje a Oriente, con *Vis-*

lumbres de la India (1995). Me convence menos su último poema confesional, "Carta de creencia" (1987) que completará "el delta de cinco brazos" de su poesía.

Las preguntas que la idea le hace al poema, en Paz, a veces tardan medio siglo en contestarse y así "Homenaje y profanaciones", el poema quevediano de 1949 motiva la última *plaquette* que verá impresa en 1997: *Reflejos. Réplicas.* Quevedo aparece aquí, Quevedo aparece allá, como la conciencia de la lengua en que Paz escribe: conciencia malévola, juguetona, pendenciera, insoportable. Según Anthony Stanton, su Quevedo es un precursor de Baudelaire. Y si no es Quevedo (lanzo nombres que aparecen y desaparecen en los poemas de Paz) es Trotsky, héroe trágico que simboliza toda la historia del comunismo tan dramática a los ojos de Paz, y aparecen sus estertores, "sus quejidos de jabalí" al ser asesinado, en un verso alucinante, de *Piedra de sol.*

A Paz, él mismo lo dijo, no le fue fácil escuchar y distinguir su propia voz poética. El primer libro que publica (*Luna silvestre*, 1933) no es el primero que la crítica le reconoce (*Raíz del hombre*, 1937) ni tampoco aquel del que no se siente del todo desalentado: *A la orilla del mundo* (1942). Según él, su primer libro verdadero fue *Libertad bajo palabra* (1949) y aunque para entender la manipulación de títulos, subtítulos y revisiones a la que Paz somete la primera parte de su obra, sea menester auxiliarse en los trabajos de Enrico Mario Santí, es evidente que la inseguridad caracteriza esos años de formación. Paz —se lo dijo en una carta a Jean-Claude Masson, su editor en la Pléiade— sentía sobre sí todo el peso de la indignidad espiritual que le acarrean, a un escritor, sus malas páginas. No siempre creía en esa disculpa torera que implora que al poeta se le juzgue por sus mejores tardes.

Por ello, para leer la poesía de Paz en profundidad conviene combinar dos maneras de lectura. Primero, siguiendo la cronología de sus libros singulares tal cual aparecieron y luego, a través de *Libertad bajo palabra* en sus ediciones de 1960 y 1968, en los *Poemas* (1979), en la *Obra poética, 1935-1988*, en los dos tomos finales de las *Obras completas*, leyendo aquello que el poeta, consciente de que disputaba la soberanía de su obra con sus lectores, fue modificando: reacomodos, supresiones, refinamientos.

Paz indicó así la manera en que quería ser leído: otra vez aparece el poeta junto al ejercitante de una poética, desdoblamiento en pareja que puede resultar excesivo, molesto para algunos de sus lectores. A Paz lo gobierna una tautología: el poeta es crítico porque es moderno y es moderno porque es crítico.

Detengámonos en 1937: es el año de su ordenación como intelectual del siglo durante la Guerra Civil española, en la que se cruza, antes, durante y después del Congreso Antifascista de Valencia, en Madrid y en París, con medio mundo: Neruda, André Malraux, Rafael Alberti (a quien ya conocía de México), José Bergamín, Paul Éluard. Alcanza a conocer a Antonio Machado, quien derrotada la República dos años más tarde cruzará los Pirineos para no volver y de regreso a México, Paz (acompañado de su entonces esposa, la futura novelista Elena Garro*) aprovecha un día de escala en La Habana, para saludar a Juan Ramón Jiménez. Y en ese mismo año de 1937, la publicación de *Raíz del hombre* amerita una reseña crítica de Jorge Cuesta*, maestro de Paz y en ese entonces el principal crítico literario mexicano. No se le daban a Cuesta los elogios francos ni los ditirámbicos: cuenta la mano levantada de Paz, simplemente.

Es asombrosa la riqueza de la poesía en lengua española con la que un nuevo poeta como Paz, en 1937, ha de convivir, pese a que la guerra en España distrae a muchos poetas hacia la poesía militante y comprometida, a pesar de que Machado entra en el silencio definitivo y a que Jiménez calla transitoriamente. En esos años aparecen *España en el corazón* (1937), de Neruda, *Nostalgia de la muerte* (1938), de Xavier Villaurrutia, *Poemas humanos* (1939), de César Vallejo, *Muerte sin fin* (1940), de José Gorostiza*, *Las nubes* (1940), de Cernuda, *Memoria del olvido* (1940), de Emilio Prados o *Entre el clavel y la espada* (1941), de Rafael Alberti.

Paz llama entonces "neorromántica" (sexualizada, como D. H. Lawrence lo enseñaba, pero a la vez cubierta de follaje retórico, de palabrismo) a su primera poesía, lo que quiere decir que aspira a que no sea poesía pura ni poesía comprometida. La idea es sencilla de enunciar, practicarla, muy ardua. Debe, políticamente, conciliar a la Revolución con la Poesía, quitándole a una lo que le da a otra: una empresa que fue, para los poetas del siglo xx, la empresa de Sísifo. Ese afán de conciliación lo unirá con los jóvenes españoles de la revista *Hora de España,* a quienes conocerá durante sus semanas en la Guerra Civil. A esos mismos poetas, como lo precisa Guillermo Sheridan* en *Poeta con paisaje* (2004), los recibirá Paz en el destierro mexicano y con ellos hará de *El hijo pródigo* (1943-1946) una revista a la vez generacional y transatlántica.

Tras los años en los Estados Unidos y en Francia, publica en 1949 lo que será su primer libro verdadero, según él, *Libertad bajo palabra,* recibido con cierta frialdad, al grado que su amigo el dramaturgo Rodolfo Usigli*, al reseñarlo dice que Paz "se considera un poeta olvidado, que no interesa en México". "Libro inscrito en el tiempo, cambiante", llama Santí a *Libertad bajo palabra*, obra de poemas de la familia de los *Cantos* de Pound, de *La realidad y el deseo*, de Cernuda, de *Cántico*, de Jorge Guillén, es decir, obra que se va nutriendo de la experiencia del poeta, nunca terminado, sometido a la intemperancia del poeta con sus propia creación.

Libertad bajo palabra, en su versión inaugural, puede ser reconocida a la distancia por dos de las frases-emblema que harán la publicidad del poeta: "Contra el silencio y el bullicio, invento la palabra, libertad que se inventa y me inventa cada día" y "palabras que son flores que son frutos que son actos". Algunos temas del libro, por otro lado, no volverán sino hasta el final de la obra: "Crepúsculo de la ciudad" se convierte en "Hablo de la ciudad". Escribe el primer asedio a su padre muerto en "Elegía interrumpida" y el primero de sus retratos poéticos de ancestros, protagonistas, agonistas o antagonistas, el dedicado al marqués de Sade. E "Himno entre ruinas", es el primer poema historiosófico de Paz en el cual México se cruza con la historia mundial y éstas aparecen como afluentes de una poética de la historia.

La obra de Paz se compone de diálogos prolongados, intensos, a veces interrumpidos o truncos, cuya lectura puede seguir, de principio a fin el lector de su poesía. Esa condición permite que tantos escritores, a su vez, de generaciones distintas a la suya y en ambas orillas del Atlántico, se hayan sentido interpelados por la obra de Paz; los más importantes de esos diálogos se llevaron a cabo con el surrealismo (la conversación culmina con *La llama doble*), con la tradición socialista (en plena vigencia en *El ogro filantrópico* y con *Itinerario*, entre 1978 y 1993), con la Revolución mexicana y la mexicanidad, que de *El laberinto de la soledad* (1950) a *Postdata* (1970) se convierte, de la historiosofía a la historia política, en una averiguación sobre el sentido y el contenido de la democracia en América Latina. El diálogo con la India, finalmente, es paralelo a la ola estructuralista y toda la obra de ese periodo puede ser leída de cara a esas teorías, como era en buena medida su intención en *Claude Levi-Strauss o el nuevo festín de Esopo* (1967). Todos estos diálogos van de la poesía al ensayo y del ensayo a la poesía.

El diálogo con el surrealismo empezó, como Paz no dejó de lamentarlo, tarde y quizá así haya sido mejor. Cuando André Breton visitó México, en 1937, Paz escuchó, al parecer, sólo una de sus conferencias y de incógnito: Breton estaba en México invitado por un trotskista connotadísimo, el pintor Diego Rivera (él y su esposa Frida Kahlo hospedaron al antiguo jefe del Ejército Rojo), con el propósito de reunirse con Trotsky, la bestia negra de la todopoderosa izquierda estalinista a la que pertenecía, de mala gana, el joven poeta. Creía Paz, además, que el surrealismo era una escuela o manera vanguardista y no una sensibilidad epocal que arrancaba con el romanticismo. Esa disposición a recibir un estado de ánimo poético, en calidad de ordenación, durará, intensivamente, hasta la publicación de *Piedra de Sol* (1957), poema que fue traducido al francés por Benjamin Péret, mano de derecha de Breton, quien prometió, sin cumplir, prologarlo. La razón o la excusa de Breton no deja de ser elogiosa: en una carta al editor Gallimard, dijo que prologar *Piedra de Sol* sería tan presuntuoso como presentar "La siesta de un fauno", de Mallarmé.

En 1946, enviado a París a ocupar un puesto menor en la embajada de México, Paz, al fin, se encuentra con los surrealistas, a cuyas reuniones asiste: "Más de una vez me dije que había llegado a ellas veinte años tarde. Pero el rescoldo de la gran hoguera que fue el surrealismo todavía calentaba mis huesos y encendía mi imaginación" (prólogo a *Excursiones/Incursiones*, *Obras completas* 7, 1994). Esa encarnación llenará de fantasmas y de oráculos su mundo poético: Nerval, el utopista Charles Fourier, Hölderlin, Rimbaud y el marqués de Sade, el gran personaje surrealista, desde luego.

Es el mundo sobreviviente, iniciático de Breton, reunido en el café Cyrano, distante de las humeantes querellas entre los existencialistas y los comunistas, que monopolizaban la vida intelectual francesa. Allí Paz se hará amigo de Péret (que por su experiencia mexicana se convierte naturalmente en su intercesor), de André Peyre de Madiargues, que lo califica como "el único gran poeta surrealista en actividad en el mundo", y de Georges Schehadé, el poeta levantino de lengua francesa. Breton antologa "Mariposa de obsidiana" (de *¿Águila o sol?*, 1951) en el *Almanach surréaliste du demi-siècle*, que reunió a los surrealistas de la posguerra, y reconoce a Paz como el poeta hispanoamericano que más lo conmueve. Pese a que el conocimiento que Breton tenía de la poesía en lengua española era superficial, es llamativa la estima que tuvo de la de Paz en los últimos años, al grado que a la muerte del fundador del surrealismo en 1966, el poeta español Guillén —quien no era entonces una persona cercana a ninguno de los dos— dijo que el único amigo hispanoamericano de Breton fue Paz.

El Paz del medio siglo exacto es "el más surrealista" y a su admisión en el círculo bretoniano le sigue la lealtad estilística, como lo indica Jason Wilson elige el poema en prosa, un género de alcurnia entre los surrealistas, para escribir *¿Águila o sol?* Péret, no en balde, tradujo en 1957 uno de los "Trabajos del poeta", que presentan a la figura sonámbula, más que soñadora, del poeta enfrentando, como surgido de un cuadro de Leonora Carrington, la rebelión de las palabras. *¿Águila o sol?,* también, estuvo entre los libros comentados por el crítico fenomenológico Gaston Bachelard en el último de sus libros, *La luz de la vela* (1961).

Breton dijo, famosamente, en una entrevista que México era el único país surrealista del mundo pero con ello no estaba haciendo una exaltación de lo pintoresco mexicano, como se interpreta comúnmente el dicho (o el argumento, si se quiere) desarrollado después en "Souvenirs du Mexique" (1939). En el surrealismo de México veía Breton una doble combinación de inmemorial respiración sagrada, la de una civilización antigua en latencia (con más temor mórbido que admiración la había visto así, una década antes, Lawrence) a la vez colmada de espíritu revolucionario. Así, México era para Breton, pasado y porvenir. Una década más tarde, en París, aquello que Breton había encontrado en México lo encuentra Paz en Breton y si Breton había hecho surrealista a México, Paz "mexicaniza" al surrealismo. Y así como Breton "surrealistiza" a México al mismo tiempo que otras incursiones explícitas, implícitas, circunstanciales (Eisenstein, Kahlo, Wolfgang Paalen), Paz concluye, dándole una clave poético-mitológica mesoamericana, esa "mexicanización del surrealismo" iniciada por Péret y por el poeta español Juan Larrea.

Alain Bosquet, el poeta y crítico francés de origen ruso, concluyó en *Verbe et vertige* (1961) que Paz, creador de un "surrealismo telúrico", le había ofrendado a la visión bretoniana los esplendores "neomayas y neoaztecas" que las "costumbres didácticas francesas" y "las zambullidas germánicas en el subconsciente" no habían podido darle. Nótese que, juiciosamente, Bosquet habla de lo "neomaya" y de lo "neoazteca", en Paz, como de un neologismo, es decir, de una mistificación propiamente poética y no de ninguna vindicación de autenticidad en la que el poeta mexicano habría podido ofrecer de la cosmogonía mesoamericana. Ello puede verse en "Mariposa de obsidiana", que según Hugo J. Verani, es una búsqueda de la otredad en lo azteca, que acaba mostrando otra cosa: las imágenes incongruentes brotadas de lo onírico y la supremacía de la comunión erótica para restablecer el equilibrio cósmico.

El encuentro, tardío y afortunado, entre Paz y el surrealismo no hizo nunca de él un prosélito ortodoxo de Breton, al grado que estando en posesión de ese estado de ánimo, escribe y publica *El arco y la lira*. En éste, su gran tratado de poética, Paz vindica al surrealismo como la experiencia espiritual más decisiva del tiempo de las vanguardias. Lo fue por ser legataria del romanticismo, potenciando la autonomía de la inspiración y adhiriéndose a su búsqueda de una poesía imperante en la vida. El balance final del surrealismo está lejos de ser la obra de un sectario: rechazó siempre —aun en vida de Breton a quien durante mucho tiempo temió disgustar— la escritura automática, la obediencia cientificista de Freud, el anticristianismo dizque blasfematorio, la afición por lo esotérico. Breton, le dirá Paz en una carta de 1975 a Roger Caillois, confundió a la poesía con la experiencia poética.

El diálogo con el surrealismo no fue, empero, lo más conocido de la obra de Paz durante el medio siglo, sino la publicación de *El laberinto de la soledad* (1950 y 1959), uno de los grandes libros del siglo XX, que narra la aventura mítica del mexicano, un ensayo histórico-poético leído, por algunos, como una suerte de etnografía surrealista: una descripción antropológica de la fiesta y un elogio libertario de las palabras.

En esa prolífica década de los cincuenta, en la que Paz publica *El laberinto de la soledad*, dos versiones de *Libertad bajo palabra*, *El arco y la lira*, y *La estación violenta*, son varios los tiempos conviviendo en su obra. El pasado, que viene de los años treinta, aparece en "Entre la piedra y la flor", intento de mover *Tierra baldía* a la izquierda, un poema social sobre la explotación de los campesinos yucatecos originado en el trabajo militante que estaba haciendo Paz en Yucatán justamente cuando lo llamaron en 1937 a participar en el Congreso Antifascista de Valencia. Ese joven poeta —lo mismo que en su faceta de autor comprometido de la "Elegía a un compañero muerto en el frente de Aragón"— tiene mucho más que ver con los surrealistas de lo que el propio Paz se imagina cuando se acercó, al café donde se reunían, en la posguerra.

A los restos, arqueológicamente conservados por Paz a través de revisiones recurrentes, de la poesía comprometida de su primer periodo, le sigue "El cántaro roto", de *La estación violenta* (1958), un poema que es propiamente una "visión" de México menos optimista que la impresa en *El laberinto de la soledad*, "la novela" que registra a la Revolución mexicana como la fiesta primordial de la que surge el mexicano y lo sitúa en condiciones de comulgar en igualdad de circunstancias, con el resto de los hombres. En "El cántaro roto", el paisaje de México equivale a sus pavorosas sequías y el poder, como lo veía simultáneamente Juan Rulfo* en *Pedro Páramo* (1955), lo monopoliza, absolutamente, un cacique. En Rulfo, ese cacique es un fantasma que es el padre de todos los vivos y de todos los muertos, mientras que en "El cántaro roto", escrito también en 1955, es un mandamás obsceno, avatar de aquel "cacique gordo de Cempoala", a la vez arcaico y moderno, lujurioso y estéril, con el que se toparon los conquistadores españoles camino de México-Tenochtitlan.

La estación violenta cierra con el más famoso y recitado de los poemas pazianos, "Piedra de Sol" (1957), que pertenece a la clase de poemas, junto a los de Rimbaud y Neruda que los jóvenes memorizamos en su día con la ilusión de ser admitidos en esa orden (y ese orden) que Paz identificaba con el surrealismo, "la estrella de tres puntas": el amor, la libertad y la poesía. "Voy por tu cuerpo como por el mundo,/tu vientre es una plaza soleada,/tus pechos son dos iglesias donde oficia/la sangre sus misterios paralelos", leemos en *Piedra de Sol*. Repitiendo un comentario que le oyó decir a Cyril Connolly sobre Pound, Pacheco dijo que guardaba tres ejemplares de *Piedra de Sol*: uno para leer, otro para releer y otro para ser enterrado con él.

El poema es estricto y libre a la vez porque Paz lo escribió utilizando 584 endecasílabos, iguales a la evolución sinódica del planeta Venus, 584 días que los antiguos mexicanos contaban al cerrar la conjunción de Venus y el sol como el fin de un ciclo y el principio de otro. Aunque el propio Paz (que hallaba, enfático y demasiado hispánico, a su poema más celebrado) previno a sus críticos de una interpretación del poema demasiado apegado a lo que Raquel Philips consideró "el modo mítico" que asociaría *Piedra de Sol* con la cosmogonía azteca, esas consideraciones pueden obviarse ante un poema de sus dimensiones. Casi nunca deja Paz de ser, empero, un poeta historiosófico para quien la poesía, como real absoluto muestra el revés de la verdad histórica: Abel, Agamenón, Sócrates, Robespierre, Trotsky (ya se dijo), Lincoln, Madero, Madrid bombardeada en la Guerra Civil española, aparecen en *Piedra de Sol* como contrapunto de la experiencia amorosa. "Todos los siglos [asevera el poeta] son un solo instante/y por todos los siglos de los siglos/cierra el paso al futuro un par de ojos [...]"

Piedra de Sol, dice Pacheco, ilustra una calamitosa historia de amor como la narrada por Abelardo sobre sus desdichas. Cinco nombres de mujer se reducen a una encrucijada, entre Melusina y Laura, cuya esencia es la creencia de Paz en que la naturaleza es energía erótica y la mujer, energía natural, tal cual lo fijó Guillermo Sucre (*La máscara, la transparencia*, 1985). Otro de sus buenos lectores, Saúl Yurkiévich, dirá que la pasión amorosa, analogía y ritmo, es el principio de interpretación del mundo en Paz, notoriamente, desde *Piedra de Sol*. A Paz, concluye Yurkiévich, le sale maravillosamente la "poesía positiva, la de la belleza manifiesta", lo cual agrava la contradicción que lo atormenta como poeta-crítico: entre mejor canta el poeta más fútil le parece el lenguaje de la poesía. Esa contradicción la vio, admirada, Alejandra Pizarnik, la poeta argentina, al reseñar

Salamandra [1958-1961] (1962), el gozne (para no hablar de los impro-
bables "libros de transición") entre el Paz del medio siglo y el de los años
sesenta.

Salamandra es el libro preferido de no pocos lectores de la poesía paziana. Yo mismo, quizá, me cuente entre quienes comparten esa preferencia.
El libro trae el aliento incandescente que viene de *Piedra de Sol* pero se
detiene en el límite de la aventura radical, en la que se empleará, más a
fondo, el poeta durante los años sesenta. Pero el poema homónimo del libro
simboliza, sobre todo, al erotismo de Paz en un monstruo, la salamandra,
esa "hija del fuego" que sobrevive a éste sin quemarse, "nombre antiguo del
fuego y antídoto contra el fuego", arquetipo, a la vez, del encuentro sexual
y de la mujer, de la pasión y de la paciencia.

A lo largo de *Salamandra* se expresan los conflictos paradójicos entre
el tiempo puro y el apremio del instante sin que Paz tome los riesgos intelectuales, poéticos y tipográficos que caracterizarán a *Blanco* y se anuncian, por ejemplo, en ese poema antiacadémico y contestatario que es
"Entrada en materia". Y en *Salamandra*, a su vez, Paz deja de ser —como
lo intuye Pizarnik— un poeta surrealista —de la manera en que lo haya
sido— para dotarse de una voz inconfundible, propia, reconocida (con
Salamandra le empiezan a llegar a Paz los premios literarios internacionales que culminarán en 1990 con el Nobel).

En "Noche en claro", de *Salamandra*, Paz se despide de Breton (que
morirá en 1966) y de Péret (muerto en 1959) con un dibujo memorioso
que se convierte, primero, en un perfecto poema surrealista ("Todo es
puerta/basta la leve presión de un pensamiento") y después en una asociación propiamente paziana entre la ciudad y la mujer: "cara de humo
hombre sin cara/el otoño marchaba hacia el centro de París/con seguros
pasos de ciego".

En *Salamandra*, también, Paz establece la jerarquía de sus antecesores
directos, con un poema sobre Cernuda y otro sobre José Juan Tablada, a
su manera un Yeats mexicano que inspiró poéticamente a dos siglos, pero,
sobre todo, desplegando una sección titulada "Homenaje y profanaciones"
donde queda fijada la ininterrumpida conversación con Quevedo.

"El mismo tiempo", finalmente, es uno de sus poemas más reveladores y ofrece varios versos de *Salamandra* como claves en cuanto a la historio-sofía de Paz. Tras hablar de la muerte natural y asumir su fatalidad desde la ciudad de México, su Zócalo en concreto, aparece como el ombligo del mundo, el poeta es reconvenido por dos influyentes pensadores de la lengua española: José Vasconcelos y José Ortega y Gasset. Uno, el mexicano, lo invita estoicamente a entregarse a la filosofía como preparación de la muerte. Otro, el español, le aconseja pensar en alemán y olvidarse de lo demás. A ambos espíritus chocarreros, el poeta les dice que no pues ha rechazado la trascendencia filosófica por el inmanentismo de la religión de la poesía: "Yo no escribo para matar el tiempo ni para revivirlo/escribo para que me viva y reviva". La religión del poeta, asume, con Baudelaire, está en buscar lo eterno en lo efímero: ésa es la "poética del instante". Poética que, dado el tormento sufrido por ésta en el potro de la Historia, no puede ser únicamente un misterio lírico, un acertijo verbal. El instante ocurre fatídicamente entre "la vida inmortal de la vida y la muerte inmortal de la historia", según dice, también, en *Salamandra*.

De haber terminado su obra con *La estación violenta* y *Salamandra*, habría quedado su poesía, sin duda, entre las más vivaces que produjo en América Latina la heterodoxia del surrealismo y *Piedra de Sol* lo tendría, a Paz, como el autor de un gran poema erótico-mítico. Pero fue su segunda estadía en Oriente, el mito personal del poeta amante construyó en la India, la que lo convirtió en una leyenda viva de la literatura contemporánea y en uno de los grandes poetas "orientalistas" del siglo, junto a Pound, Victor Segalen y Paul Claudel.

En Nueva Delhi, a la que Paz llegó como embajador de México en 1962, el poeta se imantó de la cultura de la India al grado de convertirse no en un erudito, sino en algo más difícil de conseguir, en un hombre de casa. Yo fui testigo de su huella: pocos años después de su muerte, presencié, en una universidad india, las discusiones que *Vislumbres de la India* provocaba entre los *pandits*. Rebatido o exaltado, lo colocaban en la mejor de las compañías, junto con Max Müller, el gran mitólogo alemán que organizó, en el Occidente del siglo XIX, el conocimiento de la India. Y es que el escrutinio paziano abarcó el oscuro origen ario de los indios, la increíble, por fecunda, convivencia entre el budismo y el hinduismo, la universalidad de Nagarjuna, el papel del islam, las controversias monistas y dualistas entre las seis principales escuelas de la filosofía tradicional, el paralelo entre el arte del subcontinente y el medievo cristiano, la independencia de 1947 y Nehru y el Mahatma, sus héroes, así como el sublime, sensual y "barroco" arte eróti-co de la India, tal cual se muestra en Khajarao o Konarak, testimonio de la única civilización que ha creado, dijo Paz, "imágenes plenas y cabales de lo que es el goce terrestre". Estaban locos o ciegos, concluía, los filósofos y orientalistas que vieron en el budismo un nihilismo negador de la vida.

Los poemas de "la obra india", como lo cree Philips, ¿produjeron una amalgama al fundir con la metafísica brahmánica y budista el temperamen-to del poeta que venía de graduarse en el surrealismo? El tema sigue abier-to. Buscando "la otra orilla", la armonía de los opuestos y profundizando en el tantrismo, la India, sobre todo la budista, traspasó la superficie en su obra y penetró hasta producir una "manera mítica" —la expresión es de Philips— tan importante como la dejada previamente por la mitología prehispánica.

Eliot Weinberger explica cómo el diálogo entre México y la India (Orien-te/Occidente) se convierte en una identidad Oriente/Oriente en la cual se encuentran, quizá, los mayas y el budismo. Paz cumple, dice quien tam-bién ha sido su traductor al inglés, no sólo con la profecía contenida en el japonesismo de Tablada, uno de sus maestros, sino con una misión de toda la vanguardia. Oriente, había sido entrevisto por Paz por primera vez en 1951 durante una misión diplomática a Nueva Delhi y Tokio, sosegó su ansiedad de romántico. Es probable que el poeta, como lo supone Weinberger, haya encontrado su Grecia en Oriente, como la había hallado Pound, a cuyo "método ideogramático" se acerca Paz, según Weinberger, en *Blanco*.

En *Blanco* (1966), *Ladera Este [1962-1968]* (1969) y en *El mono gramá-tico* (1974), esa angustia que se sosiega convierte a Paz, si es cierta la afir-mación de Weinberger, en "un poeta religioso cuya religión es la poesía". En la no trascendencia, en el inmanentismo de sus lecturas budistas aca-ban de establecer las bases de su "teología". Una teología esencialmente erótica: la mujer, que oficia de amante y de esposa universal, musa, diosa y yoguina, Eterno femenino travieso y cómplice, está en el centro, estrictamente religioso, de un momento de esplendor erótico como los hay pocos en la poesía moderna. Se lee en *Blanco*: "el fuego te desata y te anuda / Pan Grial ascua / Muchacha / tú ríes – desnuda / en los jardines de la llama".

El viejo Paz decía que nunca tuvo el ánimo suficiente para convertirse al budismo (al *Madhyamika*, el que le resultaba filosóficamente más convincente) y prefirió estar, como mediterráneo y cristiano, en un *"cerca-lejos"*. No tan en el fondo y en privado, romántico en tanto que ilustrado, Paz confesaba que convertirse al budismo, pese a ser la gran herencia universal de la civilización india, era una de esas puerilidades que un occidental podía evitarse. Y en sentido estricto, su poesía carece de verdadera ansiedad metafísica, como lo dice Elsa Cross*, la poeta mexicana asidua a los *ashrams*.

Pero si hubo en Paz una tentación religiosa, entendiendo la dificultad que estriba para él, romántico en tanto que ilustrado, permitírsela, estuvo en el tantrismo, el rito sexual que encarna la imagen de la copula, perfecta identidad entre la vacuidad y la existencia. Paz entiende, según nos explica Cross, que en la unión de una pareja pueden verse, de forma literal o figurada, los dos aspectos del principio cósmico primordial: unión interior de la conciencia o *maithuna*, unión sexual. En sus dos varientes (budista e hinduista, reteniendo el semen o expeliéndolo), el tantrismo le fascina: así lo demuestra *Conjunciones y disyunciones* un concentratado tratado sobre esta y otras herejías de la religión y del lenguaje que no se puede excluir del ciclo indio.

Ladera Este es un caleidoscopio de la India. No un libro de viajes (aunque algo de ello tiene) ni una interpretación (escribió varias) sino una sucesión de poemas, uno a uno memorables, que saltan de la época de Babur al siglo xx, de Himachal Pradesh en los Himalayas hasta Vrindaban, ciudad donde Krishna se enamoró de Radha, pasando por el Ganges y el Yamuna. Aparecen, "consagradas" por un poeta mexicano, las tumbas y los mausoleos, como la de Amir Khursú, el fundador afgano de la poesía urdu o la de Humayán o aquellos que dejó la dinastía Lodi, el lingam, el yoni, los sacrificios de cabritos ofrecidos a Kali, las "vacas dogmáticas", el pipal, el baniano, la hoguera religiosa (Paz es el poeta más arbolado de su siglo), los y las occidentales —Artemisas y demonias— abandonados a su suerte por el Raj en la India independiente y que constituyen, en varios poemas de *Ladera Este*, los únicos personajes curiosos, auténticos caracteres secundarios que habitan, según Weinberger, su poesía. En *Ladera Este*, la ligereza, el coloquialismo, la chispa de las imágenes y un poco de humor (que nunca es mucho) muestran aquello que Paz aprendió de los poetas norteamericanos (más allá de Pound y Eliot, William Carlos Williams y e.e. cummings) durante su estancia en los Estados Unidos durante la segunda Guerra Mundial.

Ante la India (o ante el poeta que ha atisbado en ella la compasión y la sabiduría) son llamados a comparecer, en *Ladera Este,* John Cage, las víctimas de Stalin, los muchachos sacrificados el 2 de octubre de 1968 en Tlatelolco, la vieja Revolución mexicana. Y en el centro de todo, la mujer, el más alto alimento terrestre, como decía Novalis.

Blanco es el más ambicioso y comentado poema indio de Paz, aunque, cuenta Weinberger, haya en éste sólo tres palabras indias, una de ellas el árbol *nim*, a cuya sombra se casó en 1966 con Marie-José Tramini. Sea o no la versión simplificada de un mandala (los estudiosos difieren al respecto), *Blanco* es el gran poema "moderno" y abstracto de Paz, su propia versión del reto mallarmeano. Según Sucre, el poema desciende en línea directa de *Un Coup des dès:* la página como espacio donde ocurre el poema y el poema como un relieve. El verso se interrumpe, se quiebra, puede ser leído de maneras distintas: "tu cuerpo son los cuerpos del instante es cuerpo el mundo/*pensado soñado encarnado visto tocado desvanecido*". *Blanco*, dice Giraud, es un *imago mundi,* una réplica legible del universo, poema sobre la iluminación de la conciencia y el lenguaje en el cual el amor es la piedra filosofal.

Paz cierra el ciclo de la India con un libro menos discutido pero acaso más prodigioso, *El mono gramático* (1974), aparecido por primera vez, en francés, en 1969. Poema en prosa, antinovela, ensayo, *El mono gramático* cuenta (y descompone esa narración en la medida en que narra), el camino que conduce al poeta rumbo a Galta, ciudad en ruinas en las afueras de Jaipur, en el Rajastán. Por un lado —combino el resumen de Claude Esteban, su traductor al francés, con la interpretación de Giraud—, el narrador atraviesa un camino real repleto de monos, de *sadhus* y de leprosos en medio de la inmundicia característica de la India. A ese primer plano, propiamente terrestre, lo acompaña otro, conceptual, una habitación habilitada como caverna de Eros y escenario tántrico donde oficia Esplendor, nacida del sudor del demiurgo Prajâpati, mujer fabulosa compartida por diez deidades y que acaba por confundirse con el poema.

"El monograma del simio perdido entre sus símiles", dice Paz, es el mono escondido entre los monos: Hanumán, hijo del viento que brinca desde los Himalayas hasta la bienaventurada isla de Ceilán, héroe y semidiós del *Ramayana* quien es, para la mitología hinduista, el inventor de la gramática y de la poesía. El hombre mismo es el mono gramático, "simio imitador", el "animal aristotélico" que escribe, copia del natural y a la vez es la "semilla semántica" y lo representa Hanumán, "espíritu santo de la India" y príncipe de las analogías. El centro de *El mono gramático* es una reflexión sobre la fugacidad del lenguaje ante la cual la poesía acaba por sublevarse: "la fijeza es siempre momentánea".

Paz renunció a su puesto de embajador como protesta por la represión del movimiento estudiantil en México y abandonó la India de manera abrupta en 1968. Se encontró entonces en una encrucijada. Un camino, poético, lo llevaba a dispersarse, perderse. Había escrito en la India dos de las obras maestras de la vanguardia internacional, *Blanco* y *El mono gramático* y experimentado con los ingenuos y bondadosos *Topoemas* (1968), sus caligramas en el modo de Apollinaire y Tablada. Su querido amigo Charles Tomlinson —con quien hizo *Renga* en 1969, un poema a cuatro manos y en cuatro idiomas con otros dos poetas— le advirtió que había de volver a la sintaxis. El poeta no debía sacrificarse en el patíbulo del instante. La correspondencia con el poeta concretista brasileño Haroldo de Campos, reproducida por Manuel Ulacia, aclara la disyuntiva. Creyendo halagarlo, Campos le festeja a Paz el creciente desdén de su poesía por "la tradición metafórica y discursiva". Y Paz le contesta que esa tradición y no otra, es la suya. El regreso a México en 1971, ansiado y temido, estaría cargado de política, de vida pública. Pero era la oportunidad, una vez templado su carácter intelectual en la India, de hacer memoria y escribir *Pasado en claro* y *Vuelta*.

El ciclo memorioso tiene como modelo principal a "Himno entre ruinas", que originalmente cerraba la primera edición de *Libertad bajo palabra*, la frontera, para Ramón Xirau*, entre el primer Paz y el de la madurez. En aquel poema de 1948 el poeta sufre por primera vez esa "caída en la Historia", a la vez intempestiva y fatal, que es el mecanismo (Pere Gimferrer lo ha estudiado bien) mediante el cual Paz hace lo que yo llamo "historiosofía", es decir, reflexiona sobre el sentido y los fines de una Historia a la que se siente, a la vez condenado sin remisión de condena y atraído de manera profética. En "Himno entre ruinas", recordemos, "cae la noche" sobre las pirámides de Teotihuacán, la ciudad de los dioses vecina del Valle de México que fue abandonada muchos años antes del imperio azteca, en cuya cúspide "los muchachos fuman mariguana". Acto seguido, Paz nos lleva a una escena erótica, pues parecería que sólo la mujer lo salva y tras ella la caída en la Historia es aún más profunda, descenso que deja ver a las grandes ciudades del siglo XX por donde caminan los humanos, "bípedos domésticos".

El hastío moderno, el horror de la enajenación y el totalitarismo, el fracaso de la redención revolucionaria, ese "huevo del fénix" buscado por Paz en la Europa de 1945 en la que se encontró a uno de sus pocos amigos íntimos, Kostas Papaiannou, se alejó del horizonte de Paz durante la estancia india. De hecho, a ese festín de los sentidos que es *Ladera Este*, lo interrumpen las "Intermitencias del Oeste", poemas breves dedicados al Gulag, a la Olimpiada de México inaugurada apenas diez días después de la matanza del 2 de octubre de 1968, a la vieja Revolución mexicana. El sueño indio de Paz terminó junto con los fabulosos años sesenta. Como en los sueños proféticos de Jean Paul, la pesadilla se anegó de cadáveres.

Eso es *Vuelta* (que precede a *Pasado en claro* en el orden dado por Paz a su poesía) en los tres poemas ("Vuelta", "A la mitad de esta frase" y "Petrificada petrificante") dedicados a la ciudad de México, a la que Paz regresa para convertirla en su residencia principal, fin y principio de todos sus viajes, obsesión quemante. Y quien lo reintroduce a México no puede ser otro que el fantasma de Ramón López Velarde, uno de los cuatro poetas, junto con Pessoa, Cernuda y Darío al que está dedicado *Cuadrivio* (1965), el más bello de sus libros de ensayos. A pesar de los pesares, con López Velarde, Paz volverá al "edén subvertido que se calla/en la mutilación de la metralla", la famosa "tristeza reaccionaria" a la que ha de resignarse quien regresa al país transformado, para bien y para mal, por la Revolución mexicana. El edén subvertido para Paz es, en realidad, un "latido de tiempo".

Paz recupera Mixcoac en 1971. Es el pueblo donde pasó su infancia y adolescencia, ya convertido en un barrio más de la ciudad de México y donde todavía a principios de los años setenta, vivía su madre: "Camino hacia atrás/hacia lo que dejé/o me dejó/Memoria/Inminencia de precipicio", se lee en "Vuelta". La memoria, una vez más, lo precipita en la Historia: recuerda aquel trabajo suyo de juventud contando, en el Banco de México, los billetes condenados a la incineración. La mención al dinero —como toda su generación Paz es anticrematístico— lo lleva a otras servidumbres, como la de la Iglesia Cívica que gobierna México, simbolizada por los "licenciados zopilotes", esa omnipresente multitud de abogados al servicio de los corrompidos regímenes de la Revolución.

"A la mitad de la frase" es otra muestra, durísima, de la fatal caída en la historia porque nacer es caer: "nacicaída", la llama Paz. La caída está ligada a la muerte de su padre alcohólico, abogado zapatista arrollado por un ferrocarril en 1936, que ejemplifica la caída en la historia propia del tiempo de las revoluciones: "Nuestros oráculos son los discursos del afásico, nuestros profetas son videntes con anteojos", dice en ese mismo poema, donde se concluye con la "Historia, basurero y arcoíris, lenguaje despedazado".

La ciudad de México, tal cual aparece en "Petrificada petrificante", es el escenario ideal para que el poeta ejerza como "jardinero de epitafios". Llamada "pecho de México", "escalera de los siglos", "desmoronado trono de la Ira", "Obligo de la Luna", su ciudad natal comparte con la Nueva Delhi de *Ladera Este*, su condición de urbe virreinal y sedienta condenada a abrazarse, molida por el polvo de la historia. El agua ausente es sinónimo de regeneración: "¿Dónde está el agua otra?"

"Nocturno de San Ildefonso" continúa "Vuelta" y la profundiza, como *Pasado en claro* le da su máxima potencia a todos los poemas memoriosos. Se insiste en la característica caída, viene la noche y aparece "México hacia 1930" en el cual el joven poeta se abre paso hasta el antiguo Colegio Jesuita de San Ildefonso, sede de la Escuela Nacional Preparatoria donde Paz cursó sus estudios. Antes de llegar al vecino Zócalo, la gran plaza que en Paz siempre es magma de los recuerdos, se aparecen los adolescentes venidos de las novelas leídas como alimento terrestre formativo, lo mismo el Julien Sorel stendhaliano que Aliosha Karamázov. En *Pasado en claro*, los héroes históricos y literarios se mezclan con los recordados juegos infantiles: junto a Príapo y el capitán Nemo, "Abderramán, Pompeyo, Xicoténcatl, batallas en el Oxus o en la barda". Testifica una higuera cuyo tronco está abierto, rajado, hendido, premonición que en "Nocturno de San Ildefonso" vuelve a interrumpir la caída del poeta en la Historia: "Mujer: fuente en la noche/Yo me fío a su fluir sosegado".

El centro moral de "Nocturno de San Ildefonso" son los años treinta, la década canalla retratada magistralmente, en cuanto a Paz, por Guillermo Sheridan*. Allí se lee la conmovedora autocrítica de Paz, que ha sido adoptada por toda esa generación que entonces creyó en la aurora revolucionaria: "todos hemos sido, en el Gran Teatro del Inmundo; jueces, verdugos, víctimas, testigos/todos/hemos levantado falso testimonio contra los otros/y contra nosotros mismos".

"Nocturno de San Ildefonso" se transmuta en *Pasado en claro*, 628 versos que el crítico peruano José Miguel Oviedo ha dividido en doce etapas y un epílogo, en un verdadero proceso de *anagnórisis,* proceso que para Paz parte de la poética: todo poema trata de la poesía. Después aparece la Historia, la eterna invitada que se cuela en los juegos de los niños, presididos en la distancia por ese venerable príncipe de los aventureros es el abuelo liberal de Paz, héroe de mil batallas, don Ireneo, patriarca de la casa de Mixcoac.

El ciclo memorioso va más allá de ese par de grandes poemas, e incluye varios poemas largos de *Árbol adentro* (1987), como es el caso, entre otros, de "1930: vistas fijas" y de "Kostas", el homenaje de Paz a su amigo griego Papaiannou, el resumen final, junto con el enfático "Aunque es de noche", de su historiosofía. En *Árbol adentro*, empero, la memoria va cediendo su lugar a esos poemas epigramáticos que le permitirán sobrevivir en esa *Antología Griega* que la posteridad va recopilando, como la serie "Al vuelo" o "Hermandad".

En *Árbol adentro* Paz se permite libertades y "descuidos" que un poeta menos maduro no se permitiría, según dice Antonio Deltoro*, lector habitualmente ocupado de lo que otros llaman "el estilo tardío" de los poetas. Aparecen, también en ese libro final, los poemas largos donde el poeta se despide de su ciudad, más que de la ciudad de México, de la ciudad moderna en general, en "Hablo de la ciudad", "catarata emparentada con Whitman y Álvaro de Campos", al decir de Deltoro. O se enfrenta, a la manera estoica de Quevedo, el poeta que lo acompañó (junto con Neruda, quien fuera "su enemigo más querido") al final. En "Ejercicio preparatorio" Paz pide morir con "la conciencia del tiempo/apenas lo que dure un parpadeo". Hay en esa poesía final, "pocos atardeceres, pocos crepúsculos vespertinos, y muchas inauguraciones del día, cada vez más inesperadas y bienvenidas", dice Deltoro.

La historiosofía no fue un agregado ensayístico a la poesía de Paz, fue una segunda naturaleza, contra la cual a veces se rebeló, a veces se conformó. Para él el ensayo fue *iluminación poética* y la poesía, *poesía crítica*, como dijo Andrés Sánchez Robayna. Al final de "Vuelta", por ejemplo, afirma que él no quiere ser como Wang-wei, el poeta ermitaño de la China del siglo VIII y uno de los muchísimos poetas antiguos y modernos traducidos por Paz. No desea, como Wang-wei, el retiro en la montaña, sino seguir siendo un hombre comprometido con su tiempo: "Yo no quiero una ermita intelectual/en San Ángel o Coyoacán". El verso resulta un tanto irónico contrastado con la muerte de Paz en la histórica Casa de Alvarado de Coyoacán, habilitada por el gobierno mexicano para que pasará su últimos días. Ermita o no, aquella casa fue el escenario de una verdadera peregrinación, la de los amigos y admiradores (y no pocos de sus adversarios) que concurrieron a despedirse, públicamente, de él. México se despidió de su poeta, convertido en un santo laico. La solitaria colina del mediodía donde habitaba Wang-wei se vio llena de gente. El poeta Octavio Paz nunca pudo alejarse del "mundo y sus peleas" (2010).

Muerte y legado. Paz iluminó la centuria mexicana como Voltaire el siglo XVIII. Su vida y obra serán recordadas como una de las contribuciones más refinadas y poderosas que América Latina ofreció al mundo a través de una historia más desgraciada que feliz. Casi nada faltó en una existencia sólo equiparable, para hablar únicamente de otros hombres en su siglo, a la de André Gide, Ortega y Gasset o T. S. Eliot: el compromiso con las utopías y la crítica implacable ante la decepción totalitaria, la travesía pertinaz y solitaria entre el ruido y el silencio, la prosa como forma privilegiada de relación con los clasicismos de Oriente y Occidente.

Poeta cuya dimensión conmueve al joven pues cuando dos se besan se detiene el mundo, poeta que retó a la tradición con la vanguardia, Paz tendrá lectores mientras dure el sacramento de la lectura que une a cada hombre con un libro, esos signos en rotación que anulan el tiempo y la distancia, convirtiéndonos en contemporáneos de los astrólogos mayas, de los gimnosofistas de la India, de los trovadores provenzales. Es tarde y es temprano para citar sus grandes obras críticas, piezas maestras de la prosa moderna, desde *El arco y la lira* (1956), esa estética heterodoxa del surrrealismo hasta *Sor Juana Inés de la Cruz o las trampas de la fe* (1982), un ensayo de restitución que nos devolvió intensamente no sólo a la poetisa novohispana, hermana en espíritu de Paz, sino a toda una edad defenestrada por la historia oficial. Pero quizá el genio crítico de Paz saltó con mayor chispa en los cientos de artículos que escribió, bengalas que iluminaron la memoria de Sartre o de Camus, de Trotsky o de Gandhi, Rivera o Duchamp o de tantos poetas cuya traducción, en el más amplio sentido del término, debemos al más grande de los escritores mexicanos de todos los tiempos.

Cualquiera que conozca la obra de Paz sabrá que escribo esta nota, no tanto con mis palabras, sino con las que alcanzo a recordar de los propios libros de Paz. Nacido en la calle de Venecia en la colonia Roma, el 31 de marzo de 1914, Octavio Paz Lozano aprendió a pensar en esa mesa de sus ancestros que olía a pólvora. Su abuelo, Ireneo Paz, fue un periodista liberal cuyo talento polémico heredaría el nieto; su padre, Octavio Paz Solórzano, abogado zapatista, murió joven, víctima del potro del alcohol, impotente ante el fracaso de la Revolución mexicana. Durante el año aciago de 1994, cuando celebramos sus ochenta años, Paz llegó a decir que esa revolución —"en la que tanto creí"—, acaso había sido la tragedia que decidió un destino de México ajeno a los sueños del joven poeta que alfabetizó campesinos en el Yucatán cardenista.

Semejantes dubitaciones sólo podían caber en un pensador obsesionado por la duda sistemática, esa suspensión del juicio que acredita y atormenta a los hombres de genio. Si en la plaza pública Paz parecía tan inflexible, a veces transido por sus propios absolutos, esa determinación provenía del examen de conciencia que realizaba a diario, más como mayéutico que como cristiano. Quien haya hablado con él recordará sus cambios de opinión, su manía dialéctica o trinitaria, esas vacilaciones al aire libre que fascinaban a quienes le fueron próximos. La de Paz fue una personalidad imponente. Sus defectos de carácter, tan humanos, fueron proporcionales a las dimensiones de su genio. Por ello, a Paz no se le perdonaban pecados como la envidia o la soberbia, ante los cuales somos tan indulgentes cuando se trata de nosotros mismos. Sus viejos amigos, quienes compartieron con él las epopeyas íntimas y las hazañas públicas, serán los indicados para hablar de las luces y las sombras del hombre que avasallaba con las virtudes del espíritu y las tempestades del ser.

Quienes conocimos al poeta consagrado por la literatura mundial, a veces olvidábamos que su victoria era hija legítima de la soledad que sufrió el denunciante latinoamericano del Gulag en 1951, rodeado de la mezquindad de tantos poetastros nacionalistas que lo acusaban de no ser mexicano, ni europeo, ni universal, sin olvidar las amenazas de los sicarios del régimen que denunció en 1968, y en fin, víctima de aquella izquierda radical que lo quemó en efigie frente a la embajada estadounidense en 1984.

La victoria del hombre político es hoy más justa que nunca, casi una alegría que compensa nuestra devastación. Sus causas perdidas resultaron victoriosas; el poeta pudo ver, en el invierno de 1989, la caída del muro de Berlín, y poco después, el descrédito de los regímenes latinoamericanos inspirados en el marxismo-leninismo. Como liberal, como defensor de los valores universales de la Ilustración, Paz conoció la sonrisa. Pero el fin de esa "civilización" comunista no paralizó, como dijo algún ingrato, su imaginación crítica. Tan pronto terminó su *Pequeña crónica de grandes días* (1990), se dedicó a escudriñar el presente de una sociedad abierta que al triunfar, genera los mecanismos de su autodestrucción, el salvajismo del libre mercado y el desamparo ético provocado por los fundamentalismos nacionales y religiosos. Es curioso que quienes se quejaron de la omnipresencia de Paz, sean los mismos que lamenten que haya sido escueto en esa crítica imaginativa y tenaz del mundo poscomunista. Pero en los textos de su última década se encontrará que esa crítica fue una obsesión. Le faltó tiempo. Paz, nunca debemos olvidarlo, fue un poeta. Un maestro del siglo XX para quien ese honor de los poetas que le enseñó André Breton fue una tarea de higiene moral de severa observancia.

Poeta universal, Paz murió hablando de Méxio, su herida y su religión. Aquel 17 de diciembre de 1997, en su última aparición pública, Paz conmovió a las autoridades de la República y a sus adversarios políticos, a los hombres de dinero y a los letrados, invocando lo eterno y lo inasible: las nubes del Valle de México. Mientras, una salamandra jugueteaba con el tiempo y dejaba caer el polvo del Eclesiastés sobre nosotros. Cien personas miramos al cielo al poeta transfigurado en demiurgo. Fue un instante. Y Paz se despedía como el paradójico poeta nacional de un país —él lo dijo— sombrío y solar, ávido de luz y emperrado con la sangre; un poeta nacional muy distinto a sus predecesores latinoamericanos, inspirado por el demonio socrático de la crítica, y como tantos ciudadanos, creyente apasionado de una república democrática que no acababa de nacer.

El poeta será recordado como uno de los artífices de esa democracia por la que los españoles y los latinoamericanos llevamos años votando. Contra la esclerosis de los antiguos regímenes y contra las casandras que exigían (y exigen) la dictadura de los justos, Paz fue un precursor y un combatiente. Poeta que hizo política desde 1929, Paz se equivocó algunas veces. No puede ser de otra manera cuando se confía en la moral de la responsabilidad. El nuevo siglo valorará las inexactitudes o las injusticias de un escritor para quien las virtudes públicas fueron un dolor cotidiano y una ilusión renovada. Fue un hombre colérico porque la centuria que le tocó vivir exigía valorar sin contemplaciones la indolencia y el crimen. Paz, inaugurando una tradición crítica de la que México carecía, lo discutió todo y lo hizo en público, sin otra defensa que su inteligencia y su honradez. Que algunos de sus adversarios no fueran inteligentes ni honorables, no fue culpa suya. Otros —y quiero creer que serán muchos— sabrán reconocer que el desacuerdo con Paz fue una hermosa educación sentimental.

Había en Paz, cosa curiosa, una combinación insólita entre la virulencia del héroe y la fragilidad del poeta. A ratos se le olvidaba que era Premio Nobel y lo poseía la amargura del rechazo. Lo peor que podemos hacer con su memoria es negarle el homenaje franco y cotidiano de la crítica: leámoslo como no leímos a Alfonso Reyes, a José Vasconcelos, a Jorge Cuesta y a José Revueltas. De lo contrario, la literatura mundial, a la que Paz pertenece desde hace medio siglo, se nos volverá a adelantar y los trabajos y los días del poeta dejarán de ser nuestros. Si es así; peor para nosotros.

Paz fue un maestro en esa forma venerable de la admiración que es la oración fúnebre. Vio morir a casi todos los grandes hombres del siglo pasado, admirados o aborrecidos, y a muchos les dedicó epitafios signados por la justicia y la generosidad. La tarde del 17 de diciembre de 1997 algunos amigos lo vimos, en compañía de Marie-José, su esposa, por última vez. A ratos, la terrible enfermedad que lo devastaba parecía esfumarse y reinaba la chispa y el ingenio de las tertulias de antaño, que en mi caso fueron pocas, pues fui el más joven en llegar y en permanecer en *Vuelta,* su última revista. Se enteró en ese momento, de la muerte, acaecida días antes, de su viejo camarada Claude Roy. Paz se quitó las gafas y no contuvo algunas lágrimas. Fue la única vez que lo vi llorar. Entonces decidió hablar de la muerte. De su muerte. "Cuando me enteré de la gravedad de mi enfermedad [dijo] me di cuenta que no podía tomar el camino sublime del cristianismo. No creo en la trascendencia. La idea de la extinción me tranquilizó. Seré ese vaso de agua que me estoy tomando. Seré materia." Ante nuestro silencio, el estoico prefirió bromear con su mujer sobre la creencia hinduista de ella en la reencarnación. "Tengo al hereje en casa", dijo sonriente. Sentí entonces, alegría y dolor, esa grandeza de la sabiduría antigua, que jamás, estoy seguro, volveré a vivir. Mañana no creeré que fui contemporáneo de Octavio Paz (1998; *La sabiduría sin promesa. Vida y letras del siglo xx*, 2009).

Bibliografía sugerida
Obras completas:
1. *La casa de la presencia. Poesía e historia*, FCE, México, 1994.
2. *Excursiones/Incursiones. Dominio extranjero*, FCE, México, 1994.

3. *Fundación y disidencia. Dominio hispánico*, FCE, México, 1994.

4. *Generaciones y semblanzas. Dominio mexicano*, FCE, México, 1994.

5. *Sor Juana Inés de la Cruz o las trampas de la fe*, FCE, México, 1994.

6. *Los privilegios de la vista* I. *Arte moderno universal*, FCE, México, 1994.

7. *Los privilegios de la vista* II. *Arte de México*, FCE, México, 1994.

8. *El peregrino en su patria. Historia y política de México*, FCE, México, 1994.

9. *Ideas y costumbres*, I. *La letra y el cetro*, FCE, México, 1994.

10. *Ideas y costumbres* II. *Usos y símbolos*, FCE, México, 1994.

11. *Obra poética* I *(1935-1970)*, FCE, México, 1997.

12. *Obra poética* II *(1969-1998)*, FCE, México, 2004.

13. *Miscelánea* I. *Primeros escritos*, FCE, México, 2001.

14. *Miscelánea, II*, FCE, México, 2000.

15. *Miscelánea* III. *Entrevistas*, FCE, México, 2002.

Aguilar Mora, Jorge, *La divina pareja. Historia y mito en Octavio Paz*, Era, México, 1978.

Giraud, Paul-Henri, *Octavio Paz, Vers la transparence*, Le Monde/PUF, París, 2002.

González Rojo, Enrique, *El rey va desnudo. Las ideas políticas de Octavio Paz*, Posada, México, 1989.

Masson, Jean-Claude, introducción, cronología y notas a Octavio Paz, *Oeuvres*, Gallimard, París, 2009 (Bibliothèque de la Pléiade).

Philips, Rachel, *Las estaciones poéticas de Octavio Paz*, traducción de Tomás Segovia, FCE, México, 1976.

Rodríguez Ledesma, Xavier, *El pensamiento político de Octavio Paz*, Plaza y Valdés/UNAM, México, 1996.

Santí, Enrico Mario, *El acto en las palabras. Estudios y diálogos con Octavio Paz*, FCE, México, 1997.

———— (selección y prólogo), *Luz espejeante. Octavio Paz ante la crítica*, Era, 2009. Los ensayos citados de Anthony Stanton, Jorge Cuesta, Rodolfo Usigli, Alain Bosquet, Hugo J. Verani, José Emilio Pacheco, Saúl Yurkiévich, Eliot Weinberger, Pere Gimferrer, José Miguel Oviedo y Antonio Deltoro aparecen en este libro.

Sheridan, Guillermo, *Poeta con paisaje. Ensayos sobre la vida de Octavio Paz*, Era, México, 2004.

Sucre, Guillermo, *La máscara, la transparencia: ensayos sobre poesía hispa-noamericana*, FCE, México, 1985.

Ulacia Manuel, *El árbol milenario*, Galaxia Gutenberg/Círculo de lectores, Barcelona, 1999.

Vizcaíno, Fernando, *Biografía política de Octavio Paz o la razón ardiente*, Algazara, Madrid, 1993.

Wilson, Jason, *Octavio Paz: un estudio de su poesía*, Pluma, Bogotá, 1980.

Xirau, Ramón, *Octavio Paz, el sentido de la palabra*, Joaquín Mortiz, México, 1970.

PELLICER, CARLOS
(Villahermosa, Tabasco, 1899-ciudad de México, 1977)

De este poeta, una de las cimas de la literatura mexicana, suele decirse que lo mejor de su obra se escribió entre 1915 y 1936 durante su larga juventud: *Colores en el mar y otros poemas, Piedra de sacrificios, Seis, siete poemas, Oda de junio, Esquemas para una oda tropical* y *Hora de junio*. Sin necesidad de contrariar esa certidumbre no sale sobrando recordar que la influencia de Pellicer se proyectó (desgastándose) más allá del medio siglo. Incluso en sus extenuantes versos patrióticos y bolivarianos, con los que Pellicer ocupó en solitario el sitio de una izquierda católica entonces infrecuente, pueden hallarse pepitas de oro arrojadas a la otra orilla por el proceloso río de un hombre a quien tanto trabajo le costó envejecer. Sólo Pellicer, por ejemplo, podía salir airoso al componer una oda a Benito Juárez: "Eres el Presidente vitalicio, a pesar/de tanta noche lúgubre. La República es mar/navegable y secreto si el tiempo te consulta".

Pero a sus obligaciones cívicas como hagiógrafo del santoral laico, Pellicer sumó, sin mayores conflictos, la escritura de varios de los poemas religiosos más bellos (y solemnes) de la literatura mexicana, tanto en *Práctica de vuelo* (1956) como en *Cosillas para el nacimiento* (1978). Más franciscano que católico, como lo señaló oportunamente José Joaquín Blanco*, Pellicer fue un poeta para quien el cristianismo se revelaba como una religión adánica y novísima. En los "Sonetos a los arcángeles", tan dignos de admirarse como las barcazas en un cuadro de André Derain, Pellicer despoja a estas creaturas de los pies de plomo del barroquismo y de la teología segura, permitiéndoles, al fin, volar. La relectura de Pellicer torna superflua la obra de poetas católicos posteriores que, como el padre Manuel Ponce, gozaron de algún predicamento hace veinte años. En perspectiva, la obra pelliceriana enfrenta viejas tensiones históricas y se arriesga a emprender una conciliación clasicista entre la ruina de México-Tenochtitlan y la piedad franciscana de los misioneros, tregua que evade a la Iglesia católica, esa conspicua ausencia en los trabajos de este poeta católico. Como coleccionista privado y curador de museos públicos, Pellicer viene de lejos, resultando ser algo más·que un arqueólogo de la mexicanidad: su pasión por las antigüedades mesoamericanas·continúa y renueva la tradición de Sigüenza y Góngora, de Francisco Javier Clavijero y (en su generación) del padre Ángel María Garibay Kintana*. Pellicer es el último eslabón de esa cadena de humanistas criollos para quienes las civilizaciones precortesianas son un horizonte clásico cuya fuerza e irradiación ("Cuauhtémoc es el medio día sin sombras", dirá el poeta) es el nutriente de la cultura mexicana. Discípulo de José Vasconcelos*, Pellicer rescató del quemadero la utopía de la raza cósmica, remitiéndola al único no-lugar donde podía sobrevivir: cierta poesía enfática ante cuya clara belleza es difícil permanecer indiferente.

Bibliografía sugerida
Obras. Poesía, FCE, México, 1994.

PITOL, SERGIO
(Puebla, Puebla, 1933)

En aquel de sus libros que me emociona más, *El viaje,* que Pitol dedica a la literatura rusa, se consigna su encuentro con Viktor Svlovski, el teórico de la prosa y de la forma, que a mí me parece tan fantástico como toparse en una esquina con un general de Napoleón. Con prodigios de esa índole se relee a Pitol, una empresa dilatadísima que invita al reconocimiento de los escritores que, ángeles de la guarda o demonios del mediodía, desfilan ante su presencia. En una lectura salpicada de sueños se pueden ver aparecer, antes de su agónico arrepentimiento, a Gogol y junto a él a Chéjov, el artista perfecto, quien abre el camino para Andrei Biely, el poeta de San Petersburgo. Tras los rusos vienen los polacos encabezados por Conrad, que algún día lo fue, antes de ser genio de la novela inglesa, y con él se presenta, alcanzando las puertas del paraíso, Jerzy Andrzejewski. Escuchamos a Witold Gombrowicz predicando contra la poesía pura y junto a él nos descubrimos ante Bruno Schulz, el mártir. Tampoco sería posible librarse de la imagen en la cual el *gettatore* Mario Praz prodiga la mala suerte. Y los ingleses se hacen presentes con Ronald Firbank, el príncipe de los estetas, y Evelyn Waugh, de cuya malvada flema tanto aprendió el escritor veracruzano. No pasaría inadvertido un loco como Flann O'Brien y ese otro personaje, del que Pitol habla con alguna discreción, pero que es esencial para comprender su figura, E. M. Forster. Saldría sobrando insistir en Mann y en Kafka, entre los autores de lengua alemana, y el cuadro quedaría incompleto sin esas figuras solitarias, equidistantes, que, como Patricia Highsmith y Benito Pérez Galdós, custodian el desfile de Pitol.

Las listas de nombres célebres, sobre todo si son autores, resultan enfadosas y culpable de flojera mental quien las suministra, como el mismo Pitol ya lo advierte, al desdeñar el árbol genealógico, en su autobiografía precoz. Pero los lectores concederán que, en el caso de Pitol, es tan imposible omitir esas enumeraciones como desconcertante sería desplegar un mapa en el cual, como en el primer día de la creación, nos faltasen del todo los nombres de las ciudades, de los ríos, de las montañas. Y me amparo en otra justificación, quizá la esencial: entre nosotros ningún artista ha ejercido de manera tan lograda, como Pitol, el arte de la emulación. Sólo con los más grandes ha aceptado medirse y en esa exigencia nada ordinaria ha tornado en ejemplar su carrera, *bildungsroman* de toda una vida en la cual no menos importantes que sus cuentos, sus novelas y sus ensayos, han sido los libros con los que ha ejercido, en dos o tres de los sentidos de la palabra *traducción*, su oficio de traductor.

De todos los maestros que Pitol ha logrado hacer converger en su obra, es Henry James el que me parece más propio como baremo, el que hace la diferencia. Y no sólo porque Pitol es sobre todas las cosas un esteta ni porque, como el maestro angloamericano, su legendaria existencia en Europa ha carecido "de grandes acontecimientos visibles al grado de que de su vida íntima sólo existen conjeturas", sino por la manera en que habita la novela moderna.

Cuando Pitol habla de literatura, de la propia y de la ajena, algo me remite insistentemente a los prólogos que James hizo de sus novelas para la edición de Nueva York, pero tan pronto alcanzo el libro adecuado en la biblioteca, el efecto desaparece y sigo buscando como si en el propio magisterio de Pitol viniese incluida esa infinita y voluptuosa manera de leer que se parece al cigarrillo en las palabras de Oscar Wilde, un placer que nunca cesa y que nunca sacia.

La técnica de Pitol, o, para decirlo con James, su punto de vista, sólo atinó a ser precisa con *El desfile del amor* (1984), cuando el escritor se dio cuenta, como le ocurre a Pedro Balmorán con sus viejos y malditos papeles sobre el decimonónico castrado mexicano, de que los apuntes de un escritor, lo mismo los diarios de viaje que los sueños apenas resumidos por quien se despierta asustado, no son sólo la materia prima, sino la literatura misma. En el momento en que Pitol empezó a exhibir sus cartas sobre la mesa, al ofrecérselas al lector, con la misma primicia que a sí mismo, sometió lo caótico al imperio de la forma. Sólo entonces la obra negra quedó transformada en obra de arte, como ocurre en *Domar a la divina garza* (1988), relato hecho de una sola pieza, lo cual es rarísimo en cualquier literatura.

Pitol es heredero de los revolucionarios conservadores que convirtieron, a lo largo del siglo XX, a la novela en una gran tradición, como lo muestra *El desfile del amor*. En ese libro se juega con la imposibilidad de escribir una novela histórica, escogiendo un año y una atmósfera (1942 en la ciudad de México) en los cuales, dado que impera la variedad en el punto de vista, todo testigo presencial es un mentiroso. Finalmente, *La vida conyugal* (1991) me gusta menos: la caricatura no se elevó hacia la farsa, la novela me recuerda demasiado a Patricia Highsmith, una señora muy mala que leyó a Nietzsche en demasía.

No es fácil hablar de Pitol, y no lo es porque es de los escritores que, junto con sus cuentos y novelas, ofrecen, inseparablemente, su poética, en este caso un curso de literatura europea donde un mismo escritor es a la vez el maestro y el ejemplo. Es difícil desobedecerlo, como cuando él sugiere con una amabilidad no desprovista de firmeza magistral que *Tríptico del carnaval* debe leerse con Mijaíl Bajtín y su poética de la fiesta colectiva, indicación que no pocos profesores han seguido al pie de la letra, arriesgándose a ser, ellos mismos, personajes de Pitol, zaheridos como la mismísima Marietta Karapetiz, la ama (y el alma) de *Domar a la divina garza*.

En ese orden hay un malentendido que se ha filtrado hasta los registros reales y que presentaría a Pitol, equivocada o imprecisamente, como un revisionista de los géneros, más un Gombrowicz que un Thomas Mann. Pitol recuerda, con frecuencia, que su pelea es la de los escritores excéntricos contra los vanguardistas. Entre unos y otros, dice Pitol en *El mago de Viena,* hay un abismo, pues "existe una diferencia notable entre la obra de Tristan Tzara, Filippo Marinetti y André Breton y los relatos de Gogol, Bruno Schulz y César Aira. Los primeros tres son de vanguardia, los segundos corresponden a una literatura muy novedosa en su tiempo por su rareza. El vanguardista forma grupo, lucha por desbancar del canon a los escritores que lo precedieron por considerar que sus procedimientos literarios y el manejo del lenguaje son ya obsoletos, y que su obra, la de ellos, dadaístas, futuristas, expresionistas, surrealistas, es la única y verdaderamente válida. Consideran que el paso adelante ha iluminado la escritura de su idioma, aun fuera de las fronteras, depurando al canon de los autores que ellos desdeñan. Racionalizan, discrepan, crean teorías, firman manifiestos, emprenden combates con la literatura del pasado y también con la contemporánea que no se acerque a la suya. Por lo general eso no les sucede a los excéntricos. Ellos no se proponen programas ni estrategias, y en cambio son reacios a formar grupúsculos. Están dispersos en el universo casi siempre sin siquiera conocerse. Es de nuevo un grupo sin grupo. Escriben de la única manera que les exige su instinto. El canon no les estorba ni tratan de transformarlo. Su mundo es único, y de ahí que la forma y el tema sean diferentes. Las vanguardias tienden a ser ásperas, severas, moralistas; pueden proclamar el desorden, pero al mismo tiempo convierten el desorden en algo programático. Les encantan los juicios: son fiscales; expulsar de cuando en cuando a un miembro es considerado como un triunfo. Excluyen el placer. Al combatir contra el pasado o contra un presente que repelen, su escritura se carga de pésimos humores. En cambio, la escritura de un excéntrico casi siempre está bendecida por el humor, aunque sea negro".

Leyendo con cuidado esta página, cuyo mensaje se repite en términos similares a lo largo de toda su obra, ha de advertirse que no puede ser Pitol un revisionista de los géneros, como no lo fue Gombrowicz, un verdadero moderno y un falso vanguardista. Si examinamos un libro como *El mago de Viena,* al parecer otra más de las especies que mutan de la novela al ensayo, descubrimos que Pitol es otra cosa: un editor audaz y enérgico de sus propios textos, reseñas presentadas como narraciones y fragmentos de memoria transfigurados en cuentos. En ese camino, el apunte biográfico de Henry James en Venecia o la morfología de Flann O'Brien, presentados una vez como capítulos ensayísticos de *La casa de la tribu* (1989), aparecen como parte de un relato casi íntimo en *El mago de Viena,* tal como "El oscuro hermano gemelo" pasa de ensayo en *El arte de la fuga* a ser la ficción, por llamarla de otra manera, que cierra *Cuentos y relatos,* tomo tercero de las *Obras reunidas* (2004).

Desde *El tañido de una flauta* Pitol se sabía orbitando en otro sistema, tal cual lo dirá en *El mago de Viena:* "La elaboración de mi primera novela coincidió con una universal actitud de desprestigio de la narración, de aborrecimiento del relato". Esa toma de posición debe ser examinada, en principio, recurriendo al mapa de la literatura de la que el joven Pitol decidió evadirse. De alguna manera (o de manera figurada) la vanguardia mexicana de los años sesenta es Octavio Paz* (el Paz contracultural, el menos recordado, el que publicó *Corriente alterna* en 1967), y son Juan García Ponce* (a quien Pitol le dedicó *Domar a la divina garza*) y Salvador Elizondo* (nadie más distinto de Pitol que él) quienes pasan por ser los vanguardistas de la novela.

Frente al principal grupo literario de México, Pitol toma cierta distancia, desplazándose por el mundo, técnicamente excéntrico, inseguro de sus poderes, aprendiendo de manera solitaria un clasicismo al cual le causará repelús el *nouveau roman* y todas las variedades antinovelísticas que cultivarán los *europeos* mexicanos más jóvenes, como Jorge Aguilar Mora* (1944) y Héctor Manjarrez* (1945). Pitol es de los pocos escritores latinoamericanos que se profesan como antifranceses, al grado de que rara vez cita a un escritor francés y cuando lo hace elige a un novelista y diarista estadunidense que escribía en francés: Julien Green.

Diplomático, antes que profesor y editor, Pitol emprende, entre 1961 y 1988, un periplo que lo llevará de Roma, Pekín y Bristol a Roma, Barcelona, Varsovia y Praga. No es sino a mediados de los años ochenta, en el momento en que varios de sus contemporáneos ya se están agotando o aparecen ante la opinión literaria como jubilados y veteranísimos, cuando Pitol empieza a publicar sus novelas distintivas. No hay en la obra de Pitol una novela clave, de esas que hacen época (como *Farabeuf*) ni una suma tan ambiciosa y tan laberíntica como *Crónica de la intervención*. En cambio, junto a ese cosmopolita de la novela, viajero en el tiempo y en el espacio que Pitol terminó por ser, los jóvenes García Ponce y Elizondo aparecen como unos *riches amateurs*.

El primer ciclo de cuentos de Pitol, anterior a *Nocturno de Bujara* (1981), lo mismo que sus dos primeras novelas, *El tañido de una flauta* (1972) y *Juegos florales* (1982), ilustraban la paciente partida de caza de un escritor que sólo erraba los tiros en la medida en que se acercaba a la presa. Pitol, al recibir el Premio Cervantes en 2006, es el resultado de una prolongada maduración, creadora de ese esplendor otoñal que, visible en *Tríptico del carnaval* (1999), continúa con esa otra trilogía compuesta por *El arte de la fuga* (1996), *El viaje* (2000) y *El mago de Viena* (2005), esta última acaso aún más asombrosa, la gran autobiografía literaria de nuestras letras.

Pitol, que se cura en Marienbad o en La Habana como si fuese Gide o Hans Castorp, ha sabido ser, también, testigo de su tiempo, como cronista de la revolución cultural china o como testigo de la decadencia y caída de Aldous Huxley. Algunos se enorgullecen de haberse encontrado con Pitol en Veracruz, en Samarcanda, en Madrid, experiencias de las cuales han salido páginas magníficas, como las de Enrique Vila-Matas y Juan Villoro*, quienes algún día ya remoto fueron sus discípulos hasta que la amistad los convirtió en algo más que en cómplices y en personajes, en sus hermanos.

Otros aseguran haberlo entrevisto en los pasillos del Edificio Minerva, en la Plaza Río de Janeiro de la ciudad de México, cuando el novelista buscaba el testimonio decisivo, la carta robada, para culminar *El desfile del amor*.

Además de haber leído a Pitol, lo cual ya es suficiente motivo de orgullo, yo no puedo ir tan lejos. Pero recuerdo una época de mi vida, poblada de delirios y repeticiones, cuyo único orden, al menos en el tiempo, lo daban, a las seis de la tarde, Pitol y su perro *Sacho*. A esa hora, salían a dar su paseo, tomando la calle de la Higuera, que une la Plaza de la Conchita con el zócalo coyoacanense. La regularidad en el hábito recordaba, como es obvio, al Kant mistificado por Thomas de Quincey. Pero esa visión tranquilizadora me conducía hacia el bosque de Thomas Mann, pero también a Virginia Woolf y a *Flush,* su novela narrada por el perro de Elizabeth Barret Browning, y a *Evie,* la perrita cuya aventura cuenta J. R. Ackerley en *Vales tu peso en oro*. Esa imagen cotidiana de señor y perro, al vivificarme, restauraba en mí una promesa de salvación, la ofrecida por un viaje alrededor del mundo en ochenta literaturas.

Bibliografía sugerida

Obras reunidas I. *El tañido de una flauta. Juegos florales,* FCE, México, 2003.

Obras reunidas II. *El desfile del amor. Domar a la divina garza. La vida conyugal,* FCE, México, 2003.

Obras reunidas III. *Cuentos y relatos,* FCE, México, 2004.

Obras reunidas IV. *Escritos autobiográficos,* FCE, México, 2006.

Obras reunidas V. *Ensayos,* FCE, México, 2008.

El mago de Viena, FCE, México, 2005.

Autobiografía soterrada, Almadía, Oaxaca, 2010.

PONIATOWSKA, ELENA
(París, Francia, 1932)

"Así como no se puede encarcelar a Jean-Paul Sartre en Francia, no se puede injuriar a *Elenita* en México", decía una semblanza aparecida en *Le*

Monde, el 13 de marzo de 2009, con motivo del Salón del Libro dedicado a México, una de cuyas estrellas fue Elena Poniatowska.[1] La frase proviene de aquella con la que Charles De Gaulle, inquirido por un ministro ansioso por ponerle un alto a las actividades subversivas del filósofo existencialista convertido al maoísmo, le habría respondido: a Sartre no se le puede meter a La Bastilla. Es decir, el general se negaba a repetir, en mayo de 1968, el error del Antiguo Régimen, que hizo encerrar a Voltaire, a la conciencia de Francia y pagó, simbólicamente, las consecuencias. El paralelo propuesto en *Le Monde* a propósito de Poniatowska, la princesa polaca nacida en París y convertida, a lo largo de medio siglo, en la más influyente de las escritoras mexicanas, traía el eco de la campaña presidencial de 2006. Se recordará que, entonces, Poniatowska redobló su apoyo a la candidatura de Andrés Manuel López Obrador y pasó, de ser una *habituée* de los mítines a grabar propaganda televisiva a su favor, lo cual provocó un escándalo. La izquierda, que tiene y tuvo en Poniatowska a su icono —lo decía *Le Monde*— reaccionó de manera desmesurada, convirtiendo los enconados dimes y diretes propios de una campaña electoral crispadísima, en un delito de lesa majestad. Se firmaron desplegados de solidaridad y en su defensa aparecieron una, dos, tres plañideras. Una derecha como la mexicana no está en condiciones de pelear una batalla en condiciones tan desventajosas: el barullo se apagó con la imagen, acaso edificante, de uno de los políticos conservadores que había osado replicarle a Poniatowska, sorprendido en una céntrica librería comprando todos los libros de la escritora.

Poniatowska, que tiene la piel más dura que el promedio de los fieles de su parroquia, prosiguió, con la obsecada y risueña altivez aristocrática que la distingue, haciendo campaña con López Obrador hasta las últimas consecuencias, acompañándolo durante su larga noche triste. En fin: como a Sartre, la conciencia intocable de la Francia comprometida, a Poniatowska, princesa reinante de la izquierda mexicana, no se le puede tocar ni con el pétalo de una rosa. Eso parecía concluir *Le Monde*.

La fama pública está indisolublemente asociada a la obra de Ponia-

---

[1] Joëlle Stolz, "Elena Poniatowska: 'Ici, on est toujours en train d'écrire sur cette réalité qui vous aspire'", *Le Monde*, 13 de marzo de 2009.

towska y como en pocos casos, sería absurdo leerla omitiendo el peso de un mundo social insustituible en una escritora que ni al más indeseable de sus personajes le desea la soledad. Reportera de sociales, simpática entre-vistadora, joven notaria de la vida cultural mexicana (y de la francesa) durante el medio siglo y los tempranos sesenta, a Poniatowska le tocó dar-le sentido a una época con un solo libro, *La noche de Tlatelolco* (1971), quizá el más oportuno de los libros mexicanos y no sólo por su cometido político-moral si no por la original manera (que hoy pasa como obvia, académica) en que fue concebido, una entrevista colectiva a cierto México ansioso de democracia y cruel, despóticamente reprimido. A la rebeldía estudiantil de 1968, le agregó otro, al cual la conducía el realismo ver-náculo y popular de su primera novela (*Hasta no verte Jesús mío*, 1969), el de la izquierda descendiendo al encuentro del antiguo pueblo que, en su avatar de ciudadanía, ella escruta y homenajea en *Fuerte es el silencio* (1980). El terremoto de 1985 la obligó a repetir, con menor eficacia, el hallazgo de *La noche de Tlatelolco* con *Nada, nadie. Las voces del temblor* (1988).

Pero la simpleza de alma de Poniatowska, ese buen corazón suyo errá-tico y valiente que la rige y luego la salva de la obsecación impuesta por su estalinismo mental, la ha conducido, desde el principio, hacia otro lado, como se lee en *Leonora* (2011), su última novela. El paraíso perdido de Poniatowska, por fortuna recuperado, no está en "la sociedad civil" que la conmueve y la idolatra: sus novelas sociales a la manera decimónica, *El tren pasa primero* (2005), son inverosímiles, "buenas obras" mal escritas, que apagan, dado el maniqueísmo metodológico de quien asume la pure-za del alma proletaria, la malicia de cualquier novelista.

Pero lo suyo tampoco está en Los 300, el cogollo donde las familias aristócratas convivían con la escasa nobleza de sangre llegada a estas tie-rras mientras se mezclaban irremisiblemente con la nueva plutocracia de la Revolución mexicana. Ni los aristócratas ni los nuevos ricos, son gran alimento para ella, apenas son su mondadientes, como lo muestra su dulce ficción autobiográfica (*La "Flor de Lis"*, 1988) o *Paseo de la Reforma* (1996), una suerte de secuela donde la clase alta queda expuesta al contagio del radicalismo intelectual.

El verdadero mundo de Poniatowska es el *milleu* de la aristocracia del espíritu que puebla *Leonora* y tantas buenas páginas de *Tinísima* (1992), su libro más ambicioso. Lo suyo son las vidas de las artistas y por ello yo colocaría en el centro de su obra a *Las siete cabritas* (2000) donde aparecen retratadas algunas de las grandes excéntricas mexicanas: Frida Kahlo, Pita Amor, Rosario Castellanos*, Nahui Ollin, María Izquierdo, Elena Garro*, Nellie Campobello, a las cuales se agregarían Angelina Beloff, la pintora rusa protagonista de *Querido Diego, te abraza Quiela* (1978) y muerta en México, Tina Modotti, la militante comunista italiana y la surrealista inglesa Leonora Carrington, nacida en 1917 y fallecida en 2011. Escribiendo crónicas o reportajes, haciendo novela epistolar o falsos monólogos, ante las otras mujeres, es ante quien prefiero medir a Poniatowska porque con ellas actúa sin condescendencia, con ternura y admiración pero a ratos con la ironía implacable de quien se sabe ante iguales.

Esa pasión de la mujer artista, obligada a ser dos veces artista en el universo masculino y predestinada a fracasar, es la gran contribución de Poniatowska a la tragedia literaria mexicana. No siempre necesita escribir quinientas páginas para hacerlo: periodista en fin y en principio, detalla casos estremecedores de ese fracaso como los de Pita Amor o Nahui Ollin, registra una vida desprovista de su muerte (como se dice en *Las siete cabritas* de Campobello), presupone algo diabólico en la victoria póstuma de Kahlo, no se arredra la verdadera y triste historia de Elena Garro. Y a la distancia, habiendo releído *Tinísima* para escribir estas páginas, ya no me parece que Poniatowska haya errado al hacer de Tina Modotti una suerte de autómata. Su sexto sentido le susurró que Tina no tenía alma.

Frente a Leonora Carrington, Poniatowska se enfrenta a uno de los pasajes más engañosos de su carrera literaria. Antes que nada, como ella lo refiere en el epílogo, está reescribiendo la vida de una amiga suya casi centenaria que ha ilustrado dos ediciones suyas (*Lilus Kikus*, 1985, y *Rondas de la niña mala,* 2008) y con la cual —es notorio tras leer *Leonora*— se identifica muchísimo. Como en el caso de *Tinísima,* Poniatowska no quiso o no pudo escribir una verdadera biografía de Carrington y optó por un género híbrido que a mí rara vez me convence: la biografía novelada o la novela biografiada, que carece de la libertad de la novela y del rigor de la biografía. Esas decisiones, en mi opinión (y en la de Fabienne Bradu* en su día), las ha tomado Poniatowska infravalorando su capacidad de investigación y dándole a sus poderes novelescos un derrotero temerario.

Ante Modotti, a Poniatowska le tocó moldear, paso a paso, una vida entera que debe a su novela una identidad biográfica difícilmente superable. Para decirlo en términos empáticos con Poniatowska: Tina no tenía voz y Elena le prestó —privilegio de novelista— la suya. Ello no podía ocurrir ante Carrington, la "hechicera hechizada" (según Octavio Paz*) reconocida por los surrealistas, simultáneamente como pintora y como escritora. La prodigiosa novia de Max Ernst aparece antologada por Breton en la *Antología del humor negro* (1940), ya entonces autora, en inglés y en francés, de cuentos literalmente fantásticos como *La dama oval, La casa del miedo, El pequeño Francis*. En 1943 aparecerán por primera vez las *Memorias de abajo*, texto liminar de la imaginación surrealista, la "crónica" de la estancia de Carrington en un manicomio de Santander al cual la había remitido su aristocrática familia. Lo esencial (que es también lo excepcional) sobre Carrington ya lo había escrito ella misma y además lo había hecho genialmente, de tal forma que Poniatowska aceptó, en el capítulo central de *Leonora*, servirle de amanuense y condensar honradamente lo ya contado en las *Memorias de abajo*.

Quien ignore la vida y los escritos de Carrington le agradecerá a Poniatowska la llave de las peripecias de la pintora desde la vida compartida con Ernst en Saint-Martin-d'Arlèche, donde la pareja se comporta gloriosamente como Adán y Eva hasta el internamiento psiquiátrico de la inglesa que habría sido invitada al planeta sólo para encarnar al surrealismo. Pero para sentir, con Carrington, el oprobio inmovilizante del Cardiazol con que fue tratada, la aparición de la nana eduardiana, el sortilegio de la pintura, el encuentro salvador con el poeta Renato Leduc* en una sala de baile de Madrid y la subsecuente escapatoria, con él, vía la embajada mexicana en Portugal, es suficiente con leer las insuperables *Memorias de abajo*.

Pero si se quiere saber más, lo mejor de *Leonora* está en la llegada, en 1943, de Carrington a México, por la natural confluencia entre la mirada de la pintora y aquello de lo que Poniatowska se alimentó golosamente en su nuevo país, habiendo llegado, como ella, a principios de los años cuarenta. No es la primera vez que Poniatowska transfiere ese recuento: se lo pasó a su Tina al descifrar el México que la fotógrafa italiana descubrió en 1922, lo desarrolló mediante un alter ego en La *"Flor de Lis"* y ahora lo ofrece, a través de la complicidad que encuentra en Carrington. Se trata del México de la ilustrísima diáspora anunciada por D. H. Lawrence y Serguei Eisenstein, el país encantado donde la Revolución mexicana se vuelve surrealista o reserva espiritual del planeta, según profetizaron los Breton y los Artaud, secundados por toda una corte cosmopolita de revolucionarios, aventureros, pintores.

En ese ensueño pintoresco y vanguardista destacan, gracias a *Leonora* y junto a la Carrington, sus amigas inseparables, la pintora Remedios Varo y la fotógrafa Kati Horna. Ellas, con sus maridos y familias, tornan agradable la lectura de la novela de Poniatowska desde que relata, antes, la desaforada vida de la corte de Peggy Guggenheim en Nueva York. Todo ese tránsito de Carrington entre la bohemia "modernista" de Ernst y la cantina nacionalista de Leduc, es el mayor logro de *Leonora*. Lo es porque Poniatowska bien puede ser un cabello de ángel entre un hombre y una mujer y en sus vidas de artistas, nada le sale mejor que la tragicomedia de las parejas saturninas y simbióticas: Frida y Diego (el saldo de un siglo feminista: Rivera se ha convertido en el esposo de la Kahlo), Pita Amor, la loca de la casa, derribada en su vuelo por un hijo muerto, Tina Modotti recibida en herencia de Julio Antonio Mella al comandante Carlos, lo mismo que Paz y Elena Garro, María Izquierdo y Rufino Tamayo, Rosario Castellanos humillada por el filósofo Ricardo Guerra, Nahui Ollin arrastrada por el siniestro Dr. Atl. De esas mujeres, Poniatowska saca chispas, fascinada ante el espectáculo de "las parejas de fuego", aguza su ponderadísimo oído y demuestra, en *Leonora*, que Carrington ha reído al último y reído mejor, es la gran sobreviviente de la guerra del sexo, la vencedora de la muerte que en la escena final se transfigura.

Pero el límite de Poniatowska está en el periodismo, que siempre acaba por maltratar sus diseños novelescos con información excesiva pensada generosamente para echarle la mano a sus lectores, como cuando en *Leonora* la autora se detiene a explicarnos quién fue Rimbaud y qué hizo, cortesías abundantes que salen sobrando en una novela. No se trasiega impunemente entre el periodismo y la ficción y ni uno ni otra son factores cuyo orden no altera el producto. Además, la elección del tiempo presente para narrar no ayuda, merma la pasticidad. Pese al cariño con el que se le pueda leer, *Leonora* es más una novelización que una novela.

El misterio se preserva fuera del libro, en esa anciana impenetrable, como la registró Fernando Savater, que es Carrington, quien apenas llegó a México decidió qué decir y qué no decir, a través de sus visiones, de sí misma. "No es una mujer, es un ser", dijo el taumaturgo Alejandro Jodorowsky al conocerla en 1959. Más aun: en *La trompetilla acústica* (1974), su novela a la gnóstica sobre el Santo Grial escrita en los años cuarenta, Carrington, pintándose cerca de los cien años, se apoderaba de su futuro. Dice en *La trompetilla acústica*: "Si la vieja dama no puede ir a la Laponia, entonces la Laponia debe venir a la vieja dama".

Regreso a la semblanza de *Le Monde*. Dice que "la pequeña Elena", descendiente del primer rey de Polonia y orgullosa de sus orígenes, es uno de esos seres venerados que en realidad nunca descienden del firmamento pero poseen el poder de interceder frente a las potencias celestiales. Yo no iría tan lejos. Prefiero buscar alguna clave que me sirva para terminar mi esbozo del personaje en *La princesa Casamassina* (1886), de Henry James. A diferencia de la princesa de James, que se deshace de casas y criados para ponerse al nivel de los proletarios en rebelión y encontrar cabida en un "mundo oculto por mil formas de entusiasmo y devoción revolucionaria", Poniatowska sabe que su carisma se nutre de lo que conserva, no de lo que se deshace. Las convicciones, le diría James, son una fuente de placer inocente pero imprescindible para aquellos a quienes, como es el caso de los aristócratas radicales, la realidad se les presenta como una revelación.

Poniatowska —y ella es otra de las explicaciones de su dominio sobre una parte profunda de la conciencia mexicana— es, tanto por genealogía como por voluntad, la última heredera de aquella estirpe de mexicanos y de extranjeros (o de mexicanos que sólo pudieron ver al país gracias al imperioso candor y a la indispensable exageración de lo extranjero) que hicieron de todo México, una ciudad abierta. A quienes llegamos después, a un país más lóbrego, despojado de su heroísmo cultural, poco pintoresco y menos ficticio, Poniatowska nos impacienta. Quizá ella ha pagado los platos rotos de la indispensable vulgarización de ese México que se "inventó" —para decirlo al gusto relativista de la academia posmoderna— gracias a los artistas, algunos de ellos mujeres notables, como Leonora Carrington. Pero no puedo olvidar que el México capturado en *Leonora* ha sido la única época de nuestra historia en que hemos estado, por buenas y malas razones, en el corazón de la experiencia moderna. Ese mundo se aparece, como decía James de los novelistas-pintores, cuando Elena Poniatowska pasa la esponja húmeda sobre la vieja tela.

Bibliografía sugerida

Hasta no verte Jesús mío, Era, México, 1969.
La noche de Tlatelolco, Era, México, 1971.
Querido Diego, te abraza Quiela, Era, México, 1978.
Fuerte es el silencio, Era, México, 1980.
Lilus Kikus, Era, México, 1985.
La "Flor de Lis", Era, México, 1988.
Nada, nadie. Las voces del temblor, Era, México, 1988.
Tinísima, Era, México, 1992.
Paseo de la Reforma, Plaza y Valdés, México, 1996.
Las siete cabritas, Era, México, 2000.
El tren pasa primero, Alfaguara, México, 2005.
Obras reunidas I. Narrativa breve, FCE, México, 2006.
Obras reunidas II. Novelas 1. Hasta no verte Jesús mío. La "Flor de Lis". Paseo de la Reforma, FCE, México, 2006.
Rondas de la niña mala, Era, México, 2008.
Leonora, Seix Barral, Barcelona, 2011.

PORTILLA, JORGE
(Ciudad de México,1919-1963)

Hay libros cuyo título es una ocurrencia tan afortunada que ocultan sabiamente la mendacidad de su contenido. Ello ocurre con la *Fenomenología del relajo* (1966), de Portilla, obra póstuma que gozaba de las caricias de la leyenda pero cuya reedición ha resultado decepcionante. Portilla, filósofo malogrado, dejó a la posteridad un espejo que nos permite mirar el sufrimiento de esa empresa solemne y tristona que fue la "filosofía de lo mexicano", nuestro existencialismo.

La tentación de dotar al ser nacional de una idiosincrasia concreta, "mexicana", es anterior a la difusión secular del existencialismo, que desde Husserl y Heidegger hasta Sartre y Merleau-Ponty, aspiraba, por encima de las culturas nacionales, a ser un nuevo humanismo. El existencialismo europeo —más allá de la pertinencia del concepto— fue leído en los países periféricos como un instrumento útil para forjar una ontosfera para civilizaciones con frecuencia milenarias, pero temblorosas ante el abismo de la modernidad.

Un ejemplo. Mientras la filosofía mexicana se dedica, durante la segunda posguerra, a inventar un ser nacional, los pensadores de la India, recién indepedizada, hacen lo mismo. Leyendo textos de unos y otros encontramos afinidad no sólo en la tentación, sino en las conclusiones, a veces idénticas. Describiendo la psicosociología de sus pueblos, aquí y allá, los pensadores descubren un principio de partición entre su nación y Occidente, que creyéndose único (el principio) resulta ser un arquetipo: melancolía individual, xenofobia masoquista, tradiciones religiosas traumatizadas por la conquista y el mestizaje, conductas conservadoras como el machismo y una indiferencia espiritual (brahmánica o católica) ante el capitalismo. No es necesario insistir en las enormes diferencias históricas entre las colonizaciones inglesa y española de la India y de México, pero los textos de aquellos existencialistas de la India y de México de los años cincuenta, son intercambiables, a veces. Es el viejo romanticismo de Herder pasado por el agua oscura de la metafísica alemana y su vulgarización francesa.

En México, la construcción filosófica del arquetipo de la singularidad ontológica da comienzo con *El perfil del hombre y la cultura en México* (1934), de Samuel Ramos. Siguiendo de lejos a Spengler (*La decadencia de Occidente*) y a Ortega y Gasset (*La rebelión de las masas*), Ramos abre la puerta, meritoriamente, al viento del siglo. Pero la aplicación de esa cultura crítica resultó, a la postre, chusca. Abusando de la terminología del psicoanalista Alfred Adler, con una visión harto clasista de la sociedad, y realizando esfuerzos conmovedores por suplir formación académica con solemnidad aldeana, Ramos —uno de los prosistas más aburridos de nuestra literatura— dejó unas cuentas magras.

La moda existencialista de 1945 llegó a México con la rapidez propia de la ansiada modernidad. La belicosa militancia de Sartre, el oscuro silencio de Heidegger y la ausencia presente de Ortega y Gasset, fueron las constelaciones que presidieron el magisterio de José Gaos* (1900-1969), quien apadrinó al grupo Hiperión, reunión de los existencialistas mexicanos. Pocos episodios de nuestra vida intelectual han sido olvidados con tanta rapidez como aquél. La filosofía de lo mexicano fue una de las obsesiones que el 68 condenó al olvido. Su última manifestación crítica es reveladora desde el título, *Postdata* (1969), de Octavio Paz*. De esa ontología mexicanista, quedan huellas, esbozos y proyectos en obras ya tradicionales, como la de Carlos Fuentes* o son novedades inquietantes a través del movimiento milenarista del Quinto Sol.

Los existencialistas mexicanos (1982), de Oswaldo Díaz Ruanova, es un testimonio modesto y magnífico, de enorme utilidad, para entrar al relajo de Portilla. Mediante una prosa ágil, el memorialista resalta el paso del grupo Hiperión por nuestra historia intelectual sin detenerse ante la incuria de los acontecimientos. Díaz Ruanova quisiera ver en Xavier Villaurrutia al Hölderlin mexicano y el agonismo del novelista José Revueltas*, también le parece empático con la sensibilidad de los jóvenes existencialistas. Pero la verdadera historia del grupo Hiperión comienza con las clases de Gaos, el discípulo insumiso de Ortega y Gasset en la vieja escuela de Mascarones.

Díaz Ruanova encuentra en los hiperiones una proverbial "nostalgia de Dios" que se desparrama por el salón literario y cortesano de la poeta Pita Amor (1918-2000), donde desfilan los protagonistas del existencialismo mexicano: Portilla, Emilio Uranga* (1921-1988), Luis Villoro (1922), Ricardo Guerra (1927-2007) y Leopoldo Zea (1912-2004). La actividad y el prestigio de los discípulos de Gaos llamó la atención del editor José Porrúa, quien les imprimió su "enciclopedia", la colección "México y lo mexicano", donde los hiperiones y sus invitados velaron las armas de la retórica. Dueños de la revista *Filosofía y Letras,* nuestros existencialistas alcanzaron títulos universitarios en Friburgo y Oxford, tuvieron sus días parisinos y no faltó quien regresara tras haberle sacado a Sartre una frase en Les Deux Magots, o habiéndose tropezado con Heidegger en una vereda de la Selva Negra.

Para 1947, algunos de los hiperiones ya daban el golpe de bastón hacia el compromiso: la filosofía tenía que estar en la calle. Rebasando a Gaos por la izquierda, los primeros filósofos profesionales de México, se convertían, con Paz, en "contemporáneos de todos los hombres". Pero a diferencia del poeta que publicaba *El laberinto de la soledad* en 1950, los hiperiones se perdieron en el laberinto de la mexicanidad. Respetables por la solidez de su formación, los existencialistas resintieron la ausencia de una tradición académica local más seria.

El grupo Hiperión, entusiasmado con la filosofía contemporánea, al buscar una ontología mexicana se hundía en el fango de una solemnidad retórica donde la metafísica devenía en moral y la psicología en arquetipos culturales. En otras palabras, la ansiedad nacionalista los ahorcó como filósofos, al grado de que el viejo José Vasconcelos* —que daba lecciones de teología dogmática— resultaba más universal —porque era católico y repudiaba el neotomismo— que la generación más joven, la cual había olvidado que la única filosofía imperecedera es la liberada del nacionalismo. Quien tenga la curiosidad de hojear algunos volúmenes de "México y lo mexicano" encontrará páginas muy serias oponiendo el carácter del veracruzano con el del tabasqueño. En esa serie, no lo olvido, se publicaron libritos esenciales de Luis Cernuda*, Alfonso Reyes*, Mariano Picón-Salas, Ramón Xirau* y Paul Westheim.

La filosofía de lo mexicano pretendió encender con leña verde la alicaída flama del nacionalismo cultural, trémula entre el milagro alemanista y la guerra fría. Su búsqueda era romántica: insertar a una cultura en la maquinaria moderna. Gaos sufría por sus discípulos, según recuerda Díaz Ruanova: "Si no llegó y tal vez no llegue nunca el esperado *sistema*, no fue por la tardanza en el correo, sí por algo más radical y desolador: la filosofía no está en el espíritu de nuestro país ni en la índole de nuestros tiempos".

El grupo Hiperión acabó por desmembrarse y su sistema filosófico de la mexicanidad nunca llegó. Todavía Gaos, uno de los grandes hombres de la diáspora española de 1939, educó a un grupo tardío, los llamados hegelianos. Éstos, y sus hermanos mayores, los hiperiones, se dispersaron en el carnaval de la década siguiente: del poeticismo a las palmas académicas, de la rebelión individual a la servidumbre voluntaria que el Estado mexicano sabe concitar. Los espíritus más sutiles prefirieron la soledad aséptica de la filosofía analítica: los más tormentosos, como Portilla, se prendieron de "la filosofía insuperable de nuestro tiempo", tal cual llamó Sartre al marxismo.

"Pertenezco a una generación [dice Portilla al abrir la *Fenomenología del relajo*] cuyos mejores representantes vivieron muchos años en el ambiente de la más insoportable y ruidosa irresponsabilidad que pueda imaginarse, a pesar de la cual no vacilo en calificarlos como los mejores representantes de esta generación. Hombres de talento algunos de ellos, nobles y generosos otros, todos parecían absolutamente incapaces de resistir la menor intención de resistir la menor ocasión de iniciar una corriente de chocarronería que una vez desatada resultaba incontrolable y frustraba continuamente la aparición de sus mejores cualidades [...] Era, hoy lo veo claro, una generación nietzscheana *avant la lettre [sic]*, que en medio de la continua risa, vivía peligrosamente. Entregada, en realidad, a una lenta autodestrucción. Me resulta un poco incómodo añadir, por la sospecha de imaginería romántica que pudiera inferirse, que muchos de ellos han muerto trágicamente, o han desaparecido tragados por las variedades más extravagantes del vicio."

¿El existencialismo fue un relajo?

Parece que sí, ateniéndonos a esta declaración romántica de Portilla, el elogio contrito de los años locos al que invariablemente recurren quienes se quedaron en la vereda de la realización. Entre los hiperiones, se malograron, uno en la bohemia y otro en la turbiedad política pues Zea y Villoro han vivido bendecidos por todas las formas de la respetabilidad. El proemio a la *Fenomenología del relajo* parecía anunciar una segunda *Bohemia de la muerte* (1929), el libelo dedicado por Julio Sesto a la inmolación tóxica de los modernistas. Pero nada de eso.

El lector desprevenido ante la reimpresión de *Fenomenología del relajo* en 1984 se encontrará con un libro donde la filosofía de lo mexicano se topa, al fin, con un sujeto nominal que la libre del amorfismo: *el relajo*. Lo que logra Portilla aplica con un análisis fiel a Kierkegaard y al joven Sartre del *Bosquejo para una teoría de las emociones*.

Pero más que el canto de cisne del existencialismo mexicano, *Fenomenología del relajo* es el graznido de los cuervos marxistas ante el espectáculo, desagradable por precapitalista, del desmadre nativo. Contra lo que su título indica, este pequeño tratado es una de las piezas más solemnes y anticlimáticas de la prosa nacional. ¿Cómo pudo Portilla, devoto de la ironía socrática, escribir sobre el relajo sin valerse de una pizca de ironía?

La vida intelectual y sentimental de Portilla, truncada por un infarto a los cuarenta y cinco años, quizá explique su decisión de cerrar su camino con una lección de moralidad. Abando precoz del catolicismo y reconversión plena en sufrimiento, apetito mesiánico y ejercicio de la negatividad, fueron las condiciones que lo llevaron, a través de la escuela de los hiperiones, del humanismo cristiano al marxismo. Encantador y paradójico, estrella de las cantinas y de los cenáculos, Portilla fue "borracho, parrandero y jugador" en la más tierna y patética acepción mexicana del término. Fue un relajiento cuyo talento filosófico habría parecido destinado a escribir nuestra *Anatomía de la melancolía*.

Había que acompañar, empero, a Sartre en su camino hacia el comunismo, renegar del nazi Heidegger y acomodar la existencia en el sentido de la larga marcha. No es extraño que la filosofía de lo mexicano, hambrienta, cambiará la etérea metafísica por el comestible materialismo histórico. Así, la *Fenomenología del relajo*, está basada, primero, en una teoría de los valores, y luego, en la predicación de una ética que los sustituya. "El relajo [dice Portilla] es un intento desesperado de impedir que la vida moral llegue a manifestarse como enérgica apelación a un ennoblecimiento y a una espiritualización de la vida humana." Ajá.

Tras describir a los *relajientos* (que en términos leninistas serían el proletariado sin conciencia de clase), atento a las antinomias marxistas, Portilla escribe que la "ironía quiere la verdad, el humor quiere la libertad y el relajo quiere la irresponsabilidad".

Semejantes contradicciones entre una obediencia ideológica y una vida privada *relajienta*, las sufrió José Revueltas*. Pero el novelista se elevó por encima de su partido y de su persona, convirtiendo esa tensión agónica en obra novelesca. Infortunado, Portilla, epigramista audaz y filósofo fracasado, no le quedó en el tintero más que una autocrítica moralizante, contra el relajo que lo consumió, tara moral que aleja a los mexicanos del progreso. Los ensayos que acompañan la *Fenomenología del relajo*, dada a la imprenta en 1966 por sus amigos Alejandro Rossi*, Luis Villoro y Víctor Flores Olea, hablan de ese talento polémico que en Portilla no alcanzó a madurar. Ante Dostoievski, Santo Tomás o Thomas Mann, Portilla muestra lo que pudo ser y no fue. Con todo, prefiero su derrota romántica ante el Relajo que las tupidas victorias académicas del doctor Zea, que viendo perdida a la filosofía de lo mexicano se fue tras la ontología latinoamericana, babosada aún más grande, por simples razones cuantitativas.

"Las cosas [escribió Portilla] varían bastante si las contemplamos bajo el signo del progreso o de la decadencia." Portilla creyó que miraba desde el progreso cuando se deslizaba hacia la decadencia. En mala hora este cristiano se convirtió al marxismo.

La *Fenomenología del relajo* concluye anunciándonos que la sociedad sin clases dará término al relajo (*Servidumbre y grandeza de la vida literaria*, 1998).

Bibliografía sugerida

Fenomenología del relajo, FCE, México, 1997.

Díaz Ruanova, Oswaldo, *Los existencialistas mexicanos*, Rafael Jiménez Siles, México, 1982.

Q

QUIJANO, ÁLVARO
(Hermosillo, Sonora, 1955-ciudad de México, 1994)

La virtud de *El libro de Tristán* (1991), primera novela de Álvaro Quijano, es la de ser, precisamente, una parodia de esa primera novela que todos pretendemos escribir y pocos lo hacemos. Quijano arma *El libro de Tristán* utilizando a placer todos los lugares comunes de la formación sentimental y literaria de un escritor. Desde la elección de un nombre novelesco hasta la cadena de amores desgraciados que culminan en el manicomio y la muerte, Quijano desata con acierto y sentido del humor toda la trama ineludible del autoproclamado poeta maldito. Por eso es una novela plagada intencionalmente de referencias tan literarias como universales —*El Quijote*, Dostoievski, *Las ilusiones perdidas*, Proust— y de advertencias toponímicas comprensibles para todo intelectual de la ciudad de México. Pese a que Quijano quiere hacer de *El libro de Tristán* una obra desenfadada y amena, y lo logra en buena medida, no puede dudarse de que se trata de una novela triste que asume todos los riesgos de haber sido escrita en ausencia de esa otra novela, la soñada y la verdadera, la que rara vez concluye un autor joven (1992).

Bibliografía sugerida
El libro de Tristán, Joaquín Mortiz, México, 1991.
Este jardín es una ruina, Trilce Ediciones, México, 1995.

QUINTANILLA, SUSANA
(Ciudad de México, 1956)

Al recordar cómo se inició en la lectura del *Ulises criollo*, de José Vasconcelos*, de *Pasado inmediato* de Alfonso Reyes*, de *El águila y la serpiente*, de Martín Luis Guzmán*, dice Susana Quintanilla en la presentación de "*Nosotros*". *La juventud del Ateneo de México* (2008): "Yo tenía 24 años, era una lectora golosa y no conocía a 'nuestros clásicos'. No es que fuera una ignorante, o lo era al estilo de mi época y de mi generación. Me explico: para nosotros, los estudiantes universitarios de los años setenta del siglo XX (una década especialmente politizada en la que uno se autodefinía agresivamente) estos autores representaban algo así como unos enemigos ideológicos a vencer. No habíamos leído sus obras, pero ya teníamos todas las justificaciones, las teorías y los prejuicios, éstos antes que todo, para cuestionarlas. Un 'señorito porfiriano', dijo un académico en ciernes respecto de Guzmán; un 'aristócrata de la palabra', comentó otro en relación con Reyes. Acerca de Julio Torri* no se decían grandes cosas, aunque las pequeñas eran tremendas, que si paraba al pie de las escaleras de la facultad para ver las piernas de las muchachas, que si sus clases eran soporíferas, que si había atesorado una colección formidable de libros y objetos eróticos. Pero el centro de las deliberaciones era José Vasconcelos, cuyas batallas históricas, por la educación, por la democracia, y al final de su vida, por el Paraíso, incitaban todo tipo de insolencias. Algunas, hay que reconocerlo, eran académicamente ingeniosas: intelectual orgánico de la reacción, ideólogo de la clase media desplazada por la Revolución. Y mientras en la Academia discutíamos qué categoría teórica era la más apropiada para caracterizar a ciertos personajes, algunos de sus libros circulaban por todo el país (lo cual nunca sucederá con los nuestros) y eran conocidos por 'los lectores comunes'".

Un autorretrato de esta naturaleza, a la vez claro, certero y simpático, permite al lector (o al menos me lo permitió a mí) sentirse a sus anchas en "*Nosotros*" y en su continuación o secuela, *A salto de mata. Martín Luis Guzmán en la Revolución mexicana* (2009), el dueto biográfico con el que Quintanilla vivifica nuestra actual historiografía literaria. Son dos libros que hacían falta y no porque *"Nosotros"*, por ejemplo, agregue gran cosa a lo que los supuestos enterados sabíamos de las mocedades del Ateneo de la Juventud, sino por la actitud profesional, sin banalidades profesorales, a la cual se acoge Quintanilla. Su vigor narrativo no le concede nada a quienes persisten en la mala educación del lector, imaginado como un perezoso consumidor de vidas noveladas o novelarías románticas al cual una nota bibliográfica, una fuente citada con exhaustividad, podría horrorizarlo y hacerlo huir de la santa senda de la lectura.

La ecuanimidad de Quintanilla permite que revise (o revisite, más bien) al Ateneo con el propósito de liberarlo del peso muerto del protagonismo cívico al que lo condenó la postulación falaz de sus miembros como precursores de una Revolución mexicana que los tomó por sorpresa y que, a la mitad de ellos, les arruinó la vida. Sin recurrir a la setentera rutina que hacía de la desmistificación (a menudo, tan sólo, la sustitución de un mito bajado del santoral por algún otro mito *progre*) una rutina curricular, Quintanilla, nos recuerda que en 1906-1908, cuando se manifiestan como continuadores críticos de los modernistas pidiéndole, literalmente, permiso al gobierno del general Díaz para manifestarse, los ateneístas no eran ni tan jóvenes ni tan precoces como sus predecesores liberales o sus hermanos menores, los poetas de Contemporáneos. La gerontocracia porfiriana los ha hecho parecer, por contraste, más imberbes de lo que fueron.

Quintanilla va aclarando, enfocando, nuestra visión del Ateneo, una sociedad de conferencias de medio centenar de miembros que reflejaba la diversidad política de la élite y que en 1910 contaba lo mismo con reeleccionistas, partidarios del general Bernardo Reyes o maderistas. *"Nosotros"* despoja un tanto, a su vez, al joven Reyes de la ingenuidad bobalicona frente a la política con la que él se protegió entonces (y después) con sagacidad o ratifica que fue Vasconcelos, con sus faltas de ortografía, su indiferencia por la gramática y su cultura remendada, quien convirtió al aterrado Ateneo en una mina profética y en un vivero político del cual salieron varios activos diputados durante el maderismo.

En *A salto de mata*, más convencida de la bondad de su proyecto y dándose mayores libertades de ensayista, Quintanilla retrata cómo Guzmán fue todo menos un señorito porfiriano y se burla cruelmente de quienes lo han desahuciado en nombre del marxismo, de la deconstrucción o del psicoanálisis. Hijo de un coronel del ejército federal que llevaba el sentido del deber hasta el homicidio, Guzmán escapó varias veces a su destino hasta que se encontró con la literatura casi listo, insospechadamente, para convertirse en un clásico. Aquel muchacho fue la víctima, no una, sino varias veces, de la sorna —que a ratos se confunde, es cierto, con la ternura— de Reyes, quien lo convirtió en personaje secundario y casi ridículo a lo largo de textos que Quintanilla relee, y al hacerlo, les otorga otro sentido.

"Soy un Norte que no varía", dirá el obsecado Martín Luis, fiel a sí mismo durante medio siglo, en un periodo que Quintanilla no cubre (ojalá lo hiciera) que comienza Guzmán con torpeza, apoyándose, en la capa y la espada de Dumas, en la historia laica de Renan, en *La guerra y la paz*, en la severidad del catecismo positivista.

A menudo se rechaza la ucronía como una ociosidad. Pero practicada con criterio, es un método que devuelve a las biografías el sentido de la especulación existencial, que quizá sea el único que autoriza la insolencia de querer escribir la vida de otro. Se pregunta Quintanilla, en *"Nosotros"*, qué hubiera pasado con los ateneístas si no hubiera habido Revolución: a Reyes y a Guzmán, sin el sacrificio de sus padres, les hubiera esperado una biografía meritocrática.

Muere el Ateneo, oportunamente, casi con Justo Sierra, en 1912. A lo largo del siglo estelarizó el Ateneo algunos otros velorios, en la medida en que le heredó a México escritores escondidos en su disfraz teatral de difuntos ejemplares. En ese lapso —hagamos, con el centenario de la Revolución, la cuenta— no nos han faltado los pretextos para no leer a los ateneístas: que si Reyes yace sepultado en sus obras completas, que si a Vasconcelos, mal escritor y peor filósofo, sólo lo salva *Ulises criollo*, que si Henríquez Ureña es sólo un socrático dominicano, que si a Guzmán lo dejó baldada la mala suerte de vivir los muchos que le permitieron una condena con severidad porfiriana al movimiento estudiantil de 1968. Y si la relectura es la única obra de arte al alcance de cualquier lector, el camino para leerlos pasará por este par de libros.

Bibliografía sugerida

"Nosotros". La juventud del Ateneo de México, Tusquets Editores, México, 2008.

A salto de mata. Martín Luis Guzmán en la Revolución mexicana, Tusquets Editores, México, 2009.

R

REVUELTAS, JOSÉ
(Santiago Papasquiaro, Durango, 1914-ciudad de México, 1976)

Preguntas. "Los impulsos y tendencias que animaron a la literatura mexicana anteriores a 1940 [escribía José Luis Martínez* en 1949] han sido agotados y su vigencia ha concluido. Ningún otro camino, ninguna otra empresa suficientemente incitante han tomado su lugar: no han surgido personalidades literarias de fuerza creadora [...]" El momento, sin duda, era crítico. La aparición de *El luto humano,* de Revueltas, en 1943 y de *Al filo del agua,* de Agustín Yáñez*, cuatro años después, no parecían lo que eran: el inicio de una metamorfosis. No será fácil ver brillar las perlas en el fangal de una narrativa social y revolucionaria en verdad exhausta. Pero en Revueltas la Revolución mexicana culminaba como crónica de hechos e ilusiones. Épica mayor, épica menor o literatura cristera, indigenista o proletaria, quedaban atrás y se convertían en monumento, en anécdota, panfleto o jaculatoria. Ya Martín Luis Guzmán* y José Vasconcelos* habían concluido su impulso creador. La insistencia de Mariano Azuela acabó por resultar lastimera. La legión de narradores del ciclo de la Revolución era ya parásita lo mismo de la historia que de su retórica. En esos años, la ausencia de literatura de invención que reclamaba Xavier Villaurrutia o el panorama desolador que apreciaba Martínez parecían justificados. La respuesta a Villaurrutia la tenía, como vimos, Juan José Arreola*. La de Martínez, la tenían Revueltas, Yáñez y Rulfo*.

Seca la sangre de los campos, finalizado el viaje de los rebeldes en las puertas de las ciudades fortificadas por el Estado, llegaba la hora del mito como pregunta frente a la historia y su consagración oficial: reaparecía la política como crítica de la guerra. Revueltas se presentaba como escritor al nutrirse de dos de las tradiciones aparentemente más pobres de los años treinta: la hagiografía cristera y la novela proletaria. Duranguense —como Antonio Estrada, el agonista de la Cristiada— Revueltas había crecido escuchando vidas de santos: los de arriba, cuyos itinerarios piadosos se leían en las octavillas distribuidas en el catecismo, y los de abajo, aquellos soldados de Cristo que marchaban a la última guerra de religión. Ese cristianismo popular y guerrero, sumándose con una precoz militancia comunista en los años de las catacumbas, potenciaron la obra de un gran novelista.

Durante su primera militancia en el Partido Comunista de México (PCM), en 1939, esperando la muerte de su madre que ocurriría horas más tarde, Revueltas se confiesa en las siguientes notas íntimas: "Mi hermano, el Crucificado, es más puro y más sincero. Él se declaró en rebelión, con toda su locura a cuestas, sin importarle nada [...] Por último: seré tan pobre todavía. Más tarde, al leer estos renglones, mostraré una sonrisa escéptica y me burlaré de mí mismo, avergonzado de haber llorado en una plaza pública" (Revueltas, *Las evocaciones requeridas*, II, 1987).

Semejante aliento dibuja de raíz a Revueltas. Ya estaba en su primera novela, *Los muros de agua* (1941), que, al narrar el presidio de un grupo de comunistas en las Islas Marías, ya no es realismo socialista. Más allá de las declaraciones didácticas, posee ese patetismo de la desesperanza que marcaría toda su obra. Dostoievskiano a pesar de su ideología, Revueltas ya concibe el universo como una colonia presidiaria donde la esperanza es a menudo lo mismo salvación que condición de la tortura. Pero la verdadera transformación ocurre dos años después. Otro texto de 1939, si olvidamos su previsible tono político, funciona como un auténtico programa en que Revueltas comienza la escisión frente a la retórica narrativa imperante. Criticando a los novelistas contemporáneos, afirma: "No se conoce nuestro pueblo real, nuestro pueblo de lágrimas y, o unos hacen anécdota artesana, colorista, como Rubén Romero, u otros pintan un pueblo folklórico, sin sentido, nada más pintoresco, como los López y Fuentes, Ferretis y demás burócratas. Nosotros tenemos el deber de escribir esa rabiosa novela mexicana sin tregua; hay que hacerla, como una aportación a la patética esperanza de nuestro proletariado y nuestros campesinos" (*ibid.*).

Rechazo del colorismo artesanal y anecdótico que atribuye a José Rubén Romero; deslinde del folclorismo naturalista de Jorge Ferretis y de Gregorio López y Fuentes. Necesidad de esa "rabiosa novela mexicana sin tregua", fijación de "la patética esperanza" que primero será de los oprimidos y luego de todos los hombres. En *El luto humano* se lee la primera etapa de esa misión que Revueltas toma para sí. Allí culmina el ciclo de la Revolución como "afirmación nacionalista". Es la hora del mito negativo y de la recreación alegórica, del rechazo novelesco del sueño estatólatra [...]

En Revueltas el paraíso se transforma en infierno; la irrigación rural, en diluvio universal; el realismo de la Revolución mexicana, en escenario apocalíptico. Como náufragos que son, los campesinos de la sequía son castigados con las aguas terminales. Su arca de Noé es un buque fantasma donde el lobo es lobo del hombre. Esa Gran Historia exaltada por los muralistas en los espacios estatales tiene su revés en las plagas bíblicas y en las subterráneas cárceles acuáticas. Desde *El luto humano* vemos alejarse la perspectiva de una novela comprometida con la historia oficial o con sus variantes panfletarias radicales o reaccionarias. Materia de mito, escenario del fin de siglo, la historia encuentra en la novela la pavorosa crítica de sus logros y de sus ilusiones. El camino que emprende Revueltas, pese a sus cíclicas palinodias, ya no tiene retorno. No sólo se separa políticamente de la llamada ideología de la Revolución mexicana. Su instrumento, la novela, ya no pone su mirada sobre el paisaje (ahora macabro); se lleva a cabo un golpe de timón que traslada al eje de la realidad social hacia la conciencia humana, concebida como cámara de tortura (*Antología de la narrativa mexicana del siglo XX,* I, 1989).

Respuestas. Al final del milenio ya conocemos la respuesta a la pregunta de Revueltas en *Los errores.* Sí, nuestro siglo fue el siglo de los procesos de Moscú. Debemos esa certidumbre a personajes como Revueltas. Por ello, todos los que participamos en el drama del comunismo, jóvenes o viejos, en las cárceles o a través de los libros, víctimas y verdugos, almas piadosas o tontos útiles, creyentes honrados y espíritus trastornados, todos nosotros, gustamos de escuchar una y otra vez la historia de los herejes.

Es probable que en el próximo siglo los demonios que atormentaron a Revueltas acaben por perder sus inquietantes y sangrientos poderes. Llegarán a ser el testimonio de una lengua muerta y sus diatribas nos parecerán tan curiosas y apasionantes como las que enfrentaban a los patarinos con los bogomilos en la Edad Media.

¿Tras la muerte del comunismo que fascinó al siglo XX, un escritor como Revueltas impresionará a sus lectores? Es probable, dado que un periplo como el suyo es tan viejo como la historia de la civilización, la vida del predicador dividido entre la fe y la duda. El comunista Revueltas encarna una de las leyendas más ricas de la literatura cristiana en México.

Octavio Paz* ha dicho que Revueltas realizó, en nombre de la filosofía marxista, un examen de conciencia que san Agustín y Pascal habrían apreciado. Al entender a Revueltas como un autor esencialmente cristiano, Paz dio el motivo central a mi interpretación. Las novelas de Revueltas dieron al cristianismo mexicano una densidad espiritual que nuestros escritores católicos no pudieron o no quisieron afrontar.

El fantasma de Bujarin preside el universo novelesco de Revueltas. Víctima de la voluntad histórica o ventrílocuo de la dialéctica, Bujarin es el héroe trágico que grita tras el coro en *Los días terrenales* (1949) y en *Los errores* (1964). Durante los procesos de Moscú, Bujarin se creyó un personaje de Dostoievski. Y Revueltas tiene hacia el mártir bolchevique una actitud similar a la de ciertos novelistas cristianos ante Judas Iscariote. Bujarin deja de ser el traidor absoluto para convertirse en la prueba humana, demasiado humana, que ratifica la Pasión de Cristo o sus catastróficas consecuencias.

Para Bernanos o Mauriac era fácil hablar de Dios. Para Revueltas no. Esa dificultad provoca las veladas intermitencias que el intelectual mexicano busca entre la Escritura y sus novelas. Comunistas desterrados o cristianos asediados, los personajes de Revueltas reflexionan sobre las penas del purgatorio y calculan las posibilidades de remisión. En *El apando* (1970), el escritor se descubre en el infierno, tras haber peregrinado entre las sombras chinescas de la enajenación.

Revueltas posee una de las virtudes cristianas que asombraron a Nietzsche. Su obra provoca ese remordimiento que es al mismo tiempo agonía, duda y negación. Esos tres atributos se presentan en quienes escriben sobre Revueltas. El novelista Héctor Manjarrez* concluye *Pasaban en silencio nuestros dioses* (1987) con la narración del sepelio de Revueltas en 1976. En esa novela, el escritor militante aparece como el monje loco que se lleva a la tumba los sueños de una generación. Manjarrez se ríe con el espíritu chocarrero de Revueltas: "Eterno agitador, qué desmadre has armado. Estarás contento, chivo en cristalería […] ¡No te irás al cielo, José! Te quedarás en la vasija de barro de los antepasados. Adiós, culpígeno, infestado por todos los parásitos políticos de las tres cuartas partes del siglo […]"

En *Dialéctica de lo terrenal* (1991), Jaime Ramírez Garrido, ensayista nacido en 1970, suspende un análisis desprovisto del patetismo que Revueltas suscita y se deja seducir por una imagen: "Revueltas con su barba de chivo mira hacia la cámara, su rostro y su cuerpo violentan el paralelismo de las sombras de los barrotes que no vemos en la fotografía pero conocemos por la luz proveniente del exterior, del otro lado de las rejas, y que producen las sombras de éstas estampándose sobre Revueltas prisionero".

Manjarrez y Ramírez Garrido, separados por una generación, simbolizan esa actitud ante Revueltas, contradictoria y fecunda: libertario y prisionero, santón de la heterodoxia y protagonista de la doliente bohemia.

Más allá de su actuación en el drama universal del comunismo, todo lo que hay de folletinesco en las novelas revueltianas sabe llamarnos y repelernos. Es una obra donde los criminales comunes y los delincuentes ideológicos sostienen batallas inverosímiles y controversias devastadoras. El mal surge del averno psicológico pero el bien nunca acaba de ser derrotado por la historia. Los libros de Revueltas son nuestras *Ilusiones perdidas*, y sus villanos, reencarnaciones de Vautrin que garantizan a la novela como gesta legendaria de los modernos.

Berdaiev decía que Dostoievski sería un argumento en favor de Rusia en el Juicio Final. Puede ser que Revueltas lo sea para el realismo mexicano en esas hipotéticas sesiones. Mientras ello ocurre, recordemos a Revueltas, el clérigo rebelde que, al imitar a su hermano el Crucificado, sufrió por nosotros, dejando testimonio de la lepra y de la utopía (*Tiros en el concierto. Literatura mexicana del siglo v,* 1997).

Bibliografía sugerida
Obras completas, 3. *Los días terrenales,* Era, México, 1979.
Obras completas, 6. *Los errores,* Era, México, 1979.
Obras completas, 7. *El apando,* Era, México, 1979.
Obras completas, 25 y 26. *Las evocaciones requeridas,* tomos I y II, prólogo de José Emilio Pacheco y edición de Philippe Cheron y Andrea Revueltas, Era, México, 1987.

REYES, ALFONSO
(Monterrey, Nuevo León, 1889-ciudad de México, 1959)

Una de las más entrañables lecturas de nuestra infancia es la del aventurero alemán Heinrich Schliemann (1822-1890), el arqueólogo que descubrió las Troyas históricas excavando bajo las colinas de Hissarlik. Esa misión se la prometió a su padre de niño y la cumplió contra viento y marea, con Homero en el bolsillo, revelando la existencia de siete ciudades troyanas sobrepuestas. Descubrió un tesoro, aunque no el de Príamo, sino el de un soberano que vivió cuatrocientos años antes. Una noche se dio el lujo de colocar en el cuello de su esposa griega las joyas que pertenecieron a una mujer troyana de hacía tres mil años.

"La guerra de Troya [escribe Reyes en *La crítica en la edad ateniense* (1941)] es un fracaso. Ni siquiera se puede decir si acabó con una victoria definida ni si la estratagema del caballo parece un correctivo posterior que la poesía impone a la realidad para enderezar su sentido. Sólo sabemos que los héroes griegos emprenden un regreso lamentable, una odisea trabajosa, para encontrar sus hogares deshechos y sus tierras anarquizadas" (*Reyes, Obras completas,* XIII, 1961).

Reyes, al contrario de Eneas, fracasó. No fundó Roma ni latinidad alguna. Poeta-niño, viajó en la numeración inversa precristiana y convirtió la Troya de la sangre en la Troya del espíritu. Su obra es una ciudad amurallada por veinticinco libros. Una ruina fastuosa plena tanto en tesoros como en polvo y baratijas; imprescindible por sus emocionantes pasadizos y por sus arriesgadas cumbres. Leer a Reyes es una visita de infancia a Teotihuacán o a la Acrópolis; jugar entre piedras cuyo enigma silencioso es, parafraseando a Gibbon, el ser testimonio de las multitudinarias y desaparecidas generaciones humanas.

Reyes sabía que fue la tradición literaria, o su aparición, la que degradó paulatinamente a los héroes. Un libro como *Los héroes* (póstumo, 1965) sorprende por su claridad de exposición y por su negativa a confundir mito y literatura tal como lo hace la modernidad. Pues si Jasón o Eneas fueron perdiendo su condición de intermediarios entre lo humano y lo divino, resultando el primero un ingenuo y el segundo un cobarde, fue por culpa de los escritores. Reyes hizo de Grecia su viaje fantástico a la infancia, a la suya propia y a la de la humanidad. Envidiable Reyes. Pero es inútil negar que la obra de Reyes está rodeada de vacío. ¿Cuál es su mejor libro? Todos y ninguno. Abundan los homenajes pomposos al humanista, pero Reyes escribió su obra para salvarla de la crítica de los modernos. Quien busque la maleza de la ideología debe ahorrarse el viaje a las ruinas alfonsinas, rodeadas por el desierto. Reyes, donde quiera que se encuentre en el Hades, no goza de las prerrogativas divinas de un Tiresias. Fue un escoliasta a destiempo, un nostálgico de las antigüedades. No será olvidado. Pero su memoria es ajena a la profecía. Y una parte de nosotros, aunque lo neguemos, la necesita.

¿Realmente quiso Reyes fundar una latinidad y el parloteo, jerigonza de los bárbaros, se lo impidió? Si olvidamos al empalagoso embajador virgiliano que Reyes también fue, es de dudarse que el escritor haya logrado civilizarnos. Quizá sólo escribió para ser Eneas, para repetir el juego que hacía con su tío y que cuenta en *Parentalia,* que consistía en hacer ciudades de cartón y títeres. Su ciudad es una ruina: imponente y absurda, motivo lo mismo de arquelogía que de desolación. Su mérito inconcluso e imperecedero —como corresponde a las ruinas que son lo que son por lo que dejaron de ser— es común a todo vestigio: ser refugio de sabios, niños y poetas. Y de turistas.

Una larga y enredada polémica, cuya duración sobrepasa ya el siglo, pone en duda con severidad que las ruinas halladas por Heinrich Schliemann en Troya sean una prueba eficaz de la historicidad de los poemas atribuidos a Homero. La llamada Troya VIIA, desenterrada por el arqueólogo alemán, es para los expertos modernos el despojo incendiado de un villorrio pastoril. El tesoro de Príamo pudo ser de un cualquiera. La obra de Reyes, como la Troya de Schliemann, es un espacio donde la historia y la poesía, la ciencia y la fantasía, la crítica y el gusto continúan su enfadoso debate. Podemos leer a Reyes con el mismo amor con que Schliemann miró su Troya. Ante Reyes jugamos embelesados entre los muros despintados y las piedras dispersas de su obra pues, como decía Heine, "no comprendemos las ruinas hasta que nos convertimos en ellas" (*Tiros en el concierto. Literatura mexicana del siglo v*, 1997).

Bibliografía sugerida

Obras completas XVII. Los héroes. Junta de sombras, FCE, México, 1965.
Obras completas XIX. Los poemas homéricos. La Ilíada. La afición de Grecia, FCE, México, 1968.

REYES, JAIME
(Ciudad de México, 1947-1999)

La cólera sólo es compatible con la poesía en algunos y extraordinarios momentos. En *Isla de raíz amarga, insomne raíz* (1976), Reyes concentró la rabia sin remisión de una tribu universitaria que se sintió derrotada por la historia, condenada a practicar formas saturninas de la política y del erotismo, harta del soez autoritarismo mexicano, herida por la ineficacia del martirio: "Porque somos débiles fuimos tolerados". Desde lord Byron la poesía comprometida ha sido con frecuencia un esnobismo, una moda que impele al poeta "a prestar su voz a los que no la tienen", como se decía en los años setenta y ochenta del siglo pasado. Esa expresión, que implicaba *grabar* a los oprimidos y convertir al poeta en un rudimentario director de sonido, fue rechazada, en principio, por poetas más a la izquierda que Reyes, como los infrarrealistas, quienes al considerarse los verdaderos bardos del lumpenproletariado, denunciaron "el deporte abyecto clasemediero de *darle voz a los que no la tienen*", tal cual lo ha dicho uno de sus exégetas.

Cuando la muchedumbre encontró su voz en las rutinas democráticas, los poemas de Reyes fueron de los pocos que, en su género, sobrevivieron. Como el tragafuegos en un crucero, Reyes es un poeta que se baña la garganta con gasolina y escupe llamaradas. En sus mejores momentos, *Isla de raíz amarga, insomne raíz* es el último de los poemas mexicanos donde la conversación bárbara logró modularse de manera escandalosa e inquietante: fue la despedida de las mentadas antes de que perdieran su fragor iconoclasta ante la tolerancia, la indiferencia y el costumbrismo. A Reyes la ciudad todavía le cabe en la pupila y, desde las severas alturas de una religión revelada, asume la condición de un almuecín que llama a las oraciones, dividido como está entre la cruda del noctívago y la ebriedad de las novedades políticas. El vate se hace acompañar de la hembra del estiércol, esa vieja puta del modernismo. Lo nuevo (gracias al feminismo de los años setenta del siglo XX) es que a su macho, el torturador, lo corroe una culpa que terminará en lamento elegiaco. Quiso Reyes prestar el micrófono a los desposeídos. La que quedó grabada fue su propia voz, que se escuchará mientras en cualquier cuartucho de azotehuela, iluminado por un foco pelado, un bohemio intemporal llore de rabia, por trabajos de amor perdidos o por impotencia ante los poderosos.

Bibliografía sugerida

Isla de raíz amarga, insomne raíz, Era, México, 1977, y FCE, México, 1986 (junto con *Al vuelo el espejo de un río*).

RIVAS, JOSÉ LUIS
(Tuxpan, Veracruz, 1950)

"La vida sin mar no se comprende [escribió Juan Ramón Jiménez en *Prosas críticas*], yo, por lo menos, no la comprendo, y todas mis eternidades se las debo a él; el mar es vida sin sueño, siempre abierta; vida sin mar es vida cerrada, poesía cerrada. Por eso los poetas que yo llamo abiertos se dan más en los litorales. El poeta de tierra adentro, que no ve el mar, tiene que 'realizarlo' en las cosas y las personas que lo rodean, por síntomas emanadores. Lo materializa en otra experiencia, porque ha oído acaso de él y no puede olvidarlo; y no puede olvidarlo, es claro, porque no puede recordarlo. Es un mito imprescindible. Pero el mar no puede pensarse más que en el mar pleno, ni materializarse sino como mar eterno, pues, como puede ser manipulado por el hombre, conserva, bajo el espacio elemental, su naturaleza elemental, con el sol, o la luna, o las estrellas elementales."

La confesión de Jiménez me sirve para explicarme la extrañeza mítica que una poesía como la de Rivas, consagrada al mar (y a sus colindancias en el estuario y en el río), produce en el lector extraño. Retomo un motivo muy anticuado que ni el cambio climático ni la degradación ecológica han tornado del todo obsoleto: desde las ciudades del perpetuo verano, como la de México en la clasificación de Pedro Henríquez Ureña, el mar sigue siendo, de alguna manera, un tema exótico. O al menos lo es en un país poético como el mexicano que, como lo dijo el crítico francés Louis Panabière a propósito del mismo Rivas, padece de horror por el mar, de *talasofobia*. En el altiplano, caracterizado también por Henríquez Ureña como tierra propicia para la poesía discreta, melancólica, grisácea, todavía es alcurnioso decir que Ramón López Velarde no conoció el mar. Se sugiere, con esa presunción, que aquel gran poeta se privó, recurriendo a lo que semejaría ser una decisión ascética, del más nutritivo de los alimentos líricos.

Si Jiménez tiene razón y existe, como mito imprescindible, el mar eterno, debe decirse que Rivas, en nuestra poesía, lo domina por completo desde que apareció *Tierra nativa* (1982), un libro de culto que forma parte, junto con *Muerte sin fin* y *Piedra de Sol*, del reducido grupo de poemas que desde el primer día se convierten en piedras de fundación. Guillermo Sheridan* evoca con justicia lo que significó ese primer libro de Rivas para "algunos lectores [que] tuvimos la certeza de hallarnos ante un poeta que nos ataba a una línea singular en el trazado de una tradición mexicana moderna: la de un vigoroso lirismo capaz de fortalecer el habla del corazón con el disciplinado estudio de la tradición poética [...]". Ocurre que en *Tierra nativa* Rivas hizo casar, esplendorosamente, dos elementos que suelen aparecer aislados o irreconciliables: la paráfrasis y la nostalgia, al poema como lectura de otros poemas con el arrobo ante el terruño abandonado por el tiempo. Rivas se presentaba, a la vez, como un hombre de fin de siglo y como un bardo que transmite leyendas. No es extraño que en esa senda Rivas se haya encontrado con Derek Walcott, cuyo *Omeros* (1990) ha traducido íntegramente al español. Para Rivas, como para Walcott, el mundo de Homero es, sin dejar de ser genésico, una novela familiar.

Rivas ha dividido su poesía casi completa en dos continentes: *Raz de marea (Poesía, 1975-1992)* (1993), que incluye los poemas escritos entre 1975 y 1992, y *Ante un cálido norte* (2005), que hace lo propio con los redactados entre 1992 y 2002. Junto con una versión de Shakespeare (*La violación de Lucrecia*) y apenas dos capítulos de su traducción de *Omeros*, Rivas reúne, en esta segunda selección, *Luz de mar abierto* (1992), *Estuario* (1996), *Río* (1998) y *Por mor del mar* (2002). Quedan fuera *Un navío un amor* (2004) y *Pájaros* (2005), un par de libros recientes de los cuales al menos el primero es magnífico.

La obra de Rivas, en la medida que ha ido creciendo, ha suscitado reparos que deben considerarse. Evodio Escalante, en 1991, manifestó su desconcierto ante los libros posteriores a *Tierra nativa*, que en vez de asumir las consecuencias del diálogo postulado con la *Tierra baldía*, de T. S. Eliot, cedía ante el bucolismo, considerado como un fracaso en el camino de quien, pretendiéndose "posmoderno", terminaba por ser un "neoclásico". Alberto Paredes lamenta, por otro lado, que "el talón débil de esta obra bella y sutil sea que la mayoría de los lectores no hemos vuelto a encontrar la fuerza y la hondura humanas de *Tierra nativa*" (Paredes, *Una temporada de poesía*, 2004).

Yo no creo que todos los libros de Rivas deban leerse como copias deficientes o variaciones menores de cara a *Tierra nativa*, modelo consagrado cuya perfección inalcanzable frustraría el destino de un poeta. Faltaría a la verdad si dijese que toda la obra, verso con verso, me emociona de la misma manera, pero sería falso conceder que me basta y me sobra con *Tierra nativa*. De las muchas cosas que Rivas ha tomado de su intimidad literaria con Saint-John Perse acaso la menos evidente y la más importante sea la noción del continuo poético: la obra es una superficie que se desparrama. O el poeta un navegante que acumula travesías por los siete mares. En *Río,* por ejemplo, el viaje fluvial hacia la infancia, hacia las mujeres primordiales (con la madre, la hermana), se lleva a cabo con una precisión en los detalles y con una ternura que no volverá a presentarse. *Por mor del mar,* tal cual lo exige el título mismo, es un libro grave y sentencioso, una declaración de principios que no rehúye la épica. *Estuario,* a su vez, es una reunión de imágenes cuya majestad se percibe en las pinceladas puntillistas: "El mundo no acaba aún de urdir la telaraña de su/mano y abre en abanico un atolón cercado de/palmeras".

Dios, escribió Paul Claudel a guisa de resignado enfado, es una palabra que Perse evita religiosamente. Adolfo Castañón*, en un hermoso comentario a una de las antologías de Rivas, ha encontrado en él una piedad "radicalmente pagana", obra de un escritor ajeno al cristianismo que "ha compulsado los miembros dispersos de otra Escritura". Esta exaltación se encuentra aquí y allá en la poesía rivasiana, como en estos versos que saco, casi al azar, de *Un navío un amor:* "¡Bebamos otra vez!/Los astros ya comienzan otra ronda también". Pero Rivas, habiendo llegado a Perse de la mano de E. M. Cioran y de Octavio Paz*, no comparte con estos altos espíritus la fascinación por el poeta antillano como un historiador sin historiosofía o un poeta sin tragedia. A Rivas le apasionó, durante un largo momento, lo hímnico, enrolándose solamente en aquellas expediciones milenarias que parten en la búsqueda de la infancia como paraíso perdido. En *Un navío un amor,* la oda cede su lugar a la elegía y aparece, una y mil veces, el rostro de Helena, en un libro hermano al que Elsa Cross* (*El vino de las cosas. Ditirambos*) publicó ese mismo año.

Pocos poetas hispanoamericanos de su generación han traducido tanta poesía como Rivas. En su cuenta va *Omeros* de Walcott, las obras enteras de Eliot y de Arthur Rimbaud, los *Elogios* de Perse y numerosos poemas de Georges Schehadé, Dylan Thomas, Andrew Marvell, Herman Melville o Tahar Ben Jelloun. Rivas es al mismo tiempo él mismo y una pequeña familia de poetas. Entre un poema original y una versión suya la frontera es, a veces, neblinosa, como si recorriésemos un mediterráneo personal en el que Rivas navega de un poeta a otro, una latinidad cuya esperanza se funda en que todo muere pero nada es vanidad. No en balde Perse, Walcott y Rivas comparten el mismo mar. Pero la voz de Rivas es inconfundible para nosotros. Es la voz de un poeta abierto, creyente en que "un hombre deslumbrado es sólo un niño con suerte".

Bibliografía sugerida
Raz de marea (Poesía, 1975-1992), FCE, México, 1993.
Un navío un amor, Era, México, 2004.
Ante un cálido norte, FCE, México, 2005.

RIVERA GARZA, CRISTINA
(Matamoros, Tamaulipas, 1964)

La transmigración de las almas, aun en la literatura, es un fenómeno infrecuente. Amparo Dávila* escribió tres libros de cuentos: *Tiempo destrozado* (1959), *Música concreta* (1964) y *Árboles petrificados* (1977). Quien había sido una de las mujeres más hermosas de su tiempo, Dávila recibió el Premio Villaurrautia en 1977, y en 1985 se publicó una antología de sus cuentos, *Muerte en el bosque.* Pero aun a fines de los años ochenta, cuando la incluí en la *Antología de la narrativa mexicana del siglo xx,* Dávila parecía pertenecer a un tiempo fuera de la historia, aquel en que las hechiceras utilizaban su belleza para convocar toda clase de malignos sortilegios. Los cuentos de Dávila, entre los cuales dos o tres poseen una noble factura, se inscriben en una tradición fantástica decimonónica cuya sobrevivencia contribuyó a librar a las letras mexicanas del imperio del realismo. Pero Dávila, quien se inició como poeta de inspiración cristiana y fue esposa del pintor Pedro Coronel, parecía haberse esfumado entre los aparecidos y los árboles petrificados que pueblan su obra. Muchos años después, Dávila, secretaria de Alfonso Reyes* entre 1956 y 1958, renace multiplicándose a través de los espejos en que la narradora tamaulipeca Rivera Garza, autora de novelas como *Lo anterior* (2004) y *La muerte me da* (2007), ha sabido capturar.

Rivera Garza publicó *La guerra no importa* en 1991, donde entre los desaseos habituales del primer libro, asomaba el gusto por lo fantástico-romántico. En 1999 apareció *Nadie me verá llorar*, novela que la presentó como una de las escritoras más inquietantes de México. *La cresta de Ilión* (2002), su segunda novela, ha acabado de convencerme de estar ante una artista de la prosa de los que sólo aparecen unos cuantos cada década. El motivo literario de *La cresta de Ilión* es Dávila. Escribo "motivo" y no "personaje", pues Rivera Garza hizo de Dávila, de sus textos, de sus fotografías en las cuartas de forros, de su leyenda (sí es que la tiene) una potencia. Ese magma de los sueños que apenas descansaba en los cuentos de Dávila ha sido potenciado por Rivera Garza; un alma ha transmigrado en otra, desarrollándose en toda su complejidad, como si lo que ayer fue promesa hoy se manifestase en destino. *La cresta de Ilión* no es un homenaje a Dávila; es una demostración de cómo la literatura puede viajar en el tiempo y hacerlo, valga la repetición, sólo a través de la literatura. El doble, esa obra de arte de la locura, puede ser tratado a través de la ingenuidad que apela a los fantasmas en el espejo, o mediante el culto hiperromántico a la psicosis.

Con inteligencia, Rivera Garza entendió a los seres que persiguen a su héroe como posibilidades del lenguaje que remiten a Dávila, potencia elevada al infinito. Esas multiplicaciones pudieron haber remitido a cualquier otro escritor, tradición o paisaje. Pero Rivera Garza, al entender la locura como una variación (que no perdida) de la identidad, decidió hacer de *La cresta de Ilión* un magnífico relato fantástico escrito donde el temible ancestro (Dávila o lo que ésta signifique) está vivo, es nuestro hermano y nuestro semejante. Pero lo esencial en *La cresta de Ilión* va más allá. Como el título lo indica (y el lector lo sabrá al terminar la novela) el asunto de Rivera Garza es el sexo como piedra angular que trasciende al género, un misterio más íntimo que sagrado, realidad que sólo nuestros fantasmas investigan con infatigable minucia. *La cresta de Ilión* no bendice ni maldice a los espejos, culpables de la multiplicación de la especie, sino que los interroga. Dentro de dos o tres generaciones acaso alguien escribirá un texto que pregunte, ¿quién teme a Cristina Rivera Garza?

Bibliografía sugerida

Nadie me verá llorar, Tusquets Editores, México, 1999.
La cresta de Ilión, Tusquets Editores, México, 2002.
Ningún reloj cuenta eso, Tusquets Editores, México, 2002.
Lo anterior, Tusquets Editores, México, 2004.
La muerte me da, Tusquets Editores, México, 2007.
La frontera más distante, Tusquets Editores, México, 2008.
Verde Shanghai, Tusquets Editores, México, 2011.
El mal de la taiga, Tusquets Editores, México, 2012.

ROSSI, ALEJANDRO
(Florencia, Italia, 1932-ciudad de México, 2009)

La prosa. De pocos escritores latinoamericanos puede decirse, como de Rossi, que su aparición en la vida literaria implicó su postulación como un clásico. No me refiero únicamente a la universal aclamación que el *Manual del distraído* (1978) suscitó entre los *happy few*, que encabezados por José Bianco le dieron la bienvenida a un escritor singular, el mismo que años después Octavio Paz* definiría como "el fruto humano de una civilización". Trataría yo de hilar más fino y preguntarme por qué la breve obra de Rossi, que al decir de Julio Ortega se lee como una biblioteca, predispone a su examen a la manera clásica, es decir, como el depósito de una preceptiva, de una legalidad y de una economía.

Los lectores de Rossi —y vaya que ha sido bendecido con buenos lectores— postulan leyes (como Adolfo Castañón*) o deducen un método, como lo hacen Carlos Pereda y Enrique Krauze*. Este proceder se desprende, en primer término, de la biografía del filósofo Rossi, un brillante alumno de José Gaos* en Mascarones que va al encuentro de Heidegger en Friburgo y de Gilbert Ryle en Oxford y que, tras sembrar la filosofía analítica en la universidad mexicana, comienza a mediados de los años setenta una segunda carrera, la del articulista que de texto en texto, se convierte en el autor del *Manual del distraído*. Es admirable en Rossi esa inusual naturaleza clásica que da puntual y magistralmente por terminada una tarea y emprende, en el mediodía de la vida y con ánimo de buena marcha, otra aventura. Y más allá de ese *estilo Rossi* que Luis Ignacio Helguera* desmenuzó a través de la agudeza de la observación, el cultivo del detalle, la reducción al absurdo lógico o "el arte de esconder líneas argumentales en la ficción y en el ritmo de la prosa", las encomiadas virtudes del *Manual del distraído* entusiasman por un segundo motivo: la felicidad con la que Rossi transitó de la filosofía a la literatura. Fue un trueque de atributos en que la segunda ganó el rigor de la primera y los tratados estudiados y enseñados durante un cuarto de siglo se convirtieron en el nervio imaginativo, en la temperatura moral de una obra. Como en ese otro hombre de varios mundos que fue George Santayana, en Rossi la filosofía, al no ser defraudada por la literatura, se convierte en la manera más perdurable de "inculcar hábitos más morales que intelectuales: modestia, espíritu lúdico, libertad interior, gusto por el riesgo", como dice la página del *Manual del distraído* dedicada a *Juan de Mairena*. Es con el libro de Antonio Machado con el que el de Rossi, a ratos, se mide.

El *Manual del distraído*, que abre las *Obras reunidas* (2005) de Rossi, es, qué duda cabe, un libro endiabladamente bien escrito pero no es solamente, una colección azoriniana de pequeñas filosofías o los camafeos de un miniaturista. Es un libro genuinamente liberal, el primero de esa naturaleza que se escribió en México en muchos años, un libro moral escrito en las condiciones adversas de un país entonces ajeno a la mayoría de las saludables rutinas democráticas, nación dividida entre el presidencialismo omnipotente y las pesadillas de una izquierda sofocada y sofocante. Las batallas que recorren el *Manual del distraído*, que son las batallas de *Plural* y de *Vuelta* —revistas inconcebibles sin Rossi— remiten a defensas que entonces no eran fáciles de hacer (la de Alexandr Solyenitzin), relativizaciones que resultaban impías (la de Salvador Allende y la Unidad Popular), la exposición de intimidades que agraviaban a cientos de personas (la vesanía de las autoridades migratorias mexicanas) o la profética condena de un optimismo revolucionario que se negaba a aceptar que "las purgas fueron nuestro terremoto de Lisboa".

No intento despojar al *Manual del distraído* de todo lo que tiene de literatura, de literatura pura inclusive, sino recalcar que la magnífica verificación profesional que lo distingue, aquella que maravilló a Salvador Elizondo*, fue precisamente la que permitió la postulación de Rossi como un clásico, autor de un libro que sabe esperar en el porvenir porque "la frase u oración que lo resume" implica todo un sistema de valores: "Leer mal un texto es la cosa más fácil del mundo; la condición indispensable es no ser analfabeto".

A lo largo y ancho de sus *Obras reunidas* Rossi despliega una resuelta actitud antirromántica, tomando posiciones contra los hechizados y los alumbrados, rechazando a la legión que vende milagrerías, al santón confiado al estatismo del trance religioso. La violencia latinoamericana, para Rossi, suele originarse en un error moral de origen franciscano, la creencia en que son las virtudes del alma las que "garantizan que *cualquier* organización social sea suave y bondadosa".

La demostración geométrica que brinda el ensayo nunca será suficiente: *Un café con Gorrondona* (1999) extrema ese antirromanticismo y lo traslada a la comedia literaria pues la corrosiva amenaza de la mala lectura necesita de encarnar en la fábula. En esos cuentos, que fueron escritos y publicados a lo largo de una década, batallan, no sólo por el alma de Rossi sino por la de casi cualquier escritor, los ya célebres Leñada y Gorrondona, creaturas que han escogido a la vanidad literaria como el primero de los campos de honor. Lo anuncia Gorrondona en uno de los últimos textos del *Manual del distraído*: "Escribir bien [concluía] es imposible. Supone la inmortalidad, ser un contemporáneo de todas las etapas del lenguaje, la única manera de comprenderlo a fondo. Un escritor vanidoso es, entonces, un artesano irresponsable, un suicida literario, un ignorante, una peste que no podemos tolerar".

La impostación de modestia que afecta a los personajes rossinianos (y fatalmente al propio Rossi, como dice Juan Villoro*) nos conduce a esos grandes sucesos de la historia ante los cuales el narrador se presenta fastidiado y abrumadísimo pero que son la amenazante atmósfera, la materia de la vigilia de *La fábula de las regiones* (1997). Pero para leer esos seis cuentos decisivos es menester la relectura de "Vasto reino de pesadumbre", esa página de ejemplar crítica literaria dedicada a *El otoño del patriarca* (1975) en el *Manual del distraído*. Al dialogar con Gabriel García Márquez*, Rossi traza la frontera entre lo que hubo de bueno y de noble en aquel realismo mágico y se detiene, enérgico, ante el despeñadero de sus facilidades y de sus cursilerías.

En ese ensayo lanza Rossi no sólo el plan a cumplir en sus cuentos venideros; da una lección que apenas alcanzará a comprenderse un cuarto de siglo después. La superación de lo real maravilloso no parece estar, como lo han creído algunos jóvenes escritores y muchos de quienes les venden sus novelas, en seguir expiando los pecados nacionalistas escribiendo sobre nazis, sino en despejar la hojarasca de la imaginación febril y de la enumeración caótica para localizar las verdaderas fisuras en la enigmática casa de la nación, como lo hace Rossi en *La fábula de las regiones*. Cosmopolitas no son aquellos que deambulan en gloria y majestad por los aeropuertos, sino escritores como Rossi y Elizondo, ejemplarmente concentrados en una conversación destinada a despojar a Rómulo Gallegos de todo lo que le sobra, para dar con la oblicuidad moral que su lenguaje oculta. La publicación de las *Obras reunidas* de Rossi, por ello, no sólo llena un hueco en la biblioteca mexicana sino abre la posibilidad de que una nueva generación reciba un magisterio antes disfrutado por unos cuantos elegidos.

La fábula de las regiones pareciera ser un libro escrito al margen del *Facundo*, de Sarmiento y de algunos episodios escogidos en las vidas de los caudillos y de los patricios hispanoamericanos, como si se tratase de sacudir un tomo de Rufino Blanco Fombona (por ejemplo) y dejar caer el boato cívico y la oratoria resentida para quedarse con lo esencial, exterminando toda la cháchara nominalista y dando algunas pistas sobre cuáles de nuestras fábulas habrán de evolucionar o de persistir. Si en el recuerdo que en *Cartas credenciales* (1998) dedica al asesinato de Hugo Margáin en 1978, Rossi se abstiene de mencionar, por desdén y por elegancia, el nombre asumido por los asesinos, ese procedimiento moral se aplica igualmente en *La fábula de las regiones*, cuyo horizonte es el siglo XIX y es el siglo XXI y cuyos personajes pertenecen a la Secta Bochornosa, al Colegio de los Historiadores, al Partido de la Unión, entidades poéticas sintetizadas tras un examen minucioso (y despectivo) de la historia y de su lectura. Esa América ecuatorial que es y no es la de Álvaro Mutis*, regiones que son y no son el México de las guerras de independencia como decía Paz, esas fábulas donde o se inventa la sombra o se inventa la patria, según dice Castañón, hacen de *La fábula de las regiones* un microcosmos que une separa a la pampa y al llano, como lo ha visto, finalmente, Julio Ortega.

La historia, como la vejez, tristea Rossi, es un pasado que sobrevive reinventándose y en esa tesitura *La fábula de las regiones* invoca la futilidad de las fronteras, la mirada insolente y estúpida del utopista redentor, la mente vacía del sicario a quien, antes que el tormento, un compendio de historia patria lo deberá preparar para el patíbulo, la montonera asesina y la mazorca infatigable, la ambigüedad de las soluciones sociológicas, la reescritura republicana de los mitos laicos, el involuntario nihilismo del tiranuelo o, simplemente, el tierno ayuntamiento entre un abuelo y la mujer de su nieto. Alternativos al imperio de lo real maravilloso, estos cuentos denuncian una dictadura estética basada en la contemplación del mundo como un milagro permanente, creencia romántica cuya clave de comprensión es esa religiosidad que Rossi parece rechazar en casi cualquiera de sus formas. Y en la decadencia ecuatorial de *La fábula de las regiones* creo ver, a riesgo de darle demasiadas vueltas al mundo (de Rossi), mucho de Visconti.

Nacido en Florencia de madre venezolana y de padre italiano, pasajero frecuente de los transatlánticos que hacían escala en La Guaira, alumno de los jesuitas en Buenos Aires y mexicano por elección, Rossi posee una biografía que sin duda lo califica como uno de esos escritores que habitan, con una naturalidad no exenta de amarguras y melancolías, aquella literatura mundial que soñó Goethe. Pero no es sólo en los sellos y en los visados de Rossi donde se explican algunos de los aspectos de una personalidad que apareció públicamente casi hecha, arrogante, alguien que alcanzó, valga la expresión, la madurez en la madurez. Más que en Gaos, su maestro, acaso se encuentren algunas luces en José Ortega y Gasset, el distante abuelo filosófico de Rossi.

"Lenguaje y filosofía en Ortega" es el último texto de *Cartas credenciales* y el ensayo que cierra, con toda oportunidad, las *Obras reunidas*. El ensayo tiene, para empezar, esa "plenitud de significado" que se encuentra en las mejores páginas del propio Ortega. Leyéndolo uno creería estar escuchando a Ortega hablando sobre Kant: un similar poderío sintético, una común familiaridad de expresión. Es lamentable que Rossi nos haya privado de otras meditaciones filosóficas de semejante calado. Como filósofo, además, Rossi fue educado en aquel respeto (y en ese desdén) de Ortega por el *genus dicendi* del tratado; al igual que a Gaos y que a Xavier Zubiri, a Rossi no le tocó la jefatura espiritual, que para ella estaban dispuestos el filósofo Ortega en España y el poeta Paz en México. En cambio Rossi ha dedicado su vida a aquellos hechos salvadores que Ortega identifica con "un hombre, un libro, un cuadro, un paisaje, un error, un dolor".

Ésos son los caminos orteguianos de la salvación laica, el trecho que lleva a un hombre hasta la plenitud del significado, que en Rossi han sido la defensa e ilustración de la universidad pública desde la cátedra, la investigación y el gobierno académico, la militancia en las revistas filosóficas y literarias, así como en su fe en la utilidad de las corporaciones del saber que el Estado mexicano ha sabido procrear y respetar.

En "Lenguaje y filosofía en Ortega" encuentro, también, esa forma peculiar de la reticencia que a mí, acaso mal educado en lo que antaño se llamaba "lucha ideológica", me desespera. No es éste el momento para hablar de Ortega ni yo soy la persona indicada para hacerlo. Juan Nuño, el hermano espiritual de Rossi, escribió en su día una descalificación de Ortega como filósofo de salón que, junto al elogio rossiniano, completa una circunferencia nada paradójica. Pero debo decir, a título de explicación de los mecanismos ensayísticos de Rossi, que me sorprendió que pasase por alto el silencio de Ortega ante el nazismo, silencio tanto más doloso en un hombre que se concebía como uno de los grandes filósofos de su tiempo y que tuvo oportunidad de recorrer, tras la segunda guerra mundial y en lastimosa procesión, el inmenso camposanto alemán.

Pero tan pronto tomé nota, me di cuenta que la respuesta parcial a mi pregunta había sido formulada pocos años atrás, en una página infrecuentemente violenta del *Manual del distraído*, en la que se le reclama a Ortega la chabacana comparación entre Italia y España, que le permitió dar por imposible, en 1926, toda posibilidad de fascismo español: "No me asombran [advierte Rossi] los malos profetas o las predicciones erróneas. Lo que sí me escandaliza es la irrelevancia de las premisas, la metodología fantasmal [...]"

Esas líneas, ese ir y venir a favor y en contra de Ortega en el que Rossi me involucró como lector, además de ser utilísimas para exorcizar a los demonios del nacionalismo y a los elogios crimonógenos del terruño, expresan la manera en que Rossi hace la circunvalación mayéutica de los sujetos que estudia o discute, amagando con fulminarlos para después, retirada táctica mediante, perdonarles la vida, condenarlos o darles su altísimo valor. Supongo que así piensa quien ha ejercido la filosofía: me consta que ése es el proceder de un clásico.

La imagen actual de América Latina en el mundo es lamentable y a la penuria secular de nuestras democracias debe agregarse la ignorancia y el desdén con que nos miran no sólo los estadunidenses sino la mayoría de los europeos. Salvo en aquellos temas que involucran al buen salvaje americano y a sus disfraces revolucionarios, todo lo que proviene de nosotros es visto, lo mismo en Washington, Roma y París que en Madrid, como la repetición gestual y el eco caricaturesco de lo europeo. Contra esa incuria está escrita una obra como la de Rossi, que en el ensayo y en el cuento, imagina una América Latina liberal y tolerante, republicana y mestiza, regional y cosmopolita, razonando en favor de ese Extremo Occidente que sigue siendo, a pesar de los pesares, no la vieja utopía en acto, sino el depósito de algunas de las más ilustres tradiciones modernas. Esa convicción proviene de la memoria del alma, propiedad filosófica que le permitió a un jovencísimo Rossi emprender una aventura en el orden de las acometidas por Huckleberry Finn: seguir a Borges por las calles de Buenos Aires.

Una novela. La novela autobiográfica de Rossi (*Edén,* 2006) ocuparía un lugar, si se tratase de colocarla en un mapa imaginario, a la vez cercano a *El solitario Atlántico* (1958), de Jorge López Páez* y contiguo a *Elsinore* (1987), de Salvador Elizondo. En el primer caso, Rossi creció en aquel México literario de los años cincuenta donde la búsqueda de la infancia perdida (y a menudo encontrada en el Edén subvertido provinciano) era uno de los horizontes novelescos a alcanzar, como ocurre en la mínima odisea del niño que López Páez lleva, de la mano de su padre, a conocer el mar. Pero el tiempo pasó y Rossi se concentró en otras cosas, en su formación filosófica y, más tarde, en la escritura de ensayos magníficos y de relatos singulares. Fue en *Plural* y en *Vuelta*, donde Rossi se encontró con sus estrictos contemporáneos, con narradores como Juan García Ponce* y Elizondo y al cabo de un tiempo largo, a sus 74 años, Rossi publica *Edén*, el libro donde delimita, lampedusianamente, el tamaño de su provincia, un mundo ancho pero no ajeno donde Florencia, Caracas, Buenos Aires siempre están al alcance de la mano. Mientras que Elizondo prefirió la máxima concentración poética e hizo de su infancia, en *Elsinore,* un solo episodio, fulgurante y onírico, Rossi se decidió por el romance, que en una de sus acepciones anglosajonas equivale al cuento de hadas. Alex y Félix, los hermanos que protagonizan *Edén,* viven esos años irreales o sobrenaturales que separan a la infancia de la adolescencia, de tal manera que, cuando el relato termina lo que comienza es la novela de formación.

"Vida imaginada" es el subtítulo que Rossi escogió para hacer hincapié en el carácter novelesco de un libro nobilísimo en cuyo elenco aparecen el padre distante y protocolario, la madre omnipresente y fatal, los maestros republicanos, el tío comunista o los discretos desterrados argentinos entre los que destacará Bettina, la mujer inolvidable en su carácter de iniciadora, en una escena cuya sensualidad, un tanto cinematográfica, es uno de los más señalados logros artísticos de *Edén*, una novela que otra época habría sido catalogada, a su vez, como una novela edípica. Yo preferiría asociarla a la meditación sobre el incesto como polo del amor, tal lo llamó Tomás Segovia*, otro de los contemporáneos de Rossi.

Los impertinentes hermanos Rossi en *Edén*, me recuerdan a los niños de *Otra vuelta de tuerca*. La comparación es caprichosa y probablemente insostenible pero así funciona la mente del lector de cuentos. Es como si a las infortunadas creaturas de Henry James, con su inteligencia sospechosa y su hipersensibilidad ante lo numinoso, les hubiese sido dada una segunda oportunidad y en vez del aya y de los fantasmas les tocara habitar en esa posibilidad de paraíso dibujada por Rossi en las mudanzas y travesías de una familia italo-venezolana, criollísima y europea. Y es que en las puertas del *Edén*, en ese gran hotel de invierno que no sólo es el derrotero de la novela sino su metáfora, parecen detenerse los horrores de la guerra, el mundo teatral de Mussolini, una y otra vez añorado y exorcizado.

Me es sugerente recordar que, en las memorias que James hubo de redactar en honor de su hermano William, el filósofo, como en *Edén*, la visita a los soldados heridos en los hospitales de campaña resulta ser la misma ominosa señal, no del todo percibida por los personajes, del fin de la infancia. La escena de James ocurre en Portsmouth Grove, al comienzo de la Guerra Civil estadunidense en 1861 y la de Rossi en Roma, con los mutilados de las campañas mussolinianas en Grecia. En ambos casos, en las antiguas trece colonias estadunidenses como en las familias criollas del sur, presenciamos el esplendor de un cosmopolitismo sin desarraigo y la ruina de una aristocracia republicana condenada a disolverse junto con sus refinadísimas formas de civilidad, manifiestas en la ilusión de una sociedad estable cuyos enigmas (como en las novelas policiacas que se leen en *Edén*) serían más propias del ajedrez que de la vida.

Esa nostalgia se manifiesta, en toda su plenitud, cuando Alex sueña despierto con el general Páez, su tatarabuelo y primer presidente de Venezuela, figura que podría entrar "vestido de gala, con la espada obsequiada por el rey de Inglaterra" en el salón comedor de alguno de los grandes hoteles en que transcurre, flotante, la vida del niño. Como en los poemas heráldicos de Borges, el romance familiar, esa gesta, indica el fin de un ciclo, a la vez histórico y literario, en el cual un escritor como Rossi tendría que ser el último de los brahmines. *Edén* es un libro sabiamente tardío, una paciente recapitulación, no sólo de una vida imaginada sino de medio siglo de prosa escrita en un México vocativamente abierto al mundo hispanoamericano.

In memoriam. Conversador universalmente exaltado, Rossi, entre las muchas cosas que hizo a lo largo de una vida plena que en mala hora se apagó el 5 de junio de 2009, practicó un género literario que el crítico francés Albert Thibaudet llamaba "la crítica hablada". A Rossi le interesaba todo lo humano (lo divino, agnóstico perfecto, le interesaba un poco menos) y esa avidez, esa apetencia, se apreciaba en su forma de concebir y de ejecutar una conversación privada. Su maestro José Gaos*, hizo, según las palabras de Rossi, de la hora académica una obra de arte. De manera similar, quienes frecuentamos a Alejandro supimos, que para él, la conversación era un arte que requería del concurso, de la complicidad. Pese a que Rossi, hablando, parecía abarcarlo todo y no dejar cabo sin atar, nunca se salía de su casa, tras más de tres horas de charla, con la sensación de haber sido cómplice o comparsa de un monólogo. Borges, decía Rossi, fascina, entre otras cosas, porque hace creer a sus lectores que son tan inteligentes como él. Así Rossi.

La conversación de Rossi se permitía la improvisación, la mala leche, las divagaciones, el comentario de la noticia política, la anotación al margen de un tratado filosófico, el interés sincero, a veces paternal y autoritario, otras veces camaraderil y solidario, en la vida de los otros. Siendo sincero y siendo egoísta, del trato cercano que tuve con él durante sus últimos años, me emociona recordar la generosidad con la cual se acordaba, si era oportuno, de mis pendencias cotidianas. *La República* de Platón, Heidegger y Husserl, el futbol italiano, las intimidades de Bolívar, el Acapulco del medio siglo, el ciclo histórico visto por Vico, las aventuras y las herejías del comunismo venezolano, *La montaña mágica*, las novelas de J. M. Coetzee, la vida literaria desde los tiempos de la *Revista de Occidente* hasta los de *Plural, Vuelta* y *Letras Libres*, el anuncio del verano levantino o el olor hipotético de Simone de Beauvoir, todo tema podía interrumpirse o postergarse si se trataba de crucificar a un vecino ruidoso, de conseguir el médico adecuado para un familiar atascado por un mal diagnóstico o de estudiar la opacidad matrimonial, de ponderar un fiasco, una mujer, un sentimiento recobrado.

Pero quiero regresar a la crítica hablada y mencionar uno de los temas que a Rossi le obsesionaban, el de ser contemporáneo de Borges y de Paz. No me refiero a lo que ya se sabe, a que Rossi estuvo entre los primeros lectores de Borges ni a que asistió a sus conferencias en el Buenos Aires de los tempranos años cincuenta ni a su amistad con José Bianco o a su admiración por Adolfo Bioy Casares, su héroe. Tampoco agregaría yo nada a su conocida condición de haber sido uno de los pocos amigos íntimos de Paz. Más allá del mundo, el siglo: me refiero a la convicción problemática, propiamente filosófica, que para Rossi entrañaba el ser contemporáneo cabal de un par de clásicos (en este caso Borges y Paz) que le exigían (a él y de manera vicaria a su interlocutor), la más cuidadosa de las atenciones.

Con ánimo comparativo y con afán de cartógrafo, a Rossi le obsesionaba, en Borges, la novedad absoluta y a la vez, el genio del anacronismo, la asociación entre una tradición inventada y la vanguardia como autobiografía. Frente a Borges, aparecía Paz, descifrando, con "el instante moderno", el acertijo horrible del siglo XX. Los libros ocupaban el tiempo de Rossi en una medida elástica, trascendental. Su lectura del *Borges,* de Bioy Casares, duró años y la última vez que lo visité, hace veinte días, seguía Rossi entretenido en el orden fatal y en la consecuencia ética, que de los detalles, de las anécdotas, se desprende. Así habrá ocurrido, sin duda, con sus lecturas de Benedetto Croce, de Eugenio Montale, de Ortega y Gasset.

Releyendo la página sobre Croce en el *Manual del distraído,* me ayudó un poco para definir contra qué fue escrita la obra de Rossi: contra el mediocre que se refugia en la actualidad, contra quien "se rodea de presente y duerme en paz". La liberalidad de Rossi, su liberalismo, nacía de no confudir lo que pasa por actual con aquello que debe ser lo contemporáneo. Hombre público y educador filosófico exigía, tras repudiar por principio a "las visiones catastróficas", una racionalidad que no podía sino ser, como la verdadera filosofía, universal. Esa universalidad presidió sus afinidades electivas y militantes: la creencia hegeliana en la racionalidad del Estado, la fe (quizá su única fe) en la universidad pública como proyecto de excelencia y civilización y el acento puesto en el liberalismo sobre la democracia, el escepticismo filosófico. Liberalidad originada en el ejercicio del entendimiento, virtud liberal que emana del *Manual del distraído,* publicado en una época quizá peor que la nuestra —los años setenta— en que se festejaba unánimemente a las dictaduras, a las perfectas lo mismo que a las imperfectas. Hay también un entendimiento literario en Rossi, la claridad con que dibuja el encuentro erótico entre un abuelo y la muchacha que podía ser su nieta o aquella en que registra (en otro relato de *La fábula de las regiones*) el drama hispanoamericano, oscilante entre la tiranía y el fanatismo. A diferencia de otros espíritus analíticos, Rossi (europeo de América y florentino, mexicano por elección y venezolano) no rehuía a la historia.

No quisiera yo dejar la impresión, empero, de que Rossi fue una especie de maestro socrático, sólo memorable por su mayéutica, porque no lo fue. La conversación, en él, se desprende de una obra y se justifica en ella, obra no tan breve y sustanciosa, escrita con maestría en casi todas sus páginas, ya sean ensayo, relatos o novela, las del *Manual del distraído, La fábula de las regiones* o *Edén,* para mencionar sus tres libros, en mi opinión, esenciales para la literatura del idioma. La fama de Rossi, tenida a veces por sectaria o iniciática, se esparcirá y en no pocos años a la leyenda la divulgarán nuevos, insospechados lectores.

Bibliografía sugerida

Obras reunidas, FCE, México, 2005. Incluyen el *Manual del distraído, Un café con Gorrondona, La fábula de las regiones* y *Cartas credenciales.*
Edén, FCE, México, 2006.

RULFO, JUAN
(Sayula, Jalisco, 1917-ciudad de México, 1986)

¿Quién fue Rulfo, el escritor condenado a protagonizar uno de los casos más equívocos y polémicos de la literatura contemporánea? ¿Fue el burro que tocó la flauta, una suerte de idiota en estado de gracia a quien la inspiración poética tomó con virulencia para arrojarlo exhausto, una vez escritas dos breves obras maestras, hacia la esterilidad? ¿O más bien fue un moderno excepcional cuyo atormentado temple ético le impidió volver a publicar, sabedor de que su mensaje había sido transmitido de una manera tan perfecta que cualquier redundancia hubiera ido en demérito de su posteridad? ¿Desde fines de los años cincuenta del siglo pasado Rulfo continuó escribiendo novelas y cuentos que acabó por destruir, insatisfecho, antes de su muerte, o en realidad no volvió a redactar más que escasos y vacilantes borradores, aplastado por la fama, requerido con urgencia por el mundo?

Al reino de Rulfo, clásico en vida, van llegando los biógrafos sólo para corroborar que no hay soluciones definitivas al esquivo misterio que entraña su obra. Leyendo las biografías de Nuria Amat, Reina Roffé y Alberto Vital, queda claro que el caso Rulfo se compone de tres problemas, íntimamente relacionados, pero distintos: la inspiración, la recepción y el silencio. En el primer caso, la trayectoria de Rulfo, antes de la publicación de *Pedro Páramo* (1955), provocaba una irritante suspicacia, como si hasta ese momento, su bien conocida biografía —no otra que la de un discreto escritor provinciano que triunfa en la metrópoli— fuese a todas luces insuficiente para explicar la genialidad de su obra. Las discusiones sobre la composición de *Pedro Páramo* exhibían la embarazosa sospecha de un Rulfo que en 1954 no habría sido capaz de culminar la novela sin recurrir al auxilio de Antonio Alatorre* y Juan José Arreola* o a la talacha del poeta Alí Chumacero*, su editor en el Fondo de Cultura Económica. Mientras que Arreola se desdijo de la famosa sesión en que él y Alatorre habrían resuelto el acertijo de las cuartillas rulfianas, Chumacero, quien hizo pública en 1955 su reticencia ante *Pedro Páramo,* ha preferido dejar correr la especie de que él fue para Rulfo lo que Pound para Eliot.

La investigación sobre el mecanuscrito de *Pedro Páramo* archivado en el Fondo de Cultura Económica ha demostrado que la versión entregada por Rulfo fue por entero obra suya y que los editores sólo corrigieron minucias. Creo que ya nadie duda del completo dominio de Rulfo sobre sus poderes artísticos, ese método cuyo "inquietante enigma" obsesionaba a Salvador Elizondo*, su viejo colega. Pero la suspicacia ha provocado que algunos de sus exégetas —Alberto Vital entre ellos— se desplacen hacia el otro extremo, proponiendo un imposible Rulfo angélico, etérea creatura rilkeana con una relación apenas accidental con la vida literaria, supuesto dueño de virtudes intelectuales de las que careció y que su obra no necesita. Esta hipótesis, paradójicamente, convierte a Rulfo, otra vez, en el "burro que tocó la flauta", según la expresión de Federico Campbell, la fuente más inteligente y comprensiva entre los amigos de Rulfo. Puesto que se había dudado de que fuese capaz de culminar *Pedro Páramo,* es natural que el propio Rulfo —como lo señala Reina Roffé— se obsesionase con la leyenda de su propia originalidad, llegando a asegurar —contra toda evidencia biográfica y estilística— que ni a Faulkner había leído antes de publicar *El Llano en llamas* en 1953.

Yo prefiero un Rulfo real, sometido a la determinante influencia epocal de Faulkner lo mismo que al venturoso accidente de haber conocido y leído a la chilena María Luisa Bombal, la autora de *La amortajada* (1938), su hermana en el estilo y el espíritu. Ese Rulfo, un joven escritor arropado por buenos amigos como Alatorre y Arreola, un lector voraz que en Guadalajara y en México va construyendo su obra con milimétrica precisión, me parece más lógico y simpático que aquella reconstrucción romántica que privilegia al genio sobre el hombre. Rulfo formaría parte de la legión de los poetas videntes, como yo lo creo, siempre y cuando se acepte que su inspiración proviene no sólo de la tierra nativa y de su ordinaria rotación, sino de ese mundo de los libros donde se alimentó profundamente de Halldor Laxness, Knut Hamsun o Jean Giono.

Muchos años después, en el cenit de su fama, Rulfo volvió a poner en duda de manera caprichosa o jocoseria, su propia autoría, declarando en la Universidad Central de Venezuela, en 1974, que su ya largo silencio literario se debía a la muerte de su tío Celerino, quien le contaba las historias. Lo curioso es que la *boutade* de Rulfo dio en el blanco y de inmediato aparecieron los previsibles gramatólogos dilucidando la tradición oral como fuente del milagro rulfiano. Ningún tío Celerino, de este mundo o del más allá, podría haberle dictado nada a Rulfo, un escritor, si se lee bien, escasamente anecdótico. Pero el asunto viene a cuento de la insistencia de Nuria Amat y de Reina Roffé en relacionar a Rulfo con Bartleby, el escribiente de Melville, ocurrencia, justo es recordarlo, de Arreola antes que de nadie. Creo que Rulfo sólo fue Bartleby en un sentido: él prefirió no hacerlo, es decir, prefirió no volver a escribir aunque se presentó rutinariamente, hasta su muerte, a la oficina de la literatura mundial.

El problema de la recepción, o de "la construcción de la fama pública", como la llamó Leonardo Martínez Carrizales en *Juan Rulfo, los caminos de la fama pública* (1998), se ha ido resolviendo de manera satisfactoria. Es mentira que Rulfo haya sido ignorado y a la distancia resulta sorprendente la rapidez con que la radical novedad de su obra se impuso, gracias a los empeños, justamente reconocidos por los biógrafos, de personalidades como Mariana Frenk, su traductora al alemán, o de Carlos Fuentes*, que lo dio a conocer en Francia.

En un principio, a Rulfo se le consideró como la coda o el holocausto del viejo realismo novelesco de la Revolución mexicana, cuyos hijos predilectos, los campesinos, gemían como almas en pena gracias al arte de

Rulfo, prueba del fracaso y de la inconsecuencia del régimen posrevolucionario. Y entre los gafes propios de las primeras lecturas rulfianas destaca aquel que hacía creer que en su obra "era el indio el que hablaba". Suponer que los personajes de Rulfo pertenecían a una generalidad llamada "indios" es una nota ilustrativa de lo poco que entonces sabían los universitarios de la ciudad de México (para no hablar de los extranjeros) de ese mundo indígena del que todos los letrados, cincuenta años después, nos sentimos especialistas. Los seres rulfianos son rancheros de viejo linaje castellano, como lo subraya hasta Nuria Amat, tan dada en su *Juan Rulfo* (2003) a caer en los habituales tópicos mexicanistas. Y pronto se supo, dada la frecuencia con la que Rulfo era encuestado, que los saldos bélicos de su narrativa correspondían más bien a la Guerra Cristera de 1926-1929, que al posterior fracaso del reparto agrario.

A la necedad sociológica de identificar al sujeto rulfiano con alguna de las creaturas de la Revolución mexicana, se sumó la dicotomía propuesta por Emmanuel Carballo* en 1954, en la que Rulfo representaría el realismo mientras que Arreola, su paisano y rival, encarnaría el polo fantástico en nuestras letras. Esa oposición, que hoy nos parece elemental y desencaminada, es consecuencia de esa angustia taxonómica que padecemos los críticos. Si bien es inexacto decir que *Pedro Páramo* es una novela fantástica, hoy día es leída como la obra de un vidente, el fragmento mítico que narra el trasiego entre el mundo de los vivos y el mundo de los muertos, donde Comala aparece como el limbo o una forma de paraíso infernal.

Ninguno de los biógrafos de Rulfo, demasiado atentos al peso desquiciante que la fama internacional tuvo sobre el escritor, se aventura a investigar la historia de su recepción universal. *Pedro Páramo,* a diferencia de otras obras hispanoamericanas, pronto cesó de ser asociada a alguna de nuestras ontologías nacionales. La novela se impuso universalmente, atravesando la historia y sus lenguas, pues Pedro Páramo, como lo advirtió Juan García Ponce* en 1971, es un personaje de la familia homérica y, como Ulises, al ser Nadie, reúne a un crisol de arquetipos. Y los excesos de una interpretación que despojase a Rulfo de toda particularidad se mitigaron al plantearse, como yo lo creo, que la universalidad de Rulfo proviene de su capacidad, sólo comparable a la de Faulkner, de retratar el mito del patriarca y de la destrucción de la comunidad agraria, herida del cuerpo civilizatorio que hizo legible el mensaje rulfiano en el mundo.

Abierta a todas las interpretaciones, la recepción de la obra de Rulfo plantea un problema biográfico que sólo Reina Roffé, en *Juan Rulfo, las mañas del zorro* (2003), toma en cuenta. Ni más ni menos que otros escritores célebres, Rulfo se sintió perseguido e incomprendido en la misma proporción en que se multiplicaba astronómicamente la rulfología. En su caso, pareciera que Rulfo se ninguneaba a sí mismo, hipersensible ante la angustia que le causaba la infertilidad. La vanidad herida, que en otros autores se cura (y se cura a medias) a través de la escritura compulsiva y la publicación incesante, en Rulfo se ahogaba en "rencor vivo".

Reina Roffé pone los puntos sobre las íes al denunciar la santurronería y el delirio persecutorio que ha caracterizado al entorno de Rulfo, recordando que "ante la idea de que los otros lo perseguían para señalarle sus fallos o se cebaban en él para mortificarlo y no dejarle vivir en paz, se fue alimentando la concepción, en cierta forma paranoica, de que existía una suerte de complot contra Rulfo para perjudicarlo. Todavía hoy se habla de la existencia de una recua de conspiradores que quieren dañar su memoria e impiden una auténtica valoración crítica de su obra, como si ésta no se hubiera realizado suficientemente. Sus panegiristas no hacen más que propagar la leyenda de un Rulfo víctima de la maledicencia, que tanto dolor le causó a él y a su familia, pues hizo de Rulfo un hombre angustiado, infeliz, cada vez más solitario [...]" (Roffé, *Juan Rulfo, las mañas del zorro,* 2003).

El silencio es el tercero de los problemas rulfianos y la meta ineludible de toda biografía. Rulfo es una de las víctimas más famosas de lo que Julien Gracq llamó "el escándalo Rimbaud", esa insuperable superstición moderna que vuelve mistérico el voto de silencio de un escritor o casi delictiva su imposibilidad de seguir alimentando las prensas. En otros tiempos no era infrecuente que el hombre de letras, como el cortesano o el hombre de fe, abandonase el siglo para morir en el monasterio o en el retiro campestre. Pero es inevitable que nuestra época, ávida en transformar al creador en una periclitable máquina publicitaria, se escandalice doblemente ante la renuncia rulfiana, pues desde el romanticismo estamos condenados a sufragar por la tríada maldita que Maurice Blanchot localizó en el silencio, la locura o el suicidio como destinos fatales del escritor.

Rulfo no fue un Rimbaud, el adulto joven que se desentiende de la poesía y va a ganarse la vida peligrosamente al desierto; tampoco fue un Hölderlin asilado en una torre a la buena merced de un carpintero, ni un Salinger herméticamente protegido de la codicia de una plebe de admiradores. El silencio literario de Rulfo fue un silencio mundano, ocurrido en una escena secular por cuyos aeropuertos y salas de conferencias se paseaba el alma afligida del ex escritor, atento a los murmullos de una clientela (entre la que se encontraba Juan Rulfo) que le exigía una perversa confirmación del milagro.

Nunca sabremos si Rulfo hubiese cambiado ese agridulce peregrinaje por una obra de buey (las cien novelas de Balzac según Jules Renard) sumada a los anticipos millonarios y la buena prensa pública del escritor contemporáneo. A cambio y acaso en contra de su voluntad, Rulfo se convirtió en la mala conciencia ambulante de una literatura mundial cebada en dólares y en causas justas, e impresionada, como dijo Augusto Monterroso*, por el "gesto heroico de quien, en un mundo ávido de sus obras, se respeta a sí mismo y respeta, y quizá teme, a los demás".

Todas las explicaciones son buenas para justificar su silencio: la inseguridad psicológica, la autocrítica feroz, el doble temor al fracaso y al éxito, la pereza, el alcoholismo y las desintoxicaciones... Puede creerse (en el fondo da igual) en un Rulfo-Penélope que destejía durante el día la escritura de la noche, o en un Rulfo-Sísifo que arroja la piedra de sus esfuerzos una vez llegado a la cima. Hay testimonios en ambos sentidos: algunos aseguran haber visto los borradores de *La cordillera* y de *Días sin floresta,* las míticas novelas desaparecidas, y hay quien dice que todo aquello está en *Los cuadernos de Juan Rulfo* (1994). La realidad es el silencio, la renuncia y cada lector de las biografías puede sacar sus conclusiones. Yo prefiero combinar el testimonio de la familia Rulfo con las palabras de Monterroso: Rulfo, pese a sus fantasías y a sus vacilaciones, supo ser esencialmente fiel a su convicción de que en *El Llano en llamas* y en *Pedro Páramo* había dicho lo esencial. Esa atormentada reticencia es, más allá de las contingencias existenciales que la motivaron, una lección de higiene moral.

De las tres biografías sólo la de Roffé cumple con la distancia ideal que, entre la admiración y la desconfianza, caracteriza al género biográfico. Al contrario de Roffé, para quien Rulfo, como cualquier gran escritor, administró su fama, escogiendo las mañas del zorro a la manera de la fábula de Monterroso, Alberto Vital prefiere enlistar acontecimientos que, no siendo desdeñables en lo absoluto, tienden a la construcción hagiográfica propia de las biografías autorizadas.

El caso de Nuria Amat es, en cambio, alarmante por la ineptitud con la que ella y sus editores prepararon un libro donde hasta los datos del orden turístico aparecen equivocados. Amat confunde el tequila y el mezcal, ignora que Agustín Yáñez*, como España, se escribe con ñ, deforma las ortografías de *Popocatépetl* y de *Ixtaccíhuatl,* habla de una "universidad de Mascarones" queriendo referirse a la Facultad de Filosofía y Letras de la Universidad Nacional Autónoma de México (UNAM) o hace creer al lector que los Contemporáneos escribían novelas urbanas, entre otras perlas que incluyen recurrentes equivocaciones en nombres propios y fechas. Junto a la supina ignorancia de México de la que Amat hace gala, en su *Juan Rulfo* menudean las opiniones semicultas, como la que convierte a su biografiado en Kafka y a su mentor Efrén Hernández* en su Max Brod, o aquella en que relaciona a Rulfo con el infortunado Sebald, por la relación de ambos con la fotografía. Queriendo dar de alta a Rulfo entre los grandes escritores planetarios, Amat sólo exhibe una golosa frecuentación del catálogo editorial vigente. Algún valor tiene, en cambio, el esfuerzo de Nuria Amat por desentrañar el historial psiquiátrico de Rulfo, su estancia en el manicomio de La Floresta y el efecto que la terapia electroconvulsiva pudo haber tenido en él. Pero ese y otros episodios de la vida de Rulfo deberán aguardar la confirmación documental.

Como a Dostoievski, a Rulfo le mataron a su padre antes de llegar a la madurez. Ese hecho capital hace suponer a Campbell que, una vez narrado y mitificado ese episodio en *Pedro Páramo,* Rulfo decidió detenerse, interpretación con la que concuerdo. Pero entre los acontecimientos recabados por sus biógrafos, tanto los legendarios como los inéditos, fueron pocos los que me interesaron, lo cual no deja de inquietarme en mi medida de lector asiduo de biografías. Quizá la respuesta esté en el descanso proporcionado por las *Noticias sobre Juan Rulfo* (2003), de Vital, una iconografía que nos permite volver una y otra vez a las hoy célebres fotografías de Rulfo, ese regalo envenenado que el escritor legó para contrariar la impaciencia de las generaciones.

Es imposible no mirar la obra fotográfica de Rulfo como una manera suprema y metafísica de responder al apremio del siglo con una dosis aún mayor de silencio. Esas fotos no describen ni ilustran su obra: nos permiten escuchar el silencio rulfiano. Rulfo, según el testimonio de uno de sus hijos, vivió atemorizado por el daño que sus propias palabras, dichas o escritas, pudieran ocasionarle. Fue en la geografía, en las iglesias desperdigadas por el llano o autorretratándose en la alta montaña, donde Rulfo se reconcilió con las vivencias de la guerra de religión, del Génesis y del Apocalipsis. Al dejar miles de negativos, ese hombre casi secreto abrió su mundo interior y nos permitió el raro privilegio de observar los paisajes del alma de un vidente.

Bibliografía sugerida

Obras. El Llano en llamas. Pedro Páramo. Otros textos. El gallo de oro. La fórmula secreta, proemio de Jaime García Terrés, FCE, México, 1986.

Los cuadernos de Juan Rulfo, edición de Yvette Jiménez de Báez, Era, México, 1994.

Martínez Carrizales, Leonardo, *Juan Rulfo, los caminos de la fama pública,* FCE, México, 1998.

Roffé, Reina, *Juan Rulfo, las mañas del zorro,* Espasa-Calpe, Madrid, 2003.

Vital, Alberto, *Noticias sobre Juan Rulfo,* Editorial RM, México, 2003.

Ascencio, Juan Antonio, *Un extraño en la tierra,* Debate, México, 2005.

García Bonilla, Roberto, *Un tiempo suspendido. Cronología de la vida y la obra de Juan Rulfo,* prólogo de Carlos Blanco Aguinaga, Conaculta, México, 2010.

S

SABINES, JAIME
(Tuxtla Gutiérrez, Chiapas, 1926-ciudad de México, 1999)

Durante las últimas décadas del siglo xx, Sabines fue nuestro Amado Nervo. Por algo más que la sonoridad y la facilidad de sus versos, algunos de ellos muy hermosos, fue un poeta nacional. Valery Larbaud definía esa figura como la de aquel escritor que las clases medias adoptan sin que por esa razón la república de las letras los descalifique. Al Sabines de *Horal* (1950) y *Tarumba* (1956), la crítica lo acogió con respeto, mientras multitudes de jóvenes sentimentales, ligados después de 1968 a la gran causa de la izquierda, agotaban las ediciones de sus libros y acudían procelosos a sus recitales. Pero atrás de la reputación de Sabines sus lectores toleraban, en calidad de mal menor y secreto de familia, una suerte de abuso sexual: su fidelidad al Partido Revolucionario Institucional (PRI). A partir del levantamiento neozapatista de 1994 esa complacencia se tornó muy riesgosa, pues Sabines no sólo era priísta, sino que la clase política y militar chiapaneca a la que pertenecía y a cuyos individuos había dedicado enternecidos poemas filiales, era no otra que el blanco de la protesta indígena. Sabines murió sin que su público digiriese una paradoja muy representativa del Antiguo Régimen de la Revolución mexicana.

Bibliografía sugerida
Otro recuento de poemas, 1951-1991, Joaquín Mortiz, México, 1991.

SADA, DANIEL

(Mexicali, Baja California, 1953-ciudad de México, 2011)

Una gran novela. En cada línea, en cada libro, a lo largo de ya muchos años, Sada ha resultado ser el hombre-novela de su generación. Pocos como él tan enamorados, con doloroso empecinamiento, de la forma, orfebre para quien —rareza entre los novelistas— cada palabra pesa en oro. Por esa razón, Sada es el autor de la novela más endiabladamente difícil de la literatura mexicana: *Porque parece mentira la verdad nunca se sabe* (1998). Es un libro que impone la soberanía del lenguaje al grado que, más que desear lectores, los invita al exilio. La verosimilitud de este infierno mexicano, el único escrito este fin de siglo, está más allá del fin y de los medios, de la política y de la ética, al manifestarse en un concierto de palabras, palabras sometidas a todas las acepciones y las declinaciones, donde sólo la apariencia es vernácula, pues estamos ante la más "artística" de las prosas. Sada cree, como tantos de los grandes poetas de la lengua, que el octosílabo es el metro natural de la expresión de la prosa castellana y, a lo largo de su obra, este novelista lo ha buscado (y redescubierto) al octosílabo de manera obsesiva y excéntrica.

A *Porque parece mentira la verdad nunca se sabe* se le ha reprochado su extensión. Tan sólo la consideración de ese reproche habla del desplome del culto a la novela entre nosotros. Y para sustentar ese desdén, que no crítica, habría sido necesario argumentar que, con otra economía formal, era factible escribir esta novela. Y Sada tuvo tanta necesidad de sus 600 páginas, como la tuvieron, al extenderse, Gertrude Stein en *Ser norteamericanos*, Thomas Wolfe en *El tiempo y el río* o Faulkner en tantas de sus libros, para no hablar de João Guimarães Rosa, su inspiración más querida. La extensión es el nervio de la retórica de Sada, capaz de asegurarnos que "vamos a adelantar un poco el tiempo, como si efectuáramos un viaje apócrifo, pero sólo con la mira de ver a vuelo de pájaro la retahíla de sucesos acaecida [...]", es decir, que la cantidad de escritura será inversamente proporcional a la sucesión nimia de los hechos.

El fraude electoral en Remadrín, pueblucho del norteño Estado de Capila, en una república llamada Mágico podría atraer al lector ávido de realismo mágico, la receta rutinaria. La trampa de Sada, en cambio, nos enjaula en una realidad dominada por un rigor becketiano donde el lenguaje inmoviliza la trama y congela a los personajes. Estamos ante el heroísmo de un novelista que no deja cháchara para el cretinaje, no en balde su tema es la prosaica inutilidad de tantos empeños ciudadanos. *Porque parece mentira la verdad nunca se sabe* es el Oblómov de la literatura mexicana, una odisea de la inmovilidad o una desiertología del tedio, donde cuanto hay de inverosímil en la esperanza ha sido pospuesto porque "lo más cercano a lo real es lo que debió ser".

Novela cuya traducción a otra lengua sería un reto titánico.[1] *Porque parece mentira la verdad nunca se sabe*, narra las malandanzas de un cacique, la aventura de los querellantes y de los esbirros entre la represión y la muerte, sus destierros fugaces en los Estados Unidos, los cadáveres en las cajuelas de los carros, la espera de un padre maldecido en el no-destino de Salomón y Papaías, sus hijos desaparecidos. Todo ocurre en la monotonía atroz de un viaje por el desierto durante los largos, oscuros y anodinos años del imperio del fraude electoral en México. Sada logró una hazaña retórica: escribir una novela política sin ideología... y sin política, donde las segundas intenciones morales o punitivas, realistas o mitofágicas están ausentes. La vesanía convoca a las palabras y éstas se lamentan como un aullido de campesinos viejos, como aquellos que en el desierto de Coahuila se abrazaban en círculo para entonar el melancólico canto cardenche.

Porque parece mentira la verdad nunca se sabe es una novela tan importante como lo fue *Al filo del agua* (1947), de Agustín Yáñez*. Mientras apunto esa semejanza me sorprendo, tanto por el ¿ingrato? olvido al que redujimos a Yáñez, como por la facilidad con que las conquistas extremas de Sada serán digeridas por el porvenir. Hemos olvidado las exigencias propuestas por Yáñez, porque José Revueltas* y Juan Rulfo* las tradujeron y las sublimaron. Y cerrando ese ciclo, Sada aparece como un autor que nos vuelve a arrancar de toda comodidad, en un fin de siglo donde reina, aun en las mentes más rigurosas, la tentación de la novela didáctica. Se nos recuerda, durante la lectura, que vivimos para escapar infructuosa-

---

[1] El reto lo cumplió Claude Fell al traducirla al francés con el título de *L'Odysée bárbare* (Passage du Nourd-Ouest, 2008).

mente de las palabras, esas sordas parvadas de pajarracos que sobrevuelan Remadrín.

No tengo por qué ocultar que varias veces estuve a punto de abandonar esta novela. O de caer en la tentación de saltarme párrafos, páginas, capítulos. Más que por el respeto que le tengo a Sada y a su obra, más que por ser consecuente con mis exigencias de escritura, persistí por remordimiento. Ante cada uno de mis fastidios y de mis incomprensiones, la palpitación de la obra maestra me sobornaba. Tenía que ver la trama de esa palabrería como quien se empeña en mirar al sol con los ojos. Cuando quedé felizmente enceguecido, las tinieblas, con otras formas y colores, ocuparon el vacío y apareció el sentido.

La obra de Sada, más allá de su novela maestra, es ya extensa. Comenzó con *Lampa vida* (1980) y con *Juguete de nadie y otras historias* (1985) y tuvo en *Albedrío* (1989) su primer libro importante, al que ha seguido, una saga urbana en la que Sada abandona el norte y sus desiertos: *Luces artificiales* (2001) y *Ritmo Delta* (2005). Sada, ha escrito Rafael Lemus, no es tanto "un narrador como una prosa. Llamarlo estilista es denigrarlo. Es uno de los formalistas más extremos del idioma, el más arriesgado de los mexicanos. Vale por su prosa y no es sencillo hablar de ella [...] En el origen de toda literatura hubo una disyuntiva: el habla o la escritura. El dilema palideció sin resolverse y ahora prevalece una prosa aséptica, acrítica. Se ignora el lenguaje popular y se escribe en un estilo literario ya domado, o se registra vana, torpemente, el murmullo de las calles. No hay tensión salvo en unos pocos escritores. Sada escribe atado a ese problema originario, sopesando la carga popular u oculta en cada palabra. Acude a un narrador cervantino, especulativo, que reflexiona en voz alta sobre la raíz de cada frase. Funde lo norteño y lo académico en una prosa única, tan lejana de una fuente como de la otra. Una prosa intelectual, insólitamente consciente. Una prosa tensa, la más lenta del idioma. Una prosa humorística que experimenta, por fortuna, desde la parodia. Mérito mayor: ser un estilo. Sada es eso: una prosa, un ritmo, una manera de especular sobre el lenguaje. Basta leer una de sus páginas para reconocer su estilo. Es tan particular que no es difícil anticiparlo".

Sada, en *Parece mentira porque la verdad nunca se sabe*, me dejó rendido, ante el poder de su arte. Él, menos que nadie, podía olvidar la suprema eficacia de un final perfecto. Ahuyentados por un ejército de fantasmas, Trinidad y su esposa huyen de Ramedrín hacia un verdadero hogar. Dejan clavado en la puerta un recado, indicándoles a sus hijos, desaparecidos políticos, dónde los esperan, porque están ciertos de su retorno. Si *Pedro Páramo* escenificó la fulminación del padre, medio siglo después, Sada certifica la fuga sin fin de los hijos, condenados a errar tan muertos como esas palabras que les dieron vida y que vuelan por los desiertos en ese recado destinado a palidecer, empresa del lenguaje al fin y en principio.

La prosa inconfundible. Dueño de una prosa que lo vuelve el más inconfundible de los narradores de la lengua, Sada pasó, durante la última década, por una serie de pruebas de las que ha salido fortalecido, como el artista verdadero que es, como se corrobora con *Casi nunca*, su último libro. Tras escribir *Porque parece mentira la verdad nunca se sabe,* una novela emparentada con las grandes creaciones idiomáticas de José Lezama Lima, Guillermo Cabrera Infante o João Guimarães Rosa, Sada publicó un par de novelas autoparódicas, desenfocadas (*Luces artificiales, Ritmo Delta*), volvió a la novela corta (con *La duración de los empeños simples*, 2006) y publicó, lo cual no es irrelevante para leerlo, un par de libros de poesía (*El amor es cobrizo y Aquí*) que nos recuerdan que sus creaciones verbales se nutren del verso, de la poesía en verso.

Casi nunca es un estudio de la vida de provincia y una novela erótica. Es la más clásica de sus novelas, si ello puede decirse, pues, no hay nada más parecido a una novela de Sada que otra novela de Sada. Ese sello inconfundible es algo más que estilo, como lo ha dicho Rafael Lemus. En *Casi nunca,* además, se propuso aligerar el caudal de su prosa y controlar su ritmo, privándose con una disposición más ascética, del embeleso de poeta con que escucha sus letanías.

El gran tema de Sada es la provincia y las suyas (no sólo *Porque parece mentira la verdad nunca se sabe* sino *Albedrío* —1988— y en menor medida *Una de dos*, de 1994) son las novelas que sobre ese vasto mundo pueden ofrecerse al lector tras las de Agustín Yáñez, Juan Rulfo, Juan José Arreola* y Jorge Ibargüengoitia*. Sada, desde luego, escribe sobre la provincia como sólo se puede hacerlo a caballo entre dos siglos, ofreciendo ese Barroco en el desierto del que hablaba Roberto Bolaño* al elogiarlo. Es curioso lo ocurrido en el último cuarto de siglo: los entonces llamados "narradores del desierto", prediciblemente vistos como bárbaros, se volvieron los clásicos y la suya, la regla más carismática, la que a más vocaciones recluta. Cierta justicia sociológica se ha impuesto en la imaginación literaria de México y tras Sada, Jesús Gardea*, Eduardo Antonio Parra* y ese extraño visitante que fue Bolaño, ha sido el Norte desértico, violentísimo y a su manera hipermoderno, el escenario de las narraciones más memorables antes que el sur indígena y sus mitologías o la ciudad de México, asunto inabarcable

He hecho, estos días, el ejercicio de leer *Casi nunca* comparando la novela con las de Yáñez, Rulfo, Arreola, Ibargüengoitia. Como Yáñez, Sada es un prosista versicular y algo hay en *Casi nunca* del Cantar de los Cantares. Es muy sugerente leer un párrafo de *Al filo del agua* (1947) junto con otro de *Casi nunca*: un tiempo verbal sigue a otro como un planeta que cumple su rotación. Los asuntos de Yáñez ocurren en el presente y lo de Sada, por lo general, acaba de ocurrir pero ambos son profetas del pasado y autores de otra *Rusticatio mexicana*. Uno y otro intercalan lo vernáculo con lo poético: ambos han enriquecido el acervo léxico y el orden de las oraciones, sometiendo a la respiración de nuestra lengua literaria a una exigente prueba de resistencia. Las razones, buenas y malas que se aducen, perezosamente, para no leer a Sada, no son muy distintas a las que han condenado a Yáñez: son escritores exasperantes, maniáticos, "artificiales" en el sentido en que sólo puede serlo el alma barroca.

Sada es, por otro lado, un lector de Rulfo a la altura de las exigencias que *El Llano en llamas* y *Pedro Páramo* impusieron. Si Rulfo hizo una criba mágica de un lenguaje rural, ranchero, castizo (y no indígena como lo siguen diciendo algunos despistados), Sada comprendió, desde el principio, que siendo absoluta la capacidad sintética de Rulfo, por ese camino ya no podía irse más lejos y tomó una decisión que, alejándolo de los lectores menos exigentes, le franquearía el reino de la excepción: donde había unidades estrictas, susurros, reabrió la cauda del lenguaje.

Desde luego que Sada no es sombrío ni honda, radicalmente trágico como Rulfo y carece de la ligereza, de la *nonchalance*, de Arreola. Si se lee *Casi nunca* junto a *La feria* (1963), la "novela" arreoliana que solemos evitar, uno comprueba que lo que en Arreola es carnavelesco, es decir, una interrupción vacacional y finita del orden del mundo, en Sada es una eternidad en el infierno.

Sada es pesado como pocos prosistas. Y eso se prueba con sus poemas: nunca se mueven, son como espantapájaros. Pero supera a Ibargüengoitia, no por el humorismo sino por la piedad, el conocimiento, la ternura con la que se refiere a la provincia y a los provincianos, a su estrechez de miras, al infierno grande en pueblo chico y a la asfixia de la inmensidad desértica: enclaustrado en la vastedad, Demetrio Sordo, el héroe de *Casi nunca*, huye de los remotos ranchos que administra y reconquista el universo ilimitado de la alcoba sexual. Ibargüengoitia traza, es un caricaturista y Sada, cuando le atina en el humor y no se limita a ser chistoso, nos devuelve a la inocencia medieval del cine mudo. Es cosa de ver, en *Casi nunca*, los enredos provocados por el ocultamiento, robo o despilfarro del dinero.

El mundo católico de las apariencias que es materia cómica en *Casi nunca*, habría sido, para un Ramón López Velarde, una cura de mercurio antirromántica y antimelancólica. Sada no cree que la provincia sea un estado anterior a la urbanidad y eso que *Casi nunca* ofrece la textura, documentada y discreta, de una novela con fondo histórico que transcurre en Coahuila en los años de industrialización posteriores a la segunda Guerra Mundial, en los cuales Demetrio Sordo busca su pequeño, ordinario, destino. Pero siendo histórica, *Casi nunca* no es una obra anacrónica porque a su autor le interesa desentrañar "la esencia del hombre", según decía un elogio de Sada firmado por Álvaro Mutis* que no había yo comprendido, juzgándolo rimbombante y que ahora entiendo, al abordar su novela erótica.

La decisión del agrónomo Demetrio Sordo de ir al burdel y su relación con Mireya, la prostituta, ocupa la primera mitad de *Casi nunca* y es un himno genital, petroniano, como los hay pocos en la narrativa mexicana, bastante más pudibunda de lo que creemos. No abundan entre nosotros las novelas eróticas y las que escribió la generación anterior (como las de

Juan García Ponce*) están situados bajo el imperio de la transgresión, obediencia que a Sada le es ajena. Sada no es sadeano: las mil y un vueltas al coito que se verifican en *Casi nunca* pertenecen al dominio de la libertad aliviada, gozosa, de los otros libertinos, aquellos que encontraron en la naturalidad del sexo, sin dejarse ensombrecerse por la rueda de las torturas o por el amedrentamiento romántico, la única actividad que justificaba nuestra corta temporada en el mundo.

Demetrio Sordo abandona a Mireya en el autobús, tras colocarle, un manojo de billetes en el busto, dormida como está y luego Sada resiste como los grandes la tentación de hacer reaparecer a Mireya en la vida de Demetrio. Hasta ese punto, la historia es tradicional. Siendo una cosa el burdel y otra el matrimonio, el héroe decide sentar cabeza y someterse al lento asedio que de Renata, su novia de pueblo, debe culminar, sometido a los escrúpulos que su futura suegra organiza para atrapar al galán.

Casi nunca es, a la vez, un estudio del sexo y del decoro, que van juntos, aunque se nos olvide. Tanto desean y tanto aman la puta Mireya como la recatada Renata y el final feliz de la novela está en el triunfo de la naturaleza, digámoslo así, sobre la sociedad: "el sexo-motor, el sexo-angustia", gobernará la alcoba del nuevo matrimonio tanto como iluminó la habitación del burdel. Es Renata quien anuncia y propone la sacralidad del sexo, convirtiendo a una novela de provincias en una novela libertina: es la otra cara de la urbanidad, la verdadera ciudadanía, el reino del cielo que puede ocultarse tras la puerta del vecino. Busco en la *Historia ilustrada de la moral sexual*, de Fuchs, alguna idea que me sirva para resumir el desenlace de *Casi nunca* y la encuentro en una cita de Abraham de Santa Clara, un predicador barroco austriaco que se anticipaba a la frigidez atribuida al mundo burgués: "Si antes, al mirar el lecho nupcial después de la noche de bodas, parecía como si un par de osos se hubiesen estado peleando, apenas se reconocen hoy las huellas de un pollo sacrificado".

Bibliografía sugerida

Porque parece mentira la verdad nunca se sabe, Tusquets Editores, México, 1998.
Casi nunca, Anagrama, Barcelona, 2008.

SALAZAR MALLÉN, RUBÉN
(Coatzacoalcos, Veracruz, 1905-ciudad de México, 1986)

Poco antes de morir, Salazar Mallén atrajo la curiosidad y el respeto de algunos escritores jóvenes. Las generaciones anteriores a la mía miraban con desdén o sorpresa la fascinación provocada entre nosotros por un escritor que algunos creían muerto o jubilado gracias a la justicia del olvido. Quienes nos acercamos a Rubén no fuimos tras un descubrimiento literario. Recibimos el llamado de una leyenda equívoca. Salazar Mallén pospuso su muerte unos años para vivir el calor y la fantasía de un último cenáculo. Salazar Mallén era hemipléjico. Los hombres que sufren la desgracia del defecto físico a menudo escogen entre la vergüenza y la provocación. Rubén se vanagloriaba de su cuerpo de svástica y con esa actitud decidió merodear por la literatura mexicana como un lobo solitario, desdeñoso de las sobras del banquete y dispuesto a contagiar la rabia.

El hombre que quisimos sabía introducirnos en una astrosa borrachera que venía desde los años veinte, explicaba la obvia complicidad de la señora Modotti en el asesinato de Julio Antonio Mella o volvía, obsesivo, sobre la figura de su amigo Jorge Cuesta*. A veces, Rubén perdía la compostura y reclamaba de mala manera la querencia de las mujeres. Aquellos escándalos tardíos de Salazar Mallén eran algo más que la tragedia viril de un viejo verde, pues así se llamaba él mismo. En su pasión por una vida artificial de alcohol y sarampahuilas tronaba su necesidad de existir más allá de la prudencia biológica o del decoro intelectual.

Salazar Mallén representó para nosotros la evocación fantasmal de un mundo de cantinas con meadero junto al mostrador y aserrín en el suelo. Pretendía alarmarnos con el tufo de viejas conversaciones políticas de peluquería, cuyos giros de ultraderecha no asustaban a nadie, pero lograban encarnar a ese México oculto por las campañas de desinfección de la modernidad. Rubén era el periodista dipsómano, el hombre de todos los burdeles, el mexicano fracasado y resentido, amargado y feroz, cuya tarjeta de visita, si la tenía, era rechazada por el poder y el dinero, la izquierda y la derecha. Su leyenda escenificaba el Mal en su mexicana manera, una irritación incesante, que se las arreglaba para sobrevivir en el páramo de una literatura podada por la difusión cultural del Estado, las claridades democráticas recién asumidas y doblemente sospechosas, los reconocimientos protocolarios y las deserciones vergonzantes. Salazar Mallén aparecía como la mala hierba inmóvil en el jardín del Progreso, ya inofensiva pero aún hostil. La historia de Salazar Mallén fue la de un escritor marginal. Tras los años setenta el término *marginal* conservaba todavía algún prestigio político y cultural. Entre la marginación existencial de Rubén y la que pregonaban los hijos o nietos del 68 había una diferencia radical, pero él y sus jóvenes amigos acordamos evadir el equívoco. Salazar Mallén presentaba su vida como un fracaso hondamente asumido cuya divisa fue la pobreza y la leperada. Cuando le llegó el reconocimiento de los jóvenes y de las instituciones, Salazar Mallén no pidió perdón, no se desdijo de la atrabiliaria incoherencia de su trayectoria intelectual, ni pidió sillón en la academia. Agradeció que lo quisieran como era, y como había sido murió. Ya José Emilio Pacheco* señaló esa última bofetada de Salazar Mallén contra una posteridad que no deseaba y que probablemente no tenga: Rubén murió el mismo día que Borges, retirándose en soledad, por la puerta trasera, lejos de las luces del siglo [...]

Entre la obra tan vasta de Salazar Mallén, *Soledad* (1944) nos devuelve la confianza en su palabra de escritor. Aquiles Alcázar, en cuyo nombre se combinan la fuerza y la debilidad, es un lisiado existencial. El protagonista de *Soledad* es un burócrata de estirpe gogoliana que aguarda en el zócalo de la ciudad de México a unos compañeros de trabajo con los que deberá tomar una excursión a Cuernavaca. Ello no ocurre. Mientras espera, esa criatura del subsuelo rumea su amargura. *Soledad* es un texto hermoso y patético, el remanso que Salazar Mallén se tomó entre los tragos, las fiebres ideológicas y los boxeos de sombra. En ese relato supo olvidar al político y al mendigo, a la prostituta y al morfinómano. Escribió entonces esas líneas melancólicas, fruto de la certidumbre del desamor, recuerdo de la provincia perdida y denostación de la ciudad podrida. Gracias a *Soledad*, Salazar Mallén pudo librarse de sus fibras más tóxicas y se permitió mirar los volcanes, quitarse de la espalda la lápida del odio y soltar la pluma unos minutos para tristear. Fue sólo un instante. Extraña que no haya quemado *Soledad*, pues la furia lo tomó de nuevo.

Salazar Mallén vive en el infierno de la cultura mexicana como un demonio maltrecho y procaz, elegido en un aquelarre de escritores olvidados, reunidos para combatir a los otros, a los amados, a los hijos privilegiados del estilo, a los que han vencido. Allá lejos sigue escribiendo su comedia atroz, representando a los condenados, él, viejo cabrón de la svástica y la carcajada (*Tiros en el concierto. Literatura mexicana del siglo v,* 1997).

Bibliografía sugerida

La sangre vacía, Oasis, México, 1982.

El paraíso podrido, Universidad Autónoma del Estado de México, Toluca, 1987.

Camaradas, Soledad, prólogo de Christopher Domínguez Michael, Conaculta, México, 2010.

SÁNCHEZ, JOSÉ EUGENIO
(Guadalajara, Jalisco, 1965)

Entre mis defectos (neofobia, misoneísmo) está el aburrirme con lo que pudiendo decirse en letra impresa, se dice de otra manera, lo cual no quiere decir que me atreva a declarar que esto o aquello "no es poesía". Por ello, de Sánchez me atrae poco su vertiente de videopoeta e instalacionista y me impacienta esa onda (que viene de *El topo*, de Alexandro Jodorowsky y del *spaguetti western*) tendiente a amalgamar al *hippie* y al *cowboy* en un solo personaje, a la vez místico y pendenciero. Hay en Sánchez, finalmente, una vocación por el grafiti como el pasado absoluto, pétreo, de la poesía, lo cual me parece sensato, siempre y cuando se tenga presente lo dicho por el también poeta Heriberto Yépez*, quien confesó haber dejado de grafitear, en su Tijuana natal, cuando descubrió que cabía mucha, mucha más poesía, en una hoja de papel que en una pared.

En cuanto a los poemas tradicionales de Sánchez, aprecio varios de los reunidos en *Escenas sagradas del oriente* (2010), suma de su poesía. Me gustan porque de novedad no tienen nada, porque si no viejos, son piezas de madurez, en el entendido de que tanto el poeta como yo estamos cerca de los cincuenta años y a veces la nostalgia por los años sesenta es mayor en los hijos que en los padres. Tan es así que Sánchez le dedica su homenaje a Mick Jagger a su propio padre, gesto expresivo de que entre cierta gente y en algunos lugares, la llamada lucha de las generaciones se resolvió ante un penate.

Aquello que en Sánchez queda de sus lecturas (supongo) de e.e. cummings, su poesía sentimental y baladosa, eco de la despreocupada vida urbana emprendida aquí y allá al terminar la adolescencia, alimentó mi certidumbre de que "algo de poesía hay en todo esto", como lo dice el propio poeta al terminar su retrato de la prostituta en Los Ángeles. A Gonzalo Rojas, el recientemente fallecido superpoeta chileno que tan bien se entendía con sus poetas-nietos, le gustaban los poemas de Sánchez. "Tiene su don de pintor, a la vez discreto y recordable", me dijo alguna vez queriendo corregir mi desaprobación.

Escenas sagradas del oriente se refiere menos a la *Ladera Este* que a la vaca sagrada destazada, a título de índice, por Sánchez. Según sus editores (y para algunos de sus críticos) no es poca cosa lo propuesto por este poeta. Se le anuncia como portador de toda una gama de operaciones prestigiosas y desmesuradas, capaces de liquidar "las mitologías más desgastadas de la poesía solemne" y de "sabotear" a la cultura *pop,* pues lo "pospoético", creyéndose dueño de una ironía infusa, pareciera capaz de deconstruir todo lo que ya está deconstruido.

A mí, educado en la rutina de que un libro lleva a otro libro, tras leer a Sánchez se me ocurrió releer a quien debe estar entre sus autores de cabecera, a Ricardo Castillo (también nacido en Guadalajara pero en 1954), reconocido como el maestro practicante de lo que llaman actualmente "poesía multidisciplinaria". Algo de eso vi en YouTube pero me concentré en releer el *El pobrecito señor X. La oruga* (1980), de Castillo, un clásico confirmado de la poesía mexicana de los años ochenta. Me gustaron varios poemas, los más obvios, los más declarativos, los menos poéticos. No es una poesía de la rebeldía sino de la familiaridad: escenifica al joven poeta, con su sexualidad, imponiéndose sobre su familia, sobre su territorio. Sánchez, en cambio, no juega al sincero, adepto a la faramalla del tipo duro obligado a mirar las cosas a la manera del realismo sucio de las imágenes sin creer del todo en su dominio. El Sánchez más convencido de sí mismo es el sentimental, pero no padece de esa gravedad adolescente que encontré, en mi relectura, en la segunda parte del primer libro de Castillo, la titulada "La oruga", en la que el poeta viaja, dantesco, en busca de sí mismo a través de una selvática magia urbana que hace veinticinco años me amuebló la cabeza y de la cual me queda poco.

Sánchez no es sentencioso como lo fue el primer Castillo. Prefiere pintar y pinta dos o tres retratos femeninos, desesperados e histéricos, que eran, si recuerdo bien, los que le gustaron a Rojas. Concluyo: la idea del poeta como bufón, dueño de una escena más propia del cabaret (o del congreso pospoético) que del concierto de *rock,* remite a la recitación. En ese registro, Castillo o Sánchez están entre nuestros poetas antiguos, verdaderos bardólatras, más ansiosos de ser vistos y escuchados que de ser leídos.

El poema central, el que le da título al libro, aparece dispuesto a la manera de un *comic-collage* y se ocupa, en versión bilingüe inglés/español, de las vacas. Concediendo que los dibujitos son graciosos, el poema apenas se puede leer en el formato libro dada la tipografía diminuta y la impresión en blanco y negro. Quizá se podría apreciar mejor expuesto o instalado, como lo estuvo en 1973 el "Poema circulatorio (Para la desorientación general)" de Octavio Paz* en el Museo de Arte Moderno de la ciudad de México. Yo lo vi y me impresionó, a mis once años, que un poema pudiera leerse caminando. Pero con lo comenzado por Dadá y heredado por las vanguardias, siempre pasa lo mismo: habiendo funcionado una vez, reciclado es, en el mejor de los casos, un juguete viejo y en el peor, academicismo.

Alegraron la vida del siglo los *Caligramas, Li-Po y otros poemas*, los *Topoemas* y hasta algo de la poesía concreta. Cuando me topo con la manita LOVE de Paz, se me endulza la tarde, pero todo ello fue, ni más ni menos, un lujo gráfico, irrepetible, que se dieron los poetas decisivos, el "tegumento" (para utilizar un tecnicismo histológico importado por algunos críticos de poesía) de un cuerpo, una superficie localizada y finita. No sé si Sánchez le augure a la "pospoesía" el abandono de la singularidad de los alfabetos. Pero a quienes así lo desean, les reprocho su desdén de la suprema abstracción que puede permitirse la literatura: lo escrito inscrito está, letra tras letra, en blanco y negro, leído en silencio.

Bibliografía sugerida
Escenas sagradas del oriente, Almadía, Oaxaca, 2010.

SEGOVIA, FRANCISCO
(Ciudad de México, 1958)

Hijo de la cuentista Inés Arredondo* y del poeta Tomás Segovia*, Francisco Segovia percibió tempranamente que debía administrar su rica (y no menos asfixiante) herencia no a la manera de los escritores románticos obsesionados por la singularidad del artista, sino como aquellos músicos felizmente resignados a ser un eslabón más en una familia de artesanos. Por ello es el oficio, entendido como dominio de una técnica y como trabajo bien hecho, su característica más notoria. Ese oficio se expresa mejor en sus ensayos que en sus cuentos y poemas, como si la crítica fuese la estancia más apropiada para llevar a cabo ese diálogo con las familias literarias (la propia y las ajenas) que lo define.

Sin alardear, con los escrúpulos del artesano antes que con la jactancia del heredero de un linaje literario, Segovia ha ido publicando, a lo largo de los últimos veinte años, varios libros de ensayos. Algunos de ellos permanecen muy cerca de mi corazón de lector. Es natural que así sea pues es en la obra de los autores de nuestra propia generación donde encontramos a menudo ese álbum que asocia la educación sentimental con la formación intelectual. En ese orden, entre *Ocho notas* (1984) y *Sobre escribir* (2002), pasando por *Retrato hablado* (1996) e *Invitación al mito* (2001), he leído notables páginas suyas, como las dedicadas a Elias Canetti, a Cesare Pavese, a la epopeya de Gilgamesh y, en fin, a la historia literaria y a la morfología mitológica de los vampiros y otros monstruos. A esa última clasificación pertenece *Jorge Cuesta: la cicatriz en el espejo* (2004), el más extenso y personal de sus ensayos.

Es imposible no insistir en la posteridad reparadora y paradójica de Jorge Cuesta*. Si su muerte fue asunto de la nota roja —como lo lamentó Gilberto Owen en 1942—, Cuesta cumplió su centenario con una nueva edición de sus obras completas —la tercera en cuarenta años— y en calidad de centro de una maquinaria académica y bibliográfica que va de lo sublime a lo ridículo, incluyendo toda clase de lecturas políticas, interpretaciones retóricas e indagaciones psicoanalíticas, como si la *cuestología* se hubiese convertido en una aduana indispensable de nuestro saber literario. Y tras *Primero sueño*, de sor Juana, y *Muerte sin fin*, de José Gorostiza*, el *Canto a un dios mineral,* de Cuesta, va camino de convertirse en el poema mexicano que mayor atención hermenéutica suscita. A ese extraño poema se le puede emparentar con Heidegger y los presocráticos, aunque, como el propio Segovia lo reconoce, las lecturas filosóficas de Cuesta, como las de Gorostiza, se hayan dado esencialmente a través de Ortega y Gasset y de José Vasconcelos*. Casi todos, en fin, hemos contribuido a edificar el laberinto donde buscamos a Cuesta, postulado una y otra vez como el primero de nuestros modernos, el inesperado clásico que le otorgó un nuevo sentido a la literatura mexicana.

Segovia da comienzo a *Jorge Cuesta: la cicatriz en el espejo* recapitulando las aventuras del escritor en el bosque del gusto, partiendo de aquella exclusión de Cuesta de *Poesía en movimiento* (1966) que Octavio Paz* se vio obligado a justificar de manera un tanto equívoca. Y apoyándose en los libros previos de Louis Panabière (*Jorge Cuesta: itinerario de una disidencia,* 1983), de Nigel Grant Sylvester (*Vida y obra de Jorge Cuesta,* 1984) y de Alejandro Katz (*Jorge Cuesta o la alegría del guerrero,* 1986), Segovia recoge y expone varias tesis, que pueden o no gustar, pero que tienen la virtud de ser, en mi opinión, las cuestiones decisivas. Expositor académico en la correcta acepción del término, dotado de una seductora paciencia para desarrollar sus argumentos, Segovia se pronuncia sobre la predisposición cuestiana a ponernos a jugar al huevo y la gallina con la crítica y la creación, a la tensión asumida y no resuelta entre el canto de Nietzsche y el método de Valéry, a la escritura de una escritura confiada a la crítica antes que al canon y un no tan largo etcétera que concluye proponiendo que Cuesta, antes que la encarnación de un destino, escenificó un carácter.

Segovia entiende por *carácter* lo que, según él, define el taoísmo como tal: una condición permanente que aparece ya configurada en el mundo y no un destino proyectado a la manera judeocristiana, es decir, como resultado de una encarnación cincelada a través de un tiempo que no puede ser sino histórico. A diferencia de otros exégetas, que habíamos tratado de hacer equilibrios circenses entre la cuerda sobre la que Cuesta escribe y el vacío al que se arroja, Segovia escoge categóricamente. Para él, Cuesta es uno solo, un carácter monista que incluye al poeta hermético, al crítico literario, al moralista público, al escritor maldito y al más triste de los alquimistas, al hombre del rigor mental y al suicida que se mutila, al *cuerdo* y al *loco*. Si existen contradicciones en Cuesta, como lo admite, éstas sólo son argumentos destinados a presentar, en toda su armoniosa complejidad, a un monstruo enviado al mundo ya hecho, fatal e imperfectible.

En el último cuarto de siglo Cuesta pasó de ser "el único escritor mexicano con leyenda" a convertirse en la contraprueba del canon nacional. A la distancia, como testigo y cómplice de esa mutación, creo que lo sorprendente hubiera sido que Cuesta, autor de un poema de ardua o imposible interpretación, escritor que nunca publicó un libro en vida y víctima de un suicidio precedido de una automutilación atroz, no hubiese llamado poderosamente nuestra atención. Ese morbo —obra abierta y cuerpo mutilado— alcanza una de sus probables culminaciones en el libro de Segovia, quien siendo fiel a sí mismo en aquella parábola que dice que los últimos serán los primeros, coloca a la crítica antes de la creación.

Dije arriba que *Jorge Cuesta: la cicatriz en el espejo* pertenece a los ensayos que Segovia le ha dedicado a los vampiros y otros monstruos: de una manera casi explícita, Cuesta es, para él, la creatura del doctor Frankenstein, un homúnculo que se ha cicatrizado a sí mismo a fuerza de coser pedazos distintos de carne, de piel, de humanidad. Este Cuesta frankensteiniano es una estatua (o una figura de cera) de una estilizada perfección clasicista, creación tanto más curiosa si se toma en cuenta que ha sido construido, casi únicamente, con materiales románticos. El resultado es desconcertante y al final tenemos un Cuesta nuevamente ajeno al dominio de la historia literaria, un escritor que, si Segovia tiene razón, pudo haber existido en cualquier pliegue del Occidente posnitzscheano.

Como nos suele ocurrir con frecuencia a los ensayistas, Francisco Segovia acaba por mezclar al personaje y al autor con la metáfora que de su obra ha deducido, combinando a Cuesta con la ficción crítica que él mismo ha dibujado ante el espejo. En ese Frankenstein uno reconoce rasgos legendarios que la tradición ha tornado consustanciales a Cuesta, de la misma forma en que es difícil librar a su figura de los chismes y de las habladurías que, sin mayor sustento documental, lo asedian. En este libro la inteligencia crítica aparece salpimentada por ese macabro folclor literario que invariablemente rodea al autor del *Canto a un dios mineral.* Y aunque Segovia no aceptaría mi distinción —pues atenta adrede contra la esencia de su método—, creo que *Jorge Cuesta: la cicatriz en el espejo* destaca, más que por la recargada imagen teratológica de Cuesta, por el derrotero tomado en este ensayo para examinar su poesía.

Jorge Cuesta: la cicatriz en el espejo, finalmente, es un libro que funciona gracias a un mecanismo cuya mención es inevitable. Se trata de un diálogo, ni privado ni público, entre Segovia y su madre, Inés Arredondo, quien en 1982 publicó *Acercamiento a Jorge Cuesta,* uno de los primeros estudios que tomaron en serio al poeta cordobés. Al concluir *Jorge Cuesta: la cicatriz en el espejo,* releí *Acercamiento a Jorge Cuesta.* Este libro ella se lo dedicó expresamente a sus hijos: un cuarto de siglo después, Segovia le devuelve la dedicatoria. Aunque sólo cita a Arredondo en una ocasión, no deja de ser notorio (y emotivo) que el libro del primero haya sido compuesto como un diálogo familiar, como una conversación a la cual son convocados puntualmente los demonios del hogar, todo aquello que hace que la literatura sea una tradición, la herencia transmisible de un puñado de obsesiones perdurables. No puede decirse que Segovia replique o contradiga la trama propuesta por Inés Arredondo: ha escrito una variación barroca de un tema original propuesto por la generación anterior y escrito por su madre. Ambos libros, redactados en lenguajes tan distintos, quizá sean la misma obra en dos momentos diferentes del tiempo. La madre y el hijo se han mirado en el espejo y éste les ha devuelto una imagen cierta de sí mismos, aquella que dice que la verdadera realidad humana es la poética. No debe haber, en la historia de la literatura, muchos otros casos de una confluencia como la ocurrida, ante Jorge Cuesta, entre Inés Arredondo y Francisco Segovia.

Bibliografía sugerida
Jorge Cuesta: la cicatriz en el espejo, Ediciones Sin Nombre, México, 2004.
Arredondo, Inés, *Acercamiento a Jorge Cuesta,* SEP, México, 1982.

SEGOVIA, TOMÁS
(Valencia, España, 1927-ciudad de México, 2011)

Un poeta esencial. Segovia, en la literatura mexicana de la segunda mitad del siglo XX, es el gran romántico. Romántico estricto, si es que se puede serlo, Segovia lo es como pocos escritores entre los hispanoamericanos de nuestro tiempo. Y para comprobarlo deben leerse sus páginas sobre Gérard de Nerval, las que escribió en 1967, ésas que él mismo ratificó, casi sin modificaciones, al prologar, más de treinta años después, su traducción de la *Poesía y prosa literaria* nervalianas. Entonces y ahora, dice Segovia, "nada verdaderamente central ha cambiado en nosotros desde el romanticismo", pues esa revolución "tuvo lugar en una zona profunda donde no ha vuelto a suceder nada". Y descartada o pospuesta no sólo la promesa de una nueva sociedad sino la conveniencia de idear aquel hombre nuevo del que se hablaba con tanta buena voluntad como ligereza, queda la inspiración romántica, pues "a pesar de la fisonomía asombrosamente cambiada de nuestro tiempo, los ojos que lo ven no han aprendido nuevas formas de mirar".

Más en 2004 que en 1967, cuando apareció "La tercera vida de Gérard de Nerval", esa opinión podría discutirse mucho, porque es verdaderamente crítica: va a la raíz, es entrañable También inquieta y seduce que ésa sea la opinión no de un tradicionalista, sino de un moderno que conoce al revés y al derecho a modernísimos como Roman Jakobson, Claude Lévi-Strauss, Jacques Lacan, Michel Foucault o Jacques Derrida, a quienes ha traducido al español. Desde ellos (y contra ellos), Segovia argumenta que el romanticismo es el horizonte insuperable de nuestro tiempo. Sartreana o simplemente doctrinaria o eco de la rotundidad de los años sesenta, tan románticos, la opinión de Segovia escapa a la ambigüedad paradójica y relativista propia de quienes, en el tránsito entre el siglo XX y el siglo XXI, no estamos seguros de poder autocalificarnos como posmodernos.

"Desde el mundo de Descartes [asegura Segovia] incluso desde el mundo de Voltaire, era absolutamente impensable el mundo de Nerval. En cambio, los grandes conceptos, que siguen siendo hasta nueva orden, los planos de proyección de nuestra visión del mundo y de la vida: la dialéctica, el historicismo, la Revolución, el inconsciente, las filosofías de la vida y el pensamiento de la temporabilidad hasta el propio evolucionismo, la idea del progreso o el comunismo en el sentido concreto —nada de esto es en rigor heterogéneo a un mundo nervaliano", concluye Segovia en el ensayo recogido en *Contracorrientes,* en 1973.

Cuando alguien argumenta contra el romanticismo, dice Segovia, muchas veces lo hace en nombre de algo que, a profundidad, también es romanticismo, y todo clasicismo que no genera un romanticismo es estéril. Inclusive lo que se supone es propio del siglo XX, el surrealismo, no hizo otra cosa que reflotar muchos de los tesoros perdidos del romanticismo, el único y verdadero pensamiento salvaje de los modernos. Segovia, como el Octavio Paz* que va de *Corriente alterna* (1967) a *Los hijos del limo* (1974), no en balde el periodo en que estuvieron uno y otro más cerca, encarna, en sus formas más profundas y menos fenoménicas, a esa rebeldía neorromántica asociada al 68. Del existencialismo al estructuralismo, del amor como conocimiento revolucionario a la selva mitológica de Lévi-Strauss, de la castigada locura romántica al desprecio de la clínica, de la elevación de Freud al pedestal de poeta trágico al imperio académico de Foucault, de ese "purista al revés" que fue Breton con su amor loco a *El amor y Occidente,* de Denis de Rougemont, tan leído y discutido en sus ensayos, Segovia ha sabido ser testigo, comentarista, personaje teórico. Y es que es de los pocos escritores (otra vez con Paz y a veces más que él pues es menos "político") que ha sabido dominar, en el sentido alpino de la palabra *dominio,* a su época.

Pero de esa familiaridad por las alturas no se deduce que, familiar de Novalis, de Hölderlin o Kleist, Segovia sea un poeta visionario predispuesto a intoxicarse con los aires nórdicos y a situarse en esa cima pintada en 1818, en un cuadro mil veces reproducido, por Caspar David Friedrich, en *Caminante ante un mar de niebla.* Se lo impide su confianza mediterránea en los alimentos terrestres. Segovia, como lo dice en *Poética y profética* (1985), cree que el verdadero diálogo de los románticos no fue con la Edad Media sino con la Antigüedad —interpretación muy holderliniana: el romanticismo es Grecia.

En una poesía dominada durante décadas por clasicistas, neoclásicos y parnasianos (de Enrique González Martínez a los Contemporáneos), y tomando en cuenta que Paz, su contemporáneo capital, sólo es parcialmente romántico, Segovia ha sido el más convincente de los románticos. Muerto Paz, que le hacía sombra en el sentido en que dos astros cuyas órbitas se encuentran se hacen sombra, Segovia es el gran poeta mexicano. Su condición de niño de la guerra e hijo de exiliados le ha permitido, a su vez, no cotizar en la bolsa de valores local y asumir una extraterritorialidad que, aunque resulta conveniente para la peculiar forma de vanidad de Segovia, es más imaginaria que real.

Segovia es un escritor masónico, es decir, que cree en el arte como un taller que reúne a los maestros de obras. En ese sentido, no es romántico o, al menos, discrepa del mito (o de la neurosis) de la originalidad atribuida a los románticos. Para Segovia, el poeta, antes que un oficiante, es un artesano que debe conocer, antes de aventurarse más allá de sus límites, perfectamente la métrica, esa métrica que, según cuenta, nunca, asombrosamente, le fue enseñada como la herramienta que, en buena medida, hace a un poeta. En las distintas guías prosódicas que acompañan su poesía —porque sabe que el verso libre es en buena medida una superstición moderna—, Segovia defiende el verso-verso y lo exige como la escuela a la que debe acudir quien se pretenda poeta.

Presentado como romántico y como medieval y como griego, es como se puede entender al poeta Segovia, "el familiar del mundo", tal cual él define a su persona poética al terminar *Anagnórisis,* y como Guillermo Sucre lo examina en *La máscara, la transparencia,* su ensayo capital sobre la poesía latinoamericana. Esa familiaridad, para cualquier lector que tome en sus manos la *Poesía [1943-1997]* (1998) no implica necesariamente variedad y a veces da la impresión, igualmente asombrosa, de que Segovia ha escrito quinientas veces el mismo poema, recurriendo a casi todas las combinaciones de las que dispone el idioma.

Desde los versos casi infantiles, entre Gustavo Adolfo Bécquer y Juan Ramón Jiménez, hasta sus libros de poeta viejo, ese mismo poema de Segovia es fiel a los alimentos terrestres: el día, la luz, las estaciones (y de éstas, el otoño) y, sobre todo, a la mujer como la suprema experiencia. No encuentro en su obra ni grandes caídas ni cicatrices profundas. En él, más que las épocas cromáticas que caracterizan a un pintor, encontramos los estados de ánimo, algo menos perceptibles, de un músico, aunque no ignoro que Segovia se reconoce como discípulo de un poeta pintor como lo fue el longevo murciano Ramón Gaya. Y quien ha dedicado varias semanas a recorrer la *Poesía completa,* lo cual no es ciertamente la mejor manera de leer a un poeta, resultan muy refrescantes los cambios de tono introducidos, por ejemplo, en *Noticia natural [1988-1992],* en poemas relajados y menores como la "Epístola a Juan Vicente Melo" o en los gloriosos *Sonetos votivos* (2005), que están entre lo más hermoso que la libertad erótica le ha concedido a la lengua española.

Pero esa aridez o esa monotonía es engañosa y en ascenso constante, Segovia sabe llevarnos a una ancha cima donde encontramos lo mismo valles que cráteres: *Historias y poemas [1958-1967], Anagnórisis [1964-1967]* y *Cantata a solas [1983].* Después podrá advertirse más que un declinar un descenso ordenado y meditabundo, que él mismo admite: "Era yo mejor poeta hace veinte años", confesó recientemente, cuando ganó el Premio Juan Rulfo*. Sabe que la meta no termina en la cúspide sino en el regreso a casa, en la expedición completa.

Segovia se inició en el pequeño drama de la poesía pura y su obra termina siendo casi nestoriana: el hombre pleno, el varón completado por la experiencia de la mujer y así, a su manera, divinizado, como lo exigían los románticos. Los grandes escritores, los poetas verdaderos, suelen atinarle, dar cumplimiento a la profecía que alude a la obra propia. En su prehistoria como poeta, en un verso de 1948, Segovia augura que "completa mi obra será un día/todo un mar rico y cambiante/que en un profundo acorde visto/fundirá todo el pequeño esmero/sobre él flotará mi vida,/ dichosa como un dios/y como un dios cumplido y sin futuro". Y en *Historias y poemas* habla —en un tono narrativo que reaparece en varios momentos de su obra— ese sabio, en ese tono: "tuve algunos hijos que pronto encontré tristes, algunas bellas mujeres que pronto empecé a rehuir, algunos conocimientos con los que no supe qué hacer".

Anagnórisis, un poema largo que se alterna con una serie distinta de poemas más breves, es el libro más comentado de Segovia, el que encaja mejor en la historia de la poesía mexicana concebida como una sucesión de grandes poemas de alguna manera filosóficos: *Muerte sin fin, Canto a un dios mineral, Piedra de Sol, Cada cosa es Babel, Incurable...* Orfeo y Eurídice son la pareja esencial en *Anagnórisis,* pero no desempeñan, tal cual se ha percibido, un papel protagónico a la manera neoclasicista. Gabriel Zaid*, por ejemplo, lo considera "un largo soliloquio romántico dominado por la nostalgia, en la orfandad y el exilio, de un hombre que fue niño, que fue rey... el libro no necesitaba las dos o tres palabras griegas que hacen más bien pensar en una recreación de mitos. Aunque no hay mitología personal que no esté emparentada con todas las mitologías, las verdaderas fuentes de *Anagnórisis* están en la experiencia [...]" (Zaid, *Obras, 2. Escritos sobre poesía,* 1993).

El personaje central de la poesía de Segovia es el amante en cuanto nómada, y en ese sentido la anagnórisis, definida como el momento en que dos personajes de una ficción literaria se reconocen y se encuentran, es una situación clarísima. Y lo que está buscando el amante es la igualdad divina en el incesto, ese otro polo del amor, que en 1961 a Segovia le parecía la esencia "revolucionaria" o transgresora del erotismo: encontrar a esa hermana en el amor que le devolverá, en puridad, la armonía romántica al mundo. Esa militancia romántica de Segovia lo ha llevado a defender la vida heterosexual, en momentos en que no era oportuno ni políticamente correcto hacerlo, contra las simplificaciones revanchistas del feminismo (en *Cuaderno inoportuno,* 1987), o contra la facilona y ya tradicional identificación que algunos poetas homosexuales han establecido entre la heterosexualidad, "el aguachirle conyugal" según Luis Cernuda*, y el espíritu burgués. Si para Goethe el matrimonio es la única obra de arte a la altura de cualquier mortal, para Segovia el amor-pasión sigue siendo la única experiencia trascendente que le queda al hombre (hombre y mujer) laico moderno.

Cantata a solas es, por varios motivos, mi preferido entre los libros de Segovia. En primer término (y ello no es un dato menor tratándose de un poeta romántico) porque lo leí en un característico momento juvenil de desgarradura amorosa: despertar por la mañana y jalarse los cabellos de desesperación porque la amada en turno (y vaya que ese turno fue una temporada en el infierno) ya no estaba. En el tono imprecativo de *Cantata a solas* encontré algo más que consuelo, pues, sin el dolor se "me" exigía, en un recitado, el verdadero sacrificio: "Nada te han prometido/De qué te quejas/esta heredad no es tuya/Por qué la tomas y no la dejas/Lo que eres y no eres/Te lo has buscado/Quién tenía que amarte/Quién por haber vivido te debe algo".

Más adelante, el poeta de *Cantata a solas* llama a "No disputarle el mundo al formidable invierno/No confundir la casa y la intemperie/No regalar al monte y las arenas/nuestras cuatro paredes/para irnos a vivir en los torrentes/En el lecho sangriento del instante/En el mar para siempre del vagabundeo/Con la pandilla de los sentimientos/Con la tribu de lobos de los elementos/No traicionar los pactos/Y más que nada no creer en el amor del tiempo/Nunca cerrar los ojos en el beso".

"La lectura de un verdadero poema (hay tan pocos) [dijo Segovia hablando de alguno de los poemas de Paz] es una experiencia tremenda." Ello se comprueba en *Cantata a solas,* un poema intelectual (o libresco, en el entendido de que yo no uso esa palabra peyorativamente, y Segovia mucho menos), y en él desfilan Nietzsche, Rimbaud, Hegel, Simone Weil y Heinrich von Kleist que, en el extremo del romanticismo, es uno de los poetas preferidos de Segovia: "De haber querido lo que no he querido/Mi único anhelo exultante escribió von Kleist/Dos días antes del doble suicidio/Es hallar un abismo/lo bastante profundo/Para saltar a él junto a ella/Lo encontró a los dos días/Es cosa de buscar con ganas". Y, finalmente, *Cantata a solas* es un libro escrito más o menos al mismo tiempo que *Poética y profética,* de tal forma que el poema (la cantata) dialoga con el tratado y viceversa, lo cual da pie a una de las experiencias de lectura más ricas y sugerentes que me he dado el lujo de hacer y repetir.

Meditada y enérgica reflexión sobre las doctrinas académicas que desmantelaron la enseñanza de la literatura en los años sesenta y setenta, *Poética y profética* no es la malhumorada obra de un doctrinario ni Segovia es uno de esos "pirómanos en pantuflas", como los llamó J. G. Merquior, que infestaron las escuelas de Occidente. El poeta Segovia: un profesor menos informal de lo que parece y un maestro a quien llamaríamos autodidacta si el término no tuviese un tufillo entre excepcional y despectivo, perdonavidas.

Presentando una olvidada obra de Lope de Vega (*El villano en el rincón*) como fuente argumental, Segovia reclamó y ejerció, en *Poética y profética,* la libertad de cátedra contra las tecnocracias de la literatura que, amparadas en la especialización de las ciencias humanas y en el método dizque científico, pretendieron privar a la literatura de la literatura. Algunos años antes que Harold Bloom (cuya obra sobre Shakespeare tradujo el poeta hispanomexicano) publicara *El canon occidental* y llamara a rebato contra la llamada Escuela del Resentimiento, Segovia se singularizó como disidente, al menos en el habitualmente servil mundo teórico hispanoamericano. A quien llega a las universidades (y a los estudios de posgrado), lamenta Segovia, le falta lo que antes se llamaba formación humanística o cultura general, falencia que lo torna en presa fácil de la charlatanería, las verdades a medias y la logofobia del estructuralismo y del posestructuralismo.

Segovia, que leyó con pasión y detenimiento a Lévi-Strauss y con quien siente la empatía peligrosa que acerca al romántico con el romántico, no se dedica a cazar epígonos entre las infanterías académicas y examina directamente a Roman Jakobson y a Louis Hjelmslev, aduciendo que algo está mal desde el principio en su noción de función poética de la lengua. No es Segovia el primero en decirlo ni se coloca en la posición del sabio de aldea que desde alguna de las Atenas americanas "demuestra" que el inconsciente, la selección natural o la teoría de la relatividad son falsas. Tampoco tengo la capacitación profesional para desmenuzar la sólida y machachona doble argumentación que Segovia, como poeta y como erudito, opone a las raíces, en el formalismo, del fenómeno estructuralista. Lo que sí puedo decir es que, al enfrentarse con Roland Barthes, Segovia acabó de convencerme de que es inútil, como yo lo creía por otras razones que no disculpan mi ignorancia, sostener la equivalencia entre lo más complejo y lo menos complejo, entre la significación y su paráfrasis. Es decir, que la crítica nunca puede ser equivalente a la obra que juzga y a cuya explicación se debe por entero. Es infrecuente la oportunidad de leer un alegato tan meditado y eficaz contra la idea, emblematizada por Barthes, de que la literatura es un metalenguaje. No, no lo es. La literatura es crítica de la vida.

En *Poética y profética* se examina el culto a la oscuridad en algunos de los postestructuralistas, explicando cómo responden, más que a la búsqueda de la objetividad propia de las ciencias, a la rigidez dogmática de las religiones reveladas, a su fanatismo, con el agregado de que cierran casi todo aquello que es abierto y fecundo en el lenguaje religioso. Como el positivismo en su día, los logocidas, como los llamó Merquior en *De Praga a París. Crítica del pensamiento estructuralista y posestructuralista* (1989), no derrotaron a la religión, la sustituyeron con nuevas supersticiones. No fue Segovia el único de nuestros escritores que se metió a la caja de Pandora de la teoría literaria pero sí el primero que salió de ella con un tratado político-poético rindiendo testimonio del tiradero.

Entre las numerosas formas de barbarie que en el pensamiento contemporáneo son atribuibles al postestructuralismo, *Poética y profética* registra algunas de ellas, que van desde esa mezcla "vagamente freudiana" de poesía y terapéutica, de sacralización y denigración simultánea del deseo que caracteriza a las ideas vulgares de nuestra época hasta la vindicación de la soberanía individual contra el psicoanalista que pretende que el sentido de la vida no está en el sitio donde el paciente que lo está viviendo lo vive, pasando por el lingüista, para quien el sentido de una lengua está en otro lugar, allá lejos. Segovia, en fin, se bate por el sujeto y por la literalidad a la cual no es ajena su definición del traductor como aquel que no es exactamente un lector pues para él "el texto comienza y termina en sí mismo, es inutilizable, es totalmente ajeno, ininterpretable, invalorable, injustificable".

El estilo ensayístico de Segovia no es brillante y toma, de muchos de los tratados que comenta y critica, su aridez, su opacidad. Vocativamente, intencionalmente, *Poética y profética* es un tratado *sinouso* y arduo, libro donde no se le miente al lector y se le acompaña, en efecto, a cruzar un erial. Esa franqueza o esa descortesía torna prudente, otra vez, la comparación entre Segovia y Paz y, en concreto, pues viene al caso, entre las muchas páginas de *Poética y profética* dedicadas a la antropología estructural con *Claude Lévi-Strauss o el nuevo festín de Esopo* (1965). Segovia domina a conciencia "el estilo de pensamiento" estructuralista y ha leído a sus teóricos más y mejor que Paz, cuyo librito sobre Lévi-Strauss está compuesto, como lo confiesa casi con orgullo en las primeras páginas, de las notas de alguien que lee por placer, sin subrayar. Pero el lector genial y su enceguedora claridad apuestan por perdurar, y el Lévi-Strauss de Paz, concediendo que sea muy distinto al de Segovia, se apodera, acaso injustamente, de la memoria.

Segovia está convencido, inspirado en el caso de Von Kleist, de que el romanticismo es nuestra Grecia y de que los románticos nos ofrecen el gran mito lírico, que será, para nosotros los modernos, lo que "el pensamiento mítico fue para los griegos". Esa función prometeica que sólo aparece veladamente en la poesía segoviana, en *Poética y profética* se sostiene sin ambages. La tragedia griega asume que hay dos leyes a respetar por el hombre, la ley natural y la ley no natural. Sólo el romanticismo, anuncia Segovia, nos permite caminar hacia una posible solución e "ir en los dos sentidos tanto como sea posible" hasta llegar a un desenlace erótico. Segovia sigue creyendo, como lo creían los profetas y las profetisas románticos, que esa tensión entre las dos leyes puede estallar y, al hacerlo, tronar a los contrarios y, acaso, superar contradicciones como las del marxismo hegeliano o las del surrealismo romanizante.

En ese orden, Segovia, como Paz, se fía al coraje visionario o a la ingenuidad poética de creer que el mito erótico (entendido como la relación de pareja sublimada, como Rougemont sublimó el amor cortés) procura la abolición de los contrarios, en el orgasmo o en el hijo. De hecho, uno de los poemas más conmovedores de Segovia justifica la incuria de nacer: "El nacido proviene de grutas inmundas, el aire lo sofoca, y sólo por la esplen-

dida mirada, tarde, después de los boqueos, se justifica todo nacimiento".
Esa escatología es la misma que aparece también en Paz, aunque un tanto
más clásica (o más bien estática): la poética del instante.

Segovia y Paz (en ese caso ambos muy bretonianos) creen que sólo a
través de la poesía (y de la política del espíritu a la que ésta se asocia en el
romanticismo) la historia podría finalizar y ceder, al menos figuradamente,
a la armonía. Entonces el mundo dejará de ser mundo y la poesía, la noticia que derogue todas las noticias. Descendientes de ese mundo de Nerval
en el que ni Descartes ni Voltaire se sentirían a gusto, Paz y Segovia fueron
tomando caminos distintos. Atraído por la gravedad de la política-política,
en Paz se impuso el liberal o, si se prefiere, el conservador que renuncia al
humo y el azufre de la profecía. Segovia derivó, en consecuencia con ila-
ción de sus ideas, hacia ciertas maneras del humanitarismo radical y en las
indignaciones de la vejez, agraviado por las injusticias terrenas, a veces
pierde la calma, presentándose con el disfraz hegeliano de un alma bella
como aquellas de las que se burlaba en *Poética y profética*. Hasta en eso es
romántico: considera ilegítimo comparar la "violencia subversiva" con la
"violencia represiva", tal cual él las identifica y las separa. Ello explica su
frecuente simpatía por los rebeldes, a quienes a veces les presta sus propios argumentos para presentarlos en público como interlocutores filosóficos. Segovia no desea para sí el amor a la acción que en Kleist se convierte en tragedia (y que en Byron se volverá heroísmo, santificado o ridículo),
pero bendice la posibilidad de hacer la guerra en nombre del amor, lo cual
quiere decir que no sólo el amor es revolucionario sino que, cristianamen-
te, se puede levantar la espada en nombre del amor.

"Quien escribe a la luz pública [dice Segovia a cuento de Calderón de
la Barca] busca a su interlocutor en la tragedia griega, incluso si no está
pensando en ella e incluso si la desconoce enteramente." La tragedia no es
un fenómeno en la historia sino el lugar donde la historia se hace visible.
A ese depósito de claridad, a esa iluminación sin deslumbramiento está
dedicada *Poética y profética,* una de las contadas obras críticas del idioma
que me parece de lectura obligatoria porque hace una pregunta capital, la
de si somos o hemos dejado de ser románticos, pregunta a la que seguiría
otra, la de qué tipo de modernos hemos dejado de ser.

Al revisar su pensamiento, desde sus primeros ensayos en los años cincuenta hasta *Recobrar el sentido* (2005), se entiende que las crecidas dimensiones de Segovia se deben a que, desde joven, se midió con la altura de los más altos, con los poetas más grandes, con Juan Ramón Jiménez y Luis Cernuda. "Me imagino que [decía en 1958], vistos desde adentro, todos los siglos han debido parecer siglos de enanos. No porque los ojos que los consideraban fueran especialmente despreciativos, sino sencillamente porque el horizonte, en cambio, nos parece lleno de gigantes, de entre los cuales la resaca de la historia ha barrido ya con toda la enanería que antes los rodeaba."

En Juan Ramón (tanto como en Ungaretti, en Gilberto Owen, en Pavese), Segovia encontró una forma ejemplar de desarraigo, no sólo histórica y existencial sino estilística, ajena a esa hipocresía propia de la experiencia moderna, que abomina del progreso en el siglo mientras idolatra la experimentación en el arte. Y a Cernuda, Segovia le reprocha su estatismo: los jóvenes de su poesía nunca envejecen y se quedan aprisionados como estatuas clásicas, salvados de la ancianidad y de la historia. Por ello es que Segovia se ha ocupado tanto en describir la vida del tiempo y en escribir poemas de viejo, como aquel que cerraba su *Poesía [1943-1997]:* "El mundo entero ahora es mío / como no lo es de nadie".

Un donjuán. Es excepcional que un poeta de ochenta y tres años publique a esa edad su primera novela. Tampoco es común que ésta sea una novela epistolar, género ya poco frecuentado, ni es del todo corriente, además, que esta novela tenga por protagonista a Don Juan, personaje cuya jubilación del teatro del mundo ha sido una y otra vez anunciada, con estrépito y con melancolía, desde hace mucho tiempo. Todas estas condiciones, convirtieron mi lectura de *Cartas de un jubilado* (2010) en una experiencia donde a la curiosidad se sumó la alegría de reencontrarme con Segovia, el gran lírico elegiaco de nuestra lengua, quien a la vez es un iluminador de la poética y un poeta que consuela y cura, pues algo tienen sus poderes de taumatúrgicos. No es extraño así, me digo, que Segovia haya escogido a Don Juan como personaje, pues más allá de la atmósfera autobiográfica que se respira en *Cartas de un jubilado,* la novela tiende a la ejemplaridad moral, a una prédica explícita que no se encuentra fácilmente en sus poemas. A diferencia de otros poetas —menos "escritores" que él— la prosa, de ficción o ensayística, de Segovia no es una continuación, por otros medios, de su poesía.

No sé si a la filosofía del amor de Segovia le hacía falta una demostración didáctica como la que le ofrece esta colección de cartas que un donjuán, viejo traductor afincado en Sevilla, le dirige a Doña Elvira, de Florencia, su ex amante. Por mor geométrico, no aparecen las respuestas de ella y al viejo, renacido, eterno burlador sevillano, le da Segovia su libertad absoluta como héroe. En esta transposición contemporánea del mito donjuanesco (a la historia, nos dice la heredera del manojo de cartas, le fueron cercenadas las fechas pero se sobrentiende que todo ocurrió antes del pasado fin de siglo), Segovia se sirve de la tradición entera, de Tirso de Molina, de Molière, de Kierkegaard, de Mozart (se recomienda —es obvio— leer la novela escuchando *Don Giovanni*). Abundan las disgresiones en que Don Juan comenta la mitología de la cual es protagonista y lo hace con ese rigor profesoral que es una de las virtudes de Segovia, el ensayista. Pero no se crea que ha escrito *Cartas de un jubilado* con la intención de ofrecer, en forma epistolar, una suerte de ensayo novelado. Ha querido Segovia, en cambio, convertir su novela en una secuela y en un anexo de sus anteriores ejercicios narrativos (reeditados como *Otro invierno* y *Personario*, 2001), la parte menos conocida y apreciada de su obra, compuesta de cuentos, evocaciones, fragmentos, novelas no escritas o apenas desarrolladas.

Un donjuán jubilado: la idea, pese a no ser original, es encantadora. A uno de las avatares de Don Juan, Casanova (para algunos una culminación del mito, para otros, su negación) esa jubilación le sirvió para escribir *La historia de mi vida* y narrar una última aventura de Casanova, con Mastroianni y Barrault, es el asunto de *La noche de Varennes* (1982), la película de Ettore Scola, y de no pocos cuentos y sucedidos. Ésa no fue la intención de Segovia: el suyo es un Don Juan que ha colgado los hábitos e invita a su antigua amante a otra aventura, la de la evocación del amor a través de la escritura. El Don Juan segoviano, además, es un moderno o un posromántico para el cual, como para el de Henry de Montherlant, ya no hay crimen que expiar; es un agradecido que ha gozado del placer sexual y fundamenta su ética en compartirlo con sus mujeres, de ninguna de las cuales se ha sentido indigno. Es un Don Juan, el de *Cartas de un jubilado,* que alcanzó ese final feliz y escasamente dramático que significó la victoria cultural de 68, igualación ecuménica de los placeres. Ni fulminado, ni vigilado ni castigado, a este Don Juan, ni siquiera incómodo para una sociedad que lo ignora, le queda una jubilación sabia, aburguesada, políticamente correcta. Segovia, nuestro gran romántico, detesta el espíritu libertino, nunca lo encandiló Sade y condena, por ignorante de la libertad, su materialismo mecánico (y para ello, consúltese, *El tiempo en los brazos. Cuadernos de notas [1950-1983],* publicada en 2009, la magnífica colección de sus cuadernos escritos entre 1950 y 1983). En Segovia y ello se comprueba leyendo los retratos de mujeres que componen las *Cartas de un jubilado,* el sexo es una ascética (o una *anagnórisis,* para decirlo con el poeta) al alcance de cualquier mortal. Para el poeta moralista sólo en el amor (y en el amor sexual, en la nunca eterna vida con la mujer) se conoce la libertad.

Junto al asentimiento con el que sigo el arte de amar de Segovia, su manera opaca y a veces vaporosa de narrar, aparecen mis reparos como lector de novelas. Se niega al dramatismo y, nuevo comendador, Segovia condena a su Don Juan sólo al infierno de la memoria. Pero la novela, como género, siempre ha sido abierta y en ella el lector pide, impertinente, el concurso de lo novelesco. Asumiendo mi propia servidumbre, me habría encantado que Don Juan interrumpiera su jubilación y emprendiera la conquista de Cecilia, otro nombre emblemático, la joven amiga que Elvira le ha enviado a sus dominios con temeridad pedagógica. Quizá, me digo al censurar la puerilidad de mi deseo, lo que le pido al novelista ocurrió fuera del único escenario para el que los lectores de *Cartas de un jubilado* tenemos boleto y Don Juan —él, insisto, decide, que leemos Elvira y nosotros— reanudó el cumplimiento de su destino a nuestras espaldas.

Tras la máscara teatral de Don Juan, más que esconderse, Segovia se muestra como el maestro (y también el alcahuete) de sus lectores: un poeta que escucha, traduce y reinventa la confidencia amorosa. Es el expositor de un arte de amar cuya esencia, legible a través de toda su obra poética y de tantos de sus ensayos y narraciones, dimana de dos valores: la identidad primordial del sexo con el amor y el convencimiento de que la condición de amante es una libertad que se acepta, no se elige.

Bibliografía sugerida

Actitudes, Universidad de Guanajuato, México, 1970.
Contracorrientes, UNAM, México, 1973.
Poética y profética, FCE/El Colegio de México, México, 1985.
Cuaderno inoportuno, FCE, México, 1987.
Poesía [1943-1997], FCE, Madrid, 1998.
Personario, Ediciones Sin Nombre, México, 2001.
Recobrar el sentido, Trotta, Madrid, 2005.
Sonetos votivos, Ediciones Sin Nombre, México, 2005.
El tiempo en los brazos. Cuadernos de notas [1950-1983], Pre-Textos, Valencia, 2009.
Cartas de un jubilado, Ediciones Sin Nombre, México, 2010.

SELIGSON, ESTHER
(Ciudad de México, 1941-2010)

La obra de Seligson está inspirada en la emulación debida a los hombres sabios, maestros a quienes ella les ha dado la custodia de su conciencia, de su buena y de su mala conciencia. De la ficción al ensayo, lo más importante en Seligson es el ejercicio de esa libertad, la libertad de juicio que el estudiante va ganando con (y contra) su maestro. Eso une a Seligson con Cioran, de quien fue amiga y traductora, con el poeta cairota Edmond Jabès, que ella presentó en nuestra lengua, y con algunos otros elegidos cuyo número es de fácil enumeración pero cuyo trato autoriza una eternidad en la biblioteca: Rainer Maria Rilke, Vladimir Jankélèvich, Francisco Tario*, Emmanuel Levinas, Samuel Beckett...

Con la excepción de *La morada en el tiempo* (1981), esa extraña novela veterotestamentaria, lo más representativo de la obra de Seligson ha sido recogido en un par de antologías, *A campo traviesa* (2005) y *Toda la luz* (2006). Estamos ante un díptico que quizá no tolere una lectura por separado, en la medida en que las reseñas y los ensayos de Seligson se desdoblan en sus ficciones: la suya es una sensibilidad en esencia intelectiva. Ello es notorio en la evocación, como ocurre cuando se desenvuelve en el mundo del teatro, que para ella va de Polonia a Polonia, de Jerzy Grotowski a Ludwig Margules, recordando que ella conoció al maestro mexicano en su temprana faceta de prefecto de la escuela judía en que la escritora, doce años menor que el director teatral, estudiaba.

Pero la verdadera escuela de Seligson es la escuela de las mujeres: Virginia Woolf y Katherine Mansfield, Marguerite Yourcenar, Clarice Lispector y Elena Garro*. Tan sólo extrañaría, en el formidable elenco, a Anna Ajmátova, aunque debe decirse que la gran rusa se asoma en el epígrafe de alguno de sus versos en *Rescoldos* (2000). Es de lo femenino, considerado de manera intransigente como lo cosmogónico y lo generatriz, de donde Seligson tomó la esencia del erotismo que nutre su obra: la mente andrógina que domina el mundo, la creatura bisexuada que lo percibe.

Toda la luz reúne la prosa de imaginación que Seligson ha venido escribiendo desde *Tras la ventana un árbol* (1969) hasta bien entrados los años noventa. José María Espinasa*, tan cercano a Seligson como crítico y como editor, ha dicho que como se habla de "poesía amorosa" podría hablarse, tratándose de Seligson, de "narrativa amorosa". Más en la forma que en el fondo, difiero un poco: antes que narradora, Seligson es una poeta que ha elegido el poema en prosa como su forma más o menos fija de expresión. Y lo creo al grado de que, a la hora de los fantasmas, me gustará preguntarle a Luis Ignacio Helguera* por qué Seligson está ausente en su *Antología del poema en prosa en México* (1993). También podría decirse desde *Otros son los sueños* (1973) hasta *Isomorfismos* (1991), pasando por *Luz de dos* (1978), *Diálogos con el cuerpo* (1981) y *Sed de mar* (1987), que Seligson ha escrito lo que puede llamarse con toda propiedad novelas líricas. Lo son no sólo por la textura y el énfasis de la prosa sino porque escenifican el gran tema de la novela lírica: el yo que se aventura en la búsqueda de su identidad. En Seligson esa travesía termina, si es que puede terminar, en la incesante interpretación de la Escritura.

No todo lo que ha escrito Seligson me satisface y en muchas de sus páginas abunda como defecto lo que en otras es virtud: la entusiasta celeridad del estudiante que convierte en apuntes escolares todo lo que toca. Es frecuente que en Seligson me guste más lo que ella piensa que la manera en que lo escribe. Ese pensamiento de Seligson, que como ha dicho Vicente Leñero* "se ha bienpasado la vida pensando y escribiendo", se muestra de manera generosa y concisa en *Apuntes sobre E. M. Cioran* (2003), nuevamente recopilados en *A campo traviesa.* Pero si Cioran le suministró a Seligson esa dosis de amargura cínica que permite sobrevivir en el mundo, al filósofo Levinas, otro de sus maestros, le debe la visión de conjunto, el panorama. Pero es en Jabès, ese gran monomaniaco empeñado en el Libro, donde Seligson encontró la clave y el arrobo, la frase decisiva: "Creí al principio ser escritor, luego me di cuenta de que era judío, pues lo mismo uno que otro no son sino el tormento de la antigua palabra".

Seligson se dispersa, en su prosa poética, en distintas voces líricas que confiesan la pérdida de "algo esencial, vívido", ausencia que termina en la recuperación del judaísmo, esa morada en el tiempo. "Había desechado [escribe Seligson en *Toda la luz*] como única herencia de sus abuelos al renegar de su origen y de una tradición que, anulada, la dejaba a ella a merced de la desesperación y el vacío. El sentimiento opresivo de pertenecer a una cadena interminable sólo podía redimirse en el seno de esa única heredad que persistía intacta fuera del tiempo."

Bibliografía sugerida

A campo traviesa, FCE, México, 2005.
Toda la luz, FCE, México, 2006.
Cicatrices, Páramo, México, 2009.
Negro es tu rostro/Simiente, FCE, México, 2011.

SERNA, ENRIQUE
(Ciudad de México, 1959)

Entre las novelas históricas mexicanas, pocas tan fieles al género como *Ángeles del abismo* (2004), de Serna, un escritor que se tomó en serio la tarea de inventar la Nueva España del siglo XVII. He dicho inventar y no reconstruir pues reconozco en Serna el entendimiento profundo, casi quisquilloso, que consiste en poner el archivo al servicio de la ficción y no ejercer ni de amanuense erudito ni de mero coleccionista de avisos y extravagancias. Escogió Serna un proceso inquisitorial bien conocido, ya expuesto a la luz pública por Julio Jiménez Rueda y por Solange Alberro, aquel que la Inquisición inició contra "la falsa Teresa de Jesús", una beata embustera. Pero poco le duraron al novelista los autos en la mano y, como lo confiesa en el colofón de su libro, la fabulación dio lugar a una historia de amor que, primero contrariada y luego felicísima, creció en el espacio novelesco y amuebló el tiempo histórico.

Antes que de capa y espada, *Ángeles del abismo* es una novela de sayal y antifaz, narración de lectura emocionante que abre un gran angular sobre el horizonte del virreinato, ofreciéndonos una invención completa que incluye el mundo teatral de los corrales, con sus actrices, tenorios y comedietas, las prácticas ascéticas milagreras y pueblerinas que le toman el pelo a la alta sociedad, la vida cotidiana de los indios cuyos ídolos tras los altares son la materia central, aunque no única, de esta novela de Serna, acaso la más importante de las que ha escrito, contando *Uno soñaba que era rey* (1991), *El miedo a los animales* (1995) y *El seductor de la patria* (2001).

Al relatar la aventura de la impostora Criselda Cruz y de Tlacotzin, el indio apóstata, no quiso Serna otra cosa, me da la impresión, que principiar rindiendo cumplido homenaje a los clásicos románticos del folletín, al general Vicente Riva Palacio, autor de *Martín Garatuza* y de *Monja, casada, virgen y mártir* (1868), y actualizar un género fácilmente obsolescente si cae en manos de un escritor inepto o de algún editor poco escrupuloso. Esa modestia de propósito, respaldada por la solidez erudita y por las maneras académicas exactamente dispuestas, fue convirtiendo el manuscrito, si me imagino bien, en una obra que se desembarazaba sutilmente del maniqueísmo consustancial a la literatura colonialista, casi por definición pintoresca y anticuada desde el bautismo. En el episodio, uno diría que nimio o pasablemente picaresco, en que Tlacotzin mata a su padre, el brujo, aparece la dimensión crítica que *Ángeles del abismo* encierra: la conquista espiritual de México está asociada al parricidio. Es la historia de los niños indios que mataron a sus padres.

La novedad de una novela (arriesgando el pleonasmo) radica en el número de seres que agrega a la realidad y en la cantidad de personajes que, a partir de ella, pasan a ocupar las habitaciones que la tradición reserva para quienes han de residir entre nosotros. Junto a los indios que ven descender el crepúsculo sobre sus dioses, a la orilla del lago de México-Tenochtitlan, Serna da vida a un par de creaturas sorprendentes, que no existían en nuestra literatura. Uno es el cómico fray Juan, obseso de las lavativas y él mismo demonio en ese convento erótico que Fernando Benítez*, uno de los maestros de Serna, estudió. Y el otro es el poeta, bachiller y becario, el pobre de don Luis de Sandoval Zapata, del que la historiografía nada sabía hasta que alcanzó, en *Ángeles del abismo,* persuasiva vitalidad novelesca, retrato hablado de lo que pudo ser un letrado novohispano y espejo donde algunos se reconocerán.

Sin faltar a las reglas dramáticas que, libremente electas, le impusieron lo inverosímil como constante, Serna hizo de *Ángeles del abismo* una novela generosamente escrita, con un lenguaje que se apoya en el español del siglo XVII sólo cuando conviene a la inteligencia del lector y descarta todo dispendio plateresco. El libro se lee como Dios manda y acaba por leerse doblemente bien dada la riqueza y la vivacidad con la que fue escrito: con una lengua que se apoya en el idioma de nuestros días sabiamente, sin desentonar. Esta vez apuesto por los modernos contra los antiguos: a don Artemio de Valle-Arizpe*, a Julio Jiménez Rueda, a Genaro Estrada, los viejos colonialistas, les hubiera encantado escribir *Ángeles del abismo*.

Bibliografía sugerida

El miedo a los animales, Joaquín Mortiz, México, 1995.
Las caricaturas me hacen llorar, Joaquín Mortiz, México, 1996.
Ángeles del abismo, Joaquín Mortiz, México, 2004.

Fruta madura, Planeta, México, 2006.
Giros negros (Crónica), Océano, México, 2008.
La sangre erguida, Planeta, México, 2010.

SHERIDAN, GUILLERMO
(Ciudad de México, 1950)

La novela de un satírico. La decadencia del imperio mexicano a finales del milenio ha resultado propicia para el refinamiento artístico, la profecía política y la elucubración metafísica. Hace más de una década, cuando nuestra peculiar forma de despotismo empezó a dar verdaderos signos de agotamiento, la proliferación de novelas apocalípticas se convirtió en un dato persistente en un horizonte espiritual, que tendrá en *El dedo de oro* (1996), de Sheridan, a una de sus obras culminantes.

La nómina del apocalipsis narrativo, esa ansiedad de la literatura por predecir y actuar en consecuencia sobre la realidad, más a manera de comprobación fúnebre que de exorcismo, puede hallar su fecha de nacimiento en *Cristóbal Nonato* (1987), de Carlos Fuentes*, y continuar a través de los libros de José Agustín*, Homero Aridjis*, Hugo Hiriart*, Mauricio Molina* (*Tiempo lunar,* 1993) y Pedro Ángel Palou (*Memoria de los días,* 1995). Un rápido inventario crítico de esa novelería resaltaría la eficacia de un detonante exterior —la invasión norteamericana, el regreso de los manes prehispánicos o la catástrofe ecológica— para finiquitar la sobrevivencia inverosímil de México-Tenochtitlan. Sheridan, quien no lee narrativa mexicana actual y que como buen moderno aspira a la originalidad, acaso se sorprenda de haber escrito una novela de tan fácil ubicación e históricamente fechable hacia 2000 d.C. No podía ser de otra manera. *El dedo de oro* es una obra fiel a las fobias y a las esperanzas defraudadas de la generación que tenía veinte años en 1968, quizá el último episodio nacional donde ondeó la bandera decimonónica del progreso.

El dedo de oro coloca a Fidel Velázquez, mediante una caricatura devastadora, como dueño, junto con su camarilla sindical, del México del próximo siglo. Esta proyección hacia el futuro de las más conspicuas taras sociales del poder no requería de mayor imaginación literaria. Cualquiera de los analistas políticos que últimamente fatigan la novela (después de haberse doctorado dos o tres veces en "transición democrática") podría haber urdido la trama de *El dedo de oro*. Pero es aquí donde Sheridan se separa del griterío jeremiaco para escribir una novela que supera a sus hermanas mayores en el espíritu y cancela la abundancia de la literatura barata que circula a costa de nuestros pesares. Y no es exactamente el poder satírico de Sheridan —pues ya lo tenían las novelas de Fuentes o de Hiriart— lo que hace la diferencia.

El dedo de oro es una de las obras humorísticas más sobresalientes de la literatura mexicana. Cuando Sheridan me entregó, hace meses, la muy extensa versión anterior, más de 600 cuartillas, no creí que su sentido del humor le alcanzara para hacerme reír tanto tiempo. En cualquier literatura se agradece el humorismo. Y más aún en letras como las nuestras, carentes de esa dimensión de la prosa. ¿Cómo se logró ese jolgorio lingüístico? La clave de *El dedo de oro* es el protagonismo absoluto del lenguaje, radicalidad de una novela donde el habla mexicana es sometida a una tortura feroz que no provoca las habituales delaciones coloquiales, sino la manifestación de una segunda realidad, alterna a la nuestra pero embotellada de origen, una sofística exageración retórica de todas las lenguas mexicanas, las de arriba y las de abajo, con todas sus omisiones vocales y sus onomatopeyas conceptuales, sus vicios públicos y sus alegrías privadas, sus veleidades de feria y su destrucción oficialesca.

Ignoro si la risa sea o no liberadora. Pero el voluptuoso retrato de Fierro Ferráez y de sus secuaces es una empresa vital de decodificación y metamorfosis del español de los poderosos y de los oprimidos. Adolfo Castañón* ha visto en el antihéroe sheridaniano a uno más de los gigantes mitológicos de la literatura universal. Pero si *El dedo de oro* puede deprimir o aterrar, una vez pasados los espasmos de la risa, ello no se debe a su imagen distópica de México, sino a la hazaña del genio lingüístico. Si entiendo bien a Jean Paulhan, esta novela es una demostración del "terror en las letras", de la capacidad de las palabras para trastocar todo orden y abrir el abismo de la incomunicación más dolorosa.

El despliegue verbal de Sheridan es tan impresionante que torna menores los reparos que opongo a los cabeceos del narrador, cuyo exceso de confianza en sus poderes dramáticos lo desencarrila, describiendo situaciones ya no inverosímiles —que su propia retórica autoriza— sino descabelladas. Pero cuando esa inventiva desfallece, la brutalidad del lenguaje aparece para impedir la atonía novelesca.

Lo más discutible en *El dedo de oro* está en la idea que Sheridan tiene de México. Es una noción no por extendida —pues se basa en el sentido común— menos digna de análisis. Sheridan cree en la mexicanidad proverbial que está contenida en la tragicomedia despótica del PRI, forma de dominación inmanente a la nacionalidad, exagerada en una inmensa pantalla satírica donde nos miramos, ridiculizados, en todas las esferas de la vida pública y social, terror que se desplaza desde el lenguaje. Algo hay de *poujadisme* involuntario en *El dedo de oro*.

Todo humorista es un moralista. Sheridan no escapa a la frase hecha. Es un puritano delatado por su rabia sistemática y desesperada contra esa mexicanidad que cree urgida de una lección ética propinada por la sátira. México, sospecha Sheridan, es una pesadilla que invade el sueño de una creatura que en otro tiempo y en otro lugar vive una vigilia honrada que se intuye en los momentos, no por discretos invisibles, en que *El dedo de oro* cede al sentimentalismo. Pero Sheridan es un tipo extraño entre nosotros, el puritano separado del ideólogo, un escritor que sólo confía en los poderes del lenguaje como reactivo a esa barbarie sin fin característica del moribundo imperio mexicano, que en *El dedo de oro* encuentra a su Petronio (*Servidumbre y grandeza de la vida literaria,* 1998).

Testigo de medio siglo. En alguna de las crónicas que lo han convertido en el principal escritor satírico mexicano, Sheridan, nacido en 1950, presume de que ha vivido exactamente 50% del siglo XX, que ha atestiguado 5% de los amaneceres del segundo milenio y que ha vivido 2.5% de cada cien años transcurridos en la era cristiana, lo cual significa, además, haber sido contemporáneo de Matisse, de Camus o de Stalin. Pero compartir esa estancia en el planeta debería ser ingrato para quienes forman parte de sus blancos favoritos: los capitalinos lo mismo que los provincianos en sus rutinarios hábitos bárbaros y delicuescencias estéticas, el sindicato de la Universidad Nacional y la burocracia universitaria que en ella reina, la izquierda local que manda obedeciendo a su buena conciencia, las sacerdotisas de los cultos neoaztecas, buena parte de los franceses que viven y piensan como postestructuralistas, los poetas injertados en demonólogos revolucionarios, los caudillos y las procesiones que los encumbran, los artistas europeos que peregrinan al encuentro del buen salvaje entre los indígenas de Chiapas y los derechos universales de las minorías ilustradas entre las que destaca el estudiante, quien en sí mismo puede llegar a ser, fatídicamente, la realización del proyecto del diputado, del sindicalista, del intelectual solidario y del automovilista.

Sheridan es el capítulo vigente en la historia de nuestra sátira y es menester leerlo junto a Salvador Novo*, Jorge Ibargüengoitia* y Carlos Monsiváis*. Más allá del destartalado cronista oficial de la ciudad de México que celebraba la fiesta de XV años de los 300 *tetecuhtin* y algunos más, Sheridan le debe mucho al Novo que escribió "Lombardotoledanología" (1937). De esa crónica matriz proviene buena parte de la imagen, a la vez mitológica y realista, que de los jefes sindicales y de los líderes populares tiene Sheridan, en ese círculo que se abre en Vicente Lombardo Toledano y se cierra con Andrés Manuel López Obrador, pasando por Fidel Velázquez, el héroe de *El dedo de oro,* la única novela que ha publicado. Otro de sus personajes preferidos, el subcomandante Marcos, pertenece a otra familia, a la guerrilla sentimental y a la guerrilla nada misericordiosa que se desgajó, en mala hora, más que del movimiento estudiantil de 1968 y de su represión, de la Guerra Fría.

De Ibargüengoitia, el maestro más presente, Sheridan aprendió algunos tics y no pocas manías, pero le es ajena la característica esencial de la prosa del guanajuatense, la opacidad que convierte al chiste, a la imprecación y a la ironía en elementos que limpian la trama de sus redundancias y ofrecen los trazos simples de la caricatura. Ibargüengoitia es un cartonista; Sheridan, el hipotético autor de un cómic o de una historieta, crónica gráfica cuyos ilustradores principales serían, por supuesto, Jis y Trino. Obligado a usar el argumento de *Las muertas* (1977), de Ibargüengoitia, novelita cuya perfección está en su simplicidad falsamente periodística, Sheridan habría descrito, en clave decameroniana, el especioso horror de un burdel provinciano. Monsiváis, finalmente, es otra clase de puritano, aquel que reacciona ante la injusticia con amor a los oprimidos, haciendo un cuantioso depósito moral en la cuenta de quienes los representan o dicen hacerlo, acto que Sheridan se cuidaría de llevar a cabo, movido por el desconfiado escepticismo con el que reacciona ante la inconsistencia de la condición humana.

Del triunfo ecuménico de Vicente Fox en 2000 a la emocionante e imprevista derrota de López Obrador en 2006, del humo del 11 de septiembre de 2001 a la Francia profunda que votó por Le Pen en los años en que el anglófilo Sheridan vivió en París, *El encarguito (y otros pendientes)* (2006) reúne las crónicas que publicó en *Letras Libres,* como antes lo había hecho en *Vuelta,* revistas que han tenido en él a su columnista más leído. En esta recopilación Sheridan confirma la variedad de recursos estilísticos de los que dispone: el hallazgo verbal, el pastiche, el juego de palabras, la paráfrasis, la ilustración del sentido literal, el falso *mode d'emploi,* la cita culta, el diagrama explicativo y, en fin, la habilidad de ventrílocuo que habla, imita, deforma o reproduce modos, dialectos, lenguas, sirviéndose de Bernal Díaz del Castillo para ilustrar la nueva conquista de la Nueva España por parte de la progresía peninsular o dándole a las izquierdas ese latín que Alfonso Reyes* soñaba para ellas.

Al releer las crónicas de Sheridan junto a sus ensayos sobre la tradición de la poesía mexicana, es decir, *Cartas de Copilco y otras postales* (1994) junto a *Poeta con paisaje: ensayos sobre la vida de Octavio Paz* (2004), *Lugar a dudas* (2000) con *Un corazón adicto: la vida de Ramón López Velarde* (1989 y 2002), *Frontera norte y otros extremos* (1988) con *Los Contemporáneos ayer* (1985), *Allá en el* campus *grande* (2000) con *México en 1932: la polémica nacionalista* (1999), encuentro un equilibrio y una correspondencia entre la puntualidad del historiador literario y la acritud del satírico de las cosas mexicanas.

Ambas voces confluyen en el mismo escritor y me apoyo, para decirlo, en el examen de un solo ensayo, "Llueve sobre México", que aparece en *Lugar a dudas.* Esa estampa de un par de páginas combina, a título de magisterio ejemplar, la evocación de un aguacero en el desierto de Coahuila y hasta la nostalgia ("Siempre llueve en el pasado") con versos de

Xavier Villaurrutia, Carlos Pellicer*, Francisco González León y Ramón López Velarde, no sin tomar al vuelo una observación pertinente de Cavafis. Y en un último párrafo dice Sheridan: "En la ciudad, hoy, es otra cosa. Efraín Huerta[*] propone, severo, que la lluvia urbana cae sobre cadáveres. La violencia ambiental de la urbe aumenta con la lluvia. Miles de autos se quedan quietos, espectadores de la lluvia que iluminan con sus faros y tratan de espantar a altavocesazos. De pronto, una imagen incongruente: un niño de seis o siete años, decorado con una peluca de colores, se para de manos frente al coche. El agua le llega a los codos. Se endereza y extiende las manos pidiendo una cooperación. La lluvia le paga con agua ese raro oficio de hacer un *show* de su miseria. Entonces reparo en que la pintura con que se maquilló de payaso se le ha corrido hacia abajo con el agua, pero también hacia arriba, por vivir de cabeza: una imagen que habrá de quedarse, qué pena, en mi presente".

A diferencia del crítico estadunidense H. L. Mencken, una de sus lecturas capitales, Sheridan no odia la poesía, sino que se nutre de ella al presentarse como el iconoclasta que se resiste a blandir sus hiperbólicas exageraciones para sustituir el credo que destruye con una nueva doctrina. Pero ello no quiere decir que en Sheridan falte, como no falta en Swift y en Voltaire, un no-lugar, un mundo al revés quizá llamado, también, México, donde acaso la ciudad sea todavía peatonal, como la que caminaron los Contemporáneos, o la tarde se asemeje a las que veía caer Ramón López Velarde en la calle de El Pensativo, en San Luis Potosí, o la infancia sea aquella que visita, afantasmado, Octavio Paz* en Mixcoac o a algún recuerdo, por fuerza bucólico, de la juventud del propio cronista en Monterrey.

Creo que todo lo que hace agudo y temerario (o, para algunos, insoportable) a Sheridan proviene de la religión de la poesía mexicana, lo que emana del don sintético de José Juan Tablada, de las atrabancadas elegías casi surrealistas de Efraín Huerta*, del azoro del joven Paz ante las piedras mayas, de la caridad de Manuel Gutiérrez Nájera y de algunos momentos, melodiosos y obscenos, de Renato Leduc*. Sólo el mejor de los lectores de López Velarde puede atinarle al punto en movimiento que separa lo falso de lo esencial, lo pintoresco de lo verdadero, tratándose de la provincia, lo mismo que sólo quien va y viene sobre *Muerte sin fin* se ejercita en la más exigente de las gimnasias intelectuales. La obra entera de Sheridan —ensayo y crónica— acaba por convertirse, por ese camino, en algo más interesante y duradero que la de muchísimos de nuestros novelistas, para hablar del género al que se le suele cargar la cuenta por la interpretación del mundo.

En *El encarguito (y otros pendientes),* el lector puede tomar dos caminos en apariencia muy distintos. Uno cruza el mundo poético, como en una de las crónicas parisinas, donde recorrer la Île Saint-Louis significa llenar un paisaje de citas poéticas, volver a hacer el paseo de los modernistas y de la vanguardia. El otro sendero, en los textos sobre el periódico secuestro de la universidad, llama a recorrer, como es obvio, la realidad política. Pero en ambos casos me parece que Sheridan recurre al mismo procedimiento: descifrar un enigma verbal y, al hacerlo, teñir de moralidad sus juicios, ejercer de moralista.

En la autobiografía intelectual de Sheridan, libro que es relativamente fácil componer siguiendo un orden adecuado a través de sus crónicas, encontramos los contrapuntos formativos, entre la Navidad católica y la Navidad protestante, entre la lectura de John Steinbeck y la de J. D. Salinger, entre la poesía pura y la poesía comprometida, hasta llegar a un universo en apariencia maniqueo donde la oscuridad simula adueñarse de todo. Pero tarde o temprano aparece la luz cálida de esas cuantas convicciones modestas y eficaces que se demuestran, por ejemplo, en la solidaridad implicada en cantar una cantata de Bach en un coro. Es en los agravios y en las esperanzas del educador donde la fidelidad a esas virtudes liberales se torna más estricta, pues la obsesión moral de Sheridan está, como lo ha demostrado de manera osada e infatigable, en la defensa de la educación pública universitaria.

La mentira oficial, las supersticiones populares del *new age* y de la vieja izquierda, el público de la vanguardia transformado en electorado, la fridomanía depresiva y los *mexikahlos,* la afasia del caudillo, el horror que se sublima en la resurrección de los ídolos aztecas o la tentación de regir a las escuelas públicas con la dictadura del lumpenproletariado, son algunos de los fenómenos que irritan a Sheridan y dan su forma a *El encarguito (y otros pendientes),* el libro de un puritano que detesta la estupidez, el fanatismo, la corrupción y todo cuanto delate, además, cierta manera alambicada y churrigueresca de no hacer las cosas o de pensarlas mal.

El personaje que habla en las crónicas de Sheridan es, quizá, su gran creación, y ese ser, a la vez invisible y monstruoso, es Alceste, el misántropo de Molière tal cual lo interpreta Paul Bénichou. Es el idealista reformador cuya rebeldía es una inadecuación a las circunstancias, desamparo que lo hace parecer perseguidor y susceptible, egoísta y desdichado. Altivo en su solitaria agresividad, es contra la sociedad como un hecho de tal modo abrumador que el misántropo, gracias a su hipersensibilidad, se rebela. Es la conciencia mejor dispuesta para señalar, con devastadora lucidez, los vicios de una época ante la cual no puede sino expresar su pasión por la virtud.

Bibliografía sugerida

Los Contemporáneos ayer, FCE, México, 1985.

Frontera norte y otros extremos, FCE, México, 1988.

Cartas de Copilco y otras postales, Vuelta, México, 1994.

El dedo de oro, Alfaguara, México, 1996.

México en 1932: la polémica nacionalista, FCE, México, 1999.

Lugar a dudas, Tusquets Editores, México, 2000.

Allá en el campus *grande,* Tusquets Editores, México, 2000.

Un corazón adicto. Vida de Ramón López Velarde y otros ensayos afines, Tusquets Editores, México, 2002.

Poeta con paisaje: ensayos sobre la vida de Octavio Paz, Era, México, 2004.

El encarguito (y otros pendientes), presentación de Martín Solares, Universidad de las Américas/Trilce, México, 2006.

Paralelos y meridianos, DGE-UNAM/Ediciones El Equilibrista, México, 2007.

Señales debidas, FCE, México, 2011.

Viaje al centro de mi tierra, Almadía, Oaxaca, 2011.

Malas palabras: Jorge Cuesta y la revista Examen, Siglo XXI Editores, México, 2011.

SICILIA, JAVIER
(Ciudad de México, 1956)

Para leer a un poeta católico. "La fama no prefiere a los católicos", escribió Rubén Darío pensando en Léon Bloy. La frase, escrita en *Los raros* en 1896, sigue vigente para la literatura mexicana. La hazaña política del jacobinismo impulsa el desdén por nuestra cultura católica. El padre Alfonso Plascencia (1873-1930), poeta inolvidable por sus tiernas blasfemias, esperó cuarenta años a José Emilio Pacheco* para verse incluido en el canon de la *Antología del modernismo* (1970). Concha Urquiza (1910-1945) fue, al mismo tiempo, nuestra Alfonsina Storni y nuestra Simone Weil. Se internó en el mar para darse muerte, como aquélla; sufrió las tensiones políticas y místicas de la segunda. Los editores de Urquiza han rescatado su hermosa poesía católica, borrando piadosamente sus páginas comunistas. Otro sacerdote —más bien un poeta que trabajaba de cura—, Manuel Ponce (1913-1993), murió oficiando mientras crecía el círculo de sus lectores. Y el trabajo crítico y antológico de los hermanos Gabriel y Alfonso Méndez Plancarte sigue durmiendo el sueño de los justos en las librerías parroquiales.

Gabriel Zaid*, quien tanto ha hecho por la revaluación de la literatura católica del siglo XX, escribió en el prólogo de su *Antología poética* (1980), de Ponce: "Ahora que la poesía se ha vuelto tan aparentemente fácil, y que (bajo el engaño de las apariencias) prosperan ciertos facilismos inocentes, es de esperarse que retornen ciertos dificilismos inocentes (a través del soneto por ejemplo), pero también algo más valioso, una recuperación del gusto por las claridades menos obvias, que ya se advierte en algunos poetas".

Sicilia es uno de esos poetas. Católico practicante, pionero de las comunidades del Arca en México, representa a la ortodoxia romana en el contexto de ese retorno a las fuentes de la espiritualidad vivido por su generación. Precedidos por Sergio Mondragón (1935), los jóvenes poetas religiosos probaron el zen y las técnicas orientales de meditación, leyeron a Suzuki y a Thomas Merton junto a los abuelitos de la generación Beat, y en fin, empezaron a publicar poesía formando filas en la enésima oleada antimodernista del siglo, la emblematizada por la contracultura de los años sesenta. Más allá de la impostura californiana que predica Alberto Blanco*, sólo encuentro sinceridad en el budismo de Elsa Cross* y en Sicilia. ¿Sinceridad? Sí. Sólo a los espíritus que se proclaman abiertamente religiosos en literatura es congruente pedírsela.

La búsqueda de Sicilia terminó pronto. La atmósfera espiritual de los setenta sólo le facilitó el retorno al origen. Educado en un hogar devoto, hijo de Óscar Sicilia, poeta aficionado y artesano de íconos, Javier encontró en el catolicismo su camino de escritor. Al sumergirse en una tradición literaria sospechosa de agotamiento, Sicilia la convirtió en una excentricidad contemporánea que alguien llamó, sorprendido, posmoderna.

La presencia desierta (1985 y en edición aumentada, 1995) reúne el primer par de libros publicados por Sicilia. Universo cerrado que vive su implosión en la fe, el de Sicilia es memorable por un poema, "Permanencia en los puertos", que ha sobrevivido dignamente a la sorpresa precoz que significó. Por pudor de creyente, Sicilia prefiere pasar por poeta religioso que por poeta místico, como si sólo Juan de la Cruz mereciera la doble canonización, la eclesiástica y la retórica.

Carezco de autoridad para determinar el misticismo en la poesía de Sicilia. Diré, tan sólo, que el poeta lleva con garbo la retórica mística, usa la alegoría tradicional y la resuelve en versículos inolvidables, como éstos, con los que comienza su viaje: "pues la vida del hombre está en su muerte/como el vuelo del cuervo en la presteza/de sus alas. Dolor/y toda nuestra historia en su belleza/y todo el declinar que se hace/y diluye la pena y su temor".

El matrimonio erótico entre el Dios encarnado y su alma amada reaparece con la novedad de una imaginación material que creíamos perdida en el arcón de la tradición castellana. Pero un poeta místico en una cultura profana no puede ser otra cosa que un hombre de ideas: un escritor católico. "Dejamiento" —segunda parte de *La presencia desierta*— sigue al maestro Eckhart en esa pobreza de Dios que exige la helada desnudez de los sentidos. La formulación del poema en liras es impecable. Es un ejercicio formal que fascina al agnóstico y conmueve al cristiano.

Se critica a Sicilia por su extrema dependencia de san Juan de la Cruz y de fray Luis de León. *La presencia desierta* es, qué duda cabe, una obra parafrásica. Pero, ¿por qué un católico no ha de tener derecho a la paráfrasis, cuando toda la literatura moderna presume de ser escolio o pastiche? Más allá de "Dejamiento", me parecía difícil que Sicilia prosperara como escritor si insistía en el formalismo místico. El extremo pulimento de la forma no soportaría otro corte: desaparecería. Con *Vigilias* (1994), Sicilia recorre el coro de la cristiandad. Sus poemas, a menudo didácticos, son una ofrenda ante el Evangelio que retratan diversos episodios de la Anunciación y de la Pasión. Les siguen un homenaje a los santos donde observamos las figuras de Francisco de Asís, Juan de Yepes, Edith Stein, Charles de Foucauld, Giuseppe Lanza del Vasto y Teresa de Calcuta.

Del misticismo a la hagiografía, Sicilia incurrió en la novela. ¿La novela moderna, hija de la crítica, puede ser hagiográfica? No lo creo. Por ello, los libros de Nikos Kazantzakis, Georges Bernanos y más recientemente, Mario Brelich, se concentra en las tentaciones de Cristo o de los santos. Atienden ese parpadeo en que una hagiografía puede devenir en verdad novelesca. Sicilia, deteniéndose en san Juan Bautista, la problemática figura del padrino de Cristo, tuvo miedo de la heterodoxia, es decir, de la novela.

Sobre un escritor como Sicilia pesa una obligación dura de cumplir: dotar a nuestra literatura de esa literatura católica plenamente contemporánea de la que carecemos. No es esta obra de un solo hombre de fe. Pero si en el siglo que entra México vive una renovación católica, Sicilia habrá sido uno de los precursores.

Una anécdota, relatada por Sicilia, me alegra y me conmueve. Pinta mejor que mis palabras su figura tierna y temeraria. Poco antes de que don Óscar Sicilia muriese, Javier logró cumplir con un viejo sueño. Padre e hijo partieron a Europa en calidad de *worldtrotters*, visitando, mochila al hombro, tanto las catedrales góticas como las comunidades de los ecologistas cristianos. En París, Javier llevó a su padre a Montmartre para que conociera las calles abyectas plagadas de prostíbulos y *sex shops*. Don Óscar protestó, pero no le quedó otra que seguir a su hijo, quien le pedía que no desfalleciera pues Agustín de Hipona se paseó por arrabales de esa laya en su camino de santidad. La desagradable experiencia terminó para el padre con un regalo inesperado. Javier lo llevó a un dispensario de las hermanas de Teresa de Calcuta, destinado al socorro de las prostitutas. El devoto recibió del poeta una hermosa lección (*Servidumbre y grandeza de la vida literaria*, 1998).

La causa de un poeta. Cuando me enteré del asesinato de Juan Francisco Sicilia Ortega, al estremecimiento se sumó, casi de inmediato, mi certidumbre de que el poeta Javier Sicilia iba a mover cielo y tierra para que el sacrificio de su hijo tuviera un significado reparador situado más allá del dolor de una familia. Para quien conozca a Sicilia, como yo, desde hace tantísimos años, no era difícil llegar a esa conclusión. Y encontré, también, una tragedia incrustada en la tragedia que nada tiene que ver con la barbaridad repetida de buena fe que ha otorgado al sufrimiento de un poeta algún grado de superioridad, estética o moral, sobre el dolor del prójimo.

Se trataba de otra cosa: la muerte del hijo en el contexto de una guerra civil entre cárteles de la droga que el Estado no logra detener, obligaba al padre a tomar decisiones públicas consecuentes con su propia biografía. La extrema impunidad delictiva en que ocurrieron los asesinatos de Temixco se concatenaba, dramáticamente, con las causas antes defendidas por Sicilia, personalista filosófico seguidor de Emmanuel Mounier, comunitarista y ecologista cristiano, un aliado de los zapatistas proveniente no de la teología de la liberación y de su espada, sino de la no violencia de Gandhi, Lanza del Vasto y Teresa de Calcuta.

Por su propia naturaleza espiritual, además, la obra literaria de Sicilia ya era profética desde su primer libro de poesía al último (entre *Permanencia en los puertos* de 1982 y el polémico *Tríptico del Desierto* en 2009) y no es extraño, por ello, que sus nuevos, imprevistos lectores, los que antes del 28 de marzo de 2011 nunca lo habían leído, descubran claves de lo que ocurrió en sus poemas y en sus novelas (*El bautista, El reflejo de lo oscuro, Viajeros en la noche*) pues el testimonio de una fe suele aparecer, al declinarse en tiempo futuro, como una revelación.

Pero que Sicilia sea un poeta no lo hace un vidente ni tampoco lo convierte en un ingenuo. Las decisiones, en su mayoría atinadas, que ha tomado, corresponden a una idea política que preexistía en él antes del asesinato de su hijo. Aquí hay mucha materia para disentir, al menos para mí, desde la supresión de los partidos propuesta por Simone Weil en la Francia de 1942, que Sicilia recupera, hasta algo más profundo, en lo que me concentraré.

Hace suya Sicilia una noción muy cara a la izquierda (no puedo sino generalizar) que viene de la Ilustración más que del cristianismo y para la cual el hombre es intrínsecamente bueno siendo la vida en sociedad su corruptora. Si Sicilia y muchos de quienes lo acompañan no colocan a los narcotraficantes y a sus crímenes en la primera fila de la responsabilidad, como otros quisiéramos, es porque los consideran, a ellos y a sus actos, la consecuencia, a la vez aberrante y lógica, de una sociedad oprobiosa e injusta. De cierta manera, según esta óptica, ellos son moralmente irresponsables y la cuenta final de sus actos debe pagarla el Estado, que los educó mal y es quien representa fatalmente a la violencia y al dinero. Y como es natural, un Estado tan corrompido y omiso como lo es el mexicano en sus tres niveles y a lo largo de toda la federación, se convierte en el deudor perfecto.

De esta idea, que busca el destello luminoso de lo humano aun en el peor de los criminales (la expresión es del doctor Johnson y no de Sicilia), algunos nos apartamos, ya sea porque somos liberales o porque somos conservadores o porque tiende, simplemente, a igualar a todos los muertos. No, para mí no es lo mismo un inocente que un sicario, sean cuales sean las razones que lo condujeron al crimen. Me resisto a que víctimas y verdugos compartan una misma sepultura en nombre de una abstracción llamada México. Pero por ello importa mucho (y allí Sicilia tiene toda la razón) devolverle su nombre y su historia a cada uno de los muertos.

Entre quienes se han manifestado tras Sicilia hay componente muy variado de ciudadanos. Están los jóvenes antisistema, una multitud desorganizada cuya actividad es un rito de pasaje por fuerza irritante y por fuerza saludable. No faltan, junto a los grandes poetas, los artistas incapaces de desperdiciar una oportunidad de hacer vida mundana al aire libre.

Sicilia tendrá, empero, que elegir, tarde o temprano, entre dos polos.

Uno, el de los familiares de las víctimas, a quienes Sicilia podría contribuir a organizar en una agrupación nacional, permanente y ecuménica que aminore su desamparo e impida su dispersión, obligando al Estado a compensarlos y a la sociedad a protegerlos. (Qué bueno que la señora Miranda de Wallace, ofendida en la prensa por un fanático, marchó al lado de Sicilia).

En el otro extremo están no sólo los malos perdedores populistas de 2006, sino una izquierda radical que ejerce los derechos que una democracia mal reglamentada le otorga y la cual, enamoradiza, ha encontrado en Sicilia a su pasión de la temporada. Yo preferiría que el poeta los desairara en busca de un meridiano político-moral que concilie a quienes consideramos que el presidente Felipe Calderón posee toda la legitimidad para combatir al narcotráfico con quienes consideran errada la estrategia pero están dispuestos a proponer algo serio a cambio y no sólo pacifismo histriónico y antigobiernismo ritual. En este sentido, me puedo imaginar a Sicilia capitalizando algo de la energía social desatada hacia la lucha por la despenalización universal de las drogas. O discutiendo el papel de los consumidores en esta pesadilla, tema evadido por los profesionales de la indignación. Pero no sé qué piense él.

Insisto en que lo asombroso, lo estrujante es cómo el dolor personal, la realidad misma (para no meterse ni con el destino de los trágicos griegos ni con la divina providencia) obligó a Javier Sicilia a llevar hasta sus últimas consecuencias las doctrinas político-teológicas que profesa. Rara vez —al menos en la historia literaria de México— había caído un peso tan enorme en la espalda de un escritor.

Bibliografía sugerida

El bautista, Universidad Veracruzana, Xalapa, 1991.
El reflejo de lo oscuro, FCE, México, 1998.
La presencia desierta. Poesía, 1982-2004, FCE, México, 2005.
Tríptico del Desierto, Era/INBA/ICA, México, 2009.
Estamos hasta la madre, Planeta, México, 2011.

SOLER FROST, PABLO
(Ciudad de México, 1965)

En 1984, entrando a la Sala Manuel M. Ponce del Palacio de Bellas Artes, donde se festejaban los setenta años de Octavio Paz*, vi a un ser espiriti-fláutico, apenas más joven que yo, que parecía Rimbaud escapado del célebre cuadro de Fantin-Latour. Era un dandi puro, con afectaciones tan bien puestas que resultaron indelebles, cortés hasta la exasperación y, para acabar de completar el cuadro, católico a machamartillo. A diferencia de tantos raros que pululan en cualquier literatura a la imberbe edad en que todo está permitido, Soler Frost era desde entonces un verdadero escritor, llamado a ser el inverosímil padre de cierta nueva literatura mexicana. Novelas como *Legión* (1992) y *La mano derecha. (Novela con fotografías)* (1993), colecciones de cuentos como *El sitio de Bagdad y otras aventuras del doctor Greene* (1994) y *El misterio de los tigres* (2002), curiosidades como el *Oriente de los insectos mexicanos* (1996) o las sapienciales *Cartas de Tepoztlán* (1997) han ido imponiendo un estilo, en su medida de catálogo de afinidades, que ha permeado a toda nuestra generación. Fue Soler Frost quien, sin aspavientos publicitarios, escribió ficciones sobre Bizancio o la Gran Guerra, donde México era apenas una alusión genealógica. No por ello Soler Frost ignoró a San Agustín de las Cuevas, hoy Tlalpan, ni al emperador Maximiliano ni otras pasiones, por decirlo de alguna manera, criollas.

La predilección adolescente y morbosa que Soler Frost sentía por el nacionalsocialismo, y que le acarreaba pequeños escándalos mundanos, fue desapareciendo hasta llegar a *Malebolge* (2001), la novela donde el católico reconvertido a la gracia que hoy es don Pablo hace un examen de conciencia y denuncia la infección pagana que sufrió. Y de los libros (que ya van siendo demasiados) de aquello llamado, no tan humorísticamente, el "nazismo mágico" mexicano, *Malebolge* —nombre de un círculo del infierno— me parece el más logrado. Esta novela, de la que como es usual tratándose de Soler Frost nadie dijo gran cosa, destaca por su prosa, castiza con estricta elegancia y eficaz sin presunciones. Su germanofilia involucra realidades existenciales que otros exotistas rehúyen: la culpígena atracción homoerótica por los cuerpos combatientes y los símbolos iniciáticos, traducida en el culto, para mí incomprensible, por la camaradería de los excursionistas y por una delectación ante el horror de la historia que nada tiene de profesoral. Dice Soler Frost: "Muchos, Hesse, Mann, Unruh, Jünger, han narrado este cuento de la vida real: dos muchachos, en el trance de niños a jóvenes, se aman; van creciendo juntos, conversan bajo los árboles, recítanse un poema en las calles solitarias, discuten, prueban la cerveza y el cigarro. Serán tópicos, pero son tópicos hermosos. De pronto en uno, no en el otro, aparece el deseo por la mujer".

La huella de *Elsinore,* de Salvador Elizondo*, acaso se note demasiado en *Malebolge,* que, a diferencia de los libros de su maestro, está mal construido, pues el dominio de las técnicas narrativas no es precisamente la mayor de las virtudes de Soler Frost. Pero prefiero sus gazapos, atribuibles a las cenizas del tedio, que los calculados y huecos aciertos comerciales de otros. La diferencia entre el artista de la prosa y el constructor de *bestsellers* cultos puede hallarse, por ejemplo, en *La mano derecha.* En esa "novela con fotografías", de la que *Malebolge* es desenlace, hay un momento en que los viajeros tocan Adén, Arabia, y a Soler Frost le basta con decir que allí embarcan a alguien llamado A. R. En cambio, el manufacturador de prestigio hubiera escrito un capítulo de treinta páginas para explicar quién fue Jean-Arthur Rimbaud y si traficó esclavos o armas una vez abandonada la poesía, etc., etc., etc. Lo que en Soler Frost es la piel de la literatura, en otros es tan sólo dominio bibliográfico.

Desde *Cartas de Tepoztlán* resultó notorio que tras el exotismo de Soler Frost había una búsqueda criolla. Más que un retorno a los orígenes, se trata del viaje de quien, ansioso por contarle a sus semejantes cómo le fue, en realidad no se va nunca. *Edén* (2003), la tercera y última parte de la trilogía de los Jansen, transcurre en México, entre el fin del siglo XIX y la Revolución mexicana. Si *La mano derecha* narra el destino de uno de estos aventureros daneses en los submarinos alemanes del Káiser y *Malebolge* está ambientada en el nacionalsocialismo, *Edén* tiene lugar en las monterías de Tabasco. Esta oda tropical está más poblada prosísticamente que los libros anteriores y destaca, como en esa aparición del ateo B. Traven en la Nueva Dinamarca, por una cadencia verbal plena en sentido del humor. Esto último tiene su mérito, dado que *Edén* es una novela católica, plena en santa indignación contra las tropelías anticlericales de los revolucionarios en el sureste de México. Soler Frost debe cuidarse de la ñoñería, intrusión de los buenos sentimientos religiosos en la obra de arte y perversión del gusto, tan común entre los conversos o en los reconvertidos.

Se ha contado a Soler Frost entre los reaccionarios, en tanto que tradicionalista ajeno a la modernidad. Ésta es una opinión en su día rebatida por Jorge Cuesta*: ser tradicionalista es sólo una forma excéntrica de ser moderno. Por ello Soler Frost no debe olvidar (pues a veces lo olvida) que lo que él entiende como tradición católica es una novedad provocada por la Revolución francesa, que al arrojar a los escritores católicos a la arena de la opinión pública los convirtió, antes que en nostálgicos de los tiempos de Doña Urraca, en críticos imprescindibles (y en cómplices apenas clandestinos) de la aventura moderna.

La novela histórica *1767* (2004), sobre la expulsión y el exilio de los jesuitas novohispanos, acaba por probar que Soler Frost ha viajado del exotismo al tradicionalismo, de una excentricidad a otra. Diseñada a la manera de los novelones decimonónicos de Vicente Riva Palacio o de Manuel Payno, mediante un narrador omnisciente dueño de prerrogativas dogmáticas y doctrinarias, *1767* es un libro devoto dedicado a la vindicación de los sufrimientos de los padres de la Compañía de Jesús, que, expulsados de los reinos borbónicos en uno de los primeros episodios plenamente totalitarios del Estado moderno, se llevaron consigo las semillas de una Ilustración mexicana que habría de germinar, en Bolonia, en flores tan espléndidas y tardías como la *Storia antica del Messico*, de Clavijero, y otros tantos libros notables. Antes que molestarme, me enternece la manera, más coqueta que piadosa, en que Soler Frost se sirve, casi siempre citándolos literalmente, de los cuentos, sucedidos y milagrerías que la tradición jesuítica atribuye a sus doctores y a sus mártires.

Me enfada, en cambio, el modo dispuesto por Soler Frost que le impidió penetrar, por su cuenta y riesgo, en uno de los misterios políticos y eclesiásticos más endiablados de la historia moderna, una auténtica madeja novelesca que un autor de otro talante hubiese intentado deshilvanar y que incluiría, para no ir más lejos, alguna elucubración psicológica en las agonías de conciencia que presidieron el destino de los tres pontífices romanos involucrados en la extinción de la Compañía. Soler Frost repitió la versión jesuita de la expulsión, absteniéndose de someterla a examen, sin excluir los insultos ni las caricaturas que presentan como simios y endriagos a Voltaire, a Carlos III y a todos los enemigos, reales e imaginarios, de los padres prietos. Pero no se le puede pedir al autor que sea un novelista católico a la francesa y hay que conformarse con la realidad tangible de que Soler Frost se convirtió, tras empezar su camino con Ernst Jünger y con Elizondo, en un escritor católico a su personalísima manera.

No es reprochable en *1767* la ostentación católica, como no lo son, en principio, el comunismo agónico de José Revueltas* o la sacralización negativa del erotismo en Juan García Ponce*, para citar a un par de escritores mexicanos que eligieron formas, ¿al fin y al cabo retóricas?, de religiosidad. Lo polémico sería preguntarse qué tan creíble resulta la elección técnica de un narrador ingenuo, que, inspirado en el Gabrielillo galdosiano, se decanta adrede por la superficialidad como una manera de extenderse sobre la historia. Quien no conozca la sinceridad de la fe de Soler Frost pensaría que *1767*, por la excentricidad implícita en una novela devota en los tiempos que corren, es una broma posmoderna. Pero no, no lo es, y pasados los primeros capítulos tan digresivos, *1767* acaba por ganarse al lector, a ese lector escéptico en materia de religión e invariablemente encallecido por lo que hace un siglo la Iglesia anatemizaba como *modernismo*.

Salvados los reparos que le exigen a un novelista ser lo que no le es dado ser, *1767* terminó por convencerme en su medida de lección de piedad en un mundo canalla y en su calidad de primera parte de una saga que continuará en la guerra de Independencia. Junto a las frases cojas que son de rutina en la escritura de Soler Frost aparecen los sutilísimos hiatos que lo defienden contra su reciente y fatal tendencia a simplificar hagiográficamente sus tormentos, aquellas páginas en que reencuentra su amor por la novela de aventuras, como cuando una tormenta desparrama la secreta instrucción de Carlos III que mandaba expulsar a los jesuitas de los reinos de ultramar y el teniente de navío que la custodia entra en el alarmante secreto y otros tantos momentos, más prosísticos que plásticos, en los que en *1767* se paladea el español mexicano.

No me extraña que *1767* sea, como *Edén,* la *Rusticatio Mexicana* de Soler Frost, pues el culto a la tierra nativa y a la religiosidad tradicional es una fabulación familiar del paraíso perdido que está en el origen de toda la inspiración romántica de origen germánico. Entre Rafael Landívar y Oswald Spengler (y su discípulo titánico, Jünger) la distancia es corta y transitable a pie, pues atraviesa el terruño. Soler Frost es uno de los pocos escritores de mi generación que ha vivido los rigores de una biografía intelectual: campo de batalla donde aparecen, como en las vidas de nuestros mayores, los fantasmones (y los soldados de plomo) enarbolando las insignias de la crueldad en la historia, de Eros en conflicto con la filia y con el ágape, banderolas oscilantes entre el esnobismo y la vocación más plena. El camino andado por Soler Frost es ya largo y es uno de los caminos literarios mexicanos que sigo con mayor devoción.

Bibliografía sugerida

Legión, Universidad Veracruzana, Xalapa, 1992.

La mano derecha. (Novela con fotografías), Joaquín Mortiz, México, 1993.

El sitio de Bagdad y otras aventuras del doctor Greene, Heliópolis, México, 1994.

Oriente de los insectos mexicanos, UNAM, México, 1996; 2ª ed., Aldus, México, 2001.

Cartas de Tepoztlán, Era; México, 1997.

Malebolge, Tusquets Editores, México, 2001.

El misterio de los tigres, Era, México, 2002.

Edén, Jus, México, 2003.

1767, Joaquín Mortiz, México, 2004.

Yerba americana, Era, México, 2008.

T

TAIBO II, PACO IGNACIO
(Gijón, España, 1949)

Hace veinte años que no leía yo a Taibo II. Lo hice por última vez al preparar la *Antología de la narrativa mexicana del siglo xx* (1989 y 1991), en la cual Taibo II ocupaba, por su novedad, un sitio entre los narradores comprometidos con la secuela político-ideológica del movimiento estudiantil de 1968. Tras haber leído durante esta primavera *Todo Belascoarán. La serie completa de Héctor Belascorán Shayne* (2010), tomo que reúne el ciclo entero de novelas policiacas protagonizadas por el detective Héctor Belascoarán Shayne y publicadas originalmente entre 1976 y 1993, conservo la estima por aquellos libros. Apreciaba yo entonces el ludismo de un escritor policiaco que, jugueteando con la heterodoxia de la izquierda, había comenzado a publicar a fines de los años setenta, cuando el eurocomunismo se presentaba como la enésima oportunidad de salvar la herencia de la Revolución rusa de un colapso que nadie creía a la vuelta de la esquina. En México, se legalizaba el Partido Comunista, florecía la prensa de izquierda y el sindicalismo indepediente, al cual estaba el novelista tan ligado, parecía tener un futuro promisorio aunque un país sin el Partido Revolucionario Institucional (PRI) todavía parecía inconcebible. Decía yo y me equivocaba, afirmando que Taibo II era el epígono mexicano de Manuel Vázquez Montalbán. El propio Taibo II, en alguno de nuestros ríspidos encuentros, me demostró que su Belascoarán Shayne era contemporáneo y no epígono de Pepe Carvalho, la creatura inventada poco antes (pero no mucho) por el comunista y polígrafo catalán. Son en verdad, personajes que se alimentan de cosas distintas: el detective peninsular es un *gourmet*, el mexicano vive de refrescos embotellados y tacos. Prefiero a mi paisano, uno de los personajes más vivarachos de nuestra literatura. El espíritu relajiento de Taibo II, concluía yo en la *Antología,* ocultaba una desesperación, la que lo había impelido a escribir *Héroes convocados: manual para la toma del poder* (1982), una fábula donde Sandokán y otros héroes de la literatura de aventuras, como D'Artagnan y el mastín de los Baskerville, nada menos, salían a vengar a los estudiantes asesinados en 1968 cobrándose con la vida del presidente Gustavo Díaz Ordaz. Aquella idea, dije, me parecía triste porque Taibo II conocía el chiste, pero no el verdadero humor.

Han pasado veinte años y Taibo II es uno de los escritores mexicanos más leídos en el mundo. Se lo debe, me parece, a la excitación que sus muchas novelas policiacas e históricas causan en los lectores franceses, italianos y alemanes que idolatran o idolatraban al subcomandante Marcos (con quien Taibo II firmó una novela a cuatro manos titulada *Muertos incómodos* en 2005), al grado que, según me dijo una amiga holandesa, en las rutinarias zacapelas que enfrentan a los globalifóbicos con las policías antimotines, es de rigor cargar con una botella de agua, un tubo de bronceador, un cóctel Molotov y alguna novela de Taibo II. La estampa debe llenarlo de orgullo, tanto como a mí me alegra haber recibido de él un inapreciable galardón cuando en Monterrey, en 1999, yo interpelé a un par de funcionarios castristas y él, para tranquilizarlos, les dijo: "No le hagan caso, es un provocador mandado por Octavio Paz*". Llevaba entonces, Paz, un año de muerto.

También han hecho la celebridad de Taibo II dos de sus biografías: *Ernesto Guevara, también conocido como el Che* (1996) y *Pancho Villa. Una biografía narrativa* (2006), ambas muy bien documentadas, escritas con agilidad y eficacia por un escritor profesional que cultiva a su público con el esmero de los antiguos e infatigables practicantes de la literatura industrial. En el caso de Guevara, a Taibo II su pasión por el aventurero argentino lo obnibula, de tal forma que para el lector que quiere saber historia y no afiebrarse con ella, son más recomendables las biografías de Jon Lee Anderson y Jorge Castañeda. En cuanto a Villa, la de Taibo II, es magnífica a su manera telegráfica y se complementa con la obra ya clásica, más reposada, del finado Friedrich Katz. El mejor Taibo combina a John Reed con Jack London, al cronista testigo con el utopista convencido de que los perros conforman la segunda, la verdadera humanidad.

Han pasado veinte años y Taibo II se ha hecho famoso como bajá, en su calidad de "fundador del neopoliciaco latinoamericano", de la Semana Negra de su natal Gijón. No ha cejado en su militancia, apoyando a Cuauhtémoc Cárdenas, a Marcos y después a López Obrador lo mismo que al chavismo y al evo-moralismo. En 1998 hizo campaña para dirigir la cultura en el primer gobierno perredista de la ciudad de México pero su intención manifiesta de imponernos a los chilangos una Revolución Cultural al estilo Lin Piao frustró el éxito de su candidatura. Tras pendejear al enemigo de clase y culpar del desaguisado a la influencia de los "estalinistas de derecha", Taibo II desistió y volvió a lo que sabe, a vender libros.

Y pese a que sus novelas (particularmente *Cuatro manos*, 1990) se exaltan, por ser alegres tipos duros fogueados en la dura escuela del fuego amigo, a los héroes antistalinistas, desde Buenaventura Durruti hasta León Trotski, pasando por las víctimas de las purgas soviéticas, lo cierto es que poco queda, en los hechos, del coqueteo heterodoxo del joven Taibo II, actualmente más cercano a la "izquierda neardenthal" de la que se deslindaba que del rollo anarco-comunista. Y los hechos son la fidelidad con la que respalda, inverecundo, a la dictadura cubana, enemigo archijurado del imperialismo yanqui, tanto como lo era príncipe pirata Sandokán de los colonialistas ingleses. Lo que Taibo II, bolchevique, adora como motivo literario es la toma del Palacio de Invierno, el golpe de mano mediante el cual un grupo de aventureros astutos se adueña del poder. Dirá, recordando alguna de sus críticas fraternas, que lo que a él le interesa es la Revolución, no el socialismo.

En el caso de Taibo II es imposible reseñar su obra literaria sin trazar su retrato ideológico. Es probable que sea el escritor de izquierdas más orgulloso de su alcurnia entre aquellos que he leído y así como los reyes arrastraban su titipuchal de títulos, él, a través de los epígrafes de sus novelas, nos receta un Armorial de fidelidades que incluye, entre los celebérrimos y entre aquellos que sólo reconocen los entendidos como Nazim Hikmet o Ernst Toller, a Trotski, Mao, Sartre, Dalton, Benedetti, Cohn-Bendit, Bakunin, Maiacovski, Silvio Rodríguez, Brecht, Fernández Retamar, Paco Urondo. Me pregunto si Taibo II se permitirá leer a algún autor que no haya sido militante de alguna de las Cuatro Internacionales y media que reinaron, en el planeta, sobre el movimiento obrero. Yo cojeo del mismo lado y por eso, quizá, leo a Taibo II. Pero su afán proselitista me sobrepasa, abrumador al invadir toda su literatura: en *El retorno de los Tigres de la Malasia* (2010), Yáñez de Gomora se cartea con Friedrich Engels a propósito de la transformación del mono en hombre y en *Cuatro manos* es Trotski quien mientras escribe la biografía de Stalin que el piolet de Mercader dejará inconclusa, redacta una novela policiaca. O es Stan Laurel, el socio del Gordo, también en *Cuatro manos*, la novela de la que se siente más orgulloso, quien se vuelve íntimo amigo de un socialista asturiano retirado frente al Mar de Cortés.

Más allá del omnívoro cosmopolitismo revolucionario, sin ese afán sería incomprensible Taibo II, un *bolche* enervado de coca-cola y de nicotina que aporrea los teclados con la furia del militante que no desea otra cosa que llegar a la reunión sindical o a la célula de partido con el documento, "el material político", que habrá de conmover al mundo durante diez días. Esa ansiedad vital le ha permitido crear un mundo cerrado y autosuficiente, como el regido por Héctor Belascoarán Shayne, un "detective independiente" que fue una verdadera novedad cuando apareció en *Días de combate* (1976) y en *Cosa fácil* (1977). Informal y cursilón, este detective forma parte de esa generación de protagonistas de la novela negra para los cuales, siempre, el verdadero criminal está entre el poder y el dinero, esquema que se aplicaba con exactitud al opaco (por no decir tenebroso) mundo regenteado por el PRI en aquellos años interminables de la "felicidad mexicana". Belascoarán, hijo como su creador de la épica de la Guerra Civil española, dibuja una ciudad de México fechada en los años setenta cuyo panorama me complace por el dechado de virtudes idiosincráticas y costumbristas, por su percepción de atmósferas, de olores, de miedos, de rutinas. Taibo II le canta a esa ciudad en la que en apariencia nada era memorable, como lo habían hecho Efraín Huerta* o José Emilio Pacheco* (su poeta de cabecera). Pensando en el admirado y aborrecido poema "Alta traición", de Pacheco, diría yo que Taibo II formaba filas entre aquellos jóvenes escritores ansiosos de asir el "fulgor abstracto" e inventarse una mexicanidad sin mitologías ancestrales, sólo cotidiana.

El espacio consentido de Taibo II, con el que se engolosina en *No habrá final feliz* (1981) es la oficina en el centro (antes de que se le apellidase "histórico") que el detective comparte con un plomero, un tapicero y un ingeniero en drenaje profundo, nido (y nicho) donde se realiza un sueño de intimidad entre el joven universitario sacudido por el movimiento de 1968 y lo que entonces estaba a la mano como representación de lo popular: los viejos oficios domésticos, esa extensión artesanal del hogar en la calle.

Naturalmente, Taibo II relaciona los casos que se le van presentando a Belascoarán con las causas de la izquierda, fiscalizando a los Halcones, el grupo paramilitar responsable de la matanza del jueves de Corpus en 1971, investigando la fábrica donde se pretende romper una huelga culpando a los sindicalistas de un crimen, cubriendo la campaña cardenista de 1988 o redescubriendo a un Zapata centenario, superhéroe jubilado. Ernest Mandel, en *Crimen delicioso* (1984), un tratadillo dedicado a la "historia social" de la novela policiaca de la que era aficionado este teórico trotskista, regañó a Vázquez Montalbán porque su detective compartía el *ennui* decadentista propio del eurocomunismo. No se pronuncia sobre Taibo II —a quien sólo enlista— pero habrá aprobado la tesonera convicción rebelde de Belascoarán. Mandel, en un libro notable por el humor involuntario en que incurre el doctrinario, creía que la novela policiaca era uno de los pocos productos que, patentados por las contradicciones de la sociedad burguesa, extrañaríamos una vez que ésta se extinguiese.

Escritas con oficio incluso cuando el detective resucita más por aclamación del público que por necesidad de un Taibo II más entretenido en escribir ficciones históricas obreristas (*Sombra de la sombra* y *De paso*, ambas de 1986), las novelas de Belascoarán me han sorprendido, releídas, por lo poco policiacas que, en su esencia, son. La deducción le importa poco a Taibo II y la realidad —ya hablaremos de ella— sólo un poco más. Los asesinatos y sus soluciones no creo que complazcan mucho a los aficionados más exigentes del género: todo o casi todo se manifiesta o se resuelve con golpes de ingenio que a mí, porque maldigo la mala tarde en que a Gide se le ocurrió vindicar a Dashell Hammet, me complacen. Ello ocurre cuando aparecen, por ejemplo, un asesino serial harto de lecturas nietzscheanas, la mala vida de lo que la policía zarista definió como un agente provocador, un degollado que aparece plantado en el baño de su oficina vestido de romano, el Acapulco decadente magistralmente evocado, la presentación arquetípica del comandante judicial que al servir al gobierno en turno sirve al crimen y viceversa, la aparición y muerte del propio Taibo II en *Algunas nubes* (1985), que funciona a la manera de diferida autobiografía precoz.

Siempre importa más el detective que los crímenes que le toca resolver porque éstos ya están resueltos de antemano: todo crimen es crimen de Estado, del Estado capitalista, el "gran estrangulador" que habita "el gran castillo de la bruja de Blancanieves", como se dice en *No habrá final feliz*, donde Belascoarán cae abatido para resucitar en *Regreso a la misma ciudad y bajo la misma lluvia* (1989). A sus cuarenta años pasados, el detective, además, se va volviendo más adicto al cancionero que a Chester Himes. *Amorosos fantasmas* (1990), *Sueños de frontera* (1990) y *Desvanecidos difuntos* (1991) son novelas mecánicas donde Taibo II se asoma, mezclando con suficiencia el reportaje ficcionado y la trama criminal, al mundo de la lucha libre, al ya entonces perceptible horror de la frontera norte y al movimiento magisterial. En esa última novela, empero, hay un fragmento notabilísimo cuando Belascoarán, tuerto y un poco cojo desde las primeras novelas, pierde temporalmente la vista de su ojo bueno y prosigue su búsqueda de un criminal en un poblacho hostil de la sierra oaxaqueña. *Adiós, Madrid* (1993) cierra el ciclo con un croquis de reportaje en que Belascoarán se reencuentra con España para disputarle el pectoral de Moctezuma a una nefasta actrizucha enriquecida gracias a su amasiato con un ex presidente de la República. Ese mismo año publicó Taibo II una novela encantadora sobre Guillermo Prieto y sus tiempos: *La lejanía del tesoro* (1992).

Robert Graves decía que las novelas policiacas no deben ser juzgadas con patrones realistas, así como los pastores y pastoras de Wattteau son incomprensibles a merced de la cría de borregos. Taibo II, así, es todo menos un escritor realista. Pese a que a la admiración rendida que siente por los tipos duros del periodismo —protagonistas de *Cuatro manos*— no podría escribir una ficción periodística como *Operación Masacre* (1957), de su admirado Rodolfo J. Walsh, pues a Taibo II le da tirria la sangre, la tortura. Su reino no es de este mundo, como no lo son las novelas de aventuras, los cómics, las caricaturas. Es, por ventura, uno de esos espírius congelados en el fin de la infancia. Por eso, especulo, levanta los hombros ante las crueldades de Villa y se conforma con mencionar lo disgustado que estaba Guevara cuando Nikita Jrushchov retiró los misiles de Cuba en octubre de 1962 sin preguntarse, el biógrafo, por qué a su comandante le atraía una guerra nuclear como desenlace. Consigna, sin duda, los defectos o los atavismos de sus personajes pero nunca duda de que actúan bajo la frondosa sombra del bien. Tanto Pancho Villa como el Che son, reconstruidos por Taibo II, algo más y algo menos que humanos. Son superhéroes.

Lo truculento, lo exagerado, lo desopilante, es lo suyo: seguir el itinerario de los tesoros enterrados por Villa, de la cabeza que le cercenaron al Centauro del Norte y de las manos arrancadas al cadáver de Guevara por los militares bolivianos, es lo que exalta a su imaginación. Es un fantasioso y en ello encuentro su nobleza. Sólo a él se le puede ocurrir la temeridad de hacer un pastiche de Emilio Salgari titulado *El retorno de los Tigres de la Malasia* y aderezarlo con todo aquello que, rocambolesco, se le viene en mente: introducir un submarino a lo Nemo en el Mar de Borneo, hacer naufragar a la comunera Louise Michel para que Yáñez y Sandokán la rescaten, reclutar al Dr. Moriarty, el enemigo de Sherlock Holmes, entre los adversarios de los tigres de la Malasia y un largo etcétera.

Naturalmente, no pude resistir la tentación de consultar mis viejos Salgaris y ratificar que no tenía sentido ver cómo Taibo II adelgazaba ese "pequeño gran estilo" salgariano que exalta Claudio Magris, porque lo que importa, en este caso, es ver cómo Taibo II se da gusto —como Carlos Fuentes* escribiendo sobre vampiros— haciendo la hipérbole de su obra entera. Eso es *El retorno de los Tigres de la Malasia*. Al fiarse de la inmortalidad de la roca de Mompracem, Taibo II ratifica la de todos sus superhéroes, lo mismo de Belascoarán que de Zapata, de Guevara o de Villa. Lo de menos es la manipulación antimperialista de Salgari (ya prevista desde 1976 por Fernando Savater en *La infancia recuperada*) pues daría igual semejante procedimiento en clave esotérica o católica. Además, con los años, Taibo II se probó a sí mismo como un historiador competente del movimiento obrero y como un biógrafo exitoso, lo cual, a la hora de reescribir su Salgari lo llenó de pequeños escrúpulos historiográficos resultantes en didacticismos tolerables en un clásico como el suicida italiano y no (ahora sí) en un epígono. Quizá habría sido mejor que Taibo II se soltara el pelo y llamara a Bin Laden en auxilio de Sandokán, componiendo una orquestación wagneriana devenida en pastorela.

La historia misma, que caiga el muro de Berlín, que la Revolución mexicana haya terminado hace un chingo o que los hermanos Castro sigan en el poder, son acontecimientos incidentales para un escritor para quien todo puede reescribirse a placer dado que los buenos nunca mueren y si mueren, resucitan. Taibo II es lo que antes se llamaba un escapista. No escribe novelas policiacas, biografías o novelas históricas para interpretar el mundo ni para transformarlo, sino para escaparse de él y nulificar lo vil y lo desagradable, abonándose a la certidumbre de que los tigres de la Malasia volverán al rescate. Yánez, siempre fumando, como Belascoarán, se desquita, se toma la revancha. Esa puerilidad maravillosa de Paco Ignacio Taibo II, ese maniqueísmo suyo de niño viejo atrofiado y triunfante en su propósito de no madurar, suele reconciliarme con sus novelas aunque su reescritura de Salgari —ya intentada en *Cuatro manos* como bitácora del espía búlgaro Stoyan Vasilev— sea otra misión imposible: la de querer reconstruir el libro dorado de las primeras lecturas, aquel que en rigor nunca puede releerse ni, mucho menos, escribirse. Es tan ilusorio este Salgari taibiano como la pretendida novela policiaca que Trotski escribía cuando se hartaba de alimentar a sus conejos en su casa de Coyoacán.

Bibliografía sugerida

Cuatro manos, Planeta, México, 1990.
La lejanía del tesoro, Planeta, México, 1992.
Ernesto Guevara, también conocido como el Che, Planeta/Joaquín Mortiz, 1996.

Pancho Villa. Una biografía narrativa, Planeta, 2006.

El retorno de los Tigres de la Malasia, Planeta, México, 2010.

Todo Belascoarán. La serie completa de Héctor Belascoarán Shayne, Planeta, México, 2010.

TARIO, FRANCISCO

(Ciudad de México, 1911-Madrid, España, 1977)

Quizá nadie ha consignado una anécdota que algunas personas le escuchamos contar a Octavio Paz*. Cuando él y Elena Garro* todavía vivían juntos en un piso de la ciudad de México, empezaron a escuchar ruidos extravagantes (Octavio dijo *extravagantes*, recuerdo) a través de la pared. En el departamento contiguo, con creciente frecuencia, comenzaron a escucharse risas estremecedoras y gritos de horror, graznidos de aves nocturnas, sierras eléctricas operando sobre madera y, en fin, todos los elementos de una sesión espiritista o de un aquelarre sadomasoquista. Alarmados (Octavio dijo *alarmados*), él y Elena comenzaron las averiguaciones en el edificio. Al fin, para no hacerles el cuento largo, descubrieron que sus vecinos utilizaban su departamento para grabar, con los efectos especiales un tanto rudimentarios de la época, y a altas horas de la noche, un programa de cuentos de terror para la radio. Los misteriosos productores de esa serie eran Antonio Peláez y su hermano Paco, quien con el seudónimo de Francisco Tario actualmente es reconocido como uno de los más conspicuos y admirados narradores fantásticos mexicanos, autor de un libro titulado, y viene al caso, *La puerta en el muro* (1946). Quizá la anécdota dibuje a Tario: sus cuentos dan la impresión de ser de Horace Walpole o de Charles Nodier, de pertenecer a la gran tradición de lo fantástico romántico, hasta que se descubre el truco.

El reconocimiento del talento de Tario es una historia feliz, que va desde unas líneas alentadoras de José Luis Martínez* en 1946 hasta su inclusión entre los elegidos en *Paisajes del limbo (una antología de la narrativa mexicana del siglo xx)* (2001) que hizo Mario González Suárez*, a su vez prologuista de los *Cuentos completos* (2003). A la mitad del camino están

Esther Seligson* y Alejandro Toledo, editores de *Entre tus dedos helados y otros cuentos* (1988), y José María Espinasa*, que rescató tres obras teatrales inéditas (*El caballo asesinado y otras piezas teatrales,* 1988). *Jardín secreto,* la novela que Tario dejó inédita, fue publicada en 1993 y es un tanto fallida. Aunque bien narrada y mejor escrita, explota con escasa gracia los trucos de la *story* gótica y romántica que todos conocemos de memoria (y Tario mejor que nosotros). Es una trama de incesto que ocurre en una finca neblinosa y feérica, una historia de locura familiar, convenientemente oculta, en la que no falta ni la amistosa aya que trafica con fantasmas.

En los años cuarenta, cuando Xavier Villaurrutia sentía envidia de Borges y anhelaba la aparición de Juan José Arreola*, Tario comenzó su obra, una sucesión de cuentos fantásticos que respondieron, según Seligson, al embrujo de la *Antología de la literatura fantástica* (1940), que Silvina Ocampo, Adolfo Bioy Casares y Jorge Luis Borges habían publicado en Buenos Aires. Sólo por ello, por la libertad que se toma el epígono, valdrían la pena títulos como *La noche* (1943), *Aquí abajo* (1943), *Yo de amores qué sabía* (1950), *Breve diario de un amor perdido* (1951), *Tapioca Inn: mansión para fantasmas* (1952) y *Una violeta de más: cuentos fantásticos* (1968). Tario, "nuestro raro más cacareado, el nombre que en toda lista de raros aparece en primer lugar", como lo ha llamado Luigi Amara*, fue ese afortunado y extraño lector de cuentos fantásticos que logró escribir algunos tan notables como las grandes piezas del género que leyó con felicidad. Pero si de la obra de Tario quedase sólo *Equinoccio* (1946), su presencia en cualquier historia de las letras mexicanas estaría asegurada. Esta notabílisima colección de aforismos —que dicen que Cioran leyó con gusto— es una explosión de humor negro y sabiduría cómica del todo ajena a la solemne literatura que rodeaba a Tario.

"—Huysmans, Lautréamont, Rimbaud: vamos a jugar a las canicas", dice Tario en *Equinoccio,* y yo imagino a esas tres celebridades de la agonía romántica obedeciendo a ese inesperado demiurgo, y tirándose al suelo tras las ágatas y las agüitas. De la misma forma me parece probable la escena en que Octavio y Elena se toman de la mano, se colocan de hinojos y acercan las orejas al muro para intelegir los macabros ruidos de los vecinos.

Bibliografía sugerida
El caballo asesinado y otras piezas teatrales, UNAM/INBA, México, 1988.
Equinoccio, Cuadernos del Nigromante, San Miguel Allende, 1989.
Jardín secreto, Joaquín Mortiz, México, 1993.
Cuentos completos, prólogo de Mario González Suárez, tomos I y II, Lectorum, México, 2003.
Algunas noches, algunos fantasmas, FCE, México, 2004.

TORRES BODET, JAIME
(Ciudad de México, 1902-1974)

Poeta y ensayista, narrador y funcionario, Torres Bodet es, al mismo tiempo, uno de los mexicanos más eminentes y uno de los escritores menos apreciados en México. Envalentonados por aquella estocada de Salvador Novo*, quien dijo que Torres Bodet, su colega en la revista *Contemporáneos,* no tenía vida sino biografía, un par de generaciones de críticos insistimos en zaherirlo, continuando con las burlas y las reservas que, en opinión de José Emilio Pacheco*, uno de sus defensores, lo convirtieron en víctima de una leyenda negra.

La respetabilidad de su legado y el fasto republicano de su investidura lo volvieron odioso para todos aquellos que lo asociamos con el apogeo institucional de la Revolución mexicana. Tarde o temprano, empero, algunos acabamos por ceder al remordimiento, reconociendo en quien fuera el jovencísimo secretario de José Vasconcelos* a un gran civilizador, artífice de la cultura mexicana del siglo XX, a la que sirvió como secretario de Educación Pública (1943-1946 y 1958-1964), canciller de México y embajador en Francia.

Como director general de la UNESCO entre 1948 y 1952, no le han faltado a Torres Bodet, en el extranjero, los reconocimientos que se le han regateado en México. En *La derrota del pensamiento* (1987), por ejemplo, Alain Finkielkraut presenta a Torres Bodet como el diplomático que hizo de la UNESCO una garantía de la Ilustración, librándola de la parálisis de la

Guerra Fría y resguardándola preventivamente del multiculturalismo que acabaría por corroerla. Como dijo Octavio Paz*, en el ensayo en su memoria, Torres Bodet hubiera brillado en las cortes del gran Federico, de Catalina de Rusia o de Carlos III. "Torres Bodet [concluye Paz] sirvió al Estado mexicano porque creyó que desde el Estado podía servir a su patria. Y la sirvió como pocos. Se cuenta con los dedos a los mexicanos que, en este siglo, han realizado una labor tan fecunda y benéfica como la suya y en campos tan diversos como la educación popular, las relaciones exteriores y la cultura superior" (Paz, *Obras completas,* 14. *Miscélanea,* II, 2004).

Al leer o releer las *Obras escogidas* (1961) de Torres Bodet, debe tenerse presente que no todo escritor está llamado a ser un romántico o un revolucionario y que hay letrados fecundos, como él, que le apostaron al orden y a la armonía antes que a la transgresión y a la crítica, tan excitantes para los últimos modernos. En contraste, las novelas líricas que Torres Bodet escribió, de *Margarita de Niebla* (1927) a *Nacimiento de Venus y otros relatos* (1941), fueron decisivas para el pleno ejercicio de la modernidad en nuestra narrativa. Y la poesía de Torres Bodet, la menos leída de la escrita por los Contemporáneos, ha sido ponderada como perfecta y diamantina, sobre todo en *Cripta* (1937), libro ejemplar en esa escuela de neoclásicos que, a la vez sobria y parnasiana, dominó la primera mitad del siglo XX en México.

No fue Torres Bodet un gran escritor ni un hombre de ideas: los seis tomos de *Memorias* (publicadas entre 1955 y 1974), que tenían que haber sido uno de nuestros libros esenciales por la calidad pública y la experiencia internacional de quien las escribió, resultaron decepcionantes por aburridas, predecibles y timoratas. Narrador que sólo interesa a los historiadores de la literatura, poeta que vegeta en las antologías y autor de unas memorias empolvadas en las librerías de viejo, quizá exista una oportunidad para releer a Torres Bodet a través de sus ensayos. *Tres inventores de realidad: Stendhal, Dostoievsky y Pérez Galdós* (1955), *Balzac* (1959), *Tolstoi* (1965) y *Tiempo y memoria en la obra de Proust* (1967) cumplen, entre el retrato biográfico y la disertación crítica, con ese homenaje que la literatura mexicana le debía a la novela decimonónica.

Los gustos literarios e intelectuales de Torres Bodet son impecables y en estos primeros años del nuevo siglo satisfarían, en Barcelona o en Berlín, al lector más exquisito: Maurice Barrès, Simone Weil, George Santayana, George Simmel y hasta Curzio Malaparte, antiguo apestado que hoy reeditan en Nueva York. Se adelantó a la rehabilitación de Galdós, emprendida despues por Luis Cernuda* y por Sergio Pitol*, y como Pitol, dejó Torres Bodet constancia de las enfermedades infantiles que le permitieron devorar a Tolstoi.

Como escritor de viajes y como comentarista de museos, ante Venecia y en Florencia, en París o ante Toledo, Torres Bodet ha sido despreciado por la superficialidad turística de sus escritos y por atenerse, en estética, a las convenciones manidas. No creo que esa opinión sea justa ni cierta: Torres Bodet viajó y escribió como un stendhaliano y nunca pretendió otra cosa, en ese aspecto, que ser un humanista diletante, autor de páginas que no desmereciesen junto a las grandes guías turísticas que leyeron, a finales del siglo XIX, Henry James o Rubén Darío. Y el clasicismo europeo de Torres Bodet, emoción ante los maestros venecianos o por Velázquez, es de la misma naturaleza que el orientalismo y el primitivismo de André Malraux: en ambos casos se trata de un legítimo entusiasmo escolar. Y podría abonarse en favor de Torres Bodet que él, a diferencia del francés, tenía como propia una otredad, ese mundo prehispánico resguardado en el Museo Nacional de Antropología que el ministro mexicano inauguró y que es un monumento que lleva su firma.

Torres Bodet fue uno de los últimos escritores que en el planeta se tomaron en serio la elocuencia tribunalicia y antologaron sus discursos, un acto que actualmente nos parece tan insólito como debió parecerles, en 1916, el dadaísmo a los vecinos de Zúrich. Pero a un Voltaire, finalmente, le hubiera interesado más esos discursos que la poesía sentimental que poco después santificaron los románticos. Nosotros nos negamos, con razón, a aceptar como literatura la declamación humanitarista, el bien intencionado, prudente y hueco lenguaje de los filántropos y de los embajadores. Es aburrido leer discursos. Pero quien se asome a esa sección de las *Obras escogidas* encontrará, quizá, a un personaje heroico y conmovedor, al diplomático bregando, no tan diplomáticamente, para que la educación y la cultura impidiesen que el totalitarismo y la guerra volviesen a adueñarse del alma del mundo.

El suicidio de Torres Bodet, el 13 de mayo de 1974, fue uno de los acontecimientos más abrumadores e inexplicables en la historia de la literatura mexicana. A los setenta y dos años se dio un tiro en la bóveda palatina. "Se suicidó [dijo Paz años después] como si, cumplidos todos los deberes consigo mismo y con los otros, no tuviese ya nada que hacer. No dejó una línea de adiós." Asombrado e irónico, Gabriel Zaid* escribió: "Torres Bodet dio ejemplo hasta el cansancio. Sus sermones edificantes fatigaron las prensas, las tribunas, las grabadoras. Soterró el lado oscuro de su vida, y lo más oscuro de todo: ese deseo de soterrarlo que pudiera parecer apolíneo y que resulta finalmente demoniaco. Vivió para el deber, una pasión extraña, luminosa y siniestra. Enterrado vivo, en la tumba de su persona oficial, como lo dijo en sus mejores poemas ('Dédalo', 'Continuidad'), convirtió lo mejor de sí mismo en cultura oficial. Tuvo una voluntad ejemplar, pero no hipócrita, una espantosa capacidad de negarse a sí mismo, que resplandece en esos sus poemas y en el estilo estoico de su muerte. Su trayectoria ennoblece a la burocracia (junto a las drogas, el alcohol, los placeres prohibidos, la locura) como vía al absoluto y la destrucción" (Zaid, *Obras, 2. Ensayos sobre poesía*, 1993).

Antes de volver a olvidar a Torres Bodet citemos uno de sus últimos poemas: "Viví para los otros, en los otros.../Jamás estuve solo con el alba,/ni con el mar, ni con la estrella/¿Fue biografía siempre mi existencia?"

Bibliografía sugerida

Tiempo de arena, FCE, México, 1955 y 2002.
Obras escogidas. Poesía/Autobiografía/Ensayo, FCE, México, 1961 y 1983.
Narrativa completa, vols. 1 y 2, EOSA, México, 1985.

TORRI, JULIO
(Saltillo, Coahuila, 1889-ciudad de México, 1970)

"El talento es una cuestión de cantidad", dice la conocida página de Jules Renard en su *Diario*. La literatura del siglo XX no se reconoce fácilmente en esa frase. Premiamos, diría Cyril Connolly, la cosecha escasa. La reputación de Torri, autor de apenas cuatro libros, crece gracias al culto por la economía formal y la perfección artística, que comenzó hacia 1880, con Mallarmé. Junto a las obras oceánicas del calmo Alfonso Reyes*, del tempestuoso José Vasconcelos* o de Martín Luis Guzmán*, cronista de vastas batallas, la literatura portátil de Torri es, quizá, la más simpática para los nuevos lectores del Ateneo de la Juventud. Y *Ensayos y poemas* (1917) como *De fusilamientos* (1940) brillan en el claustro académico gracias a la posteridad retórica impuesta por Borges. Torri es el único escritor mexicano que aparece, indistintamente, y con los mismos textos, en las antologías de poesía, poema en prosa y narrativa.

Habitante por excelencia de la torre de marfil, Torri ha recibido, recientemente, patadas y pellizcos que, lejos de maltratarlo, lo honran. Hay quien ve en él, como si estuviéramos discutiendo en 1925 la virilidad de nuestras letras, a un higiénico artífice de la "literatura culta". ¿Cuál será la "literatura inculta"? Estos románticos trasnochados no aceptan que nuestra prosa es muy ancha y permite convivir a Torri con Nellie Campobello. En *Enemigos de la promesa* (1938), Cyril Connolly midió la salud de una literatura en la virulencia con que se vive la guerra de las escuelas.

Torri, el mandarín de la plaza Finlay, encarna una dulce leyenda: escritor mínimo, bibliófilo con aficiones *non sanctas,* profesor soporífero en el aula y picarón fuera de ella, autoproclamado tenorio de feas, amante de la antigua epopeya castellana y devoto de la literatura inglesa. ¿Quién no ha dejado un testimonio de afecto sobre su modesta pero visitada tumba en la necrópolis mexicana?

Con la edición de sus *Epistolarios* (1995), Serge I. Zaïtzeff culmina quince años de trabajo, gracias al cual tenemos dos libros póstumos (*Diálogo de los libros,* 1980 y *El ladrón de ataúdes,* 1987) más otro par de estudios realizados por el investigador canadiense. *Epistolarios* comienza con la correspondencia con Reyes, que ya había aparecido en *Diálogo de los libros*. Con algún desconsuelo no exento de alegría, cuando fraguaba esta reseña descubrí que Enríque Krauze* ya la escribió hace quince años. Supongo que eso se llama tradición. Krauze recuerda el fin de una hermosa amistad por la pérdida de un libro de la cual Torri se sintió inculpado. El libro en litigio era una segunda edición del *Tesoro de la lengua castellana, o española* (1611), de Covarrubias. Y Zaïtzeff agrega, para cerrar el caso, una nota de Reyes hallada en la Capilla Alfonsina donde la cortesía deja su lugar al desprecio; a Torri "yo no le debo servicios y él me debe varios a mí. No tengo nada contra él y externé mi benevolencia para él como no lo hubiera hecho con nadie. Sospecho que he contribuido a darle nombre cuando nadie le hacía caso. El pobre ha venido juntando rabia contra mí gratuitamente. Tal vez porque le molesta que siempre lo pongan en mi séquito, y en eso tiene razón. Al venir los festejos de mis setenta años (1959) y verse como secundario adorno de mis alegrías, estalló. No tengo la culpa. Lo comprendo y lo perdono".

Leyendo la correspondencia entre ambos durante los primeros años del destierro de Reyes (1914-1929) sólo queda decir que don Alfonso fue ingrato, pues todos sus asuntos mexicanos —como los de Pedro Henríquez Ureña— le eran resueltos por Torri, a quien incluso da, por carta, una admirable lección de envoltura de paquetes, dado el lastimoso estado en que llegaban a Madrid los envíos solicitados y expedidos. Torri fue el conserje de los ateneístas durante la Revolución. Reyes le pagó con unas páginas elogiosas y Vasconcelos con la Dirección Editorial de la Secretaría de Educación Pública (SEP).

El resto de los *Epistolarios* agrega poco a la biografía de Torri. Escritor-que-no-escribe y "pequeño filósofo", diría Azorín, Torri dibuja la heroica resistencia cultural del exilio interior que culmina con Cvltvra, la editorial que prepara el renacimiento cultural de los años veinte, planeada durante la guerra civil. Restablecida la paz, Torri cumple escasamente con la promesa cuya realización no parecía tener impedimento político.

La correspondencia con Henríquez Ureña refrenda la tristona posteridad de don Pedro, esencial como estímulo intelectual para su generación pero que aburre invariablemente al curioso del presente, que siempre encuentra en Torri a un corresponsal vivaz y pasablemente chismoso. Otras páginas significativas las componen las cartas cruzadas con Rafael Cabrera (1884-1943), el traductor de Marcel Schwob, quien era, con mucho, el espíritu más afín a Torri. También resalta la docilidad del fogoso Vasconcelos, escribiendo *Estudios indostánicos* y preparando el asalto a la jefatura espiritual, ante las correcciones estilísticas de Torri. En la misma época —1917— Vasconcelos jamás atendía reconvenciones similares si venían de Reyes. Tal pareciese que Torri no representaba amenaza o competencia para sus amigos. Por ello, lo mangoneaban y lo obedecían. Cierra el volumen material de archivo, de escasa significación literaria, con cartas, entre otros, de Guzmán, Xavier Icaza, Jesús T. Acevedo, Enrique González Martínez. Y recados de cortesía firmados por Ventura García Calderón, Juan Ramón Jiménez, Ramón de Valle-Inclán, José Bergamín y Ramón Menéndez Pidal. Duele la soledad que se imponían entre sí los escritores hispanoamericanos: reticencia, ignorancia y etiqueta es lo que aparece cuando nuestros epistolarios llegan a su sección internacional.

Los *Epistolarios* de Torri ratifican su doble sensibilidad: ante la nueva literatura y ante su propia generación. Torri —que escasamente salió del país— fue una presencia silenciosa y entusiasta al lado, por ejemplo, de los Contemporáneos. Frente a sus coetáneos, la inseguridad ante su propia obra le permitió ver claro desde 1914: "¿Seremos nosotros [le pregunta a Reyes] primitivos o decadentes? De cualquier manera estamos bastante cerca de las cosas para ser pulidos, brillantes y metálicos escritores de siglos de oro".

Si Torri, como Paul Léauteaud, hubiera escrito un diario, íntimo y procaz, otra sería la crónica secular de la literatura mexicana. Pero el decoro, el maldito decoro, nos ha privado de vivir a plenitud la servidumbre y la grandeza de nuestra vida literaria (*Servidumbre y grandeza de la vida literaria,* 1998).

Bibliografía sugerida

Obra completa, edición de Serge I. Zaïtzeff, FCE, México, 2011. Incluye *Tres libros, Diálogo de los libros* y *El ladrón de ataúdes.*

TOSCANA, DAVID
(Monterrey, Nuevo León, 1961)

Narrador cuidadoso de la forma en cuya evolución artística se observa un aprendizaje constante, a Toscana le faltaba un libro que le otorgase a su voz una modulación propia, esa novela que en verdad significase una novedad para la literatura mexicana. Me parece que *El último lector* (2004) es ese libro. Tras haberse probado a sí mismo en las diversas entonaciones de un realismo perseverante y un tanto cansino, convencido como estaba de que el circo de la provincia nunca acaba de recorrer la legua, Toscana encontró al fin un motivo novelesco a la vez muy íntimo y casi alegórico. Lo que me interesa en *El último lector* es la reflexión sobre México (o cualquier otro sitio de sus características) como un país sin libros, una nación donde la lectura literaria es un privilegio de casta o una excentricidad manifiesta. Eso es lo que la realidad dice, lo nombrado en las estadísticas, aquello que motiva el desgarramiento rutinario (o ritual) de vestiduras entre escritores y editores. En esas condiciones lo que restaba era hacer verdadera literatura de un drama público (si es que lo es) y proponer una novela sobre el libro como obsolescencia, vestigio de un naufragio ocurrido en otro evo.

Al imaginar a Lucio, un bibliotecario en el fin del mundo (que se encuentra en cualesquiera de nuestros pueblos) y dotarlo del dominio universal, Toscana ha escrito una ficción que me gustaría que resultase perdurable. Dado que la biblioteca está cerrada, puesto que a nadie le importan los libros que resguarda, considerando que el propio bibliotecario ha sido suspendido oficialmente de sus funciones tiempo ha, Lucio se arroga los poderes del demiurgo y es él y sólo él quien decide la vida y la muerte, la aniquilación o la posteridad, de cada ejemplar de la literatura universal llegado hasta Melquisedec. Hubiese sido fácil que, en ese punto de la narración, el novelista reseñase algunos de los libros consagrados por la tradición y los ofreciera a la carta. No fue así: Toscana también decidió inventar esos clásicos que su bibliotecario va leyendo, que salva o condena, libros ejemplares e imaginarios que son y no son los que usted y yo hemos leído.

Con *El último lector,* perfeccionando su prosa, Toscana ha escrito una fábula que se despliega en ese Norte mexicano que, cuando cae en manos de un buen escritor, acaba por ser, a su vez, ese Sur metafísico que huele a Faulkner y a Onetti. Algunos otros elementos componen la trama situada en Melquisedec, pueblo bíblicamente bautizado, pero prefiero insistir en la dificultad vencida por Toscana, quien ha logrado un relato que parecía de difícil manufactura, quizá una variación en la vida de *Bartleby, el escribiente.* No es ésta la historia de un copista cuya característica sea la servidumbre vicaria sino el derrotero de otra clase de ser terminal, un bibliotecario que custodia aquello que en principio no importa, el libro, depósito caduco del saber. La biblioteca aparecería, en el mapa de Toscana, como un reino condenado por una comunidad inmemorial y orgullosamente iletrada, ficción que se convirtió, en algún punto ciego del siglo XX, en una realidad cotidiana.

Bibliografía sugerida

El último lector, Randon House Mondadori, México, 2004.
Los puentes de Königsberg, Alfaguara, México, 2009.

TRUJILLO, JULIO
(Ciudad de México, 1969)

No me resultaría fácil reconstruir cómo ha ocurrido la asociación, no del todo libre, entre *Sobrenoche* (2005), de Trujillo, y algunos recuerdos de la temprana adolescencia, como aquel que relaciona los nocturnos de Xavier Villaurrutia con la expedición a la Montaña Rusa, como llamábamos los niños chilangos a los juegos infantiles del nuevo Chapultepec. Y es que leí a Villaurrutia a la edad en que todavía conservaba algún chiste visitar, en el parque de atracciones, la Casa de los Sustos. Recuerdo esa porción de telarañas que dejaban caer sobre el rostro de quienes la recorríamos en un carrito similar al de los mineros. Esas imágenes han brotado de la lectura de *Sobrenoche,* recordándome que debo a *Nostalgia de la muerte,* la creencia en la noche como un país habitado por unos seres mitad humanos y mitad figuras de cera, a quienes llamamos *insomnes,* como les podríamos llamar de otra manera, *venusinos* o *bogomilos,* y que se afantasman, paradójicamente encarnados, en el "Nocturno Grito", en el "Nocturno de la Estatua", en el "Nocturno en que nada se oye", en el "Nocturno en que habla la muerte"...

Pienso en esos seres noctívagos, mutantes entre el susto y la literatura, y se me aparece otro recuerdo, geográfica y temporalmente contiguo: la exposición dedicada a los surrealistas belgas en el Museo de Arte Moderno de Chapultepec. Fue en julio de 1974, y lo sé porque guardo el folleto. Los nocturnos de Villaurrutia se presentan ilustrando, de una manera que no puede ser sino pedagógica y escolar, las pinturas de James Ensor, pero sobre todo las de Paul Delvaux y René Magritte, cuadros que comprensiblemente me causaron una impresión fortísima, mostrándome lo que podrían llegar a ser la poesía, el surrealismo, la imaginación, los insomnes. Insisto en que no sé bien a bien cuál es la relación entre el poema de Trujillo (que no es surrealista ni nada por el estilo) y mi propia formación crítica o artística. Pero obligándome a dar una respuesta diría que en *Sobrenoche,* como en otros nocturnos de nuestra tradición poética, la noche aparece como una tierra de conquista, un campo de batalla del que se escapa derrotado, como una pesadilla cuya vivencia es un severo rito de pasaje para la creatura insomne. En un poema como *Sobrenoche* quiero ver a un personaje central en el papel de un héroe joven que consume mucha noche, mucho trago fuerte y que, al hacerlo, valga la redundancia, se gana una sobrenoche, una cruda, una pasajera y dramática doble vigilia regida por la hiperestesia: la sensibilidad excesiva y dolorosa de la que habla el diccionario. No es extraño, por cierto, que el poeta logre rigurosamente lo que se propone habida cuenta del precedente de su primer libro de poemas, *Una sangre* (1998), que entusiasmó a número suficiente de lectores e hizo decir a Guillermo Sheridan* que Trujillo era un joven clásico sometido a la libertad y a la disciplina de nuestros clásicos modernos, como Villaurrutia, Jorge Cuesta* o José Gorostiza*.

Sobrenoche es un obsolescente poema expresionista, una noche lumínica imaginada en el cuarto de máquinas desde donde se llevaron a cabo las maniobras de ese siglo XX cuyo ciego fervor por lo real lo distingue, según los teóricos, de cualquier otro tiempo. También es un poema moral (y en eso remite al "Nocturno de San Ildefonso" de Octavio Paz*) que se rebela, a la manera de Ezra Pound (que en otro poema de Trujillo aparece jugando al tenis), contra el mundo del dinero y su dominio plutocrático del planeta. Se entiende, en fin, que *Sobrenoche* es otro poema urbano, lo que resta de un hombre del alba, para aludir a Efraín Huerta*, otro de los poetas que Trujillo conoce muy bien y con el cual es legítimo decir que dialoga.

Hay una noche para cada poeta, las mil y una noches para mil y un poetas distintos, y se me ocurren otras noches transitadas por poetas mexicanos que he tenido que releer en los últimos tiempos: la noche apenas iluminada por una lámpara soviética (foco pelón) de *Isla de raíz amarga, insomne raíz,* o la noche que se eterniza en una mañana negrísima, en *Incurable.* En la noche pasan cosas, noche reventada. Poeta gregario, Trujillo teme quedarse varado, como aquellos solitarios de Rubén Bonifaz Nuño*, "que llegan a las fiestas/ávidos de tiernas compañías" (*Los demonios y los días,* 1956). Trujillo dice de la noche que su "trama es la respuesta" y que no "osemos traducir sus estertores, su robusta/sintaxis" pues "De noche somos noche si dejamos/que el abismo tire".

Sobrenoche quizá esté prefigurado en "Nocturno", poema incluido en *El perro de Koudelka* (2003), otro de los libros de Trujillo, poeta al que se le dan, puntualmente, los temas poéticos consagrados: la amistad, la vida en los libros, las escenas de familia. Pero es la noche como estado del alma y como tributo a Fritz Lang y a la cinemática y angustiada noche de las vanguardias donde Trujillo, probablemente, ha abandonado, según la corrección atribuida a Eduardo Milán*, la certeza de que sólo "El mundo de la poesía está bien hecho".

Bibliografía sugerida

Una sangre, Trilce, México, 1998.
Proa, Marsias, México, 2000.
El perro de Koudelka, Trilce, México, 2003.

Sobrenoche, Taller Ditoria, México, 2005.
Bipolar, Pre-Textos, Valencia, 2008.
Pitecántropo, Almadía, Oaxaca, 2009.
Ex profeso, Taller Ditoria, México, 2010.

U

URANGA, EMILIO
(Ciudad de México, 1921-1988)

De este filósofo ha quedado una leyenda de genio malogrado, pésimo amigo, hombre de discutible rectitud, una especie ejemplar de enemigo de la
humanidad. De su obra, todavía dispersa, suelen citarse el par de folletos
(*Ensayo de una ontología del mexicano*, 1999, y *Análisis del ser del mexicano*,
1952) dedicados a la averiguación filosófica de la identidad del mexicano,
que tienen, en mi opinión, apenas una importancia documental. De aquella estación romántica que fue el grupo Hiperión quedaron libros más perdurables que los de Uranga, aunque todo aquel existencialismo haya sido
más bien parte del problema —la adolescencia de la cultura mexicana—
que de su solución filosófica.

Poco sabrán, de Uranga, los nuevos lectores. De él queda (o quedó,
perdido en esa tradición oral a la que el filósofo, por miedo, tanto despreciaba) un anecdotario y ésa es la paradoja que lo sobrevive, paradoja que a
una mente tan brillante como la suya, quizá no se le escapó, porque *¿De
quién es la filosofía? Sobre la lógica de la filosofía como confesión personal*
(1977), el mejor de sus libros, pone en duda las libertades confesionales y
autobiográficas a las que supuestamente tiene derecho la filosofía. Esos
derechos, asume Uranga, se los arrogaba su maestro José Gaos* en sus
Opiniones profesionales (1958) y *¿De quién es la filosofía?* es uno de los actos
de parricidio mejor pensados que me ha tocado leer.

En el apéndice de *¿De quién es la filosofía?*, Uranga califica a Gaos de ser un "fotográfo de cadáveres" aquejado, más historiador de la filosofía que filósofo, de necrofilia y de otras perversiones propias del catedrático. Lo acusa —nada menos— de no haber resuelto los problemas del estilo y de la muerte, de expresarse "en un español sin español" (verdad irrebatible). No hubo nada de dramático, concluye Uranga, en la existencia de Gaos. Quizá por ello el propio Uranga, tras pasar por las universidades de Friburgo, Tubingia, Colonia, Hamburgo y París, montó el drama de su propia destrucción, que culminó, según escribió Luis Ignacio Helguera*, "en una jubilación alcohólica, desencantada y ermitaña".

El caso levantado por Uranga contra Gaos, en *¿De quién es la filosofía?*, va más allá del parricidio. Desdeña Uranga a la filosofía en español por no ser sistemática ni técnica y sugiere —como lo hizo en un tono autodenigratorio José Vasconcelos*— que estamos condenados a la subfilosofía. Aquello que Gaos rescató como el blasón de la filosofía hispanoamericana, esa tradición de Unamuno y Rodó en que el oficio de pensar aparece como una confesión personal, le parece a Uranga una patraña, el dogma religioso que nuestros filósofos eligen para asegurar "la resurrección de la carne", incapaces de entender (con Santayana, dice Uranga) la comicidad que hay en la pretensión de edificar un sistema filosófico. Esa debilidad aparece, certifica Uranga, cuando ya nada puede hacerse frente al azoro provocado por la historia.

Hay otros balances de la vida de Gaos más logrados y justos (como el de Alejandro Rossi* en *Manual del distraído*), pero el de Uranga es algo más que una venganza por la descalificación, cortés y contundente, realizada por Gaos de la filosofía mexicanista de sus discípulos los hiperiones. Uranga, presumido por Gaos como su "único proyecto de genio", decidió denostar a su prestigiado y queridísimo maestro, exhibiendo debilidades que él conocía mejor que nadie. Estamos ante un capítulo sobresaliente en la historia socrática de las relaciones entre el maestro y el discípulo, aquella que han motivado páginas perfectas de Alain o de George Steiner.

Uranga murió en la inopia, lo cual descalifica los frutos de su poco prestigiada inverecundia al servicio de los políticos como asesor y escritor fantasma, según escribió Javier Wimer, comentando la acusación que lo hacía autor, a Uranga, de un venenoso libelo contra el movimiento estudiantil de 1968. Como pocos, se hizo cargo el misántropo Uranga de su propio fracaso y no sólo por ello la eficacia polémica de ¿De quién es la filosofía?, que también es un breve tratado sobre la teoría de las descripciones de Bertrand Russell, debería ser reconsiderada.

Pensando en la biblioteca mexicana ideal, ese sitio imaginario, yo incluiría, además, otro de los libros de Uranga, Astucias literarias (1971). Es amargo y reconstituyente el veneno que destila en ese diario de lecturas redactado durante unos meses de fecundidad ocurridos en 1970. Expresa sus fobias contra Gracián y contra Joyce, examina "la filosofía" de Borges —fue el primero que, en México, la comprendió—, oscila entre Wittgenstein y Russell, lee con detenimiento lo mismo a Bergson que a Fernando del Paso* o a José Emilio Pacheco* y aboga, de manera tardía o farisea, por las virtudes de la mariguana contra las del alcohol. Pone Uranga a Poe como experto en el arte de desobedecer la propia estética y acusa a sus contemporáneos de proponer, como candidatos en campaña, la estética que precisamente se proponen incumplir.

Dijo de la inteligencia aguda y osada de Uranga, en unas líneas recuperadas hace ya muchos años por Juan José Reyes, Octavio Paz*: "Fue un excelente crítico literario. Lástima que haya escrito tan poco. Hubiera podido ser el gran crítico de nuestras letras: tenía gusto, cultura, penetración. Tal vez le faltaba otra cualidad indispensable: simpatía... Escribió ensayos y textos agudos, chispeantes de inteligencia, a veces amargos, irónicos e hirientes [...]"

Uranga fue acaso el único que se preguntó qué sentido tenía —entre nosotros— hablar de la figura del filósofo. A ese apóstol de la impersonalidad filosófica, a ese enemigo de la falacia biográfica, ésta lo ha acabado por devorar. Pero no será por mucho tiempo y llegará el día en que algunos fragmentos de su obra reaparezcan, a la manera de diálogos, en la eternidad, sin que se sepa quién los escribió, tal cual él lo hubiera querido.

Bibliografía sugerida

¿De quién es la filosofía? Sobre la lógica de la filosofía como confesión personal, Gobierno del Estado de Guanajuato, 1990.

Astucias literarias, Gobierno del Estado de Guanajuato, 1990.

Juan José Reyes, *El péndulo y el pozo: el mexicano visto por Emilio Uranga y Jorge Portilla,* Ediciones Sin Nombre/Conaculta, México, 2004.

URIBE, ÁLVARO
(Ciudad de México, 1953)

El taller del estilo. Desde sus primeros cuentos, Uribe, discípulo de Augusto Monterroso*, demostró una fidelidad a la forma que, tarde o temprano, habría de producir libros excepcionales. *El taller del tiempo* (2003) es una novela corta que perdurará por la inteligencia con la que su autor decidió descomponer o desarmar la saga familiar, uno de los tópicos narrativos más viejos. El abuelo, el padre y el hijo son la trinidad elegida para dar una lección de estilo, o quizá, una lección de anatomía de los humores, pues es la transmigración de las almas a través de las generaciones lo que a Uribe, no en balde lector de Roger Martin du Gard, le interesa estudiar, como lo ha hecho en *La otra mitad* (1999), su colección de ensayos. En el olvidado Premio Nobel de 1937, autor de *Los Thibault* (1922-1940), leemos cientos de páginas de historia social y psicológica, mientras que en *El taller del tiempo*, Uribe asumió que nuestras genealogías, si somos, como es fatal serlo, "absolutamente modernos", han de presentarse en otra dimensión del tiempo psicológico y del espacio histórico. El novelista mira a sus creaturas como las caras de un poliedro y cada forma de acercamiento es un consumado ejercicio de maestría prosística. A través de los tres Migueles que protagonizan la novela, Uribe presenta, en lujosa síntesis, lo que los primeros modernos llamaban un estudio de carácter que, al retratar de forma pictórica los gestos de cada generación, logra desdoblarse en una crónica mínima de medio siglo de vida mexicana.

 El taller del tiempo presenta al abuelo, representante del eficiente funcionario que otorgó al Estado las garantías de su servidumbre vicaria a cambio de una elegancia que disfrazase su machismo en el atuendo de la probidad y de las buenas maneras, mientras que en el nombre del hijo tenemos todas las promesas del ascenso social y el penoso saldo de sus límites en la derrota alcohólica. Y el nieto, en fin, pierde la vida teniendo como telón de fondo a las revoluciones cotidianas de 1968, descendiente superfluo y desesperado de un linaje que se vendió a un precio mucho más alto que su valor real, falla moral que sólo las mujeres del clan, esposas y amantes, son capaces de registrar. En otro narrador esta historia hubiera sido, prediciblemente, una colección de estampas melodramáticas aderezadas de chistoretes o admoniciones, mientras que en *El taller del tiempo* cada uno de los personajes del linaje ha sido congelado gracias a la mano de un escritor que conoce como pocos en qué consiste la tragedia novelesca. Y es probable, además, que el mejor español entre los que escriben los narradores mexicanos, sea el de Uribe.

El fantasma de Federico Gamboa. Esta novela (*Expediente del atentado,* 2007) se origina en la lectura puntillosa que Uribe viene haciendo, desde hace años, de Federico Gamboa y sobre todo, de *Mi diario* (1893-1939), esa dilatada empresa, única en la literatura mexicana, que ha acabado por monopolizar su recuerdo en demérito de sus trabajadas y trabajosas novelas naturalistas. En *Recordatorio de Federico Gamboa* (1999), en la segunda de sus novelas (*Por su nombre,* 2001) y en algún ensayo parisino de *La parte ideal* (2006), Uribe insiste en Gamboa (1864-1939). Decimonónico en el siglo XXI, Uribe practica la novela napoleónica, ese espectáculo donde se querellan las apariencias sociales y las debilidades íntimas, donde casi todo heroísmo es a la postre inútil y la inercia de la mediocracia la única salvación.

La novela se desprende de tres entradas de *Mi diario*, las redactadas los días 16, 17 y 24 de septiembre de 1897, en las cuales Gamboa da cuenta de un episodio hasta hace poco desconocido por muchos y ahora célebre gracias a la película que inspirada en Uribe hizo Jorge Fons en 2010: la agresión sufrida por el presidente Porfirio Díaz en manos de un borrachín desarmado, quien, frente al Pabellón Morisco de la Alameda, se le dejó ir encima logrando apenas que el general perdiese el paso y el sombrero. El agresor, llamado Arnulfo Arroyo, se salvó de ser ultimado en la vía pública por alguno de los oficiales del estado mayor gracias a la orden perentoria del agredido quien pidió, más sagaz que magnánimo, que fuese puesto en manos de la justicia. Detenido en el interior del palacio municipal, Arnulfo Arroyo sólo sobrevivió algunas horas a su desastrado intento de atentado pues un grupo de sicarios, presentándose como turba vengadora, lo acuchilló, de madrugada, en la gendarmería. Eduardo Velázquez, el inspector de policía a cargo de la seguridad del agresor, fue, a su vez, puesto preso e incomunicado en la cárcel, donde se suicidó. Nunca se supo, porque nunca habrán de saberse bien a bien esas cosas, si el impulsivo alcohólico actuó solo o fue la carnada de alguna conspiración la cual, autorizada por quien debía resguardar al acusado, lo eliminó. El asunto fue noticia durante algunas semanas en aquellos años dorados del Porfiriato y una vez que hizo chiriar los ministerios y que atizó la indignación de la Cámara de Diputados, se archivó.

Federico Gamboa trabajaba entonces en la cancillería, en un interludio de sus misiones diplomáticas y todavía no era el célebre autor de *Santa*, que aparecería hasta 1903. Apesadumbradísimo, el escritor se metió a la cama y anotó en su diario: "Al apagar la luz, ya entre sábanas, a la hora de los soliloquios rara vez confesados, la tragedia ésta oblígame a pensar en las curvas irregulares de la existencia, lo que Eça de Queiroz acostumbraba denominar *os fados*, es decir, en español, los hados y en latín *fatum;* pensé, por ejemplo, que Arnulfo Arroyo, autor del atentado contra el presidente, y Eduardo Velázquez, autor del atentado contra Arroyo, si es que la opinión que de tal lo acusa no se engaña, fueron condiscípulos míos y fueron condiscípulos entre sí" *(Mi diario,* II, *1897-1900).*

Reservándose lo que el novelista (a diferencia del biógrafo) tiene derecho a reservarse, Uribe investigó, leyó, inventó y armó el expediente del extraño episodio, recurriendo a los recursos habituales en el relato de intriga policiaca y crimen político, recogiendo el testimonio de los familiares del infortunado Arnulfo Arroyo y haciendo la historia natural de su decepción y de su alcoholismo, insertando notas periodísticas y fotografías, reconstruyendo la escena desde todos los obligatorios y divergentes puntos de vista, que incluyen la fabulación que presenta a F. G. como amante de la prometida del inspector que se suicida. El punto fino de *Expediente del atentado*, es Federico Gamboa y la decisión tomada por Uribe de desdoblarse en él y tramar un episodio de introspección que retoma, con una sagacidad a la que no contribuye en poca cosa la buena prosa, el interminable asunto de las relaciones entre el escritor y el poder político.

Expediente del atentado es un pasaje en el retrato histórico del Porfiriato, ese régimen bisabuelo, un *ancien-ancien régime* que se acerca y se confunde con su longevo hijo revolucionario. Como reconstrucción de época, el libro tiene páginas magníficas, como la alucinante descripción del *barroom* del inglés Peter Gay, de donde sale Arnulfo a cometer su desmesura. La novela es una pieza destinada a confirmar la opacidad, la truculencia de la justicia en México, inoperancia chusca y obscena lo mismo en 1897 con el intento de "porficidio" que en 1928 con el asesinato del general Obregón o en 1994 con el del senador Colosio: un mundo perfeccionado por la impunidad. Nos vemos en ese espejo del pasado como en cualquier otro momento de la historia y nos encontramos iguales. Esa conformidad con lo real es lo que me hace pensar que *Expediente del atentado* no es la mejor novela de Uribe, pues algo le faltó a la trama para cerrar perfectamente, como lo exigiría el celo profesionalísimo que pone Uribe en sus cuentos y novelas. Cada libro es distinto y por eso extraño en *Expediente del atentado* esa tensión demoniaca de *El taller del tiempo,* novela fáustica si las hay en México: Uribe va y viene entre el pobre diablo y el comprador de almas. *Expediente del atentado*, se diluye como un mal sueño y todo se pierde un tanto vanamente en el bodegón del cuadro histórico: Arnulfo es un cadáver acuchillado y F. G. un hombre del régimen que no quiso averiguar mucho de un caso que inverosímilmente lo comprometía, suceso que lo alejará de la previuda encandilada y convertida en heredera y acabará de dirigirlo, al novelista decimonónico, hacia otras ignominias de las cuales ya no se escapara tan fácilmente. Los homicidas confesos de quien pretendió herir al general Díaz serán sentenciados a un fusilamiento que nunca se llevará a cabo y liberados en 1903 en una implícita amnistía que les impedirá perderse la Revolución de 1910, una guerra ni mandada a hacer para el tráfago de sicarios.

Uribe ha logrado preservar —y ello no puede preservarse sino artificialmente, en el laboratorio, en el "taller del tiempo"— algunos de los gérmenes del naturalismo: todo se transmite y al transmitirse se degenera. El hombre, pensaban Zola y los hermanos Gourmont no puede ser una obra de arte en sí mismo. *El taller del tiempo* es un retazo de historia social, la caída de una familia de tantas (la familia decente) mientras que *Expediente del atentado* reconstruye un episodio criminal donde el país real y el país legal se encuentran en algo parecido, fatalmente, a una identidad.

Bibliografía sugerida

La linterna de los muertos, FCE, México, 1988.
La lotería de San Jorge, Vuelta, México, 1995.
Recordatorio de Federico Gamboa, FCE, México, 1999.
La otra mitad, Aldus, México, 1999.
Por su nombre, Tusquets Editores, México, 2001.
El taller del tiempo, Tusquets Editores, México, 2003.
La parte ideal, Aldus, México, 2006.
Expediente del atentado, Tusquets Editores, México, 2007.
Morir más de una vez, Tusquets Editores, México, 2011.
Leo a Biorges, Tusquets Editores, México, 2012.

USIGLI, RODOLFO
(Ciudad de México, 1905-1979)

Apresuradamente, de mala gana, pasamos la página del centenario del nacimiento de Usigli y sobre esa ciudad desierta que el dramaturgo recorrió en sus pesadillas, cayó el telón del deber cumplido. Es notorio que durante el aniversario lo menos frecuente fueron las representaciones de su obra dramática: mejor el silencio que el teatro. Buscando los motivos del menosprecio, o al menos de la irremediable indiferencia, leí varias de las comedias y de las tragedias usiglianas que se publicaron, entre 1963 y 1996, en los tomos de su *Teatro completo*.

Corroboré que la dramaturgia se cuenta entre lo que envejece más rápido y en ello hay que pensar cuando juzgamos a Usigli: en el teatro, si no se es Sófocles o Shakespeare, el tiempo se torna una inclemente medida de todas las cosas. Hasta un George Bernard Shaw, el ídolo de Usigli, ha ido

desapareciendo de los escenarios. Aparece actualmente como una extravagancia aquella opinión de Borges (a quien solemos darle toda la autoridad)
de que Shaw fue el único escritor de su época que, en vez de deleitarse con
las flaquezas de la condición humana, se dedicó a crear héroes.

Gesto político y retrato antihistórico, *El gesticulador* (1938), la más
célebre de sus obras, vale como la fotografía que capta en su esplendor el
autoritarismo del partido de la Revolución mexicana, que tuvo en Usigli al
crítico (o al criticón) que acabó por refugiarse (no muy cómodamente) en
las lejanas embajadas de Beirut y Oslo. Pero más allá del contexto (y de los
honores que éste exige), esa "Pieza para demagogos" es de penosa lectura,
una rudimentaria trama de impostura, en la cual un apocado historiador
se las arregla para hacerse pasar por un desaparecido y heroico general
revolucionario, ocurrencia que le será fatal al farsante. Es mejor (o dice
mucho más) el título que la obra entera, representación de un mundo que
parece esquemático y prehistórico, una caricatura inquietantemente cercana al México del Partido Revolucionario Institucional (PRI) que mostraban
las historietas de Rius.

Usigli —como lo recuerda uno de sus primeros y más eficaces valedores, José Emilio Pacheco*— sabía que al rechazar el camino del "absur-
dismo" abierto por él mismo en *La última puerta* (1934-1935) estaba perdiendo la oportunidad de convertir el laberinto del poder mexicano en lo
que poco después empezaría a llamarse lo kafkiano. En esa dirección, me
temo que *El gesticulador* y el "Epílogo sobre la hipocresía del mexicano"
que lo acompaña sólo valen como prolegómenos de esa averiguación
compulsiva de la mexicanidad que atribuló al medio siglo. Si bien *El gesticulador* se adelanta a Gabriel Zaid* en el retrato de la enrevesada voluntad de poder del intelectual universitario, lo más justo sería situar a Usigli,
con Daniel Cosío Villegas*, José Revueltas* y Octavio Paz* entre la intelectualidad que, en los años cuarenta, se lamentaba del destino de la Revolución mexicana en tanto que *revolución traicionada* cuyos trascenden-
tales valores sociales habían sido desvirtuados, negados y corrompidos
por los demagogos oficiales. En la vejez, Usigli pasó a formar parte de ese
simbólico consejo de viejos escritores (Martín Luis Guzmán*, Agustín
Yáñez*, Salvador Novo*), que avalaron al régimen tras el movimiento

estudiantil de 1968. Pero el peor error cometido por Usigli fue tragarse el anzuelo de la guerra de las generaciones y hablar mal de los jóvenes sólo por ser jóvenes.

No me atrevería yo a juzgar las comedias de Usigli y no sé si pueda extenderse contra ellas la censura que convierte a cierto realismo en costumbrismo, vestigio de un mundo desaparecido. Mayor miga tiene el examen de "las tres coronas", el gran esfuerzo de Usigli por interpretar dramáticamente la historia de México. *Corona de sombra* (1943), la pieza sobre los emperadores Maximiliano y Carlota, es la más lograda. No podía ser de otra manera, pues no sólo el archiduque austriaco llena de encanto y melancolía cuanto toca sino que desde la Antigüedad se sabe que el tema histórico concede majestad a todo lo que carece de ella. Como argumentos paralelos del drama corren la ausencia presente del presidente Benito Juárez (que Usigli tomó del *Juárez y Maximiliano,* de Franz Werfel) y la locura de Carlota (lección usigliana que Fernando del Paso* desarrolló en *Noticias del imperio*). El afecto liberal y romántico que los mexicanos guardamos por los fugaces emperadores tiene su origen, en alguna medida, en Usigli.

Corona de fuego (1960) ejemplifica ese momento de desastre al que todo artista está expuesto, engañado por los duendes que habitualmente lo favorecen. Satirizada como "No te achicopales, Cacama" por Jorge Ibargüengoitia*, el más vivaracho de sus alumnos, *Corona de fuego* narra en verso la Conquista, logrando lo que parecía imposible, volver farragoso y aburridísimo aquello que el cronista López de Gómara llamó el acontecimiento más extraordinario en el mundo desde que Dios lo creó.

Si la *Santa Juana* (1923) de Shaw era el modelo absoluto, sólo en *Corona de luz* (1963) se acercó Usigli a ese momento en que el discípulo enciende su tea en el sol, como decía Alfred de Musset, otro desprestigiado. No le faltaba a Usigli el gran motivo —la Virgen de Guadalupe— ni un denso antecedente escénico, el auto sacramental novohispano. Y si el teatro es teatro precisamente porque puede reunir, inverosímilmente, a la reina Isabel con Carlos V, a fray Juan de Zumárraga y a Motolinía, a fray Bernardino de Sahagún y a Las Casas y a Vasco de Quiroga con Pedro de Gante, Usigli apostó demasiado fuerte con ese santísimo conciliábulo que, mediante una impostora monja clarisa, quiere engañar a los naturales con

una aparición virginal prefabricada. Pretendió Usigli la conciliación sha-
viana entre los milagros como accidentes racionalmente explicables y la
alarconiana comedia que muestra cómo quienes van por lana salen tras-
quilados. Al final, la despreciada razón natural de los indios, gracias al
milagro de las rosas, se transfigura a la luz de la fe. Aunque molesta a la
sensibilidad contemporánea, inclusive la agnóstica, la reducción del fenómeno religioso a la mera ilusión de los sentidos, me atrevería yo a decir
que *Corona de luz* todavía podría instruir e incluso sorprender al público
del nuevo siglo.

Criollo de primera generación, Usigli descreyó de la pretendida mexicanidad de Juan Ruiz de Alarcón como una manera de afirmar la propia.
Hijo de italiano y de polaca, Usigli batalló por el teatro nacional cuando
éste abandonaba todas las salas del mundo. Escritor al tanto de los clásicos
y de los comerciales y de los nuevos clásicos —Brecht como ejemplo de lo
que no debía ser—, Usigli tomó una decisión legítima que desde las tierras bajas del siglo XXI es fácil juzgar ligeramente: intentar una tragedia
mexicana y darle a México, como Lessing le había dado a Hamburgo, una
dramaturgia a la medida no de la Revolución mexicana sino de su crítica.
"Y he fallado, a mi manera", decía Usigli, a veces.

Le habría ofendido a Usigli leer a Luis de Tavira, uno de sus lectores
más agudos y prologuista de los tomos cuarto y quinto de su *Teatro completo,* cuando lo compara, antes que con Shaw, con Leandro Fernández de
Moratín, el refundador del teatro español en el siglo XIX, lo cual no es
mucho decir. Usigli calificó a Moratín y a su seguidor mexicano Manuel
Eduardo de Gorostiza como "falsos neoclásicos". Me parece que a sus discípulos, voluntarios e involuntarios, les cuesta decir lo que acaso sienten:
que el maestro Usigli fue un "falso moderno" y que es "su propia intención
de modernidad" lo que lo hace parecer viejo e irreal.

Esa impresión de falsa modernidad que aqueja al teatro de Usigli se
debe a su convicción pedagógica, a su creencia (a veces admirable) en "la
fabulosa enseñanza del teatro", como el instrumento (muy vasconceliano)
que permitiría educar a las masas empezando por las élites, haciendo de
cada ciudadano un "individuo democrático", tal cual lo manifestó Usigli
repetidas veces. El escandaloso estreno de *El gesticulador,* el 17 de mayo

de 1947 en el Palacio de Bellas Artes, no tiene por qué no haberse alojado en la memoria liberal de una generación que sufrió, en toda su grosería, la complicidad que el régimen de la Revolución mexicana llegó a exigir como mostrenca carta de ciudadanía.

"La definición más feliz del carácter [escribió Usigli] fuera de sus connotaciones agresivas, es la que se encuentra en los diccionarios franceses influidos todavía por el siglo XVIII: *naturaleza del alma*. [...] no hay gran autor sin grandes caracteres. El gran carácter, el carácter ejemplar, es la *opinión* viva del poeta dramático: por eso es humano, no sobrehumano; objetivo, no subjetivo; profundo, no simplemente moral."

Usigli mismo se ha puesto la soga al cuello y es poderosa la tentación de voltear contra él sus propias palabras y decir que a lo largo de su amplia obra dramática hay casi todo menos un solo carácter memorable. Y esa ausencia de un gran personaje es tanto más sorprendente dadas las constantes virtudes literarias de Usigli: su gusto por arremangarse la camisa, su pasión cotidiana por el trabajo bien hecho, la cruzada por hacer de la literatura una faena limpia y un oficio profesional ajeno a la improvisación, a la bohemia, a la pereza. En las tragedias y en las comedias, en los prólogos y en los epílogos, en la prosa y en el verso libre, en los ensayos didácticos y en los artículos políticos, en la novela y en la traducción, en el diario de trabajo y en el registro de las conversaciones con otros escritores, en todos los géneros que Usigli practicó es improbable encontrar una página mal escrita, un párrafo negligente, una idea que no sea habitable, hospitalaria.

La rehabilitación de Usigli más allá de su dominio como primer dramaturgo mexicano es una empresa que no ha concluido. La inició Paz en el prólogo a *Poesía en movimiento* (1965), donde por primera vez se hacía justicia, antologándolo, al Usigli poeta. Todavía en 1991, Paz insistió, rememorando en "Rodolfo Usigli en el teatro de la memoria" la íntima amistad que los unió en el París de la posguerra. Desde entonces, entre los pocos que han reflexionado sobre la poesía usigliana están Antonio Deltoro* y, sobre todo, Pacheco, quien ordenó y prologó *Tiempo y memoria en conversación desesperada. Poesía, 1923-1974* (1981). Viejos equívocos, empero, han seguido conspirado contra la inclusión de Usigli entre nuestros poetas mayores, que van desde su ingrato papel como hermano pobre de los Contemporáneos a la dificultad en reconocerle más de un talento a un escritor: es suficiente para él la fama como dramaturgo. Y en nada ayudó la amargura de Usigli, a quien Paz —dice Pacheco— hubo de convencer de abandonar esa novela en clave largamente planeada contra los Contemporáneos, titulada *Inteligencias estériles,* y que quizá duerma, en calidad de borrador, entre los papeles inéditos del dramaturgo.

La poesía de Usigli viene a llenar esa ausencia de la mujer que Paz lamentó en los Contemporáneos, presencia "áspera, desolada, seca, sombría" que —como nos recuerda JEP— se refiere a las varias mujeres que Usigli amó y conoció. Sin ser metafísica esa poesía escapa al tono plañidero, a ese medio tono crepuscular que Usigli detestaba y que es tan característico de tantos poetas mexicanos que le cantan al desamor.

Durante los meses que pasó en New Haven en 1936, donde había ido a estudiar composición dramática en compañía de Xavier Villaurrutia, Usigli, traduciendo a T. S. Eliot y nutriéndose de él, compuso un verdadero ciclo sobre los requiebros de la condición masculina, ese vaivén entre Don Juan y los fantasmas, que cada día se vuelve más impronunciable. Especializada en ese tristón hastío, la poesía de Usigli es escéptica y divertida, habla de abortos y orgasmos, de la persecución banal y sublime de las mujeres y asume cómicamente la naturaleza siniestra de la belleza. Usigli acabó por darle la razón a Shaw y concluyó, del soneto al verso libre, pasando por el epigrama y la décima, que el sexo tenía mejor prensa (literaria) de la que merecía, tal cual lo ratifica en sus *Voces. Diario de trabajo (1932-1933)* (1967). Este cuaderno, tan stendhaliano, lo fue anotando Usigli hasta su publicación en 1967 y es uno de los más finos (y desconocidos) diarios de la literatura mexicana.

En el prefacio de *Obliteración,* el relato casi fantástico que escribió en 1949 (y publicó hasta 1973), Usigli dijo que nunca se había sentido cómodo en Europa, desanimado en la búsqueda de lo que sus padres habían perdido una generación atrás. Menos que México, la patria de Usigli fue la ciudad de México, que recorrió tantas veces durante las solitarias peregrinaciones que siguen a la fiesta y al escándalo, el sitio donde se arraigó y a la que presentó, más como un personaje que como un escenario, en *Ensayo de un crimen* (1944), algo más, mucho más, que una novela policiaca.

Los ensayos de Usigli sobre México, políticos en el moral y civil senti-do que Shaw les hubiera dado, no siempre alcanzan su meta, si es que la tienen. Tres veces católico —como mexicano, como italiano y como pola-co—, Usigli asociaba esa creencia constitutiva con la hipocresía de la vida pública, admirador como era de la franqueza que creía encontrar en la psique protestante. A Usigli le sobraban indignaciones y le faltaban teorías y, cosa grave en un guardián de Shaw, conocía la ironía y el autoescarnio pero sólo se reservaba el sentido del humor para la poesía, faltándole la ligereza y la alegría del verdadero moralista. Sus diatribas sobre México, finalmente, son interesadas: son la obra de un escritor que, como a Stend-hal, no le molestaba ser embajador y que hubiera aceptado un ministerio si se lo hubieran ofrecido, convencido como estaba de que la academia se abre a palos.

En el tomo v del *Teatro completo* (2005) están los textos que Usigli dedicó a la historia y a la enseñanza de "la historia del teatro en México". Título engañoso, pues ensayos como *Itinerario del autor dramático, Las tres dimensiones del teatro, Las dos máscaras del teatro* y *Primer ensayo hacia una tragedia mexicana,* en algo sobrepasan las pulcras lecciones que el maestro se tomó la molestia de redactar para sus alumnos. Nadie en México, dijo Pacheco con razón, ha dominado tan absolutamente su materia como él, y estas lecciones lo comprueban, en su calidad de breve historia del arte dramático en el momento del siglo pasado en que Usigli lo estudió. Sólo cabría reprocharle la avaricia que lo lleva a no citar muy cumplidamente sus fuentes, falta quizá justificable en quien, como Usigli, creía que la ori-ginalidad sólo preocupa a quienes no la poseen, siendo una virtud que para el auténtico artista sólo es un merecido adorno. Original, si acaso, quien viaja al origen. Ni Shakespeare ni Cervantes, afirma, conocieron esa superchería romántica. Usigli abominaba no tanto del romanticismo, como de su tramoya de castillos y puentes levadizos: pensaba que nadie había arruinado tanto al teatro como Victor Hugo.

Único escritor mexicano que ha escrito una comedia en francés y algu-nos poemas en inglés, Usigli —y ello es notorio leyendo los ensayos reco-pilados en *Teatro completo V*— tenía una cultura más variada que la de sus ilustres contemporáneos: tal vez menos concentrado y riguroso que Cuesta*, pero más curioso que Villaurrutia y libre del academicismo que asfixió a Jaime Torres Bodet*.

El ejercicio de la admiración es endiablado y Usigli logró admirar bien, a sus anchas. Su pasión por Shaw, en contraste con la cubetada de agua fría que se llevó Federico Gamboa cuando visitó a los naturalistas franceses a fines del siglo XIX, tuvo un final más o menos feliz. Gracias a las *Conversaciones y encuentros* (1974), también incluidos en este tomo V del *Teatro completo,* es posible entrar de la mano de Usigli en la casa de Ayot Saint Lawrence, donde Shaw, a punto de cumplir los noventa años, lo recibió en dos ocasiones en la primavera de 1945. Shaw había estado alguna vez en México donde, según cuenta la leyenda, le había cobrado sus derechos de autor a un grupo estudiantil que pretendía homenajearlo. Más un actor profesional cumpliendo estoicamente su papel hasta el final que un anciano inerte ante la fama, Shaw, ese primer niño de escuela activa, toleró bien el atrevimiento de Usigli y semanas después le hizo saber que había leído la copia en inglés que de *Corona de sombra* el mexicano le había dejado.

Meses antes, Usigli había visitado en Londres a T. S. Eliot. Idiosincrásicamente, Eliot le habría reclamado, en 1938, sus derechos de autor de la traducción de *El canto de amor de J. Alfred Prufrock*. Usigli respondió que esas cosas eran, en México, crímenes gratuitos que no reportaban beneficio para nadie. El 15 de noviembre de 1944, al caer la noche, Usigli tocó el timbre de Faber and Faber y el propio Eliot le abrió la puerta, explicándole que los bombardeos exigían que en cada oficina una persona hiciese guardia nocturna y que ese día le tocaba a él. Eliot y Usigli tomaron cerveza hasta las cuatro de la madrugada, hablando del teatro y de la muerte, de la impopularidad de la poesía, y recordaron el infortunado destino del niño Lindberg. Un año después Eliot le habría devuelto la visita, acudiendo al hotel de Picadilly donde paraba Usigli, quien le habría mostrado las calaveras de Posada. Inclusive si Usigli aderezó, como lo hacemos todos al reconstruir lo que nos impresiona, sus encuentros con Shaw y con Eliot (y con el olvidado Henri Lenormand y con el actor Paul Muni, que fue Émile Zola y fue Benito Juárez), estamos ante unas magistrales piezas de teatro de cámara.

Paz dijo que Usigli era Prufrock perdido en la ciudad de México y en un segundo momento lo recordó, como a su propio padre, atrapado en las cárceles del alcohol. Ibargüengoitia lo representaba llegando a Mascarones con todos sus aditamentos: la boquilla, la cigarrera, el encendedor, las pastillas antiácidas, el bastón en las secas y el paraguas en las lluvias. Héctor Manjarrez*, que se reunía con él en los años sesenta, se pregunta por qué era tan sencillo regatearle la admiración a ese "viejo y chaparro y flaco y adolorido y tierno y sincero" dramaturgo que trabajaba de embajador. O la mórbida secuencia narrada por Usigli mismo del puñetazo que Novo le dio en las escaleras del Palacio de Bellas Artes. Son muy fuertes las imágenes, reales o figuradas, que de Usigli han ido amueblando las salas de la memoria, luces siguiendo a un hombre de teatro que cruza los fuegos destructivos, ya sean los de Londres bajo las bombas o los de la destrucción de la antigua México-Tenochtitlan, el personaje que tiene cita con Shaw, con Eliot, con él mismo.

Bibliografía sugerida

Teatro completo I, FCE, México, 1963.

Teatro completo II, FCE, México, 1966.

Teatro completo III, FCE, México, 1979.

Teatro completo IV. Escritos sobre la historia del teatro en México, edición de Luis de Tavira, FCE, México, 1996.

Teatro completo V. Escritos sobre la historia del teatro en México, edición de Luis de Tavira y Alejandro Usigli, FCE, México, 2005.

Voces. Diario de trabajo (1932-1933), INBA, México, 1967.

Tiempo y memoria en conversación desesperada. Poesía, 1923-1974, edición de José Emilio Pacheco, UNAM, México, 1981.

Ensayo de un crimen, SEP, México, 1986.

Conversación desesperada: antología, selección y prólogo de Antonio Deltoro, Seix Barral, México, 2000.

Swansey, Bruce, *Del fraude al milagro. Visión de la historia en Usigli*, UAM, México, 2010.

V

VALADÉS, EDMUNDO
(Guaymas, Sonora, 1915-ciudad de México, 1994)

Nadie se atrevió a decir, mientras vivió, que Valadés fue lo que los franceses llaman un *écrivain raté.* Pero el viejo Valadés lo admitía. En alguna ocasión, al calor de los tragos, don Edmundo le cerró la boca a un lambiscón con una exclamación hiriente: "¡Sé bien que soy un escritor mediocre!" El par de libros que Valadés en realidad escribió, *La muerte tiene permiso* (1955) y *Las dualidades funestas* (1966), contienen piezas memorables solamente para dos especies situadas en las antípodas del universo cultural: el historiador de la literatura, y el lector común y corriente. El primero ve en Valadés a uno de los fundadores del relato de la violencia urbana, una vez que Juan Rulfo* había concluido el ciclo de la aldea. El segundo, que agota las ediciones de *La muerte tiene permiso,* lee con gusto a un escritor que facilita la experiencia literaria mediante un coloquialismo sintético y una razonable economía formal.

¿Escritor mediocre? Sí, si por mediocridad entendemos la justa medianía a la que estamos condenados, en el mejor de los casos, 99% de los escritores vivos. No sé, como diría Borges, si Valadés llegue al olvido primero que usted o yo; pero creo que la historia de la literatura no es una antología de obras maestras. Si así fuera, en cuanto a narrativa mexicana, bastaría con ofrecer a la posteridad *La sombra del Caudillo, Pedro Páramo* y, estirando la manga, *La muerte de Artemio Cruz.*

Valadés sabía que la literatura no es únicamente la expresión del genio romántico. Él soñó, como tantos jóvenes, con igualar a Proust, su novelista predilecto. Pero se descubrió impotente ante el genio y, signo altísimo de sabiduría, decidió consagrarse a otros personajes, menos brillantes que la princesa de Guermantes, pero más numerosos y necesarios, esos lectores, cuyo desamparo combatió.

Descreo de toda "democratización" de la cultura que se base en la retórica y no en la política. Es decir, pobre de quien insista en someter su estilo al siempre imaginario gusto del vulgo. Esas empresas —dirigidas por Gorki o por los actuales mercadólogos editoriales— cosechan éxitos momentáneos y fracasos sangrientos o ridículos. La única democratización cultural —nos lo enseñó José Vasconcelos*— consiste en ofrecer al público la variedad plena y profunda de la literatura, la música o la pintura. Ninguna autoridad tiene derecho a decidir si "el pueblo" puede apreciar a Plutarco, Beethoven o Picasso [...]

A través de la revista *El Cuento* —en sus dos épocas, 1939 y 1964-1995—, Valadés entregó a un público relativamente amplio la belleza y la diversidad del género que amó. Verdadero demócrata de las letras, Valadés puso en manos del adolescente provinciano, del maestro rural, de la ansiosa ama de casa o del joven escritor, las joyas de Chéjov y Maupassant, Gogol y Pardo Bazán, Joyce y O'Henry. Cuando se escriba la historia de la lectura en México, se sabrá que los lectores anónimos de *El Cuento* son legión, tantos como puede haberlos en un país sin lectores. Esto bastaría para incluir a Valadés, como legionario de la lectura, en la nómina ejemplar de nuestra vida literaria. Pero, como se sabe, Valadés fue también un gran maestro de cuentistas y novelistas. Por medio del taller literario o de la confidencia amistosa, Valadés enseñó el oficio a muchos autores que hoy gozan de fama y hacienda. En la historia de la interpretación pianística, por ejemplo, se venera a esa clase de maestros que, no siendo grandes intérpretes, crearon virtuosos mediante la enseñanza. La literatura es más ingrata. A escritores infértiles, fallidos o fracasados, como Valadés, no se les perdona haber vivido la justificación por las obras antes que la justificación por la gracia.

Termino con una anécdota. En 1991 me tocó regresar de Tlaxcala con

Valadés en compañía de una joven periodista. Todavía faltaba un rato para llegar a Puebla cuando la muchacha, impertinente o cretina, le pidió a don Edmundo "que le contara un cuento", dado que a eso se dedicaba el viejo. Yo, sonrojado ante la petición y víctima de pena ajena, me pegué a la ventanilla del coche. Pronto supe que Valadés había accedido. Nos contó, palabra por palabra, "Bola de sebo", de Maupassant (*Servidumbre y grandeza de la vida literaria*, 1998).

Bibliografía sugerida
Las dualidades funestas, Joaquín Mortiz, México, 1966.
Sólo los sueños y los deseos son inmortales, Palomita, Océano, México, 1986.
La muerte tiene permiso, FCE, México, 2004.

VALLE-ARIZPE, ARTEMIO DE
(Saltillo, Coahuila, 1884-ciudad de México, 1961)

Valle-Arizpe inventó una infancia con los trebejos de la maligna Historia de los hombres. Más que la religión, lo apasionaba la liturgia. No aceptó ni carne ni demonio ni mundo, y su literatura nace de esa palabra que designa una cosa —mueble, golosina, vestido— que es, desde ese momento y por sí misma, un personaje fonético o anecdótico. Al introducirse con pudicia y exageración entre las ruinas de una lengua semimuerta, hizo de su casticismo la broma que consumió una vida. Valle-Arizpe hace del colonialismo una costumbre de lectura. Sus libros, hoy día, se siguen reeditando sin escándalo y con perseverancia. ¿Quién podrá leerlo? Cierto es que escribió libros edificantes para una clase media en extinción; pero también debe contar con un público secreto entre aquellos para quienes la infancia, lejos de ser una experiencia, es una invención romántica sin cuyo soporte no se puede vivir (*Antología de la narrativa mexicana del siglo XX*, I, 1989).

Bibliografía sugerida

Obras I, FCE, edición de Juan Coronado, México, 2000. Incluyen *Historia de una vocación, Don Victoriano Salado Álvarez y la conversación en México, La Güera Rodríguez, Fray Servando, Del tiempo pasado* e *Historia de vivos y muertos*.

Obras II, FCE, edición de Juan Coronado, México, 2000. Incluye *Leyendas mexicanas, En México y otros siglos, El Canillitas* y *Cosas que fueron así*.

VALLEJO, FERNANDO
(Medellín, Colombia, 1942)

A diferencia de otros mellizos mitológicos, Cástor y Pólux, hijos de Zeus y de Leda, llamados los Dióscuros, aparecen unidos sin rivalizar entre sí, amándose entrañablemente y compartiendo un concierto de hazañas. A esta pareja mitológica me remiten los hermanos protagonistas de *El desbarrancadero* (2001), la segunda novela del mexicano-colombiano Vallejo, a quien no le bastó con escribir un libro como *La virgen de los sicarios* (1994) y hoy nos entrega otra obra libérrima, tremenda y conmovida.

"Yo no soy novelista de tercera persona y por lo tanto no sé qué piensan mis personajes", afirma el narrador de *El desbarrancadero,* cronista implacable de la agonía de su hermano, víctima del sida, enfermedad terminal que Vallejo extiende, riéndose de toda metáfora, a todo lo que en apariencia odia, la madre, la familia, Dios y su vicario el papa romano, la ciudad sicaria de Medellín, los politicastros corruptos, los pobres que matan a los pobres. Viajando del país del peculado y de la mentira (México) al país del crimen (Colombia), Vallejo presenta otra novela-libelo, que, como *La virgen de los sicarios*, puede leerse como manifiesto nihilista. Pero leer a Vallejo sólo como un colombiano (y un latinoamericano) dolido hasta la náusea y el escarnio es hacerle escaso honor. En un mundo de indignados, sólo un consumado dominio del arte narrativo puede transformar el vómito deprecatorio en música violenta. Asumo las consecuencias hiperbólicas de mi afirmación: Vallejo es el Céline de la violencia latinoamericana.

Por *libelo* entiendo el texto de fácil posesión que se distribuye de contrabando (y a contracorriente, en este caso) y cuyo fin es el linchamiento moral o político de personas, reputaciones, partidos o naciones. A Vallejo le duele Colombia; de lo contrario no sería libelista. Y quien escribe libelos es el más desesperado de los moralistas. Pero ese dolor supera la queja rutinaria y el resquemor patrio gracias a la infalible construcción de personajes llevada a cabo por Vallejo. Si en *La virgen de los sicarios* había una estetización homoerótica de la violencia, en *El desbarrancadero* el novelista se deja llevar por una marea retórica más difícil de domar, la compasión. Compasión en su sentido etimológico: acompañar a alguien en su pasión, compartir una agonía a través de la solidaridad, el humor negro y, al fin, la muerte real y simbólica, ultratumba desde la cual está narrada la novela. A Darío, el moribundo, su hermano lo inició en la vida homosexual, regalándole un muchacho, en Bogotá. En ese momento, y no junto a una familia tan numerosa como cainita, se hicieron hermanos. Esa complicidad azañosa los une hasta que la prueba del VIH condena a uno a morir, al otro a narrar. Improvisado médico de cabecera —y enemigo del resto de los facultativos—, el narrador decide medicar a su hermano con productos veterinarios, como la sulfaguanidina, sustancia para bovinos con la que trata, sin éxito, de cortarle la diarrea al agonizante. En cualquier otra novela esta estampa sería una vulgaridad, mientras que en Vallejo se convierte en una meditación que, sin incurrir en un solo guiño metafísico, presenta la quebradiza animalidad de los hombres, a quienes el narrador detesta no por ser negros o blancos, liberales o conservadores, colombianos o mexicanos, maricas o mujeres, narcotraficantes o leguleyos, sino "por su condición humana".

El desbarrancadero, como tantas de las grandes novelas, es la crónica de la extinción de una familia. Un padre querido a quien un tipo de eutanasia libera mientras que un país y una ciudad, Colombia y Medellín, jamás serán borrados de la faz de la tierra, pues mala hierba nunca muere, aunque el narrador le desee a esos lares todas las bombas atómicas que China desperdicia en pruebas subterráneas.

Vallejo, residente en México desde 1971, es ese radical que devuelve al novelista su condición de supremo crítico de la vida. *El desbarrancadero* es un libro devoto de la antigua herejía encratista, que hallaba en la reproducción de la especie una multiplicación demoniaca del Mal. Y los personajes de Vallejo, viajeros hacia el fin de la noche, resisten la catalinaria dureza de sus jornadas gracias al contraste de los días felices, los que Cástor y Pólux vivieron como individuos, víctimas sólo de las lágrimas y de la lluvia. Pero Vallejo, que lo denuncia casi todo, no es un autor panfletario, aunque utilice (y muy bien) todo el arsenal retórico de la injuria. El indignado, el lenguaraz, el narrador tragicómico de tanta desgracia sabe detenerse y nos ofrece el antídoto contra su propio veneno: "Y perdón por el abuso de hablar en nombre de ustedes, pues donde dije con suficiencia el *hombre* he debido decir humildemente *yo*".

Bibliografía sugerida
El desbarrancadero, Alfaguara, México, 2001.

VASCONCELOS, JOSÉ
(Oaxaca, 1882-ciudad de México, 1959)

"La historia nos enseña que las barbaries nunca fueron capaces de producir literatura; las decadencias, tampoco", escribe Vasconcelos tan pronto comienza *La flama* (1959). La afirmación es absurda pero revela la posición del Vasconcelos tardío como teórico de la decadencia que él mismo teoriza y encarna. La barbarie a la que se refiere es la Revolución mexicana, poniendo el acento en la persecución religiosa que desencadenó; la decadencia que nombra es la de esa nación que se negó a alcanzar a los Atlantes, primero, y a los verdaderos cristianos, los de 1929, después. Del clasicismo pagano al catolicismo romano, Vasconcelos siempre predicó la civilización contra la barbarie. La voz que se escucha en *La flama* es la del padre de los bastardos, aquel profeta que fracasó tratando de legitimar a sus hijos ante el Olimpo y ante la pila bautismal. Todo fue inútil.

Del Ateneo a la Convención, de Pitágoras a San Pablo, de Madero a noviembre de 1929. Por ello, la solución final, como veremos, no podía ser otra que el fuego.

Testigo de la victoria de la barbarie, padre civilizador tantas veces desoído, Vasconcelos se asume, amargamente, como un escritor de la decadencia. Mi astrosa prosa de anciano, parece decirnos, es hija de mi desastrada época. Vasconcelos, que siempre despreció la Literatura, escribe *La flama* como para probar que el orden y el estilo, las aspiraciones clasicistas del Ateneo, son inútiles ante un público bastardo que sólo entiende, como los perros, a periodicazos. El libelo disfrazado de artículo de opinión es lo que queda del flamígero versículo de los profetas.

En *La flama* aparece, por primera vez de manera rotunda, esa idea vasconceliana, más gnóstica que cristiana, de que el demonio es el Señor del Mundo, el dueño de México, el *tlatoani* inmortal de los aztecas, Tezcatlipoca ofuscando a México con su negro espejo. Si los Atlantes existieron, se perdieron para siempre. Vasconcelos no necesita secarse el seso para fijar el origen de su demonología en el mundo prehispánico. Como Juan Ginés de Sepúlveda en el siglo XVI, Vasconcelos admite la justicia de la guerra contra los indios, vástagos de una civilización sin alma preñada por el pecado original. Hizo bien fray Juan de Zumárraga en destruir los ídolos y fray Diego de Landa en quemar los códices. Barbarie hubiera sido, concede misericordiosamente Vasconcelos, expoliar a los indios sin revelarles la doctrina cristiana. Vasconcelos, en su brevísima exaltación de la destrucción de las Indias, condena a Las Casas y a Sahagún como erasmistas peligrosos y anticuarios ociosos. No hay ídolos tras los altares, grita Vasconcelos, pues los pocos indios que se salvarán son los que se postraron ante la aparición guadalupana de 1531 [...]

El tema orquestal de Huichilobos se impone en el espacio sonoro de Vasconcelos. Quizá fue José Juan Tablada, en una curiosa novelita titulada *La resurrección de los ídolos* (1924), quien actualizó la idea de un México profundo inmune a la cristianización que resucita en cada crimen, real o supuesto, cometido por esas masas dóciles ante el sátrapa. El texto de Tablada finaliza con un grotesco parto de los montes donde los manes aztecas se elevan desde el Mictlán para imponer su ley al México moderno.

Más tarde, Tablada acusó a D. H. Lawrence de haber plagiado su argumento para escribir *La serpiente emplumada*.

En 1929 Vasconcelos aún se fiaba de las dualidades: ante Huichilobos —encarnado en Zapata, Huerta o Calles— aparece el redentor Quetzalcóatl en las figuras de Madero y Vasconcelos. Pero tras el desastre, la victoria de Huichilobos es definitiva. En *La flama*, Huichilobos se ha convertido en Huichiperros, para no ofender a los lobos, que al menos —aclara el autor— no son cobardes. Y Huichiperros vive y ladra en cada mexicano, desde el más vulgar de los matarifes hasta el Jefe Máximo de la Revolución, asesinos de los cristeros, torturadores de León Toral y Daniel Flores, violadores de la madre Conchita.

Tras haber sido el gran teórico de la Revolución mexicana como acontecimiento universal de redención, Vasconcelos se convirtió en su más despiadado antagonista. La presentación del universo apocalíptico regido por Huichiperros no fue una instantánea provocada por 1929. El conflicto entre la barbarie y la civilización latía desde el principio en la obra de Vasconcelos. Cuando la historia se desplazó irremediablemente ante la barbarie, Vasconcelos fue consecuente y, como otros intelectuales decepcionados de nuestro siglo, rechazó 1789, cuando la plebe revolucionaria paseó a la Razón en calidad de meretriz frente a la catedral de Notre-Dame. Como lo había sospechado desde la Convención de Aguascalientes, la Revolución era sólo una aceleración crítica de la barbarie, pues "sólo las almas menguadas pueden rendir culto a la Revolución, que es lo mismo que venerar podredumbre" [...]

Tras abandonar el mito platónico de la Atlántida y sus melodías pitagóricas, Vasconcelos asumió el tranquilizador y moderado dualismo católico. Pero con los años, su pavor al liberalismo y al marxismo acabó por desbalancear el sistema, pues las tinieblas del Anticristo copaban el planeta, requiriendo de esa Solución Final, monista nuevamente, de la apocatástasis. El viaje de Vasconcelos por el mundo de la Razón no había terminado, como él creía, en el Padre Nuestro, sino en la náusea maniquea de la Creación. El profeta había dejado de ser, teológicamente hablando, un cristiano.

He escrito este dudoso divertimento teológico para ilustrar el fin de ese turbulento camino de herejía que fue el de Vasconcelos. Su vida es la historia de la más vasta de nuestras heterodoxias. Turbulencia que es grandeza, patetismo, imbecilidad. De la Raza Cósmica al infierno nuclear, de la Atlántida a la apocatástasis, Vasconcelos aspiró a medirse con los clásicos griegos y con los Padres de la Iglesia. Por ello lo he colocado como la estrella axial del clasicismo mexicano, galaxia que preside desde una soberanía solitaria y caprichosa, monarca berrinchudo que incendia la Creación con un gargajo, príncipe filósofo que destruye nuestra tradición cada vez que parece consumarla. Vasconcelos, se ha dicho, fue un gigante y un enano. El pobre Diablo y el verdadero Diablo. El jefe espiritual que redimió a la Revolución mexicana de sus pecados acabó por negarla tres veces. El Maestro de América que soñó con el encuentro íntimo de cada niño con un libro aplaudió los autos de fe de Hitler y Franco. El profeta de la Raza Cósmica, única utopía racial no racista de su época, culminó su vida aprobando todas las persecuciones diabólicas. El candidato democrático humillado en 1929 murió esperando favores de esa tiranía mezquina que nació defraudándolo. Sólo guardó sus preces para Antonieta Rivas Mercado, a quien salvó de los infiernos, custodiando su estadía en el purgatorio. Vasconcelos, nuestro redentor, cerró su obra escribiendo un elogio de la bomba de hidrógeno. Ignoro, a estas alturas, si su fuego era alegórico o inteligente. Me detengo enfebrecido sobre "La B-H" (1950), libelo contra la humanidad, la venganza retórica más cruel que clérigo alguno haya deseado contra su prójimo. Gran escritor y pequeño teólogo, fue demasiado lejos en la búsqueda de esa Primera Energía que lo cautivó desde la adolescencia. Vasconcelos nos castigó con el fuego, incinerando a esa Raza Cósmica que no se atrevió a constituirse tras su llamado, desconociéndonos a todos nosotros, sus hijos bastardos, que lo negamos como Padre. Su maldición profética nos perseguirá hasta el fin de la Historia (*Tiros en el concierto. Literatura mexicana del siglo v,* 1997).

Bibliografía sugerida

Memorias I. Ulises criollo. La tormenta, FCE, México, 1982.
Memorias II. El desastre. El proconsulado, FCE, México, 1983.

Domínguez Michael, Christopher (ed.), *Los retornos de Ulises. Una antología de José Vasconcelos,* FCE/SEP, México, 2010.

VICENS, JOSEFINA
(Villahermosa, Tabasco, 1911-ciudad de México, 1988)

La importancia de *El libro vacío* (1958), aquilatada en sus días, ha ido creciendo notablemente. Su tema, como su escritura, es simple. Se trata del cuaderno de un oficinista que escribe sobre su deseo de escribir una novela, que no escribirá nunca y para la que tiene reservado un segundo cuaderno, que permanece y permanecerá en blanco. El estilo de Vicens es tan pulcro como elemental: nada exterior parece trastornar su vocación de inteligibilidad y la vida de su José García es la de miles de seres anónimos [...] Vicens concentraba, en un plano superior de exigencia, el de la sencillez radical, el espíritu de su época. De todas las novelas escritas por esa generación, ninguna como *El libro vacío* penetra de manera tan profunda en la esencia de lo moderno en la narrativa. Proceso de síntesis casi total, *El libro vacío* involucra a una ciudad vacía, despojada del magnetismo de la comunidad, engendrando hombres vacíos. Esto lo sabían, cada uno a su manera, Rubén Salazar Mallén*, Rodolfo Usigli* o Rafael Bernal. Pero cada uno de ellos confiaba en el espejo de la otredad para la autorrevelación del vacío. Hombres solos, burócratas, asesinos o policías, son todos personajes tentados por la certidumbre de la acción. José García, en cambio, no confía en ningún otro acto que no sea el de la escritura, ese deseo sin placer (*Antología de la narrativa mexicana del siglo XX,* I, 1989).

Bibliografía sugerida
El libro vacío. Los años falsos, FCE, México, 2006.

VILLEGAS, PALOMA
(Ciudad de México, 1951)

Casi una década después de *La luz oblicua* (1995), Paloma Villegas publica *Agosto y fuga* (2004), su segunda novela, que, como aquélla, es una sólida historia que transcurre en esa zona —tan cultivada por la retórica de los años sesenta y setenta del siglo pasado— en que conviven y se confunden las pasiones políticas y los dramas privados. Si *La luz oblicua* hablaba de un mundo entonces viejo en veinte años —aquel que derivó del 68—, *Agosto y fuga* se plantea un reto quizá mayor: retratar al México de 1994 y a un grupo de militantes políticos ligados a la segunda candidatura presidencial de Cuauhtémoc Cárdenas y partícipes de la euforia que despertó en nuestra clase universitaria el levantamiento zapatista del 1º de enero. Reto mayor, he dicho, pues no es lo mismo una década que veinte años después, y acaso *Agosto y fuga* se resienta un tanto de la aún escasa distancia histórica que nos separa de ese *annus horribilis,* cuya amenazante densidad Villegas sabe atrapar.

Con el antecedente de la rigurosa disección con la que se hacía la autopsia sentimental y política de los tempranos años setenta en *La luz oblicua,* me desconcertó la ternura y la complacencia con la que Villegas trata a sus personajes en *Agosto y fuga,* buenos muchachos de la clase media afanados en la construcción de la sociedad civil, puestos a resguardo por la novelista y sólo amenazados por los imponderables accidentes eróticos y amorosos. Mundo pequeño el de Villegas (tan pequeño como el mío, por cierto) y novela conservadora la suya, en la medida en que, por ejemplo, lo son las novelas de Edith Wharton. Entre la manera en que Wharton preserva el ecosistema de la alta sociedad neoyorkina de 1900 y el modo elegido por Villegas para narrar las vidas de los coyoacanenses políticamente comprometidos, no encuentro sino una diferencia epocal. En ambos casos el novelista aparece como el garante de un mundo estático cuya relación con la historia política (en *Agosto y fuga*) o con un cosmopolitismo tan prestigioso como eróticamente desintegrador (como ocurre en Wharton) es meramente fenoménico: casi nada alterará sus usos y costumbres (como la ambigüedad, tan burguesa, de sus relaciones con la

servidumbre doméstica) ni hay fuerza capaz de destruir la delicada conciencia que tienen de sí como una casta social autosuficiente, enraizada en
el lado solar de la moral, élite acostumbrada a fungir como testigo de calidad en transformaciones históricas que nunca colman sus expectativas
utópicas y ante las cuales la decepción y la desesperanza forman parte
tanto de la rutina generacional como de las reglas dramáticas. Pero a mí
me gusta Wharton y he comparado a Villegas con ella no sólo por la aparente paradoja implícita en personajes radicales conservadoramente expues-
tos, sino por un conjunto de virtudes técnicas: la sobriedad en el trazo
narrativo, la manifiesta generosidad con el lector, la prosa ágilmente des-
envuelta, la capacidad para captar los movimientos del cuerpo y los poderosos caracteres femeninos. El nocturno trayecto a pie que la desconsolada
Nora hace a través de una ciudad de México que en esos días dejaría de
ser transitable para siempre, es un delicado réquiem.

Novelas como *Agosto y fuga* necesitan de tiempo en la biblioteca para
revelar su verdadera naturaleza, ya sea en su probable caducidad como
obras costumbristas o en su vigorosa tonalidad como retratos de familia
pintados para permanecer y cobrar nuevos matices merced a la pátina del
tiempo. Con apenas dos novelas, Villegas ha dicho más sobre la vida de
una generación, la suya, que muchos narradores que escriben sin su
paciencia y discreción, pero sobre todo, sin esa angustiada conciencia que
se desprende del saber que el artista sólo puede confiar en un puñado de
caracteres novelescos para descifrar el sentido de su existencia.

Bibliografía sugerida
La luz oblicua, Era, México, 1995.
Agosto y fuga, Era, México, 2004.

VILLORO, JUAN
(Ciudad de México, 1956)

La novela de un narodnik. Villoro ha representado, en una proporción que
con los años se tornaba preocupante, la crónica de una anomalía. El suyo

era el caso de una aguda inteligencia que carecía de una obra mayor que honrase su indudable amor por la literatura. No sé si *El testigo* (2004) sea una gran novela, pero no me cabe duda que es un libro sobresaliente que le da sentido cabal a una carrera literaria acaso obstaculizada por la prematura construcción de Villoro como la promesa literaria por antonomasia.

Si libros de cuentos como *La noche navegable* (1980) y *Albercas* (1985) prolongaban pesadillescamente el mundillo trivial y adolescente de *Gazapo*, *El disparo de Argón* —su primera novela, 1991— no hizo sino alimentar, por sus virtudes nabokovianas, esa decepción que fue *Materia dispuesta* (1996), deplorable novela de formación que mal contaba las vidas cruzadas de un padre y de un hijo entre los terremotos de 1957 y 1985. La correcta verificación profesional de un tercer libro de cuentos (*La casa pierde*, 1999) no alcanzaba a paliar la ya entonces rutinaria sensación de que Villoro era el fantasma de la promesa. No se encontraban, en sus cuentos, retratos tan deslumbrantes como los de Valle-Inclán o Thomas Bernhard en *Efectos personales* (2000), o nada tan estimulante como aquel prólogo a los *Aforismos* de Lichtenberg, ni había en sus novelas observaciones fulminantes como la estampa del cronista deportivo Ángel Fernández o la bitácora de la convención zapatista en *Los once de la tribu* (1995). Pero llamado a ser —por su notabilísima sensibilidad para captar la complejidad social y transcribirla con audacia— el relevo de Salvador Novo* y de Carlos Monsiváis*, Villoro rechazaba la herencia, impedido por la honrada fidelidad a su temperamento, ajeno a las zancadillas de la confrontación ideológica y al campo minado de la diatriba moral.

El testigo es una de esas obras que dan sentido a una vida en la literatura, la pieza que resuelve el rompecabezas y nos ofrece a un escritor de cuerpo entero, un contemporáneo esencial con quien el diálogo es imprescindible y la conversación una garantía de sobrevivencia. *El testigo* entusiasma y sorprende por el descaro con que Villoro decidió volver a intentar la Gran Novela Mexicana, como no se hacía desde que Carlos Fuentes*, Fernando del Paso*, Juan García Ponce* o Jorge Aguilar Mora* escribieron las suyas. En nuestros días, la narrativa local suele dividirse entre los que han trucado la tradición cosmopolita hispanoamericana por la publicidad de un exotismo frecuentemente mercantil y aquellos que, timoratos o juiciosos, renuncian a hacer de la novela una explicación razonable de México, país que se regocija, como nunca antes, en monopolizar la teratología mistérica. Recurriendo al primero de los recursos míticos —Ulises regresa a Ítaca tras veinte años de errancia—, Villoro se atrevió a presentar una imagen novelesca de México a la manera decimonónica, es decir, un mosaico que incluye al campo y a la ciudad, a los ricos y a los pobres, a los usufructuarios del poder cultural y a sus mecenas, a los escritorzuelos y a los criminales, al conflicto, en fin, de lo antiguo y de lo moderno.

Educado en la mejor escuela balzaquiana, aquella que concibe a la novela como el envés de una sociedad, Villoro escoge el año axial de 2000, término del largo reino de la Revolución Institucional, para hacer regresar al país a su héroe, un fraudulento profesor universitario, especialista en ese candidato venturosamente fallido a poeta nacional que es López Velarde. Julio Valdivieso, el Ulises de Villoro, se encuentra con un país convertido en una suerte de telenovela posmodernista en la cual le está reservado un pequeño papel: ser el testigo coadyuvante de la filmación de una serie sobre la Guerra Cristera, episodio cuyas connotaciones políticas vindicativas se cruzan con la causa que postula la urgencia de un San Ramón López Velarde. La locación, para comodidad del narrador, es la vieja hacienda de Los Cominos, patria chica del protagonista y lugar donde Ulises jugará a ser un Pedro Páramo en *pick up*.

Novela cuidadosamente trabada que aspira a sustituir a *La región más transparente* en el imaginario didáctico, *El testigo,* como crítica de la telenovela nacional, acaba por ser ella misma una producción de alto presupuesto. Mientras el poder visual de Villoro requería de costosas locaciones rurales donde la estética de Gabriel Figueroa compitiera con la de Robert Rodríguez, su Distrito Federal es una instalación más nostálgica que *retro*, el poroso jardín acuático de los aztecas donde, previsiblemente, se vienen a morir los ambiciosos, martirizados por la cocaína y por la violencia complementaria de los narcos y de los policías, violencia que hará víctima circunstancial al propio Julio Valdivieso. Ese último episodio, es en mi opinión una falacia patética argumental que, ajena al trazo de la novela, expresa el terror que los intelectuales sentimos de vernos demoniacamente involucrados en un horror que antes que víctimas pareciera exigir cómplices. Villoro ha sido fiel a aquella frase de Salman Rushdie, proferida poco antes de ser condenado a muerte por los imanes: "Sólo el realismo puede romper el corazón de un escritor".

El corazón novelesco de *El testigo* está en el conato de unos *farmers* o rancheros ricos de San Luis Potosí —y del memorable padre Medrano que la encabeza— de encausar a López Velarde hacia la santificación. En el interior de esa sacristía novelesca percibo la sombra benéfica de dos de los colegas capitales de Villoro: Roberto Bolaño* y Enrique Vila-Matas. Es imposible no leer a San Ramón López Velarde a los ojos del juego literario bolañesco o de la idea, tan vilamatasiana, del escritor como protagonista de una sola novela universal: redundantemente, la literatura mundial. No culpo a Villoro: si yo escribiese novelas me sería igualmente difícil escribir sin Bolaño y sin Vila-Matas revoloteando a mis espaldas.

Al descartar la contratrama que significaba para *El testigo* ese grupo de laicos chilangos que se organizan contra la expropiación clerical de López Velarde y que Julio Valdivieso apenas atisba, Villoro encajó la angustia de las influencias: aquello hubiese sido otro capítulo de la guerra de los detectives salvajes, esta vez combatiendo a las ratas eclesiásticas. Es legítima, además, la concurrencia de Villoro con el Bolaño prehistórico: ambos escritores se encontraron educándose literariamente en aquella ciudad de México de mediados de los años setenta, donde circulaban los mendaces infrarrealistas, caracterizados en *El testigo* y elevados a la altura del arte en *Los detectives salvajes*.

En una literatura plagada de miniaturistas, de poetas asombrados ante el vientre de la mesa del comedor, sólo Villoro, mediante una gramática que en *El testigo* alcanza su culminación, ha logrado darle sentido novelesco a lo anodino, a lo desechable, a lo pasajero, a esa magia de la parafernalia cotidiana y doméstica. Ese culto a lo banal idiosincrático, tan propio del fraseo de Villoro, hace de *El testigo* una novela que, paradójicamente, me atrajo más por sus sorprendentes (y muy bellos) hallazgos poéticos, resultantes de una inmersión casi geológica en Juan Rulfo* y en López Velarde, que por su empaque balzaquiano. Sirva como ejemplo la cadencia prosódica que asocia al pozo, a las monedas y al agua durante esos capítulos finales en que Julio Valdivieso encuentra, al hundirse en el destino de López Velarde, el suyo propio.

Villoro utiliza como final de *El testigo* la respuesta que Octavio Paz* le dio a Borges sobre el sabor del agua de chía, mencionada por López Velarde en *La Suave Patria*: "Sabe a tierra". Tras anunciar, páginas atrás, que va a tomar el préstamo, el desenlace verbal elegido por Villoro, al principio, me conmovió. Y en un proceso que habla más de mí mismo que de Villoro, horas después empecé a sentirme defraudado e, inclusive, íntimamente escandalizado ante la facilidad con que había yo caído en la más vieja de las trampas: la apelación al *volks*, a ese trago amargo de la madre tierra que permite al intelectual encontrar, en el infierno grande y en el llano en llamas, la metáfora redentora de una vieja nación cuya salvaje modernidad le duele y le repugna. El pentatleta Julio Valdivieso, cumplida esa prueba de resistencia erótica, nostálgica e intelectual a la que el novelista lo ha sometido, acaba por encontrar el reposo del guerrero con una mujer campesina, hipóstasis de la patria a cuyo lecho Villoro literalmente lo conduce.

En *Lodo* (2002) de Guillermo Fadanelli* tenemos el itinerario inverso, un viaje por la provincia mexicana que, a diferencia de lo ocurrido en *El testigo*, no termina en la reconciliación, sino en el crimen, antes en la cárcel revueltiana que en el velardiano sabor del agua de chía. Profesor universitario como el Julio Valdivieso de Villoro, Benito Torrentera, el héroe de Fadanelli forma parte de esa capa degradada por la ciudad babilónica que los populistas rusos llamaban el proletariado intelectual. Mientras que en *Lodo* asistimos a la cómica metamorfosis del hombre superfluo en delincuente común, *El testigo* muestra a una suerte de *narodnik*, un letrado que se salva (o se condena) regresando a esa forma en apariencia elemental de vida social que los intelectuales encuentran en la comunidad agraria, recurrente depósito del odio a sí mismos que los atormenta.

Respetando la distancia dialógica que el realismo establece entre el autor y las ideas en conflicto de sus personajes, no sé qué tan consciente sea Villoro de haber escrito una novela agónicamente nacionalista, donde encuentro más que una fisionomía de ese campo mexicano artificialmente enriquecido por las remesas y el narcotráfico, un ejercicio de hondísima y controvertida nostalgia por la sociedad rural en su variante ranchera, ilustradamente católica, un idilio salvaje que clama por el más pequeñoburgués y persistente de los mundos. Son cosas que se le deben y se le pueden preguntar a quien ejerce con maestría la novela realista.

El testigo colorea ciertos aspectos de la personalidad literaria de Villoro que los matices de la vida en sociedad y de la conversación cultural convertían, desde mi punto de vista, en asuntos equívocos, un tanto oscuros, como esa combinación de decoro impenetrable y entusiasmo gregarios tan propios del mexicano viejo, su respeto supersticioso por los campesinos (sean cristeros o zapatistas) o su afiliación a ciertas causas de la izquierda impulsado más por la decencia puntillosa del hombre de clase media que por enfiebramientos ideológicos. *El testigo* es una novela sobresaliente por lo que testifica: la persistencia casi ctónica del nacionalismo en una literatura obstinadamente desesperada en ser, más que universal, exótica. Del rock como identidad civilizatoria a la sabia frecuentación de la literatura alemana, del periodismo cultural como militancia democrática a la febril escena editorial barcelonesa, Villoro ha capturado al fin, tras darle una vuelta entera al mundo de la razón, a la sombra de la promesa. *El testigo* nos compromete a escuchar, otra vez, ese relato mitológico del origen, aquella vitalidad histórica de los muertos mexicanos que asombró a José Moreno Villa*, cuento de espantos que la literatura no puede ni debe olvidar.

El arte de citar. En una reflexión sobre el diario, en su caso no íntimo sino casi privado y casi público, André Gide dice que el artista "no debe narrar su vida como la vivió sino vivirla como va a narrarla". La cita aparece en *De eso se trata. Ensayos literarios* (2008) y, de improvisto, parece raro toparse con Gide en una página crítica de Villoro, extrañeza que se va difuminando cuando se comprueba que ambos comparten, como narradores, las características del corredor de fondo: cierta tosudez, espíritu de sacrificio, deseo de sobrevivir a su propia época siéndole fiel... En Villoro hasta una colección de ensayos literarios responde a la ejecución de un mecanismo narrativo. *De eso se trata* se titula así por la traducción que Tomás Segovia* hizo del monólogo de Hamlet, culminándolo no con "He aquí el dilema" o "Ésa es la cuestión" sino con un mondante y sonante "De eso se trata", información que, pocas páginas más adelante, con la camisa ya arremangada, Villoro convierte en la promesa de un cuento.

Villoro ilustra con una anécdota el viejo asunto que George Steiner retomó recientemente —el maestro y el alumno y su comercio socráti-co— y con esa velocidad controlada que otros llamarían ritmo vamos a dar al salón 203, en la universidad de Yale, donde se aparece, sin otro rasgo de la nieve que el pelo desordenado por la ventisca, Harold Bloom disertando en calidad de seminarista, sobre Shakespeare. Del miedo que ha padecido Bloom de quedarse varado y "caer de espaldas sin poderse levantar al estilo de Humpty Dumpty", el narrador ha pasado al amuleto que hace posible el libro, el cuaderno escolar que le regaló a Villoro una alumna en el cual anota las lecciones shakespeareanas en Yale y, en ese trance, escuchamos su testimonio del horrible año mexicano de 1994 y lo vemos dibujar un esbozo strindbergiano de su madre. En fin, no había pasado de la página 21 de *De eso se trata* y ya habitaba yo ese mundo a la vez cercanísimo y extravagante que es el de nuestros contemporáneos más lúcidos.

Esas primeras páginas dedicadas a Shakespeare y a Cervantes dan el tono de un libro cuya unidad de propósito me alegra aún más si considero que se trata de textos que en su gran mayoría había yo leído durante la última década. No es del todo frecuente que las recopilaciones, ese mal menor al que estamos obligados los ensayistas, dupliquen, como totali-dad, el aprendizaje que nos habían ofrecido, en primera instancia, como partes. Sé que en la hora de los fantasmas, Villoro juraría como cuentista pero lo tengo entre nuestros mejores críticos y creo que *De eso se trata*, ape-nas su segundo libro de ensayos, lo confirma. Es un libro aun más libre (aunque menos aliñado) que *Efectos personales,* volumen memorable por varias razones (ejemplarmente, los retratos de Valle-Inclán, de Arthur Schnitzler y de Carlos Fuentes con Goya) y por contener una proeza sólo accesible a Villoro: la de introducir a Julie Andrews, la novicia voladora, en un ensayo sobre Thomas Bernhard.

El siglo en el que Villoro se siente más a gusto es el XVIII, en el tramo que va de las pelucas a las melenas y que corresponde, en *De eso se trata*, a su Casanova, que se despide dejando iluminada y visible desde el futuro, su ventana. Algo tienen los ilustrados de Villoro que parecen protagonistas de un *Sturm und Drang* transformado en ópera-rock, siempre jóvenes (a veces, ridículamente jóvenes) y a la vez actuando perfectamente sus papeles de clásicos. El Goethe (tan humano y tan inverosímil) de Villoro es tan bueno como el de Alfonso Reyes*. Y es que a Villoro le va bien el XVIII porque su verdadero nacimiento como escritor fue cuando tradujo del alemán y prologó los *Aforismos* de G. C. Lichtenberg (1989), a cuyas aventuras en el Nuevo Mundo se les dedica un capítulo de *De eso se trata*.

Villoro encontró en Lichtenberg la horma de su pensamiento narrativo. Gusten o no gusten sus libros de cuentos (*La casa pierde* y *Los culpables,* 2008) o sus novelas (*El disparo de Argón, Materia dispuesta* y *El testigo*), a todos ellos los sostiene un sentido del equilibrio tomado de Lichtenberg, que consiste en poner a la razón junto al ingenio y sólo obedecer a los sentimientos una vez que hayan sido descalificados por la razón. O para decirlo con Lichtenberg: tomar en cuenta a "el espíritu con su cuerpo satélite o el cuerpo con su espíritu satélite".

Sin la frecuentación de los dieciochescos creo que Villoro no hubiera tomado el riesgo de escribir *El testigo,* una novela romántico-populista. Esa certidumbre compuesta de ilusión y escepticismo tiene, también, un correlato estilístico a través de las frases felices, a la vez sintéticas e idiosincráticas que amueblan la obra de Villoro, como la siguiente: Lorenzo da Ponte, el autor del libreto, se encontraba atosigado por "los extenuantes plazos de la versificación" lo que habría dado motivo a la hipotética colaboración de Casanova en *Don Giovanni*.

Ernest Hemingway es el corazón de *De eso se trata* y no creo que el autor de *Por quién doblan las campanas* tenga mejor lector en español que Villoro, quien se ha tomado en serio varias de las enseñanzas de un maestro devaluado que, como Onetti (otro de sus penates), se empeña en seguir su camino sin nosotros. En las convicciones políticas y morales de Hemingway o más bien, en la forma en que éstas palidecían ante la doble exigencia del estilo y la vanidad, ha encontrado Villoro una zona de fragilidad distintiva del siglo XX. Del novelista estadunidense Villoro obtiene un manual de estilo compuesto de paradojas: la búsqueda del heroísmo se convierte azarosamente en publicidad literaria, como ocurre con la herida de guerra del estadunidense en 1918; en la alta escuela de la vanguardia, regenteada por Gertrude Stein y Ezra Pound, Hemingway se vuelve el más periodístico de los grandes narradores y su horrible guerra feliz, la Guerra Civil española, lo consagra y lo destruye. No es menos admirable el canto fúnebre a la fugacidad de la fama y a la eternidad de los mitos que es la lectura que Villoro nos ofrece de *El viejo y el mar*, uno de los pocos libros que habiéndose leído en la adolescencia son, en su totalidad, inolvidables.

A Villoro le gustan los excursionistas y por ello se involucra, solidario, en los periplos de Malcolm Lowry y D. H. Lawrence en México, turismo de alto riesgo en el paraíso infernal. En una medida que lo acerca más a Octavio Paz y a Fuentes que a los escritores de su generación, Villoro heredó directamente la voluntad de mirar México (de quererlo y de padecerlo, supongo) con los ojos liberadores y fantasiosos de aquellos escritores anglosajones (o de Breton), ejerciendo el *mester de extranjería* en su propia tierra, no rehuyendo los arquetipos sino tomándoselos en serio hasta las últimas consecuencias que, a mi entender, sólo son dos: la ironía o el sentimentalismo.

En esa dirección, *De eso se trata* me ha ayudado a releer *El testigo* y encontrar que aquella novela, precedida de un texto recogido en *Efectos personales*, desarrolla y agota la noción de "parque temático" al grado de tornarla inmanejable para un escritor que el flirteo con la excepcionalidad, cultivada y deplorada en la misma medida, de México. En *De eso se trata* aparecen algunos "itinerarios extraterritoriales" (Roger Bartra* y sus salvajes, Ibsen Martínez entre Humboldt y Bonpland, la Tijuana de Luis Humberto Crosthwaite, Aira y Rugendas) que indican que asociar paródicamente a México con Disneylandia es una causa fastidiosa y perdida que de alguna manera da fin a la vieja aventura de los Lowry y de los D. H. Lawrence.

Villoro es un discípulo fiel y nunca deja pasar la oportunidad de dialogar con sus maestros, sean Alejandro Rossi* y Sergio Pitol*, Juan José Saer y Ricardo Piglia, Roberto Bolaño y César Aira. Villoro siempre corre en equipo y considera que el relevo es la forma más saludable de competir y ganar en literatura. Por ello su lectura del *Borges* (2006) de Adolfo Bioy Casares es de alguna manera la memoria de una lectura colectiva que

hemos estado haciendo, solitarios y en comunión, decenas de hispanoamericanos, frecuentación que ratificará, como lo adelanta Villoro, que tras
Laurel y Hardy, y Lennon y McCartney sólo nos quedan Borges y Bioy.
Y si una de las virtudes mayores del ensayista está en el arte de citar, en
esa cortesía prostituida por los malos profesores, Juan Villoro se beneficia
del sentido de la oportunidad que consiste en citar mucho y citar muy
bien, lo mismo a un Heine perplejo ante Casanova, que a Lionel Trilling
pontificando sobre Chéjov o a Yeats hablando gloriosamente de sí mismo.
O a Barry Gifford, que cuando "le preguntaron acerca de la evidente influencia de *En el camino* de Jack Keroauc, en su obra *Corazón salvaje*, respondió
que todas las *road novels* provenían del Quijote". De eso se trata.

Bibliografía sugerida
Los once de la tribu, Aguilar, México, 1995.
Efectos personales, Era, México, 2000.
El testigo, Anagrama, Barcelona, 2004.
De eso se trata. Ensayos literarios, Anagrama, Barcelona, 2008.
¿Hay vida en la tierra?, Almadía, México, 2012.

VOLKOW, VERÓNICA
(Ciudad de México, 1955)

Nadie que conozca el medio literario de la ciudad de México ignora que
Volkow es una de las bisnietas mexicanas de León Trotsky. Pese a la discreción con la que ella ha llevado sus orígenes, no me parece ni vano ni
anecdótico recordar, a la hora de leer una obra poética que Volkow inició
antes de los veinte años, esa ascendencia ilustre. Entre *La Sibila de Cumas*
(1974) y *La noche viuda* (2004), Volkow ha recogido una herencia que no
dudaría en llamar (y no lo digo peyorativamente) más mexicanista que
mexicana. Esas imágenes (o fragmentos imaginarios) que de México (y de
esa parte de México que es una sola ruina arqueológica) invocaron los Serguei Eisenstein, los André Breton, los Victor Serge, se encuentran, en una

suerte de registro final, en los poemas de Volkow. Por su poesía circulan esa clase de aires mexicanos: no casualmente se me ha ocurrido releer, frente a los poemas de Volkow, *Aire mexicano* (1952), del surrealista francés Benjamin Péret.

Es notorio que Volkow se crió en ese mundo europeo y ruso de revolucionarios y artistas desterrados que habían configurado las vanguardias del siglo XX y que a ella le enseñaron a mirar México como lo otro, como una suerte de condena iniciática: no es extraño así que se haya encontrado cómoda en el ejercicio de distanciamiento que Octavio Paz* realizó, una y otra vez, frente a México.

La mirada de Volkow es muy rusa, muy distante y pocas veces (aunque le sucede) incurre en la foto folclórica, en el sonsonete turístico. Los versos que Volkow ha dedicado a los manes mesoamericanos, a esas "religiones primeras / de oscura precisión y miedo", como las llama en *Oro del viento* (2003), suelen ser más convincentes que otros textos hijos que provienen de sensibilidades semejantes. Como le ocurría a Paz cuando se reconocía en ese hijo de abogado zapatista que fue, a Volkow le preocupa la cicatriz que separa la perdida Arcadia prehispánica de sus descendientes, a veces víctimas mudas, a veces víctimas ruidosas, que habitan el basurero del progreso. En un poema como "El valle de Zapata", Volkow retrata a los campesinos mexicanos como si fuera la primera vez que los viera, sin familiaridad y sin tedio, como en algunas tomas (y en no pocas frases) de Eisenstein o en ciertos dibujos primerizos de Vlady, el pintor, el hijo de Serge.

Al hablar de una poesía que no podría ser más diferente que la suya, la de Elisabeth Bishop, a quien ha traducido, Volkow se retrata a sí misma en ese desconcierto ante un mundo nuevo cuya identidad exige de traducción. Ese esfuerzo también lo había realizado Volkow a través del *Diario de Sudáfrica* (1988), que narra la agonía del *apartheid* y que presentó entre nosotros a escritores actualmente tan celebrados como Nadine Gordimer y J. M. Coetzee.

Menos convincente me pareció el más reciente de los libros de Volkow en prosa, *La noche viuda*. Como "cuentos de poeta" los ha definido José María Espinasa*, el crítico que mejor comprende la poesía de Volkow. A él le gustan por ser cuentos de poeta: a mí, precisamente por eso, no. Empero, debe reconocerse que pocas veces en la literatura mexicana contemporánea una mujer había rendido testimonio tan insistente y certero del amado muerto como lo hace Volkow en *La noche viuda*.

En libros como *El inicio* (1983), *Los caminos* (1989) y *Arcanos* (1996), Volkow ha sabido ligarse, como lo observa Espinasa, a esa tradición mexicana de poesía abstracta, de erotismo frío, de pasión cristalizada. Y con su inevitable eco bretoniano, *Arcanos* sería el poema más complejo y arriesgado de Volkow, allí donde se dice, memorablemente: "Hambre de lo que mira/tiene el fuego".

Bibliografía sugerida
Oro del viento, Era, México, 2003.
La noche viuda, FCE, México, 2004.

VOLPI, JORGE
(Ciudad de México, 1968)

Pocos escritores mexicanos han sido ensalzados de manera tan desmesurada como Volpi y también son pocos los que han sufrido ataques tan venenosos y equívocos. Por ello, antes de hablar de *En busca de Klingsor* (1999) y de *El fin de la locura* (2003), las novelas que le han dado cierta celebridad internacional, cabe hacer la pequeña historia de Volpi y de su grupo. El éxito, decía un clásico, es un fracaso, y en la construcción de un dominio literario juegan varios factores, que van desde el oficio inteligente hasta la fabricación industrial de talentos. En 1996 Volpi y sus amigos (Ricardo Chávez Castañeda, Vicente Herrasti*, Ignacio Padilla, Pedro Ángel Palou y Eloy Urroz) se lanzaron como "la generación del Crack", una cofradía de novelistas llamada a ser, según rezaba la publicidad, el finisecular parto de los montes de la novela mexicana. Tres años después, Volpi ganó, con *En busca de Klingsor*, el Premio Biblioteca Breve, un galardón rehabilitado cuyo prestigio se remontaba a los años del *boom* latinoamericano. Con el premio llegaron para Volpi los agentes literarios, los contratos de traducción, las giras internacionales y, más tarde, la entrada al servicio diplomático mexicano. Entre los jóvenes autores (y en no pocos de los viejos) se asistía al espectáculo del nacimiento de un jefe de escuela, el hombre a quien se admira, se envidia y se odia en la predecible medida de haber logrado el sueño de muchos. La habilidad política de Volpi (y su generosidad) le permitieron arriar, en mi opinión a manera de fardo, con el resto de sus cómplices del Crack, quienes tuvieron ediciones españolas y traducciones a otras lenguas, a través de las compras en paquete que actualmente realizan los monopolios internacionales de la edición.

El Crack, como antes el MacOndo, del chileno Alberto Fuguet, despertó el interés de esa sociedad mundana, compuesta por editores, agentes y lectores complacientes, que en Madrid y en las recolonizadas ciudades latinoamericanas suele creer que las novelerías de actualidad (*fiction* en la mayoría de los casos) son la literatura. Obedientes en variada medida a ese contexto, las novelas del Crack son un conjunto heteróclito de narraciones desiguales (y algunas pésimas) cuya bandera de salida es un falso cosmopolitismo, una literatura escrita por latinoamericanos que han decidido abandonar, como si esto fuese una novedad radical, los viejos temas nacionales y presentarse como contemporáneos, ya no de todos los hombres, sino de las grandes estrellas de la narrativa mundial. Estos nuevos autores se mueven con facilidad en los archivos del recién enterrado siglo XX, tomando a la carta sus lemas comerciales: la frialdad, el vacío, el eterno retorno del apocalipsis, la muerte de las ideologías y otras mitologías de la actualidad que encuentro tan discutibles en los escritores mexicanos como en Michel Houellebecq.

Que el nazismo, su irradiación, contexto y consecuencia, haya ocupado los empeños de Volpi, de Ignacio Padilla o de la española Juana Salabert (otra ganadora del Premio Biblioteca Breve) no es casual, pues el tema es de los más maleables: sustituye las viejas recetas de intriga por la presentación a modo del mal absoluto, suscita el horror de la humanidad y ejerce (desde siempre) una morbosa fascinación aun en sus más impolutos enemigos. *Amphitryon* (2000), de Padilla, es ejemplar en varios sentidos: es una bien manufacturada colección de dispositivos narrativos que proviene del renacido interés, debido a Claudio Magris y a otros autores, en la literatura del Imperio austrohúngaro y en su desenlace en la República de Weimar y en el nazismo. Pero en *Amphitryon* la tragedia histórica secular ocurre fuera del texto, como una mera y didáctica referencia libresca. Es un libro cuya irritante superficialidad sólo cumple la misión de invitar a profundizar en sus fuentes, de Joseph Roth a Hannah Arendt.

El problema con el Crack han sido sus ínfulas declaratorias, que con frecuencia recaen en Padilla, un buen estilista que le dice a quien quiere oírlo que antes del Crack, "liberación" comparable a la llevada a cabo por Rubén Darío hace cien años, el cosmopolitismo en México era sólo accidental. Mi idea de la literatura es precisamente la contraria: creo en la variedad y en los poderes de una tradición cosmopolita que es la que ha formado a la gran literatura mexicana, desde Alfonso Reyes*, Jorge Cuesta*, José Revueltas* y Octavio Paz* hasta Salvador Elizondo*, Sergio Pitol* y Alejandro Rossi*. Y me es difícil creer que Padilla pase por alto el caudal que en ese sentido significaron las revistas *Plural* y *Vuelta* durante treinta años.

Ser cosmopolita es una actitud espiritual que no se mide por la recurrencia en tramas y problemas cuya toponimia o situación histórica tiene poca relación con la nacionalidad del autor. Padilla mismo, más que un escritor cosmopolita, es un viajero frecuente, y novelas como *Amphitryon* forman parte de otra corriente moderna, el exotismo, que cuando se practica en México o Buenos Aires desconcierta a los europeos, ignorantes de que es el mismo mecanismo que en su día ellos inventaron. Tan respetable (y cuestionable) resulta ser Padilla escribiendo sobre la Gran Guerra, como lo fue el húngaro Lazslo Passut (1900-1979) al componer *El dios de la lluvia llora sobre México,* su novela sobre la Conquista. Cosmopolita, Borges; un exotista perdido en la pastelería del Gotha sería Manuel Mujica Láinez, no por ello incapaz de escribir una novela admirable como *Bomarzo*.

La engañifa de que había una nueva novela mexicana sólo por el hecho de que en ella no apareciesen ni México ni los mexicanos fue atendida por los generalmente obtusos periodistas matritenses que hacen la marcha entre el Círculo de Lectores y la Casa de América. Con motivo de la presentación de *Espiral de artillería* (2003), de Padilla, un comentarista español lo aduló llamándolo "un escritor europeo nacido en México", elogio que implica que el ser europeo es una marca que garantiza cierta excelsitud y, peor aún, tontería que exige repetir lo que el crítico mexicano Jorge Cuesta decía en 1932: "La literatura española de México ha tenido la suerte de ser considerada en España como una literatura descastada. Este juicio no se ha equivocado, puesto que la devuelve a la mejor tradición de la herejía, la única posible tradición mexicana [...] Todo clasicismo es una tradición transmigrante. En el pensamiento español que vino a América de España, no fue España, sino un universalismo el que emigró, un universalismo que España no fue capaz de retener, puesto que lo dejó emigrar intelectualmente" (Cuesta, *Obras. Ensayos y crítica,* II, 2004).

La ignorancia peninsular sobre el universalismo de las letras hispanoamericanas, de la que se han servido personajes como Padilla, obligaría, además, a incurrir en la banalidad de hacer una breve historia del exotismo y de cómo arraigó venturosamente en la literatura mexicana desde los años cuarenta del siglo pasado o antes, cuando se formuló la fantasía de la utopía en acto y se decidió mirar a la bárbara Europa con los ojos de una supuesta y civilizatoria latinidad. Sin irse tan lejos y para dar por cerrado ese aspecto de la supuesta originalidad del Crack me permitiré una fatigosa enumeración. Uno de los primeros cuentos de Juan José Arreola* se titula "Gunther Stapenhorst" y transcurre en Alemania. Eso fue en 1946. Uno de los grandes escritores de la lengua, Hugo Hiriart*, escribió *Galaor* en 1972, una novela de caballerías, a la que siguió la invención completa de una civilización (*Cuadernos de Gofa,* 1981) y después, en ese mismo tono, *El agua grande* (2002). También incurrieron en esa extraterritorialidad, Héctor Manjarrez* (*Lapsus,* 1972), Emiliano González (*Los sueños de la Bella Durmiente,* 1973), María Luisa Puga (*Las posibilidades del odio,* 1978), Jordi García Bergua* (*Karpus Minthej,* 1981), Carlos Fuentes* (*Valiente mundo nuevo,* 1990), Alejandro Rossi (*El cielo de Sotero,* 1987), Alberto Ruy Sánchez (*Los nombres del aire,* 1987), Pedro F. Miret* (*Insomnes en Tahití,* 1989) y un largo etcétera que incluye varios de los cuentos y relatos de Pitol, Álvaro Uribe*, Alain-Paul Mallard, Javier García-Galiano o Enrique Serna*, donde los mexicanos, venturosamente, no aparecen.

Hablando del Londres de la contracultura, de las guerras de independencia sudamericanas y de sus caudillos, de las fantasías finiseculares decimónicas, del erotismo árabe y de la vida africana, el cosmopolitismo (o la mexicofobia, si se quiere) es una de las dos o tres tradiciones centrales de la literatura mexicana. Si somos generosos, concedamos que el Crack, al principio, usufructuó una herencia y dejó, con alguna chulería, que la prensa los vendiera a manera de dieta contra el mole de guajolote. Y la mínima honestidad requeriría reconocer que fue Pablo Soler Frost* (1965), indiferente en ese momento a la publicidad, quien hace una década dio comienzo al exotismo de la actual generación literaria con novelas ambientadas en Bizancio o en los submarinos del Káiser.

Los premios españoles otorgados a Volpi y a Padilla desataron las lenguas viperinas del nacionalismo y de la envidia, enemigos contra los que siempre, pase lo que pase, hay que cerrar filas. De los incombustibles voceros de la charrería nacionalista, que acusaron al Crack de traición a la patria por ocuparse de asuntos ajenos al alma nacional y quienes en un acto de fe diazordacista despojaron a estos escritores de la nacionalidad mexicana, poco puede decirse. Tan sólo se obstinan en volver a ser víctimas de la paliza que le dio, otra vez Cuesta, el príncipe de los críticos mexicanos, a Ermilo Abreu Gómez*, un correctivo que a nadie disgusta repetir. La envidia, en cambio, es un fenómeno moral más interesante de analizar y para ello sugiero leer al revés *La generación de los enterradores* (2000 y 2002), de Ricardo Chávez Castañeda y Celso Santajuliana. Este manual en dos entregas ilustra cómo triunfar a la manera de Volpi, quien, según ellos, ha alcanzado una suerte de posteridad en vida mientras que el resto de sus afanosos contemporáneos componen un esforzado pelotón de ciclistas (ésa es la metáfora propuesta por estudiosos, quiero creerlo, de Pierre Bourdieu) que lucha contra las dificultades de la vida editorial, pues tal parece que no hay otro horizonte en la literatura. Este par de zoquetes, inclusive, fue a buscar las calificaciones obtenidas por Volpi en la escuela primaria para explicar el origen de una carrera literaria (más que una obra) que les parece titánica.

Nunca he leído a nadie, ni entre los amigos ni entre los enemigos de Volpi o de Padilla, que les envidie su prosa, su estilo o sus ideas, como yo envidio a José Lezama Lima, a André Gide o a Edmund Wilson. Lo que se envidia es el éxito, en una época como la nuestra en que se es escritor para ganar premios y llevar una vida desahogada, tal como hace veinticinco años la forma apetecible de mundanidad era otra, por cierto más humilde, que consistía en morir como poeta maldito en un cuarto de azotea o en vivir triunfando al poético amparo de alguna revolución centroamericana.

El Crack es un fenómeno propio de los abalorios mundanos del mercado editorial, pero dejará algunos libros de valor, entre los que estoy seguro de que se contarán algunas novelas del propio Volpi. Fue Susana Fortes, miembro del jurado que premió *En busca de Klingsor,* la primera en incluir esta novela en esa familia de nuevos ricos encabezada por *El nombre de la rosa* (1980) de Umberto Eco. Sin la falsa erudición de ese enemigo de la novela que fue Borges —y el semiólogo italiano lo sabía bien— habría sido difícil rendir al servicio de la ficción narrativa los enredos teológicos y los paradigmas científicos. A la vez culta y vernácula, popular y refinada, esta clase de narracción revitalizó a la novela, siempre exhausta en apariencia, y trastornó su frecuentemente tensa relación con el mercado.

La fórmula de Eco —que él mismo devaluó con sus siguientes novelas— sufrió la natural degradación de las formas de alta cultura cuando se vulgarizan. No es que antes de 1980 no se hubieran escrito emocionantes novelas de ideas, sino que éstas aspiraban sólo casualmente al uso sistemático de los recursos del *thriller* para seducir a sus lectores. Thomas Mann no temía "aburrir" a sus miles y miles de devotos, mientras que el solitario Ernst Jünger de *Heliópolis* (1949) escribió para un puñado de iniciados. En cambio, el tipo de novela comercializada por Eco debe hacerle los honores, al mismo tiempo, a Stephen King y al difunto Sebald, alcanzar al comprador que busca un libro para la playa y al académico ansioso de currícula, pretendiendo una legitimidad estudiada hace un siglo por Valery Larbaud, la que otorgan los públicos nacionales y la élite aristocrática que rige (o debería regir) a la literatura mundial. El escritor de ese tipo de novelas sufre una angustia sólo proporcional a la recompensa financiera y mediática, uniendo por fuerza y con éxito las siempre urgentes ansiedades metafísicas y la aceitada maquinaria de la intriga. Por ello es frecuente que esos libros, más que mirarse en la tradición de la novela, ansíen proyectarse en el cine, pues la verdad que ofrecen facilita su traducción en imágenes.

Hombre de letras de tiempo completo, Volpi estaba llamado a una empresa como *En busca de Klingsor,* una novela sobre la imposibilidad de la ciencia alemana para alcanzar, a contrarreloj, la bomba atómica, vertebrada con el episodio del fallido atentado del 20 de julio de 1944 contra Hitler. Escogió un tema apasionante e investigó con la convicción debida a su brillante poder de síntesis. Hijo del siglo, al fin, conoce casi por inmanencia la retórica del *thriller* cinematográfico. *En busca de Klingsor* sigue los cánones del género como novela de intriga. La relación axial entre el teniente Bacon y el matemático Links, dialéctica del vencedor y del derrotado en que descansa la narración durante los meses posteriores a la derrota nazi de 1945, responde a muchas de las difíciles exigencias de la trama.

Los principales defectos de *En busca de Klingsor* son canónicos, es decir, los propios al género popularizado por Eco y que ahora Guillermo Cabrera Infante bautiza como "ciencia-fusión". Me incomoda la aplicación con que Volpi, para la conveniente ilustración de sus lectores, cae en las concesiones consagratorias del género: el prestigio intelectual que acarrea relacionar su novela con un mito genésico o la necedad comercial de aderezarla con una trama erótica. Por fuerza didáctica, *En busca de Klingsor* enseña las costuras cuando el fáustico Links, alemán, le cuenta al pragmático Bacon, estadunidense, la trama del *Parsifal,* para dramatizar la manida relación entre el nazismo y las vulgarizaciones míticas wagnerianas.

A Volpi, desde *A pesar del oscuro silencio* (1993), su primera novela dedicada a Cuesta, le apasionan las desventuras de la inteligencia trágica. Como galería de ingenios fáusticos, *En busca de Klingsor* tiene la fuerza del pintor agudo. Yo pude ver y oler, más que oír, a ese elenco de físicos europeos que en los Estados Unidos o Alemania protagonizaron técnicamente el dilema teológico que atormentó a Orígenes y a Clemente de Alejandría, esa apocatástasis que la física contemporánea volvió una realidad, tornando prácticas las viejas preguntas de la patrística: ¿Puede Dios permitir la destrucción de lo creado? ¿Lo intuye, lo desea, le es indiferente? ¿Cómo se convierte Prometeo en agente del libre albedrío? El vigor de Volpi, al someter, a través de sus creaturas, a visita e interrogatorio a Albert Einstein, Johannes Stark, Werner Heisenberg, Erwin Schröring, deja una exactitud analítica que nos recuerda que desde Héctor A. Murena y Pedro Salinas, hace medio siglo, esa ansiedad había desaparecido en nuestra lengua.

El fin de la locura se asume como continuación informal de *En busca de Klingsor,* pues el proyecto de Volpi es la escritura de una sociología novelesca del siglo XX. La practica con la urgencia didáctica tan propia de los espíritus profesorales. Que Volpi lo sea no me molesta: es una elección como cualquier otra. En ese deber ser se distingue fácilmente al pedagogo dispuesto a dar cátedra a ese alumnado en apariencia dócil que son los lectores. La apuesta de Volpi en *El fin de la locura* es arriesgada, existiendo el precedente de los destinos parisinos de Alfredo Bryce Echenique: situar, caído del cielo, a un fallido intelectual mexicano en el mayo del 68 y convertirlo, *deux ex machina,* en bufón de las cortes de Lacan, Barthes y Foucault. Las caricaturas de los *maitres à penser* del estructuralismo francés son excelentes dada la distancia, condimentada con gracia y malignidad, de un escritor latinoamericano que no aspira a la hagiografía ni a la deturpación. Volpi los dibuja con la distancia crítica de un entomólogo subyugado por la sabaranda del 68 que acabó de lanzar al poder cultural y a la fama pública a estos personajes, por la irresponsabilidad política a toda prueba y el indudable genio de esas creaturas.

No son menores, tampoco, los riesgos tomados por Volpi al hacer psicoanalizar, en un delirante episodio cubano, a Fidel Castro por el doctor Aníbal Quevedo, llevando a los límites del absurdo la patética historia de los turistas revolucionarios que fueron (y van) a Cuba a beber de las beatíficas aguas del río del paraíso. Durante varios capítulos de la novela Volpi pudo, al fin, poner al servicio de la narrativa su habilidad como investigador y sus preocupaciones de ensayista.

Una vez muerto Roland Barthes en 1980, cuenta *El fin de la locura,* Aníbal Quevedo regresa a México a vivir y a encarnar las relaciones *non sanctas* que unen al intelectual mexicano con el poder. A la manera de la fragmentalia del último Barthes, Volpi decidió presentar la estación final en la vida de Aníbal Quevedo como una suma de recortes o un fichero de periódicos, confidencias, diarios íntimos, entrevistas, sesiones psicoanalíticas y estados de cuenta destinados a que el lector arme el rompecabezas de las empresas culturales del protagonista de la novela. El resultado es agridulce. ¿La novela está dirigida a París o a Coyoacán? Creo que a Volpi no le importó dónde estaban sus lectores y eso anuncia su madurez. El éxito previo de *En busca de Klingsor* le dio libertades que aprovechó para realizar un ajuste de cuentas con esa cultura mexicana que lo ensalza y lo envidia. Pero la parte mexicana de *El fin de la locura* es fallida. No me importa que ésta sea poco comprensible para el público internacional de Volpi; en cambio, es preocupante que esas armas de la crítica sean tan pobres como crítica de las armas, timorata y superficial al indagar en esa compleja combinación entre tolerancia y autoritarismo, legitimidad y tráfico de influencias, prestigio del saber y decadencia de la función pública, que caracterizó la relación entre los intelectuales y el poder durante el cenit y el ocaso del imperio de la revolución institucional.

Acaso la verosimilitud de la novela quede probada por el hecho —la novela de la novela— de que algunos lectores habitualmente atentos hayan creído que el doctor Aníbal Quevedo existió y busquen su bibliografía ficticia. Pero a Volpi lo detuvo, en detrimento de la verdad novelesca, su propio cálculo como figura emergente de la propia cultura mexicana: escribir una caricatura de Jacques Lacan es fácil en comparación con el riesgo político que implica desfigurar, con verdadera penetración novelesca, a Carlos Monsiváis* o a cualquier otro de nuestros caudillos culturales. Aníbal Quevedo, ese extraño mexicano que habla en infinitivo, carece de la suficiente densidad como para encarnar en lo que Mark Lilla llama la tiranofilia de los intelectuales.

La falla esencial en *El fin de la locura* es una cuestión de grado: a Volpi le faltó dar mayor espesura picaresca a su personaje, que cuando regresa a México pierde toda intensidad psicológica, convertido en una mera prueba documental. Algunos reseñistas han creído que Aníbal Quevedo, desde las barricadas de mayo del 68 hasta su relación con el ex presidente Salinas de Gortari, es un personaje realista. De ser así, todo *El fin de la locura* sería un despropósito. Esa duda se debe a la ambigüedad profesoral de Volpi, a sus propias dudas entre la voluntad artística y el cálculo de la figura pública: el fin y los medios. Estamos ante una novela tragicómica a la que le faltó consecuencia con su apuesta inicial, la improbable aventura de otro

Alonso Quijano, esta vez en las facultades revolucionarias de la Sorbona, fracasadas al transformar el mundo y a cambiar la vida.

El fin de la locura es el cuento de dos caminos que nunca se encuentran. Como crónica de la locura parisina, de la frivolidad de sus grandes pensadores y como caricatura de la *gauche divine,* la novela logra su cometido. Pero en tanto explicación de cómo el Estado de la Revolución mexicana organizó a su servicio su propia traición de los clérigos, y cómo los clérigos mexicanos sobrevivieron, *El fin de la locura* es apenas un murmullo que llama más la atención por lo que calla que por lo que dice, actitud imperdonable en un escritor como Volpi, urgido de explicarse racionalmente los silencios y las admoniciones de la clase intelectual.

Mi actitud ante la carrera literaria de Jorge Volpi es ambigua, como son encontrados mis sentimientos hacia sus novelas. Me ofusca la contradicción entre su voluntad artística y los medios políticos, interiorizados en casi todos sus libros, con que persigue tozudamente sus fines. Pero tengo suficientes razones intelectuales y personales para admirarlo. Me expresé con enérgica desaprobación de varios de sus primeros libros. Y caso insólito entre los muchos escritores con los que he tenido trato, a cambio no recibí de Volpi ni muecas ni insultos, sino el gallardo interés de quien acepta, no tanto las reseñas negativas, siempre circunstanciales, sino la necesidad y la existencia del crítico. Ese acuerdo literario de fondo permitió que nos hiciésemos amigos, sin por ello cesar ese intercambio franco y no pocas veces incómodo para ambas partes. Por ese camino, aprendí con rapidez a quererlo y a creer en su tesonera capacidad de trabajo y en la firmeza de su vocación.

Bibliografía sugerida

De Ignacio Padilla:
Amphitryon, Espasa-Calpe, Madrid, 2000.
Espiral de artillería, Escapa-Calpe, Madrid, 2003.

De Jorge Volpi:
En busca de Klingsor, Seix Barral, Barcelona, 1999.
El fin de la locura, Seix Barral, Barcelona, 2003.

No será la Tierra, Alfaguara, Madrid, 2006.

El jardín devastado, Alfaguara, Madrid, 2008.

Mentiras contagiosas, Páginas de Espuma, Madrid, 2008.

El insomnio de Bolívar. Contra consideraciones intempestivas sobre América Latina en el siglo XXI, Debate, Madrid, 2009.

Oscuro bosque oscuro, Almadía, Oaxaca, 2009.

X

XIRAU, RAMÓN
(Barcelona, España, 1924)

Hijo del filósofo español Joaquín Xirau y Palau (1895-1946) y padre del poeta mexicano Joaquín Xirau Icaza (1950-1976), Xirau no sólo es profesor, ensayista y poeta en lengua catalana, sino maestro de varias generaciones de filósofos, en la cátedra formal de la Universidad Nacional, y de escritores, en el magisterio más libre del Centro Mexicano de Escritores. Xirau también educó a la pequeña minoría a través de *Diálogos,* la revista cultural cariñosamente recordada que dirigió entre 1965 y 1986. José María Espinasa*, uno de los críticos que se sienten más estimulados por el magisterio de Xirau, examina, con brevedad y puntería, en *Ramón Xirau: en los jardines del tiempo* (2006), la personalidad de un maestro asociado a "una íntima intuición, no la llamaría razón todavía, de que no se piensa en solitario sino en compañía".

Otros críticos, Adolfo Castañón* entre ellos, han dibujado la actitud pedagógica de Xirau, registrando cómo, al disertar, "la imagen de su persona se va borrando para crear con los ojos de su voz —ojos de búho ateniense que sabe ver en lo más hondo de la noche— una atmósfera donde parece darse un diálogo a tres voces entre el texto expuesto —digamos uno de los últimos diálogos platónicos, por ejemplo el *Parménides*—, el expositor didáctico (un hombre que parece haber leído y releído más de una bibloteca sin haber empeñado la mirada del corazón) y los alumnos y oyentes [...] Con un cambio de velocidad en la voz y en la mirada, sabe pasar de un punto de vista a otro. Es veloz y tajante, pero claro y firme. Se diría que no sólo sabe conversar con los textos; que siente el silencio de los márgenes tanto como los diversos grados de atención y vigilancia de su interlocutor" (Castañón, prólogo a *Entre la poesía y el conocimiento. Antología de ensayos críticos sobre poetas y poesía iberoamericanos,* 2001).

Fue Xirau quien testificó el tránsito entre los Contemporáneos y Octavio Paz*, como quedó registrado en *Tres poetas de la soledad: Gorostiza*[*], *Villaurrutia y Paz* (1955), que como bien lo recuerda José Emilio Pacheco*, fue el libro que presentó a la moderna poesía mexicana en los términos de una "gran tradición". Desde entonces el criterio de Xirau ha sido una instructiva influencia en la recepción de la poesía contemporánea en lengua española, como se desprende de la consulta de *Entre la poesía y el conocimiento. Antología de ensayos críticos sobre poetas y poesía iberoamericanos* (2001), que funciona a la manera de una historia de nuestra expresión poética, leída en el tamiz de la palabra religiosa. Inspirado en el personalismo, ese "existencialismo" católico, Xirau, en esta reunión de ensayos y lecciones, va de san Juan de la Cruz al modernismo, pasando por Juan Ramón Jiménez, César Vallejo y José Lezama Lima. Xirau examina la tradición y la vanguardia desde una posición que Espinasa encuentra equidistante de *Los hijos del limo* (1974), de Paz, y *La máscara, la transparencia: ensayos sobre poesía hispanoamericana* (1975 y 1985), de Guillermo Sucre.

Católico que reflexiona sobre la confluencia entre la poesía y la filosofía, Xirau es un ensayista afín a Emmanuel Mounier y Teilhard de Chardin, cercanía que lo convierte en un crítico primordialmente ocupado tanto de la religiosidad del poeta como de la poesía del místico. Eso ha dicho Juliana González, su colega de muchos años en la Facultad de Filosofía y Letras de la UNAM, quien agrega que a Xirau "le importa la capacidad cognoscitiva de la poesía, reveladora no tanto de la verdad humana como de la divina: la facultad de la poesía de aproximarse a lo sagrado, de descubrir el mundo (interior y exterior) como sacralidad, de ser ella misma testimonio eminente de experiencias religiosas".

Muchas cosas se dicen sobre Xirau y todas son ciertas. Que sus lecciones sobre *Primero sueño,* de sor Juana, y sobre Paz —fue el primero en dedicarle un libro entero, *Octavio Paz, el sentido de la palabra* (1970)—son, estrictamente, canónicas. Que en su obra, como dice Espinasa, Dios o lo divino no sólo son un concepto sino una tradición, una historia. Que es una figura señera del exilio español en México, país al que llegó en la adolescencia y a cuya vida intelectual ha estado insustituiblemente ligado desde el medio siglo. Que acaso lo mejor de su prosa está en algunos de los epígrafes y comentarios que componen *Ars brevis* (1985), donde el fragmento se presta para que el filósofo se exprese con claridad, rigor y simpatía, hablando de la iglesia polaca, del horizonte levantino o del bosque de Chapultepec. Que sus poemas mediterráneos pudieron haber sido compuestos, por su cercanía con el silencio, por Federico Mompou, y por su alegre misticismo, por Olivier Messiaen. O que, para quienes nacimos casi con su *Introducción a la historia de la filosofía* (1964) y con algunas otras de sus páginas, la obra de Xirau es como un mármol de Elgin, algo sólido e imperturbable que está entre nosotros desde el principio.

Bibliografía sugerida

Entre la poesía y el conocimiento. Antología de ensayos críticos sobre poetas y poesía iberoamericanos, prólogo de Adolfo Castañón, selección de Adolfo Castañón y Josué Ramírez, FCE, México, 2001.

AA. VV., *Presencia de Ramón Xirau,* UNAM, México, 1986.

Espinasa, José María, *Ramón Xirau: en los jardines del tiempo,* con imágenes de Manuel Pujol Baladas, Jus, México, 2006.

Y

YÁÑEZ, AGUSTÍN
(Guadalajara, Jalisco, 1904-ciudad de México, 1980)

Distinta por varios motivos fue la aparición, sin duda deslumbrante, de Yáñez. Diez años mayor que José Revueltas* y ubicado por John Brushwood entre la generación de novelistas de 1924 —con Miguel Ángel Asturias y Alejo Carpentier—, Yáñez es un narrador tardío. Se inició en la revista *Bandera de Provincias* (1905-1935), que en algún momento quiso seguir la ruta de *Contemporáneos,* pero es en 1947, cuando publica *Al filo del agua,* que la reputación de Yáñez alcanza su cenit y su caída. *Al filo del agua* fue considerada durante muchos años como "la más novela" entre las novelas mexicanas. Todavía en 1977 Emmanuel Carballo* ratificaba el juicio.

Yáñez sobrecarga su novela con muchas de las conquistas estilísticas y estructurales de la literatura secular: cambios imprevistos de escena, dubitación del espacio/tiempo, uso extenso y flexible del monólogo interior y una conciencia profunda de la arquitectura textual de la novela, auténtica obsesión de Yáñez, quien dice: "La prosa musical es en mí un tanto instintiva. Cuando escribo trato de dar a las palabras, a las frases, a los periodos, ciertos valores eufónicos que conjugan la melodía y el ritmo verbales. Creo que la prosa debe realizar estos valores, que aunque no constituyen su naturaleza se encuentran siempre en los grandes escritores. Recuerdo que en Guadalajara frecuentemente recitaba en voz alta fragmentos de *La Celestina*… también de Azorín […] El pretendido barroquismo de mi estilo es discutible e inaceptable como calificación general. Entiendo el barroquismo como derroche ornamental de tipo suntuario, superfluo [...]. Mi preocupación es la de dar vueltas en torno de una palabra, buscando el término más adecuado a la sugerencia y aun el sitio de colocación sintáctica para que de esa manera la expresión sea más eficaz. Quiero decir que esa actitud de celo y de escrúpulo en la lucha con la palabra revela mi aspiración de suprimir todo lo que sea vacuo o falso, y quedarme con lo que sea elemento de expresión auténtica. Mi Preceptiva se compendia en dos términos: disciplina en busca de precisión" (Carballo, *Protagonistas de la literatura mexicana,* 1986).

Nunca antes un novelista mexicano se había declarado poseedor de una preceptiva y la había demostrado sobre el texto. Si José Revueltas* se revela como el constructor de un apocalipsis, Yáñez, espíritu sistemático, aspira a la cosmogonía. *El luto humano* (1943), de Revueltas, se quiere una estación terminal, mientras que *Al filo del agua* es la piedra de fundación de una topografía espiritual de México: "aspiro [advierte Yáñez] a que sea una síntesis de nuestra historia. Más aún: la idea de la Historia como eterno retorno".

Pero tanto Revueltas como Yáñez coinciden en la consideración de la Revolución mexicana como un hecho consumado, históricamente discernible, que ya apocalíptico, ya genésico, ha concluido y es sujeto de elaboración mítica. Para ambos, sólo la novela como crítica de la época puede desentrañar el origen de nuestro presente. Hijos de su tiempo, Revueltas y Yáñez viven ahítos de ansiedad ontológica, plenos en dudas y preguntas sobre el ser nacional y sus eventuales metamorfosis.

Al filo del agua es la novela múltiple de un pueblo en los albores de la Revolución mexicana, paraíso que se corrompe y manifiesta el despertar de las pasiones de su letargo. Conservador, Yáñez no puede decretar una expulsión del edén y toda su obra es el examen del supuesto principio de una edad. Yáñez sustituye el paisaje por los climas y las costumbres por el carácter. Tras su indudable ambición formal, la obra posterior a *Al filo del agua,* novelas como *La creación* (1959), *La tierra pródiga* (1960), *Las tierras flacas* (1962) y *Las vueltas del tiempo* (1973), va sufriendo de una asfixia progresiva que acaba por matar el cuerpo literario del autor: la elaboración cuidadosa se convierte en fiambre autocomplaciente, las letanías de una prosa muy rica en sermones incomprensibles. Novelista moderno, usa en cada texto la fragmentación del tiempo como táctica; contradictoria, su estrategia omnicomprensiva acaba por convertir su respiración —tan importante para él— en carraspeo asmático.

Yáñez, nacionalista, aún buscaba constituir "un arte mexicano de novelar". Logró una paradoja. Al destruir —que lo hizo— la provincia como ambiente pintoresco, al penetrar en ella con la modernidad de la novela, acabó por vaciarla como proyecto holístico. Sus sucesores renunciaron de principio a recorrer la nación con la ambición cartográfica de fijarla adánicamente en toda su dimensión humana y natural. Pero gracias a Yáñez supieron que cada parte del todo era universal y poderosa (*Antología de la narrativa mexicana del siglo xx,* I, 1989).

Bibliografía sugerida

La creación, FCE, México, 1959.

La tierra pródiga, FCE, México, 1971.

Imágenes y evocaciones, prólogo de Jaime Olveda, Alfaguara/El Colegio de Jalisco, México, 2003.

Obras. 1-7, edición de Alfonso Rangel Guerra, El Colegio Nacional, México, 1999-2005.

YÉPEZ, HERIBERTO
(Tijuana, Baja California, 1974)

Pocos escritores más activos y proteicos, entre los de su generación que Yépez. Se ha hecho notar por el radicalismo (falso o verdadero) de su poesía, de sus novelas y de sus ensayos. Trae consigo el aura (o la aureola) del pionero del blog, del instalador, del psicoterapeuta, del etnopoeta, del novelista que va más allá de los géneros. Es también el catedrático de la Teoría Crítica empeñado en descifrar el espectáculo de nuestro tiempo (o de nuestro espacio, según él). Ha hecho de la frontera entre México y los

Estados Unidos, la materia primordial de sus meditaciones, como lo prueba *El imperio de la neomemoria* (2007). Es nuestro posmoderno ante el
Altísimo y hay que hablar de él. Desde Tijuana, Yépez nos vigila.

A su capacidad de trabajo y su sentido de la oportunidad, Yépez agrega la regularidad litúrgica con que se purifica denunciando la corrupción
de la lejana Babilonia, esa ciudad de México donde los grupos literarios, a
semejanza de la televisión y el poder político, distorsionan y corrompen.
Yépez, impostando pureza insular, suele negarse a certificar la moralidad
de algunos de sus colegas, emitiendo ráfagas de indignación mediante
artículos y cartas abiertas, correos electrónicos a veces impresos, que quieren, a la manera de Charles Olson, su escritor favorito, guardar en una carta
postal el sentido del mundo. Pero ese Yépez, francotirador, sería poco
interesante de no ser, a su vez, el autor de una obra no sólo copiosa sino
significativa.

Para introducir al lector en su obra, quisiera empezar por *Tijuanologías*
(2006), ensayo en dos partes que destaca por la eficacia de su estilo, infrecuente en un escritor que arrastra, a veces, el cardumen de la mala prosa.
Crónica intelectual y autobiografía velada, *Tijuanologías* hace un lado, por
efectos de la autocensura o del logrado tono ensayístico, el idioma teoré-
tico propio de Yépez, sin que ello signifique el abandono de su obsesión
central: la frontera como observatorio privilegiado de la posmodernidad,
paraíso infernal de las mezclas fundado por la invasión magonista de 1911,
cueva del tesoro cuya puerta se abre en cada cantina, en cada putero. Este
pequeño libro yo lo propondría como prueba de la continuidad de un
género, ya lo decía José Gaos*, propiamente hispanoamericano, el ensayo
de interrogación nacional. En *Contra la tele-visión* (2008), dice Yépez que
lo más interesante en la historia del pensamiento mexicano, de Octavio
Paz* a Carlos Monsiváis* pasando por Jorge Portilla*, está en lo psicohis-
tórico. A esa tradición pertenece Yépez.

En este caso notable, la nación es Tijuana, que Yépez, mitófago y miti-
ficador, libra del regusto folclórico, de los equívocos producidos por el
turismo barato para intelectuales que muchos, alguna vez, ejercimos como
flâneurs ocasionales de la Avenida Revolución, el Distrito Rojo de Ámsterdam al alcance de los palurdos chilangos de los años ochenta. Tras llevar-

nos, virgiliano, por los verdaderos antros de la tierra, Yépez rechaza al turista como el dueño del grado más elemental de la apreciación y regaña a Monsiváis, a José Agustín* y a Juan Villoro* por haber creído que aquello era multicultural. No, dice Yépez, poético y etimológico: Tijuana está más allá, es la verdadera tierra baldía, el deshuesadero cósmico, eslabón (y no el más débil) de la producción en serie.

Yépez es antichicano y su Tijuana, chicanofóbica. No considera oportuno corregir, tan antipaziano en otros frentes, la imagen del pachuco postulada por *El laberinto de la soledad*. El chicano y sus metamorfosis no han logrado superar, a los ojos del tijuanense dibujado por Yépez como el supremo ironista, esa condición patética subrayada por Paz, patetismo que ha sido interpretado por no pocos chicanos, como una descripción positiva, de alcances identitarios, mito-poéticos. Tras haber escrito en *Tijuanologías*, un retrato que ofrece una visión acabada y problemática de Tijuana, yo esperaría, de Yépez, los arrestos para escribir una *Crítica de la razón chicana*, el libro para el que está predestinado.

Es un nacionalista Yépez pero no sé qué tan "posnacional" sea su nacionalismo. Al vindicar, políticamente correcto y teóricamente *à la page*, a Tijuana como la sede apostólica de la mutación, del hibridismo, del *remix* y del *remake*, traza una frontera paradójicamente fija entre su ciudad natal y el imperio estadunidense. Tijuana pareciera —y ello lo corrobora *Al otro lado* (2008), la reciente novela de Yépez— inasimilable, el sitio menos dispuesto a la americanización, esa pesadilla contra la cual se escriben, desde hace casi dos siglos ya, libros como *El imperio de la neomemoria*. Tijuana, en su resistencia a la asimilación, vuelve aún más virulento —a la vista del Altiplano colaboracionista— al nacionalismo de Yépez, quien nos recuerda que el más antiguo de los enemigos del imperio fue México, cuya mitad hubo de ser devorada en 1847. En el mejor de los casos, agrega Yépez, los Estados Unidos son quijotescos y México, sanchezco. Tijuana es la puerta de Barataria y México, "el doble invertido de la decadencia oxidental". Yépez fantasea con una resistencia mexicana en el interior de los Estados Unidos, sueña con un improbable migrante dinamitero.

En Yépez prefiero al poeta que al novelista, al que viajó desde el miserabilismo del artista como perro joven, en sus primeros poemas, a la vez melomaniacos y modestísimos, a la emocionante vivacidad de un puñado de poemas incluidos en *El órgano de la risa* (2008). En "Vida del Diábolo", "Epístola del Manco" y en el par de "autobiografías" que le siguen, Yépez adivina su propio personaje mejor que en cualquiera de sus novelas. Se ha empeñado, fiel a nuestra época, en creer que la novela es la forma superior de la expresión. De *El matasellos* (2004), un juguete retórico más bien inofensivo a *Al otro lado* no he encontrado sino la reiteración, un tanto didáctica, de un universo que se contrae al quedar sometido a leyes narrativas que Yépez acepta de mala gana.

En *A.B.U.R.T.O.* (2005), por ejemplo, la vida escasamente imaginaria de quien asesinó a Luis Donaldo Colossio en Tijuana, Yépez fracasó. No le fue posible generar la potencia artística requerida por el drama interior de una mente a la vez vulgar y demoniaca, como la del supuesto tirador solitario. La novela es sólo una caricatura editorial, un depósito acrítico de todos los lugares comunes periodísticos, ideológicos y esotéricos que se acumularon durante aquel *annus horribilis* de 1994. Y si de soñar se trata prefiero que a la ordalía de Mario Aburto la cuente, algún día, un Norman Mailer y no un Philip K. Dick.

Al otro lado está escrito en otro tono, tono ajeno a la irritabilidad adictiva del trance apocalíptico, recuperando la sobriedad de *41 clósets* (2006), una historia de amor homosexual bien llevada gracias al lirismo apenas contenido. *Al otro lado* cuenta la historia, en una Tijuana deslavada y desprovista de toponimias y señas particulares, del Tiburón, un drogadicto casi mutante que trata de cruzar al otro lado de la frontera, destino que no cumple pues el antihéroe se desintegra, literalmente, en el aire, como la modernidad en la frase de Marx releída por Marshall Berman. El elenco de la novela es pobre pues no tiene otro objetivo que crear las elementales condiciones narrativas para que el protagonista desaparezca como la señal de humo que avisa del horror criminal y posproletario de la vida en aquella *waste land*. Hace bien Yépez en infantilizar algunos detalles, como la vida propia otorgada, en *Al otro lado*, a los automóviles, los celulares o en seguir el periplo del perro tatemado, muerto en el desierto siguiendo a su amo. Pero ausente el juego conceptual y diluido el contenido autobiográfico, la novela es menos dramática que *Tijuanologías*, el ensayo del que provienen sus hallazgos más brillantes, su concepción de la frontera como "ontología desfalcada", punto ciego del mega-relato capitalista tal cual él lo entiende.

El imperio de la neomemoria es otra cosa, una biografía mínima de Olson (1910-1970), cuyos poemas, ensayos (sobre todo *Llamadme Ismael,* su amargo y nutricio libro sobre Melville de 1947) y cartas, examina Yépez como una suerte de tableta sumeria a través de la cual es posible descifrar a los Estados Unidos. Esta última empresa es la que más lo afana al escribir este libro bizantino, abigarrado, pues cree Yépez, fiel a T. W. Adorno, que la oscuridad teórica, la terminología fantástica y los neologismos adornan el pensamiento y le ofrecen al autor cierta impunidad ante la sanción lógica. Advierto que el mejor Yépez está en otra parte, lejos del blabla que consume páginas enteras de *El imperio de la neomemoria.*

La tesis central de *El imperio de la neomemoria* nos dice que el imperio estadunidense —lo mismo que su principal creación, la televisión y las pantallas que de ella han surguido— es omnipresente y omnisciente, industria cultural y complejo militar-industrial que se apodera del espacio haciéndolo pasar por tiempo histórico e instituyendo mecanismos de control que han cosificado al ser humano en un grado creciente y fatal. Nada que no pueda intelegirse viendo *Matrix* o comprenderse a cabalidad estudiando a la Escuela de Frankfurt y a su Teoría Crítica. Abundan en *El imperio de la neomemoria* los apuntes de la inteligencia sensible, rematados, por desgracia, con los habituales reglazos propinados contra la mesa por los frankfurturianos, cuando, convencidos de que el totalitarismo se perfecciona con la democracia liberal, dicen, como Yépez, que "Hollywood no es más que propaganda post-nazi" o el "reorden de la memoria es fascista".

Si no creyera yo que el verdadero tema de *El imperio de la neomemoria* es Olson, no encontraría gran diferencia entre este libro y las recurrentes fantasías apocalípticas de la academia estadunidense. Al desdoblarse en el poeta Olson y al leerlo y releerlo, Yépez logra que la forma se desprenda del fondo, procedimiento perceptivo legible desde el primer libro que de él leí, *Ensayos para un desconcierto y alguna crítica ficción* (2001), donde está esa memorable (y por fuerza breve) historia del aforismo en México, aquella donde afirma que los guatemaltecos Luis Cardoza y Aragón* y Augusto Monterroso* fueron nuestros presocráticos.

Me gusta, también, la forma en que Yépez examina a la galaxia literaria que, en el caso de un escritor de Tijuana que también escribe en inglés, está compuesta por los poetas del Renacimiento de San Francisco, las mentes opacas del colegio de Black Mountain, por las aventuras de la penúltima vanguardia, que incluye, sólo como avanzada propagandística, a los *beats*. A diferencia del inevitable candor con que la generación anterior de tijuaneros o tijuanenses se emocionaban ante esos escritores, gurús y patriarcas performanceros, Yépez aprecia a esa literatura estadunidense como su horizonte clásico, lo cual explica no sólo la fertilidad de su lectura de Olson sino la ecuanimidad con la que habla del desencuentro de titanes entre Jerome Rothenberg y María Sabina o de los últimos días de Allen Ginsberg. Yépez cree, lo cual nos conduce a su lado chamánico, en las propiedades curativas, hipnóticas y sagradas del lenguaje. No es el primer poeta en creerlo ni será el último. Hombre de frontera, disfruta de la compañía de los traductores y de los médiums.

En Olson encuentra Yépez no sólo a un maestro sino a un enemigo, lo que eleva la densidad de *El imperio de la neomemoria*. Sirviéndose del psicoanálisis lo mismo que del antiedipismo, retrata a Olson como un ideólogo del imperio, cantor de sus robos y de sus saqueos, lo que a Yépez le parece, quizá, censurable, pero que la izquierda contracultural, en los Estados Unidos, es demasiado ingenua para sopesar. Y es en el viaje a México de Olson en 1951 donde se termina de retocar, en *El imperio de la neomemoria*, el retrato de un poeta obsesionado por superar a Pound pero incapaz de entender la sabiduría de los mayas expuesta por Yépez a través de la teoría del quincunce. Si los *beats* son sus griegos, los indios, tanto los nómadas como los imperiales, son los atlantes de Yépez, lo que nos regresa, mediante otra paradoja, a José Vasconcelos*. Sin ser indigenista —la literatura que se escribe actualmente bajo ese nombre debe parecerle, como la del subcomandante Marcos, *octografía*, escritura de la plebe— Yépez se resguarda en la nostalgia romántica de esa otredad primordial extraviada por los occidentales. Con los secretos de la Gran Pirámide hemos topado, Sancho.

Yépez es un contrailustrado y un antiliberal. También es marxista de la única manera en que se puede, me parece, seguir siéndolo, sustituyendo a Marx por Guy Debord, relevando al capitalismo clásico con el imperio del espectáculo. O viajando, gracias a Freud, del marxismo al budismo, como lo hizo Erich Fromm, el gran simplón que ya nadie menciona en su curriculum. Cree Yépez, como el viejo conde reaccionario Joseph de Maistre, que la unidad de la civilización occidental es espuria y que vivimos en un "oasis patibular", en un "último cadalso imaginario", donde la guillotina tecnológica nos corta no la cabeza, sino el alma. La "neomemoria" es el avatar reinante de la antañona alienación descubierta por el joven Marx y equivale, al consumirse planetariamente, al *phoco* que droga al no-viajero de *Al otro lado*.

Yo, que comparto algunas de las supersticiones que Yépez condena, no puedo sino descubrirme ante su pasión erudita y ante el estado de exaltación que sufre, volviéndolo único en una literatura mexicana ajena a la discusión de ideas. Tampoco temo decir que me fascinan los frankfurturianos en la medida en que les concedo la mitad de la razón, que es mucha, la suficiente para enloquecer.

Bibliografía sugerida

Ensayos para un desconcierto y alguna crítica ficción, Instituto de Cultura de Baja California, Tijuana, 2001.

A.B.U.R.T.O., Sudamericana, México, 2005.

41 clósets, Conaculta/CECUT, Tijuana, 2006.

Tijuanologías, UABC/El Umbral, México, 2006.

El imperio de la neomemoria, Almadía, Oaxaca, 2007.

Al otro lado, Planeta, México, 2008.

Contra la tele-visión, Tumbona, México, 2008.

El órgano de la risa, Aldus, México, 2008.

La increíble hazaña de ser mexicano, Planeta, México, 2010.

Z

ZAID, GABRIEL
(Monterrey, Nuevo León, 1934)

Católico y moderno. Cuando se escriba esa historia de la literatura mexicana que soñamos y reclamamos, la posteridad recordará que los vigesémicos fallamos al hacer la suma y la multiplicación de los trabajos y los días. Pero quedarán zonas cartografiadas por críticos como Zaid, verdaderos geógrafos de la imaginación literaria. *Tres poetas católicos* (1997), reunión de treinta años de curiosidad, bosqueja las rutas, los pasajes y los atolladeros de una narración, nuestra literatura católica, que piadosamente desconocemos.

Zaid, partiendo de ese texto liminar titulado "Muerte y resurrección de la cultura católica", enfrenta el imperio de ese mutante de dos cabezas autófagas: el jacobinismo y el clericalismo. El primero, vencedor de la Reforma y verdugo durante la Guerra Cristera, confinó a la cultura católica a sus extremos más lejanos: la procesión y el seminario. El clericalismo, derrotado y humillado, se ocultó tras la mitra, asiduo a las componendas clandestinas o al refresco de nuevos milenarismos, como la teología de la liberación. Las consecuencias fueron nefastas: antes que una anatomía de la espiritualidad mexicana, tuvimos una teratología. México, nación católica fundada en una *parénesis,* el convenio religioso entre quienes predican y quienes se convierten, es un país que ha vivido oficialmente sin cultura católica.

Esa simulación dramática invadió la historia literaria. Con las excepciones poco conocidas de Antonio Estrada (1927-1968) y Jesús Goytortúa (1910-1969), la novela cristera renunció de principio a la dignidad artística, urgida de justificación martirológica. Tuvo que ser un comunista, José Revueltas*, el gran novelista cristiano. Y los intelectuales católicos (esa hermosa anomalía, hija inesperada de la Revolución francesa y del romanticismo) tuvieron que escoger entre la imaginación y el escándalo, ser como los discretos hermanos Alfonso y Gabriel Méndez Plancarte, ser como el viejo José Vasconcelos*, quien en sus letanías del atardecer fue más católico que cristiano. Otros, como Antonio Caso, el padre Ángel María Garibay Kintana* o Antonio Gómez Robledo, votaron por la prudencia, ubicándose como figuras voluntariamente secundarias ante el gran coro pagano, masón, jacobino y agnóstico donde brillaba el gran gorro frigio de Martín Luis Guzmán*, la toga socrática de Alfonso Reyes* o las mentes metafísicas de los Contemporáneos.

A los poetas católicos les fue concedida cierta franquía. El catolicismo de Ramón López Velarde y de Carlos Pellicer* fue *tolerado:* era aparentemente inofensivo. En el caso del zacatecano se condescendía ante la tristeza provinciana y reaccionaria, y al tabasqueño se le festejó la inocente alegría franciscana frente al paisaje. Pero Zaid rompe con esa tolerancia mustia de manera enfática. Armando el rompecabezas del Partido Católico Nacional, aquel aliado incómodo y luego deturpador del presidente Francisco I. Madero, Zaid termina con el impostado bardo oficial de la Revolución mexicana y nos lo presenta como esa figura del intelectual católico que el México moderno ha extrañado y que existía, prefigurada y trunca, en López Velarde. Estudiando la relación entre el poeta y su amigo Eduardo J. Correa (como lo han hecho también Jean Meyer* y Guillermo Sheridan*), Zaid presenta una versión distinta de la vida intelectual durante la guerra de 1910.

Tres poetas católicos continúa con Pellicer. No voy a insistir en las cualidades críticas más celebradas de Zaid, su capacidad de enseñar cómo funciona la poesía a espíritus prosaicos como el mío. La lectura de Zaid me hará volver con mayor entendimiento a los poemas pellicerianos. Y más allá de los "azules que se caen de morados", Zaid recuerda un asunto capital enunciado por Juan Ramón Jiménez e ignorado por la historia literaria: la relación oblicua entre el modernismo poético hispanoamericano y la herejía homónima condenada por el papa Pío X, con la encíclica *Pascendi,* en septiembre de 1907.

Ante la aberrante condena del mundo moderno proclamada por Pío IX en el *Syllabus* (1864), los intelectuales católicos, sobre todo en Francia, pasaron a la rebelión. Impresionados por la metafísica alemana, por la crítica bíblica de Ernest Renan o por la lectura de las tradiciones católicas orientales, abiertos a la ciencia moderna y a su implicación sobre los dogmas católicos, modernistas como el gran Alfred Loisy, Éduard Le Roy o el oratoriano Lucien Laberthonière, apostaron por su cuenta y riesgo al *aggiornamento* de la Iglesia. Quizá Teilhard de Chardin fue el último miembro de esa estirpe y el Concilio Vaticano II, la victoria parcial y póstuma de los católicos condenados al principiar el siglo.

El influjo de ese modernismo católico fue esencial en México. Alimentó, tanto o más que el positivismo dogmático, la franca heterodoxia cristiana de Amado Nervo o José Juan Tablada cuando eran jóvenes, la incredulidad de Reyes y Guzmán, la ansiedad religiosa jamás saciada de Vasconcelos, el espiritismo de Madero y el espiritualismo de Caso, la (proto) democracia cristiana en López Velarde y, como lo señala Zaid, el optimismo cristiano de Pellicer, sin duda de aliento franciscano, pero doblemente modernista, como lírico y como católico. Pero no creo, como parece suponerlo Zaid en uno de los anexos, que algunos poemas cristianos de ocasión modifiquen un ápice el inverecundo paganismo de Reyes.

El tercer poeta católico examinado es el padre Manuel Ponce (1913-1994), a quien el propio Zaid había presentado ante la sociedad literaria profana a fines de los años setenta. Con Ponce, autor de ese inolvidable *Ciclo de vírgenes* (1940), uno de los pocos poemas católicos mexicanos que sorprenden a los incrédulos, Zaid cierra un libro que demuestra que el catolicismo estuvo en la política revolucionaria (con López Velarde), entre la poesía moderna (Pellicer) y en el propio púlpito. Y se antoja que los *Tres poetas católicos* se conviertan en cuatro, cinco, seis, regresando al padre Alfredo R. Plascencia y avanzando hacia Concha Urquiza —nuestra Simone Weil según Zaid—, Francisco Alday, el grupo de la revista

Trento (1943-1968) que dirigió Ponce, hasta llegar a los más jóvenes, como Javier Sicilia*.

Tres poetas católicos es una pieza esencial en la resurrección literaria de nuestra cultura católica. Falta mucho por hacer pero el punto de partida será Zaid, que se dibuja a sí mismo en el negativo de *mocho,* ciudadano que sostiene sus creencias católicas entre la civilidad y creyente que se afirma como laico frente a la catolicidad. Debo decir que Zaid es un tipo extraño de crítico católico: el cardenal Newmann y el primer Blanco White hubieran comulgado con un modernista que, a fines del siglo XX, ha censurado tanto el progreso improductivo como las fantasías universitarias.

Un libro como *Tres poetas católicos* es un ejemplo de la crítica literaria como pensamiento al aire libre, fiesta de la amenidad en casa de la investigación, tiempo de las preguntas por encima de las certezas, invitación a leer poesía que se asemeja a la narración de Zaid sobre los nacimientos navideños de Pellicer, cuya ánima era la luz que permite sentir la orfandad de la bóveda celeste y la inexplicable alegría que produce la miniatura del mundo. Zaid, por ser el escoliasta de una tradición amenazada y herida, ha sabido ser, más que sus tres poetas electivos, católico y moderno (*Servidumbre y grandeza de la vida literaria,* 1998).

Alcances y limitaciones de un método. Al paso de los años, al leer, releer o tan sólo hojear *Plural* y *Vuelta* va desplegándose ante la memoria la matizada riqueza del grupo que animó esas revistas. El peso de Octavio Paz* en la literatura mundial, la animadversión política que rodeó a las revistas y el deseo de verlas pronto olvidadas, así como el ánimo desdeñoso de sus protagonistas han impedido registrar cabalmente una experiencia colectiva en la historia de la literatura hispanoamericana. En el diseño intelectual de *Plural* y de *Vuelta* tan importantes como Paz fueron Alejandro Rossi*, Gabriel Zaid y, más tarde, Enrique Krauze*. Estos tres escritores son, a su vez, figuras capitales para entender las maneras políticas y las seguridades intelectuales con las que el último Paz dominó sobre la cultura mexicana.

Zaid ocupó, en el interior de *Plural* y de *Vuelta,* una posición excéntrica, la de ser el único católico en un grupo de agnósticos y descreídos. Juan

García Ponce* y Salvador Elizondo* se presentaron como hermanos enemigos, con una genealogía común desarrollada a través de la estética de la
transgresión con Bataille y la parte maldita de la literatura occidental. Un
poeta como Tomás Segovia* es legible a través de la heredad de Juan
Ramón Jiménez y de la crítica y la complicidad de la Generación del 27,
mientras que los cuentos y ensayos de Rossi son una rama del árbol de Borges, Bioy Casares y José Bianco. Y mientras que la poesía de Zaid, tan feliz,
cuenta entre sus claridades la de poder ser cabalmente rastreada, su papel
como crítico de la poesía, del mundo editorial y del poder político apelaba
a una compleja configuración intelectual, que empezó a florecer mediante
artículos y reseñas en los años sesenta en *La Cultura en México,* en *Diálogos* y
en *Cuadernos del Viento.* Zaid, luego autor de dos antologías esenciales (el
Ómnibus de poesía mexicana en 1970 y la *Asamblea de poetas jóvenes de México* en 1980), escribió lecturas memorables y polémicas sobre poetas como
Alfonso Reyes, Carlos Pellicer, José Carlos Becerra*, Luis Cernuda*, Marco
Antonio Montes de Oca*, José Emilio Pacheco* o sobre la canalla literaria y
el papel de las antologías. Y desde de su columna "La cinta de Moebius", en
Plural, Zaid se convirtió en uno de los críticos más afilados del régimen de
la revolución institucional, entonces obsesionado por recobrar entre los
intelectuales la legitimidad perdida en 1968 y puesta una vez más en juego
tras la matanza del jueves de Corpus de 1971.

Para desentrañar las maneras críticas zaideanas no basta con señalar
una militancia católica que, además, se fue haciendo pública de manera
progresiva, hasta llegar a *Tres poetas católicos.* Zaid se presentó como un
crítico literario extrañamente alejado, en apariencia, de todo esencialismo,
una suerte de moralista práctico que hubiera sido fácil asociar a cierto
espíritu protestante. En un medio intelectual saturado por las reyertas teo-
lógicas de los marxistas de todas las escuelas, en *Leer poesía* (1972) y *Cómo
leer en bicicleta* (1975), Zaid decidió examinar, en una empresa solitaria
que parecía una extravagancia, las condiciones materiales en que se producía la vida literaria y la literatura misma. Su objetivo no era postular un
sistema o fundar alguna sociología de la recepción (aunque de alguna
manera iluminó ese camino) sino desbrozar al hecho literario de toda la
hojarasca metafísica e ideológica que lo rodeaba y exhibir el funciona-

miento de la poesía en tanto que *La máquina de cantar,* como tituló a su célebre libro de 1967.

Pero la crítica de Zaid, de manera aún más sorprendente, no sólo era ajena a la academia, sino que estaba dirigida contra las mitologías y las prácticas del saber académico. De la exhibición de los mecanismos de la inspiración Zaid pasó a una crítica radical (y que acabó por ser desmesurada) de la clase universitaria como creadora y usufructuaria del poder cultural. Sólo entonces, con libros como *El progreso improductivo* (1979) y *De los libros al poder* (1988) pudo comprenderse la naturaleza moral de la crítica zaideana: hacer crítica literaria prescindiendo del *eufuismo* —el ornato de lo bizarro y sus elipsis— era sólo un paso en la cruzada por librar a la vida pública de la superstición del progreso improductivo que los universitarios ofrecían a la sociedad como panacea.

El mecanismo utilizado por Zaid resultó ser el mismo al analizar una antología poética que una revolución centroamericana: descomponer una realidad en las partes que la componen, despojar a esa totalidad de su prestigio artístico, metafísico, ideológico o humanitarista, y revelarla a la luz del sentido común y, no pocas veces, de la reducción al absurdo. Pero mientras que la crítica literaria de Zaid es un utilitarismo de alcance limitado dado que no desea postular leyes (de lo contrario tendríamos un Emerson o hasta un Chernichevski), su crítica política resultó devastadora y certera dada la envergadura moral de la impostura que denunciaba. Al analizar al gobierno sandinista o la guerrilla salvadoreña con el mismo patrón de un Silvio Zavala en *Los intereses particulares en la Conquista de la Nueva España* (1991), Zaid hizo una aplicación novedosa de algunas teorías de las élites políticas, y lo hizo con una sorprendente eficacia periodística. El objetivo utilitario era una demostración moral: basados en el marxismo-leninismo, el jesuitismo y el nacionalismo, los guerrilleros centroamericanos se proponían, al inventar la voluntad popular, usurparla. Tras la derrota de los sandinistas en las urnas (1990) y los acuerdos de Chapultepec entre el gobierno y la guerrilla salvadoreña (1991) hasta un Joaquín Villalobos (el jefe guerrillero involucrado en el asesinato del poeta Roque Dalton y principal blanco de Zaid en aquellos memorables textos) hubo de reconocer que la democracia política era el único espacio concurrente para dirimir las ambiciones de las élites. Paz mismo había criticado al totalitarismo por razones ideológicas mientras que Zaid dio a esa reserva moral una explicación más pragmática. A diferencia de Paz, de Rossi o de Krauze, Zaid es un demócrata antes que un liberal: no le interesan las tradiciones políticas omnicomprensivas sino las ideales comunidades ciudadanas.

El método de Zaid tiene limitaciones evidentes: en muchas de sus críticas del poder cultural o de la industria editorial es palpable que la realidad se resiste al *mode d'emploi* al que el crítico trata de someterla. En otros casos, Zaid aparece tan sólo como ejemplar de una mutación hace tiempo registrada en los anales, la del intelectual que odia a los intelectuales. Y que uno de los primeros (y más célebres) poemas de Zaid esté dedicado "al diccionario Larousse" no es casualidad: el mundo debería tener, para este humanista católico de nuevo tipo, la forma no de una enciclopedia, sino de un diccionario portátil cuyas definiciones no siempre resultan convincentes.

La bondad, el equilibrio, la dulzura y la generosidad eran las virtudes del hombre perfecto según el humanismo del Renacimiento. Y para que esa máquina espiritual produjese a un humanista católico, como lo fue Erasmo, era necesaria la docilidad cristiana ante la divinidad de todos los empeños humanos. El joven Zaid que ofreció a sus paisanos, en Monterrey, aquel texto crítico inaugural —"La ciudad y los poetas", en 1963— se mostraba como el humanista católico llamado a prolongar la experiencia literaria que Reyes —en una mutación que habría fascinado a George Santayana— había dejado en su fase pagana. Por ello resultan lógicos (aunque sean un tanto abusivos y contraproducentes) los empeños del Zaid maduro por sacar a don Alfonso del limbo gracias a las pruebas doblemente *reveladoras* que el catolicismo habría dejado en algunos de sus poemas religiosos.

El poeta que se dirige a la ciudad es un humanista católico hablándole a los filisteos con la convicción erasmiana de que nadie puede ser excluido de la lectura de las Escrituras ni de la comunión con una palabra poética que Zaid asocia, con la modestia metodológica propia de Santayana, con la raíz de la religión. A lo largo de toda su carrera como crítico, Zaid será fiel a esa andadura de estudiante medieval, estrategia de ocultamiento más epicúrea que cristiana que le permite vivaquear sin rumbo fijo entre los legos y los profanos, sacando a las humanidades de los claustros académicos y de las torres de marfil. Ello explica tanto la amplitud como las restricciones que Zaid busca y se impone, haciendo gala de esa falsa modestia que Chamfort considera como el más tolerable de los pecados mundanos: publicar en revistas didácticas masivas y negarse a traspasar el límite de la palabra escrita, pues quien añade ciencia, añade dolor y suficientemente pesada es la vanidad del saber como para agregarle el fardo de la vanidad del mundo.

Ese proyecto de humanista cristiano se topó con un mundo —el de los años sesenta del siglo pasado— donde ciertas pautas renacentistas habrían de chocar con la crudeza de nuevas guerras de religión. El clima del Concilio Vaticano II, que tuvo en Zaid a uno de sus más sutiles intérpretes culturales, devino en América Latina en la conversión de los reformadores eclesiásticos en sacerdotes guerrilleros. La crítica demoledora que hizo Zaid de los universitarios en el poder en México, en Nicaragua y en El Salvador muestra el carácter erasmiano del sabio que ve a los antiguos escolásticos transformados en luteranos, calvinistas, zuinglianos, enfebrecidos profetas dividiendo lo que debería ser indivisible: la catolicidad.

A Zaid no le interesa una condena del mundo moderno, y en ese sentido Paz se equivocó al decir que era un tradicionalista. Hay en Zaid un optimismo evangélico —el de Pellicer y el padre Manuel Ponce, sus poetas electivos más que López Velarde—. Y esa alegría ve al espíritu reaccionario en todo milenarismo, provenga de la izquierda o de la derecha. A cambio, Zaid considera que la construcción utópica de la ciudad de Dios es una tarea cotidiana basada en el rediseño permanente de la humanidad de las leyes, *Legum humanitas* que en el siglo XXI sólo puede expresarse a través de un anarquismo conservador que se solidarice con las pequeñas empresas, las comunidades agrarias autosuficientes o el consumo cultural como la aduana que separa a la barbarie de la civilización.

En el pensamiento de Zaid, como en todo pensamiento complejo y más aún en aquel que se quiere simple, hay un drama sin solución dramática. En su renuncia conceptual a imponer un sistema hay una profunda necesidad utópica y, al ofrecer soluciones prácticas a problemas complejos, Zaid puede acertar mil veces, y sin embargo quedar como un utopista cuyos pequeños diseños aspiran a una inmensa ingeniería social que en apariencia no es de este mundo. Ante el problema del libre albedrío que separaba a Roma de la Reforma, Erasmo dejó insatisfechas a ambas partes, pues no estaba en su espíritu la postulación de una teología ni el ofrecimiento de una solución dogmática. Pero entre las cenizas de las guerras de religión la vocación erasmiana de probar que la gracia y el libre albedrío colaboraban felizmente en la cotidiana divinidad de lo humano, valió más que los tratados, los anatemas y las argucias. A Zaid no le tocó hablar desde el púlpito ni desde la tribuna política, sino desde la literatura, la única posición en la cual el mundo contemporáneo podía garantizar su libertad. La suya es una concepción utilitaria de la literatura donde la inspiración y el sentido común han cooperado teologalmente para crear una de esas raras obras donde la nobleza de una inteligencia redime a una época de sus infamias.

Bibliografía sugerida

Obras 1. Poesía. Reloj de sol, El Colegio Nacional, México, 1995.

Obras 2. Ensayos sobre poesía, El Colegio Nacional, México, 1999.

Obras 3. Crítica del mundo cultural, El Colegio Nacional, México, 1999.

Obras 4. El progreso improductivo, El Colegio Nacional, México, 2004.

Tres poetas católicos, Océano, México, 1997.

Antología general, Océano, México, 2004.

El secreto de la fama, Lumen, México, 2009.

Índice de obras

41 clósets (H. Yépez): 708, 711
XX poemas (S. Novo): 444

A campo traviesa (E. Seligson): 603, 605
"A la orilla del Ganges" (J. E. Pacheco): 459
A pesar del oscuro silencio (J. Volpi): 693
A pie (L. Amara): 33
À rebours (J. K. Huysmans):184
A salto de mata. Martín Luis Guzmán en la Revolución mexicana (S. Quintana): 534, 535, 537
A sangre fría (T. Capote): 257, 320
A ustedes les consta (C. Monsiváis): 398
A veces prosa (A. Castañón): 96
A.B.U.R.T.O. (H. Yépez): 708, 711
Abdul Bashur, soñador de navíos (Á. Mutis): 436, 438
Ábside, revista: 208
Acercamiento a Jorge Cuesta (I. Arredondo): 37, 39, 589, 590
Actitudes (T. Segovia): 603
Acto propiciatorio (H. Manjarrez): 341, 345, 353, 354, 355, 356, 359
Actualidad de Contemporáneos (J. M. Espinasa): 150
Adén Arabia (P. Nizan): 355, 356
Adrede (G. Deniz): 131, 132, 136
Aforismos (G. Ch. Lichtenberg): 677, 683
Agosto y fuga (P. Villegas): 675, 676
Ahora la mujer (J. J. Arreola): 43

Aire mexicano (B. Péret): 686
Aires de familia. Cultura y sociedad en América Latina (C. Monsiváis): 395, 399
Ajedrez navegaciones (H. Aridjis): 34
Al filo del agua (A. Yáñez): 444, 472, 539, 575, 578, 703, 704
Al margen de un tratado (E. Lizalde): 331, 332
Al otro lado (H. Yépez): 707, 708, 711
Albedrío (D. Sada): 576, 577
Albercas (J. Villoro): 677
Albur de amor (R. Bonifaz Nuño): 75
Alebrijes (G. Deniz): 134
Alegrial (E. Milán): 384
Alfonso Reyes. El caballero de la voz errante (A. Castañón): 95, 97
Algaida (E. Lizalde): 331, 335
Alguien de lava (F. Morábito): 420
Algunas letras de Francia (A. Castañón): 97
Algunas noches, algunos fantasmas (F. Tario): 637
Alianza de los reinos (J. Esquinca): 151, 152, 153
Allá en el campus grande (G. Sheridan): 612, 615
Almanaque de cuentos y ficciones [1955-2005] (E. Lizalde): 335
Álvaro Obregón. El vértigo de la victoria (E. Krauze): 308
Ámbar (H. Hiriart): 272, 273
América sintaxis (A. Castañón): 95, 97
Amirbar (Á. Mutis): 436
Amor patria mía (E. Huerta): 283

Amor perdido (C. Monsiváis): 392, 395, 398

Amor y Occidente (D. de Rougemont): 591

Amor y oxidente (G. Deniz): 132, 134, 136

"Amor" (A. Asiain): 45

Amphytrion (I. Padilla): 688, 689

Anagnórisis (T. Segovia): 592, 593, 594

"Anapoyesis" (S. Elizondo): 140

Anatomía de la melancolía (R. Burton): 268, 531

Andamos huyendo Lola (E. Garro): 214, 216

André Breton: atisbado sin la mesa parlante (L. Cardoza y Aragón): 92, 94

Ángeles del abismo (E. Serna): 606, 607

Ante un cálido norte (J. L. Rivas): 549, 551

Antes (C. Boullosa): 76, 423

Antes de nacer (A. Blanco): 65

Antiguas primicias (J. J. Arreola): 44

Antología (M. Molina): 390

Antología de la literatura fantástica (S. Ocampo, A. Bioy Casares y J. L. Borges): 636

Antología de la narrativa mexicana del siglo xx (Ch. Domínguez Michael): 9, 40, 130, 167, 175, 179, 203, 248, 320, 322, 337, 344, 366, 390, 541, 551, 627, 667, 674

Antología del poema en prosa en México (L. I. Helguera): 239, 241, 242, 604

Antología general (G. Zaid): 721

Antología poética (H. Aridjis): 36

Antología rota (León Felipe): 327

Antonieta (F. Bradu): 81, 82, 83, 85

Antropología del cerebro (R. Bartra): 57

Apocalipstick (C. Monsiváis) 399

Apuntes sobre E. M. Cioran (E. Seligson): 605

Aquí abajo (F. Tario): 636

Arbitrario de la literatura mexicana (A. Castañón): 10, 95, 97, 227

Árbol adentro (O. Paz): 333, 488, 505, 506

Árboles milenarios desde el primer segundo (M. A. Montes de Oca): 413

Árboles petrificados (A. Dávila): 551

Arcanos (V. Volkow): 687

Archipiélago de signos. Ensayos de literatura mexicana (F. Vázquez): 382

Areúsa en los conciertos (A. Muñiz-Huberman): 432

Arousiada (L. da Jandra): 250

Arte de no sufrir (A. de Atenas): 265

Asamblea de poetas jóvenes de México (G. Zaid): 247, 717

Asesinato (V. Leñero): 320, 321, 322, 324

Astucias literarias (Gobierno del Estado de Guanajuato): 651, 652

Atala (F.-R. Chateaubriand): 437

Atlántica y el rústico (M. Baranda): 51

Auliya (V. Murguía): 433, 434

Aura (C. Fuentes): 172

Autobiografía de un fracaso. El poeticismo (E. Lizalde): 330

Autobiografía precoz (S. Elizondo): 137, 141, 142

Automoribundia (R. Gómez de la Serna): 427

Autopsias rápidas (J. Ibargüengoitia): 287, 290

"Autorretrato a los 27" (J. Herbert): 243

Ávido mundo (M. Baranda): 52

¡Ay vida, no me mereces! (E. Poniatowska): 167

Bajo el destello líquido (C. Bracho): 79, 80

Bajo el volcán (M. Lowry): 69, 280, 302, 400

Balanza de sombras (A. Deltoro): 130

Balas de plata (É. Mendoza): 377

Balún Canán (R. Castellanos): 20, 99

Balzac (J. Torres Bodet): 638

Bandera de Provincias, revista: 703

Banquete íntimo (E. Nandino): 439

"Barbas para desatar la lujuria" (E. Huerta): 283

Bartleby, el escribiente (H. Melville): 566, 645

Basilisco (A. D'Aquino): 128

Beber un cáliz (R. Garibay): 203

Before Saying Any of the Great Words: Selected Poems (D. Huerta): 281

Bellísima bahía (R. Garibay): 203

Benjamin Péret en México (F. Bradu): 83, 85

Berlinalexanderplatz (A. Döblin): 471

Biografía del poder (E. Krauze): 307, 308, 309, 310, 311, 312, 314, 318

Biografía política de Octavio Paz o la razón ardiente (F. Vizcaíno): 480, 512

Blade Runner (R. Scott): 389

"Bola de sebo" (G. de Maupassant): 667

"Bolero" (H. Manjarrez): 351

Bomarzo (M. Mujica Láinez): 119-122, 689

Breton en México (F. Bradu): 83, 85

Breve diario de un amor perdido (F. Tario): 636

Brujas la muerta (G. Rodenbach): 184

Busca mi esquela (E. Garro): 213, 216

Cabaret Provenza (L. F. Fabre): 156, 157, 158

Cada cosa es Babel (E. Lizalde): 243, 276, 331, 594

Cadáver lleno de mundo (J. Aguilar Mora): 21, 23, 28

Calcinaciones y vestigios (D. Huerta): 281

"Cama de Onetti" (J. Fernández Granados): 163

Camera lucida (S. Elizondo): 138, 139, 140, 142

Camille o la historia de la escultura de Rodin a nuestros días (H. Hiriart): 272

Caminante ante un mar de niebla (C. D. Friedrich): 592

Camino a Baján (J. Meyer): 379, 380

Canción de tumba (J. Herbert), 248

Canciones para los que se han separado (H. Manjarrez): 342, 345, 350, 360

Canek (E. Abreu Gómez): 17, 20

Caníbal. Apuntes sobre la poesía mexicana reciente (J. Herbert): 248

Cantado para nadie. Poesía completa (F. Cervantes): 104, 106

Cantares mexicanos: 205

Cantata a solas (T. Segovia): 593, 595

Canto a mí mismo (León Felipe): 325

Canto a un dios mineral (J. Cuesta): 243, 331, 587, 589, 594

Canto malabar (E. Cross): 118

Cantos al sol que no se alcanza (M. A. Montes de Oca):

Caracteres de imprenta (A. Asiain): 45, 46, 131, 251, 276

Caravansary (A. Mutis): 435

Carlos Monsiváis (C. Monsiváis): 392

Carlos Monsiváis. Cultura y crónica en el México contemporáneo (L. Egan): 391, 399

"Carne de Dios" (J. García Terrés): 198

Cartas credenciales (A. Rossi): 556, 557, 564

Cartas de Copilco (G. Sheridan): 612, 615

Cartas de relación (H. Cortés): 361

Cartas de Tepoztlán (P. Soler Frost): 623, 626

Cartas de un jubilado (T. Segovia): 600, 601, 602, 603

Cartografías (J. M. Espinasa): 150

Casi nunca (D. Sada): 577, 578, 579, 580

Castillos en el aire (A. Muñiz-Huberman): 432

Caudillos culturales de la Revolución mexicana (E. Krauze): 313

Caza mayor (E. Lizalde): 332, 335

Cerca de lo lejos. Poesía 1972-1978 (E. Nandino): 439, 440

Cernuda y México (J. Valender): 101, 103

Cerrazón sobre Nicómaco (E. Hernández): 248

Cervantes, una crítica de la lectura (C. Fuentes): 170,

Cheque y carnaval (A. Castañón): 96

Cicatrices (E. Seligson): 605

Ciclo de vírgenes (M. Ponce): 715

Cien años de soledad (G. García Márquez): 169, 184, 185, 186

Cinco estaciones (T. López Mills): 336

Cinco semanas en globo (J. Verne): 134

Circa 1994 (E. Milán): 381

Claude Lévi-Strauss o el nuevo festín de Esopo (O. Paz): 492, 598

Cóbraselo caro (É. Mendoza): 377

Color de Francia (J. M. González de Mendoza): 221

Colores en el mar (C. Pellicer): 512

Commerce, revista: 443

Cómo leer en bicicleta (G. Zaid): 717

Cómo leer y escribir poesía (H. Hiriart): 270, 273

Compraré un rifle (G. Fadanelli): 159

Con la música por dentro (J. García Ascot): 239

Conato de extranjería (A. Muñiz-Huberman): 432

Confabulario (J. J. Arreola): 41, 45

Contemporáneos, revista: 18, 40, 439, 637

Contextos (S. Elizondo): 140

Continente vacío (S. Novo): 444

"Continuidad" (J. Torres Bodet): 640

Contra la televisión (H. Yépez): 706, 711

Contracorriente (T. López Mills): 336

Contracorrientes (T. Segovia): 591, 603

Contrapunto de fe (M. A. Montes de Oca): 412

Contubernio de espejos (S. Elizondo): 143

Conversación con el mar y otros poemas (E. Nandino): 439

Conversación en La Catedral (M. Vargas Llosa): 169

Conversaciones y encuentros (R. Usigli): 663

Cornucopia de México (J. Moreno Villa): 426, 428

Corona de fuego (R. Usigli): 658

Corona de luz (R. Usigli): 659

Corona de sombra (R. Usigli): 472, 658, 663

Corre la voz (J. García Terrés): 197

Corriente alterna (O. Paz): 347, 475, 488, 517, 591

Corto Maltés (H. Pratt): 436

Cosillas para el nacimiento (C. Pellicer): 512

Cripta (J. Torres Bodet): 638

Cristóbal Nonato (C. Fuentes): 164, 165, 169, 172, 388, 471, 608

Crónica de la intervención (J. García Ponce): 160, 189, 190, 191, 192, 518

Crónica de la poesía mexicana (J. J. Blanco): 67, 97, 246

Crónica literaria. Un siglo de escritores mexicanos (J. J. Blanco): 67

Cuaderno de Amorgós (E. Cross): 122

Cuaderno de escritura (S. Elizondo): 138, 429

Cuaderno de noviembre (D. Huerta): 275, 277, 280, 281,

Cuaderno inoportuno (T. Segovia): 594, 603

Cuadernos Americanos, revista: 194, 326

Cuadernos de Gofa (H. Hiriart): 269, 270, 273, 690

Cuadernos del Viento, revista: 717

Cuadrivio (O. Paz): 105, 475, 503

"Cuando cumplí cincuenta años" (E. James): 431

Cuando el rey se hace cortesano. Octavio Paz y el salinismo (E. González Rojo): 480

Cuarto de hotel (C. Bracho): 80

Cuatro manos (P. I. Taibo): 629, 630, 633, 634

Cubiertos de una piel (G. Deniz): 134, 136

Cuenta de los guías (A. Blanco): 66

Cuentos completos (1968-2002) (J. Agustín): 305

Cuentos completos (F. Tario): 635, 637

Cuentos completos (I. Arredondo) 39

Cuentos completos (J. García Ponce): 188

Cuentos herejes (M. E. Bermúdez): 64

Cuentos reunidos (A. Dávila):130

Cuentos y relatos (S. Pitol): 517, 519, 690

Cuentos, fábulas y lo demás (A. Monterroso): 411

"Cuerpos" (H. Manjarrez): 356

"Culto a Mallarmé" (A. Reyes): 426

Cultura y melancolía. Las enfermedades del alma en la España del Siglo de Oro (R. Bartra): 56, 57

Damas de corazón (F. Bradu): 81, 82, 85

De alba sombría (J. Gardea): 201

Decencia (Á. Enrigue): 149

De cómo Robert Schumann fue perseguido por los demonios (F. Hernández): 249

De cómo no fui el hombre de la década y otras decepciones (L. Helguera): 242

De eso se trata. Ensayos literarios (J. Villoro): 682, 684, 685

De fusilamientos (J. Torri): 641, 643

De héroes y mitos (E. Krauze): 316

"De la adivinación mediante el dormir" (Aristóteles): 265

De la infancia (M. González Suárez): 229, 230, 231

"De la memoria y de la reminiscencia" (Aristóteles): 265

De la Onda en adelante (R. Teichmann): 343

De la vigilia estéril (R. Castellanos): 98

De los libros al poder (G. Zaid): 718

"De los sueños" (Aristóteles): 265

De otro modo lo mismo (R. Bonifaz Nuño): 75

De perfil (J. Agustín): 305

De Praga a París. Crítica del pensamiento estructuralista y posestructuralista (J. G. Merquior): 597

¿De quién es la filosofía? Sobre la lógica de la filosofía como confesión personal (Gobierno del Estado de Guanajuato): 649, 651

De rerum natura (Lucrecio): 352

De sangre y de sol (S. González Rodríguez): 229

De un salto descabalga la reina (C. Boullosa): 76, 79

"Dédalo" (J. Torres Bodet): 640

"Dedicatoria extemporánea" (E. Nandino): 439

Defensa de Palamedes (G. de Lentinos): 254

Del fraude al milagro. Visión de la historia en Usigli (B. Swansey): 664

"Del sueño y de la vigilia" (Aristóteles): 265

Delante de la luz cantan los pájaros. Poesía, 1953-2000 (M. A. Montes de Oca): 412, 416

Descripción de un brillo azul cobalto (J. Esquinca): 151, 152, 153

Desolación de la quimera (L. Cernuda): 102

Destierro de sombras (E. O'Gorman): 452, 453

Detente sombra (M. E. Bermúdez): 64, 65

DF. 52 obras en un acto (E. Carballido): 85

Dialéctica de lo terrenal (J. Ramírez Garrido): 543

Diálogo de los libros (J. Torri): 642

Diálogos con el cuerpo (E. Seligson): 604

Diálogos, revista: 699

Diana o la cazadora solitaria (C. Fuentes): 169

Diario (A. Reyes): 365

Diario (J. Renard): 641

Diario (M. Aub): 171

Diario de Lecumberri (Á. Mutis): 435

Diario de Sudáfrica (V. Volkow): 686

Diario de sueños (H. Aridjis): 36

Diario público, 1966-1968 (E. Carballo): 89, 90, 413

Días de guardar (C. Monsiváis): 395, 398

Días sin floresta (J. Rulfo): 589

Diccionario de autores latinoamericanos (C. Aira): 132, 213

Diccionario de escritores mexicanos: 296

Diccionario Porrúa de historia, biografía y geografía de México: 208

Dicho sea de paso (E. Milán): 384

Diferentes razones tiene la muerte (M. E. Bermúdez): 64

Difícil de atrapar (J. Gardea): 201

Diorama (V. F. Herrasti): 255, 256

Dios siempre se equivoca (G. Fadanelli): 159

"Discurso que se estaba formando en la cabeza cortada de Cicerón" (J. Hernández Campos): 253

Discutibles fantasmas (H. Hiriart): 271, 273

Disecado (M. Bellatin): 62

Disertación sobre las telarañas (H. Hiriart): 271, 273

Disparos en la oscuridad (F. Mejía Madrid): 369

Divina comedia (D. Alighieri): 78, 404

Documentos cortesianos (J. L. Martínez): 361

Domar a la divina garza (S. Pitol): 515, 516, 517, 519

Donde el gimnasta (J. Gardea): 201

Dos crímenes (J. Ibargüengoitia): 290

"Dos mujeres" (H. Manjarrez): 351, 357

Duelos y quebrantos (E. Abreu Gómez): 20

Duerme (C. Boullosa): 77

Dulcinea encantada (A. Muñiz-Huberman): 432
Dylan y las ballenas (M. Baranda): 31, 52

Ecos de Páramo (F. Bradu): 85
Edén (A. Rossi): 423, 559, 561, 569, 564
Edén (P. Soler Frost): 623, 624, 626
Edificio (A. García Bergua): 182
Educar a los topos (G. Fadanelli): 159
Efecto tequila (E. Mendoza): 375, 376, 377
Efectos personales (J. Villoro): 677, 682, 684, 685
El accidente y otros cuentos inéditos (E. Garro): 213
El acorazado Potemkim (S. Eisenstein): 141
El acto en las palabras. Estudios y diálogos con Octavio Paz (M. Enrico Santí): 511
El actor se prepara (H. Hiriart): 270, 273
El agua cae en otra fuente (J. V. Melo): 374
El agua circular, el fuego (L. V. de Aguinaga): 29
El agua envenenada (F. Benítez): 63
El agua grande (H. Hiriart): 270, 273, 690
El águila y la serpiente (M. L. Guzmán): 236, 237, 534
El ala del tigre (R. Bonifaz Nuño): 75
El amante de Janis Joplin (E. Mendoza): 374, 375, 377
El amante japonés (F. Bradu): 83, 84, 85
"El ambiente literario en México" (J. García Terrés): 194
El amigo americano (P. Highsmith): 158
El ángel de Nicolás (V. Murguía): 433, 434
El ángel roto (S. Magaña): 340
El Ángel, suplemento: 10
El apando (J. Revueltas): 542, 544
El árbol milenario (M. Ulacia): 512
El arco y la lira (O. Paz): 270, 486, 487, 488, 494, 495, 507
El arte de Julio Torri (S. I. Zaïtzeff): 644
El arte de la fuga (S. Pitol): 517, 518
El arte de la ironía. Carlos Monsiváis ante la crítica (I. Moraña e I. Sánchez Prado): 399

El arte de perdurar (H. Hiriart): 273
El asesinato de Elena Garro (P. Rosas Lopátegui): 211, 212, 215, 217
El asno de oro (L. Apuleyo): 410
El atentado (J. Ibargüengoitia): 285, 286
El atentado. Los relámpagos de agosto (J. Ibargüengoitia): 287
El atril del melómano (L. I. Helguera): 239, 242
El azul en la flama (D. Huerta): 280, 281
El bautista (J. Sicilia): 619, 621
El bordo (S. Galindo): 174, 175
El bosque en la ciudad seguido de El cuerpo en el DF (H. Manjarrez): 360
El brujo de Autlán (A. Alatorre): 30, 31
El burlador de Sevilla (T. de Molina): 170
El caballo asesinado y otras piezas teatrales (F. Tario): 636, 637
El camino a Eleusis (R. Gordon Wasson): 198
El camino de los sentimientos (H. Manjarrez): 344, 345, 346, 347, 349, 350, 355, 360
El camino Ullán seguido de Durante (E. Milán): 384
"El cancionero apócrifo" (J. E. Pacheco): 459
El canon occidental (T. Segovia): 596
El canto de amor de J. Alfred Prufrock (T. S. Eliot): 663
El canto del abismo (F. Cervantes): 104
El capital (K. Marx): 334
El cardo en la voz (J. Esquinca): 151, 153
El caso de Caligari y el ostión chino (H. Hiriart): 271
El cementerio de las sillas (Á. Enrigue): 143, 144, 146, 147, 149
El Centauro en el paisaje (S. González Rodríguez): 224, 225, 226, 229
"El Chac Mool" (C. Fuentes): 165, 167
El cielo de Sotero (A. Rossi): 690
El ciervo y otros poemas (León Felipe): 326
"El complot de los cobardes" (E. Garro): 210
El complot de los Románticos (C. Boullosa): 77, 78, 79
El corcovado (E. Abreu Gómez): 17

El corazón de la flauta (M. A. Montes de Oca): 415

El corazón del instante (A. Blanco): 65, 66

El cristal (J. Fernández Granados): 162, 163

"El cristo de San Buenaventura" (E. A. Parra): 464

El cuento de Genji (M. Shikibu): 59, 61

El Cuento, revista: 666

El cuerpo en que nací (G. Nettel): 440, 441, 443

El dedo de oro (G. Sheridan): 608, 609, 610, 611, 615

El desbarrancadero (F. Vallejo): 668, 669, 670

El desfile del amor (S. Pitol): 286, 515, 519

El deslinde (A. Reyes): 270, 451

El diablo en el ojo (J. Gardea): 201

El dios de la lluvia llora sobre México (L. Passut): 689

El disparo de Argón (J. Villoro): 677, 683

El diván de Antar (E. Cross): 119

El duelo de los ángeles. Locura sublime, tedio y melancolía en el pensamiento moderno (R. Bartra): 56, 57

"El duque y la duquesa" (M. Gutiérrez Nájera): 198

El encarguito (y otros pendientes) (G. Sheridan): 612, 614, 615

El ensayo mexicano moderno (J. L. Martínez): 365, 366

El esmalte del mundo (F. Bradu): 83

El evangelio de Lucas Gavilán (V. Leñero): 321

El fin de la locura (J. Volpi): 687, 694, 695, 696

El fuego verde (V. Murguía): 433

"El fumador" (D. Huerta): 279

El gesticulador (R. Usigli): 286

El golpe avisa (H. Manjarrez): 342, 345, 355, 359

El grafógrafo (S. Elizondo): 138, 142

El gran responsable (León Felipe): 326

El gran vidrio (M. Bellatin): 62

El hacha (León Felipe): 326

El heliocentrismo en el mundo de habla hispana (A. Alatorre): 31

El hipogeo secreto (S. Elizondo): 138, 139, 142

El hombre de los hongos (S. Galindo): 174

El hombre de Panamá (A. Guiness): 167

El hombre que andaba y otros cuentos inverosímiles (J. M. González de Mendoza): 221

El hombre sin atributos (R. Musil): 189

El hombre sin cabeza (S. González Rodríguez): 229, 258

El huésped (G. Nettel): 442, 443

"El idioma del Paraíso" (V. Murguía): 434

El imaginador (A. García Bergua): 180

El imperio de la neomemoria (H. Yépez): 706, 709, 710, 711

El inicio (V. Volkow): 687

El insomnio de Bolívar (J. Volpi): 697

El jardín de la luz (D. Huerta): 274, 281

El jardín de la señora Murakami (M. Bellatin): 59, 60

El jardín de los encantamientos (M. Baranda): 51, 52

El jardín de los eunucos (A. Castañón): 96

El jardín devastado (J. Volpi): 697

El joven (S. Novo): 444

El juicio (R. Leduc): 324

El juicio (V. Leñero): 322, 324

El laberinto de la soledad (O. Paz): 54, 168, 176, 297, 299, 395, 428, 453, 492, 494, 495, 529, 707

El laberinto mágico (M. Aub): 47

El ladrón de ataúdes (J. Torri): 641, 644

"El lago y el mecate" (H. Manjarrez): 351

El libro de arena (J. L. Borges): 226

El libro de la selva (R. Kipling): 437

El libro de las pasiones (M. González Suárez): 231

El libro de Miriam (A. Muñiz-Huberman): 432

El libro de Nicole (F. Cervantes): 104

El libro de Tristán (A. Quijano): 533

El libro uruguayo de los muertos (M. Bellatin): 62

El libro vacío (J. Vicens): 164, 674

El Llano en llamas (J. Rulfo): 201, 565, 569, 571, 578,

El luto humano (J. Revueltas): 539, 541, 704

El Machete, revista: 54, 55

El mago de Viena (S. Pitol): 516, 517, 518, 519

El mal de la taiga (C. Rivera Garza), 553

El malogrado (M. Glantz): 217

El manto y la corona (R. Bonifaz Nuño): 75

El mar de iguanas (S. Elizondo): 143

El martirio de Morelos (V. Leñero): 321, 322

El médico de los piratas (C. Boullosa): 77

El mendigo ingrato (L. Bloy): 213

El mercader de Tudela (A. Muñiz-Huberman): 432

El miedo a los animales (E. Serna): 606, 607

El misterio de los tigres (P. Soler Frost): 622, 626

El mito del editor y otros ensayos sobre libros y libreros (A. Castañón): 96

El mito del Salvaje (R. Bartra): 57

El molino de aire (S. Magaña): 339, 340

El mundo alucinante (R. Arenas): 89

"El muro" (F. Morábito): 422

El Nacional, periódico: 62

El nómade alucinado (J. D. Frías): 222

El nombre de esta casa (J. Herbert): 243, 247

El nombre de la rosa (U. Eco): 692

El Observador, revista: 194

El oficio de historiar (L. González): 232, 234

El ojo de la creación (A. Muñiz-Huberman): 432

El órgano de la risa (H. Yépez): 708, 711

"El oscuro hermano gemelo" (S. Pitol): 517

El otoño del patriarca (G. García Márquez): 555

El otoño recorre las islas (J. C. Becerra): 58, 59

El otro amor de su vida (H. Manjarrez): 358

El palacio de la luna (Paul Auster): 389

El paraíso podrido (R. Salazar Mallén): 583

El pasadizo (V. Makanin): 389

El payaso de las bofetadas (León Felipe): 326

El peatón inmóvil (L. Amara): 31, 32, 33

El péndulo y el pozo: el mexicano visto por Emilio Uranga y Jorge Portilla (J. J. Reyes): 652

El pensamiento político de Octavio Paz (X. Rodríguez Ledesma): 480, 482, 484, 511

El peregrino en su patria. Historia y política de México (O. Paz): 511

El perro de Koudelka (J. Trujillo): 647

El pescador de caña (León Felipe): 326

El poeta niño (H. Aridjis): 34

"El presidente" (J. Hernández Campos): 252, 253

El progreso improductivo (G. Zaid): 718, 721

"El pulpo" (J. E. Pacheco): 459

El Quijote (M. de Cervantes Saavedra): 170, 285, 533, 685

El rastro (M. Glantz): 217, 218

El reflejo de lo oscuro (J. Sicilia): 619, 621

El rencor (J. Mortiz): 368, 369

El reposo del fuego (J. E. Pacheco): 459

El retorno de los Tigres de la Malasia (P. I. Taibo): 630, 633, 635

"El rey David" (J. E. Pacheco): 459

El rey va desnudo (E. González Rojo): 479, 511

El rey viejo (F. Benítez): 63

El reyezuelo (A. Castañón): 96

El río. Novelas de caballería (L. Cardoza y Aragón): 93, 94

El salón de los espejos encontrados (J. Moreno Villarreal): 430, 431

El Salvaje artificial (R. Bartra): 54, 55, 57

El Salvaje en el espejo (R. Bartra): 54, 57

"El samaritano" (J. Hernández Campos): 252

El secreto de la fama (G. Zaid): 721

El secreto del mal (R. Bolaño): 74

El seductor de la patria (E. Serna): 468, 606

El ser que va a morir (C. Bracho): 79

El Semanario Cultural de Novedades: 112

El siglo de oro de la melancolía (R. Bartra): 56, 57

El siglo del desencanto (A. Muñiz-Huberman): 432, 433

El silencio de la Revolución y otros ensayos (J. Aguilar Mora): 28

El sitio de Bagdad y otras aventuras del doctor Greene (P. Soler Frost): 622, 626

El sol que estás mirando (J. Gardea): 200, 201

El solitario Atlántico (J. López Páez): 88, 337, 559

"El sueño de Coleridge" (J. L. Borges): 244

El sueño erótico en la poesía española de los Siglos de Oro (A. Alatorre): 30, 31

El tablero de las pasiones de juguete (H. Hiriart): 272

"El Tajín" (E. Huerta): 279, 282

El taller del tiempo (Á. Uribe): 652, 653, 655, 656

El tañido de una flauta (S. Pitol): 517, 518, 519

El teatro de los acontecimientos (J. García Terrés): 196, 200

El templo de su cuerpo (R. Bonifaz Nuño): 75

El Tercer Reich (R. Bolaño): 74

El testamento geométrico (R. Dieste): 71

El testigo (J. Villoro): 367, 677, 678, 679, 680, 681, 683, 684, 685

El tiempo apremia. México: ¡cuántos cuentos se cometen en tu nombre! (F. Hinojosa): 262

El tiempo en los brazos. Cuadernos de notas [1950-1983] (T. Segovia): 602, 603

El tiempo escrito (J. M. Espinasa): 150, 175

El tiempo y el río (T. Wolfe): 574

El tigre en la casa (E. Lizalde): 332

El tornavoz (J. Gardea): 200

El tren pasa primero (E. Poniatowska): 521, 526

El triángulo perfecto (S. González Rodríguez): 229

"El tríptico del gato" (J. E. Pacheco): 456

El último juglar. Memorias de Juan José Arreola (O. Arreola): 43, 45

El último lector (D. Toscana): 644, 645

"El último rostro" (A. Mutis): 437

El umbral. Travels and Adventures (A. García Bergua): 178, 179, 182

El Universal Ilustrado, suplemento: 221, 443

El Universal, periódico: 18, 208, 211, 222

"El valle de Zapata" (V. Volkow): 686

El Velázquez de París (C. Boullosa): 77, 79

El vendedor de viajes (J. Moreno Villarreal): 430, 431

El viaje (S. Pitol): 513, 518

El villano en el rincón (L. de Vega): 596

El vino de las cosas (E. Cross): 118, 121, 122, 550

El vuelo (S. González Rodríguez): 229

Elías Nandino. Una vida no/velada (E. Aguilar): 440

Elogio de Helena (G. de Lentinos): 254

Elogio de la vagancia (G. Fadanelli): 159

Elogios (S.-J. Perse): 550

Elsinore (S. Elizondo): 138, 139, 140, 142, 423, 559

Emiliano Zapata. El amor a la tierra (E. Krauze): 307

Emilio, los chistes y la muerte (F. Morábito): 423, 424, 425

Empresas y tribulaciones de Maqroll el Gaviero (Á. Mutis): 435, 438

En busca de Klingsor (J. Volpi): 687, 692, 693, 694, 695, 696

En defensa de lo usado (S. Novo): 444

En el camino [On the Road] (J. Kerouac): 66

En la alcoba de un mundo (P. A. Palou): 226

En la tierra de en medio (R. Castellanos): 98

En pos del milenio (N. Cohn): 171

En tela de juicio (S. Fernández): 160, 161

Encono de hormigas (M. E. Bermúdez): 64, 65

Encuentros (J. García Ponce): 189

Encuentros en Oaxaca (C. Montemayor): 399, 401, 403, 409

Enemigos de la promesa (C. Connolly): 25, 449, 641

Enroque (G. Deniz): 132, 133

Ensayo de un crimen (R. Usigli): 661, 664

Ensayos (I. Arredondo): 39

Ensayos (S. Novo): 444

Ensayos mexicanos (M. Aub): 47, 49

Ensayos para un desconcierto y alguna crítica ficción (H. Yépez): 709, 711

Ensayos selectos (J. M. González de Mendoza): 220, 222, 224

Ensayos sobre crítica literaria (A. Alatorre): 31

Ensayos y poemas (J. Torri): 641, 643

Entrada libre (C. Monsiváis): 368, 395, 398

Entre la poesía y el conocimiento. Antología de ensayos críticos sobre poetas y poesía iberoamericana (R. Xirau): 700, 701

Entre paréntesis (R. Bolaño): 74

Entre tus dedos helados y otros cuentos (F. Tario): 636

Entrecruzamientos (L. da Jandra): 294, 300

Envés (L. Amara): 32, 33

"Envío" (J. García Terrés): 197

Eos, revista: 40

Epigramas (D. Díaz Dufoo): 240

"Epílogo sobre la hipocresía del mexicano" (R. Usigli): 657

"Epístola a Juan Vicente Melo" (T. Segovia): 593

Epistolarios (J. Torri): 641, 643

Equinoccio (F. Tario): 636, 637

Erdera (G. Deniz): 134, 136, 247

Ernesto Guevara, también conocido como el Che (P. I. Taibo): 628, 634

Eros y civilización (H. Marcuse): 190

Erotismo al rojo blanco (E. Nandino): 439, 440

Errar (E. Milán): 381

Esas ruinas que ves (J. Ibargüengoitia): 290

"Escenas de la vida familiar" (Á. Enrigue): 146

Escenas de pudor y liviandad (C. Monsiváis): 395, 398

Escenas sagradas del oriente (J. E. Sánchez): 583, 584, 586

Escrito en el tiempo (B. Jacobs): 292, 293

Escribir, por ejemplo (de los inventores de la tradición) (C. Monsiváis): 399

Ese espacio, ese jardín (C. Bracho): 80, 336

Español del éxodo y del llanto (León Felipe): 325, 326, 327

Espejo (S. Novo): 444

Espiral de artillería (I. Padilla): 689, 696

Espirales. Poesía reunida, 1966-1999 (E. Cross): 122

Esplendores y miserias de los criollos. La literatura de la Nueva España (J. J. Blanco): 67

Esquemas para una oda tropical (C. Pellicer): 512

Esta noche... vienen rojos y azules (P. F. Miret): 388

Esta tierra sin razón y poderosa (J. Aguilar Mora): 21, 28

Estaciones, revista: 439

Estamos hasta la madre (J. Sicilia): 621

Estanquillo (S. Elizondo): 138

Este decir y no decir (E. Hurtado): 110

Este jardín es una ruina (A. Quijano): 533

Estuario (J. L. Rivas): 549, 550

Estudios de poesía española contemporánea (L. Cernuda): 102

Estudios indostánicos (J. Vasconcelos): 643

Ex profeso (J. Trujillo): 648

Examen, revista: 18

Excélsior, periódico: 90, 194, 208, 287, 322, 323

Excursiones/Incursiones. Dominio extranjero (O. Paz): 510

"Exilio y literatura" (G. Deniz): 135

Expediente del atentado (Á. Uribe): 653, 654, 655, 656

Extremos de América (D. Cosío): 118

"Ezra Pound en Atenas" (J. García Terrés): 196, 197, 245

Fábula de los perdidos (M. Baranda): 51, 52

Fabula rasa (M. Molina): 390

Facundo (F. Sarmiento): 556

Farabeuf o la crónica de un instante (S. Elizondo): 137

Fenomenología del relajo (J. Portilla): 283, 530, 531, 532

Filosofía de la filosofía (J. Gaos): 176, 177

"Fin de mundo" (H. Manjarrez): 352, 356, 357

Fin de semana (J. V. Melo): 88, 370, 372

Fiori di sonetti / Flores de sonetos (A. Alatorre): 30

Flor de abismo (E. Carballido): 87

Flores (M. Bellatin): 59, 61

Flush (V. Woolf): 519

Fragmentos de un discurso amoroso (R. Barthes): 384

Francisco I. Madero. Místico de la libertad (E. Krauze): 307

Francisco Villa. Entre el ángel y el fierro (E. Krauze): 307

Fray Bernardino de Sahagún (L. Portilla): 328, 329

Frida Kahlo (S. Novo): 444

Frontera norte y otros extremos (G. Sheridan): 612, 615

Fruta madura (E. Serna): 608

Fuego de pobres (R. Bonifaz Nuño): 74, 75

Fuerte es el silencio (E. Poniatowska): 521, 526

Fundación del entusiasmo (M. A. Montes de Oca): 413

Fundación y disidencia. Dominio hispánico (O. Paz): 511

Galaor (H. Hiriart): 269, 273, 690

Garba (J. Moreno Villa): 425

Gatuperio (G. Deniz): 132, 134, 135, 136

Gazapo (G. Sainz): 87, 364

Generaciones y semblanzas. Dominio mexicano (O. Paz): 477, 511

Gente así. Verdades y mentiras (R. Leduc): 322, 324

Giros negros (Crónica) (E. Serna): 608

Gota de lluvia y otros poemas de José Emilio Pacheco para niños y jóvenes: 460, 462

"Grandes finales" (Á. Enrigue): 146

Grieta de fatiga (F. Morábito): 425

Grosso modo (G. Deniz): 133, 136

Guatemala: las líneas de su mano (L. Cardoza y Aragón): 92, 94

Guerra en El Paraíso (C. Montemayor): 399

"Gunther Stapenhorst" (J. J. Arreola): 42, 690

Habla Scardanelli (F. Hernández): 249

"Hablo de la ciudad" (O. Paz): 333, 491, 506

Hacia el otro (J. M. Espinasa): 150, 201, 342

Hacia la superficie (D. Huerta): 279, 281

Hasta donde es aquí (A. Deltoro): 130

Hasta no verte Jesús mío (E. Poniatowska): 521, 526

¿Hay vida en la tierra? (J. Villoro), 685

Hécuba, la perra (H. Hiriart): 271

Heliópolis (E. Jünger): 692

Heridas que se alternan (F. Cervantes): 104

Hernán Cortés (J. L. Martínez): 360, 361, 362, 363, 366

Héroes mayas (E. Abreu Gómez): 19, 20

Hipotermia (Á. Enrigue): 145, 146, 149

Historia (D. Huerta): 280, 281

Historia (Heródoto): 144

Historia de la literatura náhuatl (A. M. Garibay Kintana): 204, 206, 207, 209

Historia de los heterodoxos españoles (M. Menéndez Pelayo): 170

Historia de un deicidio (M. Vargas Llosa): 185

Historia del pueblo de Israel (E. Renan): 481

Historia general de las cosas de la Nueva España (B. de Sahagún): 204,

"Historia" (H. Manjarrez): 342, 356

Historias y poemas [1958-1967] (T. Segovia): 593

Hojas de hierba (W. Whitman): 391

Hombre al agua (J. Mortiz): 369

Hora de junio (C. Pellicer): 512

Horal (J. Sabines): 573

Hotel DF (G. Fadanelli): 159

Hoy, revista: 445

Huellas de luz. Poesía, 1977-1992 (C. Bracho): 80

Huellas del civilizado (D. Huerta): 275, 281

Huerto cerrado, huerto sellado (A. Muñiz-Huberman): 432

Huesos en el desierto (S. González Rodríguez): 227, 228, 229

I Ching. El libro de las mutaciones: 302

Iconografía (J. García Terrés): 200

Iconografía de Luis Cardoza y Aragón: 91

Ideas en venta (J. Ibargüengoitia): 287, 290

Ideas y costumbres I. La letra y el cetro (O. Paz): 511

Ideas y costumbres II. Usos y símbolos (O. Paz): 511

Ilíada (Homero): 185, 546

Ilona llega con la lluvia (Á. Mutis): 436

Imágenes de la tradición viva (C. Monsiváis) 399

Imágenes desterradas (A. Chumacero): 109

Imágenes y evocaciones (A. Yáñez): 705

Imán para fantasmas (F. Hernández): 249, 250

Imprenta y vida pública (D. Cosío): 117

Impresiones de África (R. Roussel): 387

Imprevisibles historias (E. Meyer): 452, 453

Incurable (D. Huerta): 273, 274, 275, 276, 277, 278, 279, 280, 281, 594, 647

Inés (E. Garro): 213, 216

Infecciosa (S. González Rodríguez): 229

Informe negro (F. Hinojosa): 260

Insomnes en Tahití (P. F. Miret): 386, 387, 388, 690

Instinto de Inez (C. Fuentes): 169

Instrucciones para vivir en México (J. Ibargüengoitia): 287, 290

Inteligencias estériles (R. Usigli): 661

Interpretación de los sueños (A. de Atenas): 265

Interpretación de los sueños (S. Freud): 267

Interpretaciones de poesía y religión (G. Santayana): 15

Introducción a la historia de la filosofía (R. Xirau): 701

Inventario (J. J. Arreola): 43

"Inventario" (J. E. Pacheco): 369, 461

Invitación al mito (F. Segovia): 586

Irás y no volverás (J. E. Pacheco): 459

Isla de bobos (A. García Bergua): 182

Isla de raíz amarga, insomne raíz (J. Reyes): 546, 547, 647

Isomorfismos (E. Seligson): 604

Itinerario (O. Paz): 177, 491

Itinerario del autor dramático (R. Usigli): 662

Jacinta la pelirroja (J. Moreno Villa): 427

Jacob el mutante (M. Bellatin): 61

Jalisco-Michoacán (S. Novo): 444

Jardín secreto (F. Tario): 636, 637

Jesucristo Gómez (V. Leñero): 321

"Johnny" (H. Manjarrez): 353

Jorge Cuesta o la alegría del guerrero (A. Katz): 587

Jorge Cuesta: itinerario de una disidencia (L. Panabière): 587

Jorge Cuesta: la cicatriz en el espejo (F. Segovia): 37, 587, 588, 589, 590

José Trigo (F. del Paso): 89, 470, 471, 474

Juan José Arreola. La tragedia de lo imposible (F. Vázquez): 45

Juan Rulfo (N. Amat): 567, 570

Juan Rulfo, las mañas del zorro (R. Roffé): 568, 571

Juan Rulfo, los caminos de la fama pública (L. Martínez Carrizales): 566, 571

Juan Vicente Melo (J. V. Melo): 374

Juana de Asbaje (A. Nervo): 19

Juárez y Maximiliano (F. Werfel): 469, 658

"Juárez-Loreto" (E. Huerta): 283

Juárez. El rostro de piedra (E. A. Parra): 465, 466, 467, 468, 469

Juegan los comensales (J. Gardea): 201

Juegos florales (S. Pitol): 88, 518, 519

Juguete de nadie y otras historias (D. Sada): 576

Juicios sumarios (R. Castellanos): 99

Juntando mis pasos (E. Nandino): 440

Jusep Torres Campalans (M. Aub): 47, 48, 49, 387

Karpus Minthej (J. García Bergua): 178, 182, 183, 184, 690

Kubla Khan (J. Herbert): 243, 244, 245, 248

La "Flor de Lis" (E. Poniatowska): 521, 524, 526

La alas de la palabra (M. A. Montes de Oca): 416

La almadraba (L. da Jandra): 301

La amortajada (M. L. Bombal): 565

La armonía del universo (J. N. Adorno): 27

"La B-H" (J. Vasconcelos): 673

La ballerina y el clochard (M. Molina): 390

La bebida (C. Boullosa): 76, 79

La belleza es lo esencial (A. Castañón): 96

La biblioteca de mi padre (R. Martínez Baracs): 366

La bohemia de la muerte (J. Sesto): 223

La bomba de San José (A. García Bergua): 182

La brújula hechizada: algunas coordenadas de la narrativa contemporánea (M. Montiel Figueiras): 417, 418, 419

La caja (H. Hiriart): 272

La calle blanca (D. Huerta): 281

La campana y el tiempo. Poemas 1973-2003 (A. Castañón): 96

La canción de las mulas muertas (J. Gardea): 200

La cartuja de Parma (Stendhal): 18

La casa de la presencia. Poesía e historia (O. Paz): 510

La casa de la tribu (S. Pitol): 517

La casa de usted y otros viajes (J. Ibargüengoitia): 287, 290

La casa del ahorcado (L. A. Ramos): 227

La casa junto al río (E. Garro): 216

La casa pierde (J. Villoro): 677, 683

La casa que arde de noche (R. Garibay): 203

La Celestina (F. de Rojas): 170, 703

La ciencia como vocación (M. Weber): 65

"La ciudad y los poetas" (G. Zaid): 719

La comunidad inconfesable (M. Blanchot): 279

La confianza en los extraños (A. García Bergua): 180

La conjura de Xinum (E. Abreu Gómez): 19

La Constitución de 1857 y sus críticos (D. Cosío): 118

La construcción del amor. Efraín Huerta, sus primeros años (J. Homero): 282, 284

La cordillera (J. Rulfo): 372, 569

La creación (A. Yáñez): 704, 705

La cresta de Ilión (C. Rivera Garza): 552, 553

La crisis de México (D. Cosío): 117, 118

La Cristiada (J. Meyer): 378, 380

La Cultura en México, suplemento: 62, 67, 224, 717

La cultura mexicana del siglo XX (C. Monsiváis) 399

La del alba sería… (E. Abreu Gómez): 20

La derrota del pensamiento (A. Finkelkraut): 637

La destrucción de todas las cosas (H. Hiriart): 270, 273

La difícil costumbre de estar lejos (J. M. Pérez Gay): 226, 227

La divina pareja. Historia y mito en Octavio Paz (J. Aguilar Mora): 21, 28, 478, 511

La doble visión (J. Moreno Villarreal): 431

La escalera anaranjada (J. Moreno Villarreal): 430, 431

La escritura obsesiva (S. Elizondo): 142

La escuela del aburrimiento (L. Amara): 33

La escultura colonial mexicana (J. Moreno Villa): 427

La estatua de sal (S. Novo): 448, 449, 450

La estrella imbécil (J. Moreno Villarreal): 429, 430, 431

La experiencia (J. Hernández Campos): 252, 253

La experiencia literaria (A. Reyes): 113

La fábula de las regiones (A. Rossi): 555, 556, 557, 563, 564

La fábula del tiempo. Antología poética (J. E. Pacheco): 459, 462

La feria (J. J. Arreola): 41, 43, 45, 194, 579

La feria de los días (J. García Terrés): 194, 195, 200

La filosofía náhuatl estudiada en sus fuentes (M. León-Portilla): 328, 329

La flama (J. Vasconcelos): 671, 672

La flama en el espejo (R. Bonifaz Nuño): 75

La frontera más distante (C. Rivera Garza): 553

La Gaceta del Fondo de Cultura Económica: 96
   106, 199
La gallina ciega (M. Aub): 47
La generación de los enterradores (R. Chávez
   Castañeda y C. Santajuliana): 691
La geometría del caos (M. Molina): 390
La gota de agua (V. Leñero): 320
La gramática del tiempo (L. da Jandra): 301
*La gran controversia. Las iglesias católica y orto-
   doxa desde los orígenes a nuestros días*
   (J. Meyer): 378, 380
La gruta tiene dos entradas (A. Castañón): 95,
   97
La guerra del fin del mundo (M. Vargas Llosa):
   471
La guerra no importa (C. Rivera Garza): 552
*La hispanidad, fiesta y rito. Una defensa de nuestra
   identidad en el contexto global* (L. da Jan-
   dra): 295, 296, 297, 298, 301
La hora y la neblina (A. Blanco): 65, 66
La increíble hazaña de ser mexicano (H. Yépez):
   711
La infancia recuperada (M. E. Bermúdez): 65,
   635
La invención de América (E. O'Gorman): 452,
   453
La isla de las breves ausencias (E. Hernández):
   250
*La isla desierta. Una lectura de la obra de Salvador
   Elizondo* (D. F. Curley): 140, 143
La jaula de la melancolía (R. Bartra): 53, 57
La jornada de la mona y el paciente (M. Bellatin):
   62
La Jornada Semanal, suplemento: 55, 63
La lámpara de mano. Sobre poesía y poetas
   (L. Aguinaga): 29
"La legión extranjera" (S. Elizondo): 140
La lejanía del tesoro (P. I. Taibo): 632, 634
La lengua florida. Antología sefardí (A. Muñiz-
   Huberman): 433
La lenta furia (F. Morábito): 433
La letra e (A. Monterroso): 410

La Letra y la Imagen, revista: 112
La ley de Herodes (J. Ibargüengoitia): 290
La leyenda de Edipo el mago (J. Moreno Villa-
   rreal): 430, 431
La leyenda dorada (J. de la Vorágine): 415
La línea de sombra (J. Conrad): 143
La línea y el círculo (J. Moreno Villarreal): 431
La linterna de los muertos (Á. Uribe): 656
La literatura náhuatl (A. Segala): 206
La lotería de San Jorge (Á. Uribe): 656
La lucha con la pantera (J. de la Colina): 111
La luna en el agua (J. M. González de Men-
   doza): 221
La luz oblicua (P. Villegas): 675, 676
La malahora (E. Lizalde): 329
La maldita pintura (H. Manjarrez): 353, 358,
   359, 360
La mano derecha (P. Soler Frost): 622, 623, 626
La máquina de cantar (G. Zaid): 718
*La máscara, la transparencia: ensayos sobre
   poesía hispanoamericana* (G. Sucre): 35,
   461, 496, 592, 700
La memoria del aire (A. Muñiz-Huberman):
   432
La Mesa Llena, revista: 277
*La migración interior. Abecedario de Juan Goy-
   tisolo* (L. Aguinaga): 29
La migraña (A. Alatorre): 31
La milagrosa (C. Boullosa): 77
La morada en el tiempo (E. Seligson): 603
"La muchacha ebria" (E. Huerta): 282
La muerte de Artemio Cruz (C. Fuentes): 148,
   168, 172
La muerte del ángel (R. Bonifaz Nuño): 75
*La muerte del estratega. Narraciones, prosas y
   ensayos* (Á. Mutis): 438
La muerte del filósofo (Acarnia en lontananza)
   (V. F. Herrasti): 254, 255, 256
La muerte me da (C. Rivera Garza): 551, 553
La muerte tiene permiso (E. Valadés): 665, 667
La música de lo que pasa (D. Huerta): 280, 281
La nieve del almirante (Á. Mutis): 436

La noche (F. Tario): 636

La noche de Tlatelolco (E. Poniatowska): 521, 526

"La noche del inmortal" (J. E. Pacheco): 456

"La noche del suicida" (A. Chumacero): 110

La noche en blanco de Mallarmé (T. López Mills): 336

La noche navegable (J. Villoro): 677

La noche oculta (S. González Rodríguez): 226, 227

La noche transfigurada (A. Schöenberg): 420

La noche viuda (V. Volkow): 685, 686, 687

La nota negra (F. Hinojosa): 262

La novela de la Revolución mexicana (A. Castro Leal): 100

La novela de un literato (R. Cansinos-Assens): 48

La obediencia nocturna (J. V. Melo): 286, 370, 371, 372, 374

La ola que regresa (F. Morábito): 425

La otra cara de Rock Hudson (G. Fadanelli): 159

La otra mano de Lepanto (C. Boullosa): 76, 77, 79

La otra mitad (Á. Uribe): 652, 656

"La ouija" (H. Manjarrez): 351, 357

La oveja negra y demás fábulas (A. Monterroso): 410

La paja en el ojo (J. J. Blanco): 67

La palabra educación (J. A. Ojeda): 43

La palabra mágica (A. Monterroso): 410

La pandilla cósmica (S. González Rodríguez): 229

La parcela del Edén (M. A. Montes de Oca): 413

La parte ideal (Á. Uribe): 653, 656

La penumbra inconveniente (M. Montiel Figueiras): 417, 419

La pérdida del reino (J. Bianco): 348

La piel de Zapa (Balzac): 178

La pluralité de mondes habités (C. Flammarion): 134

La poesía lírica azteca (Á. M. Garibay Kintana): 205

La presencia del pasado (E. Krauze): 316

La presencia desierta. Poesía (J. Sicilia): 617, 621

La puerta en el muro (F. Tario): 635

La realidad y el deseo (L. Cernuda): 101, 103, 491

La rebelión de las masas (J. Ortega y Gasset): 347, 527

La región más transparente (C. Fuentes): 167, 168, 172, 444, 678

La repugnante historia de Clotario Demoniax y otras piezas y ensayos sobre teatro (H. Hiriart): 271, 272, 273

La resistencia (J. Herbert): 243, 244, 248

La resurrección de los ídolos (J. J. Tablada): 671

La revolución interrumpida (A. Gilly): 24, 311

La Revolución mexicana (J. Meyer): 378, 379, 380

"La revolución y el escritor según Cortázar" (H. Manjarrez): 347

La ronda de las generaciones (L. González): 233, 234

La rueca de Onfalia (J. V. Melo): 370, 371, 372, 373, 374

La sabiduría sin promesa. Vida y letras del siglo XX (Ch. Domínguez Michael): 9, 186, 510

La salvaja (C. Boullosa): 78

La sangre de Medusa y otros cuentos marginales (J. E. Pacheco): 455, 456, 457, 462

"La sangre de Medusa" (J. E. Pacheco): 456

La sangre devota (R. López Velarde): 444

La sangre erguida (E. Serna): 608

La sangre vacía (R. Salazar Mallén): 583

La sangre y la tinta (R. Bartra): 54

La señal (I. Arredondo): 36, 38, 39

La serpiente emplumada (D. H. Lawrence): 672

La Sibila de Cumas (V. Volkow): 685

La silla del águila (C. Fuentes): 168, 169, 172

La sodomía en la Nueva España (L. F. Fabre): 156, 157, 158

La sombra de los perros (D. Huerta): 280, 281

La sombra del Caudillo (M. L. Guzmán): 237, 252, 314

La sombra del tiempo (J. Aguilar Mora): 28

"La suave patria" (R. López Velarde): 680

"La sunamita" (I. Arredondo): 36, 37

"La tercera vida de Gérard de Nerval" (T. Segovia): 590

La tierra pródiga (A. Yáñez): 704, 705

La tinta negra y roja (M. León-Portilla): 327, 329

La trama secreta (M. Molina): 390

"La tumba india" (J. de la Colina): 111

La tumba sin sosiego (C. Connolly): 48, 140, 473

La última escala del Tramp Steamer (Á. Mutis): 436

"La última música del Titanic" (J. de la Colina): 111

La última puerta (R. Usigli): 657

La Universidad Desconocida (R. Bolaño): 74

La utopía de la hospitalidad (Ch. Domínguez Michael): 9, 184

La vanguardia extraviada (E. Escalante): 331, 414, 416

La veleta oxidada (E. Carballido): 87

"La Venta" (E. Huerta): 279

La ventana hundida (J. Gardea): 201

"La verandah" (S. Elizondo): 140

La verdadera historia de la muerte de Francisco Franco (M. Aub): 47

La verdadera historia de Nelson Ives (F. Hinojosa): 262

La vida conyugal (S. Pitol): 515, 519

La vida empieza a las tres (E. Garro): 213

La vida en México (S. Novo): 396, 445, 446, 447, 448

La vida mantis (M. Molina): 381

La vida milagrosa del venerable siervo de Dios, Gregorio López (E. Abreu Gómez): 17

La vida ordenada (F. Morábito): 420, 421, 425

"La vida real" (E. A. Parra): 464

La violación de Lucrecia (W. Shakespeare/ J. L. Rivas): 549

La virgen de los sicarios (F. Vallejo): 668, 669

"La vocación" (J. García Terrés): 197

La voluntad del ámbar (C. Bracho): 80

La voluntad y la fortuna (C. Fuentes): 172

La vorágine (J. E. Rivera): 437

La voz del espejo (F. Bradu): 82, 83, 84, 85

La zapatería del terror (P. F. Miret): 388

La zorra enferma (malignidades, epigramas, incluso poemas) (E. Lizalde): 332

"Lamentación de Dido" (R. Castellanos): 98

Lampa vida (D. Sada): 576

Lápices de antes (D. Huerta): 280, 281

Lapsus (H. Manjarrez): 341, 342, 343, 345, 350, 351, 354, 358, 359, 690

Las aventuras de una momia (Th. Gautier): 146

Las batallas en el desierto (J. E. Pacheco): 423, 458

"Las cosas" (J. Fernández Granados): 162

Las dos carátulas (P. Bins de Saint-Victor): 272

Las dos máscaras del teatro (R. Usigli): 662

Las dualidades funestas (E. Valadés): 665, 667

Las estaciones poéticas de Octavio Paz (R. Philips): 511

Las evocaciones requeridas (J. Revueltas): 540, 544

Las fuentes legendarias (M. A. Montes de Oca): 414, 415

Las herencias ocultas del pensamiento liberal del siglo XIX (C. Monsiváis): 399

Las hojas muertas (B. Jacobs): 292, 293

Las ilusiones perdidas (H. de Balzac): 533, 543

Las ínsulas extrañas. Antología de poesía en lengua española (1950-2000) (E. Milán): 381

Las luces del mundo (J. Gardea): 201

Las manchas del sol (J. García Terrés): 197, 200

Las metamorfosis (L. Apuleyo): 410

Las mil y una noches: 407, 415

Las muertas (J. Ibargüengoitia): 288, 290, 611

Las once comedias (Á. M. Garibay Kintana): 205

Las paredes hablan (C. Boullosa): 79

Las pasiones del alma (R. Descartes): 268

Las posibilidades del odio (M. L. Puga): 690

Las raíces y las ramas. Fuentes y derivaciones de la Cábala hispanohebrea (A. Muñiz-Huberman): 432

Las redes imaginarias del poder político (R. Bartra): 54

Las Rosas (R. M. Rilke): 332, 333

Las siete cabritas (E. Poniatowska): 522, 526

Las tierras flacas (A. Yáñez): 704

Las tres dimensiones del teatro (R. Usigli): 662

Las vergüenzas vitalicias. Diario de Chile (F. Bradu): 83, 85

Las visitaciones del diablo (E. Carballido): 87, 88

Las vueltas del tiempo (A. Yáñez): 704

"Laúd de Villaurrutia" (J. Fernández Granados): 163

Lázaro (L. Cardoza y Aragón): 92, 93, 94

Lázaro Cárdenas. El general misionero (E. Krauze): 308

Le bain de Diane (P. Klossowski): 235

Le piéton de Paris (L.-P. Fargue): 444

Le Rouet d'Omphale (C. Saint-Saëns): 373

Lecciones para una liebre muerta (M. Bellatin): 62

Lectura y catarsis (A. Castañón): 96

Leer poesía (G. Zaid): 102, 331, 413, 717

Legión (P. Soler Frost): 622, 626

Legítima defensa (J. Hernández): 16

Leo a Biorges (Á. Uribe): 656

"Lenguaje y filosofía en Ortega" (A. Rossi): 557, 558

Leonora (E. Poniatowska): 521, 522, 523, 524, 525, 526

Letras de México, revista: 208

Letras Libres, revista: 10, 317, 365, 562, 612

Letritus (G. Deniz): 134

Leyendas y consejas del antiguo Yucatán (E. Abreu Gómez): 19, 21

Leyendo agujeros. Ensayos sobre (des)escritura, antiescritura y no-escritura (L. F. Fabre): 155, 156, 158

Libertad bajo palabra (O. Paz): 376, 487, 489, 491, 495, 503

Libertades imaginarias (J. de la Colina): 110, 111, 113, 114, 386

Libro de las explicaciones (T. López Mill), 337

Lilus Kikus (E. Poniatowska): 522, 526

"Limpieza general" (J. García Terrés): 197

Linealogía (J. Moreno Villarreal): 431

Literatura mexicana siglo xx, 1910-1949 (J. L. Mar- tínez y Ch. Domínguez Michael): 20, 366

Llamadme publicano (León Felipe): 326

Llanto. Novelas imposibles (C. Boullosa): 77

Llave del náhuatl (Á. M. Garibay Kintana): 205

"Llueve sobre México" (G. Sheridan): 612

Lo anterior (C. Rivera Garza): 551, 553

Lo demás es silencio (A. Monterroso): 410, 411

Lo mexicano en las artes plásticas (J. Moreno Villa): 427

Lo snobismo liberale (E. Croce): 192

Lodo (G. Fadanelli): 158, 159, 680

"Log": 140

"Lombardotoledanología" (S. Novo): 611

Los 1001 años de la lengua española (A. Alatorre): 30, 31

Los antiguos mexicanos a través de sus crónicas y cantares (M. León-Portilla): 328, 329

Los años con Laura Díaz (C. Fuentes): 169

Los autores como actores y otros intereses literarios de acá y de allá (J. Moreno Villa): 427, 428

Los bajos fondos (S. González Rodríguez): 226

Los banquetes (R. Leduc): 319

Los buscadores de oro (A. Monterroso): 410

Los caminos (V. Volkow): 687

Los confidentes (A. Muñiz-Huberman): 432

Los Contemporáneos ayer (G. Sheridan): 612, 615

Los cuadernos de Juan Rulfo (J. Rulfo): 569, 571

Los demonios (H. von Doderer): 189

Los demonios y los días (R. Bonifaz Nuño): 647

Los desfiguros de mi corazón (S. Fernández): 161

Los detectives salvajes (R. Bolaño): 68, 69, 70, 74, 156, 230, 367, 679

Los días descalzos (A. Deltoro): 130

Los días enmascarados (C. Fuentes): 164, 165, 166, 168, 172

Los días terrenales (J. Revueltas): 542, 544

Los dientes eran el piano (H. Hiriart): 270, 273

Los dos ángeles (S. Galindo): 174

Los dos jardines. Mística y erotismo en algunos poetas mexicanos (E. Cross): 118, 122

Los elementos de la noche [1958-1962] (J. E. Pacheco): 459

Los elementos del desastre (Á. Mutis): 435

Los errores (J. Revueltas): 541, 542

Los escritores indígenas actuales (C. Montemayor): 404, 406, 407, 409

Los escritores salvajes (F. Bradu): 85

Los espacios azules (H. Aridjis): 34

Los existencialistas mexicanos (O. Díaz Ruanova): 528, 532

Los hábitos de la ceniza (J. Fernández Granados): 162, 163, 164

Los héroes (A. Reyes): 545, 546

Los hijos del limo (O. Paz): 488, 591, 700

Los hombres del alba (E. Huerta): 282

Los huesos peregrinos (F. Cervantes): 104

Los indios de México (F. Benítez): 63, 64

Los intereses particulares en la Conquista de la Nueva España (S. Zavala): 718

Los límites de la noche (E. A. Parra): 463, 465

Los memoriosos (M. Baranda): 51

Los momentos críticos (A. Chumacero): 107, 108, 110, 415

Los muros de agua (J. Revueltas): 540

Los muros enemigos (J. V. Melo): 370, 372

Los músicos y el fuego (J. Gardea): 201

Los nombres del aire (A. Ruy Sánchez): 690

Los once de la tribu (J. Villoro): 677, 685

Los pasos de López (J. Ibargüengoitia): 288, 290

Los pasos perdidos (A. Carpentier): 471

Los pastores sin ovejas (F. Morábito): 421, 422, 425

Los peces (S. Fernández): 160, 161

Los periodistas (V. Leñero): 321, 323, 324

Los poemas solares (H. Aridjis): 34, 35

Los privilegios de la vista I. Arte moderno universal (O. Paz): 511

Los privilegios de la vista II. Arte de México (O. Paz): 511

Los puentes de Königsberg (D. Toscana): 645

"Los que cumplieron más de cuarenta" (J. Herbert): 243

Los recuerdos del porvenir (E. Garro): 213, 214, 217

Los reinos combatientes (J. García Terrés): 198

Los relámpagos de agosto (J. Ibargüengoitia): 285, 287, 288, 290

Los retornos de Ulises. Una antología de José Vasconcelos (Ch. Domínguez Michael): 674

Los rituales del caos (C. Monsiváis): 392, 395, 398

Los secretos de la aurora (J. Aguilar Mora): 25, 26, 27, 28

Los signos del zodiaco (S. Magaña): 340

Los signos perdidos (S. Fernández): 160, 161

Los sinsabores del verdadero policía (R. Bolaño): 74

Los sueños de la Bella Durmiente (E. González): 690

Los suplicantes (S. Magaña): 340

Los Thibault (R. M. du Gard): 652

Los trabajos perdidos (Á. Mutis): 435

Los últimos días de Pompeya (E. Bulwer Lytton): 254

Los viernes de Lautaro (J. Gardea): 201

Lotes baldíos (F. Morábito): 420

"Lowell" (J. García Terrés): 198

Luces artificiales (D. Sada): 576

"Lucy in the Sky with Diamonds" (H. Manjarrez): 354

Lugar a dudas (G. Sheridan): 612, 615

Lugares donde el espacio cicatriza (M. A. Montes de Oca): 414

Lugares que pasan (A. Castañón): 95

Luna menguante. Vida y obra de Inés Arredondo (C. Albarrán): 37, 39

Luna Park (L. Cardoza y Aragón): 222

"Luna" (H. Manjarrez): 342

Lunas (B. Jacobs): 292, 293

Luz de dos (E. Seligson): 604

Luz de mar abierto (J. L. Rivas): 549

Luz espejeante. Octavio Paz ante la crítica (M. Enrico Santí): 511

Luz por aire y agua (T. López Mills): 335, 336

Madame Bovary (G. Flaubert): 174, 291

Malacara (G. Fadanelli): 159

Malas palabras: Jorge Cuesta y la revista Examen (G. Sheridan), 615

Malebolge (P. Soler Frost): 622, 623, 626

Mansalva (G. Deniz): 132

Mantis religiosa (M. Molina): 390

Manto (E. Milán): 384

Manual de urbanidad y buenas maneras (M. A. Carreño): 31

Manual del distraído (A. Rossi): 177, 553, 554, 555, 558, 563, 564, 650

Mar de fondo (F. Hernández): 249

Marcianos leninistas (M. González Suárez): 229, 230, 231

Marco Antonio Montes de Oca (M. A. Montes de Oca): 415

Margarita de Niebla (J. Torres Bodet): 638

Martín Garatuza (V. Riva Palacio): 606

Martín Luis Guzmán (E. Abreu Gómez): 21

Mascarón de prosa (F. Hernández): 250

Maten al león (J. Ibargüengoitia): 285, 290

Materia de distintos lais (F. Cervantes): 104

Materia dispuesta (J. Villoro): 683

Mazamitla (R. Garibay): 203

Meditaciones metafísicas (R. Descartes): 268

Medusario (E. Milán): 381

Mejor desaparece (C. Boullosa): 76, 78, 423

Melographie oú nouvelle notation musical (J. N. Adorno): 27

Memoria de los días (P. A. Palou): 608

Memoria y olvido (F. del Paso): 43

Memorias (D. Cosío): 117

Memorias (J. Torres Bodet): 638

Memorias (J. Vasconcelos): 673

Memorias de España 1937 (E. Garro): 213, 216

Memorias de Pancho Villa (M. L. Guzmán): 22, 237, 469

Mentiras contagiosas (J. Volpi): 697

Metafísica (Aristóteles): 265

México en 1932: la polémica nacionalista (G. Sheridan): 612, 615

México en la Cultura, suplemento: 62

México profundo (G. Bonfil Batalla): 395, 408

México, el trauma de su historia (E. O'Gorman): 453

Mi hermana Magdalena (E. Garro): 213, 217

"Mi lucha con el alemán" (F. Morábito): 422

Mi vida con la perra (E. Hernández): 250

Miguel Ángel Asturias. Casi novela (L. Cardoza y Aragón): 93, 94

"Mínimos Ulises" (J. Fernández Granados): 162

Minotastas y su familia (H. Hiriart): 271, 272, 273

Mirándola dormir (H. Aridjis): 34, 36

"Misa de difuntos" (H. Manjarrez): 352

Misa en re (L. van Beethoven): 222

Miscelánea I. Primeros escritos (O. Paz): 511

Miscelánea II (O. Paz): 511

Miscelánea III. Entrevistas (O. Paz): 511

Misterios de la vida diaria (J. Ibargüengoitia): 287, 290

Mitología griega (Á. M. Garibay Kintana): 204

Moctezuma II (S. Magaña): 339, 340

Moniteur Universel, periódico: 272

Monja, casada, virgen y mártir (V. Riva Palacio): 606

"Monólogo del viudo" (A. Chumacero): 110

Monsieur Proust (C. Albaret): 44

Monsieur Teste (P. Valéry): 138, 162, 222

Morirás lejos (J. E. Pacheco): 227, 458, 462

Morir más de una vez (Á. Uribe): 656

Movimiento perpetuo (A. Monterroso): 410

Muerte a la zaga (M. E. Bermúdez): 64, 65

Muerte en el bosque (A. Dávila): 551

Muerte en la rua Augusta (T. López Mills): 337

Muerte sin fin (J. Gorostiza): 155, 198, 234, 276, 587

"Muerte y resurrección de la cultura católica" (G. Zaid): 713

"Muertes ejemplares" (J. de la Colina): 111

Muertes históricas (M. L. Guzmán): 237

Mujer que sabe latín... (R. Castellanos): 99

Mujeres enamoradas (D. H. Lawrence): 356

Mundonuevos (G. Deniz): 134

Murciélago al mediodía (L. I. Helguera): 241, 242

Museo poético (E. Lizalde): 332

Música concreta (A. Dávila): 129, 551

Música para diseñar (J. Moreno Villarreal): 430, 431

"Música" (H. Manjarrez): 352

Nacimiento de Venus (J. Torres Bodet): 638

Nada, nadie. Las voces del temblor (E. Poniatowska): 521, 526

Nadie los vio salir (E. A. Parra): 465

Nadie me verá llorar (C. Rivera Garza): 552, 553

Nadie, los ojos (M. Baranda): 51, 52

Naranja verde (A. D'Aquino): 127, 128

Narrativa completa (J. Torres Bodet): 138, 142

Narrativa completa (S. Elizondo): 138, 142

Narrativa relativa (A. Muñiz-Huberman): 432

Nativitatis prosa (J. D. Frías): 222

Negro es tu rostro/Simiente (E. Seligson): 605

Negros, héticos, hueros (F. Hinojosa): 260, 262

Neocosmos. Antología de escritos (S. Elizondo): 142

Nexos, revista: 67, 403, 472

Ni oído ni hablado (F. Cervantes): 104

"Nicaragua" (H. Manjarrez): 342

Nin reír (B. Jacobs): 292, 293

Ningún reloj cuenta eso (C. Rivera Garza): 553

Ninotchka (E. Lubitsch): 141

Nivel medio verdadero de las aguas que se besan (E. Milán): 381, 383

No hay otro cuerpo (J. Aguilar Mora): 21, 28

No me preguntes cómo pasa el tiempo (J. E. Pacheco): 243

No será la Tierra (J. Volpi): 697

"No te achicopales, Cacama" (J. Ibargüengoitia): 658

No todos los hombres son románticos (H. Manjarrez): 342, 343, 345, 350, 355, 356, 360

"Noche" (H. Manjarrez): 342

Nocturna palabra (E. Nandino): 440

"Nocturno" (J. Trujillo): 646, 647

Nocturno de Bujara (S. Pitol): 518

"Nocturno de San Ildefonso" (O. Paz): 325, 504, 505, 647

"Nomás no me quiten lo poquito que traigo" (E. A. Parra): 464

"Non Serviam" (J. Fernández Granados): 162

"Nosotros". La juventud del Ateneo de México (S. Quintana): 534, 537

Nostalgia de la luz (M. González Suárez): 229

Nostalgia de la muerte (X. Villaurrutia): 490, 645

Nostalgia de la sombra (E. A. Parra): 463, 464, 469

Notas sin música (J. V. Melo): 239, 370, 374

"Notas sobre poesía" (J. Gorostiza): 235

Noticia natural [1988-1992] (T. Segovia): 593

Noticias del imperio (F. del Paso): 470, 471, 472, 473, 474, 658

Noticias sobre Juan Rulfo (A. Vital): 571

Nouvelle Revue Française: 443

"Noventa años reseñando novelas" (C. Connolly): 15

Nueva cornucopia de México (J. Moreno Villa): 426, 428

Nueva grandeza mexicana (S. Novo): 444

Nueva memoria del tigre (E. Lizalde): 330, 335

Nueva Revista de Filología: 29

Nuevo amor (S. Novo): 444, 448

Obliteración (R. Usigli): 661

Obra completa (J. Torri): 643

Obra literaria (R. Leduc): 320

Obra poética I (1935-1970) (O. Paz): 511

Obra poética II (1969-1998) (O. Paz): 511

Obra reunida (M. Bellatin): 62

Obras (A. Yáñez): 705

Obras (E. Hernández): 249

Obras (F. del Paso): 474

Obras (G. Zaid): 104, 197, 413, 460, 594, 640

Obras (J. Cuesta): 10, 690

Obras (J. J. Arreola): 42, 45

Obras (J. Rulfo): 571

Obras (X. Villaurrutia): 39

Obras completas (A. Reyes): 426, 544, 546

Obras completas (I. Arredondo): 39

Obras completas (J. M. González de Mendoza): 221

Obras completas (J. Revueltas): 594

Obras completas (M. L. Guzmán): 237

Obras completas (O. Paz): 246, 413, 460, 474, 475, 476, 477, 488, 489, 492, 510, 638

Obras completas (y otros cuentos) (A. Monterroso): 410

Obras escogidas (J. Torres Bodet): 638, 639, 640

Obras reunidas (A. Rossi): 554, 555, 556, 557

Obras reunidas (E. Garro): 217

Obras reunidas (J. Cuesta): 125

Obras reunidas (J. García Ponce): 192

Obras reunidas (R. Castellanos): 100

Obras reunidas (R. Garibay) 204

Obras reunidas (S. Pitol): 517, 519

Obras reunidas I. Novelas. Guerra en El Paraíso. Las armas del alba (C. Montemayor): 409

Obras reunidas II, Novelas. Mal de piedra. Minas del retorno. Los informes secretos (C. Montemayor): 409

Obras reunidas I. Narrativa breve (E. Poniatowska): 526

Obras reunidas II. Novelas 1 (E. Poniatowska): 526

Obras reunidas, I. Ensayos sobre literatura colonial (M. Glantz): 218

Obras reunidas, II. Narrativa (M. Glantz): 218

Obras reunidas III. Ensayos sobre literatura popular del siglo xix (M. Glantz): 218

Obras: poesía (C. Pellicer): 513

Ocho notas (F. Segovia): 586

Ocnos (L. Cernuda): 102

Octavio Paz, el sentido de la palabra (R. Xirau): 512, 701

Octavio Paz, Vers la transparence (P. H. Giraud): 488, 511

Octavio Paz: un estudio de su poesía (J. Wilson): 512

Oda de junio (C. Pellicer): 512

Odessa y Cananea (E. Lizalde): 330

Odisea (Homero): 185, 200

Odisea de la poesía portuguesa moderna (L. Stahl): 104

Oficio de tinieblas (R. Castellanos): 20, 99

¡Oh, este viejo y roto violín! (León Felipe): 326

Ojos de otro mirar. Poesía (H. Aridjis): 36

¿Olvida usted su equipaje? (J. Ibargüengoitia): 287, 290

Omeros (D. Walcott): 549, 550

Ómnibus de poesía mexicana (G. Zaid): 717

Op. cit. (G. Deniz): 134, 136

Oriente de los insectos mexicanos (P. Soler Frost): 622, 626

Orlando (V. Woolf): 77, 307

Oro del viento (V. Volkow): 686, 687

Otilia Rauda (S. Galindo): 88, 174, 175

Otro recuento de poemas, 1951-1991 (J. Sabines): 573

Otros son los sueños (E. Seligson): 604

Paisajes del limbo (M. González Suárez): 386, 635

Pájaros (J. L. Rivas): 549

Pájaros de Hispanoamérica (A. Monterroso): 410, 411

Palabras en reposo (A. Chumacero): 109

Palinuro de México (F. del Paso): 160, 342, 470, 471, 473, 474

Pan, revista: 40

Pancho Villa. Una biografía narrativa (P. I. Taibo): 628, 635

Paños menores (G. Deniz): 135

Papa Marcelo (G. Palestrina): 222

"Para una arqueología de los desperdicios" (L. Amara): 32

"Para una reescritura de Manuel Acuña" (E. Lizalde): 332

Parábolas del silencio (E. A. Parra): 465

Parafrasear (T. López Mills): 336

Paralelos y meridianos (G. Sheridan): 260, 615

Páramo de sueños (A. Chumacero): 109

Parentalia (A. Reyes): 545

Paréntesis, revista: 46

París. La revolución de mayo: 171

Parménides (Platón): 699

Parte de vida (J. García Terrés): 197

Parva naturalia (Aristóteles): 265, 266

Pasaban en silencio nuestros dioses (H. Man-jarrez): 343, 344, 345, 348, 356, 357 360

Pasado presente (J. García Ponce): 190, 192

Pasajeros de Indias (J. L. Martínez): 365, 366

Pascendi, encíclica (Pío X): 715

Paseo de la Reforma (E. Poniatowska): 521, 526

Paseos sin rumbo: Diálogos entre cine y literatura (M. Montiel Figueiras): 419

Pasmo (L. Amara): 32, 33

Pastor y ninfa. Ensayos de literatura moderna (J. J. Blanco): 68

Peces de piel fugaz (C. Bracho): 79, 277

Pedir el fuego (M. A. Montes de Oca): 413, 416

Pedro Páramo (J. Rulfo): 10, 41, 108, 444, 471, 495, 565, 567, 569, 570, 571, 577, 578, 665

Pensamiento poético de la lírica inglesa (L. Cernuda): 102

Pensamientos descabellados (S. J. Lec): 179

Peón aislado. Ensayos sobre ajedrez (L. I. Helguera): 241, 242

Pequeña crónica de grandes días (O. Paz): 508

Pequeña sinfonía del Nuevo Mundo (L. Cardoza y Aragón): 91, 94

Pero Galín (G. Estrada): 18

Perros héroes (M. Bellatin): 61

Perséfone (H. Aridjis): 34, 35, 36

Perseo vencido (G. Owen): 198

"Perseverancia" (J. García Terrés): 197

Personario (T. Segovia): 601, 603

Personerío (del siglo xx mexicano) (J. de la Colina): 111, 112, 113, 114

Pétalos y otras historias incómodas (G. Nettel): 440, 443

Picos pardos (G. Deniz): 134, 135

Pie de página (A. García Bergua): 182

Piedra de sacrificios (C. Pellicer): 512

Piedra de Sol (O. Paz): 489, 492, 495, 496, 497, 548

Piedra no piedra (A. D'Aquino): 127, 128

Pierrot lunaire (Schöenberg): 80

Pinocchio (C. Collodi): 113

Pitecántropo (J. Trujillo): 246, 648

Plagios (U. González de León): 219, 220

Pliego de testimonios (M. A. Montes de Oca): 412

Plural, revista: 112, 188, 218, 554, 562, 689, 716

Plutarco Elías Calles. Reformar desde el origen (E. Krauze): 307

Población de la máscara (E. Hernández): 250

Poemas árboles (E. Nandino): 439

Poemas y elegías (J. J. Blanco): 68

Poemas y ensayos (J. Cuesta): 125

Poemas/Poems (G. Deniz): 134

Poesía (S. Novo): 449

Poesía [1943-1997] (T. Segovia): 593, 600, 603

Poesía completa (E. Huerta): 284

Poesía completa (J. Gorostiza): 235

Poesía completa (R. Gaya): 593

Poesía en movimiento (O. Paz): 34, 35, 587

Poesía eras tú (F. Hinojosa): 260, 261, 262

Poesía náhuatl (Á. M. Garibay Kintana): 205, 209

Poesía no eres tú (R. Castellanos): 98, 100

Poesía reunida (1974-1994) (F. Hernández): 250

Poesía reunida (1979-1997) (A. Deltoro): 113

Poesía y alquimia. Los tres mundos de Gilberto Owen (J. García Terrés): 198, 199

Poesía y poética (J. Gorostiza): 235

Poesía y prosa literaria (G. de Nerval): 590

Poesías completas y algunas prosas (L. Cardoza y Aragón): 94

Poeta ciego (M. Bellatin): 59, 60

Poeta con paisaje: ensayos sobre la vida de Octavio Paz (G. Sheridan): 491, 511, 612, 615

Poética y profética (T. Segovia): 270, 592, 595, 596, 597, 598, 599, 603

Polvos de arroz (S. Galindo): 173

Popol Vuh: 19, 220, 409

Por el país de Montaigne (A. Castañón): 95

Por mor del mar (J. L. Rivas): 549, 550

Por su nombre (Á. Uribe): 653, 656

Porfirio Díaz. Místico de la autoridad (E. Krauze): 307

Porque parece mentira la verdad nunca se sabe (D. Sada): 574, 575, 576, 577, 580

Posdata (O. Paz): 168, 483, 492, 528

"Posible" (G. Deniz): 135

Práctica de vuelo (C. Pellicer): 512

"Praga, mi novia" (E. Huerta): 283

Presencia de Ramón Xirau (varios): 701

Primer amor (E. Garro): 213, 216

Primer ensayo hacia una tragedia mexicana (R. Usigli): 662

Primero sueño (J. I. de la Cruz): 587, 700

Principio de incertidumbre (J. Fernández): 164

Prístina y última piedra. Antología de poesía hispanoamericana presente (E. Milán): 381

Proa (J. Trujillo): 648

Proceso, revista: 323, 461

Prosa (J. Gorostiza): 235

"Prosa de la calavera" (J. E. Pacheco): 459

Prosas críticas (J. R. Jiménez): 547

Prosfisia (A. D'Aquino): 127

Prostíbulos (P. F. Miret): 385, 388

Protagonistas de la literatura hispanoamericana del siglo xx (E. Carballo): 716

Protagonistas de la literatura mexicana (E. Carballo): 89, 90, 704

Proverbios de Salomón: 208,

"Pudor" (H. Manjarrez): 356

Pueblo en vilo (L. González): 231, 232, 233, 234

Pueblo rechazado (V. Leñero): 321

Púrpura (A. García Bergua): 179, 181, 182

Querencia, gracias y otros poemas (E. Milán): 383, 384

Querido Diego, te abraza Quiela (E. Poniatowska): 522, 526

Quetzalcóatl (E. Abreu Gómez): 19

¿Quién me quita lo cantado? (M. Sinta [F. Hernández]): 250

Quince poetas del mundo náhuatl (M. León-Portilla): 328, 329

Ramón Xirau: en los jardines del tiempo (J. M. Espinasa): 699, 701

Rainey, el asesino (H. Manjarrez): 358, 359, 360

Rayuela (J. Cortázar): 169, 185, 348

Raz de marea (J. L. Rivas): 549, 551

Razón de ser (M. A. Montes de Oca): 412

Recobrar el sentido (T. Segovia): 600, 603

Recordatorio de Federico Gamboa (Á. Uribe): 653, 656

Redentores: ideas y poder en América Latina (E. Krauze), 318

Reducido a polvo (L. V. de Aguinaga): 29

Reencuentro de personajes (E. Garro): 214, 216

Reforma, periódico: 10

Refracción. Augusto Monterroso ante la crítica (W. H. Corral): 411

"Relación de los hechos" (J. C. Becerra): 58

Reloj de Atenas (J. García Terrés): 195, 196, 199

René (F.-R. Chateaubriand): 437

Repasos y defensas (A. Castro Leal): 100, 101

República de viento (A. Asiain): 45, 46

Rescoldos (E. Seligson): 604

Reseña de los hospitales de ultramar (Á. Mutis): 435

Resistir. Insistencias sobre el instante poético (E. Milán): 382

"Retorno de Ulises" (J. C. Becerra): 58

Retrato del artista adolescente (J. Joyce): 383

Retrato hablado (F. Segovia): 586

Retratos con paisaje (J. J. Blanco): 67

Retratos del fuego y la ceniza (S. Fernández): 161

Retratos personales (E. Krauze): 317, 318

Return Ticket (S. Novo): 444

Reunión de cuentos (J. Gardea): 200, 202

Revista de América: 210

Revista de la Universidad de México: 193, 194, 199

Revista de Occidente: 443, 562

Revista de Revistas: 222

Revista Mexicana de Literatura: 36, 89, 112, 165

Río (J. L. Rivas): 549, 550

Ritmo Delta (D. Sada): 576, 577

Robbery Under Law: The Mexican Objet-lesson (E. Waugh): 289

Robinson Crusoe (D. Defoe): 140

Robinson perseguido (F. Hinojosa): 260, 262

"Rodolfo Usigli en el teatro de la memoria" (O. Paz): 660

Rojos y azules (P. F. Miret): 385

Rompecabezas antiguo (P. F. Miret): 385, 387, 388

Rondas de la niña mala (E. Poniatowska): 522, 526

Rosas (E. Lizalde): 332, 333

Rosas negras (A. García Bergua): 179, 180, 181, 182

Ruina de la infame Babilonia (M. A. Montes de Oca): 412

Rusticatio mexicana (R. Landívar): 578, 626

S.nob, revista: 139, 431

Sábado, suplemento: 63, 112

Sabiduría de Israel: 208

Sabiduría de Jesús Ben Sirak: 208

Sala de retratos (E. Abreu Gómez): 20

Salomé y Judith (R. Castellanos): 99

Salón de belleza (M. Bellatin): 59, 60

Salto de Mantarraya (y otros dos) (C. Boullosa): 79

Salvador Novo. Lo marginal en el centro (C. Monsiváis): 395, 396, 399, 445

Samuel Ruiz en San Cristóbal (J. Meyer): 379, 380

Santa Cecilia (Ch. Gounod): 222

Santa Juana (G. B. Shaw): 658

Santísima (S. Magaña): 339

"Sazón del alba" (J. García Terrés): 197

Se está haciendo tarde (final en laguna) (J. Agustín): 301, 302, 303, 304, 305, 344

Se llamaba Vasconcelos (J. J. Blanco): 67, 68

Sed de mar (E. Seligson): 604

Segunda antología personal (F. Hernández): 250

Segunda persona (T. López Mills): 336

Segundo sueño (S. Fernández): 160, 161

"Seis vistas de la poesía mexicana" (O. Paz): 475

Seis, siete poemas (C. Pellicer): 512

Señales debidas (G. Sheridan): 615

Señales que precederán al fin del mundo (Y. Herrera): 256, 257, 258

Señas particulares: escritora (F. Bradu): 38, 81, 83, 85

Septiembre y los otros días (J. Gardea): 201

Ser norteamericanos (G. Stein): 574

Serpientes y escaleras (A. Muñiz-Huberman): 432

Servidumbre y grandeza de la vida literaria (Ch. Domínguez Michael): 9, 25, 65, 82, 101, 109, 226, 268, 313, 340, 350, 353, 363, 364, 371, 409, 478, 485, 532, 610, 619, 643

Shame (S. Rushdie): 344

Shiki Nagoaka: una nariz de ficción (M. Bellatin): 60

Si muero lejos de ti (J. Aguilar Mora): 21, 28, 160

Si ríe el emperador (C. Bracho): 80

"Siempre llueve en el pasado" (G. Sheridan): 612

Siempre!, revista: 62, 63, 397

Siete de espadas (R. Bonifaz Nuño): 75

Siete novelas. Empresas y tribulaciones de Maqroll el Gaviero (Á. Mutis): 435, 438

Siglo de caudillos (E. Krauze): 313, 314, 315, 316, 318

Siglo de un día (E. Lizalde): 334

Siglo pasado. Desenlace [1999-2000] (J. E. Pacheco): 459

"Sílabas por el maxilar de Franz Kafka" (E. Huerta): 283

Simposio (Platón): 220

Sin título (J. Hernández Campos): 250, 251

Sistemas de buceo (M. A. Montes de Oca): 414

Sóbol (J. Gardea): 201

Sobre escribir (F. Segovia): 586

Sobre la naturaleza de los sueños (H. Hiriart): 263, 265, 268, 270, 271, 273

Sobrenoche (J. Trujillo): 645, 647, 648

Soledad (R. Salazar Mallén): 582, 583

Soledad al cubo (F. Hernández): 250

Sólo los sueños y los deseos son inmortales, Palomita (E. Valadés): 667

Sombras detrás de la ventana. Cuentos reunidos (E. A. Parra): 465, 469

Sombras sueltas (L. Amara): 33

Son de mi padre (E. Milán): 383

Son vacas, somos puercos (C. Boullosa): 77, 79

"Sonetos a los arcángeles" (C. Pellicer): 512

Sonetos votivos (T. Segovia): 593, 603

Soñar la guerra (J. Gardea): 201

Sor Juana Inés de la Cruz o las trampas de la fe (O. Paz): 487, 507, 511

Sor Juana Inés de la Cruz. Bibliografía y biblioteca (E. Abreu Gómez): 19

Stabat mater (J. Aguilar Mora): 21, 28

Storia antica del Messico (F. J. Clavijero): 624

Suma de Maqroll el Gaviero (Á. Mutis): 435, 438

Suma teológica (T. de Aquino): 404

Supercherías y errores cervantinos (F. A. de Icaza): 221

Sur, revista: 348

Syllabus, encíclica (Pío IX): 715

"Tajimara" (J. García Ponce): 187

También Berlín se olvida (F. Morábito): 421, 422, 423, 425

Tanagra (A. D'Aquino): 127, 128

Tanatonomicón (S. C. Chuco [L. da Jandra]): 295

Tapioca Inn: mansión para fantasmas (F. Tario): 636

Tarde o temprano (J. E. Pacheco): 459, 452

Tarumba (J. Sabines): 573

Tata Lobo (E. Abreu Gómez): 20

Taxidermia (V. F. Herrasti): 255

Teatro completo (J. Ibargüengoitia): 290

Teatro completo (R. Usigli): 656, 662, 663, 664

Teatro completo (V. Leñero): 324

Teatro completo I (R. Leduc): 324

Teatro completo II (R. Leduc): 324

Temor de Borges (J. M. Espinasa): 150

Teoría del infierno y otros ensayos (S. Elizondo): 138, 142

Tequila, DF (F. Mejía Madrid): 367, 368, 369

Tercera Tenochtitlán (E. Lizalde): 333, 334

Terra cognita (M. Montiel Figueiras): 417, 418, 419

Terra Nostra (C. Fuentes): 160, 167, 169, 170, 171, 172

Tesoro de la lengua castellana o española (S. de Covarrubias): 642

Testimonios sobre Elena Garro (P. Rosas Lopátegui): 211, 213, 214, 217

Testimonios sobre Mariana (E. Garro): 213, 214, 217

The Little Review: 443

"The Queen" (H. Manjarrez): 356

Tiempo de arena (J. Torres Bodet): 640

Tiempo destrozado (A. Dávila): 129, 551

Tiempo lunar (M. Molina): 389, 390, 608

Tiempo y memoria en conversación desesperada. Poesía, 1923-1974 (R. Usigli): 660, 664

Tiempo y memoria en la obra de Proust (J. Torres Bodet): 638

Tierra adentro (A. Muñiz-Huberman): 432

Tierra baldía (T. S. Eliot): 486, 495, 549

Tierra de nadie (E. A. Parra): 463, 465

Tierra nativa (J. L. Rivas): 548, 549

Tierra Nueva, revista: 107, 365

Tijuanologías (H. Yépez): 706, 707, 708, 711

Tinísima (E. Poniatowska): 522, 526

Tintín (G. Remi): 436

Tirano Banderas (R. M. de Valle-Inclán): 288

Tiros en el concierto (Ch. Domínguez Michael): 9, 124, 237, 449, 544, 583, 673

Toda la luz (E. Seligson): 603, 604, 605

Todo Belascoarán (P. I. Taibo): 627, 635

Todo lo más por decir (J. García Terrés): 197

Tolstoi (J. Torres Bodet): 638

Toltecáyotl: aspectos de la cultura náhuatl (M. León-Portilla): 328, 329

Ton y son (G. Deniz): 134, 136,

Totalidad, seudototalidad y parte (S. C. Chuco [L. da Jandra]): 295

Totlazotlamatinitzin Noteopixcatzin: 208

Trabajos del reino (Y. Herrera): 256, 258

Tractatus logico-philosophicus (L. Wittgenstein): 331

Traer a cuento. Narrativa completa (J. de la Colina): 111, 114

Tras la ventana un árbol (E. Seligson): 604

Tratado de la lengua vigilada (S. Nagaoka): 60

Tratado del hombre (R. Descartes): 268

Trento, revista: 716

Tres inventores de realidad: Stendhal, Dos-toievsky y Pérez Galdós (J. Torres Bodet): 638

Tres poetas católicos (G. Zaid): 713, 714, 715, 716, 717, 721

Tres poetas de la soledad: Gorostiza, Villaurrutia y Paz (R. Xirau): 700

Tríptico de mar y tierra (Á. Mutis): 436

Tríptico del carnaval (S. Pitol): 516, 518

Tríptico del Desierto (J. Sicilia): 619, 621

Tropa de sombras (J. Gardea): 201, 202

Trotsky en Coyoacán (A. Muñiz-Huberman): 432

Ulises (J. Joyce): 281, 373

"Ultraje" (Á. Enrigue): 146

Un bel morir (Á. Mutis): 436

Un café con Gorrondona (A. Rossi): 555, 564

Un corazón adicto: la vida de Ramón López Velarde (G. Sheridan): 612, 615

Un corazón en un bote de basura (E. Garro): 213, 216

Un día en la vida del general Obregón (J. Aguilar Mora): 22, 28

Un extraño en la tierra (J. A. Ascencio): 571

Un jardín, cinco noches (y otros poemas) (T. López Mills): 336

Un lugar ajeno (T. López Mills): 336

Un navío un amor (J. L. Rivas): 549, 550, 551

Un tiempo suspendido (R. García Bonilla): 571

Un tipo de cuidado (F. Hinojosa): 260, 262

Un traje rojo para un duelo (E. Garro): 213, 217

Una cierta mirada. Crónicas de poesía (E. Milán): 382

Una muerte sencilla, justa, eterna (J. Aguilar Mora): 22. 24, 25, 28, 479

Una sangre (J. Trujillo): 646, 647

Una temporada de poesía (A. Paredes): 122, 278, 549

Una violeta de más (F. Tario): 636

Una visión en dos sueños. La balada del viejo marinero/Kubla Khan ([Coleridge] N. Keoseyán): 244

Uno soñaba que era rey (E. Serna): 606

Unomásuno, periódico: 63

Vaivén (M. A. Montes de Oca): 414

Vales tu peso en oro (J. R. Ackerley): 519

Valiente mundo nuevo (C. Fuentes): 690

Varia invención (J. J. Arreola): 40, 41, 45

Variaciones Goldberg (J. S. Bach): 217

Variaciones sobre tema mexicano (L. Cernuda): 102, 103

"Vasto reino de pesadumbre" (A. Rossi): 555

Veinte aventuras de la literatura mexicana (J. Blanco): 68

Veinte mil leguas de viaje submarino (J. Verne): 134, 415

Veintitantos poemas japoneses: 45, 46

Ven, caballo gris (J. de la Colina): 111

Vena cava (J. Esquinca): 152, 153

Vendimia del juglar (M. A. Montes de Oca): 413

Venustiano Carranza. Puente entre siglos (E. Krauze): 307

Verde Shanghai (C. Rivera Garza): 553

Versión (D. Huerta): 275, 281

Versos (1978-1994) (R. Bonifaz Nuño): 75

Versos escogidos (J. D. Frías): 221

Viaje a México. Ensayos, crónicas y retratos (A. Castañón): 97

Viaje al centro de la fábula (A. Monterroso): 410

Viaje al centro de mi tierra (G. Sheridan): 615

Viaje alrededor de mi padre (F. Mejía Madrid): 369

Viajes de Gulliver (F. Hinojosa): 260

Viajes en la América ignota (J. Ibargüengoitia): 290

Viajes y ensayos (S. Novo): 450

Vida con mi amigo (B. Jacobs): 292, 293, 411

Vida en claro (J. Moreno Villa): 177, 427, 428

Vida y obra de Jorge Cuesta (N. Grant Silvester): 587

Vida y obra de Luis Álvarez Petreña (M. Aub): 47

Vidas inejemplares (J. D. Frías): 222

Vidas perpendiculares (Á. Enrigue): 147, 148, 149

Viendo visiones (C. Fuentes): 170, 172

Villano al viento (A. Muñiz-Huberman): 432

Virtudes capitales (Á. Enrigue): 145

Visible y no visible/Seen and Unseen (E. Cross): 122

Visión de Anáhuac (A. Reyes): 361

Visión de los vencidos: 207, 329

Vivir del teatro (R. Leduc): 324

Vivir y beber (H. Hiriart): 270

Voces. Diario de trabajo (R. Usigli): 661, 664

Voluptuosidad (Ch. A. Sainte-Beuve): 422

Vuelta, revista: 45, 96, 112, 188, 218, 239, 317, 381, 403, 510, 554, 562, 612, 689, 716

Y Matarazo no llamó (E. Garro): 213, 216

Ya casi no tengo rostro (H. Manjarrez): 351, 352, 356, 357, 358, 360

Ya nada es igual. Memorias (1929-1953) (E. Carballo): 90

Yerba americana (P. Soler Frost): 626

Yo de amores qué sabía (F. Tario): 636

Yo, el francés. La intervención en primera persona. Biografía y crónica (J. Meyer): 380

Yo te conozco (H. Manjarrez): 360, 423

Zigzag (J. de la Colina): 111, 112, 114

Zungzwang (L. Helguera): 242

Índice general

Prólogo a la segunda edición 7
Prólogo a la primera edición 9

Abreu Gómez, Ermilo (1894-1971) 17
Aguilar Mora, Jorge (1946) 21
Aguinaga, Luis Vicente de (1971) 29
Alatorre, Antonio (1922-2010) 29
Amara, Luigi (1971) 31
Aridjis, Homero (1940) 34
Arredondo, Inés (1928-1989) 36
Arreola, Juan José (1918-2001) 39
Asiain, Aurelio (1960) 45
Aub, Max (1903-1972) 46

Baranda, María (1962) 51
Bartra, Roger (1942) 53
Becerra, José Carlos (1937-1970) 58
Bellatin, Mario (1960) 59
Benítez, Fernando (1910-2000) 62
Bermúdez, María Elvira (1912-1988) 64
Blanco, Alberto (1951) 65
Blanco, José Joaquín (1951) 66
Bolaño, Roberto (1953-2003) 68

Bonifaz Nuño, Rubén (1923) 74
Boullosa, Carmen (1954) 76
Bracho, Coral (1951) 79
Bradu, Fabienne (1954) 81

Carballido, Emilio (1925-2008) 87
Carballo, Emmanuel (1929) 88
Cardoza y Aragón, Luis (1904-1992) 90
Castañón, Adolfo (1952) 94
Castellanos, Rosario (1925-1974) 97
Castro Leal, Antonio (1896-1981) 100
Cernuda, Luis (1902-1963) 101
Cervantes, Francisco (1938-2004) 104
Chumacero, Alí (1918-2010) 106
Colina, José de la (1934) 110
Cosío Villegas, Daniel (1898-1976) 114
Cross, Elsa (1946) 118
Cuesta, Jorge (1903-1942) 122

D'Aquino, Alfonso (1959) 127
Dávila, Amparo (1928) 128
Deltoro, Antonio (1947) 130
Deniz, Gerardo (1934) 131

Elizondo, Salvador (1932-2006) 137
Enrigue, Álvaro (1969) 143
Espinasa, José María (1957) 149
Esquinca, Jorge (1957) 150

Fabre, Luis Felipe (1974) 155
Fadanelli, Guillermo (1960) 158
Fernández, Sergio (1926) 160
Fernández Granados, Jorge (1965) 162
Fuentes, Carlos (1928-2012) 164

Galindo, Sergio (1926-1993) 173
Gaos, José (1900-1969) 175
García Bergua, Ana (1960) 177
García Bergua, Jordi (1956-1979) 182
García Márquez, Gabriel (1928) 184
García Ponce, Juan (1932-2003) 186
García Terrés, Jaime (1924-1996) 192
Gardea, Jesús (1939-2000) 200
Garibay, Ricardo (1923-1999) 203
Garibay Kintana, Ángel María (1892-1967) 204
Garro, Elena (1920-1998) 209
Glantz, Margo (1930) 217
González de León, Ulalume (1932-2009) 218
González de Mendoza, José María (1893-1967) 220
González Rodríguez, Sergio (1950) 224
González Suárez, Mario (1964) 229
González y González, Luis (1925-2003) 231
Gorostiza, José (1901-1973) 234
Guzmán, Martín Luis (1887-1976) 235

Helguera, Luis Ignacio (1962-2003) 239
Herbert, Julián (1971) 243
Hernández, Efrén (1904-1958) 248
Hernández, Francisco (1946) 249
Hernández Campos, Jorge (1921-2004) 250
Herrasti, Vicente F. (1967) 254
Herrera, Yuri (1970) 256
Hinojosa, Francisco (1954) 259
Hiriart, Hugo (1942) 262
Huerta, David (1949) 273
Huerta, Efraín (1914-1982) 281

Ibargüengoitia, Jorge (1928-1983) 285

Jacobs, Bárbara (1947) 291
Jandra, Leonardo da (1951).. 294
José Agustín (1944) 301

Krauze, Enrique (1947) 307

Leduc, Renato (1897-1986)... 319
Leñero, Vicente (1933)... 320
León Felipe (1884-1968) 325
León-Portilla, Miguel (1926)... 327
Lizalde, Eduardo (1929) 329
López Mills, Tedi (1959)... 335
López Páez, Jorge (1922).. 337

Magaña, Sergio (1924-1990) 339
Manjarrez, Héctor (1945).. 341
Martínez, José Luis (1918-2007) 360
Mejía Madrid, Fabrizio (1968)....................................... 367
Melo, Juan Vicente (1932-1996) 370
Mendoza, Élmer (1949).. 374
Meyer, Jean (1942) 377
Milán, Eduardo (1952)... 380
Miret, Pedro F. (1932-1988).. 384
Molina, Mauricio (1959)... 388
Monsiváis, Carlos (1938-2010)...................................... 391
Montemayor, Carlos (1947-2010).................................... 399
Monterroso, Augusto (1921-2003)................................... 409
Montes de Oca, Marco Antonio (1932-2009) 411
Montiel Figueiras, Mauricio (1968) 416
Morábito, Fabio (1955) 419
Moreno Villa, José (1887-1955) 425
Moreno Villarreal, Jaime (1956)...................................... 429
Muñiz-Huberman, Angelina (1936)................................... 431
Murguía, Verónica (1960) 433
Mutis, Álvaro (1923) 434

Nandino, Elías (1900-1993) 439
Nettel, Guadalupe (1973) 440
Novo, Salvador (1904-1974) 443

O'Gorman, Edmundo (1906-1995) 451

Pacheco, José Emilio (1939) 455
Parra, Eduardo Antonio (1965) 463
Paso, Fernando del (1935) 469
Paz, Octavio (1914-1998) 474
Pellicer, Carlos (1899-1977) 512
Pitol, Sergio (1933) 513
Poniatowska, Elena (1932) 519
Portilla, Jorge (1919-1963) 526

Quijano, Álvaro (1955-1994) 533
Quintanilla, Susana (1956) 534

Revueltas, José (1914-1976) 539
Reyes, Alfonso (1889-1959) 544
Reyes, Jaime (1947-1999) 546
Rivas, José Luis (1950) 547
Rivera Garza, Cristina (1964) 551
Rossi, Alejandro (1932-2009) 553
Rulfo, Juan (1917-1986) 564

Sabines, Jaime (1926-1999) 573
Sada, Daniel (1953-2011) 574
Salazar Mallén, Rubén (1905-1986) 581
Sánchez, José Eugenio (1965) 583
Segovia, Francisco (1958) 586
Segovia, Tomás (1927-2011) 590
Seligson, Esther (1941-2010) 603
Serna, Enrique (1959) 606
Sheridan, Guillermo (1950) 608

Sicilia, Javier (1956)   616
Soler Frost, Pablo (1965)   622

Taibo II, Paco Ignacio (1949)   627
Tario, Francisco (1911-1977)   635
Torres Bodet, Jaime (1902-1974)   637
Torri, Julio (1889-1970)   641
Toscana, David (1961)   644
Trujillo, Julio (1969)   645

Uranga, Emilio (1921-1988)   649
Uribe, Álvaro (1953)   652
Usigli, Rodolfo (1905-1979)   656

Valadés, Edmundo (1915-1994)   665
Valle-Arizpe, Artemio de (1884-1961)   667
Vallejo, Fernando (1942)   668
Vasconcelos, José (1882-1959)   670
Vicens, Josefina (1911-1988)   674
Villegas, Paloma (1951)   675
Villoro, Juan (1956)   676
Volkow, Verónica (1955)   685
Volpi, Jorge (1968)   687

Xirau, Ramón (1924)   699

Yáñez, Agustín (1904-1980)   703
Yépez, Heriberto (1974)   705

Zaid, Gabriel (1934)   713

Índice de obras   723

Diccionario crítico de la literatura mexicana (1955-2011), de Christopher Domínguez Michael, se terminó de imprimir y encuadernar en noviembre de 2012 en Impresora y Encuadernadora Progreso, S. A. de C. V. (IEPSA), Calz. San Lorenzo, 244; 09830 México, D. F. En su composición, elaborada en el Departamento de Integración Digital del FCE, se usaron tipos ITC Berkeley Oldstyle Std. La edición consta de 2 000 ejemplares.